GB
E
I
M
Pagine c
C000023214
2 Calais
Dunkerque
Boulogne-sur-Mer
4
6
Lille-Lomme
10
Lens
Arras
12
Valenciennes
Abbeville
24
18
Amiens
St-Quentin
20
Neufchâtel-en-Bray
Laon
Charleville-Mézières
22
26
36
Beauvais
38
Soissons
40
42
44
Thionville
Reims
Verdun
Metz
68
Sarreguemines
25
Haguenau
Château-Thierry
58
PARIS
Versailles
60
62
Châlons-en-Champagne
64
Bar-le-Duc
66
Nancy
70
Saverne
Strasbourg
71
86
Chartres
88
Fontainebleau
90
Troyes
92
Neufchâteau
94
Épinal
96
Colmar
Sens
Chaumont
110
Montargis
Orléans
112
Auxerre
114
Châtillon-sur-Seine
116
118
Belfort
97
Mulhouse
Blois
130
132
Avallon
134
Montbard
136
138
Montbéliard
Salbris
Dijon
Besançon
148
Bourges
150
Nevers
152
Autun
154
Dole
156
Pontarlier
Châteauroux
Mouthe
166
St-Amand-Montrond
168
Moulins
170
Charolles
172
Lons-le-Saunier
174
Montluçon
Mâcon
182
Guéret
184
Vichy
186
Roanne
188
Bourg-en-Bresse
190
Annecy
192
Chamonix-Mont-Blanc
200
Ussel
202
Clermont-Ferrand
204
St-Étienne
Lyon
206
208
Chambéry
Bourg-St-Maurice
193
216
Tulle
Brive-la-Gaillarde
218
St-Flour
220
le Puy-en-Velay
222
Valence
224
Grenoble
226
Briançon
234
Aurillac
236
Mende
238
Privas
240
Montélimar
242
Gap
227
Guillestre
250
252
Villefranche-de-Rouergue
Millau
254
Alès
256
Carpentras
258
Digne-les-Bains
260
Barcelonnette
311
Tende
ntauban
270
Albi
272
Lodève
274
Montpellier
Nîmes
Avignon
276
Arles
278
Draguignan
280
Monaco
Nice
Cannes
Aix-en-Provence
88
uret
290
Carcassonne
292
Béziers
294
Marseille
296
298
St-Tropez
Toulon
300
308
Limoux
310
Perpignan
Mont-Louis
Céret
12
314
317
Bastia
318
Calvi
316
Corte
320
Ajaccio
322
Porto-Vecchio
Sartène

Principaux axes routiers (F)
Routeplanner (NL)
Übersichtskarte (D)
Route planner (GB)
Organizador de ruta (E)
Guida agli itinerari (I)

II

M A N C H E

Dover
Folkestone
Cal

Penzance
Plymouth
Weymouth
Poole
Portsmouth
Newhaven
Boulogne--sur-Mer

Abbevill
A 2

Dieppe
N27
76
A 29
N15 N15

Cherbourg--Octeville
N13
Le Havre
A 131
N175
ROUEN
N14
B

Îles Anglo-Normandes
Bayeux
Ouistreham
A 13
N175
les Ande
N15 Seine

50
St-Lô
Coutances
N13
CAEN
Lisieux
N13
Bernay
N138
Évreux
27
N13
A

14
N174
Vire
A 84
Orne
N158
Argentan
A 28
N26
N12
Dreux
7
N154

Avranches
N176
61
Alençon
N12
Mortagne--au-Perche
Mamers
N23
Chartres
N154

Rosslare
Roscoff
Lannion
Guingamp
St-Malo
Dinan
A 84
Fougères
N12
Mayenne
N12
N23
Nogent--le-Rotrou
28
Châteaudu

Plymouth

Brest
N12
Morlaix
N176
35
N12
53
72
A 28
A 11
N10

29
N164
RENNES
Vilaine
N162
LE MANS
N138
A 11
N157
Vendôme
N157
A 10

Châteaulin
Pontivy
N24
N157
Laval
A 81
A 11
Sarthe
Blois
4

Quimper
N165
56
N137
Château--Gontier
la Flèche
N138
Loir

Lorient
N24
Vannes
N166
Redon
Segré
Châteaubriant
ANGERS
N152
TOURS
N76
Romo--Lant

Belle-Île
N165
N171
44
A 11
Ancenis
A 85
Loire
Vienne
37
N143
A

St-Nazaire
N23
NANTES
N160
Saumur
N152
Chinon
Loches

Î. de Noirmoutier
N137
A 87
49
N147
Châtellerault

Î. d'Yeu
N249
Cholet
N149
Bressuire
N10

la Roche--sur-Yon
A 83
Parthenay
N149
POITIERS
N151
le Blanc
la

85
N148
Fontenay--le-Comte
79
A 10
36

les Sables--d'Olonne
N137
N11
N11
A 10
86
Montmorillon
N147

Î. de Ré
Niort
N10

O C É A N
LA ROCHELLE
N137
17
N150
Confolens
N147
N145
Bellac

Rochefort
A 837
St-Jean--d'Angély
Rochechouart
LIMOGES

Î. d'Oléron
N137
N150
Saintes
Cognac
N141
87
A 20

A T L A N T I Q U E
Royan
N137
N141
Angoulême
Nontron
N21

Charente

N150
Jonzac
16
N10
N21

Lesparre--Médoc
N215
A 10
Périgueux
A 89
N89
D9

33
Blaye
A 89
N89
24
Brive--Gaillar

Arcachon
A 63
Libourne
Bergerac
Sarlat--la-Canéda
N20

BORDEAUX
Dordogne

| 0 | km | 150 |
| 0 | miles | 100 |

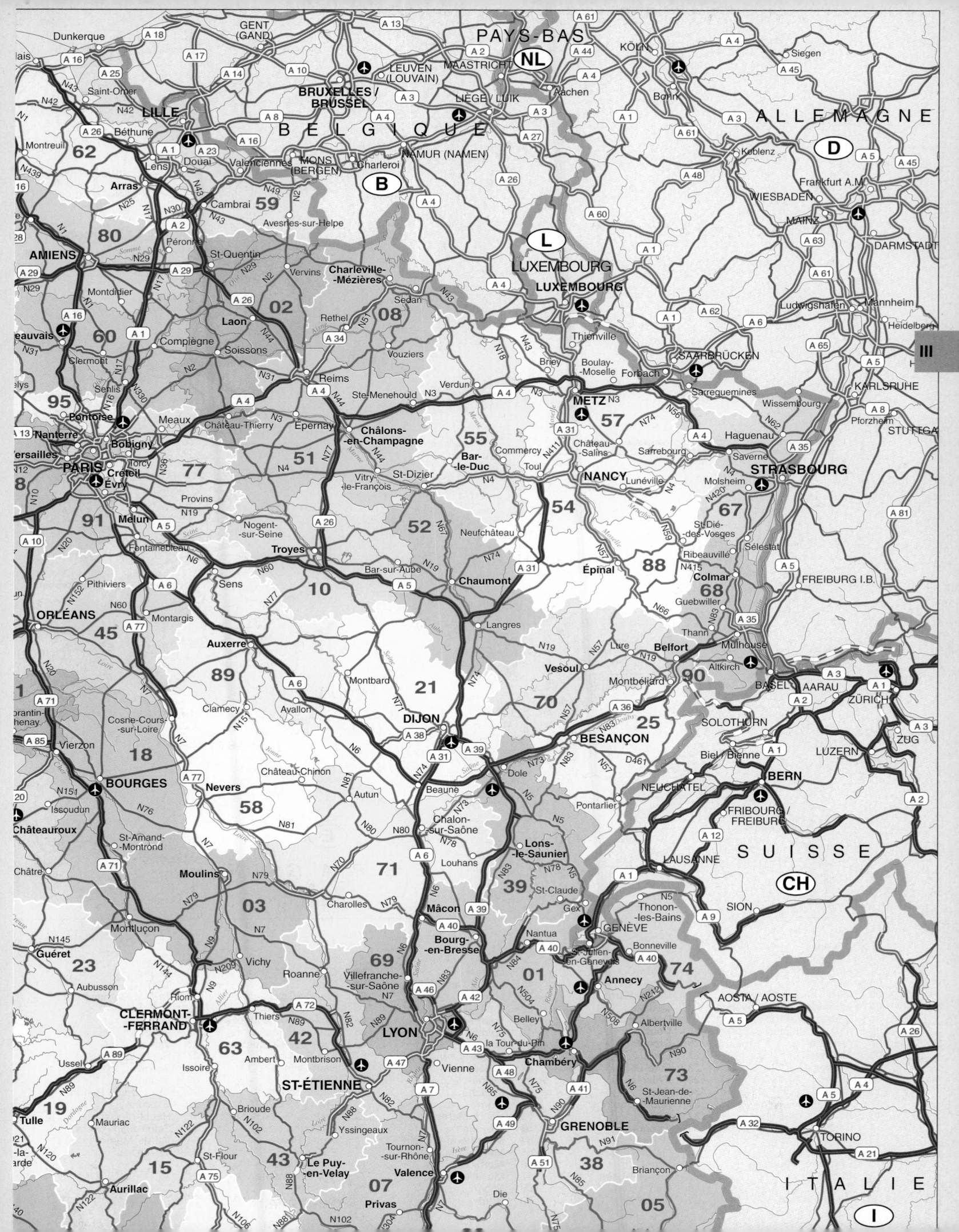

PAYS-BAS
NL
BELGIQUE
B
L
LUXEMBOURG
ALLEMAGNE
D
SUISSE
CH
ITALIE
I
III
Dunkerque
GENT (GAND)
LEUVEN (LOUVAIN)
MAASTRICHT
KÖLN
Siegen
Saint-Omer
BRUXELLES / BRUSSEL
LIÈGE / LUIK
Aachen
Bonn
LILLE
Béthune
Montreuil
Lens
Douai
Valenciennes
MONS (BERGEN)
Charleroi
NAMUR (NAMEN)
Koblenz
Frankfurt A.M.
WIESBADEN
MAINZ
DARMSTADT
Arras
Cambrai
Avesnes-sur-Helpe
Péronne
AMIENS
St-Quentin
Vervins
Charleville-Mézières
Sedan
LUXEMBOURG
Ludwigshafen
Mannheim
Heidelberg
Montdidier
Rethel
Laon
Beauvais
Compiègne
Soissons
Vouziers
Thionville
Clermont
Briey
Boulay-Moselle
Forbach
SAARBRÜCKEN
Senlis
Reims
Verdun
Ste-Menehould
Sarreguemines
KARLSRUHE
Wissembourg
Pontoise
Meaux
Château-Thierry
Epernay
METZ
Pforzheim
STUTTGART
Nanterre
Bobigny
Châlons-en-Champagne
Commercy
Château-Salins
Haguenau
Versailles
PARIS
Torcy
Créteil
Évry
Bar-le-Duc
Toul
Sarrebourg
Saverne
STRASBOURG
Vitry-le-François
St-Dizier
NANCY
Lunéville
Molsheim
Provins
Melun
Nogent-sur-Seine
Neufchâteau
St-Dié-des-Vosges
Sélestat
Fontainebleau
Troyes
Ribeauvillé
Bar-sur-Aube
Épinal
Colmar
Chaumont
Pithiviers
Sens
FREIBURG I.B.
Guebwiller
ORLÉANS
Montargis
Langres
Thann
Mulhouse
Auxerre
Lure
Belfort
Altkirch
Vesoul
Montbéliard
BASEL
AARAU
ZÜRICH
Montbard
Clamecy
Avallon
Cosne-Cours-sur-Loire
DIJON
SOLOTHURN
ZUG
Vierzon
BESANÇON
LUZERN
Biel / Bienne
Château-Chinon
Dole
Nevers
BOURGES
Autun
Beaune
NEUCHÂTEL
BERN
Issoudun
Pontarlier
Châteauroux
Chalon-sur-Saône
FRIBOURG / FREIBURG
St-Amand-Montrond
Louhans
Lons-le-Saunier
LAUSANNE
Châtre
Moulins
St-Claude
Thonon-les-Bains
Charolles
Mâcon
Gex
SION
Montluçon
Nantua
GENÈVE
Bourg-en-Bresse
Guéret
Vichy
St-Julien-en-Genevois
Bonneville
Roanne
Villefranche-sur-Saône
Annecy
Aubusson
Riom
AOSTA / AOSTE
Thiers
CLERMONT-FERRAND
Belley
Albertville
LYON
la Tour-du-Pin
Ussel
Ambert
Montbrison
Chambéry
Issoire
Vienne
ST-ÉTIENNE
St-Jean-de-Maurienne
Tulle
Brioude
Mauriac
Yssingeaux
GRENOBLE
TORINO
St-Flour
Tournon-sur-Rhône
Le Puy-en-Velay
Valence
Briançon
Aurillac
Privas
Die

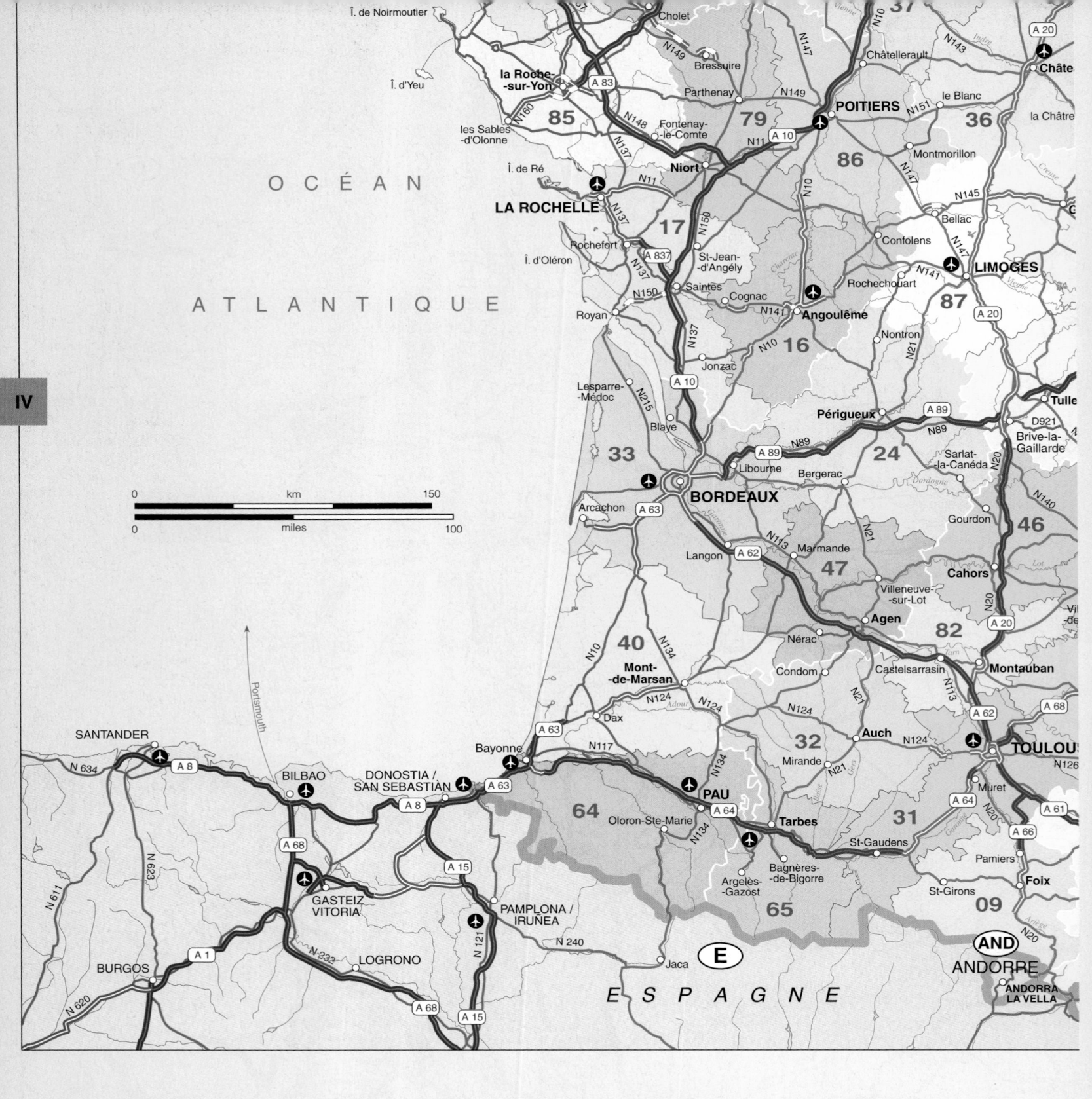

IV

01	Ain	2B	Haute-Corse	40	Landes	60	Oise	80	Somme
02	Aisne	21	Côte-d'Or	41	Loir-et-Cher	61	Orne	81	Tarn
03	Allier	22	Côtes d'Armor	42	Loire	62	Pas-de-Calais	82	Tarn-et-Garonne
04	Alpes-de-Haute-Provence	23	Creuse	43	Haute-Loire	63	Puy-de-Dôme	83	Var
05	Hautes-Alpes	24	Dordogne	44	Loire-Atlantique	64	Pyrénées-Atlantiques	84	Vaucluse
06	Alpes-Maritimes	25	Doubs	45	Loiret	65	Hautes-Pyrénées	85	Vendée
07	Ardèche	26	Drôme	46	Lot	66	Pyrénées-Orientales	86	Vienne
08	Ardennes	27	Eure	47	Lot-et-Garonne	67	Bas-Rhin	87	Haute-Vienne
09	Ariège	28	Eure-et-Loir	48	Lozère	68	Haut-Rhin	88	Vosges
10	Aube	29	Finistère	49	Maine-et-Loire	69	Rhône	89	Yonne
11	Aude	30	Gard	50	Manche	70	Haute-Saône	90	Territoire de Belfort
12	Aveyron	31	Haute-Garonne	51	Marne	71	Saône-et-Loire	91	Essonne
13	Bouches-du-Rhône	32	Gers	52	Haute-Marne	72	Sarthe	92	Hauts-de-Seine
14	Calvados	33	Gironde	53	Mayenne	73	Savoie	93	Seine-Saint-Denis
15	Cantal	34	Hérault	54	Meurthe-et-Moselle	74	Haute-Savoie	94	Val-de-Marne
16	Charente	35	Ille-et-Vilaine	55	Meuse	75	Paris	95	Val-d'Oise
17	Charente-Maritime	36	Indre	56	Morbihan	76	Seine-Maritime		
18	Cher	37	Indre-et-Loire	57	Moselle	77	Seine-et-Marne		
19	Corrèze	38	Isère	58	Nièvre	78	Yvelines		
2A	Corse-du-Sud	39	Jura	59	Nord	79	Deux-Sèvres		

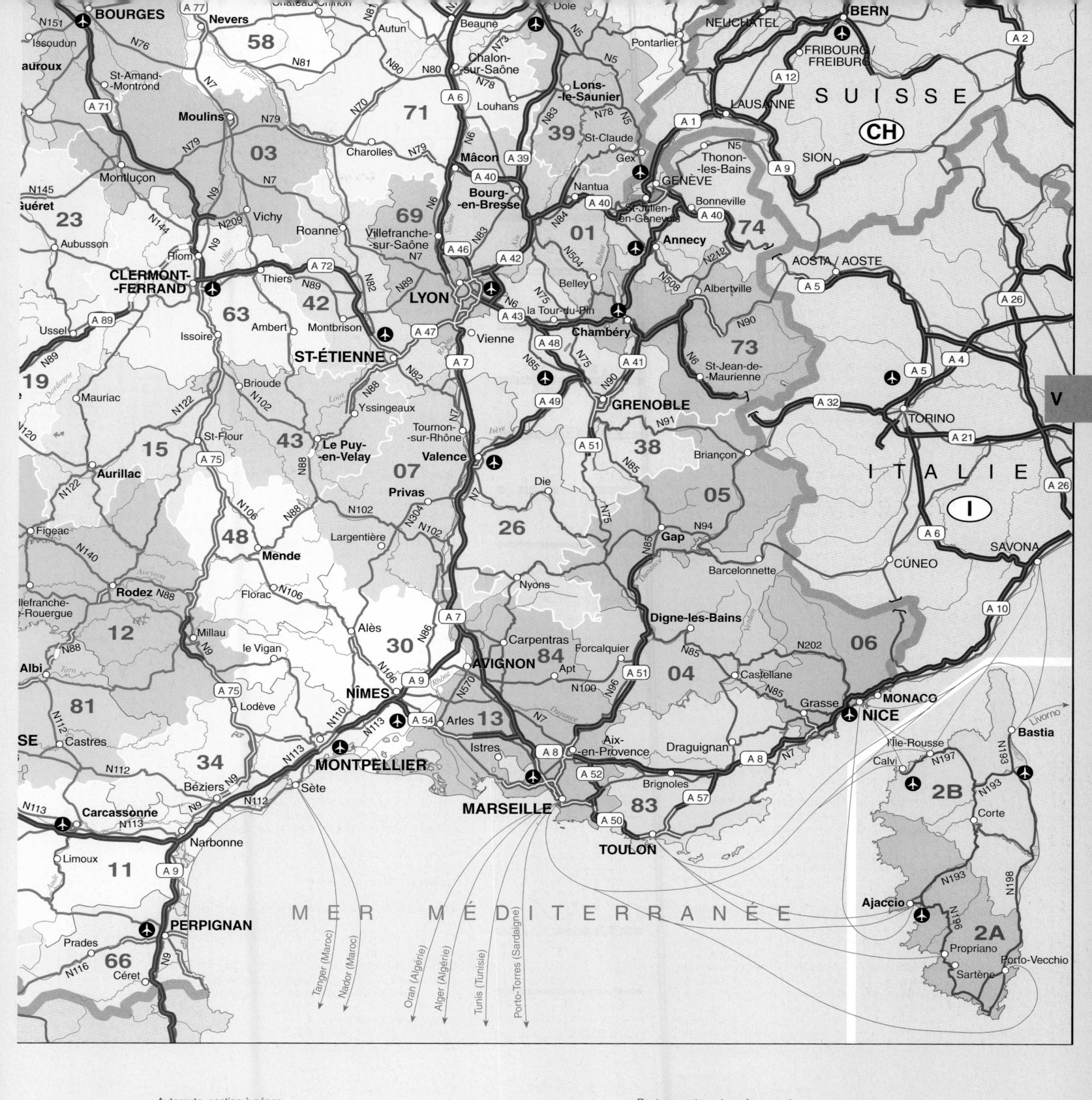

Map labels

BOURGES · Nevers · NEUCHATEL · BERN

Issoudun · N151 · Château-Chinon · N81 · Dole · FRIBOURG / FREIBURG · A 2

aux · N76 · 58 · Autun · Beaune · N5 · Pontarlier · SUISSE

St-Amand- · N81 · N5 · A 12

Montrond · Chalon- · LAUSANNE · CH

A 71 · Charolles · -sur-Saône · N78 · SION

Moulins · N79 · 71 · N80 · Louhans · Lons- · A 1

N80 · N78 · -le-Saunier · Thonon- · N5

03 · A 6 · Mâcon · 39 · St-Claude · les-Bains · GENÈVE

Montluçon · Vichy · N7 · A 39 · Gex · Bonneville · 74

23 · Roanne · 69 · Bourg- · N5 · A 40 · St-Julien- · A 40

Aubusson · Villefranche- · -en-Bresse · 01 · en-Genevois · Annecy · AOSTA / AOSTE

éret · Riom · sur-Saône · A 46 · A 42 · N84 · N504 · N212

CLERMONT- · Thiers · N7 · LYON · A 43 · Belley · Albertville · A 5

-FERRAND · 63 · Ambert · Montbrison · A 47 · la Tour-du-Pin · Chambéry · 73 · A 4

Ussel · A 89 · 42 · Vienne · A 48 · A 41 · St-Jean-de- · A 32 · TORINO

19 · Mauriac · Brioude · N102 · St-ÉTIENNE · A 49 · GRENOBLE · -Maurienne · A 21

N89 · N122 · Yssingeaux · A 7 · N90 · ITALIE

15 · St-Flour · 43 · Tournon- · Die · A 51 · 38 · Briançon · A 26

Aurillac · Le Puy- · -sur-Rhône · Isère · N85 · I

-en-Velay · Valence · 05 · SAVONA

Figeac · 48 · Privas · 26 · Gap · N94 · CÚNEO

Mende · Largentière · N75 · Barcelonnette · A 10

12 · Millau · Florac · N106 · Nyons · 06

Rodez · N88 · Alès · Carpentras · Digne-les-Bains · N202

81 · le Vigan · 30 · AVIGNON · 84 · Forcalquier · Castellane · MONACO

Albi · A 75 · Apt · 04 · Grasse · NICE

Castres · N112 · NÎMES · A 9 · Arles · 13 · Aix- · Draguignan · l'Île-Rousse · Bastia

34 · Béziers · Sète · A 54 · Istres · en-Provence · 83 · Calvi · N197 · N193

MONTPELLIER · N113 · A 8 · Brignoles · A 57 · 2B · Corte

Carcassonne · Narbonne · MARSEILLE · A 52 · A 50 · TOULON

Limoux · 11 · A 9 · Ajaccio · 2A

66 · Céret · MER MÉDITERRANÉE · Propriano · Porto-Vecchio

PERPIGNAN · Prades · Sartène

 Légende — Legend GB
NL Legenda — Leyenda E
D Legende — Legenda I

Autoroute, section à péage Autosnelweg, gedeelte met tol Autobahn, gebührenpflichtiger Abschnitt	Motorway, toll section Autopista de peaje Autostrada, tratto a pedaggio
Autoroute, section libre Autosnelweg, tolvrij gedeelte Autobahn, gebührenfreier Abschnitt	Motorway, toll-free section Autopista gratuita Autostrada, tratto libero
Voie à caractère autoroutier Weg van het type autosnelweg Schnellstraße	Dual carriageway with motorway characteristics Autovía Strada con caratteristiche autostradale
Échangeur: complet (1), partiel (2), numéro Knooppunt: volledig (1), gedeeltelijk (2), nummer Vollanschlußstelle (1), beschränkte Anschlußstelle (2), Nummer	Junction: complete (1), restricted (2), number Acceso: completo (1), parcial (2), número Svincolo: completo (1), parziale (2), numero
Barrière de péage (1), Aire de service (2), Aire de repos (3) Tolversperring (1), Tankstation (2), Rustplaats (3) Mautstelle (1), Tankstelle (2), Rastplatz (3)	Tollgate (1), Service area (2), Rest area (3) Barrera de peaje (1), Área de servicio (2), Área de descanso (3) Barriera di pedaggio (1), Area di servizio (2), Area di riposo (3)
Autoroute en construction (1), Radar fixe (2) Autosnelweg in aanleg (1), Verkeersradar (2) Autobahn im Bau (1), Radarkontrolle (2)	Motorway under construction (1), Speed camera (fixed radar) (2) Autopista en construcción (1), Radar (2) Autostrada in costruzione (1), Radar (2)
Route appartenant au réseau vert Verbindingsweg tussen belangrijke plaatsen (groene verkeersborden) Verbindungsstraße zwischen wichtigen Städten (grüne Verkehrsschilder)	Connecting road between main towns (green road sign) Carretera de la red verde (comunicación entre dos ciudades importantes) Strada di grande comunicazione fra città importante (cartelli stradali verdi)
Autre route de liaison principale Hoofdweg Hauptstraße	Other main road Otra carretera principal Strada di grande comunicazione
Route de liaison régionale Streekverbindingsweg Regionale Verbindungsstraße	Regional connecting road Carretera regional Strada di collegamento regionale
Autre route Andere weg Sonstige Straße	Other road Carretera local Altra strada
Route en construction Weg in aanleg Straße im Bau	Road under construction Carretera en construcción Strada in construzione
Route irrégulièrement entretenue (1), Chemin (2) Onregelmatig onderhoude weg (1), Pad (2) Nicht regelmäßig instandgehaltene Straße (1), Fußweg (2)	Not regularly maintained road (1), Footpath (2) Carretera sin revestir (1), Camino (2) Strada di irregolare manutenzione (1), Sentiero (2)
Tunnel (1), Route interdite (2) Tunnel (1), Verboden weg (2) Tunnel (1), Gesperrte Straße (2)	Tunnel (1), Prohibited road (2) Túnel (1), Carretera prohibida (2) Galleria (1), Strada vietata (2)
Distances kilométriques (km), Numérotation: Autoroute, type autoroutier Afstanden in kilometers (km), Wegnummers: Autosnelweg Entfernungen in Kilometern (km), Straßennumerierung: Autobahn	Distances in kilometres (km), Road numbering: Motorway Distancia en kilómetros (km), Numeración de las carreteras: Autopista Distanze in chilometri (km), Numero di strada: Autostrada
Distances kilométriques sur route, Numérotation: Autre route Wegafstanden in kilometers, Wegnummers: Andere weg Straßenentfernungen in Kilometern, Straßennumerierung: Sonstige Straße	Distances in kilometres on road, Road numbering: Other road Distancia en kilómetros por carretera, Numeración de las carreteras: Otra carretera Distanze in chilometri su strada, Numero di strada: Altra strada
Chemin de fer, gare, arrêt, tunnel Spoorweg, station, halte, tunnel Eisenbahn, Bahnhof, Haltepunkt, Tunnel	Railway, station, halt, tunnel Ferrocarril, estación, parada, túnel Ferrovia, stazione, fermata, galleria
Liaison maritime Bootdienst met autovervoer Autofähre	Ferry route Linea maritima (ferry) Collegamento maritimo (ferry)
Aéroport (1), Aérodrome (2) Luchthaven (1), Vliegveld (2) Flughafen (1), Flugplatz (2)	Airport (1), Airfield (2) Aeropuerto (1), Aeródromo (2) Aeroporto (1), Aerodromo (2)
Zone bâtie Bebouwde kom Geschlossene Bebauung	Built-up area Zona edificada Zona urbanistica
Zone industrielle Industriegebied Industriegebeit	Industrial park Zona industrial Zona industriale
Bois Bos Wald	Woods Bosque Bosco

Bastia

F Légende   Legend GB
NL Legenda   Leyenda E
D Legende   Legenda I

Limite de département Departementsgrens Departementsgrenze		Département boundary Límite de departamento Confine di dipartimento
Limite de région Gewestgrens Regionsgrenze		Region boundary Límite de región Confine di regione
Limite d'État Staatsgrens Staatsgrenze		International boundary Límite de Nación Confine di Stato
Limite de camp militaire (1), Limite de Parc Grens van militair kamp (1), Parkgrens (2) Truppenübungsplatzgrenze (1), Naturparkgrenze (2)	1 2	Military camp boundary (1), Park boundary (2) Limite de campo militar (1), Limite de Parque (2) Limite di campo militare (1), Limite di parco (2)
Marais (1), Marais salants (2), Glacier (3) Moeras (1), Zoutpan (2), Gletsjer (3) Sumpf (1), Salzteiche (2), Gletscher (3)	1 2 3	Marsh (1), Salt pan (2), Glacier (3) Marisma (1), Salinas (2), Glaciar (3) Palude (1), Saline (2), Ghiacciaio (3)
Région sableuse (1), Sable humide (2) Zandig gebied (1), Getijdengebied (2) Sandgebiet (1), Gezeiten (2)	1 2	Dry sand (1), Wet sand (2) Zona arenosa (1), Arena húmida (2) Area sabbiosa (1), Sabbia bagnata (2)
Cathédrale (1), Abbaye (2) Kathedraal (1), Abdij (2) Dom (1), Abtei (2)	1 2	Cathedral (1), Abbey (2) Catedral (1), Abadía (2) Cattedrale (1), Abbazia (2)
Église (1), Chapelle (2) Kerkgebouw (1), Kapel (2) Kirche (1), Kapelle (2)	1 2	Church (1), Chapel (2) Iglesia (1), Capilla (2) Chiesa (1), Cappella (2)
Château (1), Château ouvert au public (2), Musée (3) Kasteel (1), Kasteel open voor publiek (2), Museum (3) Schloß (1), Schloßbesichtigung (2), Museum (3)	1 2 3	Castle (1), Castle open to the public (2), Museum (3) Castillo (1), Castillo abierto al público (2), Museo (3) Castello (1), Castello aperto al pubblico (2), Museo (3)
Localité d'intérêt touristique Bezienswaardige plaats Sehenswerter Ort	**LA ROCHELLE** *Baou-des-Blanc*	Place of tourist interest Localidad de interés turistico Località di interesse turistico
Phare (1), Moulin (2) Vuurtoren (1), Molen (2) Leuchtturm (1), Mühle (2)	1 2	Lighthouse (1), Mill (2) Faro (1), Molino (2) Faro (1), Mulino (2)
Curiosité (1), Cimetière militaire (2) Bezienswaardigheid (1), Militaire begraafplaats (2) Sehenswürdigkeit (1), Soldatenfriedhof (2)	1 2	Place of interest (1), Military cemetery (2) Curiosidad (1), Cementerio militar (2) Curiosità (1), Cimitero militare (2)
Grotte (1), Mégalithe (2) Grot (1), Megaliet (2) Höhle (1), Megalith (2)	1 2	Cave (1), Megalith (2) Cueva (1), Megalito (2) Grotta (1), Megalite (2)
Vestiges antiques (1), Ruines (2) Historische overblijfselen (1), Ruïnes (2) Altertümliche Ruinen (1), Ruinen (2)	1 2	Antiquities (1), Ruins (2) Vestigios antiguos (1), Ruinas (2) Vestigia antiche (1), Rovine (2)
Pointe de vue (1), Panorama (2), Cascade ou source (3) Uitzichtspunt (1), Panorama (2), Waterval of bron (3) Aussichtspunkt (1), Rundblick (2), Wasserfall oder Quelle (3)	1 2 3	Viewpoint (1), Panorama (2), Waterfall or spring (3) Punto de vista (1), Panorama (2), Cascada o fuente (3) Punto di vista (1), Panorama (2), Cascata o sorgente (3)
Station thermale (1), Sports d'hiver (2) Kuuroord (1), Wintersport (2) Kurort mit Thermalbad (1), Wintersportort (2)	1 2	Spa (1), Winter sports resort (2) Estación termal (1), Estación de deportes de invierno (2) Stazione termale (1), Stazione di sport invernali (2)
Refuge (1), Activités de loisirs (2) Schuilhut (1), Recreatieactiviteiten (2) Berghütte (1), Freizeittätigkeiten (2)	1 2	Refuge hut (1), Leisure activities (2) Refugio (1), Actividades de ocios (2) Rifugio (1), Attività di divertimenti (2)
Maison du Parc (1), Réserve naturelle (2), Parc ou jardin (3) Informatiebureau van natuurreservaat (1), Natuurreservaat (2), Park of tuin (3) Informationsbüro des Parks (1), Naturschutzgebiet (2), Park oder Garten (3)	1 2 3	Park visitor centre (1), Nature reserve (2), Park or garden (3) Casa del parque (1), Reserva natural (2), Parque o jardín (3) Casa del parco (1), Riserva naturale (2), Parco o giardino (3)
Chemin de fer touristique (1), Téléphérique (2) Toeristische trein (1), Kabelspoor (2) Touristische Kleinbahn (1), Seilbahn (2)	1 2	Tourist railway (1), Aerial cableway (2) Tren turistico (1), Teleférico (2) Ferrovia di interesse turistco (1), Teleferica (2)

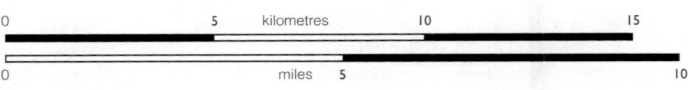

2
A
B
C
D
E
1
2
3
4
5
6
PAS DE CALAIS
CÔTE D'OPALE
Tunnel sous la Manche
Dover (Grande-Bretagne)
CALAIS
Tr du Guet
Blériot-Plage
Citad.
Mon. des Bourgeois de Calais
Cité Civry
Sangatte
Coquelles
Mon.
CAP BLANC NEZ
Peuplingues
Escalles
Fréthun
Coulogne
Nielles-lès-Calais
Les Attaques
Terminal Eurotunnel
St-Tricat
Hames-Boucres
Le Marais de Guînes
Bonningues-lès-Calais
Wadenthun
Pihen-lès-Guînes
Tour de l'Horloge
Guînes
Andres
Étang d'Ardres
Le Pont d'Ardres
Bois-en-Ardres
Ardres
Balinghem
Brêmes
Nielles-lès-Ardres
Campagne-lès-Guînes
Colonne Blanchard
Autingues
Rodelinghem
Le Fresne
Landrethun-lès-Ardres
Écottes
Chap. St-Louis
Zouafques
Tournehem-sur-la-Hem
Louches
Berthum
Zutkerque
Nortkerque
Nordausques
Polincove
Ostove
Marck
Beau Marais
Offekerque
Guemps
Nouvelle-Église
Vieille-Église
Fort Bâtard
Can. de Calais à St-Omer
Oye-Plage
Waldam
Le Fort Vert
Le Pont d'Oye
Les Hemmes de Marck
Les Hemmes d'Oye
Le Tape-Cul
Les Dunes d'Oye
Rés. Nat. du Platier d'Oye
Grand-Fort-Philippe
CAP GRIS-NEZ
Camp de César
Wissant
Le Châtelet
Framzelle
Sombre
Hervelinghen
St-Inglevert
Hauteville
Tardinghen
Audembert
Audinghen
Leubringhen
Les Deux Caps
Cim. Can.
Landrethun-le-Nord
Cran aux Œufs
Onglevert
Châţ. de Blacourt
Caffiers
Leulinghen-Bernes
Ferques
Monastère de Beaulieu
Fiennes
Audresselles
Raventhun
Bazinghen
Ledquent
Marquise
Elinghen
Hydrequent
Bouquehault
Bœucres
Hermelinghen
Dunes de la Manche
Fort Mahon
Ambleteuse
Beuvrequen
Slack
La Slack
Rinxent
Rety
Hardinghen
Licques
Clerques
Le Val
Guémy
Dunes de la Slack
Pointe aux Oies
Wacquinghen
L'Épitre
Offrethun
Rebertingue
Wierre-Effroy
Boursin
Alembon
Anc. Abb.
Audenfort
Bonningues-lès-Ardres
Audrehem
Mentque-Nortbécourt
Nort-Leulinghem
Forêt Domaniale de Tournehem
Le Poirier
Haute Pannée
Quercamps
Wimereux
Rochers du Fort Croi
Maninghen-Henne
Pittefaux
Houllefort
Colline
Sanghen
Herbinghen
Hocquinghen
Rebergues
Journy
Bainghen
Wimille
Châţ. Lozembrune
Châţ. de Souverain Moulin
Pernes-lès-Boulogne
Belle-et-Houllefort
Mais. du Parc
Colembert
Colonne de la Grande Armée
BOULOGNE-SUR-MER
Basil. Crypte
Nausicaa aquarium
Conteville-lès-Boulogne
Le Wast
Nabringhen
Surques
Haut-Loquin
Alquines
ST-MARTIN-BOULOGNE
La Capelle-lès-Boulogne
Bellebrune
Alincthun
Henneveux
Longueville
Escœuilles
Bouvelinghem
Westbécourt
Acquin-Westbécourt
le Portel
Mont Lambert
Maquinghen
du Boulonnais
PARC NAT. RÉGIONAL DES CAPS ET MARAIS D'OPALE
Fromentel
Harlettes
Outreau
Baincthun
Crémarest
Brunembert
Quesques
Coulomby
Echinghen
Questinghen
Bournonville
Selles
Seninghem
Bayenghem-lès-Seninghem
St-Léonard
Péage
Châţ. de Pont de Briques
St-Étienne-au-Mont
Wirwignes
La Commune du Crocq
Le Verval
Lottinghen
Watterdal
N.-D. des Ardents
Affringues
Équihen-Plage
Brucquedal
Menneville
St-Martin-Choquel
Vieil-Moutier
Nielles-lès-Bléquin
Écault
Isques
Hesdin-l'Abbé
Questrecques
La Calique
Bléquin
Condette
Hesdigneul-lès-Boulogne
Longfossé
Desvres
Campagnette
Ledinghem
Vaudringhem
Cantemerle
Wismes
Le Choquel
Carly
Wierre-au-Bois
Les Courteaux
Senlecques
Le Maisnil Boutry
Drionville
Manoir de la Haye
Courset
Sacriquier
Chaussée Brunehaut
Hardelot-Plage
Nesles
Verlincthun
Samer
Dignopré
Les Trois Marquets
Cloquant
Thiembronne
Motte
Tingry
Beaucorroy
E402
E15
A16
A26
N42
N43
N1
D940
D243
D244
D238
D231
D191
D237
D215
D127
D251
D248
D224
D217
D305
D247
D229
D219
D230
D255
D119
D341
D204
D202
D206
D254
D234
D240
D239
D52
D225
D208
D131
D92

F
G
H
J
K
Dover (Grande-Bretagne)
Rés. Nat. de la Dune Marchand
Réserve de West-Hoek
Bray-Dunes-Plage
Bray-Dunes
Adinkerke
Zuydcoote
Leffrinckoucke
Nécr. Nat.
Dunes
Ghyvelde
Moëres
Veurne (Furnes)
DUNKERQUE
Malo les Bains
Rosendaël
Beffroi
St-Pol-sur-Mer
Fort-Mardyck
Mardyck
l'Européenne
Leffrinckoucke Village
Coudekerque-Branche
Téteghem
Uxem
De Moeren
Bulskamp
Zwaantje
Beauvoorde
Grande-Synthe
Loon-Plage
Petit-Fort-Philippe
Gravelines
les Huttes
Cappelle-la-Grande
Coudekerque
les Moëres
Houtem
Wulveringem
Nieuwekerke
Min du Nord
Armbouts-Cappel
Warhem
Hondschoote
Leisele
Izenberge
St-Georges-sur-l'Aa
Craywick
Couronne
Hoymille
Spycker
Bergues
Anc. Abb.
Killem
Coppenaxfort
Grand Mille Brugge
Bierne
Haeghe Meulen
Killem Lynde
St-Folquin
Bourbourg
Broucquerque
Steene
Quaëdypre
Rexpoëde
Beveren
le Guindal
Crochte
Moulin
Pitgam
Nieppe
Socx
West-Cappel
Oost-Cappel
Roesbrugge-Haringe
Quaedhove
Mannequebeurre
St-Nicolas
Looberghe
les Cinq Chemins
Bissezeele
Wylder
Cappelle-Brouck
Drincham
la Belle Vue
Haringe
Ste-Marie-Kerque
Bambecque
Eringhem
Esquelbecq
Hennuin
St-Pierre-Brouck
Lynck
Pont l'Abbesse
Zegerscappel
Herzeele
Moulin à vent
Wormhout
Houtkerque
Audruicq
Bollezeele
Erkels Brugge
Sint-Jan-Ter-Biezen
Ruminghem
Holque
Millam
Merckeghem
Riet Veld
Moulin de la Briarde
Watou
Muncq-Nieurlet
Ste-Mildrède
Ledringhem
Volckerinckhove
Winnezeele
Blockhaus d'Eperlecques
Watten
Abb.
Wulverdinghe
Rubrouck
Arnèke
Recques-sur-Hem
Oudezeele
Lederzeele
Broxeele
Zermezeele
St-Éloi
Mont de Watten
Ochtezeele
Hardifort
le Ganspette
St-Laurent
Bayenghem-lès-Éperlecques
Wemaers-Cappel
Steenvoorde
Mlns du Nord et du Sud
T. d'Orient.
Noordpeene
Éperlecques
Mont Cassel
Terdeghem
Godewaersvelde
St-Momelin
Buysscheure
Houlle
Zuytpeene
Cassel
Mont des Recollets
Serques
Nieurlet
Oxelaëre
Ste-Marie-Cappel
Min à Vent
Moulle
Booneghem
Bavinchove
Eecke
Monts des Cats
Tilques
Etg de Romelaëre
Salperwick
Clairmarais
Watergangs
Moringhem
F. Dom. de Rihoult Clairmarais
St-Sylvestre-Cappel
Caëstre
St-Martin-au-Laërt
Zudausques
Hondeghem
St-Omer
Anc. 3 Chap.
Staple
Tatinghem
Jard. Public
Mais. du Parc
la Crosse
Nieppe
Flêtre
Leulinghem
Longuenesse
Arques
Renescure
Ebblinghem
Pradelles
Quelmes
Abb. St-Paul de Wisques
Borre
Strazeele
le Val de Lumbres
Péage
Wisques
Chât. de Zuthove
Wallon-Cappel
Hazebrouck
Merris
Setques
Hallines
Wizernes
Ascenseurs à Bateaux des Fontinettes
Campagne-lès-Wardrecques
Lumbres
Blendecques
Wardrecques
Lynde
Sec Bois
Chemin de fer touristique
Pont d'Asquin
le Croquet
Sercus
Esquerdes
Heuringhem
Helfaut
Racquinghem
Blaringhem
la Belle Hôtesse
Morbecque
Wavrans-sur-l'Aa
Elnes
Pihem
Coubronne
la Melde
la Motte au Bois
Remilly-Wirquin
Lespinoy
Quiestède
Roquetoire
Steenbecque
Rue de la Chapelle
Bourre
Caudescure
Ploury
Bientques
Inghem
Ecques
Wittes
Boëseghem
Ouve-Wirquin
Herbelles
Warne
Cléty
Clarques
Rebecques
Rincq
St-Martin
Moulin-le-Comte
Pecqueur
Thiennes
la Croix Mairesse
Tannay
Dohem
Wamecque
Crecques
Mametz
Aire-sur-la-Lys
Baillage
Haverskerque
le Sart
Thérouanne
Avroult
Nielles
Villeflour
Marthes
Treizennes
Houleron
la Lys
St-Venant
St-Floris
Mervil
Vieux-Berquin
FLANDRE
MONTS DE FLANDRE
59

4
A
B
C
D
E
1
2
3
4
5
6
CAP GRIS-NEZ
Camp de César
Wissant
le Châtelet
Sombre
Hervelinghen
St-Inglevert
Wadenthun
Terminal Eurotunnel
St-Tricat
Nielles-lès-Calais
les Attaques
Hames-Boucres
Bonningues-lès-Calais
Pihen-lès-Guînes
Tour de l'Horloge
Guînes
Marais de Guînes
Ardres
Étang d'Ardres
Bois-en-Ardres
Nortkerque
Zutkerque
Can. de Calais
E15
Framzelle
Tardinghen
Audinghen
Audembert
Leubringhen
Hauteville
les Deux Caps
Cim. Can.
Landrethun-le-Nord
Colonne Blanchard
Campagne-lès-Guines
Andres
Balinghem
Brêmes
Nielles-lès-Ardres
Cran aux Œufs
Onglevert
Châ. de Blacourt
Caffiers
Monastère de Beaulieu
Autingues
Rodelinghem
Berthum
Leulinghen-Bernes
Ferques
Fiennes
Bouquehault
le Fresne
Louches
Audresselles
Raventhun
Bazinghen
Ledquent
Marquise
Elinghen
Hydrequent
Bœucres
Landrethun-lès-Ardres
Écottes
Chap. St-Louis
Zouafques
Péage
Tournehem-sur-la Hem
Dunes de la Manche
Fort Mahon
Ambleteuse
Beuvrequen
la Slack
Rinxent
Rety
Hermelinghen
le Val
Guémy
Slack
Dunes de la Slack
L'Épitre
Hardinghen
Clerques
Nort-Leulinghem
Pointe aux Oies
Wacquinghen
Rebertingue
Licques
Anc. Abb.
Audenfort
Bonningues-lès-Ardres
Mentque-Nortbécourt
Offrethun
Wierre-Effroy
Boursin
Alembon
Audrehem
Wimereux
Maninghen-Henne
Sanghen
Herbinghen
Forêt Domaniale de Tournehem
Rochers du Fort Croi
Houllefort
Colline
Hocquinghen
Rebergues
le Poirier
Châ. Lozembrune
Pittefaux
Pernes-lès-Boulogne
Wimille
Mais. du Parc
Bainghen
Haute Pannée
Quercamps
Colonne de la Grande Armée
Châ. de Souverain Moulin
Belle-et-Houllefort
Colembert
Journy
Dover
le Wast
Surques
Haut-Loquin
Alquines
BOULOGNE-SUR-MER
Basil. Crypte
Conteville-lès-Boulogne
Nabringhen
Escœuilles
ST-MARTIN-BOULOGNE
Bellebrune
Alincthun
Henneveux
Longueville
Bouvelinghem
Nausicaa aquarium
la Capelle-lès-Boulogne
Fromentel
Acquin-Westbécourt
le Portel
Mont Lambert
Maquinghen
du Boulonnais
Harlettes
Outreau
Baincthun
Crémarest
Brunembert
Quesques
Coulomby
PARC NAT. RÉGIONAL DES CAPS ET MARAIS D'OPALE
Echinghen
Questinghen
Bournonville
Seninghem
St-Léonard
Péage
Selles
le Verval
N.-D. des Ardents
St-Étienne-au-Mont
Châ. de Pont de Briques
Wirwignes
la Commune du Crocq
Watterdal
Lottinghen
Affringues
Équihen-Plage
Brucquedal
Menneville
St-Martin-Choquel
Nielles-lès-Bléquin
Péage
Hesdin-l'Abbé
Vieil-Moutier
Isques
Questrecques
Bléquin
Cantemerle
Écault
Condette
Hesdigneul-lès-Boulogne
Longfossé
Desvres
la Calique
Campagnette
Ledinghem
Vaudringhem
le Choquel
Wierre-au-Bois
les Courteaux
Carly
Sacriquier
Senlecques
le Maisnil
Boutry
Dirionville
Chaussée Brunehaut
Courset
Samer
Dignopré
Bécourt
Manoir de la Haye
Hardelot-Plage
Verlincthun
Cloquant
les Trois Marquets
Nesles
Thiembronne
Hameau du Chemin
Motte Féodale
Tingry
Beaucorroy
Bout-Dessous
Mieurles
Happe
Neufchâtel-Hardelot
Doudeauville
Moyen-Bois
Zoteux
Campagne-lès-Boulonnais
St-Martin-d'Hardinghem
Haut Pichot
Séquières
Bourthes
62
Péage
Halinghem
le Fay
Beaussart
l'Européenne
Bezinghem
Grigny
Séhen
le Catelet
Renty
les Dunes
Widehem
Lacres
Parenty
Hubersent
Thubeauville
Ergny
Aix-en-Ergny
Dannes
les Falaises de Widehem
Rollez
Preures
Rumilly
Vallée
Plage-Ste Cécile
Enquin-sur-Baillons
Wicquinghem
Camiers
Frencq
Enguinehaut
Hucqueliers
Verchocq
Cormont
Bernieulles
Assonval
Rés. Nat. de la Baie de la Canche
Châ. de Rosamel
la Course
le Bois Ratel
Avesnes
Herly
Châ.
Lefaux
Maninghem
Verdure
Longvilliers
Beussent
Bimont
Rollez
Cim. Brit.
Courteville
Inxent
Quilen
le Val du Frêne
Ph. de la Canche
Fromessent
Maresville
Recques-sur-Course
Clenleu
Remortier
Touquet-Côte d'Opale
Étaples
Hénoville
Wailly
le Touquet-Paris-Plage
Tubersent
Alette
St-Michel-sous-Bois
Châ.
Bréxent-Enocq
Montcavrel
Humbert
Préhédré
la Canche
Estrée
St-Wandrille
Rimboval
Trépied
Beutin
Estréelles
Sempy
Embry
Créquy
Enocq
Attin
Villiers
Torcy
Stella-Plage
la Calotterie
Neuville-sous-Montreuil
Aix-en-Issart
Boubers-lès-Hesmond
Anc. Chartreuse N.-D. des Prés
Royon
Cucq
St-Josse
Citad.
Sains-lès-Fressin
la Madelaine-sous-Montreuil
Montreuil
Marant
St-Denœux
Lebiez
Merlimont-Plage
Sorrus
la Créquoise
Merlimont
St-Aubin
Campigneulles-les-Petites
Marles-sur-Canche
Hesmond
Haut de Lebiez
Fressin
Hameau d'Epy
Beaumerie-St-Martin
Brimeux
Marenla
Offin
Airon
Écuires
Loison-sur-Créquoise
Bagatelle Parc d'Attractions
Vallée
Wambercourt
A16
E402
N42
N1
N39
N43
A26

5
F
G
H
J
K
Ste-Marie-Kerque
St-Pierre-Brouck
Drincham
Eringhem
Esquelbecq
Bambecque
Herzeele
Haringe
Audruicq
Ruminghem
Holque
Bollezeele
Zegerscappel
Wormhout
Houtkerque
Polincove
Muncq-Nieurlet
Millam
Merckeghem
Ste-Mildrède
Ledringhem
Winnezeele
Watou
Blockhaus d'Eperlecques
Recques-sur-Hem
Watten
Mont de Watten
Volckerinckhove
Wulverdinghe
Rubrouck
Arnèke
Oudezeele
Nordausques
Lederzeele
Broxeele
Zermezeele
Hardifort
St-Eloi
Bayenghem-lès-Eperlecques
Ochtezeele
Wemaers-Cappel
Steenvoorde
St-Laurent
Eperlecques
Noordpeene
Mont Cassel
Cassel
Terdeghem
Houlle
St-Momelin
Buysscheure
Zuytpeene
Mont des Récollets
Godewaersvelde
Serques
Nieurlet
Bavinchove
Oxelaëre
Ste-Marie-Cappel
Eecke
Moulle
Tilques
Booneghem
Etg de Romelaère
Salperwick
Clairmarais
Watergangs
St-Sylvestre-Cappel
Moringhem
F. Dom. de Rihoult Clairmarais
Caëstre
St-Martin-au-Laërt
St-Omer
Hondeghem
Zudausques
Staple
Flêtre
Tatinghem
Boisdinghem
Leulinghem
Longuenesse
Arques
la Crosse
Nieppe
Quelmes
Renescure
Ebblinghem
Pradelles
Abb. St-Paul de Wisques
Ascenseurs à Bateaux des Fontinettes
Borre
Strazeele
Wisques
Setques
Hallines
Wizernes
Châț. de Zuthove
Wallon-Cappel
Hazebrouck
Lumbres
Blendecques
Campagne-lès-Wardrecques
Wardrecques
Lynde
Sercus
Esquerdes
Heuringhem
Racquinghem
Morbecque
Wavrans-sur-l'Aa
Elnes
Pihem
Helfaut
Blaringhem
Remilly-Wirquin
Quiestède
Roquetoire
Steenbecque
Inghem
Ecques
Witternes
Boëseghem
Vismes
Ouve-Wirquin
Herbelles
Cléty
Dohem
Clarques
Rebecques
Thiennes
Mametz
Aire-sur-la-Lys
Haverskerque
Merck-St-Liévin
Avroult
Thérouanne
Grand Riez
Villefleur
St-Venant
St-Floris
Delettes
Blessy
Lambres
Isbergues
Calonne-sur-la-Lys
Fauquembergues
Enguinegatte
Witternesse
Quernes
Guarbecque
Coyecques
Liettres
Rombly
Mazinghem
Robecq
Audincthun
Enquin-les-Mines
Estrée-Blanche
Châț. de Créminil
Linghem
Norrent-Fontes
Ham-en-Artois
Busnes
Dennebrœucq
Bomy
Erny-St-Julien
St-Hilaire-Cottes
Mont-Bernanchon
Reclinghem
Fléchinelle
Rely
Lespesses
Ecquedecques
Lillers
Hinges
Mencas
Fléchin
Ligny-lès-Aire
Gonnehem
Vincly
Matringhem
Lières
Auchy-au-Bois
Oblinghem
Chocques
Radinghem
Laires
Westrehem
Ames
Vendin-lès-Béthune
Senlis
Beaumetz-lès-Aire
Febvin-Palfart
Fontaine-lès-Hermans
Amettes
Burbure
Allouagne
Annezin
Hézecques
Coupelle-Vieille
Fruges
Lugy
Nédonchel
Nédon
Ferfay
Lozinghem
Fouquereuil
Lisbourg
Bailleul-lès-Pernes
Auchel
Fouquières-lès-Béthune
Coupelle-Neuve
Verchin
Prédefin
Fontaine-lès-Boulans
Fiefs
Aumerval
Floringhem
Cauchy-à-la-Tour
Marles-les-Mines
Gosnay
Vaudricourt
Canlers
Heuchin
Sachin
Pernes
Calonne-Ricouart
Hesdigneul-lès-Béthune
Drouvin-le-Marais
Ruisseauville
Crépy
Équirre
Sains-lès-Pernes
Camblain-Châtelain
Divion
Bruay-la-Buissière
Haillicourt
Ambricourt
Tramecourt
Azincourt
Boyaval
Bergueneuse
Pressy
Tangry
Marest
Ourton
Ruitz
Barlin
Tilly-Capelle
Teneur
Bours
Houdain
Maisoncelle
Eps
Hestrus
Diéval
Maisnil-lès-Ruitz
Anvin
Conteville-en-Ternois
Valhuon
Beugin
Rebreuve
Monchy-Cayeux
F L A N D R E
M O N T S
O I S

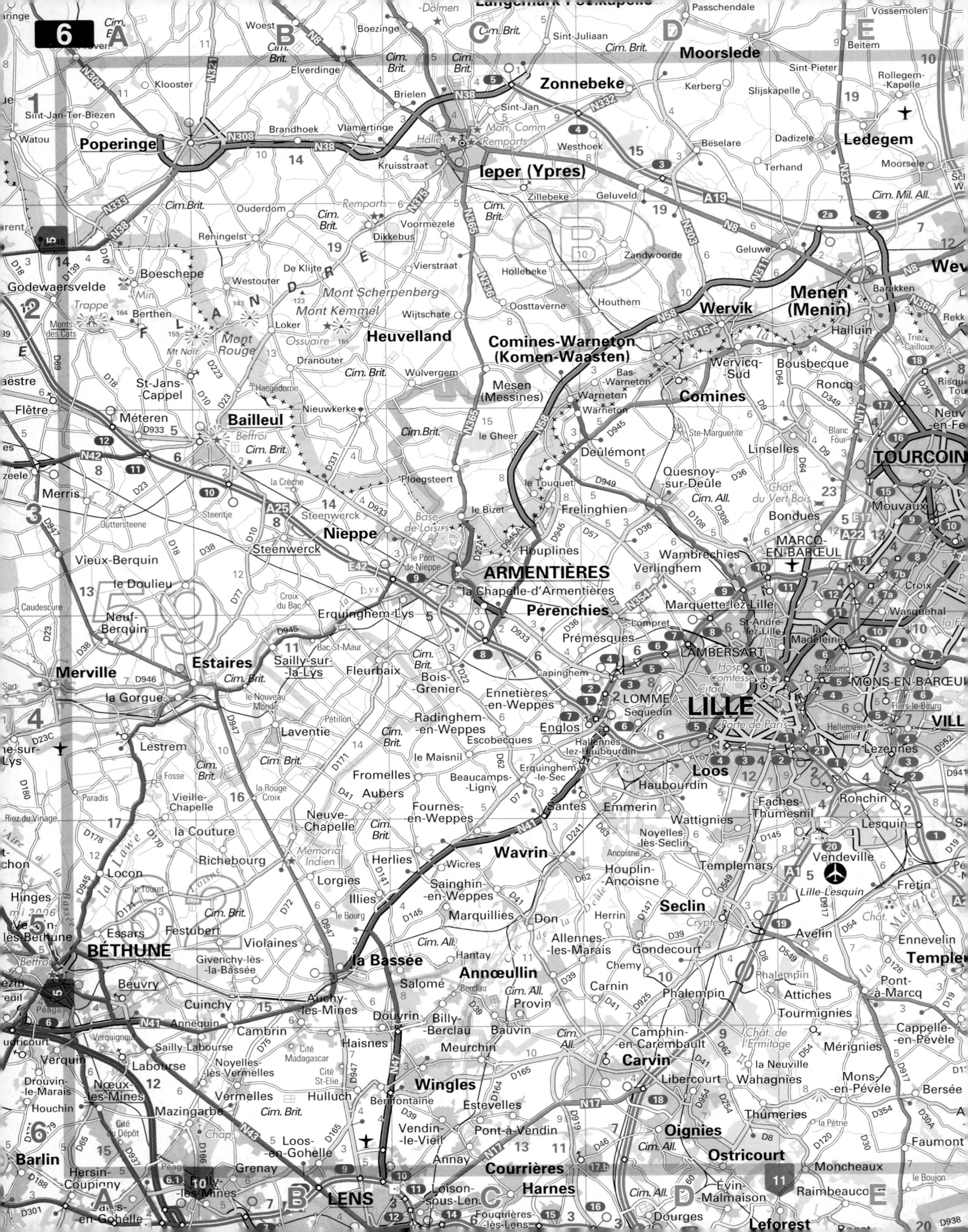
Moorslede
Zonnebeke
Poperinge
Ieper (Ypres)
Ledegem
Wervik
Menen (Menin)
Comines-Warneton (Komen-Waasten)
Heuvelland
Mesen (Messines)
Comines
Bailleul
TOURCOING
Nieppe
Steenwerck
ARMENTIÈRES
Houplines
Pérenchies
Estaires
Sailly-sur-la-Lys
Merville
la Gorgue
LILLE
LOMME
LAMBERSART
MARCQ-EN-BARŒUL
MONS-EN-BARŒUL
Loos
Haubourdin
Wavrin
Seclin
BÉTHUNE
la Bassée
Annœullin
Carvin
Wingles
Nœux-les-Mines
Oignies
Ostricourt
Courrières
Harnes
LENS
Leforest
Passchendaele
Sint-Juliaan
Elverdinge
Boezinge
Woest
Klooster
Sint-Jan-Ter-Biezen
Watou
Brandhoek
Vlamertinge
Brielen
Sint-Jan
Kruisstraat
Westhoek
Beselare
Dadizele
Terhand
Moorsele
Kerberg
Slijkslapelle
Sint-Pieter
Rollegem-Kapelle
Beitem
Vossemolen
Zillebeke
Geluveld
Ouderdom
Voormezele
Dikkebus
Reningelst
Zandvoorde
Geluwe
Hollebeke
Vierstraat
De Klijte
Westouter
Boeschepe
Godewaersvelde
Mont Scherpenberg
Mont Kemmel
Wijtschate
Houthem
Oosttaverne
Barakken
Halluin
Berthen
Loker
Mont Rouge
Mont Noir
Ossuaire
Dranouter
Wulvergem
Wervicq-Sud
Bousbecque
Roncq
St-Jans-Cappel
Flêtre
Méteren
Nieuwkerke
le Gheer
Deûlémont
Linselles
Ste-Marguerite
Quesnoy-sur-Deûle
Ploegsteert
le Touquet
Frelinghien
Bondues
Mouvaux
Merris
Steentje
le Bizet
Wambrechies
Verlinghem
Vieux-Berquin
le Doulieu
Outtersteene
Croix
Wasquehal
Neuf-Berquin
Erquinghem-Lys
la Chapelle-d'Armentières
Marquette-lez-Lille
St-André-lez-Lille
Prémesques
la Madeleine
Fleurbaix
Bois-Grenier
Capinghem
Ennetières-en-Weppes
Sequedin
Englos
Hallennes-lez-Haubourdin
Escobecques
Radinghem-en-Weppes
Laventie
Lestrem
le Maisnil
Fromelles
Aubers
Beaucamps-Ligny
Erquinghem-le-Sec
Santes
Emmerin
Faches-Thumesnil
Ronchin
Lesquin
Lezennes
Wattignies
Templemars
Vendeville
Lille-Lesquin
Fretin
Vieille-Chapelle
la Couture
Richebourg
Neuve-Chapelle
Fournes-en-Weppes
Herlies
Illies
Lorgies
Wicres
Sainghin-en-Weppes
Marquillies
Noyelles-lès-Seclin
Houplin-Ancoisne
Locon
Hinges
Festubert
Violaines
Essars
Givenchy-lès-la-Bassée
Don
Herrin
Allennes-les-Marais
Gondecourt
Avelin
Ennevelin
Templeuve
Chemy
Carnin
Phalempin
Attiches
Pont-à-Marcq
Tourmignies
Beuvry
Cuinchy
Auchy-les-Mines
Salomé
Hantay
Provin
Bauvin
Billy-Berclau
Douvrin
Annequin
Cambrin
Haisnes
Meurchin
Camphin-en-Carembault
Cappelle-en-Pévèle
Mérignies
Verquin
Labourse
Sailly-Labourse
Noyelles-lès-Vermelles
Vermelles
Hulluch
Mazingarbe
Libercourt
Wahagnies
la Neuville
Mons-en-Pévèle
Bersée
Houchin
Drouvin-le-Marais
Barlin
Hersin-Coupigny
Grenay
Loos-en-Gohelle
Vendin-le-Vieil
Bénifontaine
Estevelles
Pont-à-Vendin
Annay
Thumeries
Moncheaux
Faumont
Bully-les-Mines
Loison-sous-Lens
Évin-Malmaison
Raimbeaucourt
Dourges
Fouquières-lès-Lens
Sains-en-Gohelle

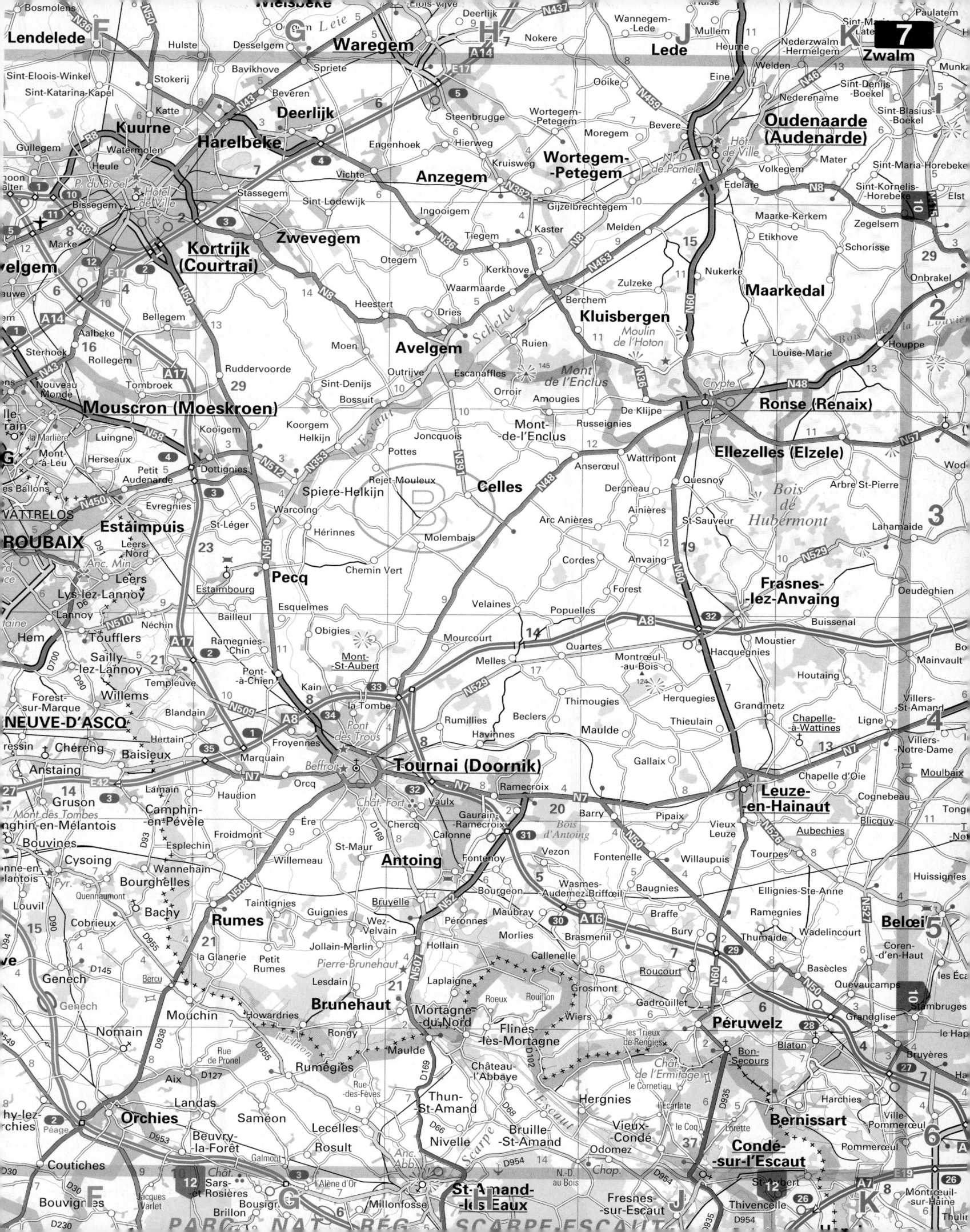
F
G
H
J
K
Lendelede
Bosmolens
Hulste
Desselgem
Leie
Waregem
Deerlijk
Nokere
Wannegem-Lede
Lede
Mullem
Heurne
Nederzwalm-Hermelgem
Zwalm
Paulatem
Munkz
Sint-Eloois-Winkel
Sint-Katarina-Kapel
Stokerij
Bavikhove
Spriete
Beveren
Ooike
Eine
Welden
Sint-Denijs-Boekel
Nederename
Sint-Blasius-Boekel
Katte
Kuurne
Harelbeke
Deerlijk
Steenbrugge
Wortegem-Petegem
Moregem
Bevere
Oudenaarde (Audenarde)
Gullegem
Watermolen
Heule
Engenhoek
Hierweg
Kruisweg
Wortegem-Petegem
Hôt. de Ville
N.-D. de Pamele
Volkegem
Mater
Sint-Maria-Horebeke
P. du Broel
Hôtel de Ville
Bissegem
Stassegem
Vichte
Anzegem
Sint-Lodewijk
Ingooigem
Gijzelbrechtegem
Edelare
Sint-Kornelis-Horebeke
Elst
Maarke-Kerkem
Zegelsem
Marke
Kortrijk (Courtrai)
Zwevegem
Tiegem
Kaster
Melden
Etikhove
Schorisse
Otegem
Kerkhove
Zulzeke
Nukerke
Maarkedal
Onbrakel
Wevelgem
Heestert
Waarmaarde
Berchem
Kluisbergen
Moulin de l'Hoton
Dries
Bellegem
Aalbeke
Sterhoek
Rollegem
Moen
Avelgem
Schelde
Ruien
Louise-Marie
Houppe
Bois de la Louvière
Ruddervoorde
Outrijve
Escanaffles
Mont de l'Enclus
Nouveau Monde
Tombroek
Sint-Denijs
Bossuit
Orroir
Amougies
Crypte
Mouscron (Moeskroen)
De Klijpe
Ronse (Renaix)
Koorgem
Helkijn
Joncquois
Mont-de-l'Enclus
Russeignies
Luingne
la Marlière
Kooigem
Pottes
Wattripont
Ellezelles (Elzele)
Mont-à-Leu
Herseaux
Petit Audenarde
Dottignies
l'Escaut
Anserœul
Wodecq
Rejet-Mouleux
Celles
Dergneau
Quesnoy
Arbre St-Pierre
Bois de Hubermont
les Ballons
Spiere-Helkijn
Ainières
WATTRELOS
Evregnies
Warcoing
Arc Anières
St-Sauveur
Lahamaide
ROUBAIX
Estaimpuis
St-Léger
Hérinnes
Molembais
Leers-Nord
Anc. Min.
Cordes
Anvaing
Leers
Pecq
Chemin Vert
Estaimbourg
Forest
Frasnes-lez-Anvaing
Oeudeghien
Lys-lez-Lannoy
Lannoy
Esquelmes
Velaines
Popuelles
Bailleul
Néchin
Buissenal
Hem
Toufflers
Obigies
Ramegnies-Chin
Mourcourt
Quartes
Moustier
Hacquegnies
Mont-St-Aubert
Melles
Montrœul-au-Bois
Mainvault
Sailly-lez-Lannoy
Templeuve
Pont-à-Chin
Houtaing
Willems
Kain
Forest-sur-Marque
Blandain
la Tombe
Thimougies
Herquegies
Grandmetz
Villers-St-Amand
NEUVE-D'ASCQ
Pont des Trous
Rumillies
Beclers
Havinnes
Maulde
Thieulain
Chapelle-à-Wattines
Ligne
Hertain
Froyennes
Chéreng
Baisieux
Marquain
Gallaix
Villers-Notre-Dame
Anstaing
Beffroi
Tournai (Doornik)
Chapelle d'Oie
Moulbaix
Orcq
Ramecroix
Leuze-en-Hainaut
Gruson
Lamain
Haudion
Châ. Fort
Vaulx
Cognebeau
Mont des Tombes
Camphin-en-Pévèle
Barry
Tongre
Baisieux
Ere
Chercq
Gaurain-Ramecroix
Bois d'Antoing
Pipaix
Vieux Leuze
Blicquy
Bouvines
Froidmont
Calonne
Aubechies
Esplechin
St-Maur
Vezon
Fontenelle
Willaupuis
Tourpes
Cysoing
Wannehain
Willemeau
Antoing
Fontenoy
Huissignies
Bourghelles
Pyr.
Bourgeon
Wasmes-Audemez-Briffœil
Baugnies
Ellignies-Ste-Anne
Quennaumont
Louvil
Bachy
Taintignies
Bruyelle
Braffe
Ramegnies
Beloeil
Cobrieux
Rumes
Guignies
Wez-Velvain
Péronnes
Maubray
Brasmenil
Bury
Thumaide
Wadelincourt
Jollain-Merlin
Hollain
Morlies
Coren-d'en-Haut
la Glanerie
Petit Rumes
Pierre-Brunehaut
Callenelle
Roucourt
Basècles
Genech
Bercu
Lesdain
Laplaigne
Quevaucamps
Brunehaut
Roeux
Rouillon
Grosmont
Gadrouillet
Mouchin
Howardries
Mortagne-du-Nord
Wiers
Péruwelz
Grandglise
Stambruges
Nomain
Rongy
Flines-lès-Mortagne
les Trieux de Rengies
Blaton
l'Elnon
Maulde
Rue de Pronel
Rumegies
Château-l'Abbaye
Bon-Secours
Bruyères
Aix
Châ. de l'Ermitage
le Cornetiau
Rue-des-Fèves
Thun-St-Amand
Hergnies
l'Écarlate
Harchies
Landas
Orchies
Saméon
Lecelles
l'Escaut
Vieux-Condé
le Coq
Lorette
Bernissart
Ville-Pommerœul
Péage
Beuvry-la-Forêt
Rosult
Nivelle
Bruille-St-Amand
Odomez
Condé-sur-l'Escaut
Pommerœul
Galmont
Coutiches
Anc. Abb.
Scarpe
N.-D. au Bois
Chap.
Châ. Sars-et-Rosières
Jacques Varlet
l'Alène d'Or
St-Amand-les-Eaux
Fresnes-sur-Escaut
St-Aybert
Montrœul-sur-Haine
Bouvignies
Brillon
Bousignies
Millonfosse
Thivencelle
Thulin
PARC NAT. REG. SCARPE-ESCAUT
Baudour

A
B
C
D
E
1
2
3
4
5
6
Berck
Berck-Plage
Rang-du-Fliers
Verton
Groffliers
Waben
Airon-N.-D.
Airon-St-Vaast
Bagatelle
Parc d'Attractions
Fond de la Commanderie
le Temple
le Bahot
Baie de l'Authie
Conchil-le-Temple
Fort-Mahon-Plage
Aquaclub de Belle-Dune
Colline-Beaumont
Quend-Plage
Monchaux
Quend
MARQUENTERRE
Flandre
Froise
Dunes
St-Quentin-en-Tourmont
Chap. du St-Esprit
le Bout des Crocs
Parc Ornithologique du Marquenterre
St-Firmin
Madagascar
le Marais
Favières
Rés. Nat. de la Baie de Somme
le Hamelet
Baie de Somme
le Hourdel
le Crotoy
Mollières
Cap Hornu
Brighton
Maison de l'Oiseau
Chap. des Marins
St-Valery-sur-Somme
Anc. Abb.
Cayeux-sur-Mer
Chemin de fer touristique
Sallenelle
CÔTE PICARDE
le Marais
Pendé
Pinchefalise
Drancourt
Estrébœuf
Lanchères
Chât.
Brutelles
Tilloy
Mons-Boubert
Mons
Arrest
Boubert
Hautebut
VIMEU
Vaudricourt
St-Blimont
la Râperie
Woignarue
Bourseville
Quesnoy-le-Montant
Onival
Ault
Belloy-sur-Mer
Nibas
Ochancourt
la Belle Vue
Friaucourt
Allenay
Franleu
Frireulle
Campagne
Tully
Friville-Escarbotin
le Bois de Cise
St-Quentin-la-Motte-Croix-au-Bailly
Saucourt
Béthencourt-sur-Mer
Frières
St-Marc
Mers-les-Bains
le Tréport
Fressenneville
Valines
Chépy
Calvaire des Terrasses
Yzengremer
Méneslies
St-Laurent
Woincourt
Feuquières-en-Vimeu
Mesnil-Val-Plage
Cim. Brit.
Eu
Ponts-et-Marais
Oust-Marest
Criel-Plage
Flocques
Dargnies
Hocquélus
Aigneville
Tours-en-Vimeu
Étalondes
Bouvaincourt-sur-Bresle
Embreville
Corroy
Courcelles
Manoir de Briançon
les Quesnets
St-Pierre-en-Val
Hamicourt
Buigny-lès-Gamaches
Criel-sur-Mer
Boscrocourt
Beauchamps
la Bresle
Maisnières
Visse
Heudelimont
la Vimeuse
Mesnil-à-Caux
le Fresne
Frettemeule
Vismes
Tocqueville-sur-Eu
Touffreville-sur-Eu
St-Rémy-Boscrocourt
Incheville
Hélicourt
Floriville
Maigneville
St-Sulpice-sur-Yères
Étocquigny
Monchy-sur-Eu
Gamaches
Tilloy-Floriville
Centrale Nucléaire de Penly
Biville-sur-Mer
Penly
Assigny
Litteville
Baromesnil
Morival
la Tuilerie
D940
D917
D303
D142E2
D143
D532
D32
D32D
D4
D140
D102
D3
D2
D48
D63
D106
D80
D463
D19
D2A
D925
D126E
D925C
D126
D16
D22
D49
D1015
D315
D58
D67
D65
D29
D936
16
A28

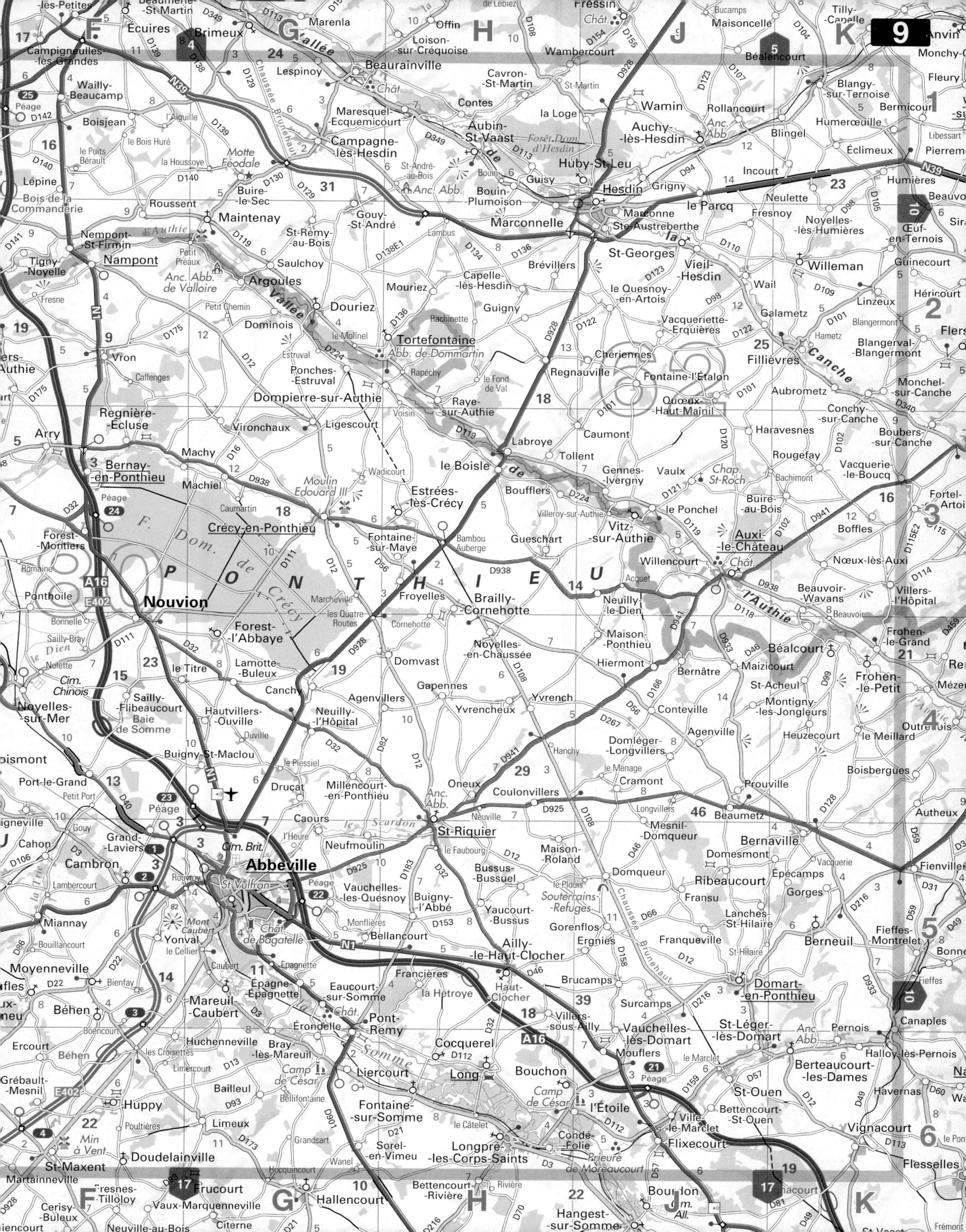
F
G
H
J
K
Écuires
Brimeux
Marenla
Offin
Fressin
Maisoncelle
Tilly-Capelle
Campigneulles-les-Grandes
Loison-sur-Créquoise
Wambercourt
Béalencourt
Monchy-Cayeux
Wailly-Beaucamp
Lespinoy
Beaurainville
Cavron-St-Martin
Blangy-sur-Ternoise
Fleury
Péage
Boisjean
l'Aiguille
Maresquel-Ecquemicourt
Contes
Wamin
Rollancourt
Bermicourt
Aubin-St-Vaast
la Loge
Auchy-lès-Hesdin
Humerœuille
le Bois Huré
Campagne-lès-Hesdin
Blingel
Éclimeux
le Puits Bérault
la Houssoye
Motte Féodale
St-André-au-Bois
Forêt Dom. d'Hesdin
Huby-St-Leu
Incourt
Pierremont
Lépine
Buire-le-Sec
Guisy
Hesdin
Grigny
Humières
Bois de la Commanderie
Roussent
Bouin-Plumoison
Marconnelle
le Parcq
Neulette
Maintenay
Gouy-St-André
Marconne
Ste-Austreberthe
Fresnoy
Noyelles-lès-Humières
Œuf-en-Ternois
Nempont-St-Firmin
St-Rémy-au-Bois
Lambus
St-Georges
Willeman
Guinecourt
Tigny-Noyelle
Nampont
Saulchoy
Capelle-lès-Hesdin
Brévillers
Vieil-Hesdin
Wail
Anc. Abb. de Valloire
Argoules
Mouriez
le Quesnoy-en-Artois
Linzeux
Héricourt
Fresne
Petit Chemin
Douriez
Guigny
Galametz
Dominois
Rachinette
Tortefontaine
Vacqueriette-Erquières
Blangermont
Flers
le Molinel
Abb. de Dommartin
Chériennes
Fillièvres
Blangerval-Blangermont
Vron
Estruval
Canche
Callenges
Ponches-Estruval
Rapéchy
le Fond de Val
Regnauville
Fontaine-l'Étalon
Monchel-sur-Canche
Aubrometz
Dompierre-sur-Authie
Raye-sur-Authie
Quœux-Haut-Maînil
Conchy-sur-Canche
Regnière-Écluse
Voisin
Arry
Vironchaux
Ligescourt
Caumont
Haravesnes
Boubers-sur-Canche
Labroye
Machy
Tollent
Rougefay
Bernay-en-Ponthieu
le Boisle
Gennes-Ivergny
Vaulx
Chap. St-Roch
Vacquerie-le-Boucq
Machiel
Wadicourt
Moulin Edouard III
Estrées-lès-Crécy
Boufflers
Bachimont
le Ponchel
Buire-au-Bois
Fortel-en-Artois
Caumartin
Villeroy-sur-Authie
Vitz-sur-Authie
Boffles
Forest-Montiers
Crécy-en-Ponthieu
F. Dom. de Crécy
Fontaine-sur-Maye
Bambou Auberge
Gueschart
Auxi-le-Château
Romaine
Willencourt
Nœux-lès-Auxi
P O N T H I E U
Acquet
Villers-l'Hôpital
Ponthoile
Nouvion
Marcheville
Froyelles
Brailly-Cornehotte
Neuilly-le-Dien
Beauvoir-Wavans
Bonnelle
les Quatre Routes
Cornehotte
Maison-Ponthieu
l'Authie
Beauvoir
Sailly-Bray
Forest-l'Abbaye
Noyelles-en-Chaussée
Frohen-le-Grand
Nolette
Domvast
Hiermont
Béalcourt
Cim. Chinois
le Titre
Lamotte-Buleux
Bernâtre
Maizicourt
Frohen-le-Petit
Noyelles-sur-Mer
Sailly-Flibeaucourt
Canchy
Gapennes
St-Acheul
Baie de Somme
Agenvillers
Yvrench
Conteville
Montigny-les-Jongleurs
Hautvillers-Ouville
Neuilly-l'Hôpital
Yvrencheux
Agenville
Heuzecourt
le Meillard
Outrebois
Ouville
Domléger-Longvillers
Hanchy
Boismont
Buigny-St-Maclou
le Plessiel
le Ménage
Boisbergues
Port-le-Grand
Drucat
Millencourt-en-Ponthieu
Oneux
Cramont
Prouville
Petit Port
Coulonvillers
Anc. Abb.
Longvillers
Beaumetz
Autheux
Neuville
Mesnil-Domqueur
Cahon
Gouy
Caours
le Scardon
St-Riquier
Bernaville
Grand-Laviers
Cim. Brit.
l'Heure
Neufmoulin
Maison-Roland
Domesmont
Cambron
Abbeville
le Faubourg
Bussus-Bussuel
Domqueur
Vacquerie
Fienvillers
Lambercourt
Rouvroy
St-Vulfran
Vauchelles-les-Quesnoy
Buigny-l'Abbé
le Plouis
Souterrains-Refuges
Ribeaucourt
Épécamps
Fransu
Gorges
Mont Caubert
Yaucourt-Bussus
Miannay
Monflières
Bellancourt
Gorenflos
Chaussée Brunehaut
Lanches-St-Hilaire
Fieffes-Montrelet
Yonval
Châtde Bagatelle
Ergnies
Franqueville
Berneuil
Bouillancourt
le Cellier
Ailly-le-Haut-Clocher
St-Hilaire
Caubert
Epagnette
Moyenneville
Bienfay
Épagne-Épagnette
Francières
Haut-Clocher
Brucamps
Domart-en-Ponthieu
Mareuil-Caubert
Eaucourt-sur-Somme
la Hétroye
Béhen
Surcamps
Villers-sous-Ailly
Canaples
Pont-Remy
Boencourt
Érondelle
St-Léger-lès-Domart
Pernois
Vauchelles-lès-Domart
Ercourt
Huchenneville
Bray-lès-Mareuil
Cocquerel
Halloy-lès-Pernois
les Croisettes
Mouflers
le Marclet
Berteaucourt-les-Dames
Limercourt
Camp de César
Liercourt
Long
Bouchon
Grébault-Mesnil
Bailleul
St-Ouen
Havernas
Huppy
Bellifontaine
Fontaine-sur-Somme
Camp de César
l'Étoile
Bettencourt-St-Ouen
Poultières
Limeux
le Câtelet
Ville-le-Marclet
Vignacourt
Min à Vent
Grandsart
Sorel-en-Vimeu
Longpré-les-Corps-Saints
Condé-Folie
Flixecourt
Doudelainville
Wanel
Prieuré de Moreaucourt
Flesselles
St-Maxent
Hocquincourt
Martainneville
Fresnes-Tilloloy
Frucourt
Hallencourt
Bettencourt-Rivière
Rivière
Bourdon
Cerisy-Buleux
Vaux-Marquenneville
Hangest-sur-Somme
Cim. All.
Neuville-au-Bois
Citerne
A16
E402
N1
N39
D928
D938
D925
D941

A | B | C | D | E

Ens · Herreval · Hestrus · HOUDAIN · Maisnil-lès-Ruitz · Coupigny · Sains-en-Gohelle · les-Mines · 8 · A21

Conteville-en-Ternois · Bonneville · Dieval · Châl. Féodal d'Olhain · Bouvigny-Boyeffles · Aix-Noulette · LIÉVIN · 4

1 Wavrans-sur-Ternoise · Monchy-Cayeux · Valhuon · Huclier · la Comté · Rebreuve-Ranchicourt · Fresnicourt-le-Dolmen · Hermin · Servins · Nécropole Nationale N.-D. de Lorette · Angres · Anc. Chap.

Fleury · Libessart · Pierremont · Gauchin-Verloingt · St-Martin · Belval · Antin · la Thieuloye · Bajus · Magnicourt-en-Comte · Caucourt · Frévillers · Estrée-Cauchy · Gouy-Servins · Colline de Lorette · Souchez · Angres

Croix-en-Ternois · Troisvaux · Brias · Monchy-Breton · Gauchin-Légal · Maisnil · Ablain-St-Nazaire · A26 · Egl.

2 Beauvois · Siracourt · Ostreville · Orlencourt · Chelers · Béthonsart · Mingoval · Camblain-l'Abbé · Villers-au-Bois · Carency · Cim. Brit. · Neuville-St-Vaast

St-Pol-sur-Ternoise · St-Michel-sur-Ternoise · Roëllecourt · Bailleul-aux-Cornailles · Tincques · Savy-Berlette · Villers-Brûlin · Agnières · Capelle-Fermont · Mont-St-Eloi · Abbatiale · Marceuil · Écurie

Circuit Automobile · Ramecourt · Marquay · Berles-Monchel · Monchel · Aubigny-en-Artois · Frévin-Capelle · Ecoivres · Cim. Brit. · Étrun · Anzin-St-Aubin · Ste-Catherine

Croisette · Herlincourt · Herlin-le-Sec · Foufflin-Ricamétz · Ligny-St-Flochel · Ternas · Averdoingt · Tilloy-lès-Hermaville · Hermaville · Haute-Avesnes · Habarcq · Agnez-lès-Duisans · Duisans · St Nic.

3 Fortel-en-Artois · Bonnières · Ligny-sur-Canche · Bouret-sur-Canche · Frévent · Rebreuve-sur-Canche · Liencourt · Avesnes-le-Comte · Hauteville · Wanquetin · Berneville · Dainville · Achicourt · Agny

Ivergny · le Souich · Beaudricourt · Sombrin · Barly · Châl. de Varlemont · Gouy-en-Artois · Beaumetz-lès-Loges · Monchiet · Châl. de Grosville · Rivière · Wailly · Ficheux

4 Remaisnil · Neuvillette · Bouquemaison · Humbercourt · Couturelle · Saulty · l'Arbret · Bailleulmont · Ransart · Adinfer · Boiry-Ste-Rictrude · Boiry-St-Martin · Moyenneville

Mézerôlles · Occoches · Lucheux · Humbercamps · la Cauchie · Berles-au-Bois · Monchy-au-Bois · Bienvillers-au-Bois · Douchy-lès-Ayette · Ayette · Courcelles-le-Comte

Hem-Hardinval · Grouches-Luchuel · Pommera · Warlincourt-lès-Pas · Gaudiempré · St-Amand · Hannescamps · Foncquevillers · Gommecourt · Bucquoy · Achiet-le-Grand

5 Fienvillers · Candas · Doullens · Halloy · Mondicourt · Grincourt-lès-Pas · St-Liévin · Hénu · Souastre · Hébuterne · Achiet-le-Petit · Puisieux · Ablainzevelle

Bonneville · Beauval · Terramesnil · Amplier · Orville · Thièvres · Authie · St-Léger-lès-Authie · Sailly-au-Bois · Coigneux · Nécropole Nationale · Beaumont-Hamel · Serre · Miraumont · Irles

Fieffes · Beauquesne · le Rosel · Marieux · Vauchelles-lès-Authie · Bertrancourt · Louvencourt · Colincamps · Auchonvillers · Mailly-Maillet · Grandcourt · Pys

6 Canaples · la Vicogne · Puchevillers · Raincheval · Arquèves · Acheux-en-Amiénois · Forceville · Léalvillers · Englebelmer · Mesnil-Martinsart · Thiepval · Courcelette

Flesselles · Naours · Talmas · Val-des-Maisons · Varennes · Harponville · Hédauville · Martinsart · Hamel · Aveluy · Authuille · Pozières · Bazentin

Grottes de Naours · Wargnies · Toutencourt · Hérissart · Warloy-Baillon · Senlis-le-Sec · Bouzincourt · Ovillers-la-Boisselle · Contalmaison

Montonvillers · Villers-Bocage · Rubempré · Pierregot · Mirvaux · Contay · Vadencourt · Hénencourt · Millencourt · Albert · Bécourt · Mametz

Molliens-au-Bois · Beaucourt-sur-l'Hallue · Bavelincourt · Bresle · Laviéville · Fricourt · Bécordel-Bécourt · Carnoy

LENS
Harnes
Loison-sous-Lens
Évin-Malmaison
Raimbeaucourt
Bouvignies
Dourges
Leforest
Roost-Warendin
Flines-lez-Raches
Noyelles-sous-Lens
Montigny-en-Gohelle
Courcelles-lès-Lens
Râches
Sallaumines
Hénin-Beaumont
Noyelles-Godault
Auby
Anhiers
Marchiennes
Avion
Méricourt
Flers-en-Escrebieux
Vred
Lallaing
Rouvroy
Drocourt
Waziers
Pecquencourt
Rieulay
Vimy
Cuincy
DOUAI
Esquerchin
Montigny-en-Ostrevent
Fenain
Arleux-en-Gohelle
Fresnoy-en-Gohelle
Izel-lès-Équerchin
Quiéry-la-Motte
Sin-le-Noble
Somain
Thélus
Willerval
Farbus
Oppy
Neuvireuil
Lambres-lez-Douai
Dechy
Guesnain
Masny
Écaillon
Bailleul-Sir-Berthoult
Courchelettes
Lewarde
Abscon
Brebières
Corbehem
Auberchicourt
Aniche
Roclincourt
Gavrelle
Fresnes-lès-Montauban
Vitry-en-Artois
Férin
Roucourt
Biache-St-Vaast
Gouy-sous-Bellonne
Goeulzin
Cantin
Erchin
Émerchicourt
Mastaing
Lourches
Athies
Fampoux
Plouvain
Noyelles-sous-Bellonne
Villers-au-Tertre
Monchecourt
Rœulx
St-Laurent-Blangy
Rœux
Hamblain-les-Prés
Bellonne
Estrées
Bugnicourt
Marquette-en-Ostrevant
Neuville-sur-Escaut
ARRAS
Feuchy
Pelves
Sailly-en-Ostrevent
Tortequesne
Arleux
Fressain
Marcq-en-Ostrevent
Bouchain
Tilloy-lès-Mofflaines
Monchy-le-Preux
Étaing
Hamel
Lécluse
Brunémont
Aubigny-au-Bac
Wasnes-au-Bac
Féchain
Wavrechain-sous-Faulx
Beaurains
Wancourt
Boiry-N.-D.
Palluel
Fressies
Hordain
Écourt-St-Quentin
Aubencheul-au-Bac
Hem-Lenglet
Estrun
Neuville-Vitasse
Guémappe
Rémy
Éterpigny
Récourt
Saudemont
Haucourt
Oisy-le-Verger
Paillencourt
St-Martin-sur-Cojeul
Wancourt
Vis-en-Artois
Dury
Sauchy-Cauchy
Rumaucourt
Abancourt
Bantigny
Cuvillers
Thun-l'Évêque
Iwuy
Héninel
Chérisy
Hénin-sur-Cojeul
Fontaine-lès-Croisilles
Villers-lès-Cagnicourt
Sauchy-Lestrée
Épinoy
Blécourt
Thun-St-Martin
Eswars
Boiry-Becquerelle
Hendecourt-lès-Cagnicourt
Baralle
Haynecourt
Sancourt
Ramillies
Naves
Boyelles
Croisilles
Cagnicourt
Buissy
Marquion
Tilloy-lez-Cambrai
Escaudœuvres
Bullecourt
Riencourt-lès-Cagnicourt
Sains-lès-Marquion
Sailly-lez-Cambrai
Neuville-St-Rémy
St-Léger
Raillencourt-Ste-Olle
Cagnoncles
Hamelincourt
Écoust-St-Mein
Quéant
Cauroir
Noreuil
Pronville
Inchy-en-Artois
Bourlon
Proville
CAMBRAI
Carnières
Ervillers
Fontaine-N.-D.
Lagnicourt-Marcel
Mœuvres
Anneux
Gomiécourt
Mory
Cantaing-sur-Escaut
Awoingt
Estourmel
Niergnies
Béhagnies
Vaulx-Vraucourt
Morchies
Louverval
Graincourt-lès-Havrincourt
Noyelles-sur-Escaut
Boursies
Sapignies
Doignies
Flesquières
Rumilly-en-Cambrésis
Wambaix
Favreuil
Beugnâtre
Marcoing
Bihucourt
Beugny
Lebucquière
Beaumetz-lès-Cambrai
Hermies
Havrincourt
Ribécourt-la-Tour
Masnières
Séranvillers-Forenville
Crèvecœur-sur-l'Escaut
Frémicourt
Vélu
Esnes
Avesnes-lès-Bapaume
Bancourt
Trescault
Lesdain
Bapaume
Riencourt-lès-Bapaume
Haplincourt
Bertincourt
Villers-Plouich
la Vacquerie
Les Rues-des-Vignes
Ligny-Thilloy
Villers-au-Flos
Ruyaulcourt
Beaulencourt
Barastre
Metz-en-Couture
Banteux
le Transloy
Rocquigny
Bus
Ytres
Neuville-Bourjonval
Gouzeaucourt
Bantouzelle
Gueudecourt
Léchelle
Gonnelieu
Malincourt
Flers
Lesbœufs
Étricourt-Manancourt
Fins
Honnecourt-sur-Escaut
Villers-Outréaux
Mesnil-en-Arrouaise
Équancourt
Villers-Guislain
Morval
Sailly-Saillisel
Aubencheul-aux-Bois
Ginchy
Longueval
Guillemont
Sorel
Heudicourt
Épehy
Vendhuile
Combles
Rancourt
Nurlu
Guyencourt-Saulcourt
Gouy
Beaurevoir
le Catelet
Maurepas
Liéramont
Lempire
Moislains
Bony
Hardecourt-aux-Bois
Bouchavesnes-Bergen
Aizecourt-le-Bas
Ronssoy
Ste-Émilie
Mémorial
Sce de l'Escaut
Tr Jeanne d'Arc
Anc. Abb.
Abb. de Vaucelles
Cim. All.
Cim. Brit.
Nécr. Nat.
Chaussée Brunehaut
Autoroute des Anglais
Autoroute du Nord
Camp de César
la Scarpe
la Sensée
Can. de St-Quentin
Dolmen
Porte de Valenciennes
Beffroi
Anc. Chartreuse
Anc. Abb. d'Anchin
Péage
A1
A2
A26
E17
E19
N17
N30
N43
N44
N45
N50
N455
59
F
G
H
J
K
PARC

12
PARC NAT. RÉG. SCARPE-ESCAUT
St-Amand-
-les-Eaux
Flines-
-lez-Raches
Millonfosse
Hasnon
Marchiennes
Wandignies-
-Hamage
Rieulay
Wallers
Hélesmes
Fenain
Erre
Hornaing
Montigny-
-en-Ostrevent
Bruille-lez-
-Marchiennes
Somain
Masny
Écaillon
Abscon
Escaudain
Denain
Aniche
Auberchicourt
Erchin
Émerchicourt
Monchecourt
Marquette-
-en-Ostrevent
Bugnicourt
Fressain
Marcq-
-en-Ostrevent
Bouchain
Aubigny-
-au-Bac
Féchain
Wasnes-au-Bac
Wavrechain-
-sous-Faulx
Hordain
Hem-
-Lenglet
Paillencourt
Estrun
Camp de César
Iwuy
Abancourt
Bantigny
Cuvillers
Thun-
-l'Évêque
Thun-
-St-Martin
Blécourt
Eswars
Ramillies
Sancourt
Tilloy-
-lez-Cambrai
Sailly-lez-
-Cambrai
Escaudœuvres
Neuville-
-St-Rémy
Cagnoncles
Proville
CAMBRAI
Cantaing-
-sur-Escaut
Marcoing
Masnières
Rumilly-
-en-Cambrésis
Séranvillers-
-Forenville
Crèvecœur-
-sur-l'Escaut
Lesdain
les Rues-
-des-Vignes
la Vacquerie
Bonavis
Abb. de Vaucelles
Banteux
Bantouzelle
Honnecourt-
-sur-Escaut
Villers-
-Outréaux
Malincourt
Aubencheul-
-aux-Bois
Vendhuile
le Catelet
Gouy
Beaurevoir
Lempire
Tr Jeanne d'Arc
Sce de l'Escaut
Mémorial
Cim. Am.
Awoingt
Niergnies
Estourmel
Cauroir
Carnières
Wambaix
Cattenières
Fontaine-
-au-Pire
Caudry
Esnes
Haucourt-
-en-Cambrésis
Ligny-
-en-Cambrésis
Walincourt-
-Selvigny
Dehéries
Élincourt
Maretz
Serain
Prémont
Bohain-
-en-Vermandois
Brancourt-
-le-Grand
Clary
Caullery
Bertry
Montigny-
-en-Cambrésis
Honnechy
Reumont
Maurois
Busigny
Vaux-Andigny
Becquigny
Troisvilles
Beaumont-
-en-Cambrésis
Inchy
Béthencourt
Beauvois-
-en-Cambrésis
Bévillers
Quiévy
Viesly
Briastre
Neuvilly
Montay
le Cateau-
-Cambrésis
Pommereuil
Bazuel
St-Benin
St-Souplet
Escaufourt
St-Martin-Rivière
Molain
la Vallée-Mulâtre
Wassigny
Mennevret
Étreux
Vénérolles
Hannapes
Dorengt
la Neuville-
-lès-Dorengt
Oisy
Ribeauville
Rejet-
-de-Beaulieu
Fesmy-
-le-Sart
Mazinghien
Catillon-
-sur-Sambre
la Groise
Ors
Landrecies
Fontaine-
-au-Bois
Bousies
Robersart
Forest-
-en-Cambrésis
Croix-
-Caluyau
Preux-au-Bois
Englefontaine
Hecq
Locquignol
Poix-
-du-Nord
Vendegies-
-au-Bois
Beaurain
Neuville-
-en-Avesnois
Salesches
Romeries
Vertain
Solesmes
St-Python
Haussy
St-Aubert
Avesnes-
-les-Aubert
St-Vaast-
-en-Cambrésis
St-Hilaire-
-lez-Cambrai
Boussières-
-en-Cambrésis
Rieux-
-en-Cambrésis
Naves
Villers-
-en-Cauchies
Avesnes-
-le-Sec
Saulzoir
Montrécourt
Haspres
Lieu-St-Amand
Noyelles-
-sur-Selle
Douchy-
-les-Mines
Neuville-
-sur-Escaut
Rœulx
Mastaing
Lourches
Haveluy
Wavrechain-
-sous-Denain
Herin
Oisy
Bellaing
Aubry-
-du-Hainaut
Raismes
Petite-
-Forêt
Anzin
Beuvrages
Bruay-
-sur-l'Escaut
Escautpont
VALENCIENNES
la Sentinelle
Trith-
-St-Léger
Rouvignies
Prouvy
Haulchin
Thiant
Maing
Monchaux-
-sur-Écaillon
Quérénaing
Verchain-
-Maugré
Sommaing
Vendegies-
-sur-Écaillon
St-Martin-
-sur-Écaillon
Escarmain
Capelle
Beaudignies
Bermerain
Ruesnes
le Quesnoy
Orsinval
Sepmeries
Villers-Pol
Maresches
Artres
Famars
Aulnoy-lez-
-Valenciennes
Marly
Saultain
Estreux
Curgies
Préseau
Jenlain
Wargnies-
-le-Grand
Wargnies-
-le-Petit
Sebourg
Honnelles
Rombies-et-
-Marchipont
St-Saulve
Onnaing
Vicq
Quarouble
Quiévrechain
Crespin
Hensies
Thivencelle
Quiévrain
Villereau
Potelle
Jolimetz
Louvignies-
-Quesnoy
Raucourt-
-au-Bois
Ghissignies
Frasnoy
Preux-
-au-Sart
HAINAUT
Mais. du Parc
Réserve Ornithologique
Chât. d'Arenberg
Anc. Abb. d'Anchin
Chaussée Brunehaut

Boussu
Quaregnon
Colfontaine
Frameries
Dour
Quévy
Estinnes
Binche
Anderlues
Lobbes
Bavay
Feignies
MAUBEUGE
Jeumont
Erquelinnes
Hautmont
Louvroil
Aulnoye-Aymeries
Berlaimont
Avesnes-sur-Helpe
Maroilles
Sains-du-Nord
Trélon
Fourmies
Momignies
Glageon
Anor
Le Nouvion-en-Thiérache
la Capelle
Cousolre
Beaumont
Solre-le-Château
Sars-Poteries
Liessies
Eppe-Sauvage
Sivry-Rance
Clairfayts
Dourlers
Pont-sur-Sambre
St-Remy-du-Nord
Beaufort
Ferrière-la-Grande
PARC NAT. RÉG. DE L'AVESNOIS
Lac du Val Joly
Forêt Dom. de Trélon
Forêt du Nouvion
Mon. de l'Armistice
Menhirs les Pierres Martines
Chât. de Coutant
Chât. de la Motte
Parc Départemental du Val Joly
Bois de Bonne Espérance

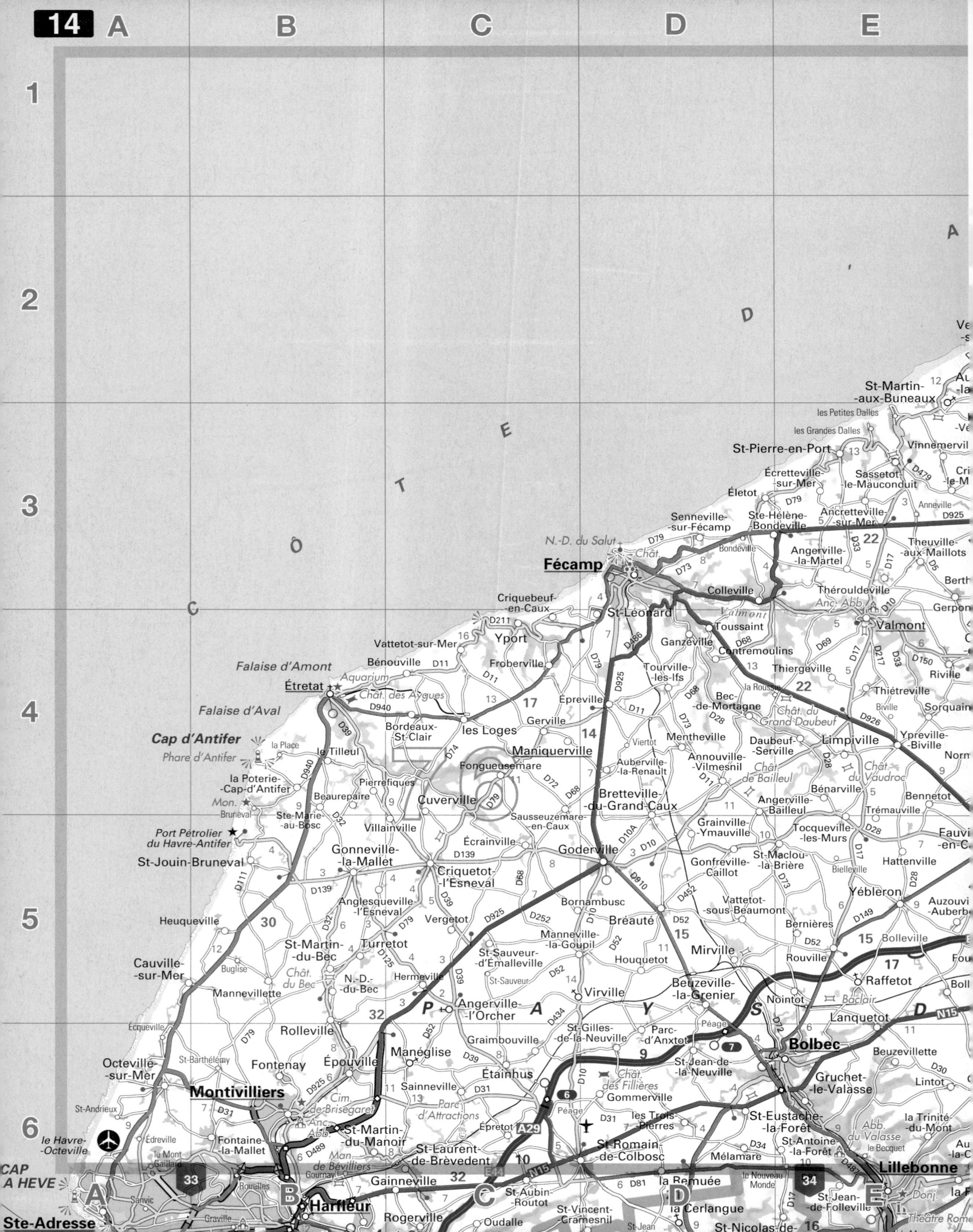

A B C D E
1 2 3 4 5 6
C Ô T E D' A
Fécamp
N.-D. du Salut
Châl.
St-Léonard
Criquebeuf-en-Caux
Yport
Vattetot-sur-Mer
Bénouville
Falaise d'Amont
Étretat
Aquarium
Chât. des Aygues
Falaise d'Aval
Cap d'Antifer
la Place
Phare d'Antifer
le Tilleul
la Poterie-Cap-d'Antifer
Mon.
Bruneval
Port Pétrolier du Havre-Antifer
St-Jouin-Bruneval
Heuqueville
Cauville-sur-Mer
Buglise
Mannevillette
Écqueville
Octeville-sur-Mer
St-Barthélémy
St-Andrieux
le Havre-Octeville
Édreville
le Mont Gaillard
CAP A HEVE
Sanvic
Ste-Adresse
Graville
Rouelles
Montivilliers
Fontaine-la-Mallet
Harfleur
Gournay
Fontenay
Épouville
Rolleville
St-Martin-du-Bec
Chât. du Bec
N.-D.-du-Bec
Turretot
Anglesqueville-l'Esneval
Gonneville-la-Mallet
Villainville
Ste-Marie-au-Bosc
Beaurepaire
Pierrefiques
Bordeaux-St-Clair
les Loges
Cuverville
Fongueusemare
Maniquerville
Gerville
Froberville
Épreville
Criquetot-l'Esneval
Écrainville
Sausseuzemare-en-Caux
Goderville
Bretteville-du-Grand-Caux
Vergetot
Hermeville
Angerville-l'Orcher
Graimbouville
Maneglise
Étainhus
Sainneville
St-Martin-du-Manoir
Cim. de Brisegaret
Anc. Abb.
Man. de Bévilliers
Parc d'Attractions
Épretot
St-Laurent-de-Brèvedent
Gainneville
Rogerville
St-Aubin-Routot
Oudalle
St-Vincent-Cramesnil
St-Jean
St-Romain-de-Colbosc
les Trois-Pierres
Gommerville
Chât. des Fillières
St-Gilles-de-la-Neuville
Parc-d'Anxtot
Virville
St-Sauveur-d'Émalleville
St-Sauveur
Manneville-la-Goupil
Bornambusc
Breauté
Houquetot
Mirville
Beuzeville-la-Grenier
Nointot
Bolbec
St-Jean-de-la-Neuville
St-Eustache-la-Forêt
Mélamare
la Remuée
la Cerlangue
St-Nicolas-de-
le Nouveau Monde
St-Jean-de-Folleville
Lillebonne
Donj.
Théâtre Rom.
St-Antoine-la-Forêt
le Becquet
Abb. du Valasse
la Trinité-du-Mont
Gruchet-le-Valasse
Lintot
Beuzevillette
Lanquetot
Baclair
Raffetot
Rouville
Bolleville
Bernières
Vattetot-sous-Beaumont
Gonfreville-Caillot
St-Maclou-la-Brière
Bielleville
Yébleron
Hattenville
Grainville-Ymauville
Tocqueville-les-Murs
Angerville-Bailleul
Chât. de Bailleul
Annouville-Vilmesnil
Auberville-la-Renault
Viertot
Mentheville
Tourville-les-Ifs
Bec-de-Mortagne
la Roussie
Daubeuf-Serville
Chât. du Grand Daubeuf
Limpiville
Chât. du Vaudroc
Bénarville
Trémauville
Ganzeville
Contremoulins
Toussaint
Thiergeville
Colleville
Valmont
Anc. Abb.
Thérouldeville
Angerville-la-Martel
Bondeville
Senneville-sur-Fécamp
Ste-Hélène-Bondeville
Életot
Écretteville-sur-Mer
St-Pierre-en-Port
les Grandes Dalles
les Petites Dalles
St-Martin-aux-Buneaux
Sassetot-le-Mauconduit
Ancretteville-sur-Mer
Anneville
Theuville-aux-Maillots
Vinnemervil
Thiétreville
Biville
Ypreville-Biville
Sorquain
Riville
Gerpon
Berth
Bennetot
Fauvi-en-C
Auzouvi-Auberb
Bolleville
Péage
P A Y S
A29 A13 E44 N15 N15
D925 D940 D39 D139 D11 D79 D73 D68 D28 D926 D17 D10 D31 D489 D81 D34 D52 D910 D149
30 32 33 34 22 17 15 14 13 16 9 10

F
G
H
J
K
15
1
2
3
4
5
6
M A N C H E
Newhaven (R.-U.)
DIEPPE
Neuville-lès-Dieppe
Bracque
Phare d'Ailly
Manoir
Pourville
Ste-Marguerite-sur-Mer
Parc du Bois des Moutiers
Varengeville-sur-Mer
Quiberville
St-Aubin-sur-Mer
Manoir d'Ango
Hautot-sur-Mer
Rouxmesnil-Bouteilles
Cim. Canadien
Arques-la-Bataille
St-Valery-en-Caux
Veules-les-Roses
Sotteville-sur-Mer
Flainville
Englesqueville
Longueil
St-Denis-d'Aclon
Ouville-la-Rivière
Tous les Mesnils
Offranville
St-Aubin-sur-Scie
Miromesnil
Centrale Nucléaire de Paluel
le Tot
Blosseville
le Bourg-Dun
la Chapelle-sur-Dun
Sauqueville
Tourville-sur-Arques
Veulettes-sur-Mer
Cim. Franco-Brit.
St-Sylvain
Anglesqueville-les-Murs
Ingouville
Manneville-ès-Plains
St-Pierre-le-Vieux
Pitié
Avremesnil
Gueures
Ambrumesnil
Colmesnil-Manneville
Manéhouville
Paluel
Janville
Cailleville
Silleron
Gueutteville-les-Grès
Angiens
la Gaillarde
Luneray
Thil-Manneville
Auppegard
Anneville-sur-Scie
Malleville-les-Grès
St-Riquier-ès-Plains
Néville
Pleine-Sève
le Mesnil-Durdent
St-Pierre-le-Viger
Houdetot
Gourel
Hermanville
Crosville-sur-Scie
Vittefleur
Canouville
Pleine-Sévette
Base de Loisirs
Fontaine-le-Dun
Gruchet-St-Siméon
Brachy
Bertreville-St-Ouen
Dénestanville
le Mesnil-Geoffroy
Ste-Colombe
Greuville
Ocqueville
Crasville-la-Mallet
Ermenouville
Autigny
Crasville-la-Rocquefort
Lammerville
Omonville
Lintot-les-Bois
Clasville
Ouainville
Drosay
Bourville
Château d'Arnouville
Brametot
Rainfreville
Vénestanville
Bacqueville-en-Caux
Longueville-sur-Scie
Cany-Barville
Sasseville
Touffrainville
Château de Catteville
Héberville
Anglesqueville-la-Bras-Long
Canville-les-Deux-Églises
Sassetot-le-Malgardé
Tocqueville-en-Caux
Royville
Lamberville
Belmesnil
Criquetot-sur-Longueville
Bertreville
Barville
Château de Cany
Bosville
Gonzeville
Bretteville-St-Laurent
Biville-la-Rivière
St-Ouen-le-Mauger
St-Mards
Gonneville-sur-Scie
Carcuit
Hautot-l'Auvray
Fultot
Gonnetot
Saâne-St-Just
St-Vaast-Dieppedalle
Vautuit
Bénesville
St-Laurent-en-Caux
Lestanville
Beauval-en-Caux
Grainville-la-Teinturière
Veauville-les-Quelles
Étalleville
Reuville
Auzouville-sur-Saâne
St-Pierre-Bénouville
Heugleville-sur-Scie
Ourville-en-Caux
Manoir Auffay
Routes
Château de Galleville
Prétot-Vicquemare
le Mesnil-Rury
Château de Bimorel
Ste-Geneviève-en-Caux
le Hanouard
Carville-Pot-de-Fer
Doudeville
Boudeville
le Torp-Mesnil
Biville-la-Baignarde
Auffay
Beuzeville-la-Guérard
Oherville
Robertot
Berville
Belleville-en-Caux
Cleuville
Sommesnil
Harcanville
Lindebeuf
Imbleville
St-Denis-sur-Scie
Héricourt-en-Caux
Amfreville-les-Champs
Val-de-Saâne
Calleville-les-Deux-Églises
Thiouville
Ancourteville-sur-Héricourt
Anvéville
Vibeuf
la Fontelaye
Hautot-St-Sulpice
Yvecrique
Ouville-l'Abbaye
St-Vaast-du-Val
Vassonville
Château du Boscol
Étoutteville
Bourdainville
Varvannes
Ste-Marguerite-sur-Fauville
Cliponville
Grémonville
Criquetot-sur-Ouville
Yerville
Tôtes
le Tot
Plain Bosc
St-Martin-aux-Arbres
le Château
Bertrimont
St-Victor-l'Abbaye
Envronville
Rocquefort
St-Pierre-Lavis
Hautot-le-Vatois
Autretot
Veauville-lès-Baons
Ancretiéville-St-Victor
Varneville-Bretteville
Ectot-lès-Baons
Alvimbuc
Péage
Bermonville
Écretteville-lès-Baons
Ectot-l'Auber
Gueutteville
Beautot
Fresnay-le-Long
Ricarville
Chap. du Fay
Baons-le-Comte
Motteville
Auzouville-l'Esneval
Hugleville-en-Caux
St-Ouen-du-Breuil
Cléville
Yvetot
Flamanville
Saussay
la Houssaye-Béranger
Écretteville-lès-Baons
Ste-Marie-des-Champs
Cideville
Gretot
Butot
Grugny
Chap. des Blanques
Valliquerville
Écalles-Alix
Émanville
Limésy
Alvimare
Allouville-Bellefosse
St-Clair-sur-les-Monts
le Bocasse
Ste-Austreberthe
Château de Bellefosse
Chêne
Auzebosc
Croix-Mare
Mesnil-Panneville
Croix
Clères
Zoo
Bois-Himont
Touffreville-la-Corbeline
Mont-de-l'If
St-Antoine
Goupillières
Sierville
Cordelleville
Trouville
St-Aubin-de-Crétot
Louvetot
la Folletière
Anceaumeville
St-Gilles-de-Crétot
Grand-Camp
Fréville
Château d'Esneval
Maulévrier-Ste-Gertrude
Carville-la-Folletière
Bouville
Pavilly
Fresquiennes
Mont-Cauvaire
St-Nicolas-de-la-Haie
Forêt
Blacqueville
Calv. la Croix de Pierre
Base de Loisirs
Ste-Gertrude
Rançon
Betteville
Barentin
Montville
Rue de Bouville
Anquetierville
St-Arnoult
Caudebec-en-Caux
St-Wandrille-Rançon
Épinay-sur-Duclair
Villers-Écalles
Pissy-Pôville
Eslettes
Malaunay
Bosc-Guérard-St-Adrien
Villequier
Pont de Brotonne
St-Paër
Villers
Houppeville
Touffreville-la-Cable
Ste-Marguerite-
Péage
A29
A150
A151
N15
N27
N29
N2027
E44
D925
D75
D142
D20
D50

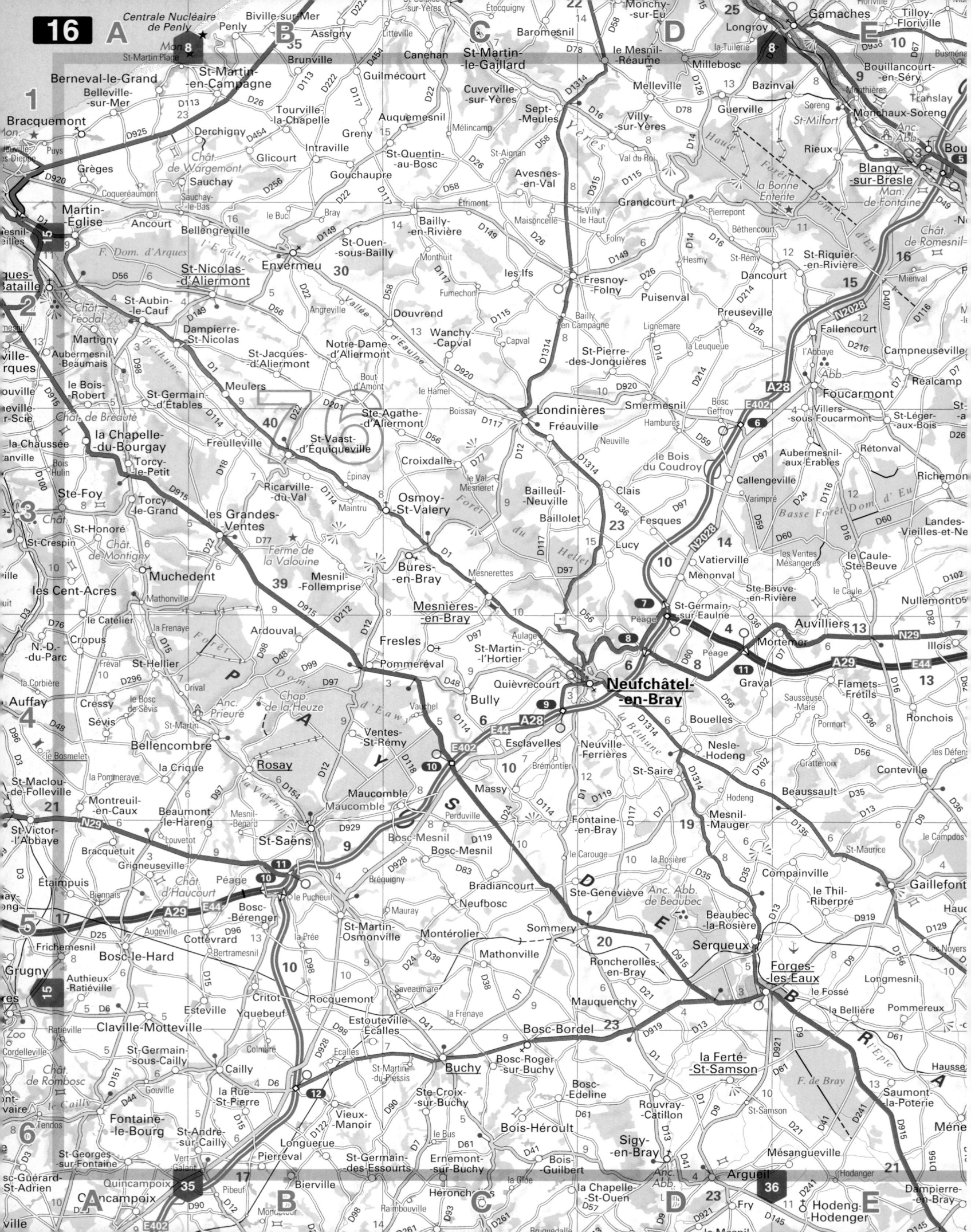

16
Centrale Nucléaire de Penly
Neufchâtel-en-Bray
Forges-les-Eaux
Blangy-sur-Bresle
Envermeu
Londinières
St-Saëns
Buchy
Gamaches
Foucarmont
St-Nicolas-d'Aliermont
Mesnières-en-Bray
la Ferté-St-Samson
Argueil
Bellencombre
Rosay
A28
A29
N29
N2028
E402
E44

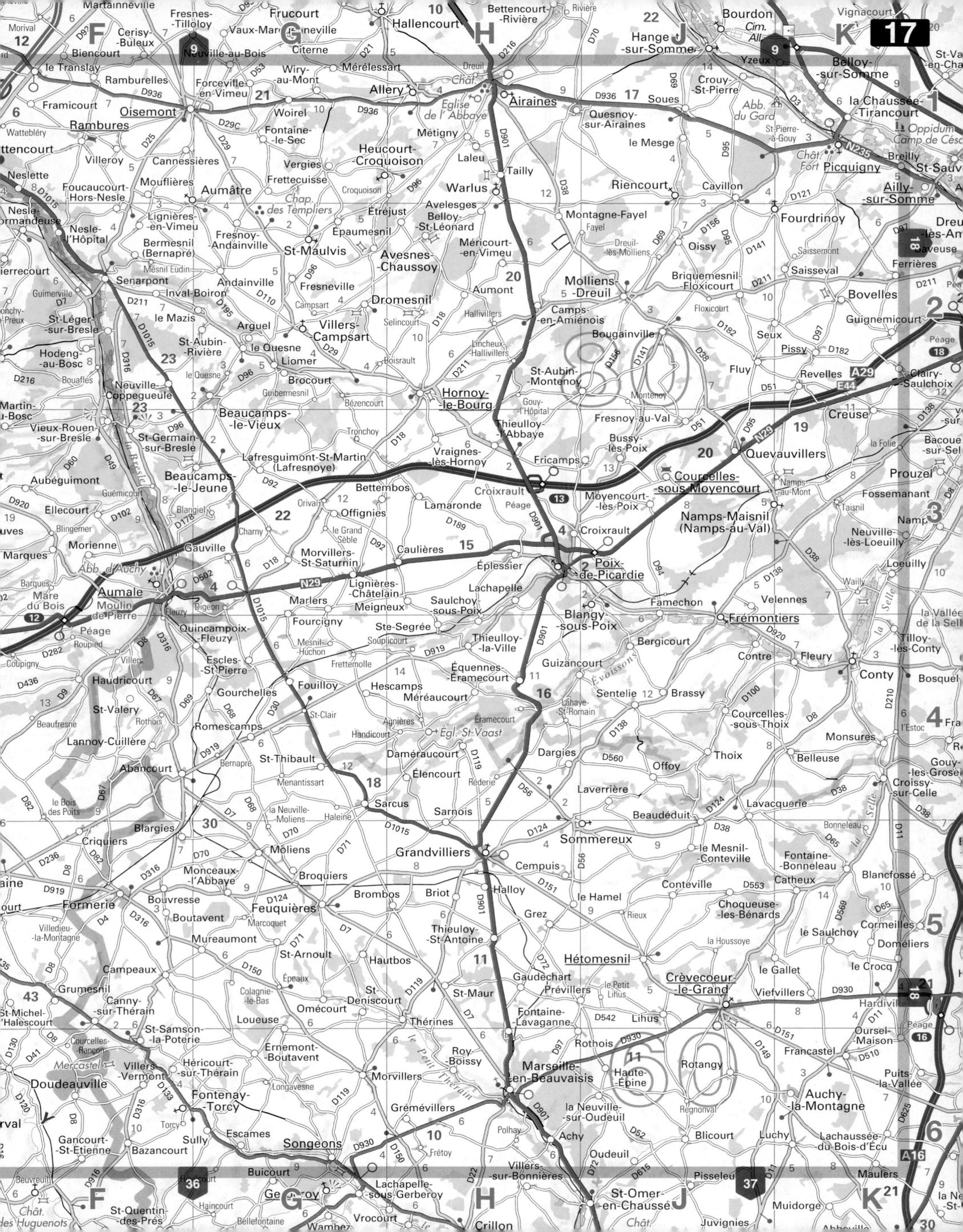

17
Martainneville
Fresnes-Tilloloy
Frucourt
Hallencourt
Bettencourt-Rivière
Hangest-sur-Somme
Bourdon
Vignacourt
Cerisy-Buleux
Biencourt
Neuville-au-Bois
Citerne
Mérélessart
Dreuil
Yzeux
Belloy-sur-Somme
le Translay
Ramburelles
Forceville-en-Vimeu
Wiry-au-Mont
Allery
Airaines
Crouy-St-Pierre
Soues
Framicourt
Oisemont
Woirel
Eglise de l'Abbaye
Quesnoy-sur-Airaines
Abb. du Gard
la Chaussée-Tirancourt
Oppidum Camp de César
Rambures
Fontaine-le-Sec
Métigny
le Mesge
St-Pierre-à-Gouy
Watteblery
Villeroy
Cannessières
Heucourt-Croquoison
Vergies
Laleu
Tailly
Picquigny
Breilly
St-Sauveur
Neslette
Mouflières
Frettecuisse
Croquoison
Warlus
Riencourt
Cavillon
Ailly-sur-Somme
Foucaucourt-Hors-Nesle
Aumâtre
Chap. des Templiers
Avelesges
Belloy-St-Léonard
Montagne-Fayel
Fourdrinoy
Nesle-Normandeuse
Nesle-l'Hôpital
Lignières-en-Vimeu
Étréjust
Épaumesnil
Fayel
Dreuil-lès-Molliens
Oissy
Saissemont
Bermesnil (Bernapré)
Fresnoy-Andainville
St-Maulvis
Avesnes-Chaussoy
Méricourt-en-Vimeu
Ferrières
Mesnil Eudin
Senarpont
Andainville
Fresneville
Aumont
Molliens-Dreuil
Briquemesnil-Floxicourt
Saisseval
Bovelles
Guimerville
Inval-Boiron
Dromesnil
Campsart
Selincourt
Hallivillers
Camps-en-Amiénois
Floxicourt
Guignemicourt
St-Léger-sur-Bresle
le Mazis
Arguel
Villers-Campsart
Bougainville
Seux
Pissy
Hodeng-au-Bosc
St-Aubin-Rivière
le Quesne
Liomer
Boisrault
Lincheux-Hallivillers
St-Aubin-Montenoy
Fluy
Revelles
Clairy-Saulchoix
Bouafles
Neuville-Coppegueule
Brocourt
Guibermesnil
Hornoy-le-Bourg
Bézencourt
Gouy-l'Hôpital
Montenoy
Creuse
Vieux-Rouen-sur-Bresle
Beaucamps-le-Vieux
St-Germain-sur-Bresle
Tronchoy
Thieulloy-l'Abbaye
Fresnoy-au-Val
Bussy-lès-Poix
Quevauvillers
la Folie
Bacouel-sur-Selle
Lafresguimont-St-Martin (Lafresnoye)
Vraignes-lès-Hornoy
Fricamps
Courcelles-sous-Moyencourt
Prouzel
Aubéguimont
Beaucamps-le-Jeune
Guémicourt
Bettembos
Croixrault
Moyencourt-lès-Poix
Namps-au-Mont
Fossemanant
Ellecourt
Blangiel
Orival
Offignies
Lamaronde
Namps-Maisnil (Namps-au-Val)
Taisnil
Blingemer
Charny
le Grand Sèble
Neuville-lès-Loeuilly
Marques
Morienne
Gauville
Morvillers-St-Saturnin
Caulières
Éplessier
Poix-de-Picardie
Loeuilly
Abb. d'Auchy
Aumale
Lignières-Châtelain
Lachapelle
Marlers
Meigneux
Saulchoy-sous-Poix
Famechon
Velennes
Barques
Mare du Bois
Moulin de Pierre
Fleuzy
Digeon
Fourcigny
Blangy-sous-Poix
Frémontiers
la Vallée de la Selle
Roupied
Quincampoix-Fleuzy
Ste-Segrée
Souplicourt
Thieulloy-la-Ville
Bergicourt
Tilloy-lès-Conty
Coupigny
Villers
Escles-St-Pierre
Mesnil-Huchon
Frettemolle
Équennes-Éramecourt
Guizancourt
Contre
Fleury
Conty
Haudricourt
Hescamps
Méréaucourt
Bosquel
Gourchelles
Fouilloy
Sentelie
Brassy
St-Valery
Rothois
St-Clair
Lahaye-St-Romain
Courcelles-sous-Thoix
Beaufresne
Romescamps
Agnières
Éramecourt
l'Estoc
Lannoy-Cuillère
Handicourt
Égl. St-Vaast
Monsures
St-Thibault
Daméraucourt
Dargies
Thoix
Belleuse
Gouy-les-Groseillers
Abancourt
Bernapré
Offoy
Élencourt
Croissy-sur-Celle
Menantissart
Réderie
Laverrière
le Bois des Puits
la Neuville-Moliens
Haleine
Sarcus
Sarnois
Lavacquerie
Beaudéduit
Blargies
Bonneleau
Criquiers
Sommereux
Moliens
Grandvilliers
le Mesnil-Conteville
Fontaine-Bonneleau
Broquiers
Cempuis
Blancfossé
Monceaux-l'Abbaye
Halloy
Conteville
Catheux
Formerie
Bouvresse
Brombos
Briot
le Hamel
Choqueuse-les-Bénards
Boutavent
Feuquières
Marcoquet
Grez
Rieux
Cormeilles
Villedieu-la-Montagne
Thieuloy-St-Antoine
le Saulchoy
Mureaumont
la Houssoye
Doméliers
St-Arnoult
Hautbos
Hétomesnil
le Crocq
Campeaux
Épeaux
Gaudechart
le Gallet
Grumesnil
Colagnie-le-Bas
St-Deniscourt
St-Maur
Préviller
le Petit Lihus
Crèvecoeur-le-Grand
Viefvillers
Hardivillers
Canny-sur-Thérain
St-Michel-d'Halescourt
Omécourt
Fontaine-Lavaganne
Lihus
Oursel-Maison
St-Samson-la-Poterie
Loueuse
Thérines
Courcelles-Rançon
Ernemont-Boutavent
Rothois
Francastel
Mercastel
Villers-Vermont
Héricourt-sur-Thérain
Roy-Boissy
Haute-Épine
Rotangy
le Petit Thérain
Doudeauville
Morvillers
Marseille-en-Beauvaisis
Puits-la-Vallée
Fontenay-Torcy
Longavesne
Auchy-la-Montagne
Gréméviller
la Neuville-sur-Oudeuil
Regnonval
Torcy
Gancourt-St-Étienne
Bazancourt
Sully
Escames
Polhay
Achy
Songeons
Frétoy
Oudeuil
Blicourt
Luchy
Lachaussée-du-Bois-d'Écu
Buicourt
Villers-sur-Bonnières
Pisseleu
Maulers
Beuvreuil
Hanvoile
Gerberoy
Lachapelle-sous-Gerberoy
St-Omer-en-Chaussée
Haincourt
St-Quentin-des-Prés
Bellefontaine
Wambez
Vrocourt
Crillon
Juvignies
Muidorge
Châtillon-des-Huguenots
A29
E44
N29
A16
D901
D1015
D936
D930
Péage

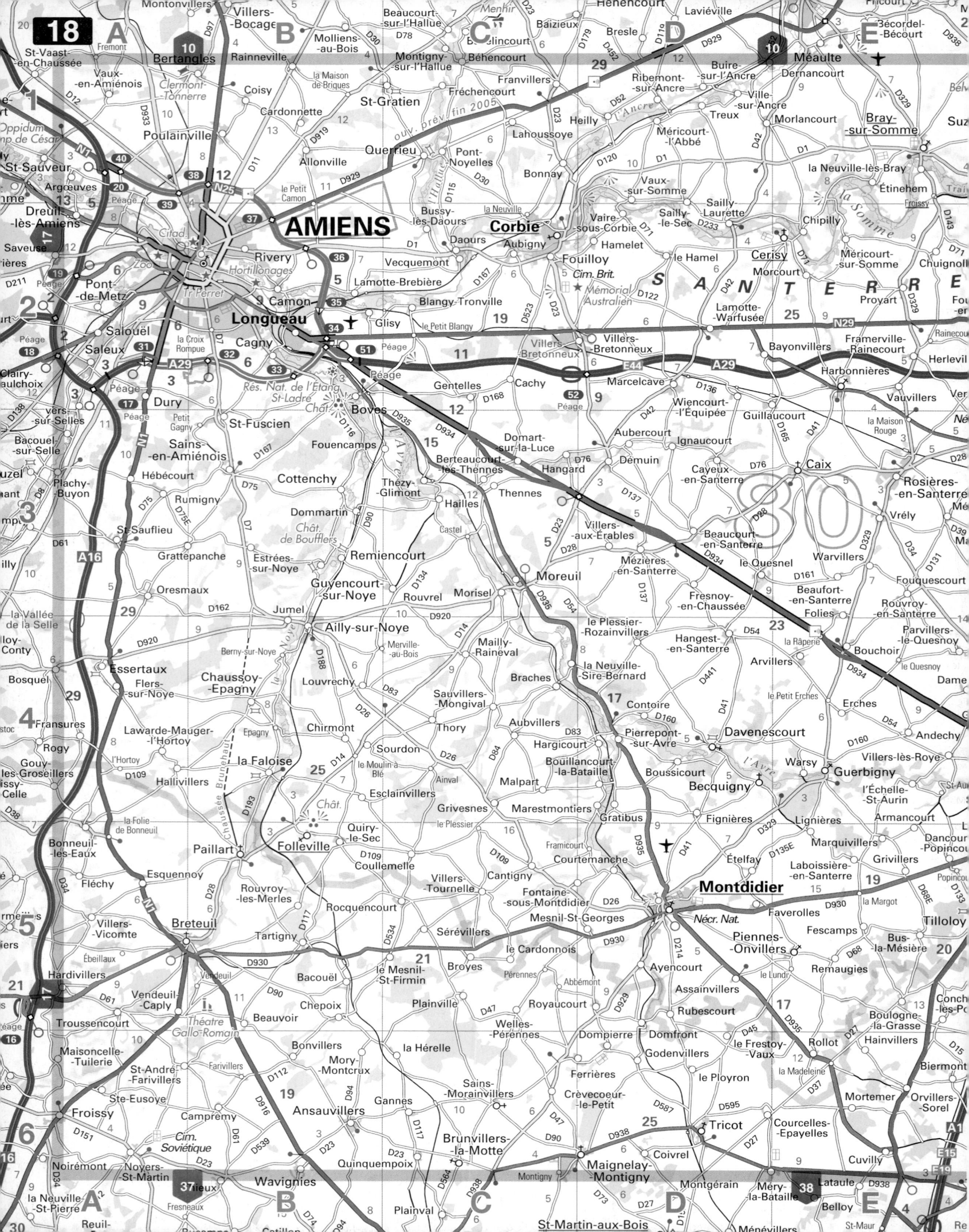

18
A
B
C
D
E
AMIENS
Longueau
Corbie
Montdidier
Breteuil
Moreuil
Boves
Ailly-sur-Noye
Bertangles
Villers-Bocage
Molliens-au-Bois
Beaucourt-sur-l'Hallue
Baizieux
Henencourt
Laviéville
Bresle
Bécordel-Bécourt
Méaulte
Dernancourt
Rainneville
Montigny-sur-l'Hallue
Béhencourt
Franvillers
Buire-sur-l'Ancre
Ribemont-sur-Ancre
St-Vaast-en-Chaussée
Vaux-en-Amiénois
Clermont-Tonnerre
Coisy
St-Gratien
Fréchencourt
Ville-sur-Ancre
Treux
Morlancourt
Bray-sur-Somme
Cardonnette
Heilly
Méricourt-l'Abbé
Poulainville
Lahoussoye
Querrieu
Pont-Noyelles
Allonville
Bonnay
la Neuville-lès-Bray
Étinehem
St-Sauveur
Argœuves
Dreuil-lès-Amiens
Bussy-lès-Daours
Vaux-sur-Somme
Sailly-Laurette
Sailly-le-Sec
Vaire-sous-Corbie
Chipilly
Saveuse
Daours
Aubigny
Hamelet
Cerisy
Méricourt-sur-Somme
Chuignolles
Rivery
Vecquemont
Fouilloy
le Hamel
Morcourt
Pont-de-Metz
Lamotte-Brebière
Cim. Brit.
Mémorial Australien
SANTERRE
Proyart
Camon
Blangy-Tronville
Lamotte-Warfusée
Salouël
Glisy
le Petit Blangy
Villers-Bretonneux
Saleux
Cagny
Bayonvillers
Framerville-Rainecourt
Herleville
Clairy-Saulchoix
Marcelcave
Harbonnières
Dury
Gentelles
Cachy
Vers-sur-Selles
Wiencourt-l'Équipée
Guillaucourt
Vauvillers
Rés. Nat. de l'Étang St-Ladre
St-Fuscien
Bacouel-sur-Selle
Sains-en-Amiénois
Fouencamps
Domart-sur-la-Luce
Aubercourt
Ignaucourt
Caix
Hébécourt
Berteaucourt-lès-Thennes
Hangard
Demuin
Cayeux-en-Santerre
Rosières-en-Santerre
Plachy-Buyon
Cottenchy
Thézy-Glimont
Thennes
Rumigny
Hailles
80
Dommartin
Villers-aux-Érables
Vrély
St-Sauflieu
Châ. de Boufflers
Beaucourt-en-Santerre
Grattepanche
Estrées-sur-Noye
Remiencourt
Mézières-en-Santerre
le Quesnel
Warvillers
Oresmaux
Guyencourt-sur-Noye
Rouvrel
Morisel
Fresnoy-en-Chaussée
Beaufort-en-Santerre
Fouquescourt
Rouvroy-en-Santerre
la Vallée de la Selle
Jumel
Folies
Loeuilly
Conty
Aulnay-sur-Noye
le Plessier-Rozainvillers
Parvillers-le-Quesnoy
Essertaux
Berny-sur-Noye
Merville-au-Bois
Mailly-Raineval
Hangest-en-Santerre
la Râperie
Bouchoir
Bosquel
Flers-sur-Noye
Chaussoy-Epagny
Louvrechy
Braches
la Neuville-Sire-Bernard
Arvillers
le Quesnoy
Sauvillers-Mongival
Contoire
le Petit Erches
Erches
Fransures
Lawarde-Mauger-l'Hortoy
Chirmont
Thory
Aubvillers
Pierrepont-sur-Avre
Davenescourt
Andechy
Rogy
Sourdon
Hargicourt
Gouy-les-Groseillers
l'Hortoy
la Faloise
le Moulin à Blé
Bouillancourt-la-Bataille
Villers-lès-Roye
Warsy
Guerbigny
Hallivillers
Ainval
Malpart
Boussicourt
Becquigny
Esclainvillers
Grivesnes
Marestmontiers
l'Échelle-St-Aurin
la Folie de Bonneuil
Chaussée Brunehaut
Quiry-le-Sec
Gratibus
Fignières
Lignières
Armancourt
Bonneuil-les-Eaux
Paillart
Folleville
Framicourt
Courtemanche
Ételfay
Marquivillers
Grivillers
Dancourt-Popincourt
Esquennoy
Coullemelle
Villers-Tournelle
Cantigny
Laboissière-en-Santerre
Fléchy
Rouvroy-les-Merles
Fontaine-sous-Montdidier
la Margot
Faverolles
Tilloloy
Villers-Vicomte
Rocquencourt
Mesnil-St-Georges
Nécr. Nat.
Fescamps
Tartigny
Sérévillers
Pienne-Onvillers
Bus-la-Mésière
le Cardonnois
Ébeillaux
Hardivillers
Bacouël
le Mesnil-St-Firmin
Broyes
Ayencourt
Remaugies
Pérennes
Abbémont
Assainvillers
le Lundi
Vendeuil-Caply
Chepoix
Plainville
Royaucourt
Rubescourt
Conchy-les-Pots
Théâtre Gallo-Romain
Troussencourt
Beauvoir
Welles-Pérennes
Dompierre
Domfront
Boulogne-la-Grasse
Maisoncelle-Tuilerie
Bonvillers
la Hérelle
le Frestoy-Vaux
Rollot
Hainvillers
Farivillers
St-André-Farivillers
Mory-Montcrux
Godenvillers
la Madeleine
Biermont
Ferrières
le Ployron
Sains-Morainvillers
Crèvecoeur-le-Petit
Mortemer
Orvillers-Sorel
Ste-Eusoye
Ansauvillers
Gannes
Froissy
Campremy
Tricot
Courcelles-Epayelles
Cim. Soviétique
Brunvillers-la-Motte
Coivrel
Cuvilly
Noirémont
Noyers-St-Martin
Quinquempoix
Maignelay-Montigny
Montigny
Wavignies
Montgérain
Méry-la-Bataille
Lataule
la Neuville-St-Pierre
Fresneaux
Plainval
Belloy
St-Martin-aux-Bois
St-Maur
Ménévillers
Reuil
A16
A29
N1
N25
N29
E44

F
G
H
J
K
Maurepas
Carnoy
Fardecourt-aux-Bois
Nécr. Nat.
Cim. All.
Moislains
Bouchavesnes-Bergen
Aizecourt-le-Bas
Saulcourt
Ronssoy
Lempire
Bony
Mémorial Américain
Maricourt
Curlu
Péage
Aizecourt-le-Haut
Longavesnes
Villers-Faucon
Templeux-le-Guérard
Ste-Émilie
Bellicourt
Nauroy
Estrées
Hem-Monacu
Feuillères
Cléry-sur-Somme
Allaines
Mont St-Quentin
Driencourt
Templeux-la-Fosse
Hargicourt
Villeret
Souterrain de Riqueval
Éclusier-Vaux
Frise
Halles
Porte de Bretagne
Bussu
Tincourt-Boucly
Marquaix
Roisel
Hesbécourt
Riqueval
Magny-la-Fosse
Cappy
Herbécourt
Nécr. Nat.
Ste-Radegonde
Péronne
Buire-Courcelles
Hamelet
Boucly
Hervilly
Jeancourt
Le Verguier
Bellenglise
Doingt
Biaches
la Chapelette
Menh.
la Cologne
Brusle
Cartigny
Montigny
Bernes
Cim. All. de Maissemy
la Haute Bruyère
Lehaucourt
l'Omignon
Dompierre-Becquincourt
Flaucourt
Hancourt
Vendelles
Pontruet
Pontru
Chuignes
Nécr. Nat.
Barleux
Mesnil-Bruntel
Beaumetz
Bouvincourt-en-Vermandois
Fléchin
Soyécourt
Vadancourt
Maissemy
Fontaine-lès-Cappy
Assevillers
Belloy-en-Santerre
Éterpigny
Vraignes-en-Vermandois
Bihécourt
Gricourt
Villers-Carbonnel
St-Cren
Prusle
Estrées-en-Chaussée
Poeuilly
Villecholles
Fresnoy-le-Petit
Fay
Péage
Estrées-Deniécourt
Brie
Estrées-Mons
Chaussée
Brunehaut
Vermand
Fayet
Soyécourt
Berny-en-Santerre
Châl.
Caulaincourt
Marteville
ST-Q
Gare T.G.V.
Fresnes-Mazancourt
St-Christ-Briost
Devise
Méréaucourt
Tertry
Attilly
Holnon
Cim. All.
Briost
Athies
l'Omignon
Trefcon
Villévêque
Francilly-Selency
Misery
Monchy-Lagache
Cim. All.
Ablaincourt-Pressoir
Cizancourt
Ennemain
Douvieux
Beauvois-en-Vermandois
Maison Rouge
Marchélepot
Épénancourt
Péage
Guizancourt
Lanchy
Savy
Oestres
Gauchy
Hyencourt-le-Grand
Licourt
Falvy
Vaux-en-Vermandois
Étreillers
Chaulnes
Pertain
Pargny
Croix-Moligneaux
Quivières
Ugny-l'Équipée
Germaine
Roupy
Dallon
Grugies
Omiécourt
Morchain
Villecourt
Foreste
Fluquières
Castres
Puzeaux
Hyencourt-le-Petit
Fontaine-les-Clercs
Contescourt
Chilly
Potte
Matigny
Auroir
Douchy
Essigny-le-Grand
Hallu
Punchy
Dreslincourt
Béthencourt-sur-Somme
Douilly
Villers-St-Christophe
Happencourt
Urvillers
Hattencourt
Fonches-Fonchette
Mesnil-St-Nicaise
Rouy-le-Petit
Buny
Cuvilly
Bray-St-Christophe
Seraucourt-le-Grand
Curchy
Voyennes
Sancourt
Fransart
Fonches
Cim. All.
Rouy-le-Grand
Offoy
Aubigny-aux-Kaisnes
Artemps
la Chavatte
Étalon
Manicourt
Nesle
Ham
Pithon
Tugny-et-Pont
Benay
Liancourt-Fosse
Herly
St-Sulpice
Estouilly
Dury
St-Simon
Clastres
Fresnoy-lès-Roye
Crémery
Languevoisin-Quiquery
Eppeville
Somme
Fort
Sommette-Eaucourt
Rethonvillers
Billancourt
Breuil
Hombleux
Verlaines
Ollezy
Montescourt-Lizerolles
Goyencourt
Marché-Allouarde
Buverchy
Aubigny
Gruny
Cressy-Omencourt
Grécourt
Muille-Villette
Jussy
Biarre
Moyencourt
Villette
Eaucourt
Annois
Balâtre
Esmery-Hallon
Brouchy
Cugny
Flavy-le-Martel
Roye
Carrépuis
Omencourt
Golancourt
Solente
Ercheu
Libermont
Frières-Faillouël
Mennessis
Mard
Champien
Ognolles
Flavy-le-Meldeux
Villeselve
les Riez
Détroit Bleu
Faillouël
Roiglise
Faubourg St-Georges
Le Plessis-Patte-d'Oie
Beaumont-en-Beine
Margny-aux-Cerises
Cim. All.
la Neuville-en-Beine
Fréniches
Berlancourt
Quessy Cité
Tergnier
Verpillières
Beaulieu-les-Fontaines
Tirlancourt
Villequier-Aumont
Amy
le Pavé
Frétoy-le-Château
Guiscard
Ugny-le-Gay
la Croix St-Claude
Vouël
Beuvraignes
Avricourt
Écuvilly
Campagne
Muirancourt
Guivry
Noureuil
Base de Loisirs
le Cessier
Crapeaumesnil
Catigny
Chevilly
Buchoire
Quesmy
Beaugies-sous-Bois
Commenchon
les Loges
Rimbercourt
Maucourt
Béthancourt-en-Vaux
Caumont
Tilloloy
Béhancourt
Bussy
Caillouël-Crépigny
Neuflieux
Viry-Noureuil
Candor
Fresnières
Sermaize
Crisolles
Canny-sur-Matz
la Potière
Lagny
Genvry
Grandrû
Crépigny
Chauny
Sceaucourt
Beaurains-lès-Noyon
Marest-Dampcourt
Ognes
Sinceny
Plessis-Cacheleux
Porquéricourt
Tarlefesse
Mondescourt
Roye-sur-Matz
Dives
Béhéricourt
Babœuf
Abbécourt
Salency
Marizelle
Vauchelles
Dampcourt
Lassigny
Cuy
Noyon
Appilly
Bichancourt
Autreville
Laberlière
Suzoy
Larbroye
Anc. Prieuré
Pierremande
Gury
Plessis-de-Roye
Évricourt
Pont-l'Évêque
Morlincourt
l'Oise
Quierzy
Manicamp
le Bac d'Arblincourt
Coucy Basse
Thiescourt
Dive-le-Franc
Varesnes
Brétigny
Ricquebourg
le Petit Bocage
Ville
Sempigny
Praast
la Neuville-sur-Ressons
Cannectancourt
Pontoise-lès-Noyon
Bourguignon-sous-Coucy
Villette
Passel
Mareuil-la-Motte
Chiry-Ourscamp
Anc. Abb. d'Ourscamps
Champs
Folembray
Ressons-sur-Matz
Élincourt-Ste-Marguerite
Ourscamps
la Belle Hourde
la Pommeraye
Caillouël
Besmé
St-Paul-aux-Bois
Margny
Cuts
Trosly-Loire
A1
A26
A29
E15
E17
E19
E44
N17
N29
N32
N44
60
02

20
Bohain-en-Vermandois
Guise
ST-QUENTIN
Origny-Ste-Benoite
Ribemont
Sissy
Marle
Crécy-sur-Serre
Tergnier
La Fère
St-Gobain
LAON
Aulnois-sous-Laon
Moy-de-l'Aisne
Sains-Richaumont
Puisieux-et-Clanlieu
Lavaqueresse
Leschelles
Buironfosse
Esquéhéries
Hannapes
Vénérolles
Sebcourt
Fresnoy-le-Grand
Montbrehain
Vadencourt
Macquigny
Hauteville
Bernot
Neuvillette
Mont-d'Origny
Thenelles
Harly
Homblières
Itancourt
Urvillers
Mézières-sur-Oise
Châtillon-sur-Oise
Pleine-Selve
Parpeville
Landifay-et-Bertaignemont
Chevresis-Monceau
la Ferté-Chevresis
Surfontaine
Renansart
Nouvion-et-Catillon
Nouvion-le-Comte
Assis-sur-Serre
Pouilly-sur-Serre
Chéry-lès-Pouilly
Couvron-et-Aumencourt
Crépy
Brie
Fourdrain
Charmes
Beautor
Andelain
Septvaux
Suzy
Cessières
Molinchart
Vaucelles-et-Beffecourt
Chambry
Athies-sous-Laon
Samoussy
Gizy
Barenton-Bugny
Verneuil-sur-Serre
Vesles-et-Caumont
Pierrepont
Froidmont-Cohartille
Toulis-et-Attencourt
Dercy
Voyenne
Erlon
Bois-lès-Pargny
Pargny-les-Bois
Vervins
Thiernu
Voharies
Berlancourt
Housset
Chevennes
Marfontaine
Rougeries
Franqueville
Lemé
le Sourd
Colonfay
Audigny
Wiège-Faty
Proisy
Romery
Marly-Gomont
Chigny
Crupilly
Villers-lès-Guise
Monceau-sur-Oise
Flavigny-le-Grand-et-Beaurain
Folembray
Coucy-la-Ville
Prémontré
Festieux
Veslud
Eppes
Coucy-lès-Eppes
Mauregny-en-Haye
02
A26
E17
N44
N2
N29
E44
N32
Autoroute des Anglais
Route Charlemagne
la Serre
l'Oise
A
B
C
D
E
1
2
3
4
5
6

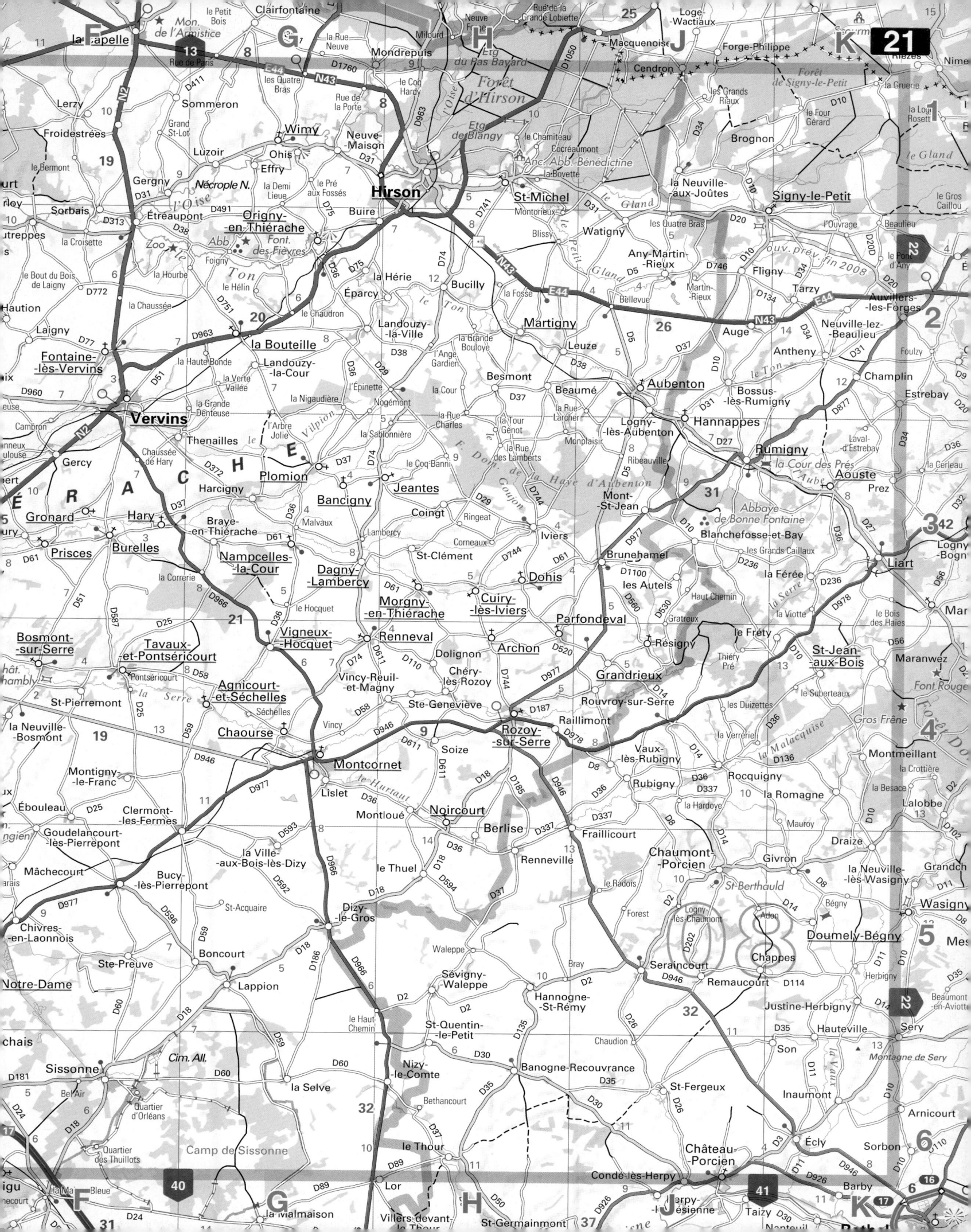
La Capelle
Mon. de l'Armistice
Clairfontaine
Mondrepuis
Macquenoise
Loge-Wactiaux
Forge-Philippe
Cendron
Forêt d'Hirson
Forêt de Signy-le-Petit
la Gruerie
Etg du Pas Bayard
Etg de Blangy
Rue de Paris
les Quatre Bras
le Coq Hardy
Rue de la Porte
Lerzy
Sommeron
Froidestrées
Grand St-Lot
Wimy
Neuve-Maison
Luzoir
Ohis
Effry
le Bermont
Gergny
Nécropole N.
la Demi Lieue
le Pré aux Fossés
Hirson
le Chamiteau
Cocréaumont
Anc. Abb. Bénédictine
la Bovette
Brognon
les Grands Riaux
le Four Gérard
la Neuville-aux-Joûtes
Signy-le-Petit
St-Michel
Montorieux
Blissy
Watigny
Sorbais
Étréaupont
Origny-en-Thiérache
Buire
la Croisette
Font. des Fièvres
Foigny
la Hourbe
le Hélin
le Bout du Bois de Laigny
Any-Martin-Rieux
Martin-Rieux
les Quatre Bras
l'Ouvrage
Beaulieu
le Pont d'Any
Fligny
Tarzy
Bellevue
la Fosse
Bucilly
la Hérie
Éparcy
Haution
la Chaussée
le Chaudron
Laigny
Fontaine-lès-Vervins
la Bouteille
Landouzy-la-Ville
la Grande Bouloye
l'Ange Gardien
Martigny
Leuze
Auge
Auvillers-les-Forges
Neuville-lez-Beaulieu
Antheny
Foulzy
Champlin
la Haute Bonde
Landouzy-la-Cour
la Verte Vallée
Besmont
Beaumé
Aubenton
Bossus-lès-Rumigny
Estrebay
la Nigaudière
l'Épinette
Nogémont
la Cour
la Grande Denteuse
Vervins
Cambron
Thenailles
l'Arbre Jolie
la Sablonnière
la Rue Charles
la Tour Génot
la Rue Larcher
Logny-lès-Aubenton
Hannappes
Laval-d'Estrebay
Gercy
Chaussée de Hary
Monplaisir
la Rue des Lamberts
Ribeauville
Rumigny
la Cour des Prés
Aouste
Prez
la Cerleau
le Coq Banni
Plomion
Jeantes
Bancigny
Harcigny
Gronard
Hary
Braye-en-Thiérache
Malvaux
Coingt
Ringeat
Mont-St-Jean
Abbaye de Bonne Fontaine
Blanchefosse-et-Bay
Iviers
Lambercy
Corneaux
Prisces
Burelles
Nampcelles-la-Cour
St-Clément
Brunehamel
les Grands Caillaux
la Férée
Liart
Logny-Bogny
Dagny-Lambercy
Dohis
les Autels
Haut Chemin
la Correrie
Morgny-en-Thiérache
Cuiry-lès-Iviers
la Viotte
le Hocquet
Parfondeval
Gratreux
le Fréty
le Bois des Haies
Bosmont-sur-Serre
Vigneux-Hocquet
Renneval
Archon
Résigny
Tavaux-et-Pontséricourt
Pontséricourt
Dolignon
Chéry-lès-Rozoy
Thiéry Pré
St-Jean-aux-Bois
Maranwez
Agnicourt-et-Séchelles
Séchelles
Vincy-Reuil-et-Magny
Grandrieux
le Suberteaux
Font Rouge
St-Pierremont
Ste-Geneviève
Rouvroy-sur-Serre
les Duizettes
Gros Frêne
la Neuville-Bosmont
Chaourse
Vincy
Rozoy-sur-Serre
Raillimont
la Verrerie
Montmeillant
la Crottière
Soize
Vaux-lès-Rubigny
Montcornet
Montigny-le-Franc
Lislet
Rubigny
Rocquigny
la Besace
Éboulleau
Clermont-les-Fermes
le Hurtaut
Montloué
Noircourt
Berlise
la Hardoye
la Romagne
Lalobbe
Goudelancourt-lès-Pierrepont
Fraillicourt
Mauroy
Draize
la Ville-aux-Bois-lès-Dizy
Renneville
Chaumont-Porcien
Givron
la Neuville-lès-Wasigny
Grandchamp
Mâchecourt
le Thuel
St-Berthauld
Bucy-lès-Pierrepont
le Radois
Bégny
Wasigny
St-Acquaire
Dizy-le-Gros
Forest
Logny-lès-Chaumont
Adon
Chivres-en-Laonnois
Doumely-Bégny
Boncourt
Waleppe
Bray
Chappes
Seraincourt
Ste-Preuve
Notre-Dame
Lappion
Sévigny-Waleppe
Hannogne-St-Rémy
Remaucourt
Herbigny
Beaumont-en-Aviotte
Justine-Herbigny
le Haut Chemin
St-Quentin-le-Petit
Hauteville
Sery
Son
Chaudion
Montagne de Sery
Cim. All.
Sissonne
Nizy-le-Comte
Banogne-Recouvrance
Bel Air
la Selve
St-Fergeux
Inaumont
Quartier d'Orléans
Bethancourt
Arnicourt
Camp de Sissonne
Quartier des Thuillots
le Thour
Écly
Château-Porcien
Sorbon
Condé-lès-Herpy
Barby
la Malmaison
Lor
Herpy-l'Hésienne
Taizy
Villers-devant-le-Thour
St-Germainmont
08
E44
N43
N2
D1050
D963
D31
D966
D977
D946

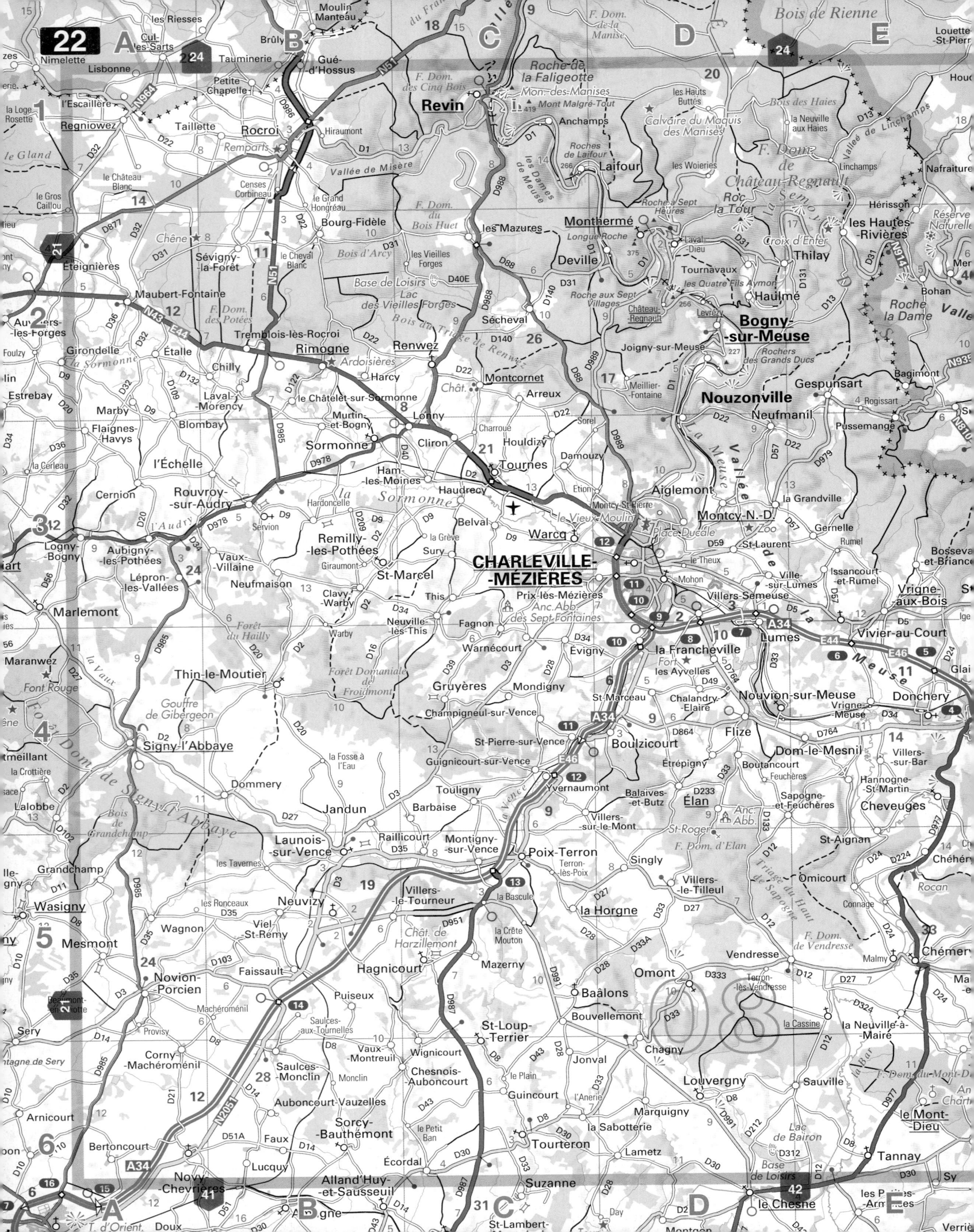

22
24
CHARLEVILLE-MÉZIÈRES
Rocroi
Revin
Monthermé
Bogny-sur-Meuse
Nouzonville
Rimogne
Renwez
Signy-l'Abbaye
Novion-Porcien
Poix-Terron
Launois-sur-Vence
Wasigny
Tournes
Aiglemont
Montcy-N.-D.
Nouvion-sur-Meuse
Donchery
Flize
Boulzicourt
Lumes
la Francheville
Villers-Semeuse
Warcq
Prix-lès-Mézières
Deville
Laifour
Anchamps
Thilay
Haulmé
les Hautes-Rivières
Gespunsart
Neufmanil
Sécheval
Montcornet
Sormonne
Cliron
Lonny
Harcy
Étalle
Maubert-Fontaine
Tremblois-lès-Rocroi
Rouvroy-sur-Audry
Remilly-les-Pothées
St-Marcel
Thin-le-Moutier
Gruyères
Mondigny
Jandun
Dommery
Marlemont
Mesmont
Hagnicourt
Omont
Baâlons
St-Loup-Terrier
Louvergny
Tourteron
Le Chesne
Tannay
le Mont-Dieu
Chémery
Cheveuges
Élan
Vendresse
Alland'Huy-et-Sausseuil
Sorcy-Bauthémont
Saulces-Monclin
Novy-Chevrières
Suzanne
08

F
G
H
J
K
Graide
Our
Glaireuse
Rés. Nat. des Tourbières de Roumont
Libramont-Chevigny
Renaumont
Harivaux
Bièvre
Beth
Opont
Ochamps
Recogne
Ourt
Bellefontaine
Naomé
Framont
Flohimont
Monceau-en-Ardenne
Paliseul
Sert
Jehonville
Forêt de Luchy
Neuvillers
St-Pierre
Tronquoi
Petit-Fays
Merny
Baillamont
Carlsbourg
Acremont
La Mouline
Oizy
Offagne
Verlaine
Six Planes
Assenois
Nollevaux
Fays-les-Veneurs
Gros-Fays
Burhaimont
Longlier
Chairière
Vivy
Plainevaux
Grandvoir
Tournay
Géripont
le Saupont
Cornimont
Bertrix
Rossart
Hamipré
Neufchâteau
Mouzaive
Mogimont
Biourge
Petitvoir
Offaing
Warmifontaine
Bellevaux
Alle
Rochehaut
Orgeo
Nevraumont
Ebly
Frahan
Ucimont
la Cornette
Nolinfaing
Sensenruth
Gribomont
Botassart
Grapfontaine
Tombeau du Géant
Curfox
Saut des Sorcières
Auby-s-Semois
St-Médard
Vierre
Noirefontaine
Poupehan
Moulin
les Hayons
Martilly
Cugnon
Abb. de Cordemois
Assenois
Chaire à Prêcher
Straimont
Renauvanne
Mortehan
Corbion
Bouillon
Dohan
Forêt
Châ. Fort
Herbeumont
Rocher du Pendu
Vallée
de
la Roche Lecomte
Chât. Fort
d'Herbeumont
A R D E N N E S
Forêt de Muno
la
Suxy
Rocher du Chat
Forêt Dom. de Sedan
Anc. Chât. des Amerois
Fleigneux
Forêt de Chiny
Semois
Belvédère
Illy
la Chapelle
Rés. Nat. de la Roche à l'Appel
Ste-Cécile
Chiny
Défilé du Paradis
Calv.
Rocher de Bohanan
Martue
Villers-Cernay
Fontenoille
Lacuisine
Givonne
Muno
Leiche
les Bulles
Sedan
Chât.-Fort
Pouru-aux-Bois
Chassepierre
Moyen
Termes
Francheval
Daigny
Lambermont
Escombres-et-le-Chesnois
Florenville
Fresnoi
Izel
Jamoigne
Balan
la Moncelle
Rubécourt-et-Lamécourt
Rémehan
Valansart
Messincourt
Lamécourt
Ossuaire
Douzy
Pouru-St-Remy
Pure
Williers
Villers-sur-Semois
St-Vince
Bazeilles
Matton-et-Clémency
Sachy
Parc
Tremblois-lès-Carignan
Brévilly
Osnes
Thelonne
Remilly-Aillicourt
Mairy
Tétaigne
Mogues
Anc. Abb.
Petit Remilly
Lombut
les Deux-Villes
Abbaye d'Orval
Forêt de Merlanvaux
Angecourt
la Chiers
Puilly-et-Charbeaux
Euilly-et-Lombut
Carignan
Bulson
Amblimont
Villers-devant-Orval
Villers-devant-Mouzon
Limes
Blagny
Linay
Margny
Gérouville
Haraucourt
Sailly
Auflance
Mouzon
Herbeuval
Meix-devant-Vir
Vaux-lès-Mouzon
Tassigny
Autrecourt-et-Pourron
Fromy
Sapogne-sur-Marche
Raucourt-et-Flaba
Parc Aquatique
Villy
Moiry
Breux
tourist.
Nécr. Nat.
Villemontry
Montlibert
Sommethonne
Moulins-St-Hubert
Margut
Flaba
Signy-Montlibert
Malandry
Basilique
Avioth
Villers
Ermitage de St-Walfroy
la Ferté-sur-Chiers
Yoncq
Thonne-le-Thil
Autréville-St-Lambert
Olizy-sur-Chiers
Thonne-la-Lo
la Recevresse
la Besace
Couvreux
Bièvres
Montquintin
Thonnelle
la Bagnolle
Lamouilly
Létanne
Pouilly-sur-Meuse
Inor
Verneuil-Petit
Stonne
Chauvency-St-Hubert
Fresnois
Nepvant
Thonne-les-Près
Verneuil-Grand
Beaumont-en-Argonne
Luzy-St-Martin
Montmédy
Grandes-Armoises
Martincourt-sur-Meuse
Chauvency-le-Château
la Berlière
la Ville Haute
Cim. All.
Chapelle
la Meuse
Citadelle
Brouennes
Cesse
Villécloye
Belle Tour
Cervizy
Vigneul-sous-Montmédy
Velosnes
Oches
Stenay
Tré les Prés
Forêt de Dieulet
Sommauthe
Laneuville-sur-Meuse
Parc de Vision
Quincy
F. Dom.
Olizy-sur-Othain
Othe
Bievre
B
E411
A4
E44
E46
N89
N83
N853
N845
N884
N85
N88
N40
N819
N945
N95
N810
N58
N43
N1043
N899
N891
D840
D6
D29
D777
D4
D977
D4A
D129
D104
D17
D117
D217
D19
D17A
D119
D964
D317
D17B
D981
D48A
D48
D27
D19B
D219
D53
D52
D417
D44
D13
D224
D141
D19C
D30
D209
D947
D130
D229
D118
D110
D981
D205
D99
D98
42
43
26
25
36
1
2
3
4
5
6
7
9
15
16
17
18
19
22
23
25

A
B
C
D
E
1
2
3
4
5
6
Villers-le-Gambon
Vodecee
Franchimont
Surice
Soulme
Gochenée
Blaimont
Houyet
Hérôk
Neuville
Samart
Merlemont
Wez de Chine
Vodelée
Romedenne
Mahou
Mesnil-Église
Hour
Sautour
Mesnil-St-Blaise
Heer
Agimont
Feschaux
Finnevaux
Sart-en-Fagne
Bois de Surice
Wiesme
Villers-en-Fagne
Doische
Walcourt
Givet
Roly
Gimnée
Romerée
Fort de Charlemont
Fromelennes
Baronville
Gozin
Martouzin-Neuville
B. de Roly
Matagne-la-Grande
Matagne-la-Petite
Foisches
Fortifications
Dion
Rancennes
Grotte de Nichet
Neuville
Flohimont
Beauraing
Pondrôme
Fagnolle
Niverlée
Mazée
Hierges
Château Fort
Réserve Naturelle
Aubrives
Ham-sur-Meuse
Rés. Nat.
Charnois
Châl.
Matignolles
Chooz
Winenne
Mariembourg
Dourbes
Treignes
Centrale Nucléaire
Javingue
Wancennes
Landrichamps
Brouffe
Vierves-sur-Viroin
Molhain
Vireux-Molhain
Vireux-Wallerand
La Meuse
Honn
Nismes
Rés. Nat. du Viroin
chemin touristique de fer
Viroin
Bois de Treignes
Viroinval
Neptune
St-Joseph
Fondry des Chiens
Olloy-sur-Viroin
Felenne
Vonêche
Froidfontaine
Petigny
La Houille
Forêt de Nismes
Couvin
Montigny-sur-Meuse
Forêt Domaniale d'Hargnies-Laurier
Bois de St-Remy
Vencimont
le-Mesnil
Roc de Fépin
Bourseigne-Neuve
Hargnies
Bourseigne-Vieille
Malvoisin
Oignies-en-Thiérache
Haybes
Fépin
La Hulle
Regniessart
Anc. Ardoisières
Sart-Custinne
Haut-Fays
Patignies
la Platale
Fumay
Rienne
Willerzie
Gedinne
Roche de l'Uf
La Forge du Prince
Moulin Manteau
F. Dom. du Francbois-Bryas
Vallée de la Meuse
F. Dom. de la Manise
08
Bois de Rienne
Louette-St-Pierre
Louette-St-Denis
Brûly
Tauminerie
Gué-d'Hossus
Roche de la Faligeotte
Bièvre
Houdremont
Petite Chapelle
F. Dom. des Cinq Bois
Mon. des Manises
Mont Malgré-Tout
les Hauts Buttés
Bois des Haies
Revin
Calvaire du Maquis des Manises
la Neuville aux Haies
Rocroi
Hiraumont
Anchamps
Vallée de Linchamps
Bellefontaine
Remparts
Roches de Laifour
F. Dom. de Château-Regnault
Linchamps
Monceau-en-Ardenne
Vallée de Misère
les Dames de Meuse
Laifour
les Woieries
Nafraiture
Censes Corbineau
Orchimont
Petit-Fays
le Grand Hongréau
F. Dom. du Bois Huet
Roche à Sept Heures
Roc la Tour
la Semoy
Hérisson
Bourg-Fidèle
Monthermé
les Mazures
Réserve Naturelle
les Hautes-Rivières
Vresse-sur-Semois
Six Planes
Oizy
Longue Roche
Laval-Dieu
Croix d'Enfer
Bois d'Arcy
les Vieilles Forges
Deville
Thilay
Gros-Fays
le Cheval Blanc
Membre
Chairière
Tournavaux
Base de Loisirs
Lac des Vieilles Forges
les Quatre Fils Aymon
Bohan
Laforêt
Cornimont
Roche aux Sept Villages
Château-Regnault
Haulmé
Roche la Dame
Vallée de la Semois
Mouzaive
Bois du Triage de Renwez
Levrézy
Bogny-sur-Meuse
Sécheval
Tremblois-lès-Rocroi
Rimogne
Ardoisières
Renwez
Joigny-sur-Meuse
Rochers des Grands Ducs
Alle
Frahan
Rochehaut
Chilly
Harcy
Montcornet
Châl.
Bagimont
Gespunsart
Meillier-Fontaine
Arreux
le Châtelet-sur-Sormonne
Nouzonville
Rogissart
Murtin-et-Bogny
Lonny
Sorel
Neufmanil
Sugny
Poupehan
Chaire à Prêcher
Charroué
Pussemange
Sormonne
Cliron
Houldizy
Corbion
Ham-les-Moines
Tournes
Damouzy
la Sormonne
Haudrecy
Aiglemont
la Grandville
Hardoncelle
Etion
Montcy-St-Pierre
le Vieux Moulin
Vallée de la Meuse
Servion
Belval
Montcy-N.-D.
Zoo
Gernelle
Remilly-les-Pothées
la Grève
Warcq
Place Ducale
Rumel
Sury
St-Laurent
le Theux
Bosseval-et-Briancourt
Giraumont
Vaux-Villaine
St-Marcel
CHARLEVILLE-MÉZIÈRES
Mohon
Ville-sur-Lumes
Issancourt-et-Rumel
Fleigneux
Neufmaison
Clavy-Warby
This
Prix-lès-Mézières
Anc. Abb. des Sept Fontaines
Villers-Semeuse
Vrigne-aux-Bois
St-Menges
la Chapelle
Illy
Forêt du Hailly
Warby
Neuville-lès-This
Fagnon
Warnécourt
Évigny
la Francheville
Lumes
Vivier-au-Court
Iges
Floing
Givonne
Calv.
Forêt Dom.
ARDENNE
N40
N5
N51
N99
N963
N990
D988
D989
D949
N95
N935
N952
N945
N810
D13
D31
D1
D7
A34
E44
E46

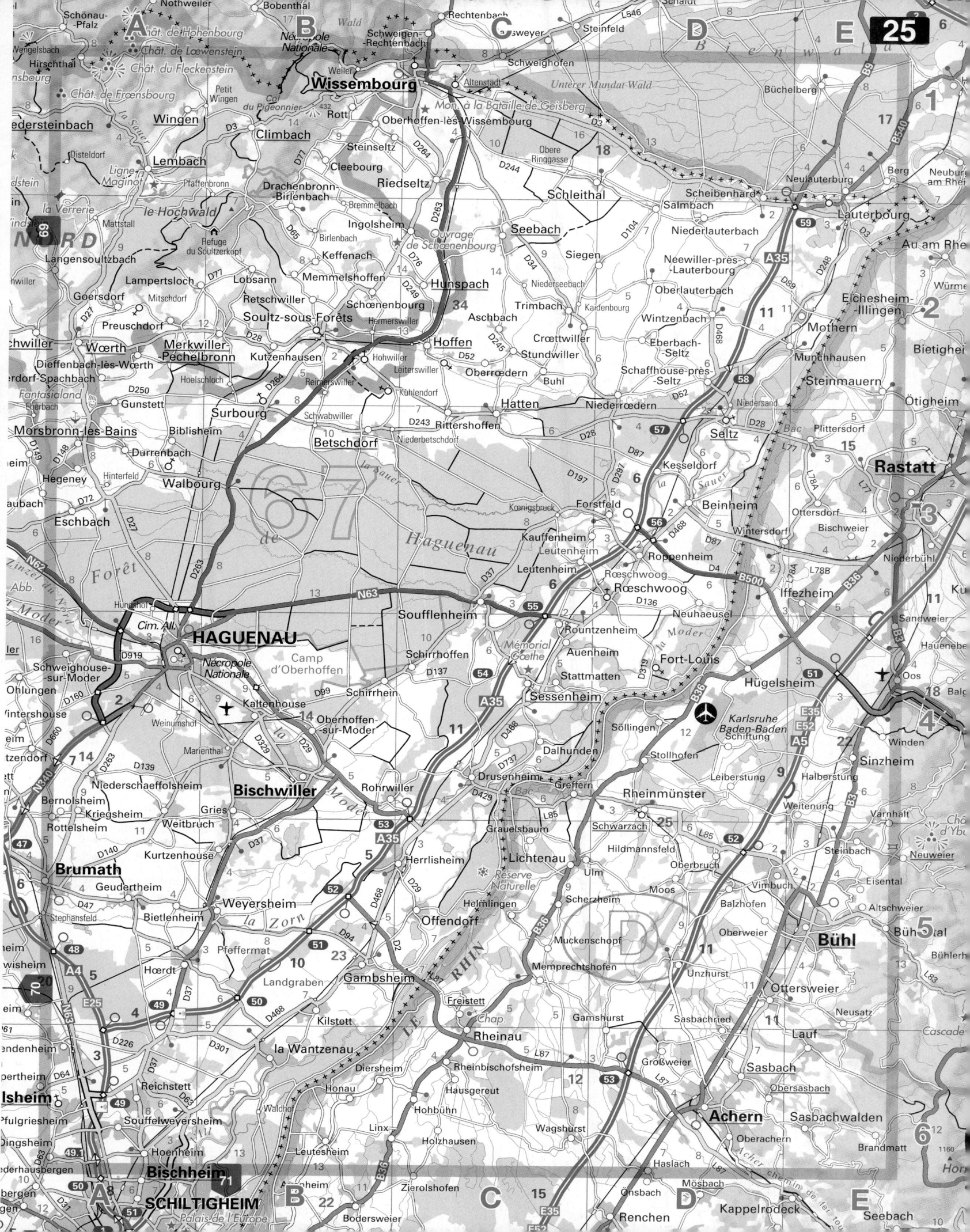
Wissembourg
Lembach
Climbach
Wingen
Soultz-sous-Forêts
Hunspach
Seebach
Schleithal
Lauterbourg
Hoffen
Merkwiller-Pechelbronn
Surbourg
Betschdorf
Hatten
Seltz
Rastatt
Haguenau
Forêt de Haguenau
Soufflenheim
Roeschwoog
Fort-Louis
Sessenheim
Bischwiller
Brumath
Weyersheim
Gambsheim
Drusenheim
Lichtenau
Rheinmünster
Hügelsheim
Sinzheim
Bühl
Ottersweier
Sasbach
Achern
Rheinau
la Wantzenau
Bischheim
SCHILTIGHEIM
Kappelrodeck
Renchen
Karlsruhe Baden-Baden
Iffezheim
Mothern
Beinheim
Morsbronn-les-Bains
Woerth
Walbourg
Eschbach
Niederbronn
Reichstett
Hoenheim
Oberhoffen-sur-Moder
Kaltenhouse
Hoerdt
Kilstett
Offendorf
Freistett
Herrlisheim
Lauf
Sasbachwalden
Neuweier
Steinbach
Greffern
Schwarzach
Stollhofen
Söllingen
Rhein
A35
A4
A5
B36
B500
N63

A
B
C
D
E
1
2
3
4
5
6
Virton
Meix-devant-Virton
Robelmont
St-Léger
Châtillon
Musson
Halanzy
Aubange
Messancy
Pétange
Sanem
Mont-St-Martin
Longwy
Réhon
Herserange
Differdange
Esch-sur-Alzette
Villerupt
Audun-le-Tiche
Longuyon
Marville
Cons-la-Grandville
Tellancourt
Fresnois-la-Montagne
Montigny-sur-Chiers
Viviers-sur-Chiers
Charency-Vezin
Épiez-sur-Chiers
Villers-le-Rond
St-Jean-lès-Longuyon
Petit-Failly
Grand-Failly
Rupt-sur-Othain
St-Laurent-sur-Othain
Dombras
Merles-sur-Loison
Villers-lès-Mangiennes
Mangiennes
Billy-sous-Mangiennes
Spincourt
Pillon
Sorbey
Rouvrois-sur-Othain
Duzey
Nouillonpont
Muzeray
St-Pierrevillers
St-Supplet
Xivry-Circourt
Preutin-Higny
Murville
Mercy-le-Bas
Mercy-le-Haut
Joppécourt
Pierrepont
Boismont
Beuveille
Baslieux
Doncourt-lès-Longuyon
Morfontaine
Ville-au-Montois
Fillières
Bréhain-la-Ville
Errouville
Crusnes
Villers-la-Montagne
Haucourt-Moulaine
Hussigny-Godbrange
Thil
Serrouville
Beuvillers
Audun-le-Roman
Malavillers
Sancy
Trieux
Mont-Bonvillers
Mairy-Mainville
Tucquegnieux
Landres
Piennes
Joudreville
Bouligny
Domremy-la-Canne
Dommary-Baroncourt
Norroy-le-Sec
Mancieulles
Anoux
Affléville
Fléville-Lixières
Lubey
Lantéfontaine
Briey
Gondrecourt-Aix
Ozerailles
Valleroy
Mouaville
Abbéville-lès-Conflans
Thumeréville
Béchamps
Rouvres-en-Woëvre
Étain
Foameix-Ornel
Gincrey
Morgemoulin
Senon
Éton
Gouraincourt
Loison
Vaudoncourt
Amel-sur-l'Étang
Azannes-et-Soumazannes
Gremilly
Ornes
Maucourt-sur-Orne
Mogeville
Dieppe-sous-Douaumont
Douaumont
Vaux-devant-Damloup
Abaucourt-Hautecourt
Warcq
Conflans-
Hatrize
Fleury-devant-Douaumont
Romagne-sous-les-Côtes
Chaumont-devant-Damvillers
Louvemont-Côte-du-Poivre
Beaumont-en-Verdunois
Bezonvaux
Étang du Haut Fourneau
Étang d'Amel
F. Dom. de Spincourt
Côtes de Verdun
Vestiges Mérovingiens
Cim. All.
Nécr. Nat.
Fort de Fermont
Fort de Douaumont
Fort de Vaux
Ossuaire
la Crusnes
la Chiers
l'Othain
le Loison
l'Orne
N18
N43
N52
N88
E44
A4
A30
E50
54
55
B
L

LUXEMBOURG
Hesperange
Bettembourg
Dudelange
Kayl
Schifflange
Mondorf-les-Bains
Remich
Stadtbredimus
Rodemack
Sierck-les-Bains
Cattenom
THIONVILLE
Hettange-Grande
Yutz
Kœnigsmacker
Veckring
Hombourg-Budange
Guénange
Uckange
FLORANGE
HAYANGE
FAMECK
Richemont
Amnéville
Hagondange
Rombas
Moyeuvre-Grande
Jœuf
Homécourt
Marange-Silvange
Maizières-lès-Metz
Vigy

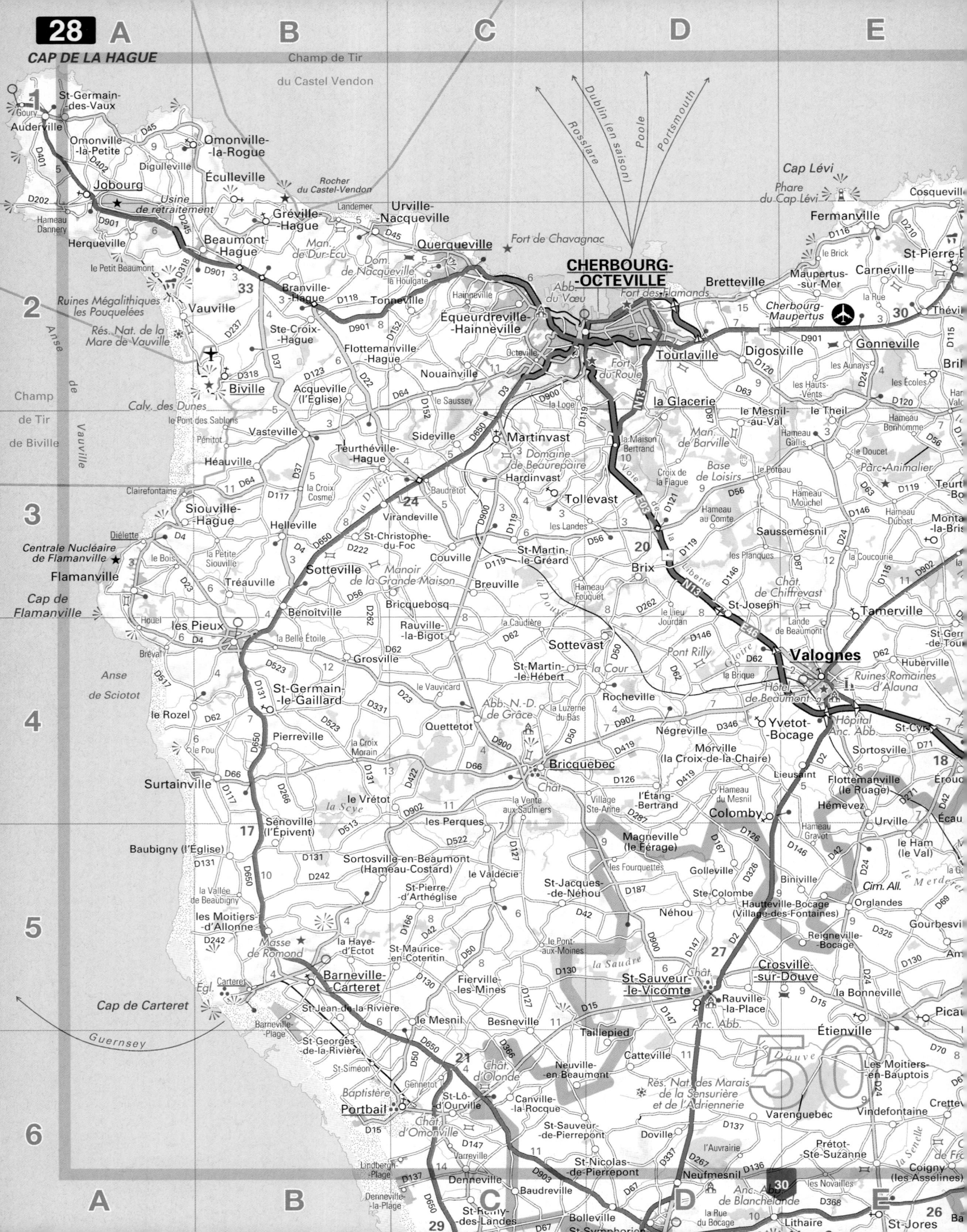
CAP DE LA HAGUE
Champ de Tir
du Castel Vendon
Auderville
St-Germain-des-Vaux
Omonville-la-Petite
Omonville-la-Rogue
Digulleville
Éculleville
Jobourg
Usine de retraitement
Rocher du Castel-Vendon
Gréville-Hague
Urville-Nacqueville
Beaumont-Hague
Herqueville
Querqueville
Fort de Chavagnac
Rosslare
Dublin (en saison)
Poole
Portsmouth
CHERBOURG-OCTEVILLE
Cap Lévi
Phare du Cap Lévi
Fermanville
Bretteville
Maupertus-sur-Mer
Carneville
St-Pierre-Église
Cherbourg-Maupertus
Équeurdreville-Hainneville
Tourlaville
Digosville
Gonneville
Ruines Mégalithiques les Pouquelées
Vauville
Rés. Nat. de la Mare de Vauville
Biville
Ste-Croix-Hague
Flottemanville-Hague
Nouainville
Acqueville (l'Église)
Calv. des Dunes
Champ de Tir de Biville
Anse de Vauville
Vasteville
Sideville
Martinvast
la Glacerie
le Mesnil-au-Val
le Theil
Héauville
Teurthéville-Hague
Domaine de Beaurepaire
Hardinvast
Tollevast
Siouville-Hague
Helleville
Virandeville
St-Christophe-du-Foc
Saussemesnil
Diélette
Centrale Nucléaire de Flamanville
Flamanville
Cap de Flamanville
Tréauville
Sotteville
Couville
St-Martin-le-Gréard
Brix
Manoir de la Grande Maison
Breuville
Bricquebosq
Benoîtville
les Pieux
Rauville-la-Bigot
Sottevast
St-Joseph
Chât. de Chiffrevast
Tamerville
Grosville
Anse de Sciotot
St-Germain-le-Gaillard
St-Martin-le-Hébert
Valognes
Ruines Romaines d'Alauna
Huberville
Rocheville
le Rozel
Quettetot
Abb. N.-D. de Grâce
Négreville
Yvetot-Bocage
Pierreville
Bricquebec
Morville (la Croix-de-la-Chaire)
Sortosville
Surtainville
le Vrétot
l'Étang-Bertrand
Colomby
Flottemanville (le Ruage)
Hémevez
Sénoville (l'Épivent)
les Perques
Magneville (le Férage)
Urville
Baubigny (l'Église)
Sortosville-en-Beaumont (Hameau-Costard)
le Valdécie
Golleville
St-Jacques-de-Néhou
St-Pierre-d'Arthéglise
Ste-Colombe
Hautteville-Bocage (Village-des-Fontaines)
Orglandes
les Moitiers-d'Allonne
Néhou
Reigneville-Bocage
Masse de Romond
la Haye-d'Ectot
St-Maurice-en-Cotentin
Barneville-Carteret
Fierville-les-Mines
St-Sauveur-le-Vicomte
Crosville-sur-Douve
Rauville-la-Place
Cap de Carteret
Guernsey
St-Jean-de-la-Rivière
le Mesnil
Besneville
Taillepied
Étienville
St-Georges-de-la-Rivière
Catteville
Les Moitiers-en-Bauptois
Neuville-en-Beaumont
Rés. Nat. des Marais de la Sensurière et de l'Adriennerie
Portbail
St-Lô-d'Ourville
Canville-la-Rocque
Varenguebec
Vindefontaine
St-Sauveur-de-Pierrepont
Doville
Prétot-Ste-Suzanne
Denneville
St-Nicolas-de-Pierrepont
Neufmesnil
Coigny (les Asselines)
Baudreville
Anc. Abb. de Blanchelande
St-Rémy-des-Landes
Bolleville
Lithaire
St-Jores
50

F
G
H
J
K
1
2
3
4
5
6
POINTE DE BARFLEUR
Phare de Gatteville
Gatteville-le-Phare
Barfleur
Réthoville
Néville-sur-Mer
Gouberville
Varouville
Tocqueville
Clitourps
Ste-Geneviève
Montfarville
Landemer
Canteloup
Valcanville
le Vicel
Anneville-en-Saire
Crasville
Manoir de la Crasvillerie
le Vast
T. d'Orient
la Pernelle
Réville
Hameau Néel
le Tronquet
la Buhotterie
Pointe de Saire
Quettehou
Forts
Île de Tatihou
St-Vaast-la-Hougue
Piédechou
Videcosville
Morsalines
Fort de la Hougue
Octeville-l'Avenel
Crasville
Aumeville-Lestre
St-Martin-d'Audouville
Lestre
Chap.
Vaudreville
Quinéville
Ozeville
Fontenay-sur-Mer
les Gougins
St-Floxel
Montebourg
Chât. de Courcy
Fort de St-Marcouf
Vaudreville
Dangueville
Ravenoville-Plage
Joganville
St-Marcouf
Grand Hameau des Dunes
Émondeville
Azeville
Ravenoville
la Selleraie
Cibrantot
Monument
Fresville
Neuville-au-Plain
Beuzeville-au-Plain
Foucarville
St-Germain-de-Varreville
Utah Beach
PLAGES DU
Ste-Mère-Église
St-Martin-de-Varreville
Monument
Turqueville
Audouville-la-Hubert
la Madeleine
Écoquenéauville
le Grand Chemin
Réserve Naturelle de Beau Guillot
Pointe du Hoc
Chef-du-Pont
Boutteville
Ste-Marie-du-Mont
Grandcamp-Maisy
Mon.
St-Pierre-du-Mont
Sébeville (les Fontaines)
Pouppeville
Carquebut
Maisy
Blosville
Brucheville
Cricqueville-en-Bessin
Englesqueville-la-Percée
Vierville-sur-Mer
Liesville-sur-Douve
Hiesville
la Rue
le Grand Vey
la Dune
l'Hermerel
Chât. de Beaumont
Chât. de Vaumicel
Omaha Beach
Houesville
Vierville
Géfosse-Fontenay (le Bas-de-Géfosse)
Asnières-en-Bessin
Louvières
Mon.
Cim. Am.
Mémorial
le Becquet
Angoville-au-Plain
les Vignets
Cardonville
Deux-Jumeaux
St-Laurent-sur-Mer
St-Côme-du-Mont
la Rue Mary
le Moulin
Brévands
St-Clément
la Cambe
St-Louis
Colleville-sur-Mer
Appeville
Osmanville
Cim. All.
Longueville
Formigny
PARC NATUREL RÉGIONAL
Les Veys (l'Église)
Isigny-sur-Mer
St-Germain-du-Pert
Canchy
Aignerville (Normanville)
Surrain
le Hamel du Marais
St-Hilaire-Petitville (le Mont)
Catz
Aure
Écrammeville
Auvers
Mais. du Parc
Monfréville
N13
E46
E03
D116
D125
D10
D901
D1
D210
D25
D355
D902
D26
D56
D216
D62
D14
D42
D421
D69
D269
D15
D115
D17
D913
D70
D270
D89
D200
D514
D199
D113
D194
D124
D123
31
32
33
27

Baudreville
Denneville-la-Plage
29
St-Rémy-des-Landes
Surville
la Poudrière
D650
D67
Bolleville
St-Symphorien-le-Valois
Anc. Abb. de Blanchelande
D368
la Rue du Bocage
28 Mont Castre
St-Jores
Baup

1
Glatigny
Montgardon
D337
D67
D136
9
la Haye-du-Puits
Mobecq
Camp Romain
122
le Plessis-Lastelle (Beau-Coudray)
la Roquette
D24
Car
DES

Bretteville-sur-Ay
Hameau Biémont
Angoville-sur-Ay
D900
D136
D342
9
Gerville-la-Forêt
Nerduit
le Pautet
D342
D97
D530
Gorges

la Plage
D72
Fenouillère
6
D528
Vesly
Laulne
D97
Gonfreville

D306
D136
St-Germain-sur-Ay-Plage
St-Germain-sur-Ay
3
Anc. Abb.
la Boêtterie
D188
Lessay
D142
Pissot
St-Patrice-de-Claids
D340
15
D140
N
la Sève

2
le Gué de l'Orme
D394
Créances
Rés. Nat.
11
D900
la Banserie
la Doderie
St-Germai-sur-Sèv

Printania-Plage
10
le Haut Mesnil
le Buisson
la Martinerie
Millières
Périers
St-Sébast-de-Rai

Armanville-Plage
D72
Bourgogne
la Feuillie
D294
D68
D101
3
St-Marti-d'Aubig

Pirou
D650
D94
D94
St-Michel-de-la-Pierre
D52
St-du

Pirou-Plage
Lande de Lessay
D2
l'Éventard
12
la Gislarderie
Corbuchon
Vaudrimesnil

Chât.-de-Pirou
D434
22
11
St-Sauveur-Lendelin
D971

3
la Grande Maresquière
Geffosses
D53
le Haut de Bingard
la Ronde-Haye
les Mares
le Grand Taûte

22
D72
9
Anneville-sur-Mer
Vichard
Montsurvent
Muneville-le-Bingard
Ancteville
D534
D101
18
le Val
6

Gouville-sur-Mer
la Laisnerie
Servigny
la Vendelée
D293
D57
D141
Camberon

la Mielle
D274
6
D74
la Fouberdière
Monthuchon

Boisroger
D268
Brainville
4
D341
8

Gonneville
7
D68
Ermitage
Monthuchon

Blainville-sur-Mer
8
St-Malo-de-la-Lande
D244
la Rue
Gratot
D2
Coutances
Courcy
D276

le Vieux Coutainville
D660
9 (le Pavement)
Hôtel-Dieu
D99

4
Coutainville
D44
Tourville-sur-Sienne
D44
3
St-Pierre-de-Coutances
D20
Nicorps
D227

Agon-Coutainville
Heugueville-sur-Sienne
D57
le Pont de la Roque
5
D227
D27

Regnéville-sur-Mer
D49
Orval
D235
Montchaton
D971
Ouville
D73

Pointe d'Agon
Chât.
Fours à Chaux
Saussey
16
le Boulay

Montmartin-sur-Mer
Hyenville
Contrières
D76

5
Hauteville-sur-Mer
Hérenguerville
D49
Quettreville-sur-Sienne
St-Denis-le-Vêtu
la Van

Annoville
D356
D143
Trelly
D49
Guéhébert

Lingreville
D220
31
le Mesnil-Aubert
Grimesni

Muneville-sur-Mer
le Bourg Sey
D35
St-Denis

la Planche Guillemette
D278
D298
Lengronne
D49

Bricqueville-sur-Mer
D971
D442
Cérences
23
D13
la Croix le Gros
D7

St-Martin-de-Bréhal
Bréhal
Chanteloup
D98
Gavray
15

Donville-les-Bains
Longueville
D34
Coudeville-sur-Mer
le Castillon
la Violette
le Mesnil-Amand

6
Grande Île
Bréville-sur-Mer
le Loreur
D114
le Mesnil-Rôgues

Îles Chausey
Granville
Yquelon
Anctoville-sur-Boscq
51
St-Sauveur-la-Pommeraye
la Meurd

A | B | C | D | E

31
PARC NATUREL RÉGIONAL
DES MARAIS DU COTENTIN ET DU BESSIN
Auvers
St-Hilaire-Petitville (le Mont)
Catz
Carentan
St-Pellerin (le Bourg)
Cantepie
Méautis
Monfréville
Vouilly
Colombières
Trévières
Mandeville-en-Bessin
Rubercy
Bricqueville
les Oubeaux
Bernesq
Saonnet
Saon
Blay
Castilly
Montmartin-en-Graignes
Neuilly-la-Forêt
St-Georges-de-Bohon
Sainteny
Graignes (le Nouveau-Bourg)
Lison
la Folie
St-Marcouf
Cartigny-l'Épinay
St-Martin-de-Blagny
le Breuil-en-Bessin
le Molay-Littry
Tournières
St-Jean-de-Daye
St-André-de-Bohon
Raids
Auxais
Tribehou
le Mesnil-Angot
le Mesnil-Véneron
St-Fromond
Airel
Littry
le Tronquay
le Dézert
Moon-sur-Elle
Ste-Marguerite-d'Elle
Château de Montfort
Marchésieux
Cavigny
le Hommet-d'Arthenay
St-Jean-de-Savigny
Cerisy-la-Forêt
Vaubadon
Castillon
St-Clair-sur-l'Elle
Forêt de Cerisy
Arboretum
Remilly-sur-Lozon
les Champs-de-Losque
la Meauffe
la Vallée aux Oiseaux
Balleroy
Montfiquet
Couvains
Villiers-Fossard
la Bazoque
Feugères
le Mesnil-Eury
le Mesnil-Vigot
Amigny
Pont-Hébert
le Mesnil-Rouxelin
Lozon
Rampan
Litteau
Planquery
le Mesnilbus
Montreuil-sur-Lozon
la Chapelle-en-Juger
St-André-de-l'Épine
St-Georges-d'Elle
Bérigny
Montcuit
Hauteville-la-Guichard
Hébécrevon
St-Georges-Montcocq
la Luzerne
Cormolain
Foulognes
Agneaux
ST-LÔ
Haras National
St-Pierre-de-Semilly
St-Germain-d'Elle
le Mesnil-Amey
Marigny
la Barre-de-Semilly
Montrabot
Sallen
St-Gilles
N.-D.-d'Elle
le Lorey
Camprond
Candol
Rouxeville
Vidouville
St-Jean-des-Baisants
Précorbin
Souterroscope des Ardoisières
Lamberville
Bieville
la Vacquerie
Cametours
Canisy
Gourfaleur
Baudre
Quibou
St-Ebremond-de-Bonfossé
la Mancellière-sur-Vire
Carantilly
Savigny
St-Martin-de-Bonfossé
Ste-Suzanne-sur-Vire
Condé-sur-Vire
Sept-Vents
la Lande-sur-Drôme
Dangy
St-Samson-de-Bonfossé
le Perron
St-Amand
Cerisy-la-Salle
St-Romphaire
le Mesnil-Raoult
Dampierre
Torigni-sur-Vire
les Roches de Ham
Placy-Montaigu
St-Jean-des-Essartiers
le Mesnil-Herman
Soulles
le Mesnil-Opac
Brectouville
St-Ouen-des-Besaces
Notre-Dame-de-Cenilly
Moyon
Troisgots
Château de l'Angotière
Giéville
St-Martin-des-Besaces
la Haye-Bellefond
Fervaches
St-Martin-de-Cenilly
le Guislain
Domjean
Guilberville
Tessy-sur-Vire
St-Louet-sur-Vire
la Ferrière-Harang
Chevry
Beuvrigny
Villebaudon
Fourneaux
St-Denis-Maisoncelles
Beaucoudray
Maupertuis
Malloué (le Hameau Farin)
Mont-Bertrand
le Tourneur
Hambye
Campeaux
Abbaye de Hambye
la Baleine
Mont Robin
Gouvets
Montabot
Bures-les-Monts (la Cour de Bas)
Pont-Farcy
Ste-Marie-Outre-l'Eau
le Bény-Bocage
Carville
Percy
Pont-Bellanger
St-Martin-Don
Sourdeval-les-Bois
St-Vigor-des-Monts
Cim. Brit.
le Chefresne
Vallée de la Vire-Gouvets
Ste-Marie-Laumont
Beaulieu
Margueray
Montaigu-les-Bois
Beaumesnil
Landelles-et-Coupigny
le Reculey
la Graverie
la Colombe
Montbray
Campagnolles
Étouvy
le Mesnil-Garnier
la Bloutière
Morigny
le Mesnil-Robert
Coulonces
Sept-Frères
Fleury
Courson
Beslon
le Mesnil-Benoist
Burcy
N13
N174
E46
E03
A84
E401
N2175

A B C D E

1

2

D U   D É B A R Q U E M E N T

Côte d'

m. Am.
Mémorial
Ste-Honorine-
des-Pertes
lleville-
sur-Mer
†D514
11
Anc.
Prieuré
Russy
Étréham
Mosles
7
Châl.
de Vaulaville
le Long
Bois
D96
15
Cussy
Barbeville
Cottun
Crouay
14
Blay
Campigny
slerie
quay
Noron-
la-Poterie
D99
13
don
D572
Castillon
borétum
D73
St-Paul-
du-Vernay
Lignerolles
Ballerey
D13
D13
10
D99
D116
D28
ry
Ste-Honorine-
de-Ducy
les Landes
oulognes
12
Le Carrefour
les Bruyeres
D31
allen
D99
D173
Livry
Anctoville
Mitrecamp
rroscope
doisieres
32
Caumont-
l'Éventé
Sept-
Vents
D54
Cahagnes
St-Jean-
des-Essartiers
les Loges
15
A84
Cahagnes

Port-en-Bessin-
-Huppain
Tour
Vauban
Commes
Huppain
Fosses
de Soucy
Maisons
10
Tour-
en-Bessin
A13
38
37.1
St-Loup-
Hors
37
Agy
Subles
Guéron
Monceaux-
en-Bessin
Arganchy
Ellon
Juaye-
Mondaye
Trungy
Bernières
Bocage
la Belle
Épine
Lingèvres
Cahagnolles
Longraye
Torteval-Quesnay
(Crauville)
le Lion
Vert
St-Vaast-
sur-Seulles
St-Germain-
d'Ectot
Feuguerolles-
sur-Seulles
Briquessard
Fossard
Tracy-
Bocage
Villers-
Bocage
Maisoncelles-
Pelvey
St-Pierre-
du-Fresne
la Ferrière-
au-Doyen

le Chaos
Longues-
sur-Mer
la Bauquerie
Manvieux
Tracy-
sur-Mer
Magny-
en-Bessin
Ryes
Sommervieu
Vienne-
en-Bessin
Esquay-
sur-Seulles
Anc.
Prieuré
St-Martin-
des-Entrées
Crémel
Condé-
sur-Seulles
Nonant
Carcagny
Chouain
le Pont
Roc
Bucéels
Tilly-sur-Seulles
Cim.
Brit.
Juvigny-
sur-Seulles
Hottot-
les-Bagues
Vendes
Brettevillette
Orbois
Sermentot
Monts-
en-Bessin
Noyers-
Bocage
St-Louet-
sur-Seulles
Villy-
Bocage
Parfouru-
sur-Odon
Epinay-
sur-Odon
Longvillers
Banneville-
sur-Ajon

Arromanches-
-les-Bains
Gold Beach
D514
Asnelles
St-Côme-
de-Fresné
Meuvaines
Ver-sur-Mer
Ste-Croix-
sur-Mer
Banville
Crépon
Bazenville
Villiers-
le-Sec
Colombiers-
sur-Seulles
le Manoir
Prieuré
St-Gabriel-
Brécy
Tierceville
Creully
Brécy
Manneville
Vaux-
sur-Seulles
Martragny
Rucqueville
Coulombs
Ducy-
Ste-Marguerite
Ste-Croix-
Grand-Tonne
Loucelles
Audrieu
Brouay
Putot-
en-Bessin
le Mesnil-
Patry
Cristot
Norrey-
en-Bessin
Fontenay-
le-Pesnel
St-Manvieu-
Norrey
Cheux
Tessel
Juvigny
Mondrainville
Grainville-
sur-Odon
Missy
Gavrus
Tournay-
sur-Odon
le Locheur
Bougy
Évrecy
Ste-Honorine-
du-Fay
Landes-
sur-Ajon
Vacognes-
Neuilly
St-Clair
le Mesnil-
au-Grain
St-Georges-
d'Aunay
St-Agnan-le-Malherbe
(les Hayes)
la Caine

Courseulles-
sur-Mer
Croix
de Lorraine
Graye-
sur-Mer
D514
Reviers
Amblie
Bény-sur-Mer
Colomby-
sur-Thaon
Anc. Église
St-Pierre de Thaon
Thaon
le Fresne-
Camilly
Cully
Lasson
Secqueville-
en-Bessin
Rosel
Bretteville-
l'Orgueilleuse
N13
E46
Rots
Authie
Anc. Abb.
d'Ardenne
Carpiquet
St-Manvieu-
Norrey
Caen-Carpiquet
Bretteville-
sur-Odon
Verson
Tourville-
sur-Odon
Mouen
Éterville
Fontaine-
Étoupefour
Baron-
sur-Odon
Stèle
Maltot
Esquay-
Notre-Dame
Avenay
Amayé-
sur-Orne
Vieux
Maizet
Mutrécy
Préaux-
Bocage
le Grand
Mesnil
Clinchamps-
sur-Orne
Goupillières
Bretteville
Montigny
Trois-
Monts

Bernières-
sur-Mer
Mon.
Juno Beach
Réserve Naturelle
de la Falaise du Cap Romain
Langrune-
sur-Mer
St-Aubin-
-sur-Mer
Luc-
sur-Mer
Herman
-sur-M
Douvres-
la-Délivrande
Lion-
sur-Mer
10
N.-D.
de la Délivrande
Cresserons
Basly
Anguerny
Plumetot
Périers-
sur-le-Dan
Fontaine-
Henry
Lantheuil
Cim.
Brit.
Cairon
Colleville-
Montg
Mathieu
Anisy
Biéville
Villons-
les-Buissons
Cambes-
en-Plaine
Épron
St-Contest
Biéville-
Beuville
Blainville-
sur-Orne
la Folie
Couvrechef
Hérouville-
St-Clair
Colom
Abb.
aux Dames
Abb.
aux Hommes
Gibe
Mo
Cormelles-
le-Royal
Louvigny
Fleury-
sur-Orne
St-André-
sur-Orne
Ifs
Hubert-
Folie
Bou
St-Martin-
de-Fontenay
May-sur-Orne
Rocquancourt
Anc. Abb.
Feuguerolles-
Bully
Laize-
la-Ville
Fontenay-
le-Marmion
Caillouet
Fresney-
le-Puceux
Tilly-
la-Camp
Boulon
Cintheaux
Bretteville-
-sur-Laize
Man.
de Quilly

A B C D E

28

33
F
G
H
J
K
CAP DE LA HEVE
Ste-Adresse
Sanvic
Rouelles
Gainn
Portsmouth
LE HAVRE
Prieuré de Graville
Gonfreville-l'Orcher
BAIE
DE
LA
SEINE
Réserve Nat
Pont de Normandie
Honfleu
Côte de Grâce
Vasouy
N.-D. de Grâce
Cricquebœuf
Pennedepie
Villerville
Équemauville
Barneville-la-Bertran
T. d'Orient
la Croix Sonnet
Trouville-sur-Mer
Deauville-St-Gatien
le Clos Joli
Deauville
Aquarium
St-Laurent
le Haut Bois
Touques
St-Gatien-des-Bois
Fourneville
Côte Fleurie
Côte de Nacre
Benerville-sur-Mer
Blonville-sur-Mer
Anc. Prieuré
Mont Canisy
Bonneville-sur-Touques
Château de Guillaume le Conquérant
St-Arnoult
Villers-sur-Mer
Falaises des Vaches Noires
Tourgéville
Englesqueville-en-Auge
Vauville (l'Église)
Man. des Évêques de Lisieux
Canapville
Tourville-en-Auge
Coudray-Rabut
Vieux-Bourg
Sword Beach
Riva Bella
Merville-Franceville-Plage
le Hôme-Varaville
Houlgate
Auberville
Man. de Glatigny
Cabourg
St-Vaast-en-Auge
St-Martin-aux-Chartrains (la Truite)
Surville
Ouistreham
Dives-sur-Mer
Gonneville-sur-Mer
Heuland
St-Pierre-Azif
Glanville
St-Étienne-la-Thillaye
St-Julien-sur-Calonne
Sallenelles
Merville
Gonneville-en-Auge
Divette
Grangues
Bourgeauville
Beaumont-en-Auge
Reux
Pont-l'Évêque
Amfreville
Varaville
Périers-en-Auge
Douville-en-Auge
Branville
Anc. Abb.
Drubec (la Haie Tondue)
Manneville-la-Pipard
Bénouville
Bréville-les-Monts
Brucourt (la Croix Cornière)
Cricqueville-en-Auge
Danestal (le Bourg)
Annebault
Châț. de Betteville
Petiville
Angerville
St-Hymer
Pierrefitte-en-Auge
Fierville-les-Pa
Ranville
Chât. de Béneauville
le Hom
Péage
Cresseveuille
Beaumont-en-Auge
Clarbec
Prieuré
Hérouvillette
Bavent
Dozulé
la Forge à la Planche
Valsemé
le Breuil-en-Auge
Cim. Brit.
Autoroute de Normandie
Bricqueville
St-Léger-Dubosq
Escoville
Roncheville
Putot-en-Auge
le Torquesne
CAEN
la Grande Bruyère
Goustranville
St-Jouin
Beaufour-Druval
Manoir de Malou
Basseneville (St-Richer)
Clermont
Repentigny
Bonnebosq
Bures-sur-Dives
PAYS D'AUGE
Touffréville
Démouville
Sannerville
Brocottes
Gerrots
Auvillars
le Fournet (la Falaise)
Coquainvilliers
Norolles
St-Samson
le Doigt
Beuvron-en-Auge
Rumesnil
Formentin
Man. du Pontif
Abb.
Troarn
le Ham
Léaupartie
Chât. de Boutemont
St-Pierre-du-Jonquet
la Roque-Baignard
Manerbe
Rocques
Banneville-la-Campagne
St-Pair
Hotot-en-Auge
la Dorette
Montreuil-en-Auge
Ouilly-le-Vicomte
Giberville
Janville (la Rue Haute)
St-Ouen-du-Mesnil-Oger
Cléville
Dom. du Val Richer
Anc. Abb.
Lisieux
Anc. Prieuré
Victot-Pontfol (l'École)
Grandouet
le Pré-d'Auge
Émiéville
Cagny
la Tannerie
le Fresne
l'Hermitage
la Vie
N.-D.-d'Estrées (l'École)
Cambremer
Cim. Brit. et All.
Frénouville
Canteloup
Méry-Corbon
Corbon
St-Ouen-le-Pin
St-Désir
Basilique
Bellengreville
le Laizon
St-Laurent-du-Mont (les Trois Rois)
St-Aubin-sur-Algot
Man. du Lieu Binet
le Bas du Val
Argences
Croissanville
Biéville-en-Auge
la Boissière
Vimont
Crèvecœur-en-Auge
la Houblonnière
Beuvillers
Moult
Bissières
St-Loup-de-Fribois
N.-D.-de-Livaye
Man. de St-Hyppolite
Chicheboville
Magny-le-Freule
les Monceaux
St-Pierre-des-Ifs
Monteille
St-Martin-de-la-Lieue
Béneauville
Airan
Chât. du Mont de la Vigne
les Vallées
Valmeray
Biéville-Quétiéville
la Corne
Billy
Cesny-aux-Vignes-Ouézy
le Mesnil-Mauger
Lécaude
le Mesnil-Eudes
Conteville
Muance
Anc. Abb. Ste-Barbe
le Mesnil-Simon
St-Jean-de-Livet
Poussy-la-Campagne
Bray la Campagne
Mézidon-Canon
Grandchamp-le-Château
Ouézy
Man. d'Écajeul
St-Germain-de-Livet
Prêtreville
Canon
Lessard-et-le-Chêne
Écajeul
Fierville-Bray
Chât. du Mesnil
Ste-Marie aux-Anglais
St-Julien-le-Faucon
Man. de Caudemone
St-Sylvain
Vieux-Fumé
les Authieux-Papion
Coupesarte
Percy-en-Auge
Menhir
Magny-la-Campagne
Cauvicourt
Crouville-la-Bien-Tournée
Vieux-Pont
le Mesnil
la Chapelle-Noiremare
Auquainville

34
A
B
C
D
E
Gainneville
St-Aubin-Routot
St-Vincent-Cramesnil
la Remuée
la Cerlangue
St-Nicolas-de-la-Taille
la Frénaye
Villequier
Rogerville
Oudalle
Sandouville
St-Jean-d'Abbetot
St-Vigor-d'Ymonville
Tancarville
Val des Fontaines
Théâtre Romain
le Mesnil
Triquerville
Notre-Dame-de-Gravenchon
St-Nicolas-de-Bliquetuit
Vatteville-la-Rue
N.-D.-de-Bliquetuit
Mais. du Parc
Péage
Pont de Tancarville
Quillebeuf-sur-Seine
St-Aubin-sur-Quillebeuf
Norville
Bac
Réserve Naturelle de l'Estuaire de la Seine
le Quesnay
le Wuy
Petiville
St-Maurice-d'Ételan
Chât. d'Ételan
le Normandie
Honfleur
Pointe de la Roque
Berville-sur-Mer
Anc. Abb.
St-Samson-de-la-Roque
le Marais Vernier
Rés. Nat. des Mannevilles
PARC NAT. RÉG. DES BOUCLES DE LA SEINE
F. Dom. de Brotonne
Vieux-Port
Aizier
Ste-Croix-sur-Aizier
Jobie
Fatouville-Grestain
Conteville
Marais-Vernier
la Grand'Mare
Ste-Opportune-la-Mare
Trouville-la-Haule
la Rivière-St-Sauveur
Ablon
St-Pierre-du-Val
Foulbec
Beaucher
St-Thurien
Tocqueville
Châț. de Bonneval
la Haye-de-Routot
Hauville
Gonneville-sur-Honfleur
Fiquefleur-Equainville
St-Sulpice-de-Grimbouville
la Risle
Bouquelon
Normandie
St-Ouen-des-Champs
Josapha
Bourneville
la Haye-Aubrée
Moulin à Vent
Genneville
Manneville-la-Raoult
Hannetot
Boulleville
Toutainville
St-Mards-de-Blacarville (la Cour-Donnet)
Fourmetot
le Moulin
la Grande Rue
Routot
Fourneville
St-Maclou
Pont-Audemer
Manneville-sur-Risle
les Cauvins
Étreville
Éturqueraye
Bouquetot
le Theil-en-Auge
Beuzeville
le Mont-les-Mares
St-Germain-Village
Valletot
Rougemontiers
Quetteville
Autoroute
Triqueville
Colletot
Cauverville-en-Roumois
Brestot
Corneville-sur-Risle
Abb. N.-D.
St-Benoît-d'Hébertot
le Torpt
Fort-Moville
les Préaux
Tourville-sur-Pont-Audemer
Illeville-sur-Montfort
Catelon
Vieux-Bourg
St-André-d'Hébertot
St-Symphorien
la Lande-St-Léger
Martainville
Campigny
Appeville-Annebault
Épreville-en-Roumois
Vannecrocq
Selles
Condé-sur-Risle
Montfort-sur-Risle
la Canurie
St-Julien-sur-Calonne
les Authieux-sur-Calonne
St-Martin-St-Firmin
St-Philbert-sur-Risle
Châț. Fort
Bosc-Renoult-en-Roumois
Bonneville-la-Louvet
le Bois-Hellain
Épaignes
St-Siméon
St-Christophe-sur-Condé
Écaquelon
St-Léger-du-Gennetey
le Mesnil-sur-Blangy
la Noë-Poulain
St-Étienne-l'Allier
le Quesney
Glos-sur-Risle
Boissey-le-Châtel
la Chapelle-Bayvel
Thierville
Châț. du Malou
St-Sylvestre-de-Cormeilles (le Gallet)
la Poterie-Mathieu
St-Pierre-des-Ifs
Blangy-le-Château
Cormeilles
St-Georges-du-Vièvre
Freneuse-sur-Risle
Bonneville-Aptot
Breuil-en-Auge
St-Pierre-de-Cormeilles
Bréards
la Chapelle
St-Grégoire-du-Vièvre
Pont-Authou
Malleville-sur-le-Bec
le Faulq
la Chaule
Lieurey
St-Jean-de-la-Léqueraye
Châț. de Launay
Authou
le Brévedent
St-Benoît-des-Ombres
Livet-sur-Authou
le Bec-Hellouin
Bosrobert
Manoir de Malou
le Pin
St-Philbert-des-Champs
Morainville-Jouveaux
Jouveaux
Noards
St-Georges-du-Mesnil
St-Victor-d'Épine
Bailleul-la-Vallée
Épreville-en-Lieuvin
Neuville-sur-Authou
Brétigny
Manoir du Pavillon
Moyaux
Asnières
Fresne-Cauverville
la Croix de Fer
Giverville
Brionne
Dônj.
Châț. Boutemont
Fauguernon
Heudreville-en-Lieuvin
N.-D.-d'Épine
St-Pierre-de-Salerne
Calleville
Zoo
Morsan
St-Cyr-de-Salerne
Rocques
Hermival-les-Vaux
Fumichon
le Favril
Berthouville
Franqueville
Base de Loisirs
Bazoques
Hecmanville
Aclou
Lisieux
Ouilly-du-Houley
la Paquine
Piencourt
St-Aubin-de-Scellon
Fontaine-la-Louvet
le Theil-Nolent
Boissy-Lamberville
ouv. prévue fin 2005
Perriers-la-Campagne
Firfol
Barville
Folleville
Basilique
les Places
Duranville
la Mare Cocagne
Boisney
Fontaine-la-Soret
Manoir d'Aubichon
Marolles
l'Hôtellerie
Thiberville
Bournainville-Faverolles
Péage
Plasnes
Carsix
la Rivière Thibouville
Beuvillers
la Courtonne
St-Hippolite
Glos
Courtonne-la-Meurdrac
Malouy
Courbépine
Valailles
Rôtes
Nassandres
Goupillières
le Mesnil-Guillaume
la Buissonnière
Drucourt
St-Martin-du-Tilleul
St-Léger-de-Rôtes
Serquigny
Fréville
Cordebugle
la Chapelle-Hareng
St-Vincent-du-Boulay
le Grand Château
Launay
St-Martin-de-Mailloc
St-Denis-de-Mailloc
le Planquay
Menneval
Anc. Abb.
Courtonne-les-Deux-Églises
Plainville
Caorches-St-Nicolas
Bernay
Fontaine-l'Abbé
Forêt
Prêtreville
St-Julien-de-Mailloc
la Thiboutière
St-Victor-de-Chrétienville
N.-D. de la Couture
la Chapelle-Yvon
St-Pierre-de-Mailloc
la Métairie
St-Mards-de-Fresne
la Villaie
le Bosc l'Abbé
la Doisle
Val Martin
Tordouët
St-Germain-la-Campagne
St-Aubin-le-Vertueux
St-Clair-d'Arcey
Corneville-la-Fouquetière
A13
A131
A28
E05
E46
E44
E402
N13
N138
N175
N178
D810
D834
D22
D27
D139
D137

Malaunay
Quincampoix
Houppeville
Roumare
St-Jean-du-Cardonnay
le Houlme
Isneauville
Morgny-la-Pommeraye
Préaux
le Trait
Duclair
St-Pierre-de-Varengeville
la Vaupalière
Hénouville
Notre-Dame-de-Bondeville
Maromme
Déville-lès-Rouen
Bois-Guillaume
Bihorel
Mont-St-Aignan
ROUEN
Darnétal
Montigny
Yainville
Jumièges
St-Martin-de-Boscherville
Canteleu
le Petit-Quevilly
St-Jacques-sur-Darnétal
St-Léger-du-Bourg-Denis
Bonsecours
St-Aubin-Épinay
Quevillon
LE GRAND-QUEVILLY
SOTTEVILLE-LÈS-ROUEN
le Mesnil-Esnard
Franqueville-St-Pierre
Amfreville-la-Mi-Voie
Belbeuf
Boos
Rouen-Vallée de Seine
St-Pierre-de-Manneville
Yville-sur-Seine
Petit-Couronne
Saint-Étienne-du-Rouvray
Grand-Couronne
Sahurs
la Bouille
Moulineaux
Oissel
Gouy
Ymare
les Authieux-sur-le-Port-St-Ouen
Tourville-la-Rivière
Igoville
Alizay
Pitres
le Manoir
CLÉON
Orival
ST-AUBIN-LÈS-ELBEUF
Freneuse
Sotteville-sous-le-Val
Criquebeuf-sur-Seine
Pont-de-l'Arche
les Damps
Poses
Léry
Elbeuf
CAUDEBEC-LÈS-ELBEUF
ST-PIERRE-LÈS-ELBEUF
Martot
Val-de-Reuil
le Vaudreuil
Bourgtheroulde-Infreville
St-Ouen-du-Tilleul
NEUBOURG
la Saussaye
St-Pierre-des-Fleurs
Tostes
Montaure
Incarville
Louviers
St-Pierre-du-Vauvray
Andé
Muids
la Haye-Malherbe
Vraiville
Mandeville
Crasville
Surville
Pinterville
Acquigny
Heudebouville
Vironvay
le Mesnil-Jourdain
Quatremare
Iville
Cesseville
le Neubourg
Vitot
Hondouville
Heudreville-sur-Eure
Houetteville
la Croix-St-Leufroy
Brosville
Cailly-sur-Eure
Autheuil-Authouillet
Normanville
Sacquenville
Bacquepuis
Combon
le Tremblay-Omonville
Ste-Colombe-la-Commanderie
Graveron-Sémerville
le Tilleul-Lambert
le Plessis-Ste-Opportune
Émanville
A13
A28
A150
A154
E402
N138
N13
N15
LA SEINE

36
Héronchelles
la Chapelle-St-Ouen
Fry
Dampierre-en-Bray
Gerberoy
Boissay
Rebets
la Hallotière
le Mesnil-Lieubray
Merval
Châ. des Huguenots
St-Quentin-des-Prés
Hécourt
Catenay
Blainville-Crevon
St-Aignan-sur-Ry
le Héron
Nolléval
Beauvoir-en-Lyons
Châ. de Brémontier-Merval
Brémontier-Merval
Cuy-St-Fiacre
Molagnies
Gournay-en-Bray
Hannaches
Villers-sur-Auchy
Morville-sur-Andelle
Elbeuf-en-Bray
Ferrières-en-Bray
Ry
Elbeuf-sur-Andelle
St-Denis-le-Thiboult
Croisy-sur-Andelle
la Haye
la Feuillie
Hêtre de la Bunodière
Avesnes-en-Bray
Ernemont-la-Villette
St-Laurian
Domaine de la Forestière
Vascœuil
Bézancourt
Bosc-Hyons
St-Germer-de-Fly
Anc. Abb.
Forêt Domaniale de Lyons
Letteguives
Perruel
les Hogues
le Tronquay
Fleury-la-Forêt
Bosquentin
Montroty
Neuf-Marché
St-Pierre-es-Champs
Cuigy-en-Bray
Manoir de la Fontaine du Houx
Perriers-sur-Andelle
Lorleau
Lilly
Renneville
Chap. St-Jean
Lyons-la-Forêt
Beauficel-en-Lyons
Bouchevilliers
Puiseux-en-Bray
le Coudray-St-Germer
Bourg-Beaudouin
Bézu-la-Forêt (Maurepas)
Martagny
Rosay-sur-Lieure
Sources de Fouillebroc
Morgny
Mesnil-sous-Vienne
Talmontiers
Lalande-en-Son
Vandrimare
Charleval
Abb. de Mortemer
Mainneville
Amécourt
Fleury-sur-Andelle
Ménesqueville
Touffreville
Longchamps
la Neuve-Grange
Sancourt
Hébécourt
Sérifontaine
Radepont
Grainville
Lisors
Puchay
Heudicourt
Flavacourt
Gaillardbois-Cressenville
Coudray
Doudeauville-en-Vexin
V E X I N
Mesnil-Verclives
Saussay-la-Campagne
Nojeon-en-Vexin
St-Denis-le-Ferment
Éragny-sur-Epte
Boutencourt
Amfreville-les-Champs
Bacqueville
Écouis
Étrépagny
Bazincourt-sur-Epte
Houville-en-Vexin
le Thil
Bézu-St-Éloi
Villers-sur-Trie
Fresne-l'Archevêque
St-Jean-de-Frenelles
Farceaux
Hacqueville
Bernouville
Gisors
Heuqueville
Cuverville
Corny
Boisemont
Trie-Château
Trie-la-Ville
N O R M A N D
Neaufles-St-Martin
Daubeuf-les-Vatteville
Ste-Marie-de-Vatimesnil
Chauvincourt-Provemont
Suzay
Richeville
Dolmen de la Pierre Trouée
Gamaches-en-Vexin
Dangu
Courcelles-lès-Gisors
Chambors
Roquette
le Thuit
Th. Romain
Harquency
Villers-en-Vexin
Noyers
Reilly
Châ. Gaillard
les Andelys
les Thilliers-en-Vexin
Parc de loisirs du bois d'Hérouval
Lattainville
Delincourt
Parc de Loisirs
Mouflaines
Vesly
Boury-en-Vexin
Bernières-sur-Seine
Vézillon
Forêt-la-Folie
Cantiers
Châ. de Boisdenemets
Guerny
Vaudancourt
Tosny
Guitry
Autheuvernes
Cahaignes
St-Clair-sur-Epte
Parnes
Montjavoult
Bouafles
Guiseniers
Fontenay
Villers-sur-le-Roule
Hennezis
Fours-en-Vexin
Donjon Château-sur-Epte
Buhy
Montagny-en-Vexin
Courcelles-sur-Seine
Tourny
Berthenonville
la Chapelle-en-Vexin
Hadancourt-le-Haut-Clocher
Menhir Gravier de Gargantua
Allée Couverte
Mézières-en-Vexin
Dampsmesnil
Montreuil-sur-Epte
St-Gervais
Serans
Magny-en-Vexin
Port-Mort
Civières
Écos
Gaillon
Abb. du Trésor
St-Pierre-la-Garenne
Panilleuse
Tilly
Bus-St-Rémy
Ambleville
F R A
N.-D.-de-l'Isle
Châ. de Baudemont
Bray-et-Lû
Omerville
Charmont
Aventure Land
St-Aubin-sur-Gaillon
Pressagny-l'Orgueilleux
Forêt de Vernon
Heubécourt-Haricourt
Genainville
Banthelu
Cléry-en-Vexin
St-Étienne-sous-Bailleul
Fourges
Site Gallo-Romain
St-Pierre-de-Bailleul
St-Pierre-d'Autils
Châ. de la Madeleine
Chaussy
RÉGION
Beauchêne
Bois-Jérôme-St-Ouen
Maudétour-en-Vexin
Guiry-en-Vexin
Villez-sous-Bailleul
St-Just
Amenucourt
NATUREL
12
Ste-Colombe-près-Vernon
St-Marcel
Vernon
Gasny
Villers-en-Arthies
Wy-Dit-Joli-Village
la Chapelle-Réanville
Ste-Geneviève-lès-Gasny
la Roche-Guyon
Haute-Isle
Chérence
Arthies
Houlbec-Cocherel
Merey
Giverny
Gommecourt
Moisson
Vétheuil
Aincourt
Avernes
Rouvray
St-Vincent-des-Bois
Forêt de Bizy
Port-Villez
PARC
Site du Jamborée
Vienne-en-Arthies
Lainville-en-Vexin
Frémainville

F
G
H
J
K
17
18
38
58
BEAUVAIS
Beauvais-Tillé
Clermont
Méru
Chambly
Persan
Beaumont-sur-Oise
L'Isle-Adam
PONTOISE
Osny
Mouy
Noailles
St-Just-en-Chaussée
Crillon
Milly-sur-Thérain
Troissereux
Savignies
Lachapelle-aux-Pots
St-Paul
Goincourt
Allonne
St-Martin-le-Noeud
Auneuil
Therdonne
Bresles
Bailleul-sur-Thérain
Villers-St-Sépulcre
Hermes
Warluis
Berneuil-en-Bray
Silly-Tillard
Ressons-l'Abbaye
Corbeil-Cerf
Andeville
Lormaison
St-Crépin-Ibouvillers
Fresneaux-Montchevreuil
Chaumont-en-Vexin
Jouy-sous-Thelle
Hénonville
Amblainville
Bornel
Esches
Fosseuse
Anserville
Dieudonné
Neuilly-en-Thelle
Ercuis
Cramoisy
Mello
Cires-lès-Mello
Balagny-sur-Thérain
Cauvigny
Ully-St-Georges
Foulangues
Précy-sur-Oise
Boran-sur-Oise
Le Mesnil-en-Thelle
Puiseux-le-Hauberger
Ronquerolles
Bernes-sur-Oise
Bruyères-sur-Oise
Asnières-sur-Oise
Viarmes
Seugy
Luzarches
Presles
Nointel
Mours
Parmain
Valmondois
Nesles-la-Vallée
Hérouville
Livilliers
Épiais-Rhus
Vallangoujard
Arronville
Haravilliers
Marines
Chars
Bouconvillers
Santeuil
Bréançon
Cormeilles-en-Vexin
Montgeroult
Ableiges
Vigny
Auvers-sur-Oise
Ennery
Méru
Mafflier
Montsoult
Baillet-en-France
Villiers-Adam
VEXIN
FRANÇAIS
F. Dom. de Hez-Froidmont
Agnetz
Ansacq
Angy
Bury
Nivillers
Bonlier
Guignecourt
Tillé
Essuiles
Haudivilliers
Lafraye
Bulles
Litz
Laversines
Rochy-Condé
la Rue-St-Pierre
la Neuville-en-Hez
Ponchon
Heilles
Mouchy-le-Châtel
Hondainville
Thury-sous-Clermont
Cambronne-lès-Clermont
Blaincourt-lès-Précy
Crouy-en-Thelle
Villers-sous-St-Leu
St-Leu-d'Esserent
Chaumont-en-Vexin
Thibivillers
Lavilletertre
Monneville
Neuilly-en-Vexin
Fleury
Villeneuve-les-Sablons
Berville
Fresne-Léguillon
Ivry-le-Temple
Theuville
Frouville
Hédouville
Labbeville
Champagne-sur-Oise
Grisy-les-Plâtres
Us
Théméricourt
Courcelles-sur-Viosne
Puiseux-Pontoise
Boissy-l'Aillerie
Génicourt

A
B
C
D
E
St-Just-
-Chaussée
Ravenel
St-Martin-aux-Bois
Montgerain
Méry-
-la-Bataille
Ménévillers
Elloy
Ressons-
-sur-Matz
Élincourt-
-Ste-Marguerite
Margny-
-sur-Matz
Vandélicourt
Cambronne-
-lès-Ribécourt
le Plessier-
-sur-St-Just
Wacquemoulin
Neufvy-
-sur-Aronde
Gournay-
-sur-Aronde
Marquéglise
Marest-
-sur-Matz
Chevincourt
Machemont
Léglantiers
Montiers
Vignemont
Antheuil-
-Portes
Mélicocq
Angivillers
La Neuville-
-Roy
Moyenneville
Monchy-
-Humières
Villers-
-sur-Coudun
Thourotte
Valescourt
Pronleroy
Cressonsacq
Montmartin
Braisnes
Giraumont
le Plessis-
-Brion
Rémy-en-l'Eau
Fournival
Lieuvillers
Erquinvillers
Grandvillers-
-aux-Bois
Hémévillers
Baugy
Coudun
Longueil-
-Annel
Avrechy
Noroy
Cuignières
Trois Étots
Rouvillers
Francières
Bienville
Janville
Clairoix
Choisy-
-au-Bac
Lachelle
Remy
Rémécourt
Cernoy
Fouilleuse
Lamécourt
Airion
Maimbeville
Estrées-
-St-Denis
Moyvillers
Venette
Margny-
-lès-Compiègne
Palais
National
Erquery
St-Aubin-
-sous-Erquery
Bailleul-
-le-Soc
Bois
d'Arsy
Arsy
Nécropole N.
COMPIÈGNE
Fitz-James
Épineuse
Avrigny
Blincourt
Canly
Jaux
Jonquières
Nointel
Nécropole N.
Catenoy
Choisy-
-la-Victoire
Grandfresnoy
Sacy-
-le-Petit
le Fayel
Armancourt
le Meux
Clermont
Breuil-
-le-Sec
Breuil-le-Vert
Longueil-
-Ste-Marie
Lacroix-
-St-Ouen
St-Jean-
-aux-Bois
Labruyère
Sacy-le-Grand
Chevrières
Rivecourt
Neuilly-
-sous-Clermont
Bailleval
Rosoy
St-Martin-
-Longueau
Bazicourt
Houdancourt
F. DOM.
DE COMPIÈGNE
Rantigny
Verderonne
Liancourt
Cauffry
Cinqueux
Monceaux
les
Ageux
Verberie
St-Sauveur
Mogneville
Angicourt
Brenouille
Pont-
-Ste-Maxence
Anc. Abb. Royale
du Moncel
Saintines
Béthisy-St-Pierre
Rousseloy
Laigneville
Monchy-
-St-Éloi
Rieux
Pontpoint
Rhuis
St-Vaast-de-
-Longmont
Orrouy
Gilocourt
Villers-
-St-Paul
Beaurepaire
Roberval
Béthisy-
-St-Martin
Béthancourt-
-en-Valois
Nogent-
-sur-Oise
St-Vaast-
-lès-Mello
Verneuil-
-en-Halatte
Villeneuve-
-sur-Verberie
Néry
Glaignes
Montataire
CREIL
Fleurines
Villers-
-St-Frambourg
Raray
Rocquemont
Séry-
-Magneval
Thiverny
F. DOM.
D'HALATTE
Ognon
Trumilly
St-Leu-
-d'Esserent
Aumont-
-en-Halatte
PARC
NATUREL
REGIONAL
Rully
Crépy-en-Valois
Apremont
Chamant
Barbery
Duvy
Auger-
-St-Vincent
St-Maximin
Senlis
Montépilloy
Fresnoy-
-le-Luat
Rouville
Chantilly
Vineuil-
-St-Firmin
Courteuil
Mont-
-l'Évêque
Lévignen
Gouvieux
Avilly-
-St-Léonard
Fontaine-
-Chaalis
Baron
Ormoy-
-Villers
FORÊT DE CHANTILLY
OISE-PAYS-DE-FRANCE
Versigny
Péroy-
-les-Gombries
Boissy-
-Fresnoy
Lamorlaye
Montlognon
Thiers-
-sur-Thève
Pontarmé
Coye-
-la-Forêt
Orry-
-la-Ville
Montagny-
-Ste-Félicité
Nanteuil-
-le-Haudouin
Chaumontel
La Chapelle-
-en-Serval
Ermenonville
Silly-
-le-Long
Seugy
Luzarches
Fosses
Survilliers
Mortefontaine
Plailly
Ver-
-sur-Launette
Ève
le Plessis-
-Belleville
Chèvreville
Bouillancy
Ognes
Marly-
-la-Ville
Jagny-
-sous-Bois
St-Witz
Othis
Lagny-
-le-Sec
Oissery
Brégy
Épinay-
-Champlâtre
Vémars
Dammartin-
Châtenay-
-en-France
St-Pathus
N17
N31
E46
N330
N324
N16
A1
E15
E19
N2

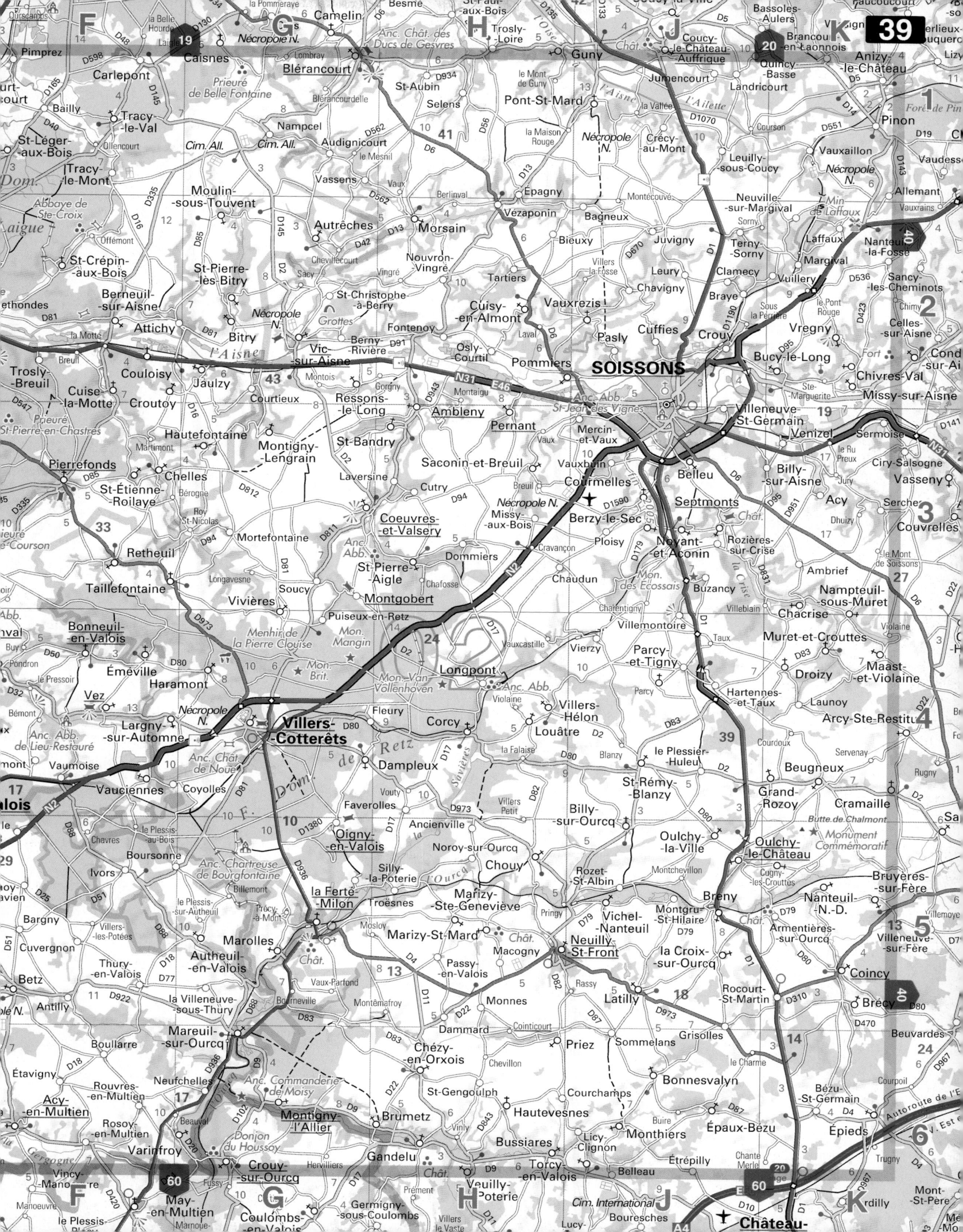
F
G
H
J
K
1
2
3
4
5
6
19
20
40
60
Camelin
Besme
Trosly-Loire
Guny
Coucy-le-Château-Auffrique
Bassoles-Aulers
Brancourt-en-Laonnois
Anizy-le-Château
Pimprez
Caisnes
Nécropole N.
Blérancourt
Anc. Chât. des Ducs de Gesvres
Carlepont
Prieuré de Belle Fontaine
St-Aubin
Selens
Pont-St-Mard
Jumencourt
Quincy-Basse
Landricourt
Pinon
Bailly
Tracy-le-Val
St-Léger-aux-Bois
Ollencourt
Tracy-le-Mont
Cim. All.
Nampcel
Audignicourt
le Mesnil
la Maison Rouge
Nécropole N.
Crécy-au-Mont
Leuilly-sous-Coucy
Vauxaillon
Nécropole N.
Allemant
Abbaye de Ste-Croix
Moulin-sous-Touvent
Vassens
Vaux
Berlinval
Épagny
Vézaponin
Bagneux
Montécouvé
Neuville-sur-Margival
Laffaux
Nanteuil-la-Fosse
Offémont
Autrêches
Morsain
Bieuxy
Juvigny
Terny-Sorny
Margival
Sancy-les-Cheminots
St-Crépin-aux-Bois
St-Pierre-lès-Bitry
Chevillecourt
Nouvron-Vingré
Tartiers
Villers-la-Fosse
Leury
Clamecy
Vuillery
Berneuil-sur-Aisne
Sacy
St-Christophe-à-Berry
Cuisy-en-Almont
Vauxrezis
Chavigny
Braye
Chivres-Val
Attichy
Nécropole N.
Grottes
Bitry
Fontenoy
Berny-Rivière
Osly-Courtil
Laval
Pasly
Cuffies
Crouy
Vregny
Celles-sur-Aisne
Trosly-Breuil
Couloisy
Jaulzy
Vic-sur-Aisne
Montois
Pommiers
SOISSONS
Bucy-le-Long
Condé-sur-Aisne
Cuise-la-Motte
Croutoy
Courtieux
Ressons-le-Long
Gorgny
Ambleny
Montaigu
Pernant
Anc. Abb. St-Jean-des-Vignes
Villeneuve-St-Germain
Missy-sur-Aisne
Prieuré St-Pierre-en-Chastres
Hautefontaine
Montigny-Lengrain
St-Bandry
Mercin-et-Vaux
Venizel
Sermoise
Ciry-Salsogne
Pierrefonds
Chelles
Saconin-et-Breuil
Vauxbuin
Courmelles
Belleu
Billy-sur-Aisne
Vasseny
St-Étienne-Roilaye
Bérogne
Laversine
Cutry
Breuil
Nécropole N.
Septmonts
Acy
Serches
Missy-aux-Bois
Berzy-le-Sec
Coeuvres-et-Valsery
Ploisy
Noyant-et-Aconin
Rozières-sur-Crise
Couvrelles
Retheuil
Mortefontaine
Anc. Abb.
St-Pierre-Aigle
Dommiers
Cravançon
Chaudun
Buzancy
Ambrief
le Mont de Soissons
Taillefontaine
Longavesne
Soucy
Vivières
Montgobert
Chafosse
Mon. des Écossais
Nampteuil-sous-Muret
Chacrise
Puiseux-en-Retz
Charentigny
Villemontoire
Bonneuil-en-Valois
Menhir de la Pierre Clouise
Mon. Mangin
Vauxcastille
Vierzy
Parcy-et-Tigny
Muret-et-Croutte
Maast-et-Violaine
Éméville
Haramont
Mon. Brit.
Longpont
Droizy
Vez
Mon. Van Vollenhoven
Anc. Abb.
Violaine
Villers-Hélon
Hartennes-et-Taux
Launoy
Largny-sur-Automne
Nécropole N.
Villers-Cotterêts
Fleury
Corcy
Louâtre
Arcy-Ste-Restitue
Anc. Abb. de Lieu-Restauré
Anc. Chât. de Noue
Vaumoise
Vauciennes
Coyolles
Dampleux
la Falaise
Blanzy
le Plessier-Huleu
Beugneux
Courdoux
Servenay
Grand-Rozoy
Cramaille
St-Rémy-Blanzy
Billy-sur-Ourcq
Faverolles
Ancienville
Villers Petit
Butte de Chalmont
Monument Commémoratif
Chavres
le Plessis-au-Bois
Oigny-en-Valois
Noroy-sur-Ourcq
Oulchy-la-Ville
Oulchy-le-Château
Boursonne
Anc. Chartreuse de Bourgfontaine
Chouy
Montchevillon
Ivors
Silly-la-Poterie
Rozet-St-Albin
Cugny-les-Crouttes
Bruyères-sur-Fère
Billemont
la Ferté-Milon
Troësnes
Marizy-Ste-Geneviève
Pringy
Breny
Nanteuil-N.-D.
Bargny
le Plessis-sur-Autheuil
Villers-les-Potées
Précy-à-Mont
Vichel-Nanteuil
Montgru-St-Hilaire
Armentières-sur-Ourcq
Villeneuve-sur-Fère
Cuvergnon
Marolles
Mosloy
Marizy-St-Mard
Macogny
Neuilly-St-Front
Chât.
Thury-en-Valois
Autheuil-en-Valois
Passy-en-Valois
la Croix-sur-Ourcq
Coincy
Betz
Vaux-Parfond
Monnes
Rassy
Latilly
Rocourt-St-Martin
Brécy
Antilly
la Villeneuve-sous-Thury
Bourneville
Montêmafroy
Dammard
Cointicourt
Priez
Sommelans
Grisolles
Beuvardes
Mareuil-sur-Ourcq
Boullarre
Chézy-en-Orxois
Chevillon
le Charme
Étavigny
Neufchelles
Anc. Commanderie de Moisy
Bonnesvalyn
Rouvres-en-Multien
Acy-en-Multien
St-Gengoulph
Courchamps
Hautevesnes
Bézu-St-Germain
Montigny-l'Allier
Brumetz
Épieds
Rosoy-en-Multien
Donjon du Houssoy
Vinly
Bussiares
Monthiers
Épaux-Bézu
Varinfroy
Buire
Licy-Clignon
Gandelu
Étrépilly
Vincy-Manoeuvre
Crouy-sur-Ourcq
Hervilliers
Torcy-en-Valois
Belleau
Chante Merle
Trugny
Fussy
Veuilly-la-Poterie
Prément
May-en-Multien
Manoeuvre
Germigny-sous-Coulombs
Cim. International
Mont-St-Père
le Plessis-Placy
Coulombs-en-Valois
Villers-le-Vaste
Bouresches
Château-
Lucy-
Marnoue-
Autoroute de l'Est
N2
N31
E46
A4
D1
D2
D6
D81
D973

40
Fismes
Craonne
Corbeny
Pontavert
Braine
Fère-en-Tardenois
Dormans
Châtillon-sur-Marne
Jonchery-sur-Vesle
Berry-au-Bac
Guignicourt
Bourg-et-Comin
Vailly-sur-Aisne
Ville-en-Tardenois
PARC NATUR
MONTAGNE DE

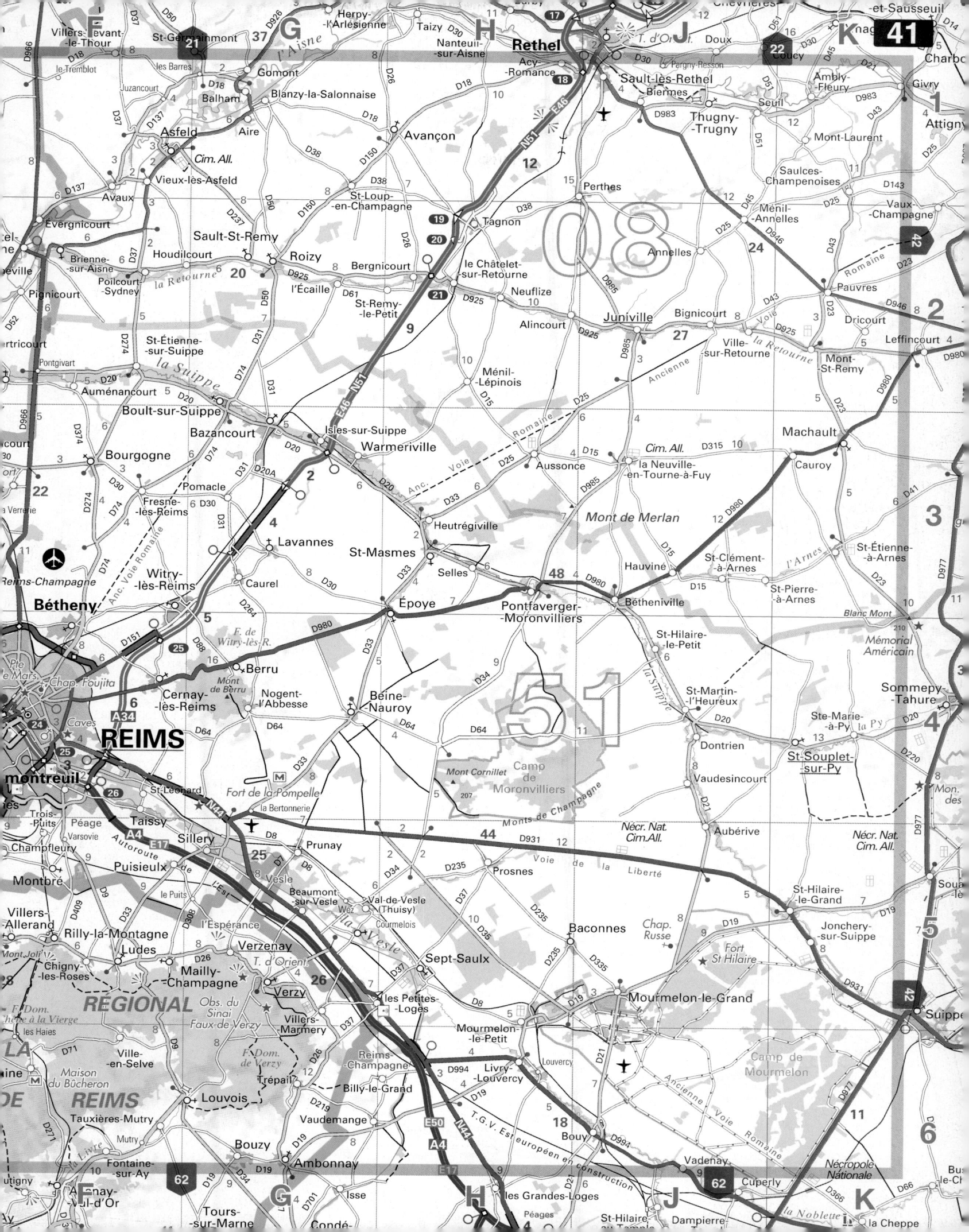
Rethel
Sault-lès-Rethel
Biermes
Thugny-Trugny
Acy-Romance
Nanteuil-sur-Aisne
Taizy
Herpy-l'Arlésienne
St-Germainmont
Villers-devant-le-Thour
Gomont
Balham
Blanzy-la-Salonnaise
Asfeld
Aire
Avançon
Vieux-lès-Asfeld
Avaux
Évergnicourt
Brienne-sur-Aisne
Poilcourt-Sydney
Pignicourt
Houdilcourt
Sault-St-Remy
Roizy
Bergnicourt
l'Écaille
St-Remy-le-Petit
St-Loup-en-Champagne
Tagnon
le Châtelet-sur-Retourne
Neuflize
Perthes
Annelles
Ménil-Annelles
Seuil
Ambly-Fleury
Givry
Attigny
Mont-Laurent
Saulces-Champenoises
Vaux-Champagne
Pauvres
Dricourt
Leffincourt
Juniville
Alincourt
Bignicourt
Ville-sur-Retourne
Mont-St-Remy
Ménil-Lépinois
St-Étienne-sur-Suippe
Pontgivart
Auménancourt
Boult-sur-Suippe
Bazancourt
Isles-sur-Suippe
Warmeriville
Bourgogne
Pomacle
Fresne-lès-Reims
Heutrégiville
Aussonce
la Neuville-en-Tourne-à-Fuy
Machault
Cauroy
Mont de Merlan
Hauviné
St-Clément-à-Arnes
St-Étienne-à-Arnes
St-Pierre-à-Arnes
Lavannes
St-Masmes
Selles
Caurel
Witry-lès-Reims
Reims-Champagne
Bétheny
Époye
Pontfaverger-Moronvilliers
Bétheniville
Blanc Mont
Mémorial Américain
St-Hilaire-le-Petit
Berru
Cernay-lès-Reims
Nogent-l'Abbesse
Beine-Nauroy
St-Martin-l'Heureux
Sommepy-Tahure
Ste-Marie-à-Py
Dontrien
St-Souplet-sur-Py
REIMS
Caves
Chap. Foujita
Mont Cornillet
Camp de Moronvilliers
Fort de la Pompelle
Vaudesincourt
Monts de Champagne
St-Léonard
Taissy
Trois-Puits
Sillery
Prunay
Aubérive
Nécr. Nat. Cim. All.
Champfleury
Puisieulx
Montbré
Prosnes
Voie de la Liberté
Villers-Allerand
Rilly-la-Montagne
Beaumont-sur-Vesle
Val-de-Vesle (Thuisy)
Courmelois
St-Hilaire-le-Grand
Jonchery-sur-Suippe
Ludes
Chigny-les-Roses
Verzenay
Mailly-Champagne
Verzy
Sept-Saulx
Baconnes
Chap. Russe
Fort St Hilaire
Mourmelon-le-Grand
Villers-Marmery
les Petites-Loges
Mourmelon-le-Petit
Suippes
Ville-en-Selve
Reims-Champagne
Livry-Louvercy
Louvercy
Camp de Mourmelon
Maison du Bûcheron
Trépail
Billy-le-Grand
Louvois
Tauxières-Mutry
Vaudemange
Bouy
Ancienne Voie Romaine
Bouzy
Ambonnay
Vadenay
Cuperly
Nécropole Nationale
T.G.V. Est européen en construction
Isse
les Grandes-Loges
Tours-sur-Marne
St-Hilaire-au-Temple
Dampierre
la Cheppe
la Noblette
08
51

42
22
23
A
B
C
D
E
1
2
3
4
5
6
Charbogne
St-Lambert-et-Mont-de-Jeux
Tour
Day
Montgon
le Chesne
les Petites-Armoises
Verrières
Sommauthe
Parc de Vision de Belval
Neuville-Day
Rilly-sur-Aisne
Semuy
Attigny
Train touristique
Brieulles-sur-Bar
St-Pierremont
Vaux-en-Dieulet
Anc. Abb. de Belval
le Champy-Bas
Voncq
les Alleux
Noirval
Châtillon-sur-Bar
Fontenois
Authe
Autruche
Belval-Bois-des-Dames
Roche
Ste-Vaubourg
Terron-sur-Aisne
Belleville-et-Châtillon-sur-Bar
Fossé
Nouart
Chuffilly-Roche
Quatre-Champs
Germont
Bar-lès-Buzancy
Vandy
Harricourt
Buzancy
Barricourt
Coulommes-et-Marqueny
Vrizy
Ballay
Toges
Boult-aux-Bois
Forêt de Boult
Cim. All.
Chardeny
Grivy-Loisy
Thénorgues
Quilly
la Croix-aux-Bois
Briquenay
F. Dom. de Remonville
Bayonville
Mars-sous-Bourcq
Vouziers
Chestres
Sivry-lès-Buzancy
Remonville
Tourcelles-Chaumont
Mazagran
Longwé
Verpel
Chennery
Landreville
Bourcq
St-Maurille
Falaise
le Morthomme
Imécourt
l'Agron
Ste-Marie
Bagot
Primat
F. Dom. de la Croix-aux-Bois
Beffu-et-le-Morthomme
Bantheville
Contreuve
Sugny
Savigny-sur-Aisne
Talma
la Tricline
St-Georges
Champigneulle
Landres-et-St-Georges
Olizy-Primat
Grandpré
St-Juvin
Semide
St-Morel
Mont-St-Martin
Brières
Brécy-Brières
Termes
Chevières
Sommerance
Emplacement de grosse pièce Allemande
Marcq
F. Dom. d'Ariétal
Monthois
Challerange
Mouron
Senuc
Fontaine St-Juvin
Gesnes-en-Argonne
Liry
Grandham
Cornay
Fléville
Orfeuil
Vaux-lès-Mouron
Nécr. Nat.
Exermont
Marvaux-Vieux
Montcheutin
Chatel-Chéhéry
Épinonville
Vieux
Lançon
Éclisfontaine
Aure
Autry
Apremont
Baulny
Charpentry
Séchault
Ardeuil-et-Montfauxelles
Manre
Bouconville
Condé-lès-Autry
Montblainville
Calvaire du Bois de Vignon
Gratreuil
la Dormoise
Binarville
Varennes-en-Argonne
Cheppy
Fontaine-en-Dormois
la Mare-aux-Bœufs
FORÊT D'ARGONNE
Cernay-en-Dormois
Servon-Melzicourt
Abris du Kronprinz
Mon.
Rouvroy-Ripont
Bois de la Gruerie
Nécropoles N.
Mon. Butte de Vauquois
Mon. aux Morts des Armées
Camp de Suippes
Ossuaire
Boureuilles
Massiges
Ville-sur-Tourbe
Calv.
F. Dom. de Lachalade
Vienne-le-Château
St-Thomas-en-Argonne
Abancourt
Nécropole Nationale
Anc. Abb. Cistercienne
Souain-Perthes-lès-Hurlus
Virginy
Malmy
F. Dom. des Hauts Bâtis
Minaucourt-le-Mesnil-lès-Hurlus
Vienne-la-Ville
Lachalade
Berzieux
Anc. Voie Romaine
Wargemoulin-Hurlus
la Biesme
le Claon
Lochères
Florent-en-Argonne
F. Dom. du Grand Pays
la Tourbe
Laval-sur-Tourbe
Moiremont
Courtémont
la Bionne
le Neufour
la Noue St-Vanne
Suippes
St-Jean-sur-Tourbe
Dommartin-sous-Hans
la Neuville-au-Pont
Orme
Clermont-en-Argonne
Somme-Suippe
Maffrécourt
Hans
la Grange aux Bois
les Islettes
les Senades
Chaudefontaine
Somme-Tourbe
Somme-Bionne
Braux-Ste-Cohière
Ste-Menehould
Hôtel de Ville
la Contrôlerie
Valmy
Mon. Kellerman
Péage
Futeau
Bellefontaine
Fontaine d'Olive
Valmy le Moulin
l'Auve
Arbre du Roi de Rome
la Croix-en-Champagne
Dommartin-Dampierre
Argers
Verrières
Valmy Orbéval
Bussy-le-Château
Gizaucourt
Élise-Daucourt
F. Dom. de Beaulieu
St-Remy-sur-Bussy
la Chapelle-Felcourt
Voilemont
Châtrices
Ermitage de
Forêt Dom. de Châtrices
l'Aisne
l'Aire
A4
E50
N3
41
63
08
51

Stenay
-sous-Montmédy
Bazeilles-sur-Othain
Othe
Épiez-sur-Chiers
Charency-Vezin
Villette
Viviers-sur-Chiers
Quincy-Landzécourt
Baâlon
Han-lès-Juvigny
Iré-le-Sec
Flassigny
Villers-le-Rond
Juvigny-sur-Loison
Marville
St-Hubert
Colmey
Longuyon
Mouzay
Wiseppe
Châtillon-Fort
Louppy-sur-Loison
St-Jean-lès-Longuyon
Ham les St-Jean
Martigny
Remoiville
Jametz
Petit-Failly
Noërs
Saulmory-et-Villefranche
Montigny-devant-Sassey
Sassey-sur-Meuse
Lion-devant-Dun
Nécropole Nationale
Delut
Rupt-sur-Othain
Grand-Failly
Vestiges Mérovingiens
St-Laurent-sur-Othain
Sorbey
Milly-sur-Bradon
Murvaux
Brandeville
Vittarville
Dombras
Dun-sur-Meuse
Doulcon
Cim. All.
Bréhéville
Merles-sur-Loison
Pillon
Rouvrois-sur-Othain
Fontaines-St-Clair
Lissey
Peuvillers
Villers-lès-Mangiennes
Duzey
Cléry-le-Petit
Cléry-le-Grand
Liny-devant-Dun
Écurey-en-Verdunois
Mangiennes
Nouillonpont
Réville-aux-Bois
Damvillers
Billy-sous-Mangiennes
Cunel
Brieulles-sur-Meuse
Étraye
Wavrille
Vilosnes-Haraumont
Sivry-sur-Meuse
Romagne-sous-les-Côtes
Vaudoncourt
Loison
Chaumont-devant-Damvillers
Étang du Haut Fourneau
Moirey-Flabas-Crépion
Azannes-et-Soumazannes
Nantillois
Dannevoux
Ville-devant-Chaumont
F. Dom. de Spincourt
Gercourt-et-Drillancourt
Consenvoye
Gremilly
Septsarges
Brabant-sur-Meuse
Haumont-près-Samogneux
P. C. du Colonel Driant
Montfaucon-d'Argonne
Cuisy
Forges-sur-Meuse
Samogneux
Beaumont-en-Verdunois
Ornes
Maucourt-sur-Orne
Gincrey
Béthincourt
Regnéville-sur-Meuse
F. Dom. de Verdun
Mogeville
Morgemoulin
Malancourt
Cumières-le-Mort-Homme
Champneuville
Louvemont-Côte-du-Poivre
Bezonvaux
Dieppe-sous-Douaumont
Mon. le Mort-Homme
Douaumont
Fort de Douaumont
Fromezey
Mon. de la Tranchée des Baïonnettes
Vacherauville
Vaux-devant-Damloup
Chattancourt
Marre
Charny-sur-Meuse
Bras-sur-Meuse
Ossuaire
Damloup
Abaucourt-Hautecourt
Avocourt
Esnes-en-Argonne
Fort de Vaux
Fleury-devant-Douaumont
Mémorial
Montzéville
Belleville-sur-Meuse
Moranville
Herméville-en-Woëvre
Germonville
Thierville-sur-Meuse
Eix
Moulainville
Grimaucourt-en-Woëvre
Béthelainville
Blanzée
Nécr. Nat.
Pal. Épiscopal
Verdun
Citad.
Fromeréville-les-Vallons
Belrupt-en-Verdunois
Châtillon-sous-les-Côtes
Récicourt
Dombasle-en-Argonne
Sivry-la-Perche
Regret
Watronville
Belleray
Ronvaux
Parois
Jouy-en-Argonne
Baleycourt
Nécropoles Nationales
Haudainville
Voie de la Liberté
Haudiomont
Brabant-en-Argonne
Nixéville-Blercourt
Dugny-sur-Meuse
Verdun-St-Nicolas
Manheulles
Brocourt-en-Argonne
Villers sous Bonchamp
Blercourt
Landrecourt-Lempire
Jubécourt
Rampont
Rouge Haie
Sommedieue
Bonzée
Ville-sur-Cousances
les Souhesmes-Rampont (Souhesme-la-Grande)
Ancemont
F. Dom. de Sommedieue
Tresauvaux
Rarécourt
Vadelaincourt
Dieue-sur-Meuse
Grand Rattentout
les Éparges
Lemmes
St-Remy-la-Calonne
Froidos
Julvécourt
Senoncourt-les-Maujouy
Rupt-en-Woëvre
Mouilly
Lavoye
Osches
les Monthairons
Génicourt-sur-Meuse
Dommartin-la-Montagne
Autrécourt-sur-Aire
Ippécourt
Souilly
Amblly
F
G
H
J
K
1
2
3
4
5
6
HAUTS DE MEUSE
55

Cutry
Haucourt-Moulaine
Hussigny-Godbrange
Russange
Audun-le-Tiche
Dudelange
Tétange
Rumelange
Zoufftgen
Roussy-le-Village
Montigny-sur-Chiers
Ugny
Chenières
Villers-la-Montagne
Tiercelet
Villerupt
Fermont
Fort de Fermont
Praucourt
Laix
Morfontaine
les Cités
Thiéry
Bréhain la Cour
Cantebonne
Crusnes
Volmerange-les-Mines
Ottange
Kanfen
Ouvrage Immerhof
Longuyon
Doncourt-lès-Longuyon
Baslieux
Bréhain-la-Ville
Errouville
Aumetz
Rochonvillers
Entrange
Beuveille
Janette
Escherange
Abri Zeiterhötz
Lopigneux
Arrancy-sur-Crusne
la Crusnes
Pierrepont
Ville-au-Montois
Fillières
Tressange
Bure
Large-Pré
Pré Royal
Hettange-Grande
Nécr. Nat.
Boismont
Bazailles
Serrouville
Ludelange
Œutrange
Han-devant-Pierrepont
Constantine
la Crusnes
Martinfontaine
le Moulin de Bernawé
Beuvillers
Boulange
Havange
Angevillers
Château de la Grange
Fort Guentrange
les Eurantes
Mercy-le-Bas
Joppécourt
Audun-le-Roman
Ferme d'Angevillers
Beuvange-sous-St-Michel
Cim. All.
Elange
Tour aux Puces
St-Pierrevillers
St-Supplet
Boudrezy
Mercy-le-Haut
Algrange
Fontoy
Volkrange
le Konacker
Duzey
la Bellevue
Ollières
Xivry-Circourt
Higny
Malavillers
Sancy
Nilvange
Terville
Preutin-Higny
Knutange
Castille
HAYANGE
Réchicourt
Murville
Anderny
Bois des Tillots
Serémange-Erzange
FLORANGE
Muzeray
Domprix
Mont-Bonvillers
Trieux
Lommerange
Spincourt
Houdelaucourt sur Othain
Bonvillers
Neufchef
St-Nicolas-en-Forêt
Vaudoncourt
Avillers
Landres
Mairy-Mainville
Ste-Croix
Forêt Domaniale de Moyeuvre
Haucourt la Rigole
Morlange
Ranguevaux
Piennes
Tucquegnieux
FAMECK
Domremy-la-Canne
Cim. All.
Bettainvillers
Budange-sous-Justemont
Richemont
Gouraincourt
Mainville
Avril
Beuvange-sous-Justemont
Baroncourt
Joudreville
Vitry-sur-Orne
Gandrange
Bouligny
Mancieulles
Senon
Dommary-Baroncourt
Amermont
Norroy-le-Sec
Anoux
Moyeuvre-Petite
Clouange
Éton
Cim. All.
Amnéville
Affléville
Mance
Moyeuvre-Grande
Rosselange
Amel-sur-l'Étang
la Serpe
Immonville
Rombas
Zoo du Bois de Coulange
Aix
Lixières
Fléville-Lixières
Lantéfontaine
Briey
Ornel
Longeau
Gondrecourt-Aix
Lubey
la Cartoucherie
Moutiers
Walibi-Lorraine
Malancourt-la-Montagne
Silvange
Foameix-Ornel
Ozerailles
les Baroches
Mussot
Jœuf
Pierrevillers
Homécourt
la Marjolaine
Valleroy
Auboué
Montois-la-Montagne
Marange-Silvange
Rouvres-en-Woëvre
Mouaville
Moineville
Péage
Roncourt
Bronvaux
Fèves
Étain
le Moulin de Rouvres
Béchamps
Abbéville-lès-Conflans
Bois St-Martin
Ste-Marie-aux-Chênes
Semécourt
Lanhères
Thumeréville
la Croix
St-Privat-la-Montagne
Norroy-le-Veneur
Boinville-en-Woëvre
Aucourt
Neuvron
Bois de Labry
Hatrize
Warcq
Darmont
Tichémont
St-Ail
Plesnois
Fleury
Batilly
Metz-St-Privat
Conflans-en-Jarnisy
Labry
Giraumont
Amanvillers
Saulny
Woippy
Gussainville
Buzy-Darmont
Boncourt
Jouaville
Olley
Jarny
Doncourt-lès-Conflans
Lorry-lès-Metz
St-Jean-lès-Buzy
Jeandelize
Jarny-Ville
Vernéville
Braquis
Parfondrupt
Bouzonville
Puxe
Droitaumont Village
Bois de la Ronce
Friauville
Bruville
Plappeville
Châtel-St-Germain
Mont St-Quentin
Malmaison
Villers-sous-Pareid
le Longeau
la Ville aux Prés
St-Marcel
Ville-en-Woëvre
l'Épinotte
Hennemont
Brainville
Villers-aux-Bois
Lessy
Scy-Chazelles
Allamont
Gravelotte
Rozérieulles
Hannoncelles
Pareid
Chênois
Ville-sur-Yron
Moulins-lès-Metz
Pintheville
Hannonville-Suzémont
Mars-la-Tour
Ste-Ruffine
Maizeray
Jussy
Riaville
Cim. All.
Harville
Moulotte
Rezonville
Vaux
Labeuville
Vionville
Flavigny
Fresnes-en-Woëvre
Marchéville-en-Woëvre
Latour-en-Woëvre
Mariaville
Tronville
Ars-sur-Moselle
Butgnéville
St-Hilaire-en-Woëvre
Puxieux
Champlon
Jonville-en-Woëvre
Sponville
Auconville
Ancy-sur-Moselle
Jouy-aux-Arches
Augny
Saulx-lès-Champlon
Wadonville en Woëvre
Xonville
Anc. Logis Abbatial
les Baraques
Gorze
T. d'Orient.
Doncourt-aux-Templiers
Dornot
Combres-sous-les-Côtes
Corny-sur-Moselle
Herbeuville
Hadonville lès Lachaussée
Chambley-Bussières
Hannonville-sous-les-Côtes
Woël
Lachaussée
Novéant-sur-Moselle
Féy
Hagéville
la Francheville
Thillot
Avillers-Ste-Croix
Étang de Lachaussée
Onville
Waville
Dampvitoux
Arnaville
Vezon
A30
N52
N43
N18
N3
A4
E50
E25
Autoroute de l'Est
Voie de la Liberté
54
55

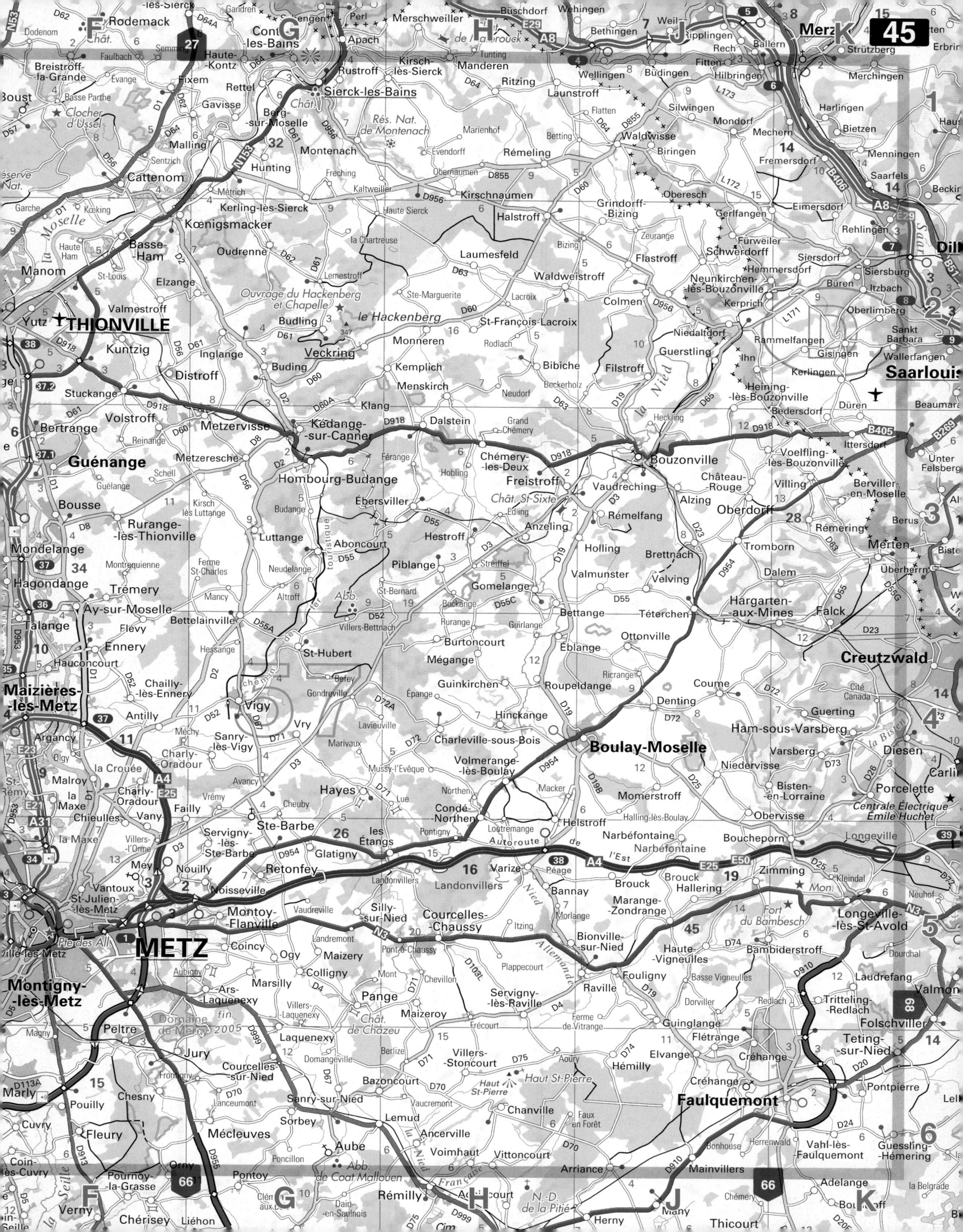
THIONVILLE
METZ
Saarlouis
Boulay-Moselle
Creutzwald
Faulquemont
Bouzonville
Sierck-les-Bains
Cattenom
Kœnigsmacker
Guénange
Maizières-lès-Metz
Montigny-lès-Metz
Hombourg-Budange
Kédange-sur-Canner
Veckring
le Hackenberg
Ouvrage du Hackenberg et Chapelle
Rés. Nat. de Montenach
Centrale Électrique Émile Huchet
Autoroute de l'Est
Haut St-Pierre
Abb. de Coat Malloüen
Rémilly
Courcelles-Chaussy
Vigy
Longeville-lès-St-Avold

A
B
C
D
E
1
2
3
4
5
6
Île-de-Batz
Roscoff
Santec
Brignogan-Plage
Plounéour-Trez
Kerlouan
Guissény
Goulven
Plouescat
Cléder
Sibiril
Plougoulm
Plounévez-Lochrist
Plouider
Lesneven
le Folgoët
Kernilis
Lanhouarneau
Plouzévédé
Plouvorn
Ploudaniel
le Drennec
Plouvien
Plabennec
Bodilis
Plounéventer
St-Servais
Landivisiau
Gouesnou
Guipavas
Landerneau
le Relecq-Kerhuon
Ploudiry
la Martyre
Pencran
la Roche-Maurice
Plouédern
Lampaul-Guimiliau
Locmélar
Sizun
Dirinon
BREST
Mespaul
Plouénan
Plougourvest
St-Derrien
Plougar
Tréflaouénan
St-Vougay
Trézilidé
Lanarvily
Loc-Brévalaire
Kersaint-Plabennec
St-Thonan
St-Divy
Tréflévénez
St-Urbain
la Forest-Landerneau
Brest-Guipavas
Kernouës
St-Frégant
St-Méen
Trégarantec
Trémaouézan
Lanneuffret
Tréflez
Lesneven
Cim. All.
Aqua-Country
Château de Tronjoly
Château de Kerjean
Château de Maillé
Château de Kergonadéac'h
Manoir de Kerlan
Manoir de Créac'h Ingar
Manoir de Trébodennic
Château de Kerouartz
Château de la Joyeuse Garde
Conservatoire Botanique
Océanopolis
Parc de Loisirs
le Camp Louis
Menhir
Ludi Parc
Tréguelc'Hier
Tumulus
Maison de la Rivière
N12
E50
N165
D10
D788
D770
D125
D712
D30
D29
72
74

F
G
H
J
K
1
2
3
4
5
6
CÔTE DE GRANIT
Rosslare (Irlande, en saison)
Cork (Irlande, en saison)
Plymouth (Royaume-Uni)
Aquarium
Trégastel-Plage
Ploumanac
Ste-Anne
Landrellec
Station Ornithologique
Île Grande
Trégastel
Was-Wenn
Penvern
Menhir
St-Uzec
Station de télécom. spatiales
Planétarium
Trébeurden
Pleumeur-Bodou
Châr. de Kerduel
Pointe de Bihit
Beg-Léguer
Servel
Locquémeau
le Léguer
le Yaudet
Loguivy
Pointe de Séhar
Kéravilin
Ploulec'h
Kerjean Huellan
Trédrez-Locquémeau
St-Michel-en-Grève
Ploumilliau
le Clandy
Grand-Rocher
St-Efflam
Manoir de Kerauzern
Kerauzern
de Batz
Jardin G. Delaselle
Aquarium
Ste-Barbe
Jardin Exotique
Baie de Morlaix
Baie de Lannion
Rochers
Pointe de Primel
Primel-Trégastel
le Diben
Plougasnou
St-Jean-du-Doigt
Prajou
Fontaine
Corvez
Troguérot
St-Pol-de-Léon
Île Callot
Réserve Ornithologique
St-Samson
Térénez
Château du Taureau
Château de Kernévez
Cairn de Barnenez
Carantec
Pointe de Penn-al-Lann
Rade de Morlaix
Kernéléhen
Kermouster
Guimaëc
Notre-Dame des Joies
Locquirec
Kergreïz
Kernitron
Lanmeur
Plestin-les-Grèves
Trédudér
Kerinec
Keraudy
Plouézoc'h
Henvic
Locquénolé
le Dourduff en Mer
Pen ar Guer
Château de Lesmaës
Plouzélambre
Château de Rosanbo
Pont Éon
Taulé
Penzé
Bois de la Roche
Ploujean
Keranroux
Château de Kervézec
Plouégat-Guérand
Lanvellec
Tremel
Plufur
Plouaret
Morlaix
Ste-Geneviève
Garlan
Lanleya
Château de Kermerzit
St-Nicolas
Croix-Neuve
Château de Penhoat
le Douron
Lez Elaouën
Uzel
St-Martin-des-Champs
la-Chapelle-du-Mur
la Gare
St-Carré
Ste-Sève
Moulin de Trévilis
St-Fiacre
le Tromorgant
Plouigneau
le Ponthou
Plouégat-Moysan
Plounérin
Pavédir
Keramanac'h
Locmenven
Coatilézec
Château de Lesquiffiou
la Croix-de-Pierre
St-Eutrope
St-Éloy
ar Réchou
le Guic
Plounévez-Moëdec
St-Thégonnec
Penvern
le Fumé
Plourin-lès-Morlaix
Porz an Park
St-Modez
Kerguélen
Pleyber-Christ
Plougonven
Manoir de Mezédern
Botsorhel
Guerlesquin
Kerroué Braz
Moulin de Traou Hi
Quelern
Plougras
Château
Loguivy-Plougras
Kerveñézec
Keranguéven
Le Cloître-St-Thégonnec
Lannéanou
Croaz Christ
Beffou
le Dresnay
Croaz Joncour
Croaz ar Rouz
Loc-Eguiner-St-Thégonnec
Kerargant
Kergorre
Kervézec
Kermeur
Créac'h-Pluen
Pengalet
Quénéquélen
le Mengleuz
Plounéour-Ménez
Bouillard
Louscoat Huellan
Treusvern
le Briou
le Relecq
MONTS D'ARRÉE
Rochers du Cragou
Kersauz
Lohuec
Fontaine
la Chapelle-Neuve
Bolazec
Kernon
Scrignac
Kergonn
Roc Trédudon
Trédudon
Hellès
l'Aulne
Commana
Kernévez
Kerdaniel
Calanhel
la Croix
N12
E50
D786
D788
D65
D21
D11
D38
D30
D22
D42
D64
D78
D46
D76
D73
D173
D58
D769
D19
D31
D712
D9
D109
D37
D785
D111
D36
D764
D54
D114
D15
D50
D88

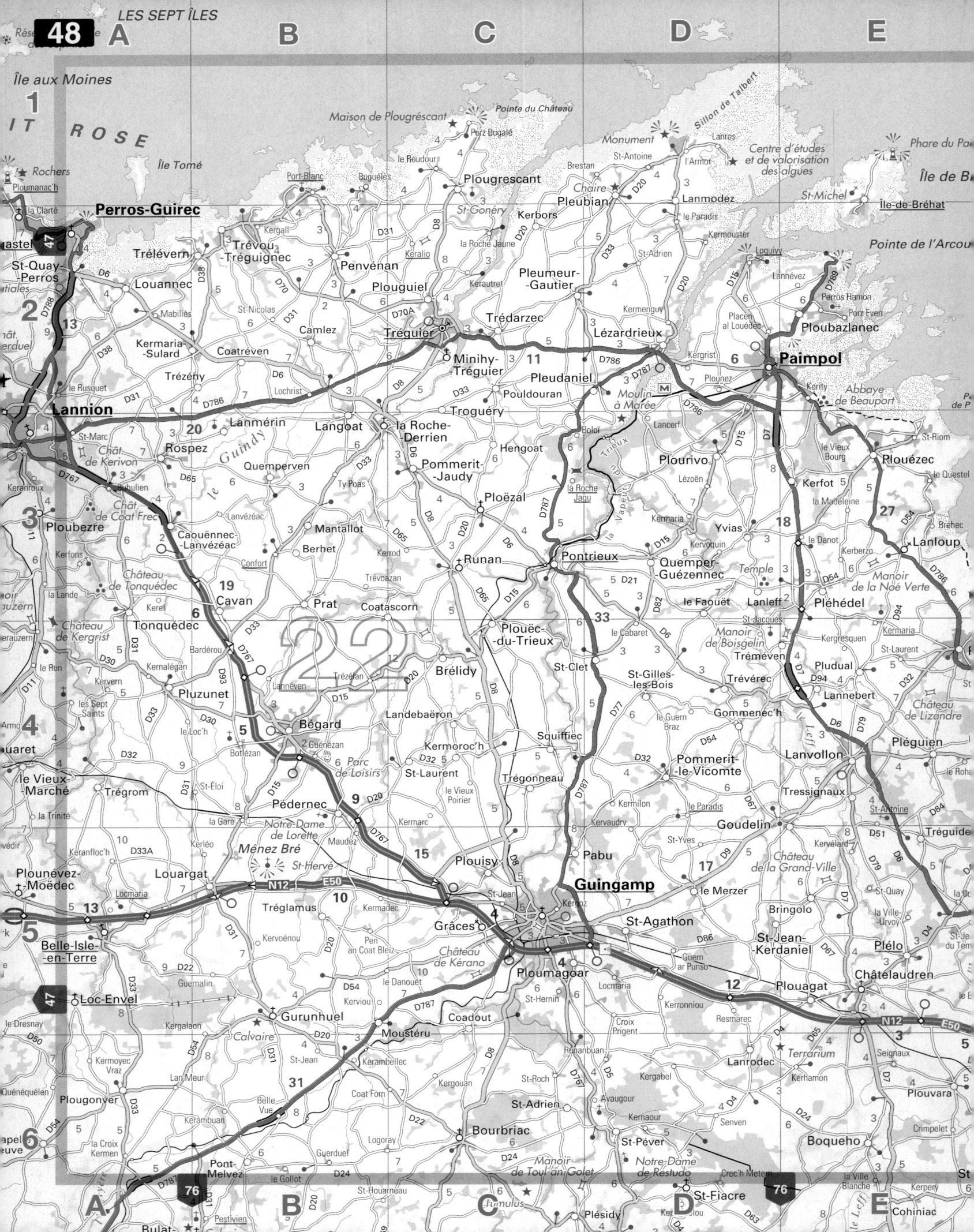
A
B
C
D
E
1
2
3
4
5
6
LES SEPT ÎLES
Île aux Moines
IT ROSE
Île Tomé
Rochers
Ploumanac'h
La Clarté
Perros-Guirec
Trélévern
Trévou-Tréguignec
Penvénan
Port-Blanc
Buguélès
Maison de Plougrescant
Pointe du Château
Porz Bugalé
le Roudour
Plougrescant
St-Gonéry
Kerbors
la Roche Jaune
Keralio
Plouguiel
Kerautret
Tréguier
Minihy-Tréguier
Trédarzec
Pleubian
Chaire
Monument
Sillon de Talbert
St-Antoine
Brestan
Lanros
l'Armor
Centre d'études et de valorisation des algues
Lanmodez
le Paradis
Kermouster
St-Adrien
Pleumeur-Gautier
Kermenguy
Lézardrieux
St-Michel
Île-de-Bréhat
Phare du Paon
Île de Bréhat
Pointe de l'Arcouest
Loguivy
Lannévez
Perros Hamon
Porz Even
Ploubazlanec
Placen al Louédec
Paimpol
Kergrist
Plounez
Kerity
Abbaye de Beauport
Moulin à Marée
Pleudaniel
Pouldouran
Troguéry
la Roche-Derrien
Langoat
Lochrist
Camlez
St-Nicolas
Mabilies
Louannec
St-Quay-Perros
Kermaria-Sulard
Coatréven
Trézény
le Rusquet
Lannion
Lanmérin
Rospez
St-Marc
Château de Kerivon
le Guindy
Quemperven
Ty Poas
Pommerit-Jaudy
Hengoat
Ploëzal
Boloï
Lancerf
Plourivo
Lézoën
la Roche Jagu
le Trieux
Kerfot
le Vieux Bourg
Plouézec
St-Riom
le Questel
la Madeleine
Kermaria
Yvias
Kervoquin
Bréhec
Lanloup
le Danot
Kerberzo
Manoir de la Noë Verte
Temple
Quemper-Guézennec
Pontrieux
Runan
Kerrod
Berhet
Mantallot
Lanvézéac
Caouënnec-Lanvézéac
Bubulien
Keranroux
Château de Coat Frec
Ploubezre
Kerfons
Château de Tonquédec
Confort
Trévoazan
Cavan
la Lande
Kerel
Tonquédec
Château de Kergrist
Prat
Coatascorn
Plouëc-du-Trieux
le Cabaret
le Faouët
Lanleff
St-Jacques
Pléhédel
Manoir de Boisgelin
Kergresquen
St-Laurent
Tréméven
Pludual
Trévérec
St-Gilles-les-Bois
St-Clet
Brélidy
Trézélan
Lannéven
Bardérou
Kernalégan
Kervern
Pluzunet
le Run
les Sept Saints
le Loc'h
Botlézan
Bégard
Guénézan
Parc de Loisirs
Landebaëron
Kermoroc'h
St-Laurent
Squiffiec
le Guern Braz
Gommenec'h
Lannebert
Château de Lizandre
Pléguien
Lanvollon
Pommerit-le-Vicomte
Tressignaux
le Roha
le Vieux-Marché
Trégrom
St-Éloi
la Gare
Pédernec
Notre-Dame de Lorette
Maudez
le Vieux Poirier
Trégonneau
Kermilon
le Paradis
St-Antoine
Kervaudry
Kermarc
Goudelin
Kervélard
Tréguidel
la Trinité
Keranfloc'h
Kerléo
Ménez Bré
St-Hervé
Plouisy
Pabu
St-Yves
Château de la Grand-Ville
St-Quay
la Ville-Urvoy
Plounévez-Moëdec
Locmaria
Louargat
Tréglamus
Kermadec
St-Jean
Guingamp
Kergoz
le Merzer
Bringolo
St-Agathon
Belle-Isle-en-Terre
Kervoénou
Pen an Coat Bleiz
Grâces
Château de Kérano
St-Jean-Kerdaniel
Plélo
Guern ar Punso
Ploumagoar
Guernalin
le Danouët
Locmaria
Plouagat
Châtelaudren
Loc-Envel
Kerviou
St-Hernin
Kerronniou
le Dresnay
Gurunhuel
Coadout
Resmarec
Kergalaon
Calvaire
Moustéru
Croix Prigent
Terrarium
Seignaux
Kermoyec Vraz
Kerambellec
Lanrodec
Kerhamon
Lan Meur
Kergouan
St-Roch
Kergabel
Plouvara
Quénéquélen
Plougonver
Belle-Vue
Coat Forn
Avaugour
St-Adrien
Kerambuan
Kernaour
Senven
Crimpelet
la Croix Kermen
Logoray
Bourbriac
St-Péver
Boqueho
Guerduel
Manoir de Toul an Golet
Notre-Dame de Restudo
Crec'h Meten
Pont-Melvez
le Gollot
St-Houarneau
Tumulus
St-Fiacre
la Ville Blanche
Kerpery
Pestivien
Plésidy
Bulat-
Cohiniac
Kerbellou
le Leff
D6
D788
D38
D70
D31
D70A
D8
D20
D33
D786
D15
D789
D787
D7
D767
D65
D21
D82
D54
D94
D32
D79
D84
D30
D11
D93
D77
D67
D9
D51
D86
D33A
D22
D50
D5
D4
D24
D63
N12
E50
47
76
22
11
13
19
20
27
18
33
15
17
12
10
9
31

F
G
H
J
K
1
2
3
4
5
6
GOLFE DE SAINT-MALO
BAIE DE ST-BRIEUC
Côte de Goëlo
Côte de Penthièvre
Pointe de Minard
Port-Moguer
Kerouziel
le Palus
Tréveneuc
St-Quay
Perhempoëns
St-Barnabé
St-Quay-Portrieux
Plourhan
Étables-sur-Mer
St-Roch
Lantic
Binic
le Bourgneuf
Notre-Dame de la Cour
Zoo
le Vaudic
Trégomeur
Pordic
la Ville Rouault
Grève des Rosaires
les Rosaires
St-Éloy
Tréméloir
Martin
Pointe du Roselier
le Roselier
St-Laurent
Plérin
Château Goëlo
Trémuson
les Mines
Plerneuf
ST-BRIEUC
St-Ignace
St-Hervé
la Méaugon
Ploufragan
Trégueux
Langueux
St-Ilan
Réserve Naturelle
Maison de la Baie
Hillion
Colombier
Croix
Yffiniac
Licantois
la Grandville
Morieux
Colombier
la Cotentin
Planguenoual
Coëtmieux
Andel
la Ville Gontier
Boudehen
le Poirier
St-Alban
St-Jacques
les Rigaudais
Pointe de Pléneuf
le Val-André
Dahouët
Pléneuf-Val-André
Château Bien-Assis
la Ville Berneuf
le Dréneuf
la Couture
la Bouillie
Cap d'Erquy
Tu-Es-Roc
Erquy
les Hôpitaux
Sables-d'Or-les-Pins
Plurien
l'Islet
les Tertres Charbonnet
St-Laurent
St-Jean
St-Samson
Hénansal
St-Gueltas
St-Denoual
St-Aaron
Quintenic
la Doberie
la Poterie
Aubin
Manoir de Vau-M
le Créac'h
la Croix Bertrand
Château de la Ville Daniel
Haras National
St-René
E401
E50
N12
77
50

A
B
C
D
E
1
2
3
4
5
6
49
77
78
CÔTE D'ÉMERAUDE
Poole (Royaume-Uni, en saison)
Guernsey (Royaume-Uni)
Jersey (Royaume-Uni)
Weymouth (Royaume-Uni)
Portsmouth (Royaume-Uni)
Pointe du G
CAP FRÉHEL
Réserve Naturelle
Fort de la Latte
Plévenon
la Motte
Pointe de St-Cast
Baie de la Frenaye
Trécelin
la Ville Norme
Fréhel
Pluri
Ste-Aide
St-Germain
St-Cast-le-Guildo
Pléboulle
Matignon
Montbran
l'Hôpital
Ste-Brigitte
St-Jean
Samson
Ruca
St-Gallery
Hénanbihen
St-Pôtan
le Fais
la Rochette
St-Lormel
Créhen
Trégon
le Guildo
Chât.
N.-D.-du-Guildo
la VilleAsselin
la Mettrie
Pointe du Chevet
St-Jacut-de-la-Mer
Lancieux
Saint-Briac-sur-Mer
Saint-Lunaire
Grotte des Sirènes
Pointe du Décollé
Dinard
Fort
le Grand Bé
Tour Solidor
ST-MALO
Paramé
St-Servan-sur-Mer
Grand Aquarium
Usine Marémotrice
la Saudrais
la Richardais
la Ville aux Monniers
Dinard-Pleurtuit-St-Malo
Ploubalay
Mont Marin
Château du Bosq
Trégonde
Pleurtuit
le Minihic-sur-Rance
Rance
Menh.
St-Suliac
Trémereuc
le Pont Crétin
St-Cadreuc
Château de Largentaye
Plessix-Balisson
Pleslin-Trigavou
Trigavou
Langrolay-sur-Rance
la Ville-ès-Nonais
Châteauneuf-d'Ille-et-Vilaine
Port St-Hubert
Plouër-sur-Rance
Pleudihen-sur-Rance
Miniac-Morvan
Rochers Sculptés
Rothéneuf
la Guimorais
le Verger
Château de Lupin
St-Jouan
St-Ideuc
St-Coulomb
Château du Plessis Bertrand
la Beuglais
Chât. de la Chipaudière
St-Méloir-des-Ondes
les Portes
Château-Malo
St-Jouan-des-Guérets
la Gouesnière
St-Père
Fort de Châteauneuf
St-Guinoux
la Ville Boulay
-Denoual
Pluduno
Plancoët
Château de la Touche à la Vache
Nazareth
Languenan
Château du Bois de la Motte
Landébia
Manoir de Vau-Madeuc
St-Symphorien
Pléven
Bourseul
Plorec-sur-Arguenon
la Giendrotais
Château de Montafilan
Corseul
Trélat
Château de la Garaye
Temple de Mars
Quévert
Château de la Bellière
la Vicomté-sur-Rance
St-Samson-sur-Rance
Taden
Manoir de la Grand'Cour
St-Hélen
Tressé
le Vieux Bourg
Château de la Hunaudaye
la Berthière
St-Michel-de-Plélan
St-Méloir-des-Bois
le Temple
St-Maudez
Aucaleuc
Château de la Conninais
St-Piat
Château de Coëtquen
Chât. de la Chesnaie
Lanvallay
Dinan
Léhon
St-Solen
St-Pierre-de-Plesguen
Villéon
Le St-Esprit
Beaubois
Plélan-le-Petit
Vildé-Guingalan
la Landec
Trélivan
St-James
St-Igneuc
Lescouët-Jugon
Jugon-les-Lacs
Boculé
la Ville Hervé
Bobital
St-Carné
Calorguen
les Champs-Géraux
Lauviais
Plesder
Château de Chalonge
Manoir de la Ferronnais
Château de la Bourbansais
Zoo
Dolo
La Rosette
Quesny
Languédias
Trébédan
Brusvily
le Hinglé
Trévron
Château de Beaumanoir
Pleugueneuc
Mégrit
la Rabine
le Creux
le Vieux Bourg
Jugon
le Vau Ruzé
St-Cado
Trédias
Chât. d'Yvignac
Plumaudan
Évran
Église
St-André-des-Eaux
Château du Logis
Trévérien
Voie de la Liberté
E401
N176
N137
D786
D794
D766
D2
D3
D168
D603
D28
D62
D26
D68
D44
D19
D13
D16
D17
D768
D55
D60
D792
D89
D61
D793
D12
D29
D39
D57
D9
D73
D78
D79
D10
D7
D74
D76
D6
D8
D4
D155
D201
D355
D301
D34
D34A
D16A
D14
D43
D52
D64
D11
22

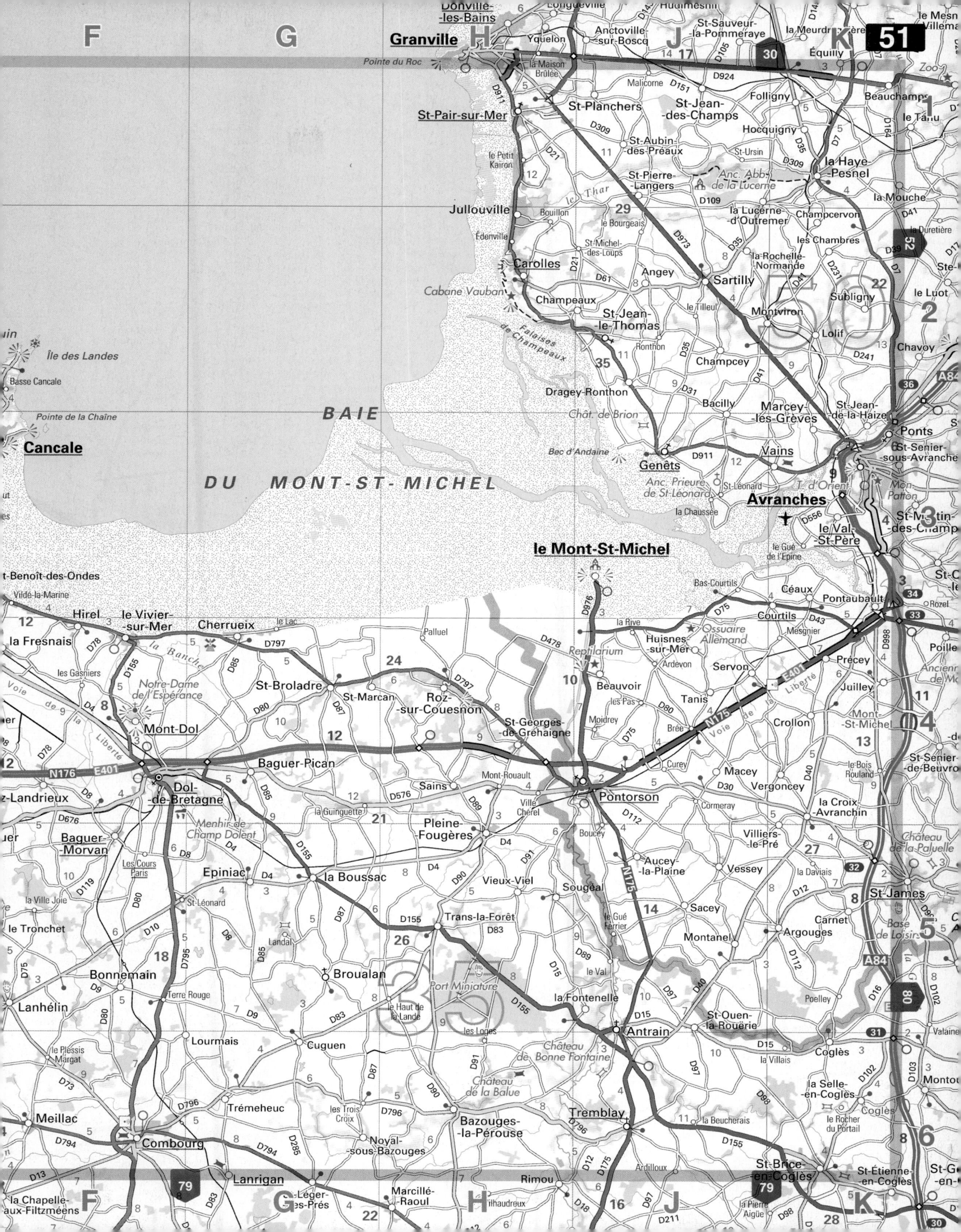
F
G
H
J
K
Granville
Pointe du Roc
Donville-les-Bains
Yquelon
Anctoville-sur-Boscq
St-Sauveur-la-Pommeraye
Équilly
la Maison Brûlée
Malicorne
Folligny
Beauchamps
St-Pair-sur-Mer
St-Planchers
St-Jean-des-Champs
Hocquigny
le Tanu
St-Aubin-des-Préaux
St-Ursin
la Haye-Pesnel
le Petit Kairon
St-Pierre-Langers
Anc. Abb. de la Lucerne
Jullouville
Bouillon
le Thar
le Bourgeais
la Lucerne-d'Outremer
Champcervon
la Mouche
Édenville
St-Michel-des-Loups
les Chambres
la Rochelle-Normande
Carolles
Angey
Sartilly
Subligny
le Luot
Cabane Vauban
Champeaux
le Tilleul
Montviron
St-Jean-le-Thomas
Lolif
Falaises de Champeaux
Ronthon
Champcey
Chavoy
Île des Landes
Basse Cancale
Dragey-Ronthon
Bacilly
Marcey-les-Grèves
St-Jean-de-la-Haize
Pointe de la Chaîne
BAIE
Chât. de Brion
Ponts
Cancale
Bec d'Andaine
Genêts
Vains
St-Senier-sous-Avranches
DU MONT-ST-MICHEL
Anc. Prieuré de St-Léonard
St-Léonard
T. d'Orient
Avranches
la Chaussée
St-Martin-des-Champs
le Val-St-Père
le Mont-St-Michel
le Gué de l'Épine
St-Benoît-des-Ondes
Bas-Courtils
Céaux
Vildé-la-Marine
Pontaubault
Hirel
le Vivier-sur-Mer
Cherrueix
le Lac
Courtils
la Rive
Mesnier
la Fresnais
Palluel
Ossuaire Allemand
Huisnes-sur-Mer
Précey
Reptilarium
Ardevon
Servon
les Gasniers
la Banche
Notre-Dame de l'Espérance
St-Broladre
St-Marcan
Roz-sur-Couesnon
Beauvoir
Juilley
les Pas
Tanis
Mont-Dol
St-Georges-de-Gréhaigne
Moidrey
Brée
Crollon
Mont-St-Michel
Liberté
Voie de la Liberté
Curey
St-Senier-de-Beuvron
Baguer-Pican
Mont-Rouault
le Bois Rouland
Dol-de-Bretagne
Sains
Macey
Pontorson
Vergoncey
Villecherel
la Guinguette
Cormeray
la Croix-Avranchin
Menhir de Champ Dolent
Baguer-Morvan
Pleine-Fougères
Boucey
Villiers-le-Pré
Château de la Paluelle
Les Cours Paris
Epiniac
la Boussac
Aucey-la-Plaine
Vessey
la Daviais
Vieux-Viel
Sougéal
St-James
la Ville Joie
St-Léonard
Sacey
Carnet
le Tronchet
Trans-la-Forêt
le Gué Ferrier
Argouges
Base de Loisirs
Landal
Montanel
Bonnemain
Broualan
Port Miniature
le Val
Poelley
Terre Rouge
la Fontenelle
St-Ouen-la-Rouërie
Lanhélin
le Haut de la Lande
Lourmais
les Loges
Antrain
le Plessis Margat
Cuguen
Château de Bonne Fontaine
la Villais
Coglès
Château de la Balue
la Selle-en-Coglès
Trémeheuc
les Trois Croix
Tremblay
la Beucherais
le Rocher du Portail
Meillac
Bazouges-la-Pérouse
Combourg
Noyal-sous-Bazouges
Ardilloux
St-Brice-en-Coglès
St-Étienne-en-Coglès
Lanrigan
Rimou
la Chapelle-aux-Filtzméens
St-Léger-des-Prés
Marcillé-Raoul
la Pierre Aigüe
N176
E401
N175
A84
D973
D911
D797
D155
D794
D796
D175
30
50
35
52
79
80

52
A
B
C
D
E
Cerisy-la-Salle
Montpinchon
St-Romphaire
les Roches de Ham
Torigni-sur-Vire
Placy-Montaigu
St-Jean-des-Essartiers
le Mesnil-Herman
le Mesnil-Opac
Brectouville
St-Ouen-des-Besaces
St-Symphorien-les-Buttes
Soulles
le Pont Brocard
le Carrefour Guillon
l'Auriole
Notre-Dame-de-Cenilly
Moyon
Troisgots
Chât. de l'Angotière
Giéville
St-Martin-des-Besaces
Roncey
la Haye-Bellefond
Fervaches
la Chapelle-sur-Vire
Domjean
St-Louet-sur-Vire
Guilberville
St-Martin-de-Cenilly
le Guislain
la Maison Blanche
Tessy-sur-Vire
la Ferrière-Harang
St-Denis-Maisoncelles
la Jouannerie
la Vaquerie
Chevry
Beuvrigny
Villebaudon
la Fresnée
Fourneaux
Mont-Bertrand
la Vente
le Tourneur
St-Denis-le-Gast
Hambye
Maupertuis
Beaucoudray
Mourocq
Malloué (le Hameau Farin)
Campeaux
la Léverie
les Buis
Mont Robin
Gouvets
Pont-Farcy
Bures-les-Monts (la Cour de Bas)
la Souleuvre
le Bény-Bocage
Anc. Abb. d'Hambye
la Baleine
la Tillandière
Montabot
Ste-Marie-Outre-l'Eau
la Cointerie
Carville
l'Abbaye
la Pâture
Percy
le Mesnil Coq
Pont-Bellanger
St-Martin-Don
Cim. Brit.
Vallée de la Sienne
St-Vigor-des-Monts
Sourdeval-les-Bois
le Chefresne
les Croix
Drôme
Annebecq
le Hameau Asselin
Ste-Marie-Laumont
Beaulieu
Margueray
Vallée de la Vire-Gouvets
la Bérence
Montaigu-les-Bois
la Huberdière
Beaumesnil
la Croûte
le Reculey
Landelles-et-Coupigny
la Graverie
Campagnolles
Étouvy
la Colombe
le Mesnil-Garnier
la Bloutière
Montbray
Morigny
la Rorie
le Mesnil-Robert
Coulonces
le Mesnil-Villeman
Sept-Frères
le Mesnil-Benoist
la Papillonnière
Fleury
le Parc
Beslon
le Bisson
Courson
le Mesnil-Caussois
la Brévogne
Zoo
Champrepus
Villedieu-les-Poêles
St-Aubin-des-Bois
Mesnil-Clinchamps
la Cour
Vire
Vaudry
Roullours
Ste-Cécile
St-Sever-Calvados
St-Martin-de-Tallevende
le Tanu
Bellevue
la Patte d'Oie
St-Maur-des-Bois
Fontenermont
St-Manvieu-Bocage
Donj.
la Lande-d'Airou
la Gosselinière
Beau-Soleil
Chérencé-le-Héron
la Chapelle-Cécelin
Boisyvon
l'Ermitage
le Vivier Piret
Maisoncelles-la-Jourdan
Bourguenolles
Rouffigny
la Trinité
Champ-du-Boult
la Dathée
la Virène
la Loge Guibert
Coulouvray-Boisbenâtre
le Gast
St-Germain-de-Tallevende-la-Lande-Vaumont
la Poissonnière
St-Martin-le-Bouillant
la Maritière
la Duretière
Truttemer-le-Grand
la Lande-Vaumont
la Chaise-Baudouin
St-Jean-du-Corail-des-Bois
la Cour
Ste-Pience
St-Michel-de-Montjoie
Gathemo
Braffais
St-Nicolas-des-Bois
les Loges-sur-Brécey
St-Laurent-de-Cuves
Chât. de Chaulieu
Truttemer-le-Petit
le Mot
N.-D.-de-Livoye
St-Pois
la Bercerie
Vengeons
les Hauts Monts
les Vieilles Cuves
Perriers-en-Beauficel
Beauficel
Chavoy
St-Georges-de-Livoye
le Glanon
la Gonfrairie
Lingeard
St-Christophe-de-Chaulieu
Plomb
Brécey
la Bréhairie
Vallée de la Sée
Chaulieu
Tirepied
Vernix
le Mesnil-Gilbert
Sourdeval
Brouains
le Fresne-Poret
les Cresnays
Cuves
Chérencé-le-Roussel
Ponts
St-Brice
la Gohannière
Chât. du Logis de Vassy
le Coudray
Bellevue
la Masure Hamon
St-Senier-s-Avranches
la Godefroy
le Mesnil-Adelée
le Mesnil-Tôve
la Bouanne
la Sée Rousse
St-Ovin
le Petit-Celland
le Grand-Celland
la Corbière
Bellefontaine
le Meslier
la Boulouze
Juvigny-le-Tertre
Parc de Loisirs
le Placitre
St-Loup
St-Martin-des-Champs
St-Barthélemy
St-Clément-Rancoudray
la Jarière
le Mesnil-Ozenne
le Mesnil-Rainfray
la Cance
la Chapelle-Urée
Reffuveille
Riffaudais
Anc. Abb. Blanche
le Bouillonnet
Marcilly
Pabre
le Neufbourg
Mortain
St-Quentin-sur-le-Homme
Montgothier
la Mancellière
Chasseguey
Cascades
la Bazoge
St-Michel
les Chéris
Montigny
Romagny
le Breil
Rozel
Man. de la Faucherie
Pt d'Orient
Rancoudray
la Sonce
le Mesnil-Boeufs
Fontenay
le Bourg Joubin
Ducey
Poilley
Pain d'Avaine
Chalandrey
Isigny-le-Buat
le Mesnillard
Bion
Ancienne Abbaye de Montmorel
le Mesnil-Thébault
Martigny
les Sept Croix
Chèvreville
Barrage de la Roche qui Boit
les Cinq Tournées
Naftel
Milly
les Fourchemins
St-Jean-du-Corail
St-Aubin-de-Terregatte
Parigny
la Buronnière
la Sélune
Barenton
Barrage de Vézins
N.-D.-du-Touchet
la Croix de Baffariaie
St-Hilaire-du-Harcouët
Villechien
St-Senier-de-Beuvron
St-Laurent-de-Terregatte
la Ville
Parc de Bois
Virey
Lapenty
St-Symphorien
la Demi-Lune
Féburon
la Masure
la Blanchère
Husson
le Jarry
St-Cyr-du-Bailleul
A84
E401
E03
N175
N174
N176

53
F
G
H
J
K
Cahagnes
St-Pierre-du-Fresne
Coulvain
Pelvey
Maisoncelles-sur-Ajon
le Mesnil-au-Grain
St-Agnan-le-Malherbe (les Hayes)
Montigny
Trois-Monts
St-Laurent-de-Condel
Boulon
Cintheaux
Bretteville-sur-Laize
Grimbosq
Parc Animalier
Goupillières
la Caine
Bauquay
St-Georges-d'Aunay
la Sauvegarde
Courvaudon
Gouvix
Urville
Jurques
Zoo
la Bigne
Aunay-sur-Odon
le Pied du Bois
le Valgoude
Ouffières
Les Moutiers-en-Cinglais (le Hameau Huc)
Anc. Abb.
Château d'Outrelaise
Barbery
Grainville-Langannerie
Bonnemaison
Curcy-sur-Orne
Fresney-le-Vieux
Brémoy
Ondefontaine
Hamars
Croisilles
Espins
Cesny-Bois-Halbout
le Mesnil-Auzouf
Roucamps
Mont Pinçon
Boucle du Hom
St-Germain-le-Vasson
Campandré-Valcongrain
la Vallée
Paugy
Thury-Harcourt
Moulines
Montamy (la Vavassorie)
Bray en Cinglais
le Plessis-Grimoult
St-Joseph
Placy
Acqueville
Fontaine-le-Pin
la Vautelière
Danvou-la-Ferrière
Prieuré
St-Martin-de-Sallen
Esson
Château de la Motte
Tournebu
Culey-le-Patry
Caumont-sur-Orne
Donnay
Meslay
Martainville
Arboretum
Ussy
Montchauvet
Cauville
Launay
le Pain de Sucre
Combray
Angoville
St-Jean-le-Blanc
St-Rémy
la Beaumontière
Montchamp
Lénault
St-Lambert
Rocher
St-Omer
Bonnoeil
St-Germain-Langot
Villers-Canivet
Charles-Percy
Lassy
St-Pierre-la-Vieille
les Thomas
Clécy
le Vey
Suisse Normande
Périgny
St-Clair
la Pommeraye
Leffard
les Écoublets
Reineville
St-Vigor-des-Mézerets
la Villette
Rochers des Parcs
Pierrefitte-en-Cinglais
Sieurmoux
Estry
Croix de la Faverie
Cossesseville
Tréprel
la Rocque
la Chapelle-Engerbold
le Hameau Sébire
le Bô
Plaisance
Château de Pontécoulant
la Loterie
Pierrepont (le Mesnil Jacquet)
Martigny-sur-l'Ante (la Corbetière)
Presles
la Bretonnière
le Fresne
le Theil-Bocage
Proussy
St-Roch
Pierres
Pontécoulant
St-Denis-de-Méré
Pont-d'Ouilly
le Détroit
Chênedollé
la Tirelière
le Tortillon
St-Germain-du-Crioult
Condé-sur-Noireau
Cambercourt
le Noireau
Ménil-Hubert-sur-Orne
le Mesnil-Villement
les Loges-Saulces
la Parenterie
Vassy
Cahan
Rapilly
Vélo-Rail
la Conterie
Pont-Erambourg
Berjou
Méandre de Rouvrou
la Baize
Fourneaux-le-Val
Viessoix
le Bosq
la Bijude
Ménil-Vin
Montfroux
St-Pierre-du-Regard
la Vère
Château de St-Sauveur
St-Philbert-sur-Orne
les Isles-Bardel
Rully
la Halboudière
Moncy
Ségrie-Fontaine
Ménil-Hermei
Bernières-le-Patry
la Croix à la Main
Ste-Honorine-la-Chardonne
Gorges de St-Aubert
St-Pierre-d'Entremont
Montilly-sur-Noireau
les Roches d'Oëtre
Bazoches-au-Houlme
Noron
Clairefougère
la Lande-St-Siméon
les Vaux
Cerisy-Belle-Etoile
Caligny
Athis-de-l'Orne
Taillebois
Breel
la Forêt-Auvray
St-Quentin-les-Chardonnets
Montsecret
la Bazoque
Moulin
Mont de Cerisy
Château et L. d'Orient
Aubusson
St-Aubert-sur-Orne
Rabodanges
Frênes
N.-D.-du-Rocher
Ronfeugerai
l'Abbaye de Belle Etoile
St-Georges-des-Groseillers
Ste-Croix-sur-Orne
la Rivière
Anc. Abb.
la Carneille
Ste-Honorine-la-Guillaume
Méguillaume
le Ménil-Ciboult
Tinchebray
la Brigaudière
Landisacq
la Lande-Patry
Flers
Château du Repas
Chênedouit
Putanges-Pont-Ecrepin
le Meslot
Menhir
la Gine
les Tourailles
la Visance
St-Paul
le Buisson Corblin
Landigou
Durcet
la Pierre de Gargantua
Ménil-Gondouin
Jean-des-Bois
Chanu
la Selle-la-Forge
Échalou
Ste-Opportune
Craménil
St-Cornier-des-Landes
le Rocher
la Fresnaye-au-Sauvage
Yvrandes
la Chapelle-Biche
St-André-de-Briouze
Fromentel
la Claire Fontaine
Messei
la Forêterie
la Chapelle-au-Moine
la Varenne
St-André-de-Messei
Briouze
le Val du Breuil
Pointel
St-Hilaire-de-Briouze
Yvetot
Larchamp
Saires-la-Verrerie
St-Clair-de-Halouze
Bellou-en-Houlme
la Lande-de-Lougé
Beauchêne
le Châtellier
la Rouvre
le Gué de Rouvre
Montreuil-au-Houlme
l'Épine Orbière
Banvou
la Ferrière-aux-Étangs
le Ménil-de-Briouze
Lignou
Faverolles
la Nuguerie
Anc. Abbaye
St-Bômer-les-Forges
la Coulonche
Lonlay-l'Abbaye
les Isles
le Gué Plat
le Mont d'Hère
Lonlay-le-Tesson
PARC NATUREL
Dompierre
St-Georges-d'Annebecq
la Fosse Arthour
le Pistolet
la Vée
la Sauvagère
le Grais
Manoir de la Chaslerie
la Haute-Chapelle
Pont de Pierre
Champsecret
Allée Couverte de la Bertinière
Beauvain
Rouellé
Man. de la Saucerie
Donjon
l'Andainette
Forêt Domaniale des Andaines
St-Maurice-du-Désert
le Grand Ridrel
la Chaux
Domfront
la Ferté-Macé
N.-D.-sur-l'Eau
St-Gilles-des-Marais
Base de Loisirs
Joué

54
A
B
C
D
E
1
2
3
4
5
6
33
53
82
St-Sylvain
Bray
Vieux-Fumé
Percy-en-Auge
Magny-la-Campagne
Ouville-la-Bien-Tournée
les Authieux-Papion
St-Julien-le-Faucon
Coupesarte
Auquainville
Cim. Polonais
Soignolles
le Bû-sur-Rouvres
Condé-sur-Ifs
Thiéville
Bretteville-sur-Dives
Vieux-Pont-en-Auge
le Mesnil-Durand
Bretteville-le-Rabet
Maizières
Escures sur Favières
Ernes
Hiéville
St-Martin-du-Mesnil-Oury
le Mesnil-Germain
Estrées-la-Campagne
Anc. Abb.
St-Pierre-sur-Dives
Boissey
Castillon-en-Auge
St-Michel-de-Livet
Cheffreville-Tonnencourt
Germain-le-Vasson
Rouvres
Carel
Berville
Mittois
Ste-Marguerite-de-Viette
Livarot
Ste-Marguerite-des-Loges
Ouilly-le-Tesson
Chât. d'Assy
Vendeuvre
Lieury
Écots
St-Georges-en-Auge
Montviette
le Mesnil-Bacley
Aisy
Soumont-St-Quentin
Sassy
Pont
Heurtevent
Manoir de Bellou
Potigny
la Brèche du Diable
Olendon
Jort
Courcy
Chât.
l'Oudon (St-Martin-de-Fresnay)
St-Ouen-le-Houx
Bellou
Menhirs des Longrais
Perrières
le Breuil
Bernières-d'Ailly
Tôtes
la Brévière (la Cour)
Ste-Foy-de-Montgommery
Bons-Tassilly (la Forge)
Réveillon
Notre-Dame-de-Fresnay
Tortisambert
la Chapelle-Haute-Grue
Lisores
Soulangy
Épaney
Ste-Anne d'Entremont
Louvagny
Vaudeloges
Villers-Canivet
St-Pierre-Canivet
Rés. Nat. du Coteau du Mesnil-Soleil
Vicques
Ammeville
St-Germain-de-Montgommery
le Bas de la Gruerie
Aubigny
Morteaux-Couliboeuf
Barou-en-Auge
Abbeville
Les Autels-St-Bazile (la Mairie)
Anc. Prieuré St-Michel
Vimoutiers
la Banque
Chât. de la Tour
Versainville
Norrey-en-Auge
Grandmesnil
le Renouard
Crouttes
Base de Loisirs
Noron-l'Abbaye
Mont Myrrha
Eraines
Damblainville
Villy-lez-Falaise
Chât. de la Fresnaye
Beaumais
les Moutiers-en-Auge (les Grands Moutiers)
St-Gervais-des-Sablons
les Cosniers
Guerquesalles
Falaise
Fresné-la-Mère
le Marais-la-Chapelle
le Grand Jardin
Montreuil-la-Cambe
les Champeaux
Camembert
Martigny-sur-l'Ante (la Corbetière)
la Hoguette
St-Clair
Crocy
Pertheville-Ners (les Monceaux)
le Mesnil
Louvières-en-Auge
Maison Natale de Charlotte Corday
Roiville
Fresnay-le-Samson
Loges-Saulces
St-Martin-de-Mieux
St-Pierre-du-Bû
Anc. Abb. de St-André en Gouffern
Man. de la Davoisière
Fourches
Écorches
Champosoult
la Bruyère Fresnay
Fourneaux-le-Val
Cordey
Vignats
Merri
Ommoy
Fontaine-les-Bassets
Neauphe-sur-Dive
Coudehard (le Hameau-Sorel)
Brieux
Bière
Guêprei
Trun
Survie
Aubry-le-Panthou
Nécy
Coulonces
Mimbeville
Mont-Ormel (la Panthelière)
Camp Celtique
Bazoches-au-Houlme
Neuvy-au-Houlme
Rouffigny
Maison Rouge
la Gare
le Vaudobin
St-Lambert-sur-Dive
Mémorial
St-Pierre-la-Rivière
la Fresnaie-Fayel (la Morinière)
Rônai
Montabard
Tournai-sur-Dive
Baize
Villers
Vorché
la Croix
Villedieu-lès-Bailleul
Chambois
Donj.
Ménil-Hubert-en-Exmes
Rabodanges
Champcerie
Fel
Aubry-en-Exmes (l'Église)
Omméel (Avenelles)
Avernes-sous-Exmes
Brévaux
Bailleul
Ri
Habloville
les Rotours
Commeaux
Occagnes
Forêt de Grande Gouffern
Villebadin
Manoir d'Argentelles
Sévigny
Fougy
Ste-Eugénie
Putanges-Pont-Écrepin
Vaux le Bardoult
Sentilly
Cuy
Crennes
le Bourg-St-Léonard
Chât.
Courménil
Giel-Courteilles
Man. de Pommereux
Moulins-sur-Orne
Exmes
Argentan
Silly-en-Gouffern
le Pin-au-Haras
Ménil-Jean
Montgaroult
Urou-et-Crennes
Sai
Menhir de la Pierre Levée
l'Orée du Bois
le Champ Pivet
la Courbe
Mesnil-Glaise
Goulet
Chât. des Ducs
Le Haras du Pin
Ginai
la Fresnaye-au-Sauvage
Batilly
Serans
Aunou-le-Faucon
le Vieux Pin
Écouché
Fontenai-sur-Orne
Sarceaux
Juvigny-sur-Orne
Petite Gouffern
la Cochère
St-Georges-de-Clairefeuille
le Yveteaux
la Maire
Sevrai
Loucé
Mon. Leclerc
le Montharl
Tercey
Nonant-le-Pin
la Lande-de-Lougé
St-Ouen-sur-Maire
St-Loyer-des-Champs
Almenêches
la Dieuge
Lougé-sur-Maire
Joué-du-Plain
Fleuré
Boissei-la-Lande
Bonnevent
le Merlerault
Montreuil-au-Houlme
Tanques
Chât.
Médavy
St-Brice-sous-Rânes
Chât. d'Avoine
Vrigny
le Château-d'Almenêches
Marmouillé
la Nuguerie
Avoine
Prieuré de N.-D. du Repos
Maroger
le Don
St-Christophe-le-Jajolet
Marcei
Cité de Surdon
Vieux-Pont
Chât. de Sassy
Chât. d'O
Sources de l'Orne
Neuville-près-Sées
Bouce
Francheville
Bonain
Chailloué
Georges-d'Annebecq
Rânes
Mortrée
la Senelle
Ste-Marie-la-Robert
Montmerrei
Macé
St-Martin-l'Aiguillon
la Chabossière
la Bellière
Méheran
péage
Site Archéologique
Fresneaux
la Chaux
le Ménil-Scelleur
Prieuré de Goult
la Perdrière
Belfonds
Sées
le Champ-de-la-Pierre
St-Michel
Sévilly
Aunou-sur-Orne
Anc. Abb. St-Martin
Ste-Marguerite-de-Carrouges
St-Sauveur-de-Carrouges
la Lande-
le Cercueil
St-Hilaire-la-Gérard
Joué-du-Bois
Trémont
N158
N26
A88
A28
E402
14

Orbec
la Vespière
Broglie
Chamblac
Beaumesnil
Landepéreuse
Montreuil-l'Argillé
la Barre-en-Ouche
Monnai
le Sap
Villers-en-Ouche
la Ferté-Frênel
la Neuve-Lyre
Bois-Normand-près-Lyre
Rugles
Ambenay
Chambord
Glos-la-Ferrière
St-Evroult-de-Montfort
St-Evroult-N.-D.-du-Bois
l'Aigle
St-Sulpice-sur-Risle
St-Michel-Tuboeuf
Chandai
Échauffour
Ste-Gauburge-Ste-Colombe
St-Hilaire-sur-Risle
Aube
Moulins-la-Marche
Chennebrun
Randonnai
Courtomer
Soligny-la-Trappe
la Ventrouze
Pays d'Ouche
Forêt de St-Evroult
Bois de Broglie
N138
N26
N12
A28
E402

56
35
55
84
ÉVREUX
Verneuil-sur-Avre
Conches-en-Ouche
Breteuil
Damville
Nonancourt
St-Lubin-des-Joncherets
St-Rémy-sur-Avre
Tillières-sur-Avre
Brezolles
Montigny-sur-Avre
Francheville
Crécy-Couvé
la Ferté-Vidame
la Ferrière-sur-Risle
Forêt d'Évreux
Forêt de Conches
Forêt de Breteuil
St-André-de-l'Eure
Maillebois

Giverny
Gommecourt
Moisson
Mercey
Châtᵗ de Bizy
Forêt de Bizy
St-Vincent-des-Bois
Port-Villez
Site du Jamboree de la paix
Vétheuil
Vienne-en-Arthies
Aincourt
Avernes
Lainville-en-Vexin
la Heunière
Limetz-Villez
Blaru
F. de Moisson
St-Cyr-en-Arthies
Drocourt
Montalet-le-Bois
Jambville
Châtᵗ de Brécourt
Belvédère
Bennecourt
Freneuse
Base de Loisirs
St-Martin-la-Garenne
Ménilles
Douains
N.-D. de la Mer
Bonnières-sur-Seine
Mousseaux-sur-Seine
Sailly
Seraincourt
Jeufosse
Méricourt
Follainville-Dennemont
Fontenay-St-Père
Brueil-en-Vexin
St-Aquilin-de-Pacy
Pacy-sur-Eure
Chaignes
Rolleboise
Oinville-sur-Montcient
Chaufour-lès-Bonnières
la Villeneuve-en-Chevrie
Villeneuve-en-Chevrie
Guernes
MANTES-LA-JOLIE
Guitrancourt
Hardricourt
Aigleville
Fains
la Tuilerie
Forêt de Rosny
Rosny-sur-Seine
Anc. Hospice St-Charles
Juziers
le Plessis-Hébert
Chambines
Villegats
Lommoye
GARGENVILLE
Gadencourt
Cravent
le Mesnil-Guyon
Limay
Issou
Boisset-Prévanches
Hécourt
St-Illiers-la-Ville
la Belle Côte
Jouy-Mauvoisin
Buchelay
Porcheville
Merey
St-Chéron
Mantes-la-Ville
Guerville
Élisabethville
la Neuville des Vaux
Breuilpont
St-Illiers-le-Bois
Perdreauville
MAGNANVILLE
Épône
Bretagnolles
Villiers-en-Désœuvre
Boissy-Mauvoisin
Ménerville
Fontenay-Mauvoisin
Soindres
Mézières-sur-Seine
AUBERGENVILLE
Boissière
Chanu
le Tertre-St-Denis
Auffreville-Brasseuil
St-Germain-de-Secqueval
Châtᵗ de la Folletière
Serez
Neuilly
Bréval
Favrieux
Vert
Breuil-Bois-Robert
Guerville
Nézel
la Falaise
Épieds
Bueil
Neauphlette
la Fortelle
Boinville-en-Mantois
Bazemont
Obélisque d'Ivry
Châtᵗ de Vitré
Longnes
Flacourt
Villette
Goussonville
Aulnay-sur-Mauldre
Mousseaux-Neuville
Garennes-sur-Eure
Gilles
Mirbel
Dammartin-en-Serve
Boinvilliers
Rosay
Arnouville-lès-Mantes
Maule
Guainville
la Couture-Boussey
le Mesnil-Simon
Mondreville
Heurteloup
St-Corentin
Jumeauville
Flins-Neuve-Église
Courgent
Septeuil
Hargeville
Mareil-sur-Mauldre
Ivry-la-Bataille
les Gâtines Rouges
Cim.
le Haut Arbre
Montchauvet
St-Martin-des-Champs
Goupillières
Andelu
l'Habit
Tilly
Mulcent
Montainville
Ézy-sur-Eure
la Chaussée-d'Ivry
Anc. Abb.
les Millerus
la Vaucouleurs
Elleville
Thoiry
Prunay-le-Temple
la Flexanville
St-Ouen-Marchefroy
Boissets
Civry-la-Forêt
Villiers-le-Mahieu
Saussay
Oulins
Anet
Marcq
Osmoy
Orvilliers
Rés. Africaine et Zoo
Bonneville
Flexanville
Sorel-Moussel
Croth
la Vesgre
Berchères-sur-Vesgre
Favières
Beynes
Boncourt
Rouvres
Gressey
Tacoignières
Orgerus
Autouillet
Auteuil
Châtᵗ de Herses
Richebourg
Béhoust
Saulx-Marchais
F. Dom. de Dreux
Enceinte Préhistorique de Fort Harrouard
St-Lubin-de-la-Haye
Garancières
Boissy-sans-Avoir
Saulx-Richebourg
le Moutier
les Nonnains
Millemont
la Queue-les-Yvelines
Neauphle-le-Vieux
les Vieilles Ventes
Bardelle
Vicq
Pavillon de Chasse
le Coudray
Bazainville
St-Georges-Motel
Bû
la Prairie
la Gare
Maulette
Galluis
Mareil-le-Guyon
Abondant
Havelu
Houdan
le Boulay
Châtᵗ de la Couarde
Grosrouvre
Méré
Montreuil
Donj.
la Troche
Bazoches-sur-Guyonne
Brissard
Goussainville
Gambais
Marchezais
Thionville-sur-Opton
Châtᵗ de la Mormaire
Montfort-l'Amaury
Fermaincourt
Serville
Raville
St-Côme
Châtᵗ de Neuville
N.-D. du Chêne
DREUX
Champagne
Dannemarie
Étang de la Porte Boudet
St-Rémy-l'Honoré
Chap. Royale
Boutigny-Prouais
Bourdonné
Gambaiseuil
les Mesnuls
Cherisy
Broué
Forêt
Germainville
Bouchemont
Beauterne
la Pierre Ardoue
la Grange du Bois
Ste-Gemme-Moronval
Condé-sur-Vesgre
la Musse
Étangs de Hollande
Mézières-en-Drouais
la Chapelle-Forainvilliers
Grandchamp
Adainville
la Vesgre
Luray (le Luat-Clairet)
Prouais
St-Hubert
Écluzelles
Blainville
le Mesle
St-Léger-en-Yvelines
Étang de St-Hubert
la Hauteville
l'Épinette
les Pinthières
les Bréviaires
Charpont
Ouerre
St-Laurent-la-Gâtine
le Tartre-Gaudran
la Boissière-École
Croisilles
Domaniale
le Perray-en-Yvelines
l'Eure
Villemeux-sur-Eure
Faverolles
Poigny-la-Forêt
Imbermais
Marville-Moutiers-Brûlé
Bréchamps
Mittainville
Rocher et Étang d'Angennes
Chaudon
le Fonville
Senantes
Guiperreux
Vieille-Église-en-Yvelines
la Villeneuve
Vigny
le Boullay-Mivoye
la Maltorne
Bergerie et Laiterie Nationale
la Guesle
la Clairière
Nogent-le-Roi
Coulombs
Béchereau
Puiseux
Lormaye
St-Lucien
les Chaises
Hermeray
Villeneuve
Parc Animalier du Château
Châtᵗ de Voisins
Rambouillet
le Boullay-Thierry
Neuville-la-Mare
Villiers-le-Morhier
Gazeran
Parc Animalier
Boullay-les-Deux-Églises
Ormoy
St-Hilarion
Raizeux
Vacheresses-les-Basses
St-Martin-de-Nigelles
Épernon
St-Rémy-des-Landes
Baulieu
Tremblay-les-Villages
Batonceau
Greffiers
la Guéville
A13
E05
N13
N12
N10
N154
N15
PARIS
78
28

Vigny
Courcelles-sur-Viosne
Osny
PONTOISE
AUVERS-SUR-OISE
Méry-sur-Oise
Villiers-Adam
Baillet-en-France
Maffliers
Montsoult
Villaines-sous-Bois
Longuesse
Sagy
CERGY-PONTOISE
COURDIMANCHE
VAUREAL
CERGY
St-Ouen-l'Aumône
Béthemont-la-Forêt
Chauvry
Frépillon
Bessancourt
Bouffémont
Attainville
Moisselles
Condécourt
Gaillon-sur-Montcient
Tessancourt-sur-Aubette
MENUCOURT
Boisemont
Évecquemont
Meulan
Hardricourt
Vaux-sur-Seine
JOUY-LE-MOUTIER
Neuville-sur-Oise
ÉRAGNY
Pierrelaye
Beauchamp
Taverny
St-Leu-la-Forêt
St-Prix
Montlignon
Domont
Ézanville
Piscop
Le Plessis-Bouchard
Montigny-lès-Cormeilles
Herblay
Franconville
Ermont
Eaubonne
Margency
Andilly
St-Brice-sous-Forêt
Sarcelles
Montmorency
Groslay
Soisy-sous-Montmorency
Mézy-sur-Seine
LES MUREAUX
VERNEUIL-SUR-SEINE
TRIEL-SUR-SEINE
Maurecourt
Andrésy
Conflans-Ste-Honorine
Chanteloup-les-Vignes
Cormeilles-en-Parisis
Sannois
St-Gratien
Enghien-les-Bains
Deuil-la-Barre
Montmagny
Pierrefitte-sur-Seine
Villetaneuse
Épinay-sur-Seine
Stains
Flins-sur-Seine
Bouafle
Chapet
VERNOUILLET
Médan
Carrières-sous-Poissy
Achères
La Frette-sur-Seine
Argenteuil
AUBERGENVILLE
Ecquevilly
Morainvilliers
Villennes-sur-Seine
Maisons-Laffitte
Sartrouville
Le Mesnil-le-Roi
Villeneuve-la-Garenne
St-Denis
L'Île-St-Denis
Bazemont
POISSY
Houilles
Bezons
Colombes
Gennevilliers
Bois-Colombes
Montainville
Orgeval
Les Alluets-le-Roi
Aigremont
St-Germain-en-Laye
Montesson
Carrières-sur-Seine
La Garenne-Colombes
Asnières-sur-Seine
Clichy
St-Ouen
Aubervilliers
Herbeville
Chambourcy
Le Pecq
Le Vésinet
NANTERRE
Courbevoie
Levallois-Perret
Neuilly-sur-Seine
Crespières
Fourqueux
Chatou
Rueil-Malmaison
La Défense
Puteaux
Le Désert de Retz
Monte-Cristo
Le Port-Marly
Mareil-Marly
Marly-le-Roi
Croissy-sur-Seine
Mont Valérien
Suresnes
PARIS
Feucherolles
Beynes
Davron
St-Nom-la-Bretèche
L'Étang-la-Ville
Bougival
Louveciennes
St-Cloud
Bagatelle
Boulogne-Billancourt
Tour Eiffel
Notre-Dame
Thiverval-Grignon
Chavenay
Noisy-le-Roi
La Celle-St-Cloud
Garches
Vaucresson
St-Germain-de-la-Grange
Villepreux
Bailly
Rennemoulin
Rocquencourt
Marnes-la-Coquette
Sèvres
Manuf. Nat. de Porcelaine
Villiers-St-Frédéric
PLAISIR
Fontenay-le-Fleury
Le Chesnay
Ville-d'Avray
Issy-les-Moulineaux
Vanves
Montrouge
Malakoff
Gentilly
Neauphle-le-Château
Les Clayes-sous-Bois
BOIS-D'ARCY
Château de Versailles
VERSAILLES
Meudon
Châtillon
Le Kremlin-Bicêtre
Jouars-Pontchartrain
Élancourt
St-Cyr-l'École
Chaville
Viroflay
Clamart
Bagneux
Arcueil
Cachan
Villejuif
ST-QUENTIN-EN-YVELINES
TRAPPES
Montigny-le-Bretonneux
Camp de Satory
Vélizy-Villacoublay
Le Plessis-Robinson
Fontenay-aux-Roses
Bourg-la-Reine
L'Haÿ-les-Roses
Sceaux
Le Tremblay-sur-Mauldre
Buc
Jouy-en-Josas
Châtenay-Malabry
Chevilly-Larue
St-Rémy-l'Honoré
Maurepas
La Verrière
Guyancourt
Bièvres
Verrières-le-Buisson
Fresnes
Thiais
Coignières
Le Mesnil-St-Denis
Voisins-le-Bretonneux
Les Loges-en-Josas
Antony
Rungis
Orly
MAGNY-LES-HAMEAUX
Port Royal des Champs
St-Lambert
Toussus-le-Noble
Igny
Vauhallan
Saclay
Massy
Wissous
Châteaufort
Milon-la-Chapelle
Lévis-St-Nom
Les Essarts-le-Roi
CHEVREUSE
St-Rémy-lès-Chevreuse
Villiers-le-Bâcle
PALAISEAU
Paray-Vieille-Poste
Morangis
St-Forget
St-Aubin
ORSAY
Villebon-sur-Yvette
Champlan
Chilly-Mazarin
Juvisy-sur-Orge
Auffargis
Dampierre-en-Yvelines
Gif-sur-Yvette
Bures-sur-Yvette
Saulx-les-Chartreux
Longjumeau
Le Perray-en-Yvelines
Senlisse
Choisel
Gometz-le-Châtel
LES ULIS
Villejust
Ballainvilliers
Épinay-sur-Orge
Savigny-sur-Orge
Viry-Châtillon
Cernay-la-Ville
Boullay-les-Troux
Gometz-la-Ville
St-Jean-de-Beauregard
La Ville-du-Bois
Nozay
Villemoisson-sur-Orge
Villiers-sur-Orge
Morsang-sur-Orge
Les Molières
PARC NATUREL REGIONAL DE LA HAUTE VALLÉE DE CHEVREUSE
Pecqueuse
Janvry
Marcoussis
Longpont-sur-Orge
Ste-Geneviève-des-Bois
Rambouillet
Limours
Limours-Janvry
Montlhéry
Linas
Briis-sous-Forges
St-Michel-sur-Orge
Fleury-Mérogis
La Celle-les-Bordes
Bullion
Bonnelles
Forges-les-Bains
Fontenay-lès-Briis
Autodrome
Linas-Montlhéry
Parc Animalier
Le Plessis-Pâté

Dammartin-en-Goële
Othis
Lagny-le-Sec
Oissery
St-Pathus
Marly-la-Ville
Vémars
Villeron
Moussy-le-Neuf
Longperrier
Rouvres
Marchémoret
Fontenay-en-Parisis
Louvres
Chennevières-lès-Louvres
Moussy-le-Vieux
St-Mard
St-Soupplets
Gesvres-le-Chapitre
Marcilly
Mauregard
Villeneuve-sous-Dammartin
Montgé-en-Goële
Goussainville
Roissy-en-France
le Mesnil-Amelot
Juilly
Cuisy
Le Plessis-l'Evêque
Monthyon
Barcy
le Thillay
Thieux
Vinantes
Gare T.G.V.
Paris-Charles de Gaulle
Nantouillet
le Plessis-aux-Bois
Iverny
Chambry
Varreddes
Gonesse
Vaudherland
Compans
Mitry-Mory
St-Mesmes
Villeroy
Mémorial à Charles Péguy
Penchard
Parc des Expositions de Paris-Nord
Villepinte
Charny
Chauconin-Neufmontiers
Crégy-lès-Meaux
Bonneuil-en-France
Tremblay-en-France
Messy
Gressy
Mon. Galliéni
Dugny
Aulnay-sous-Bois
Sevran
Villeparisis
Claye-Souilly
Charmentray
Us. Élévatoire des Eaux
MEAUX
Le Blanc-Mesnil
Le Bourget
Drancy
Vaujours
Annet-sur-Marne
Fresnes-sur-Marne
Précy-sur-Marne
Trilbardou
Villenoy
Vignely
NANTEUIL-LÈS-MEAUX
Livry-Gargan
Villevaudé
Jablines
Isles-lès-Villenoy
Mareuil-lès-Meaux
Boutigny
Coubron
Courtry
le Pin
Base de Loisirs
Lesches
ESBLY
Condé-Ste-Libiaire
Quincy-Voisins
les Pavillons-sous-Bois
Clichy-sous-Bois
Carnetin
BOBIGNY
le Raincy
Coupvray
Pantin
Noisy-le-Sec
Bondy
Montfermeil
Pomponne
Thorigny-sur-Marne
Dampmart
Chalifert
Montry
Romainville
Villemomble
Gagny
Brou-sur-Chantereine
Chessy
Couilly-Pont-aux-Dames
les Lilas
Rosny-sous-Bois
Chelles
St-Thibault-des-Vignes
Lagny-sur-Marne
Montévrain
St-Germain-sur-Morin
Montreuil
Neuilly-Plaisance
Vaires-sur-Marne
Gare T.G.V.
Disneyland® Paris
Coutevroult
Crécy-la-Chapelle
Fontenay-sous-Bois
Gournay-sur-Marne
Champs-sur-Marne
Gouvernes
Conches-sur-Gondoire
Magny-le-Hongre
Villiers-sur-Morin
Vincennes
Nogent-sur-Marne
Le Perreux-sur-Marne
Neuilly-sur-Marne
Noisy-le-Grand
Noisiel
Torcy
Bussy-St-Martin
Guermantes
Chanteloup-en-Brie
Serris
Bailly-Romainvilliers
Voulangis
MARNE-LA-VALLÉE
St-Mandé
Bry-sur-Marne
LOGNES
Collégien
Bussy-St-Georges
Jossigny
Parc Floral
St-Maurice
Maisons-Alfort
Villiers-sur-Marne
Croissy-Beaubourg
Ferrières
Villeneuve-St-Denis
Tigeaux
Joinville-le-Pont
Champigny-sur-Marne
Le Plessis-Trévise
Émerainville
Ferrières-en-Brie
Dammartin-sur-Tigeaux
CRÉTEIL
Chennevières-sur-Marne
Pontault-Combault
ROISSY-EN-BRIE
Villeneuve-le-Comte
Forêt Régionale de Ferrières
St-Maur-des-Fossés
Ormesson-sur-Marne
La Queue-en-Brie
Pontcarré
Mortcerf
Bonneuil-sur-Marne
Noiseau
Ozoir-la-Ferrière
Forêt Dom. d'Armainvilliers
Neufmoutiers-en-Brie
Sucy-en-Brie
Favières
Choisy-le-Roi
Boissy-St-Léger
Zoo du Bois d'Attily
Châtt. d'Armainvilliers
Tournan-en-Brie
Chât. du Ménillet
La Houssaye-en-Brie
Limeil-Brévannes
Lésigny
Crèvecoeur-en-Brie
Valenton
Gros-Bois
Marolles-en-Brie
Férolles-Attilly
les Chapelles-Bourbon
Lumigny-Nesles-Ormeaux
Villeneuve-St-Georges
Santeny
Gretz-Armainvilliers
Marles-en-Brie
Crosne
Yerres
Villecresnes
Chevry-Cossigny
Presles-en-Brie
Chât. des Boulayes
Fontenay-Trésigny
Servon
Mandres-les-Roses
Montgeron
Brunoy
Brie-Comte-Robert
Liverdy-en-Brie
Châtres
Boussy-St-Antoine
Périgny
Grisy-Suisnes
Ferme de Retal
Anc. Chât. du Duc d'Épernon
Draveil
Épinay-sous-Sénart
Varennes-Jarcy
Coubert
Courquetaine
Bernay-Vilbert
Forêt Domaniale de Sénart
Combs-la-Ville
Pont des Romains
Chaumes-en-Brie
Château de la Grange Bléneau
Quincy-sous-Sénart
Évry-Grégy-sur-Yerre
Solers
Ozouer-le-Voulgis
Verneuil-l'Étang
Argentières
Soisy-sur-Seine
Tigery
Soignolles-en-Brie
Beauvoir
ÉVRY
Étiolles
Lieusaint
Moissy-Cramayel
Yèbles
Guignes
Aubepierre-Ozouer-le-Repos
St-Germain-lès-Corbeil
St-Pierre-du-Perray
Lissy
Champdeuil
Andrezel
Mormant

May-en-Multien
Coulombs-en-Valois
Germigny-sous-Coulombs
Veuilly-la-Poterie
Lucy-le-Bocage
Château-Thierry
Le Plessis-Placy
Marigny-en-Orxois
Trocy-en-Multien
Ocquerre
Vendrest
Dhuisy
Lizy-sur-Ourcq
Coupru
Domptin
Essômes-sur-Marne
Nesles-la-Montagne
Congis-sur-Thérouanne
Mary-sur-Marne
Cocherel
Montreuil-aux-Lions
Bézu-le-Guéry
Nogentel
Bonneil
Azy-sur-Marne
Varreddes
Isles-les-Meldeuses
Tancrou
Villiers-St-Denis
Germigny-l'Évêque
Armentières-en-Brie
Jaignes
Ste-Aulde
Nanteuil-sur-Marne
Crouttes-sur-Marne
Charly
Romeny-sur-Marne
Chézy-sur-Marne
Changis-sur-Marne
Ussy-sur-Marne
Chamigny
Reuil-en-Brie
Luzancy
Méry-sur-Marne
Citry
Saulchery
Nogent-l'Artaud
Essises
Trilport
Sammeron
la Ferté-sous-Jouarre
Saâcy-sur-Marne
Pavant
Montfaucon
MEAUX
St-Jean-les-Deux-Jumeaux
Fublaines
Montceaux-lès-Meaux
Sept-Sorts
Jouarre
la Chapelle-sur-Chézy
St-Fiacre
Signy-Signets
Bassevelle
Villemareuil
Bussières
St-Cyr-sur-Morin
Rozoy-Bellevalle
Pierre-Levée
Orly-sur-Morin
Hondevilliers
Vaucourtois
St-Ouen-sur-Morin
Boitron
Viels-Maisons
Sancy
la Haute-Maison
Verdelot
la Trétoire
Sablonnières
Maisoncelles-en-Brie
Doue
Crécy-la-Chapelle
St-Germain-sous-Doue
Rebais
Bellot
Villeneuve-sur-Bellot
Montdauphin
Giremoutiers
Aulnoy
St-Léger
Montolivet
Guérard
Mouroux
Boissy-le-Châtel
St-Denis-lès-Rebais
Pommeuse
Coulommiers
Chauffry
la Celle-sur-Morin
Jouy-sur-Morin
St-Barthélemy
Faremoutiers
St-Siméon
St-Rémy-la-Vanne
la Ferté-Gaucher
Chailly-en-Brie
Meilleray
St-Augustin
Marolles-en-Brie
St-Martin-des-Champs
la Chapelle-Moutils
Mauperthuis
Beautheil
Lescherolles
Hautefeuille
Saints
Choisy-en-Brie
St-Mars-Vieux-Maisons (St-Mars-en-Brie)
Amillis
Chartronges
St-Martin-du-Boschet
Pézarches
Touquin
Chevru
Leudon-en-Brie
Dagny
le Plessis-Feu-Aussoux
Frétoy
Beton-Bazoches
Sancy-lès-Provins
Montceaux-lès-Provins
Rozay-en-Brie
Voinsles
Vaudoy-en-Brie
Courtacon
Cerneux
Augers-en-Brie
Bannost-Villegagnon
Boisdon
Bezalles
les Marêts
Champcenest
Villiers-St-Georges
Pécy
Jouy-le-Châtel
la Chapelle-Iger
Courchamp
Rupéreux
Gastins
St-Hilliers
Voulton
St-Just-en-Brie (les Bruyères)
Chenoise
Beauchery-St-Martin
Quiers

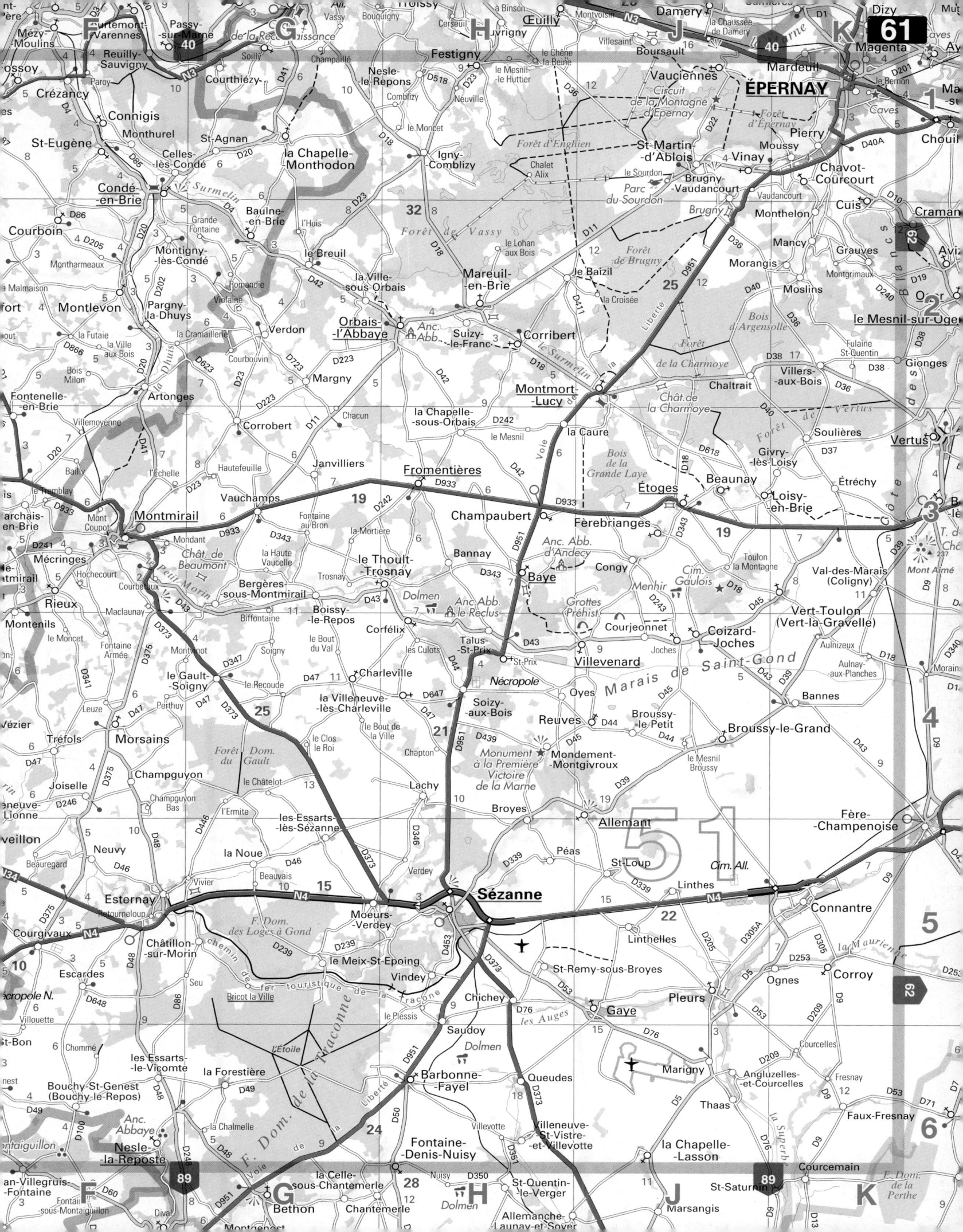
61
F
G
H
J
K
Damery
Dizy
Magenta
ÉPERNAY
Mardeuil
Œuilly
Festigny
Boursault
Vauciennes
Circuit de la Montagne d'Epernay
Forêt d'Épernay
Pierry
Moussy
Chouilly
Vinay
St-Martin-d'Ablois
Forêt d'Enghien
Chalet Alix
le Sourdon
Parc du Sourdon
Brugny-Vaudancourt
Chavot-Courcourt
Cuis
Cramant
Monthelon
Mancy
Grauves
Avize
Morangis
Moslins
Oger
le Mesnil-sur-Oger
Forêt de Brugny
le Baizil
la Croisée
Bois d'Argensolle
Forêt de la Charmoye
Gionges
Villers-aux-Bois
Chaltrait
Château de la Charmoye
Forêt de Vertus
Soulières
Vertus
Givry-lès-Loisy
Étréchy
Beaunay
Loisy-en-Brie
Étoges
Fèrebrianges
Champaubert
Congy
Toulon la Montagne
Val-des-Marais (Coligny)
Mont Aimé
Cim. Gaulois
Menhir
Baye
Anc. Abb. d'Andecy
Bannay
Grottes Préhist.
Courjeonnet
Coizard-Joches
Vert-Toulon (Vert-la-Gravelle)
Aulnizeux
Aulnay-aux-Planches
Marais de Saint-Gond
Villevenard
Oyes
Reuves
Broussy-le-Petit
Broussy-le-Grand
Bannes
Mondement-Montgivroux
Monument à la Première Victoire de la Marne
Allemant
Broyes
Fère-Champenoise
Péas
St-Loup
Cim. All.
Linthes
51
Connantre
Sézanne
Linthelles
St-Remy-sous-Broyes
Corroy
Ognes
Pleurs
Gaye
les Auges
Marigny
Angluzelles-et-Courcelles
Fresnay
Faux-Fresnay
Thaas
la Chapelle-Lasson
Courcemain
St-Saturnin
Marsangis
Queudes
Villeneuve-St-Vistre-et-Villevotte
Fontaine-Denis-Nuisy
St-Quentin-le-Verger
Allemanche-Launay-et-Soyer
Barbonne-Fayel
Saudoy
Chichey
Vindey
le Meix-St-Epoing
Moeurs-Verdey
Esternay
Châtillon-sur-Morin
Courgivaux
Escardes
Chommé
les Essarts-le-Vicomte
la Forestière
Bouchy-St-Genest (Bouchy-le-Repos)
Nesle-la-Reposte
la Celle-sous-Chantemerle
Chantemerle
Bethon
F. Dom. de la Traconne
F. Dom. des Loges à Gond
Bricot la Ville
l'Étoile
Neuvy
la Noue
Beauvais
les-Essarts-lès-Sézanne
Lachy
Chapton
Soizy-aux-Bois
Nécropole
Talus-St-Prix
la Villeneuve-lès-Charleville
Charleville
Corfélix
Boissy-le-Repos
le Thoult-Trosnay
Bergères-sous-Montmirail
Dolmen
Anc. Abb. le Reclus
Champguyon
Forêt Dom. du Gault
Morsains
Joiselle
Tréfols
le Gault-Soigny
Rieux
Montenils
Mécringes
Montmirail
Château de Beaumont
Vauchamps
Fromentières
Janvilliers
la Chapelle-sous-Orbais
Montmort-Lucy
la Caure
Corribert
Suizy-le-Franc
Orbais-l'Abbaye
Margny
Corrobert
Artonges
Fontenelle-en-Brie
Verdon
Montlevon
Pargny-la-Dhuys
Montigny-lès-Condé
Courboin
Condé-en-Brie
Celles-lès-Condé
St-Eugène
Connigis
Crézancy
Reuilly-Sauvigny
Passy-sur-Marne
Courthiézy
Nesle-le-Repons
Igny-Comblizy
la Chapelle-Monthodon
St-Agnan
Baulne-en-Brie
le Breuil
la Ville-sous-Orbais
Mareuil-en-Brie
Forêt de Vassy
N3
N4
D951
40
62
89

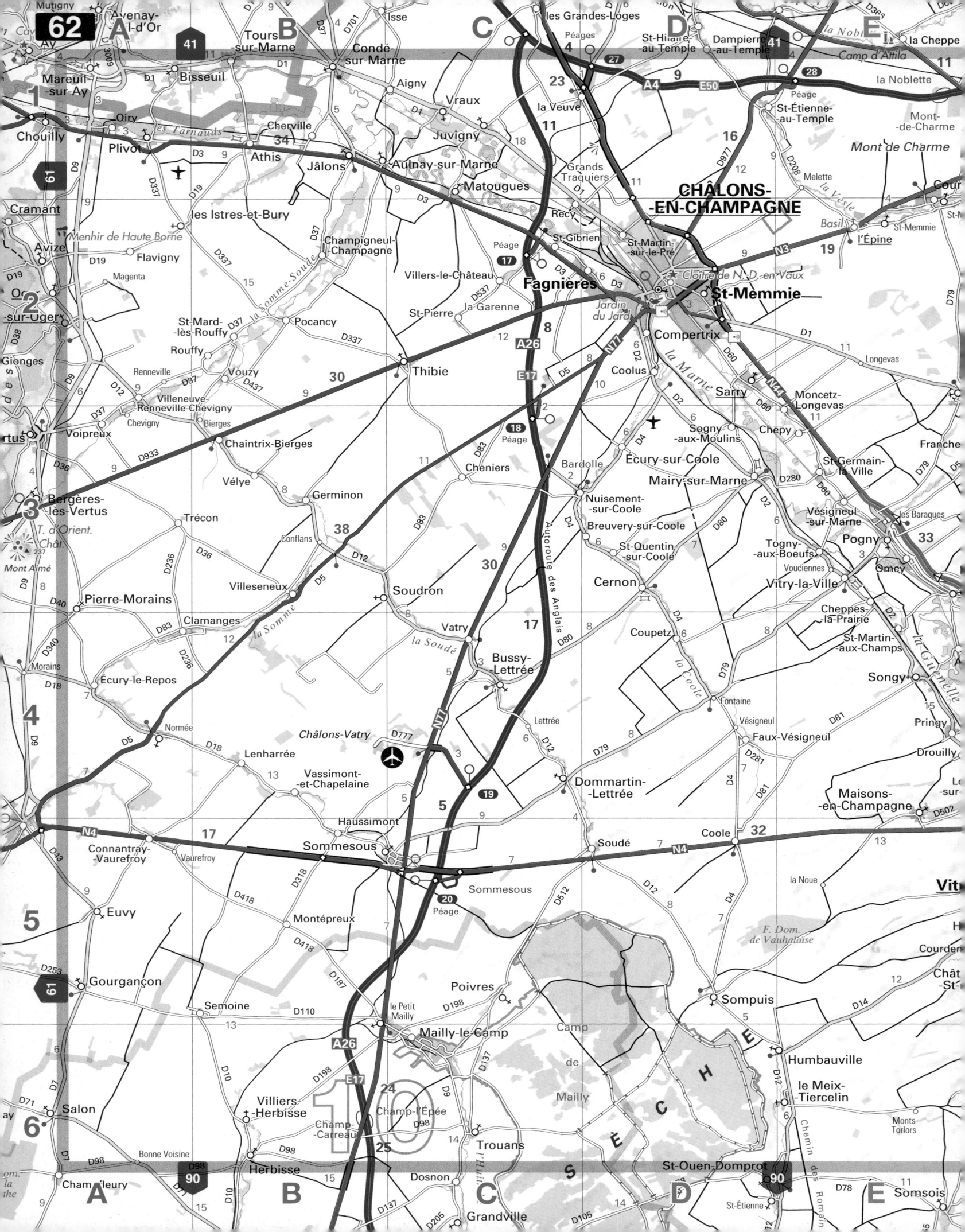

CHÂLONS-EN-CHAMPAGNE
Fagnières
St-Memmie
Compertrix
Coolus
Sarry
Thibie
Jâlons
Athis
Plivot
Chouilly
Cramant
Avize
Bergères-lès-Vertus
Mont Aimé
Pierre-Morains
Villeseneux
Soudron
Vatry
Bussy-Lettrée
Châlons-Vatry
Dommartin-Lettrée
Sommesous
Connantray-Vaurefroy
Euvy
Gourgançon
Salon
Herbisse
Villiers-Herbisse
Mailly-le-Camp
Poivres
Trouans
Camp de Mailly
Sompuis
Humbauville
le Meix-Tiercelin
Coole
Cernon
Écury-sur-Coole
Mairy-sur-Marne
Vitry-la-Ville
Pogny
Songy
Maisons-en-Champagne
l'Épine
Condé-sur-Marne
Tours-sur-Marne
Bisseuil
Mareuil-sur-Ay
Avenay-Val-d'Or
la Veuve
Juvigny
Vraux
Aulnay-sur-Marne
Matougues
Recy
St-Gibrien
St-Martin-sur-le-Pré
Chaintrix-Bierges
Vélye
Germinon
Trécon
Clamanges
Écury-le-Repos
Lenharrée
Vassimont-et-Chapelaine
Haussimont
Montépreux
Semoine
Champfleury
Dosnon
Grandville
St-Ouen-Domprot
Somsois
Autoroute des Anglais
Camp d'Attila
A26
A4
E17
N4
N44
N77
N3

F
G
H
J
K
Auve
St-Mard-sur-Auve
Rapsécourt
Dampierre-le-Château
Herpont
Tilloy-et-Bellay
Somme-Vesle
Poix
Dommartin-Varimont
Épense
Noirlieu
Somme-Yèvre
Moivre
Coupéville
le Fresne
St-Jean-sur-Moivre
Dampierre-sur-Moivre
Contault (Contault-le-Maupas)
St-Mard-sur-le-Mont
Bussy-le-Repos
Possesse
Vanault-le-Châtel
Vanault-les-Dames
Bassu
Aulnay-l'Aître
Lisse-en-Champagne
St-Amand-sur-Fion
Vavray-le-Petit
Val-de-Vière (Doucey)
Heiltz-le-Maurupt
Sogny-en-l'Angle
Bassuet
Vavray-le-Grand
Heiltz-l'Évêque
Jussecourt-Minecourt
Changy
Outrepont
le Buisson
Bignicourt-sur-Saulx
Étrepy
Pargny-sur-Saulx
Ponthion
Vitry-en-Perthois
Plichancourt
Brusson
Maurupt-le-Montois
Cheminon
Dompremy
Blesme
Reims-la-Brûlée
Favresse
St-Lumier-la-Populeuse
Scrupt
Haussignémont
Trois-Fontaines-l'Abbaye
Vauclerc
Frignicourt
Écriennes
Thiéblemont-Farémont
St-Vrain
Heiltz-le-Hutier
Vouillers
St-Eulien
Villiers-en-Lieu
Norrois
Matignicourt-Goncourt
Orconte
Perthes
ST-DIZIER
Chancenay
Bettancourt-la-Ferrée
Ancerville
Larzicourt
Ambrières
Moëslains
Valcourt
Arzillières-Neuville
St-Remy-en-Bouzemont-St-Genest-et-Isson
Gigny-Bussy (Gigny-aux-Bois)
Ste-Marie-du-Lac-Nuisement
Éclaron-Braucourt-Ste-Livière
Humbécourt
Givry-en-Argonne
Villers-en-Argonne
Braux-St-Remy
Sivry-Ante
Élise-Daucourt
Châtrices
Beaulieu-en-Argonne
Passavant-en-Argonne
Éclaires
Seuil-d'Argonne (Triaucourt-en-Argonne)
les Charmontois
Belval-en-Argonne
le Châtelier
Sommeilles
Noyers-Auzécourt (Noyers-le-Val)
Nettancourt
Charmont
Vernancourt
Laheycourt
Villotte-devant-Louppy
Louppy-le-Château
Villers-aux-Vents
Brabant-le-Roi
Laimont
Revigny-sur-Ornain
Vroil
Bettancourt-la-Longue
Villers-le-Sec
Rancourt-sur-Ornain
Alliancelles
Remennecourt
Contrisson
Vassincourt
Sermaize-les-Bains
Andernay
Mognéville
Couvonges
Beurey-sur-Saulx
Robert-Espagne
Lisle-en-Rigault
Baudonvilliers
Sommelon
Forêt de Belval
Forêt Dom. de Monthiers
Forêt Dom. de Trois-Fontaines
51
55

64
A
B
C
D
E
Lavoye
Autrécourt-sur-Aire
Souilly
Génicourt-sur-Meuse
Dommartin-la-Montagne
Ambly-sur-Meuse
Ranzières
Villers-sur-Meuse
Maison Forestière de Ravigny
Vaux-lès-Palameix
Fleury sur Aire
Waly
St-André-en-Barrois
Récourt-le-Creux
Tilly-sur-Meuse
Troyon
Cim. All.
Dompierre-aux-Bois
Foucaucourt-sur-Thabas
Nubécourt
Bulainville
Heippes
Rambluzin-et-Benoite-Vaux
Bouquemont
Seuzey
Èvres
Deuxnouds devant Beauzée
Mondrecourt
Benoite-Vaux
Woimbey
Lacroix-sur-Meuse
T.G.V. Est européen en construction
Beausite (Beauzée-sur-Aire)
Rignaucourt
Argonne -en-Argonne)
Les Trois-Domaines (Issoncourt)
Thillombois
Bannoncourt
Lamorville
Amblaincourt
Séraucourt
Pretz-en-Argonne
Sommaisne
Courcelles-sur-Aire
Neuville-en-Verdunois
Courouvre
Lahaymeix
Rouvrois-sur-Meuse
Spada
Senonville
Dompcevrin
Bourgogne
Vaubecourt
Chaumont-sur-Aire
Maizey
Rembercourt-Sommaisne (Rembercourt-aux-Pots)
Érize-la-Petite
Longchamps-sur-Aire
Pierrefitte-sur-Aire
Fresnes-au-Mont
les Paroches
Chauvoncourt
Falaises
St-Mihiel
Lamermont
Nécr. Nat.
Érize la Grande
Menonville
Anc. Abb.
Lisle-en-Barrois
Marat la Petite
Marat la Grande
Nicey-sur-Aire
Rupt-devant-St-Mihiel
Fontaine de la Vache
Les Hauts-de-Chée (Condé-en-Barrois)
Raival (Rosnes)
Ville-devant-Belrain
Bislée
Kœur-la-Grande
Ailly sur Meuse
Han-sur-Meuse
Louppy-sur-Chée
Génicourt sous Condé
Belrain
Érize-la-Brûlée
Villotte-sur-Aire
F. Dom. des Kœurs
Kœur-la-Petite
Gimécourt
Brasseitte
Seigneulles
Hargeville sur Chée
le Petit Rumont
Baudrémont
Courcelles-en-Barrois
Marbotte
Chardogne
Vavincourt
Rumont
Levoncourt
Sampigny
Mécrin
Châtc.
Bussy la Côte
Lavallée
Méril-aux-Bois
Pont-sur-Meuse
Érize-St-Dizier
Lignières-sur-Aire
Vadonville
Venise
Varney
Rembercourt
Rosières devant Bar
Voie Sacrée
Grimaucourt-près-Sampigny
Lérouville
Val-d'Ornain (Mussey)
Dagonville
Cousances aux Bois
Behonne
Naives-Rosières (Naives-devant-Bar)
F. Dom. de Ste-Geneviève
Malaumont
Cité Gérard
Fains-Véel (Fains-les-Sources)
Géry
BAR-LE-DUC
Cousances-lès-Triconville
Véel
Resson
Loisey-Culey
Morville
Chonville-Malaumont
Combles-en-Barrois
Savonnières-devant-Bar
Culey
Salmagne
Erneville-aux-Bois (Ernecourt)
Loxéville
Trémont-sur-Saulx
Longeville-en-Barrois
Silmont
la Belle Étoile
Domremy aux Bois
Forêt Dom. de Commercy
Guerpont
les Comble
Tannois
le Chêne
Willeroncourt
Nançois-le-Grand
Saulvaux (Saulx-en-Barrois)
Ville-sur-Saulx
Tronville-en-Barrois
Nançois-sur-Ornain
St-Aubin-sur-Aire
Ménil-la-Horgne
Brillon-en-Barrois
Velaines
Saudrupt
Ligny-en-Barrois
Montplonne
Vaux la Grande
Méligny-le-Grand
Haironville
Bannaucourt
Châtde la Varenne
Menhirs
Nant-le-Grand
Oëy
Braux
Bazincourt-sur-Saulx
Chanteraine (Morlaincourt)
Sommelonne
Maulan
Vaux la Petite
PLATEAU DU BARROIS
Rupt-aux-Nonains
Lavincourt
Nant-le-Petit
Chennevières
Méligny-le-Petit
Naives-en-Blois
Châtde Choiseul
Givrauval
la Saulx
Stainville
Menaucourt
Boviolles
Longeaux
Marson-sur-Barboure
Bovée-sur-Barboure
la Houpette
Charmois
Nantois
Naix-aux-Forges
Broussey-en-Blois
Aulnois-en-Perthois
Ménil-sur-Saulx
Sites archéologiques
Reffroy
Fouchères-aux-Bois
Anc. Abb. de Jovilliers
Villers-le-Sec
St-Amand-sur-Ornain
Villeroy-sur-Méholle
Cousancelles
Cousances-les-Forges
le Bouchon-sur-Saulx
Forêt Dom. de Ligny-en-Barrois
Tréveray
Chamouilley
la Grande Ferté
St-Joire
Mauvages
Savonnières-en-Perthois
Juvigny-en-Perthois
Hévilliers
Laneuville
Dammarie-sur-Saulx
Demange-aux-Eaux
Narcy
Brauvilliers
Couvertpuis
Morley
Baudignécourt
Delouze
N35
N4
N135
D964
D994
D902
55
MEUSE

Thillot
Avillers-Ste-Croix
Dampvitoux
Waville
Onville
Vandelainville
Arnaville
St-Maurice-sous-les-Côtes
St-Julien-lès-Gorze
Bayonville-sur-Mad
Billy sous les Côtes
Haumont lès Lachaussée
Dommartin-la-Chaussée
Villecey-sur-Mad
Marieulles
Viéville sous les Côtes
Charey
Pagny-sur-Moselle
Arry
Lorry-Mardigny
Hattonchâtel
Hattonville
St-Benoît en Woëvre
Rembercourt-sur-Mad
Prény
Xammes
Vittonville
Vigneulles-lès-Hattonchâtel
Jaulny
Beney-en-Woëvre
Vandières
Bouxières-sous-Froidmont
Thiaucourt-Regniéville
Champey-sur-Moselle
Anc. Abb. de l'Étanche
Abb. de Ste Marie-aux-Bois
Creuë
Lamarche en Woëvre
Villers-sous-Prény
Chaillon
Bouillonville
Viéville-en-Haye
Norroy-lès-Pont-à-Mousson
Lesménils
Nonsard-Lamarche
Pannes
Vilcey-sur-Trey
Signal de Xon
Bois du Jure
Valbois (Varvinay)
Heudicourt-sous-les-Côtes
Euvezin
Anc. Abb. des Prémontrés
Base de Loisirs
Essey-et-Maizerais
Pont-à-Mousson
Mousson
Savonnières-en-Woëvre
Buxières-sous-les-Côtes
Lac de Madine
Mais. du Parc
Butte de Mousson
Buxerulles
Maizerais
Ansoncourt
Fey-en-Haye
Atton
Woinville
Mémorial Américain
Montauville
Maidières
Pl. Duroc
Limey-Remenauville
Mamey
Blénod-lès-Pont-à-Mousson
Ste-Geneviève
Butte de Montsec
Montsec
Lahayville
St-Baussant
Richecourt
Flirey
Lironville
Gouffre
Loisy
Jezainville
Loupmont
l'Obrion
Bezaumont
Varnéville
Seicheprey
Nécr. Nat.
Suisse Lorraine
Scarpone Anc. cité Gallo-Romaine
Xivray-et-Marvoisin
Nanzéville
St-Jean
Martincourt
Ville-au-Val
Apremont-la-Forêt
Rambucourt
Beaumont
Bernécourt
Châl. de Pierrefort
Gézoncourt
Dieulouard
Bouconville-sur-Madt
Mandres-aux-Quatre-Tours
Noviant-aux-Prés
Manonville
Site de la Vallée d'Esch
Griscourt
Autreville-sur-Moselle
St-Agnant-sous-les-Côtes
Grosrouvres
Domèvre-en-Haye
Villers-en-Haye
Belleville
Millery
Hamonville
Broussey-Raulecourt (Broussey-en-Woëvre)
Rogéville
Liouville
Ansauville
Minorville
Raulecourt
Varin Chanot
St-Georges
Marbache
Tremblecourt
Custines
Girauvoisin
Frémeréville-sous-les-Côtes
Rosières-en-Haye
Saizerais
Forêt Dom. de la Reine
Manoncourt-en-Woëvre
Gironville-sous-les-Côtes
Avrainville
Toulaire
Pompey
la Champagne
Geville (Jouy-sous-les-Côtes)
Sanzey
Royaumeix
Vignot
la Tuilerie
Andilly
le Nid
Frouard
Ménil-la-Tour
Jaillon
Commercy
Cornieville
Anc. Abb. de Rangéval
Cim. All. d'Andilly
Liverdun
Le Grand Bois
Euville
Aingeray
Boucq
Bouvron
Champigneulles
Aulnois sous Vertuzey
Lagney
Francheville
Villey-St-Étienne
NANCY
Ville-Issey
Vertuzey
le Rosoir
Sexey-les-Bois
Issey
Lucey
Fontenoy-sur-Moselle
Forêt
St-Martin
la Meuse
Trondes
le Faux Moulin
Velaine-en-Haye
Bruley
Chap. du Cimetière
Parc d'Attractions
Sorcy-St-Martin
Troussey
Laneuveville-derrière-Foug
Mont St-Michel
la Poste de Velaine
la Barisienne
la Croix-de-Metz
Gondreville
Pagney-derrière-Barine
Domaniale
Void-Vacon
Foug
Écrouves
Grandmesnil
Forêt de Haye
Toul
Pagny-sur-Meuse
Enc. Fortifiée
Fays
Lay-St-Remy
Villey-le-Sec
Clairlieu
Dommartin-lès-Toul
de Haye
Ourches-sur-Meuse
Toul-Dommartin
Toul-Chaudeney
Ensemble Fortifié
Choloy-Ménillot
Chaudeney-sur-Moselle
Train touristique
Trou de Ste-Reine
St-Germain-sur-Meuse
Maron
Chavigny
Val de Passey
Site de Vaux
Pierre-la-Treiche
Chaligny
Ugny-sur-Meuse
Domgermain
Sexey-aux-Forges
Sauvoy
Gombervaux
Château
Charmes-la-Côte
Péage
Bicqueley
Neuves-Maisons
Rigny-la-Salle
Gye
Pont-St-Vincent
Messein
Forêt de Vaucouleurs
Tusey
Rigny-St-Martin
Mont-le-Vignoble
Moutrot
Bainville-sur-Madon
Vaucouleurs
Chalaines
Blénod-lès-Toul
Viterne
Maizières
Crézilles
Neuville-lès-Vaucouleurs
Gibeaumeix
Bulligny
Ochey
Thuilley-aux-Groseilles
Xeuilley
Montigny-lès-Vaucouleurs
Gruffe
Marthemont
Burey-en-Vaux
Chap. du Vieux-Astre
PARC NAT. RÉG. DE LORRAINE
Côtes de Moselle
la Moselle
Cim. All.
Cim. Am.
54

66
A
B
C
D
E
1
2
3
4
5
6
Rémilly
Adaincourt
N.-D. de la Pitié
Many
Thicourt
Boustroff
Chérisey
Liéhon
Beux
Han-sur-Nied
Herny
Viller
Coin-sur-Seille
Pommérieux
Silly-en-Saulnois
Thonville
Eincheville
Sillegny
Goin
Buchy
Luppy
Béchy
Vatimont
Arraincourt
Brulange
Metz-Nancy-Lorraine
Flocourt
St-Epvre
Holacourt
Suisse
Landroff
Pagny-lès-Goin
Vigny
Solgne
Ancy-lès-Solgne
Tragny
Baudrecourt
Lesse
Chenois
Louvigny
Destry
Froidmont
Thimonville
Secourt
Morville-sur-Nied
Lucy
Baronville
Cheminot
St-Jure
Sailly-Achâtel
Moncheux
Marthille
Morhange
Villers-sur-Nied
Ossuaire
Juville
Bacourt
Vulmont
Raucourt
Frémery
Chicourt
Bréhain
Achain
Pévange
Éply
Mailly-sur-Seille
Foville
Liocourt
Prévocourt
Bellange
Morville-sur-Seille
Phlin
Thézey-St-Martin
Xocourt
Tincry
Hannocourt
Oron
Château-Bréhain
Haboudange
Riche
Rouves
Abaucourt
Alaincourt-la-Côte
Puzieux
Viviers
Dalhain
Clémery
Nomeny
Delme
Fonteny
Vannecourt
Létricourt
Craincourt
Donjeux
Laneuveville-en-Saulnois
Burlioncourt
Sotzeling
Lemoncourt
Vaxy
Puttigny
Château-Voué
Aulnois-sur-Seille
Oriocourt
Obreck
Chenicourt
Gerbécourt
Fossieux
Amelécourt
Lubécourt
Hampont
Bezaumont
Landremont
Ajoncourt
Malaucourt-sur-Seille
Arraye-et-Han
Jallaucourt
Fresnes-en-Saulnois
Château-Salins
Jeandelaincourt
Belleau
Sivry
Manhoué
Moivrons
Armaucourt
Morville-lès-Vic
Haraucourt-sur-Seille
Aboncourt-sur-Seille
Bratte
Millery
Villers-lès-Moivrons
Lanfroicourt
Grémecey
Salonnes
PARC NATU
Marsal
Bey-sur-Seille
Montenoy
Leyr
Bioncourt
Attilloncourt
Chambrey
Vic-sur-Seille
Malleloy
Custines
Faulx
Brin-sur-Seille
Moyenvic
Pettoncourt
Juvelize
Bouxières-aux-Chênes
Lezey
Xanrey
Moncel-sur-Seille
Mazerulles
Frouard
Bouxières-aux-Dames
Eulmont
Amance
Bezange-la-Grande
Juvrecourt
Bezange-la-Petite
Laître-sous-Amance
Sornéville
Lay-St-Christophe
Dommartin-sous-Amance
Champenoux
Arracourt
Champigneulles
Agincourt
Erbéviller-sur-Amezule
Réchicourt-la-Petite
Laneuvelotte
Athienville
NANCY
Dommartemont
SEICHAMPS
Velaine-sous-Amance
Hoéville
Coincourt
MALZÉVILLE
Essey-lès-Nancy
Réméréville
Bathelémont-lès-Bauzemont
Bures
Maxéville
ST-MAX
Pulnoy
Cerville
Serres
Parroy
Laxou
Courbesseaux
Valhey
Saulxures-lès-Nancy
Gellenoncourt
Bauzemont
Hénaménil
TOMBLAINE
Villers-lès-Nancy
JARVILLE-LA-MALGRANGE
Buissoncourt
Drouville
Lenoncourt
Einville-au-Jard
Raville-sur-Sânon
Vandœuvre-lès-Nancy
Haraucourt
Art-sur-Meurthe
Laneuveville-devant-Nancy
Heillecourt
Houdemont
Maixe
Bienville-la-Petite
Crion
Crévic
Sionviller
Varangéville
Sommerviller
Bonviller
Fléville-devant-Nancy
ST-NICOLAS-DE-PORT
Dombasle-sur-Meurthe
Deuxville
Ludres
Ville-en-Vermois
Jolivet
Croismare
Chanteheux
Lupcourt
Hudiviller
Vitrimont
Lunéville
Marainviller
Messein
Manoncourt-en-Vermois
Richardménil
Coyviller
Rosières-aux-Salines
Moncel-lès-Lunéville
Azelot
Anthelupt
Méréville
Burthecourt-aux-Chênes
la Forêt de Mondon
Flavigny-sur-Moselle
Damelevières
Hériménil
Frolois
Vigneulles
Rehainviller
Ferrières
Saffais
Barbonville
Blainville-sur-l'Eau
Mont-sur-Meurthe
Laronxe
Pierreville

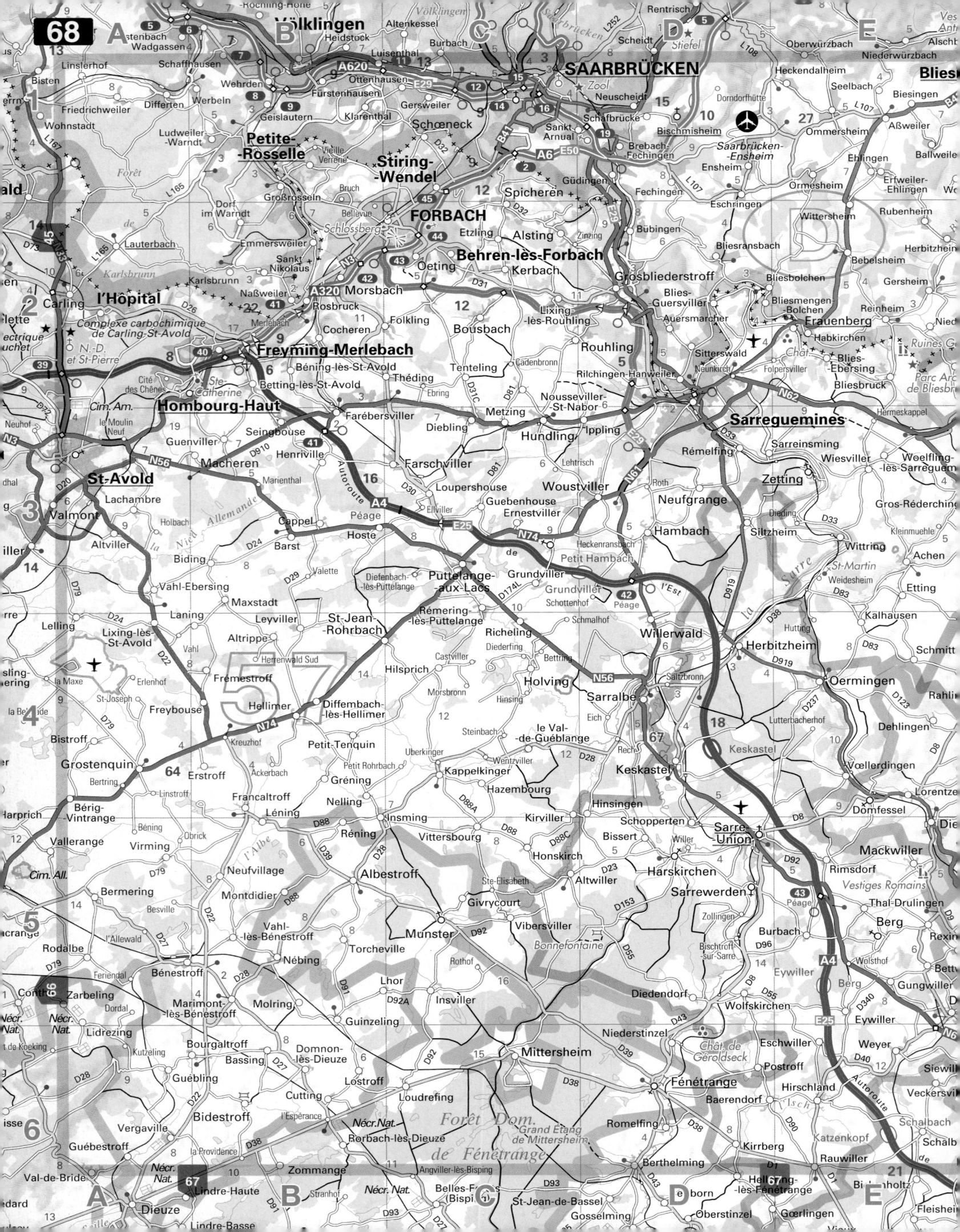
68
A
B
C
D
E
Völklingen
Altenkessel
Heidstock
Luisenthal
Burbach
Rentrisch
Scheidt
Stiefel
Oberwürzbach
Niederwürzbach
Wadgassen
Schaffhausen
Linslerhof
Bisten
Wehrden
Fürstenhausen
Ottenhausen
SAARBRÜCKEN
Zool
Neuscheidt
Heckendalheim
Seelbach
Biesingen
Bliesi
Friedrichweiler
Differten
Werbeln
Geislautern
Klarenthal
Gersweiler
Dorndorfhütte
Schafbrücke
Bischmisheim
Ommersheim
Aßweiler
Wohnstadt
Ludweiler-Warndt
Petite-Rosselle
Vieille Verrerie
Schœneck
Sankt Arnual
Brebach-Fechingen
Saarbrücken-Ensheim
Ensheim
Ehlingen
Ballweiler
Erfweiler-Ehlingen
Forêt
Stiring-Wendel
Spicheren
Güdingen
Fechingen
Eschringen
Ormesheim
Dorf im Warndt
Großrosseln
Bruch
Bellevue
FORBACH
Schlossberg
Etzling
Alsting
Zinzing
Bübingen
Wittersheim
Rubenheim
Lauterbach
Emmersweiler
Sankt Nikolaus
Oeting
Behren-lès-Forbach
Kerbach
Bliesransbach
Bebelsheim
Herbitzheim
Karlsbrunn
Naßweiler
Morsbach
Grosbliederstroff
Bliesbolchen
Gersheim
Carling
l'Hôpital
Rosbruck
Blies-Guersviller
Bliesmengen-Bolchen
Reinheim
Complexe carbochimique de Carling-St-Avold
Merlebach
Cocheren
Folkling
Bousbach
Lixing-lès-Rouhling
Auersmacher
Frauenberg
N.-D. et St-Pierre
Freyming-Merlebach
Rouhling
Sitterswald
Habkirchen
Ruines
Blies-Ebersing
Béning-lès-St-Avold
Théding
Tenteling
Cadenbronn
Rilchingen-Hanweiler
Neunkirch
Folpersviller
Bliesbruck
Parc Arc. de Bliesbruck
Cité des Chênes
Ste-Catherine
Betting-lès-St-Avold
Ebring
Nousseviller-St-Nabor
Hombourg-Haut
Cim. Am.
le Moulin Neuf
Neuhof
Farébersviller
Diebling
Metzing
Hundling
Ippling
Sarreguemines
Hermeskappel
Guenviller
Seingbouse
Sarreinsming
Wiesviller
Woelfling-lès-Sarreguem
Macheren
Henriville
Farschviller
Lehtrisch
Rémelfing
St-Avold
Marienthal
Autoroute
Loupershouse
Woustviller
Roth
Zetting
Lachambre
Guebenhouse
Ernestviller
Neufgrange
Gros-Réderching
Valmont
Holbach
Nied Allemande
Cappel
Péage
Ellviller
Dieding
Altviller
Hoste
Hambach
Siltzheim
Kleinmuehle
Barst
Heckenransbach
Wittring
Biding
Valette
Petit Hambach
Achen
St-Martin
Diefenbach-lès-Puttelange
Puttelange-aux-Lacs
Grundviller
l'Est
Weidesheim
Vahl-Ebersing
Maxstadt
Schottenhof
Etting
Laning
Leyviller
Rémering-lès-Puttelange
Richeling
Schmalhof
Kalhausen
Lelling
Lixing-lès-St-Avold
Vahl
Altrippe
St-Jean-Rohrbach
Diederfing
Willerwald
Hutting
Herbitzheim
Schmitt
Herrenwald Sud
Castviller
Bettring
la Maxe
Frémestroff
Hilsprich
Holving
Saltzbronn
Oermingen
Rahling
St-Joseph
Erlenhof
Morsbronn
Hinsing
Sarralbe
Freybouse
Hellimer
Diffembach-lès-Hellimer
Eich
Lutterbacherhof
Dehlingen
Steinbach
le Val-de-Guéblange
Keskastel
Bistroff
Kreuzhof
Petit-Tenquin
Uberkinger
Wentzviller
Rech
Grostenquin
Erstroff
Petit Rohrbach
Kappelkinger
Vœllerdingen
Bertring
Ackerbach
Gréning
Hazembourg
Linstroff
Lorentzen
Bérig-Vintrange
Francaltroff
Nelling
Hinsingen
Harprich
Léning
Insming
Kirviller
Schopperten
Domfessel
Béning
Réning
Vittersbourg
Bissert
Sarre-Union
Willer
Vallerange
Obrick
Virming
Honskirch
Harskirchen
Mackwiller
Rimsdorf
Neufvillage
Albestroff
Ste-Elisabeth
Altwiller
Vestiges Romains
Cim. All.
Bermering
Montdidier
Givrycourt
Sarrewerden
Thal-Drulingen
Besville
Zollingen
Berg
Vahl-lès-Bénestroff
Munster
Vibersviller
Burbach
Torcheville
Bonnefontaine
Bischtroff-sur-Sarre
Rodalbe
l'Allewald
Rexin
Nébing
Wolsthof
Feriendal
Bénestroff
Rothof
Eywiller
Betti
Zarbeling
Lhor
Dordal
Marimont-lès-Bénestroff
Molring
Insviller
Diedendorf
Gungwiller
Nécr. Nat.
Guinzeling
Wolfskirchen
Lidrezing
Niederstinzel
Bourgaltroff
Kutzeling
Domnon-lès-Dieuze
Mittersheim
Eschwiller
Weyer
Basing
Chât. de Géroldseck
Postroff
Guébling
Lostroff
Fénétrange
Hirschland
Veckersvi
Cutting
Loudrefing
Baerendorf
Bidestroff
l'Espérance
Forêt Dom.
de Fénétrange
Grand Étang de Mittersheim
Romelfing
Schalbach
Vergaville
Katzenkopf
Schalb
Guébestroff
la Providence
Rorbach-lès-Dieuze
Kirrberg
Berthelming
Rauwiller
Val-de-Bride
Zommange
Angviller-lès-Bisping
Hellering-lès-Fénétrange
Lindre-Haute
Stranhof
Belles-Forêts (Bisping)
St-Jean-de-Bassel
Oberstinzel
Gœrlingen
Fleishei
Dieuze
Gosselming
Lindre-Basse
Autoroute
A620
A6
E50
A320
E29
N3
N56
N74
N61
N62
A4
E25
D33
D38
D83
D919
D123
D237
D8
D92
D96
D55
D43
D39
D38
D40
D340
D1
D93
D91
D22
D79
D24
D29
D910
D30
D81
D31
D31C
D32
D26
D174L
D28
D88
D88A
D88C
D23
D153
D27
D92A
D27
D20
D72
D73
L107
L108
L165
L167
L252
57
67
66
1
2
3
4
5
6

Zweibrücken
Bubenhausen
Ixheim
Wattweiler
Mimbach
Rimschweiler
Mittelbach
Hengstbach
Althornbach
Breitfurt
Hornbach
Dietrichingen
Großsteinhausen
Kleinsteinhausen
Walshausen
Windsberg
Nünschweiler
Höhmühlbach
Stambach
Dellfeld
Petersberg
Fehrbach
Hengsberg
Gersbach
Pirmasens
Winzeln
Niedersimten
Ruhbank
Lemberg
Ruppertsweiler
Neuhof
Siedlung am Sommerwald
Münchweiler an der Rodalbe
Riegelbrunnen
Hinterweidenthal
Salzwoog
Dahn
Pfälzer Wald
Bottenbach
Mauschbach
Riedelberg
Stausteinerhof
Erlenbrunn
Ober Simten
Vinningen
Langmühle
Böckweiler
Altheim
Bliesdalheim
Neualtheim
Seyweiler
Brenschelbach
Schweyen
Rolbing
Ohrenthal
Dorst
Walschbronn
Kröppen
Hochstellerhof
Glashütte
Ketterrichhof
Peppenkum
Riesweiler
Loutzviller
Medelsheim
Ormersviller
Eschviller
Breidenbach
Waldhouse
Schweix
Trulben
Hilst
Hohelist
Volmunster
Utweiler
Epping
Olsberg
Bousseviller
Liederschiedt
Eppenbrunn
Gailbach
Erching
Weiskirch
Lengelsheim
Hanviller
Roppeviller
Fischbach bei Dahn
Guiderkirch
Rimling
Urbach
Nousseviller-lès-Bitche
Bersiederhof
Schwingmuehle
Haspelschiedt
Schöntal
Ludwigswinkel
Petersbächel
Schönau-Pfalz
Bettviller
Hottviller
Kapellenhof
Schorbach
Camp de Bitche
Belvédère
Sturzelbronn
Gebüg
Wengelsbach
Hirschthal
Guising
Hoelling
Fort de Simserhof
Judenhof
Fort Casso
Petit-Réderching
Holbach
Bitche
Citad.
Forêt Dom. de Sturzelbronn
Hardt
Châtelet de Lutzelhardt
Châtelet de Wasigenstein
Châtelet du Petit-Arnsbourg
Obersteinbach
Niedersteinbach
Rohrbach-lès-Bitche
Meyerhof
Siersthal
Lambach
Reyersviller
L. de Hasselfurt
Bining
Glasenberg
Schwangerbach
Éguelshardt
Neudoerfel
Châtelet de Schœneck
Neunhoffen
Ligne Maginot
Châtelet de Wineck
Disteldorf
Guisberg
Enchenberg
Forêt Domaniale de Lemberg
Forêt Domaniale de Mouterhouse
Tour
Waldeck
Châtelet de Falkenstein
Etg de Hanau
Dambach
Châtelet du Vieux-Windstein
Unterste Muehle
Lemberg
Bannstein
Lieschbach
Châtelet de Hohenfels
Wineckerthal
Windstein
La Verrerie
Châtelet du Nouveau-Windstein
Montbronn
Philippsbourg
VOSGES DU NORD
Grand Wintersberg
Jaegerthal
Langensoultzbach
St-Louis-lès-Bitche
Mouterhouse
Ramstein
Baerenthal
Dom. de Hanau
Villa Reisack
Nehwiller
Goetzenbruck
PARC NATUREL RÉGIONAL DES VOSGES DU NORD
Meisenthal
Speckbronn
Butten
Soucht
Althorn
Melch
Obermuehlthal
Châtelet de Wasenbourg
Niederbronn-les-Bains
Ratzwiller
La Pierre des Douze Apôtres
Châtelet de Grand-Arnsbourg
Oberbronn
Cim. All.
Frœschwiller
Dieffenbach-lès-Wœrth
Oberdorf-Spachbach
Volksberg
Kohlhutte
Wildenguth
Forêt Domaniale d'Ingwiller
Reipertswiller
Reichshoffen
Fantasialand
Eberbach
Schirlenhof
Rosteig
Heideneck
Zinswiller
Weislingen
Johannesberg
Wingen-sur-Moder
Lichtenberg
Gumbrechtshoffen
Morsbronn-les-Bains
Puberg
la Moder
Frohmuhl
Hinsbourg
Wimmenau
Rothbach
Offwiller
Gundershoffen
Forstheim
Tieffenbach
Zittersheim
Bischholtz
Uttenhoffen
Engwiller
Hegeney
Griesbach
Moderfeld
Les Quatre Vents
Uhrwiller
Mietesheim
Laubach
Struth
Mulhausen
Eschbach
Asswiller
Erckartswiller
Sparsbach
Ingwiller
Niefern
Kindwiller
Mertzwiller
Petersbach
Schillersdorf
Bitschhoffen
Weinbourg
Menchhoffen
la Walck
Uberach
La Petite-Pierre
la Petite Pierre
Maison du Parc
Obersoultzbach
Zutzendorf
Niedermodern
Anc. Abb.
Lohr
Weiterswiller
Uttwiller
Pfaffenhoffen
Neubourg
Dom. de la Petite Pierre
Niedersoultzbach
Obermodern-Zutzendorf
Dauendorf
Kohlthalerhof
Johannisthal
Schœnbourg
Bouxwiller
Schalkendorf
Ringeldorf
Morschwiller
Uhlwiller
Buswiller
Grassendorf
Niederaltdorf
Schweighouse-sur-Moder
Bust
Maisons Troglodytes
Neuwiller-lès-Saverne
Griesbach-le-Bastberg
Kirrwiller-Bosselshausen
Ettendorf
Ohlungen
Riedheim
Ringendorf
Keffendorf
Graufthal
Hangviller
Eschbourg
Dossenheim-sur-Zinsel
Imbsheim
Bosselshausen
Issenhausen
Huttendorf
Wintershouse
Pfalzweyer
Thomasthal
Zœbersdorf
Lixhausen
Alteckendorf
Berstheim
Berling
Zinsel du Sud
Châtelet Fort
Printzheim
Wickersheim-Wilshausen
Wittersheim
Batzendorf
Vescheim
Ernolsheim-lès-Saverne
Hattmatt
Geiswiller
Minversheim
Péage
Hochstett
Vilsberg
St-Michel
Gottesheim
Bossendorf
Wahlenheim
Bernolsheim
Quatre
La Maison Rouge
A8
B10
B424
B427
N62
D35
D620
D919

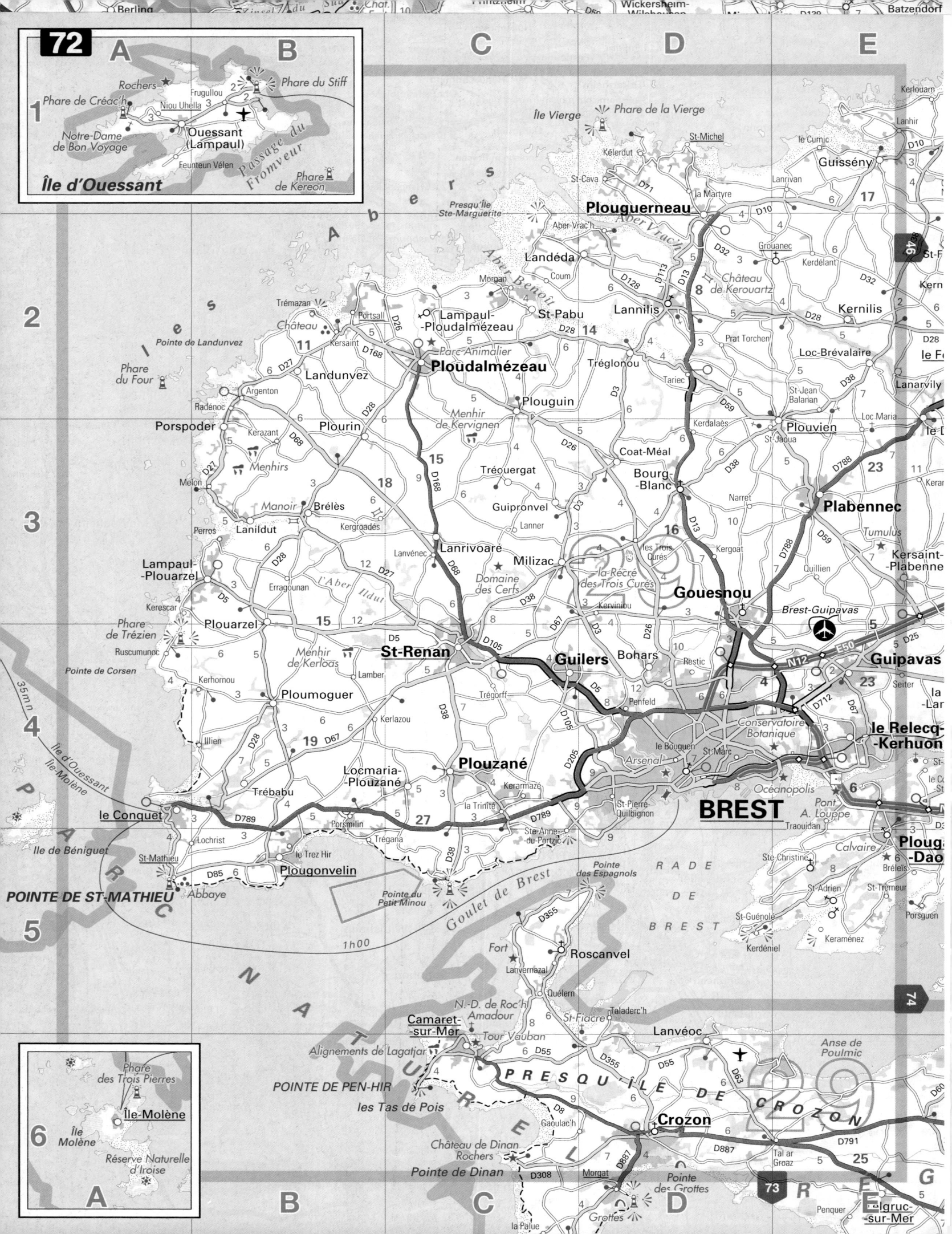

72
A
B
C
D
E
1
2
3
4
5
6
Île d'Ouessant
Rochers
Phare du Stiff
Phare de Créac'h
Frugullou
Niou Uhella
Ouessant (Lampaul)
Notre-Dame de Bon Voyage
Passage du Fromveur
Feunteun Vélen
Phare de Kereon
Île Vierge
Phare de la Vierge
St-Michel
Kelerdut
St-Cava
la Martyre
Plouguerneau
Presqu'île Ste-Marguerite
Abers
Aber-Vrac'h
Aber Vrac'h
Landéda
Coum
Aber Benoît
Morgan
St-Pabu
Lannilis
Grouanec
Kerdélant
Château de Kerouartz
le Curnic
Lanhir
Kerlouarn
Guissény
Lanrivan
Kernilis
Kern
Trémazan
Portsall
Château
Lampaul-Ploudalmézeau
Parc Animalier
Kersaint
Pointe de Landunvez
Ploudalmézeau
Landunvez
Phare du Four
Argenton
Radénoc
Tréglonou
Prat Torchen
Tariec
Loc-Brévalaire
Lanarvily
Plouguin
Porspoder
Plourin
Menhir de Kervignen
Kerdalaès
St-Jean Balanan
Plouvien
St-Jaoua
Loc Maria
Kerazant
Menhirs
Coat-Méal
Bourg-Blanc
Melon
Tréouergat
Narret
Plabennec
Manoir
Brélès
Guipronvel
Kergroadès
Perros
Lanildut
Lanner
Tumulus
Lanrivoaré
Lanvénec
Milizac
les Trois Curés
la Récré des Trois Curés
Kergoat
Kersaint-Plabennec
Quillien
Lampaul-Plouarzel
Erragounan
L'Aber Ildut
Domaine des Cerfs
Gouesnou
Kerescar
Kerviniou
Brest-Guipavas
Phare de Trézien
Plouarzel
Ruscumunoc
Pointe de Corsen
Menhir de Kerloas
St-Renan
Guilers
Bohars
Restic
Guipavas
Lamber
Trégorff
Seiter
Kerhornou
Ploumoguer
Penfeld
la Forest-Landerneau
Kerlazou
Conservatoire Botanique
le Relecq-Kerhuon
Illien
le Bouguen
St-Marc
Arsenal
Plouzané
Locmaria-Plouzané
Kerarmazé
Océanopolis
Île d'Ouessant Île-Molène
Trébabu
la Trinité
St-Pierre-Quilbignon
BREST
Pont A. Louppe
le Conquet
Porsmilin
Trégana
Ste-Anne-du-Portzic
Traouidan
Lochrist
Ile de Béniguet
le Trez Hir
Calvaire
Plougastel-Daoulas
St-Mathieu
Plougonvelin
Ste-Christine
Pointe des Espagnols
RADE DE BREST
Brélès
Abbaye
POINTE DE ST-MATHIEU
Pointe du Petit Minou
Goulet de Brest
St-Adrien
St-Tremeur
Porsguen
Ile de Béniguet
PARC NATUREL
St-Guénolé
Kerdéniel
Keraménez
1h00
35mn
Fort
Roscanvel
Lanvernazal
Quélern
N.-D. de Roc'h Amadour
Camaret-sur-Mer
Tour Vauban
St-Fiacre
Taladerc'h
Lanvéoc
Anse de Poulmic
Alignements de Lagatjar
PRESQU'ÎLE DE CROZON
POINTE DE PEN-HIR
les Tas de Pois
Gaoulac'h
Crozon
Tal ar Groaz
Château de Dinan
Rochers
Pointe de Dinan
Morgat
Pointe des Grottes
Grottes
la Palue
Penquer
Telgruc-sur-Mer
Phare des Trois Pierres
Île-Molène
Île Molène
Réserve Naturelle d'Iroise
Brest-Guipavas
Plouvien
46
73
74
D789
D5
D105
D205
D38
D67
D28
D27
D68
D168
D26
D3
D13
D59
D788
D32
D10
D128
D113
D71
D712
D85
D355
D55
D8
D887
D308
D63
D791
N12
E50

72

74

des Grottes

Penq
Porslous

Lézard

1

Pentrez-Plage

la Palue
Grottes
St-Hernot   **M**   Maison
des Minéraux

D255

Rostudel

Cap
de la Chèvre

B A I E

D E

D O U A R N E N E Z

Pointe de Leydé

St-Jean

2

Douarne

Pointe du Van
St-They

Pointe de
Brézellec

Réserve
du Cap Sizun

Pors-Péron

Quillouarn

Tréboul

Ploaré

Baie
des Trépassés

Kermeur   9

3

4   D7

Beuzec-
Cap-Sizun

5

Notre-Dame
de Kérínec

Poullan-
sur-Mer

8   D7

Phare
de la Vieille

D7

Cléden-
Cap-Sizun

Goulien

Moulin-
Castel

D43

Kerfinidan

D143

POINTE DU RAZ

Lescoff

4

3

D43

Quatre-Vents

6

D43A

D765

Pont-Croix

23

D307

9

3

D765

C   O   R   N

Plogoff

D784

15   11

Toulemonde

7

D43

6

Confort-
Meilars

Mahalon

D43   6

Poulgerga

3

Pennéac'h

Primelin

St-Tugen

Esquibien

Aquarium

Audierne

D2

3

D243

7

Guiler-
sur-Goyen

le Goy

le Pouldu

Trébeuzec

7

Plouhinec

11

D784

6

4

la Trinité

8

Kerlaéron

4

Landudec

D784

Plozévet

Kerstridic

D143

B A I E

Menhir

8

D2

Kerbascol

Lababan

5

D40

Pouldreuzic

6   D40

Plogaste
St-Germ

Kervéyen

57

4

D' A U D I E R N E

Penhors

D40

5

24

Zoo de la
Pommeraie

St-José

Peumérit

5

Tréogat

2

Plovan

4

D2

Plonéour-
Lanvern

Rés. Nat.

Étang
de Trunvel

Tréguennec

D156

Notre-Dame
de Tronoën

Calvaire

St-Jean-
Trolimon

5

Mar
de Tr

5

N.
Trê

Beuzec

98

D78

Pointe de
la Torche

Plomeur

12

D78

St-Guénolé

la Madeleine

Menhir

Dolmen

D57

3

Notre-Dame
de la Joie

Phare d'Eckmühl

3

D785

D53

4

Penmarch

**POINTE
DE PENMARC'H**

St-Pierre

Kerity

8

Guilvinec

Léchiagat

6

Île de Sein

Île-
de-Sein

A

A

Plougastel-Daoulas
Daoulas
Loperhet
Irvillac
Hôpital-Camfrout
Logonna-Daoulas
Hanvec
St-Eloy
St-Rivoal
Landévennec
le Faou
Brasparts
Lopérec
CROZON
Argol
Trégarvan
Rosnoën
Pont-de-Buis-lès-Quimerch
St-Ségal
Telgruc-sur-Mer
Ménez Hom
Dinéault
Pleyben
St-Nic
Châteaulin
BAIE DE DOUARNENEZ
Plomodiern
Ploéven
Cast
Gouézec
Plonévez-Porzay
Quéménéven
Douarnenez
Kerlaz
Locronan
Briec
Edern
Poullan-sur-Mer
Plogonnec
Landrévarzec
Confort-Meilars
Mahalon
Pouldergat
Guengat
Landudal
Guiler-sur-Goyen
Gourlizon
Plonéis
QUIMPER
Landudec
Plogastel-St-Germain
Pluguffan
Ergué-Gabéric
Pouldreuzic
Peumérit
Tréogat
Plomelin
St-Évarzec
St-Yvy
MONTS D'ARRÉE
RÉGION NAL
CORNOUAILLE

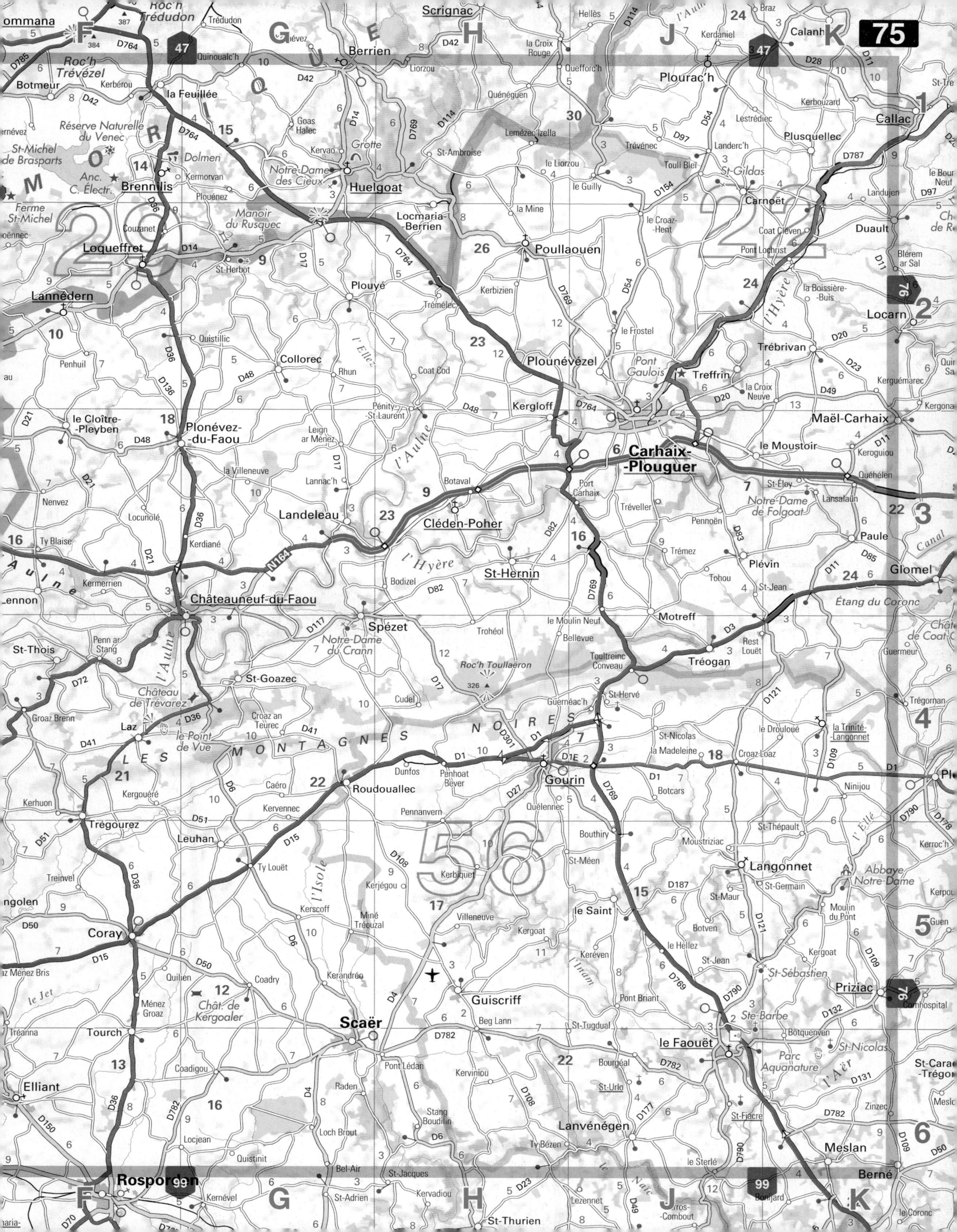
Scrignac
Roc'h Trédudon
Berrien
Roc'h Trévézel
Botmeur
la Feuillée
Plourac'h
Callac
Réserve Naturelle du Venec
St-Michel de Brasparts
Brennilis
Huelgoat
Notre-Dame des Cieux
Grotte
Dolmen
Manoir du Rusquec
Loqueffret
St-Herbot
Locmaria-Berrien
Poullaouen
Carnoët
Duault
Plusquellec
Lannédern
Plouyé
Tréméac
Locarn
Trébrivan
Collorec
Coat Cod
Plounévézel
Pont Gaulois
Treffrin
Kergloff
Carhaix-Plouguer
Maël-Carhaix
le Moustoir
le Cloître-Pleyben
Plonévez-du-Faou
Pénity-St-Laurent
l'Aulne
Botaval
Cléden-Poher
Landeleau
Port Carhaix
Tréveller
Notre-Dame de Folgoat
Paule
Glomel
Nenvez
l'Hyère
St-Hernin
Plévin
Tohou
Étang du Coronc
Châteauneuf-du-Faou
Spézet
Motreff
Notre-Dame du Crann
Roc'h Toullaëron
Tréogan
St-Thois
St-Goazec
Château de Trévarez
Laz
St-Hervé
MONTAGNES NOIRES
le Point de Vue
St-Nicolas
la Madeleine
Croaz-Loaz
la Trinité-Langonnet
Roudouallec
Gourin
Trégourez
Leuhan
Ty Louët
l'Isole
Langonnet
Abbaye Notre-Dame
Coray
Kerscoff
le Saint
l'Inam
St-Sébastien
Priziac
Quilien
Coadry
Guiscriff
Ste-Barbe
Châtl. de Kergoaler
Scaër
le Faouët
Parc Aquanature
Tourch
Elliant
Pont Lédan
St-Urlo
Lanvénégen
Meslan
Rosporden
Bel-Air
St-Jacques
Kervadiou
St-Thurien
Berné
Bonjard
N164
D764
D769
D782
D1
D3
D15
D36

76
A
B
C
D
E
48
Bulat-
-Pestivien
Pestivien
Calvaire
Lesmaës
St-Houarneau
Tumulus
Plésidy
St-Fiacre
Cohiniac
Cosquer-
-Jehan
Kerbalen
St-Norgant
Cailouan
34
Senven-
-Léhart
Coldégroëg
Château
de Beaumanoir
St-Treffin
Trefflay
Burtulet
Maël-
-Pestivien
Kerscouarc'h
D28
D69
Magoar
l'Étang
Neuf
St-Connan
Coldabry
St-Gildas
le Leslay
St-Servais
le Bourg
Neuf
Kerbernès
Coat Maël
Kerien
Abb. de
Coat Mallouen
Château
de la Noé Sèche
Quintin
Kermorvan
Kersollec
Kerhello
Kerpert
St-Gilles-
-Pligeaux
Penfel
la Ville Juhel
le Vieux-
-Bourg
Château
de Robien
Carestien
Château
de Rosviliou
75
Peumerit-
-Quintin
le Guiaudet
St-Bihy
Blérem
ar Sal
Gorges
du Corong
la Croix
Tasset
St-Antoine
Calvaire
Lanrivain
Ker-Anna
le Sulon
Caradeuc
le Morboux
25
le Guellec
St-Nicodème
St-Daman
Lanfa
Trémargat
Gorges
de Toul-Goulic
Bothoa
Canihuel
la Croix
la Harmoye
Quinquis
Saliou
Kergrist-
-Moëlou
St-Nicolas-
-du-Pélem
le Haut-
-Corlay
Corlay
le Bodéo
Petit Paris
Cristivel
le Bout
du Pont
l'Oust
St-Éloi
Kergonan
St-Coudan
24
Kergoff
Tréguestin
St-Martin-
-des-Prés
Quilliou
Guéguen
Kerbiquet
Goasnoat
Lustruyen
Plounévez-
-Quintin
Notheret
D49
le Sulon
la Porte-
-aux-Moines
le Croasty
St-Lubin
Ste-Tréphine
St-Igeaux
Plussulien
le Ponto
Guerlézan
3
Lanhellen
Pohon
le Rohanno
le Poteau-
-St-Yves
St-Jacques
Canal
Kermabjeffroy
le Daoulas
Quelfénec
16
N164
Coët
Parked
St-Delon
St-Mayeux
St-Léon
Rostrenen
Kerauffret
Plouguernével
Laniscat
Cromlec'h
Glomel
Gouarec
St-Gilles-
-Vieux-Marché
Keringant
St-Jean
Goasmario
Bézénan
Bel Air
Gorges
du Poulancre
Ste-Christine
Nantes
Brest
Rosquelfen
St-Gelven
Lohan
Château
de Coat-Couraval
Gorges
du Daoulas
Caurel
Lande
de Gouarec
30
Ty-Bris
Keriven
St-Guen
St-Michel
Bonen
Plélauff
Abbaye
St-Pabu
Château
de Trégarantec
les Forges
des Salles
Lac de Guerlédan
Mûr-
-de-Bretagne
Curlan
le Moustoir
Trégornan
Château
4
Mellionnec
St-Roch
Forêt
Lanrivaux
Perret
de
St-Aignan
Kerybet
Lescouët-
-Gouarec
Ste-Brigitte
le Gouvello
St-Connec
Plouray
Locuon
Quénécan
le Corboulo
le Breuil du Chêne
Perchénic
Kerguzul
Silfiac
Boduic
Penhoët Braz
Coët Roc'h
Kerdrean
16
Kergrist
Quelvéhen
Kerroc'h
Roz
St-Laurent
Mangoëro
le Stumo
Kergal
Lestrévédan
Langoëlan
Neulliac
Toulbahado
Cléguérec
Keranroué
Kerpourhant
St-Tugdual
20
Séglien
Le Moustoir
St-Drédeno
St-Houarno
Gazec Mein
Carmez
5
St-Guen
St-Germain
Linteven
Ploërdut
Kerbédic
Kergoff
le Roz
Crénénan
23
Porhors
St-Éloi
Lochrist
Stival
25
le Croisty
Guémené-
-sur-Scorff
Locmalo
Malguénac
Ste- Noyale
Cornhospital
56
Niziao
Pontivy
Penvern
St-Hervezen
Lann Sar
Perros
Longueville
D130
Ste-Tréphine
Kergolen
St-Caradec-
-Trégomel
Lignol
Gueltas
le Bauzo
Quistinidan
Kerlénat
le Sourn
Meslouan
Persquen
St-Yves
Quelven
St-Michel
Talvern
Guern
Kerlann
6
Quelfenec
Locolven
Pradigo
Boderel
St-Mathias
Kernascléden
Poulprio
Chât.
de Rimaison
Hembord
St-Yves
St-Thuriau
Kercloarec
le Pénéty
100
Pontcalec
Keryacunff
St-Samson
le Coronc
Inguiniel
Melrand
Bieuzy
Kermorgan
Bodion
26

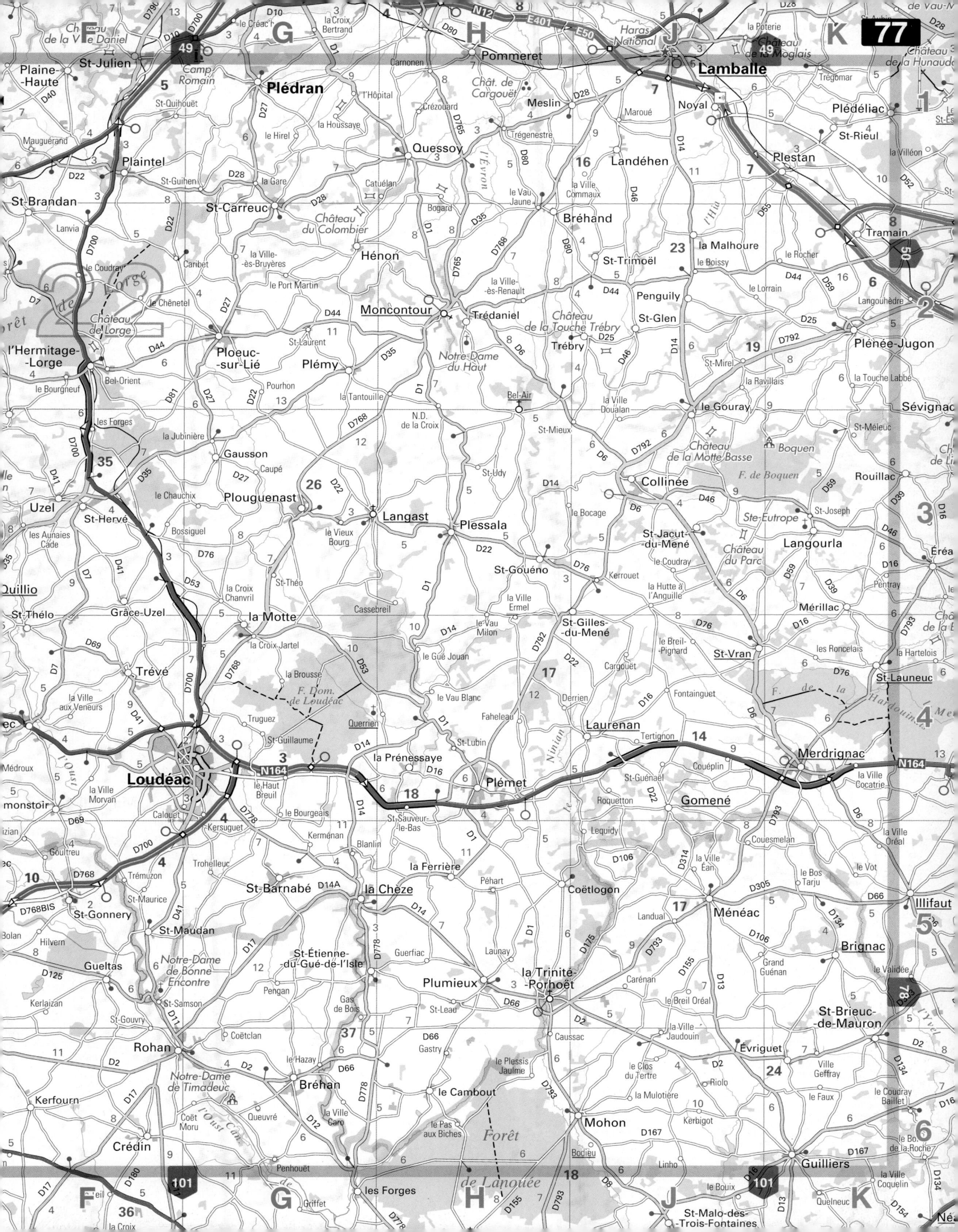
F
G
H
J
K
Château de la Ville Daniel
le Créac'h
la Croix Bertrand
N12
E401
E50
Haras National
la Poterie
Château de la Moglais
Château de la Hunaudaye
Plaine-Haute
St-Julien
Camp Romain
Pommeret
Carnonen
Lamballe
Trégomar
Plédran
l'Hôpital
Château de Cargouët
Meslin
Maroué
Noyal
Plédéliac
St-Quihouët
Crézouard
St-Rieul
Mauguérand
le Hirel
la Houssaye
Trégenestre
Landéhen
Plaintel
Quessoy
Plestan
la Villéon
St-Guihen
la Gare
Catuélan
la Ville Commaux
St-Brandan
St-Carreuc
Bogard
le Vau Jaune
Bréhand
Tramain
Lanvia
Château du Colombier
la Malhoure
la Ville-ès-Bruyères
Hénon
St-Trimoël
le Boissy
le Rocher
Caribet
le Coudray
Forêt de Lorge
le Port Martin
la Ville-ès-Renault
Penguily
le Lorrain
Langouhèdre
le Chênetel
Château de Lorge
Moncontour
Trédaniel
Château de la Touche Trébry
St-Glen
Plénée-Jugon
St-Laurent
Trébry
l'Hermitage-Lorge
Ploeuc-sur-Lié
Plémy
Notre-Dame du Haut
St-Mirel
Bel-Orient
le Bourgneuf
Pourhon
la Ravillais
la Touche Labbé
la Tantouille
Bel-Air
la Ville Doualan
le Gouray
Sévignac
les Forges
N.D. de la Croix
St-Mieux
St-Méleuc
la Jubinière
Château de la Motte Basse
Boquen
Gausson
Caupé
St-Udy
Collinée
F. de Boquen
Rouillac
Uzel
le Chauchix
Plouguenast
St-Hervé
Langast
le Bocage
Ste-Eutrope
St-Joseph
les Aunaies
Cade
Bossiguel
le Vieux Bourg
Plessala
St-Jacut-du-Mené
Château du Parc
Langourla
le Coudray
Éréa
Quillio
la Croix Chanvril
St-Théo
St-Gouéno
Kerrouet
Pentray
la Hutte à l'Anguille
St-Thélo
Grâce-Uzel
Cassebreil
la Ville Ermel
Mérillac
la Motte
le Vau Milon
St-Gilles-du-Mené
la Croix Jartel
le Breil-Pignard
St-Vran
les Roncelais
la Hartelois
Trévé
le Gué Jouan
la Brousse
Cargouët
St-Launeuc
la Ville aux Veneurs
F. Dom. de Loudéac
le Vau Blanc
Fontainguet
Derrien
F. de la Hardouinais
Truguez
Faheleau
Laurenan
Tertignon
St-Guillaume
Querrien
St-Lubin
Merdrignac
Médroux
la Prénessaye
Couéplin
Loudéac
N164
le Haut Breuil
Plémet
St-Guénaël
la Ville Cocatrie
la Ville Morvan
Roquetton
Gomené
Lamonstoir
Calouët
le Bourgeais
St-Sauveur-le-Bas
Lequidy
Couesmelan
la Ville Oréal
Kersuguet
Kerménan
Goultreu
Blanlin
la Ville Éan
le Vot
Trohelleuc
la Ferrière
le Bos Tarju
Trémuzon
St-Barnabé
la Chèze
Péhart
Coëtlogon
Illifaut
St-Maurice
St-Gonnery
Landual
Ménéac
St-Maudan
Hilvern
Notre-Dame de Bonne Encontre
St-Étienne-du-Gué-de-l'Isle
Guerfiac
Launay
Brignac
Gueltas
Grand Guénan
la Validée
Pengan
Plumieux
la Trinité-Porhoët
Carénan
Kerlaizan
St-Samson
Gas de Bois
St-Leau
le Breil Oréal
St-Brieuc-de-Mauron
St-Gouvry
Coëtclan
Caussac
la Ville Jaudouin
Rohan
Gastry
Évriguet
le Hazay
le Plessis Jaulme
le Clos du Tertre
Notre-Dame de Timadeuc
Bréhan
Riolo
Ville Geffray
Kerfourn
le Cambout
la Mulotière
le Coudray Baillet
le Faux
Coët Moru
Queuvré
la Ville Caro
Mohon
le Pas aux Biches
Kerbigot
Forêt de Lanouée
Crédin
le Bos de la Roche
Bodieu
Penhouët
Linho
Guilliers
les Forges
le Bouix
la Ville Coquelin
Griffet
Quelneuc
St-Malo-des-Trois-Fontaines
la Croix

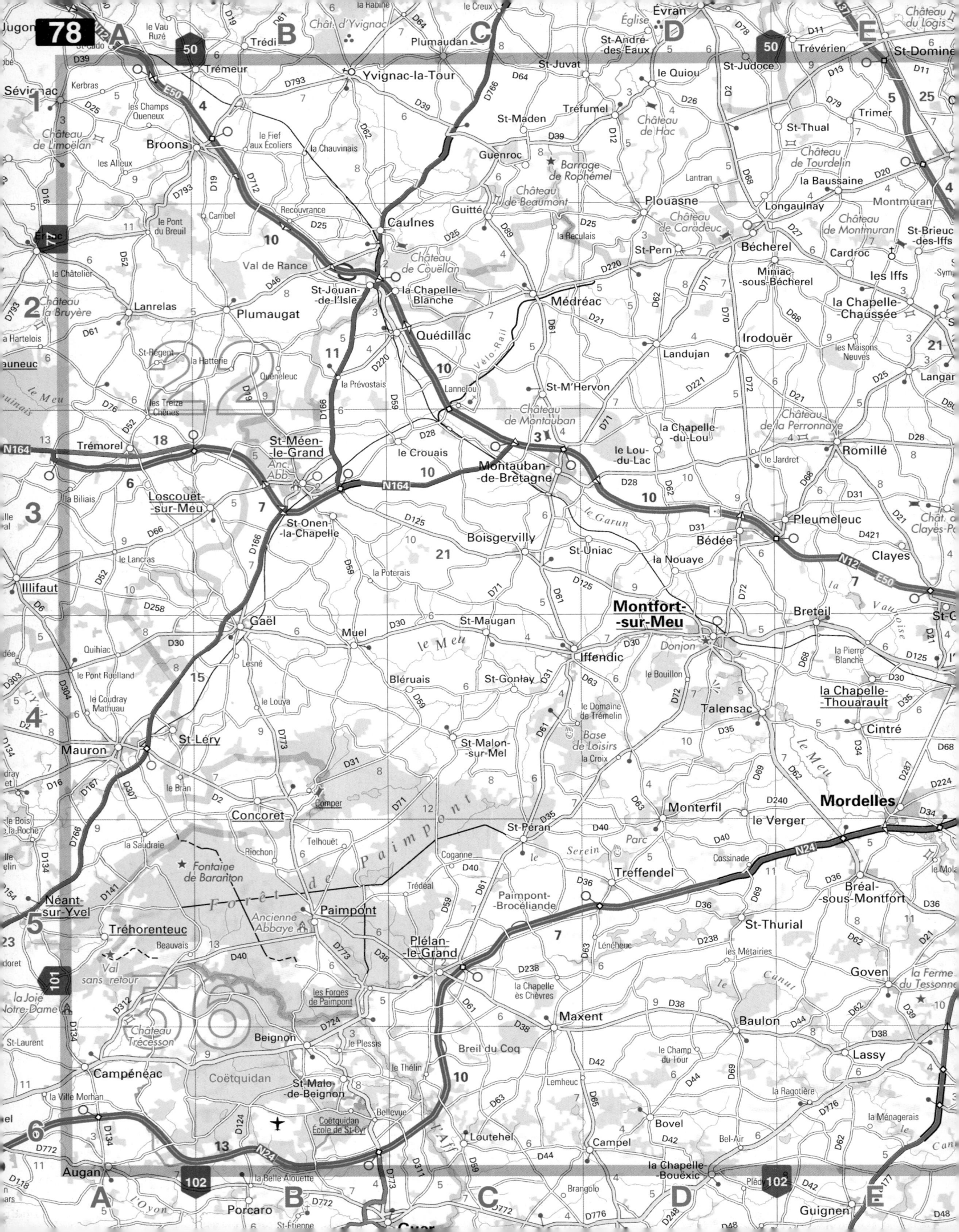

Broons
Caulnes
Médréac
Plouasne
Bécherel
St-Méen-le-Grand
Montauban-de-Bretagne
Montfort-sur-Meu
Gaël
Iffendic
Mauron
Concoret
Paimpont
Plélan-le-Grand
Mordelles
Bréal-sous-Montfort
Campénéac
Maxent
Forêt de Paimpont

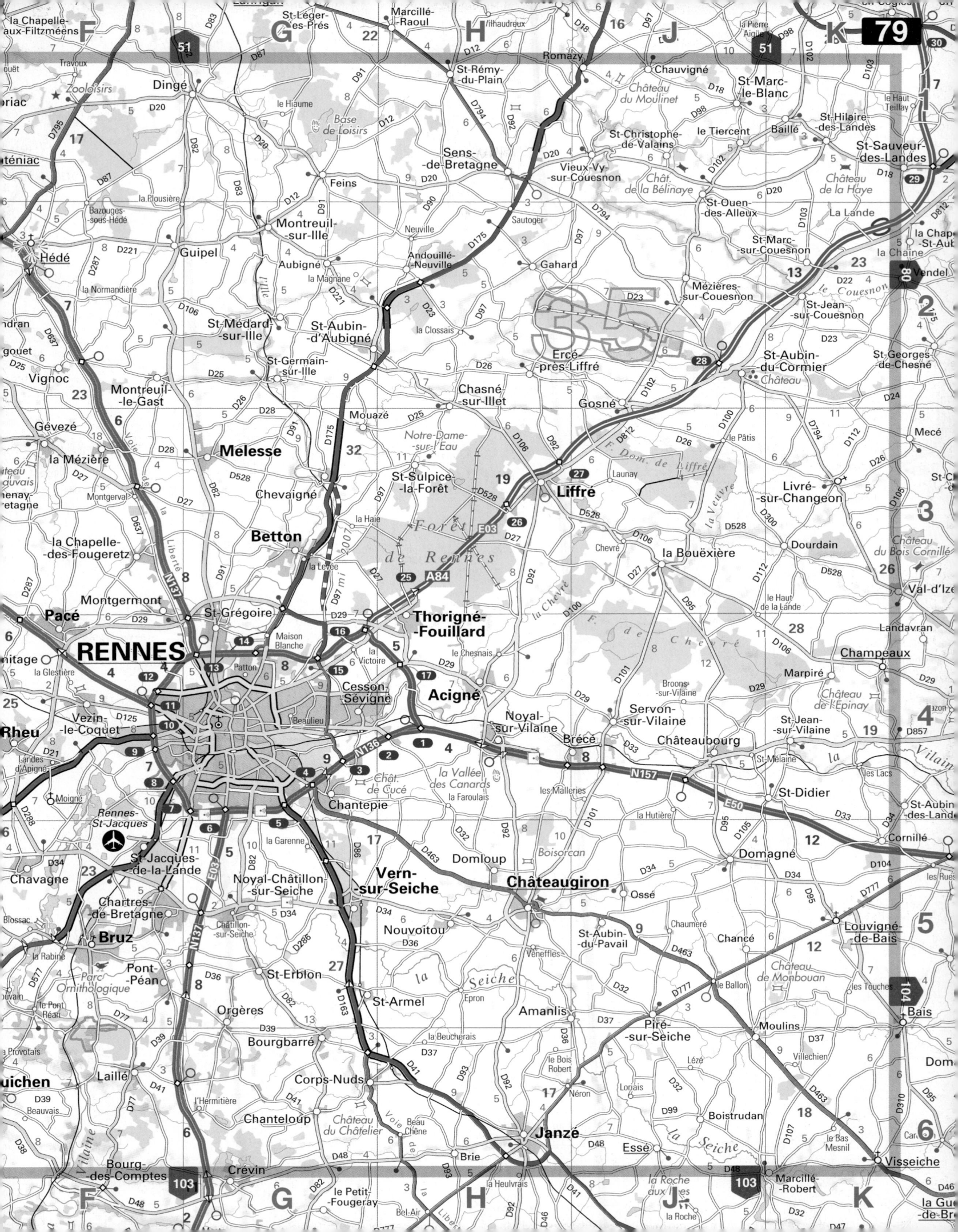

F
G
H
J
K
la Chapelle-aux-Filtzméens
St-Léger-des-Prés
Marcillé-Raoul
Vilhaudreux
la Pierre Aigüe
Travoux
Dingé
Zooloisirs
St-Rémy-du-Plain
Romazy
Chauvigné
Château du Moulinet
St-Marc-le-Blanc
le Hiaume
Base de Loisirs
le Haut Teillay
St-Hilaire-des-Landes
Baillé
le Tiercent
St-Christophe-de-Valains
Sens-de-Bretagne
St-Sauveur-des-Landes
Vieux-Vy-sur-Couesnon
Feins
Châ. de la Bélinaye
Château de la Haye
la Plousière
Bazouges-sous-Hédé
Montreuil-sur-Ille
St-Ouen-des-Alleux
Sautoger
La Lande
Neuville
St-Marc-sur-Couesnon
Hédé
Guipel
Aubigné
Andouillé-Neuville
Gahard
la Chaîne
Vendel
la Magnane
la Normandière
Mézières-sur-Couesnon
St-Jean-sur-Couesnon
le Couesnon
St-Médard-sur-Ille
St-Aubin-d'Aubigné
la Clossais
Vignoc
St-Germain-sur-Ille
Ercé-près-Liffré
St-Aubin-du-Cormier
Château
St-Georges-de-Chesné
Montreuil-le-Gast
Chasné-sur-Illet
Gosné
Gévezé
Mouazé
Notre-Dame-sur-l'Eau
le Pâtis
Mecé
la Mézière
Melesse
St-Sulpice-la-Forêt
F. Dom. de Liffré
Launay
Liffré
Livré-sur-Changeon
Montgerval
Chevaigné
la Haie
Forêt de Rennes
la Veuvre
Dourdain
Château du Bois Cornillé
la Chapelle-des-Fougeretz
Betton
Chevré
la Bouëxière
la Levée
Val-d'Izé
la Liberté
Voie de la Liberté
Montgermont
Pacé
St-Grégoire
Thorigné-Fouillard
le Haut de la Lande
Landavran
RENNES
Maison Blanche
la Chevré
F. de Chevré
Champeaux
la Glestière
Patton
la Victoire
le Chesnais
Cesson-Sévigné
Acigné
Marpiré
Broons-sur-Vilaine
Château de l'Epinay
Vezin-le-Coquet
Beaulieu
Noyal-sur-Vilaine
Servon-sur-Vilaine
St-Jean-sur-Vilaine
Rheu
Brécé
Châteaubourg
Landes d'Apigné
la Vallée des Canards
St-Melaine
les Lacs
Vilaine
Moigné
Chât. de Cucé
Chantepie
la Faroulais
les Malleries
St-Didier
Rennes-St-Jacques
la Hutière
St-Aubin-des-Landes
la Garenne
Domloup
Boisorcan
Cornillé
St-Jacques-de-la-Lande
Vern-sur-Seiche
Domagné
Chavagne
Noyal-Châtillon-sur-Seiche
Châteaugiron
Ossé
les Rues
Chartres-de-Bretagne
Châtillon-sur-Seiche
Nouvoitou
St-Aubin-du-Pavail
Chaumeré
Chancé
Louvigné-de-Bais
Blossac
Bruz
Veneffles
la Rabine
Pont-Péan
Parc Ornithologique
St-Erblon
la Seiche
Château de Monbouan
le Ballon
les Touches
Epron
St-Armel
Le Pont Réan
Orgères
Amanlis
Piré-sur-Seiche
Bais
Moulins
Bourgbarré
la Beucherais
Provotais
le Bois Robert
Villechien
Laillé
Corps-Nuds
Lézé
Lorniais
Néron
Guichen
l'Hermitière
Beauvais
Chanteloup
Château du Châtelier
Beau Chêne
Boistrudan
Janzé
le Bas Mesnil
Esse
Brie
Visseiche
Bourg-des-Comptes
Crévin
la Heulvrais
la Roche aux Fées
Marcillé-Robert
le Petit-Fougeray
Bel-Air
la Roche
la Guerche-de-Bretagne
RENNES
E03
A84
E50
N136
N137
N157

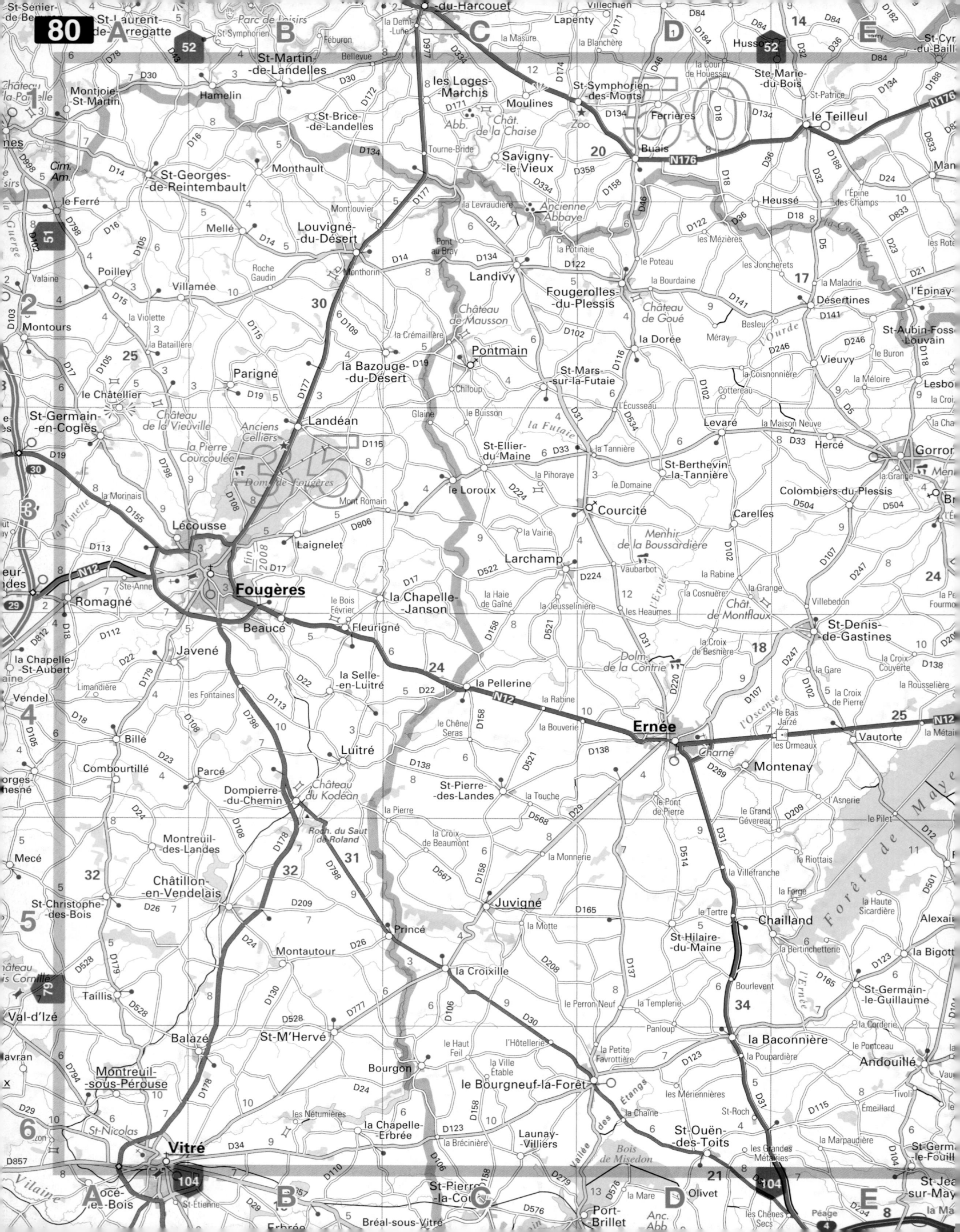
80
St-Laurent-de-Terregatte
St-Symphorien
St-Martin-de-Landelles
Hamelin
Montjoie-St-Martin
St-Brice-de-Landelles
les Loges-Marchis
Moulines
St-Symphorien-des-Monts
Ferrières
le Teilleul
Buais
Savigny-le-Vieux
Monthault
St-Georges-de-Reintembault
le Ferré
Mellé
Louvigné-du-Désert
Heussé
Landivy
Fougerolles-du-Plessis
Désertines
Poilley
Villamée
Montours
la Dorée
Pontmain
la Bazouge-du-Désert
Parigné
le Châtellier
St-Mars-sur-la-Futaie
Vieuvy
St-Germain-en-Coglès
Landéan
Levaré
Hercé
Gorron
St-Ellier-du-Maine
St-Berthevin-la-Tannière
le Loroux
Courcité
Colombiers-du-Plessis
Lécousse
Carelles
Laignelet
Larchamp
Fougères
Romagné
la Chapelle-Janson
Beaucé
Fleurigné
Javené
St-Denis-de-Gastines
la Chapelle-St-Aubert
la Selle-en-Luitré
la Pellerine
Ernée
Vendel
Billé
Luitré
Vautorte
Combourtillé
Parcé
Dompierre-du-Chemin
Château du Kodéan
St-Pierre-des-Landes
Montenay
Montreuil-des-Landes
Mecé
Châtillon-en-Vendelais
St-Christophe-des-Bois
Juvigné
Chailland
Princé
St-Hilaire-du-Maine
Montautour
la Croixille
Taillis
St-Germain-le-Guillaume
Balazé
St-M'Hervé
la Baconnière
Montreuil-sous-Pérouse
Bourgon
Andouillé
le Bourgneuf-la-Forêt
la Chapelle-Erbrée
Launay-Villiers
St-Ouën-des-Toits
Vitré
St-Pierre-la-Cour
Olivet
Port-Brillet
Bréal-sous-Vitré
Forêt de Mayenne
N12
N176
D31

Domfront
St-Gilles-des-Marais
N.-D.-sur-l'Eau
Perrou
la Ferté-Macé
St-Roch-sur-Égrenne
St-Mars-d'Égrenne
Torchamp
St-Brice
Ste-Geneviève
Tour de Bonvouloir
St-Michel-des-Andaines
Magny-le-Désert
la Motte-Fouquet
Juvigny-sous-Andaine
Roc au Chien
Bagnoles-de-l'Orne
Luce
Avrilly
la Baroche-sous-Lucé
Beaulandais
Arboretum
Tessé-Froulay
Château de Couterne
la Bigottière
St-Patrice-du-Désert
la Chapelle-d'Andaine
St-Denis-de-Villenette
Haleine
Couterne
Antoigny
St-Ouen-le-Brisoult
Geneslay
Château du Bois du Maine
Château de Chantepie
Méhoudin
la Pallu
Ceaucé
Sept-Forges
Rennes-en-Grenouilles
Thubœuf
Neuilly-le-Vendin
St-Fraimbault
Soucé
Loré
St-Julien-du-Terroux
Couptrain
St-Calais-du-Désert
St-Siméon
Madré
Ste-Marie-du-Bois
Couesmes-Vaucé
le Housseau-Brétignolles
Melleray-la-Vallée
St-Aignan-de-Couptrain
Lassay-les-Châteaux
St-Fraimbault-de-Lassay
Chevaigné-du-Maine
le Pas
Ambrières-les-Vallées
Chantrigné
Charchigné
Javron-les-Chapelles
Base de Loisirs
Vélo-Rail
St-Loup-du-Gast
Montreuil-Poulay
le Horps
le Ribay
Villepail
Crennes-sur-Fraubée
St-Mars-sur-Colmont
la Haie-Traversaine
le Ham
Oisseau
Champéon
St-Fraimbault-de-Prières
Ricordeau
Villaines-la-Juhel
Châtillon-sur-Colmont
Château des Vaux
Loupfougères
Hardanges
St-Georges-Buttavent
Parigné-sur-Braye
la Chapelle-au-Riboul
Mayenne
Aron
Marcillé-la-Ville
Courcité
St-Baudelle
la Bazoge-Montpinçon
Grazay
Champgenéteux
Moulay
St-Thomas-de-Courceriers
Trans
Contest
Belgeard
Jublains
Hambers
Bais
Commer
Forêt de Bourgon
Château de Bourgon
Butte de Montaigu
St-Germain-d'Anxure
Izé
Martigné-sur-Mayenne
Montourtier
Deux-Évailles
Base de Loisirs
Mézangers
Ste-Gemmes-le-Robert
Montflours
la Bazouge-des-Alleux
St-Ouën-des-Vallons
Châlons-du-Maine
Château de la Roche Pichemer
Évron
St-Georges-sur-Erve
Gesnes
Neau
Assé-le-Bérenger
Bourgon
Montsûrs
Châtres-la-Forêt
Louverné
la Chapelle-Anthenaise
St-Céneré
St-Christophe-du-Luat
Château de Montecler
Voutré

82
A
B
C
D
E
54
106
81
1
2
3
4
5
6
RÉGIONAL
DE
NORMANDIE
Carrouges
Ste-Marguerite-de-Carrouges
St-Sauveur-de-Carrouges
la Lande-de-Goult
le Cercueil
St-Hilaire-la-Gérard
Aunou-sur-Orne
Sévilly
Anc. Abb. St-Martin
Trémont
Chahains
la Ferrière-Béchet
la Chapelle-près-Sées
Tanville
le Bouillon
Neauphe-sous-Essai
Rouperroux
le Signal d'Écouves
Carrefour de la Croix de Médavy
St-Martin-des-Landes
Lignières-Orgères
Orgères-la-Roche
St-Didier-sous-Écouves
le Souchet
St-Gervais-du-Perron
Bursard
Boitron
Essay
Forêt Dom. d'Écouves
Fontenai-les-Louvets
Longuenoë
St-Ellier-les-Bois
Livaie
Vingt-Hanaps
Radon
Forges
Larré
Ménil-Erreux
Neuilly-le-Bisson
Belvédère
Haudre
St-Calais-du-Désert
Ciral
la Roche-Mabile
St-Nicolas-des-Bois
Rochers du Vignage
Nécr. Nat. des Gateys
St-Samson
Lalacelle
Gandelain
Butte Chaumont
Cuissai
Colombiers
Valframbert
Semallé
Hauterive
le Ménil-Broût
Pré-en-Pail
Lentillère
Mont des Avaloirs
St-Denis-sur-Sarthon
Lonrai
Damigny
Montigny
les Loges
la Fresnaye-sur-Chédouet
St-Cyr-en-Pail
Ravigny
Pacé
ALENÇON
Cerisé
Chenay
Chassé
Boulay-les-Ifs
Champfrémont
Condé-sur-Sarthe
St-Germain-du-Corbéis
le Chevain
St-Paterne
Lignières-la-Carelle
la Ferrière-Bochard
Mieuxcé
Héloup
St-Pierre-des-Nids
St-Rigomer-des-Bois
Champfleur
Forêt de Pail
Gesvres
St-Céneri-le-Gérei
Moulins-le-Carbonnel
Béru
Neufchâtel-en-Saosnois
St-Léonard-des-Bois
les Alpes Mancelles
Gesnes-le-Gandelin
Béthon
Chérisay
Ancinnes
Bourg-le-Roi
Livet-en-Saosnois
Averton
Oisseau-le-Petit
Louvigny
St-Paul-le-Gaultier
Assé-le-Boisne
Fyé
Rouessé-Fontaine
Courcité
St-Aubin-du-Désert
Sougé-le-Ganelon
St-Victeur
Thoiré-sous-Contensor
les Mées
St-Mars-du-Désert
St-Georges-le-Gaultier
St-Ouen-de-Mimbré
Coulombiers
Grandchamp
Chérancé
Fresnay-sur-Sarthe
St-Germain-sur-Sarthe
Douillet
St-Aubin-de-Locquenay
René
Thoigné
St-Germain-de-Coulamer
Piacé
Mont-St-Jean
Montreuil-le-Chétif
Juillé
Doucelles
Dangeul
Nouans
Moitron-sur-Sarthe
Vivoin
Beaumont-sur-Sarthe
Meurcé
St-Christophe-du-Jambet
St-Martin-de-Connée
St-Pierre-sur-Orthe
Maresché
Lucé-sous-Ballon
Vimarcé
Pezé-le-Robert
Ségrie
Assé-le-Riboul
Sillé-le-Guillaume
St-Rémy-de-Sillé
Vernie
St-Marceau
Congé-sur-Orne
Rouessé-Vassé
Crissé
le Tronchet
Teillé
Ballon
St-Mars-sous-Ballon
Neuvillalais
Mézières-sous-Lavardin
St-Jean-d'Assé
Montbizot
Rouez
Conlie
Ste-Sabine
Ste-Jamme-sur-Sarthe
Souligné-sous-Ballon
N12
N138
A28
E402

83
F
G
H
J
K
St-Agnan-sur-Sarthe
St-Aubin-de-Courteraie
Prépotin
la Ventrouze
la Vicomté
le Chalange
le Plessis
St-Germain-de-Martigny
St-Ouen-de-Sécherouvre
Bubertré
Renouard
Ste-Anne
Soligny
Ménil-Guyon
Champs
Lignerolles
Tourouvre
l'Hôme-Chamondot
Montchevrel
Poix
Bivilliers
Autheuil
Châl. Fort
Charbonnet
Ste-Scolasse-sur-Sarthe
Bures
Champeaux-sur-Sarthe
Ste-Céronne-lès-Mortagne
les Épasses
le Breuil
Bazoches-sur-Hoëne
St-Hilaire-le-Châtel
le Châtel
Malétable
la Saussaie
Laleu
la Rivière
Feings
Moulicent
Aunay-les-Bois
Coulonges-sur-Sarthe
Villiers-sous-Mortagne
les Larry
St-Aubin-d'Appenai
la Grivotière
N.-D. de Pitié
Longny-au-Perche
la Mesnière
Mortagne-au-Perche
Cloître
le Mêle-sur-Sarthe
Buré
Boëcé
St-Langis-lès-Mortagne
les Carreaux
Loisé
St-Mard-de-Réno
la Chauvellière
Base de Loisirs
St-Léger-sur-Sarthe
Courgeoût
l'Hôtel aux Agnès
St-Victor-de-Réno
le Mage
Loisail
Bizou
St-Julien-sur-Sarthe
les Barres
la Chapelle-Montligeon
Monceaux-au-Perche
Parfondeval
Réveillon
Courgeon
Barville
la Patardière
St-Quentin-de-Blavou
Coulimer
St-Denis-sur-Huisne
Roullée
Man. du Pontgirard
la Grande Foucaudière
Dolmen de la Grosse Pierre
le Gué Bigot
Blèves
Vidai
St-Jouin-de-Blavou
l'Hôtel Bourdin
Comblot
Corbon
Man. de la Vove
Maison-Maugis
Man. de la Moussetière
Man. de Boiscorde
MAINE
Man. de Vauvineux
Man. de Chanceaux
le Pin-la-Garenne
Mauves-sur-Huisne
Courcerault
Boissy-Maugis
Rémalard
les Aulneaux
Pervenchères
la Gravelle
Man. de la Pellonière
St-Maurice-sur-Huisne
Louzes
la Mare Deffaux
Bellavilliers
Eperrais
St-Ouen-de-la-Cour
Colonard-Corubert
le Haut Chêne
Dorceau
Bellou-sur-Huisne
Aillières-Beauvoir
la Barre
Montgaudry
Font. Romaine
Courthiousl
la Garenne
Contilly
Chât. de Morthimer
F. Dom. de Bellême
Étang de la Herse
Mais. du Parc
St-Germain-des-Grois
la Mariette
Man. de Courboyer
Verrières
Marollette
la Perrière
St-Martin-du-Vieux-Bellême
Bellême
St-Jean-de-la-Forêt
Noce
les Alleux
Villaines-la-Carelle
Origny-le-Butin
les Batailles
le Gué-de-la-Chaîne
Sérigny
Man. de Lormarin
Man. du Plessis
Suré
St-Longis
Vezot
Mamers
Chemilli
Vaunoise
Dame-Marie
St-Aubin-des-Grois
Dancé
Panon
Origny-le-Roux
la Trouverie
PARC
NATURE
Chât. de Chèreperrine
les Augottières
Appenai-sous-Bellême
Chât. des Feugerets
St-Cyr-la-Rosière
Préaux-du-Perche
Berd'huis
Montrenault
Pizieux
St-Fulgent-des-Ormes
Igé
Anc. Prieuré
Ste-Gauburge
la Chapelle-Souëf
Commerveil
St-Rémy-des-Monts
Man. de la Lubinière
St-Agnan-sur-Erre
le Carrefour
St-Vincent-des-Prés
St-Pierre-des-Ormes
Chât. de Lonné
le Champ Long
Man. de l'Angenardière
la Tuilerie
Man. de la Tarainière
St-Hilaire-sur-Erre
Monhoudou
les Mauquartiers
Marcilly
Gémages
Dolmen la Pierre Procureuse
le Haut Bervillet
Man. de la Fresnaye
la Rouge
St-Jean-Pierre-Fixte
Moncé-en-Saosnois
Contres
Pouvrai
l'Hermitière
DU
PERC
la Blancherie
la Croix Chevallier
St-Cosme-en-Vairais
St-Germain-de-la-Coudre
le Theil
Mâle
Avesnes-en-Saosnois
Bellou-le-Trichard
le Gibet
Anc. Abb. N.-D.-des-Clairets
Nauvay
le Pressoir
Guémançais
la Gaudière
Peray
les Arpens
Nogent-le-Bernard
la Clergerie
Neuville
Dissé-sous-Ballon
la Tasse
Préval
Courcival
la Toucharderie
la Croix des Cinq Charmes
le Boulay
les Étilleux
Rouperroux-le-Coquet
Souvigné-sur-Même
Avezé
Ceton
Menhir
St-Aignan
le Vieux-Villée
la Chapelle-du-Bois
Jauzé
Dehault
le Moulin de l'Aunay
Terrehault
St-Georges-du-Rosay
la Roche
la Ferté-Bernard
Mézières-sur-Ponthouin
l'Audinière
Sables
Anc. Abb.
Cherreau
St-Bomer
Bonnétable
Aulaines
Forêt de Bonnétable
Chât. de Mondragon
St-Aubin-des-Coudrais
Théligny
Courcemont
Briosne-lès-Sables
la Mare Pineau
Base de Loisirs
la Bosse
Cherré
Cormes
Montmirail
la Brancherie
les Jarretières
l'Espérance
Prévelles
St-Denis-des-Coudrais
St-Martin-des-Monts
le Buron
la Justière
Courgenard
l'Esnaudière
Boëssé

la Ferté-Vidame
la Puisaye
le Morillon
le Mesnil-Thomas
Feuilleuse
St-Jean-de-Rebervilliers
Marville-les-Bois
la Framboisière
les Ressuintes
Brouvilliers
St-Léonard
le Grand Boulay
St-Sauveur-Marville
Marchainville
Tardais
St-Maixme-Hauterive
Jaudrais
Châteauneuf-en-Thymerais
Forêt de la Ferté-Vidame
la Petite Motte
Hauterive
Thimert-Gâtelles
la Lande-sur-Eure
Laudigerie
Senonches
F. Dom. de Châteauneuf
Tresneau
la Picotière
Écublé
Forêt de Longny
Neuilly-sur-Eure
l'Ecottay
Aumoy
Arpentigny
le Mage
la Ville-aux-Nonains
Ardelles
le Grand Hanche
le Long des Bois
F. Dom. de Senonches
Digny
Gâtelles
la Rangée
le Tronchay Cordel
Favières
Affonville
les Menus
Manou
le Rouvray
Vérigny
Base de Loisirs
l'Eure
les Chaises
le Charmoy Gontier
Besnez
Châtenay
la Sibotière
le Pas-St-l'Homer
Belhomert-Guéhouville
Fontaine-Simon
St-Jean-des-Murgers
St-Maurice-St-Germain
Tours
St-Arnoult-des-Bois
Mittainville
Billancelles
Moutiers-au-Perche
Meaucé
Pontgouin
Fleurfontaine
l'Hermitterie
Landelles
la Madeleine-Bouvet
la Loupe
le Favril
Fontaine-la-Guyon
Man. de Boiscorde
la Godardière
F. Dom. de Montécot
Châtillon
Courville-sur-Eure
Freulemont
Vaupillon
Flonville
Chât. de Voré
le Moulin Neuf
les Jeauneaux
le Boulay
Chuisnes
l'Espérance
la Donnette
St-Éliph
Froid Vent
Loulappe
Dorceau
F. de Champrond
les Châtelets
Voie de la Liberté
le Plessis Fèvre
Bretoncelles
Friaize
le Bois St-Père
Chât. de Blanville
Huisne
Montireau
St-Germain-le-Gaillard
Orrouer (Serez)
Champrond-en-Gâtine
le Thieulin
Villeneuve
Fruncé
Germain-des-Grois
Coulonges-les-Sablons
Rivray
St-Victor-de-Buthon
Tour
Villebon
la Corbionne
Villeray
le Mée
Condé-sur-Huisne
Montlandon
St-Denis-des-Puits
Condeau
la Hurie
les Usages
Cernay
Ollé
Marolles-les-Buis
Frétigny
la Gouëthière
Pouancé
St-Pierre-la-Bruyère
la Poterie
Haudouin
St-Laurent
les Corvées-les-Yys
Marchéville
les Champeaux
RÉGIONAL
PERCHE
les Châtelliers-Notre-Dame
Pommeray
Magny
St-Denis-d'Authou
Margon
Ozée
Coudreceau
le Potron
Nonvilliers-Grandhoux
Nogent-le-Rotrou
le Bois Jahan
Harville
Brunelles
Combres
Happonvilliers
Grandhoux
St-Éman
Anc. Abb.
Thiron-Gardais
Blandainville
Champrond-en-Perchet (Chainville)
la Gaudaine
l'Estre des Champs
les Dauffrais
Chât. St-Jean
St-Jean-Pierre-Fixte
la Petite Chesnaie
le Petit Grand Bois
Illiers-Combray
Épeautrolles
Trizay-Coutretot-St-Serge
le Goulet
Chassant
Méréglise
la Thironne
la Charonnerie
Montigny-le-Chartif
Montfoulon
Charonville
la Berthe
Souancé-au-Perche
Anc. Abb. des-Clairets
Vichères
l'Océane
la Leu
la Croix-du-Perche
la Foussarde
Fallourde
la Rhône
Argenvilliers
Vieuvicq
St-Avit-les-Guespières
l'Aubépine
le Moulin Gaudin
la Borde aux Galibourgs
Beaumont-les-Autels
Frazé
Mottereau
Brou-Frazé
Mézières-au-Perche
Saumeray
Coudray-au-Perche
Miermaigne
Luigny
Bullou
Étilleux
Jutigny
le Grand Bois
Brou-Dampierre
le Bouchet
Péage
les Oisillières
la Tremblaye
Béthonvilliers
les Charmes
les Bouchets
Thoreau
la Chesnaie
l'Ozanne
Brou
Ludon
St-Lubin des Cinq Fonds
la Grande Renardière
Dampierre-sous-Brou
Parc de Loisirs
Yèvres
Dangeau
la Petite Jardinière
Moulhard
Unverre
Montemont
St-Bomer
Authon-du-Perche
Charbonnières
les Montsvilles
les Moulins
Trizay-lès-Bonneval
Esse
Mifoucher
Cormeray
Théligny
la Guillerie
la Vallée
Loisville
la Saintsotière
les Autels-Villevillon
la Coeffardière
la Briche
le Saussay
la Brosse
Montharville
Soizé
le Sauce
la Sonnette
Villevillon
le Croix-Chemin
Gohory
le Grand Cormier
St-Ulphace
le Bois Mouchet
Fréville
Moresville
Chapelle-Royale
Logron
A11
E50
N23

85
Tremblay-les-Villages
Serazereux
Néron
Ormoy
Épernon
Hanches
St-Hilarion
Raizeux
Droue-sur-Drouette
Émancé
Orcemont
Sonchamp
Maintenon
Pierres
Aqueduc de Pontgouin
Feucherolles
Achères
Le Boulay-d'Achères
Trémémont
Bouglainval
Dolmen
Houx
Gas
Yermenonville
Jonvilliers
Écrosnes
Orphin
Challet
Clévilliers
Mévoisins
St-Piat
Chartainvilliers
Théléville
Armenonville-les-Gâtineaux
Tour de l'Epaule
Gallardon
Prunay-en-Yvelines
Bleury
Briconville
Berchères-St-Germain (Berchères-la-Maingot)
Fresnay-le-Gilmert
Bailleau-Armenonville
Soulaires
Jouy
Poisvilliers
Dangers
Senarmont
Bailleau-l'Évêque
Lèves
St-Prest
Coltainville
Champseru
Ymeray
St-Symphorien-le-Château
Ablis
Chaudonnes
Boinville-le-Gaillard
Le Gué-de-Longroi
Levainville
Orsonville
Dallonville
Champhol
Gasville-Oisème
Chartres-Gasville
Umpeau
Auneau
Parc Animalier
Paray-Douaville
CHARTRES
St-Aubin-des-Bois
Anc. Abb. de Josaphat
Chartres-Bois-Paris
Houville-la-Branche
Oinville-sous-Auneau
Châ. de Baronville
Aunay-sous-Auneau
Allainville
Cintray
MAINVILLIERS
Amilly
LUCÉ
Mais. Picassiette
Luisant
Nogent-le-Phaye
Béville-le-Comte
Roinville
La Chapelle-d'Aunainville
Dolmont
Le Coudray
Barjouville
Bonville
Sours
Francourville
Voise
St-Léger-des-Aubées
Sainville
Maisons
Georges-sur-Eure
Morancez
Gellainville
Berchères-les-Pierres
Moinville-la-Jeulin
Santeuil
Denonville
Fontenay-sur-Eure
Ver-lès-Chartres
Le Souchet
Les Moineaux
Thivars
Corancez
Prunay-le-Gillon
Boinville-au-Chemin
Chemin de St-Mathurin
Morainville
Boutroux
Meslay-le-Grenet
Mignières
Léthuin
Mondonville-St-Jean
Dammarie
Bussay
Frainville
Honville
Ensonville
Ouarville
Gouillons
Vovette
Theuville
Réclainville
Chenonville
Allonnes
Boisville-la-St-Père
Louville-la-Chenard
Les Dix-Sept Setiers
St-Loup
La Bourdinière-St-Loup
Les Bordes
Pézy
Bonce
Abonville
Luplanté
Fresnay-le-Comte
Nicorbin
Mauloup
Beauvilliers
Moutiers
Levesville-la-Chenard
Meslay-le-Vidame
Villeneuve-St-Nicolas
Mondonville-Ste-Barbe
Moulin de Chesnay
Vitray-en-Beauce
Montainville
Soignolles
Prasville
Francheville
Voves
Ymonville
Fresnay-l'Évêque
Bouville
Bois-de-Feugères
Châ. de Reverseau
Auvilliers
Bronville
Rouvray-St-Florentin
Yerville
Genonville
Moulin de Sautton
Mérasville
Le Gault-St-Denis
Villeau
Dampierre
Augonville
Bessay
Boissay
Francrainville
Montboissier
Villars
Fains-la-Folie
Lutz
Guilleville
Moriers
Pré-St-Martin
Neuvy-en-Dunois
Moulin du Paradis
La Folie Herbault
Viabon
Marray
Allaines-Mervilliers
Villebon
Auffains
Germignonville
Villermon
Pré-St-Évroult
Méroger
Sancheville
Ohé
Bonneval
Anc. Abb. de St-Florentin
Dommarville
Baignolet
Trouville
Lolon
Bullainville
Toulifaut
La Pierre Godon
Mervilliers
Jupeau
Massuère
Courbehaye
Fontenay-sur-Conie
Dolmen de Baignon
St-Maur-sur-le-Loir
Dancy
Jumainville
Moronville
Tillay
Bazoches-
Santilly-le-Vieux
28

Clairefontaine-en-Yvelines
Bullion
Bonnelles
Forges-les-Bains
Fontenay-lès-Briis
Autodrome
Linas-Montlhéry
Leuville-sur-Orge
BRÉTIGNY-SUR-ORGE
Rochefort-en-Yvelines
Angervilliers
Courson-Monteloup
St-Maurice-Montcouronne
Bruyères-le-Châtel
Ollainville
St-Germain-lès-Arpajon
ARPAJON
la Norville
St-Arnoult-en-Yvelines
Longvilliers
Château de Bandeville
Château de Baville
BREUILLET
ÉGLY
Vert-le-Grand
Guibeville
Leudeville
St-Cyr-sous-Dourdan
le Val-St-Germain
St-Chéron
St-Yon
Boissy-sous-St-Yon
Avrainville
Marolles-en-Hurepoix
Vert-le-Petit
Ponthévrard
Cheptainville
St-Vrain
Ste-Mesme
Roinville
Sermaise
Souzy-la-Briche
St-Sulpice-de-Favières
Château de Segrez
Torfou
Château du Mesnil Voisin
Bouray-sur-Juine
Dourdan
St-Martin-de-Bréthencourt
Villeconin
Mauchamps
Chamarande
Lardy
Janville-sur-Juine
Itteville
Corbreuse
Chauffour-lès-Étréchy
Auvers-St-Georges
Château de Frémigny
Baulne
les Granges-le-Roi
Saudreville
Rés. Nat. Site Géologique de Chauffour-lès-Étréchy
Rés. Nat. Site Géologique de Auvers-St-Georges
la Ferté-Alais
la Forêt-le-Roi
Boissy-le-Sec
ÉTRÉCHY
Cerny
Boissy-le-Cutté
Villeneuve-sur-Auvers
Guigneville-sur-Essonne
Chatignonville
Richarville
Château de Jeurre
Paray-Douaville
Allainville
Authon-la-Plaine
Boutervilliers
Brières-les-Scellés
Rés. Nat. Site Géologique de Morigny-Champigny
Étampes
Morigny-Champigny
D'Huison-Longueville
Plessis-St-Benoist
Manoir du Tronchet
Rés. Nat. Site Géologique de St-Hilaire
Tour Guinette
N.-D. du Fort
Garancières-en-Beauce
St-Escobille
St-Hilaire
Chalo-St-Mars
Bouville
Vayres-sur-Essonne
Château de Farcheville
Sainville
Mérobert
Tour Penchée
Base de Loisirs
Courdimanche-sur-Essonne
Ormoy-la-Rivière
Puiselet-le-Marais
Marnières
Oysonville
Congerville-Thionville
Rés. Nat. Site Géologique de Ormoy-la-Rivière
Valpuiseaux
Maisse
Boutroux
Vierville
Chalou-Moulineux
la Forêt-Ste-Croix
Boissy-la-Rivière
Bois-Herpin
Marolles-en-Beauce
Gironville-sur-Essonne
Orlu
Guillerval
St-Cyr-la-Rivière
Saclas
Fontaine-la-Rivière
Roinvilliers
Mespuits
Prunay-sur-Essonne
Châtenay
Ardelu
Pussay
Monnerville
Abbéville-la-Rivière
Arrancourt
Champmotteux
Baudreville
Gommerville
Rouvres-St-Jean
Tour Trajanne
Blandy
Brouy
Nangeville
Méréville
Angerville
Estouches
Sermaises
Mainvilliers
Mérouville
Intréville
Obélisque Astronomique
Rouvray-St-Denis
Autruy-sur-Juine
Thignonville
Orveau-Bellesauve
Audeville
Barmainville
Andonville
Neuvy-en-Beauce
Intville-la-Guétard
Césarville-Dossainville
Coudray
Boisseaux
Dolmen de la Pierre Clouée
Oinville-St-Liphard
Erceville
Charmont-en-Beauce
Morville-en-Beauce
Engenville
Manchecourt
Ramoulu
Léouville
Marsainvilliers
Outarville
Guigneville
le Puiset
Janville
Aulnay-la-Rivière
Toury
Greneville-en-Beauce
Château Roche Plate
Estouy
Poinville
Bondaroy
Chaussy
Bazoches-les-Gallerandes
Pithiviers-le-Vieil
Pithiviers
Tivernon
Châtillon-le-Roi
Dadonville
A10
A11
E05
E50
N20
N191
N152
N104
D836
D838
D721
D921
l'Orge
la Rémarde
la Juine
la Chalouette
Voie de la Liberté

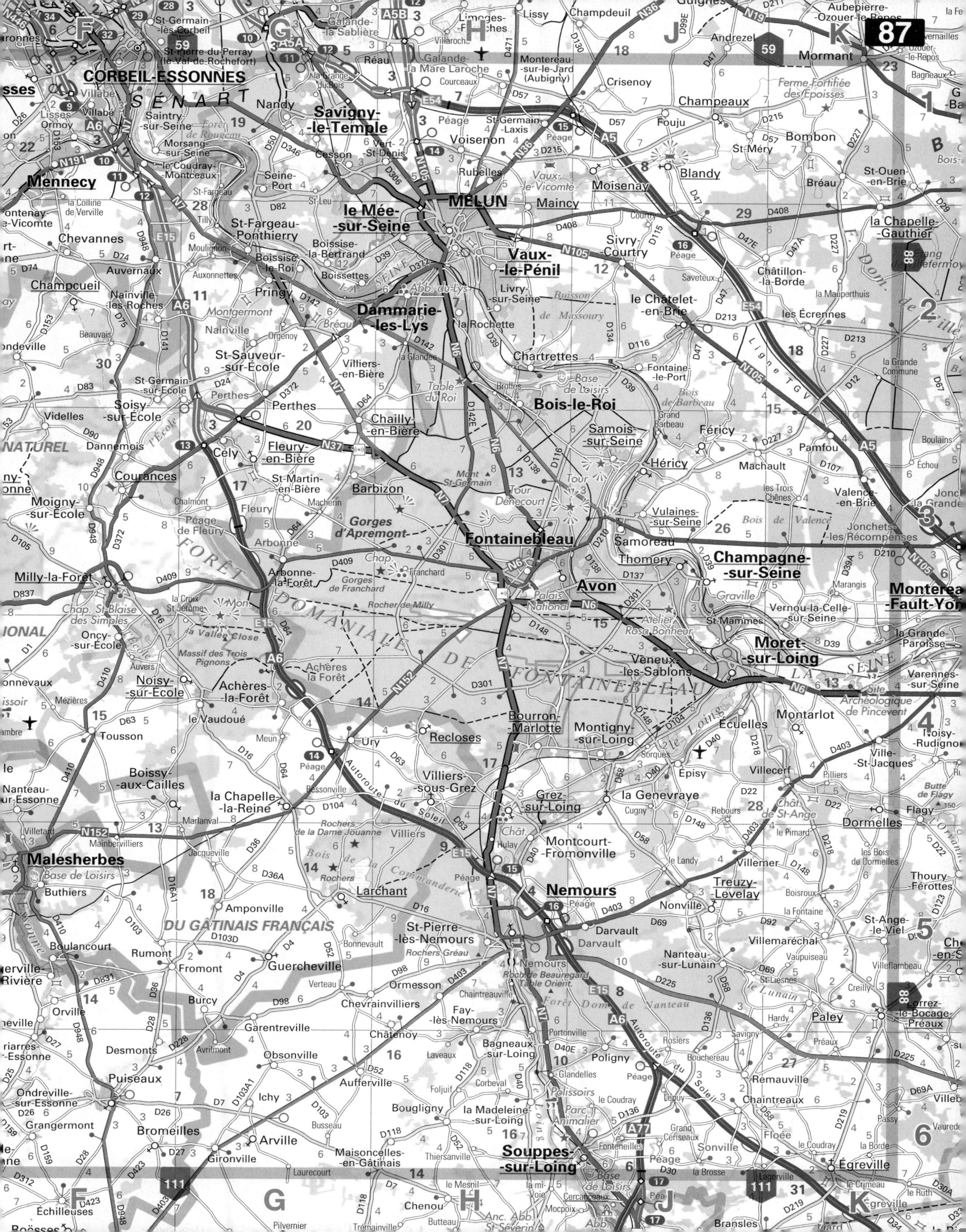

CORBEIL-ESSONNES
SÉNART
Savigny-le-Temple
Mennecy
Nandy
Saintry-sur-Seine
Morsang-sur-Seine
le Coudray-Montceaux
Seine-Port
Cesson
Vert-St-Denis
Voisenon
Rubelles
MELUN
Maincy
Moisenay
Blandy
Champeaux
Fouju
Bombon
St-Méry
Bréau
St-Ouen-en-Brie
Mormant
Andrezel
Crisenoy
Champdeuil
Lissy
Limoges-Fourches
Réau
Montereau-sur-le-Jard (Aubigny)
St-Germain-Laxis
Courceaux
Galande-la Sablière
Galande-la Mare Laroche
Ferme Fortifiée des Époisses
Aubepierre-Ozouer-le-Repos
St-Germain-lès-Corbeil
St-Pierre-du-Perray (le Val-de-Rochefort)
Villabé
Lisses
Ormoy
le Mée-sur-Seine
St-Fargeau-Ponthierry
Boissise-la-Bertrand
Boissise-le-Roi
Boissettes
Vaux-le-Pénil
Sivry-Courtry
Livry-sur-Seine
Dammarie-les-Lys
Abb. du Lys
la Rochette
Chartrettes
le Châtelet-en-Brie
la Chapelle-Gauthier
Châtillon-la-Borde
les Écrennes
la Mauperthuis
Chevannes
Auvernaux
Champcueil
Nainville-les-Roches
Pringy
Montgermont
Orgenoy
St-Sauveur-sur-École
Villiers-en-Bière
Fontaine-le-Port
la Grande Commune
Soisy-sur-École
Perthes
Chailly-en-Bière
Bois-le-Roi
Samois-sur-Seine
Héricy
Féricy
Machault
Pamfou
Valence-en-Brie
Jonchets-les-Récompenses
Videlles
Dannemois
Cély
Fleury-en-Bière
Courances
Moigny-sur-École
St-Martin-en-Bière
Barbizon
Mont St-Germain
Tour Dénecourt
Vulaines-sur-Seine
Bois de Valence
Gorges d'Apremont
Fontainebleau
Samoreau
Thomery
Champagne-sur-Seine
Milly-la-Forêt
Arbonne-la-Forêt
Gorges de Franchard
FORÊT DOMANIALE DE FONTAINEBLEAU
Avon
Palais National
Atelier Rosa Bonheur
St-Mammès
Vernou-la-Celle-sur-Seine
Moret-sur-Loing
Montereau-Fault-Yonne
la Grande-Paroisse
Varennes-sur-Seine
Site Archéologique de Pincevent
Chap. St-Blaise des Simples
Oncy-sur-École
Noisy-sur-École
Achères-la-Forêt
Veneux-les-Sablons
le Vaudoué
Tousson
Ury
Recloses
Bourron-Marlotte
Montigny-sur-Loing
Écuelles
Montarlot
Ville-St-Jacques
Boissy-aux-Cailles
Villiers-sous-Grez
Grez-sur-Loing
la Genevraye
Épisy
Villecerf
Dormelles
Flagy
la Chapelle-la-Reine
Rochers de la Dame Jouanne
Malesherbes
Buthiers
Montcourt-Fromonville
Nemours
Larchant
Treuzy-Levelay
Nonville
Villemer
Thoury-Férottes
Amponville
DU GÂTINAIS FRANÇAIS
St-Pierre-lès-Nemours
Darvault
Villemaréchal
St-Ange-le-Viel
Boulancourt
Rumont
Fromont
Guercheville
Ormesson
Nanteau-sur-Lunain
Chevrainvilliers
Fay-lès-Nemours
Châtenoy
Paley
Lorrez-le-Bocage-Préaux
Burcy
Garentreville
Bagneaux-sur-Loing
Poligny
Desmonts
Obsonville
Aufferville
Remauville
Puiseaux
Ichy
Ondreville-sur-Essonne
Bromeilles
Arville
Bougligny
la Madeleine-sur-Loing
Chaintreaux
Sonville
Égreville
Souppes-sur-Loing
Gironville
Maisoncelles-en-Gâtinais
Échilleuses
Chenou
Bransles

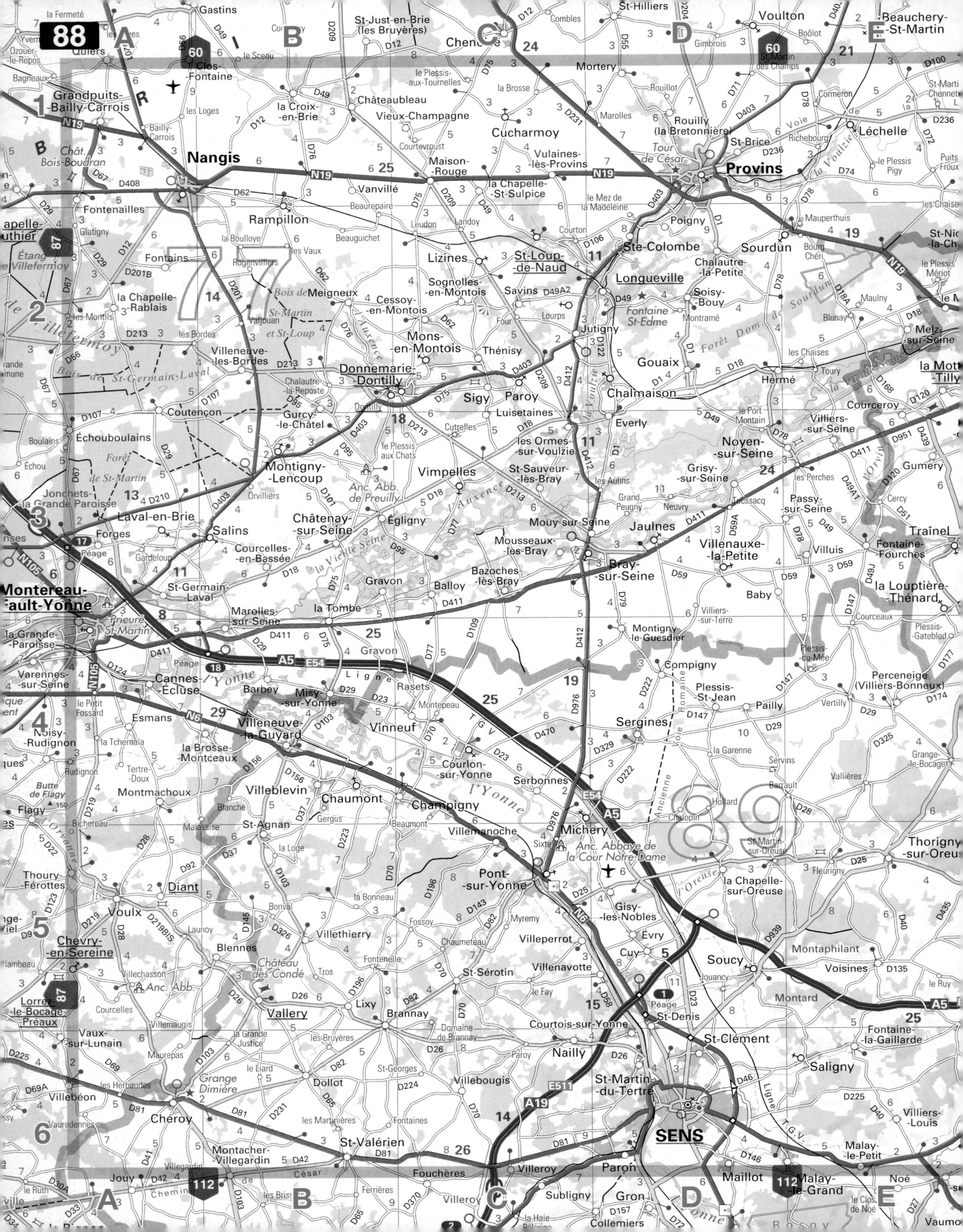

Nangis
Provins
Grandpuits-Bailly-Carrois
Gastins
Clos-Fontaine
la Croix-en-Brie
Châteaubleau
Vieux-Champagne
Cucharmoy
Chenoise
Mortery
Voulton
Beauchery-St-Martin
Rouilly (la Bretonnière)
St-Brice
Léchelle
Maison-Rouge
Vulaines-lès-Provins
Vanvillé
la Chapelle-St-Sulpice
Fontenailles
Rampillon
Lizines
St-Loup-de-Naud
Ste-Colombe
Sourdun
Longueville
Fontains
la Chapelle-Rablais
Meigneux
Cessoy-en-Montois
Sognolles-en-Montois
Savins
Jutigny
Soisy-Bouy
Mons-en-Montois
Thénisy
Gouaix
Villeneuve-les-Bordes
Donnemarie-Dontilly
Paroy
Sigy
Chalmaison
Hermé
Coutençon
Gurcy-le-Châtel
Luisetaines
Everly
Noyen-sur-Seine
Villiers-sur-Seine
Échouboulains
Montigny-Lencoup
Vimpelles
les Ormes-sur-Voulzie
St-Sauveur-lès-Bray
Grisy-sur-Seine
Laval-en-Brie
Salins
Châtenay-sur-Seine
Égligny
Mouy-sur-Seine
Jaulnes
Passy-sur-Seine
Forges
Courcelles-en-Bassée
Mousseaux-lès-Bray
Villenauxe-la-Petite
Fontaine-Fourches
Traînel
Montereau-Fault-Yonne
St-Germain-Laval
Gravon
Balloy
Bazoches-lès-Bray
Bray-sur-Seine
la Louptière-Thénard
Marolles-sur-Seine
la Tombe
Montigny-le-Guesdier
Varennes-sur-Seine
Cannes-Écluse
Barbey
Misy-sur-Yonne
Compigny
Plessis-St-Jean
Perceneige (Villiers-Bonneux)
Noisy-Rudignon
Esmans
Villeneuve-la-Guyard
Vinneuf
Sergines
Pailly
la Brosse-Montceaux
Courlon-sur-Yonne
Serbonnes
Villeblevin
Chaumont
Champigny
Flagy
Montmachoux
St-Agnan
Villemanoche
Michery
Anc. Abbaye de la Cour Notre-Dame
Thorigny-sur-Oreuse
Thoury-Férottes
Diant
Pont-sur-Yonne
la Chapelle-sur-Oreuse
Voulx
Villethierry
Gisy-les-Nobles
Chevry-en-Sereine
Blennes
Villeperrot
Évry
Cuy
Soucy
Montaphilant
Voisines
Château des Condé
St-Sérotin
Villenavotte
Lorrez-le-Bocage-Préaux
Vallery
Lixy
Brannay
St-Denis
Montard
Vaux-sur-Lunain
Courtois-sur-Yonne
St-Clément
Fontaine-la-Gaillarde
Nailly
Saligny
Villebéon
Chéroy
Dollot
Villebougis
St-Martin-du-Tertre
Villiers-Louis
SENS
Montacher-Villegardin
St-Valérien
Malay-le-Petit
Jouy
Fouchères
Villeroy
Paron
Maillot
Malay-le-Grand
Noé
Subligny
Gron
Collemiers
N19
N105
N6
A5
E54
A19
E511
77
89

Villenauxe-la-Grande
Montgenost
Potangis
Chantemerle
St-Quentin-le-Verger
Allemanche-Launay-et-Soyer
Anglure
Marsangis
St-Saturnin
Vouarces
Granges-sur-Aube
Boulages
Plancy-l'Abbaye
Montpothier
Plessis-Barbuise
Villiers-aux-Corneilles
Saron-sur-Aube
Baudement
l'Aube
Montahon
Abbaye sous Plancy
Courtioux
les Vigneaux
la Villeneuve-au-Châtelot
Barbuise
Esclavolles-Lurey
Marcilly-sur-Seine
St-Just-Sauvage
Bagneux
Étrelles-sur-Aube
Longueville-sur-Aube
Charny-le-Bachot
la Saulsotte
Chalautre-la-Grande
Périgny-la-Rose
Conflans-sur-Seine
Courtavant
Châtᵗ de Sellières
Sauvage
Clesles
Pont-sur-Seine
Marnay-sur-Seine
Centrale Nucléaire
Port St-Nicolas
Crancey
St-Hilaire-sous-Romilly
Maizières-la-Grande-Paroisse
Poussey
St-Oulph
Méry-sur-Seine
St-Lucien
Nogent-sur-Seine
la Poste
Romilly-sur-Seine
les Granges
Châtres
Droupt-Ste-Marie
la Chapelle Godefroy
le Grand Parc
Longueperte
Pommereau
Gélannes
Pars-lès-Romilly
les Charmes
Mesgrigny
Droupt-St-Basle
St-Aubin
Quincey
la Belle Étoile
Vallant-St-Georges
Villers
Beauregard
Fontaine-Mâcon
Anc. Abb. du Paraclet
Orgny-le-Sec
Courlanges
St-Mesmin
Rilly-Ste-Syre
Ferreux-Quincey
St-Loup-de-Buffigny
Corduan
la Fosse-Corduan
St-Martin-de-Bossenay
Orvilliers-St-Julien
Fontaine-les-Grès
les Grès
Tremblay
les Ormeaux
St-Vinebault
l'Ardusson
Ossey-les-Trois-Maisons
Fontaine
Avant-lès-Marcilly
Epincey
Bouy-sur-Orvin
Soligny-les-Étangs
Fay-lès-Marcilly
Rigny-la-Nonneuse
St-Flavy
Savières
Charmoy
la Pèze
Marigny-le-Châtel
Échemines
Paysns
l'Orvin
Avon-la-Pèze
Trancault
Belleville
Prunay-Belleville
le Pavillon-Ste-Julie
St-Lyé
St-Maurice-aux-Riches-Hommes
Bourdenay
Dolmen la Pierre Couverte
St-Lupien
Villeloup
Basson
Dolmens
Marcilly-le-Hayer
Mauny
Bercenay-le-Hayer
Pierres le Four Gaulois
Villecerf
Faux-Villecerf
Dierrey-St-Pierre
Grange-l'Évêque
Troyes-Barberey
Dolmen de Lancy
Pouy-sur-Vannes
Villadin
Dierrey-St-Julien
Mesnil-Vallon
Montgueux
Polissoir de Lancy
Courgenay
Polissoir des Roches
les Marchais
Mesnil-St-Loup
Palis
Macey
Grange-au-Rez
Fontvannes
Torvilliers
la Charmée
Anc. Abb. Ferme de Vauluisant
Rateau
Planty
les Tomelles
Messon
Villeneuve-Vauluisant
Polissoir la Pierre aux Dix Doigts
Villemaur-sur-Vanne
la Vanne
Estissac
Bucey-en-Othe
Erey
Lépine
Lailly
Péage
Neuville-sur-Vannes
Thuisy
Prugny
St-Benoist-sur-Vanne
Bourg-de-Partie
Laines-aux-Bois
Villeneuve-l'Archevêque
Bagneaux
Vulaines
Paisy-Cosdon
Molinons
Courmononcle
Aix-en-Othe
Vaugeley
Chennegy
Vauchassis
Foissy-sur-Vanne
Flacy
Rigny-le-Ferron
la Vove
les Grandes Vallées
les Hauts de Flacy
le Jard
Villemoiron-en-Othe
Bercenay-en-Othe
la Vente de l'Avocat
Souligny
Chigy
Vaujurennes
le Valdreux
Bouilly
le Bois de Rigny
les Cornées Laliat
Surançon
Champcharme Bas
la Bouillant
Bois des Fays
les Sièges
Cérilly
Ste Reine
Bérulle
le Mineroy
St-Mards-en-Othe
Maraye-en-Othe
la Perrière
Sommeval
Vareilles
Coulours
Beauchêr
Berluvier
Chevréaux
la Belle Fayl
Champsicourt
Javerna
les Vallées
Fournaudin
Villesabot
le Champion
la Mivoie
Forêt
les Thorets
Augère
Blaise
10

90
A
B
C
D
E
62
114
1
2
3
4
5
6
Champfleury
Dosnon
Grandville
St-Étienne
Somsois
Allibaudières
Bréban
Chapelaine
Corbeil
51
Viâpres-le-Grand
Viâpres-le-Petit
Champigny-sur-Aube
Lhuître
la Prée
St-Utin
Dampierre
Ormes
le Chêne
Bachot
Bessy
Pouan-les-Vallées
Rhèges
Anc. Chât.
Torcy-le-Grand
Torcy-le-Petit
Vinets
Aubigny
Isle-Aubigny
St-Léger-sous-Margerie
Arcis-sur-Aube
Villette-sur-Aube
Ramerupt
Vaucogne
Balignicourt
St-Lucien
St-Nabord-sur-Aube
Vaupoisson
Donnement
Nozay
Ortillon
Romaines
Dommartin-le-Coq
Pars-lès-Chavanges
Chaudrey
Morembert
Jasseines
Prémierfait
St-Étienne-sous-Barbuise
Mesnil-la-Comtesse
Nogent-sur-Aube
Ste-Thuise
Braux-le-Petit
Braux
St-Remy-sous-Barbuise
Yèvres-le-Petit
Aulnay
St-Basle
Autoroute des Anglais
Coclois
Brillecourt
les Grandes-Chapelles
Montardoise
Mesnil-Lettre
Rosnay-l'Hôpital
Voué
la Harmande
Verricourt
Magnicourt
Bétignicourt
Lassicourt
Avant-lès-Ramerupt
Pougy
Chalette-sur-Voire
St-Christophe-Dodinicourt
Montsuzain
Molins-sur-Aube
Lesmont
Rilly-Ste-Syre
Chapelle-Vallon
Aubeterre
Longsols
Précy-St-Martin
10
Charmont
Précy-Notre-Dame
St-Léger-sous-Brienne
Chauchigny
Charmont-sous-Barbuise
Val-d'Auzon
Péage
Montangon
Pel-et-Der
Épagne
Villacerf
Feuges
Fontaine-Luyères
Onjon
Blaincourt-sur-Aube
Brienne-le-Château
Mergey
Payns
Luyères
Villevoque
Anc. Abb. de Basse-Fontaine
Bouy-Luxembourg
Villehardouin
Brantigny
Mathaux
St-Benoît-sur-Seine
Chât. de Vermoise
Vailly
Assencières
Piney
Villiers-le-Brûlé
Brévonnes
Vannes
l'Auzon
Ancienne Voie Romaine
St-Lyé
Barberey aux Moines
Ste-Maure
PARC NATUREL RÉGIONAL
Barberey-St-Sulpice
Creney-près-Troyes
Mesnil-Sellières
Rouilly-Sacey
Sacey
Lac d'Auzon-Temple
la Chapelle-St-Luc
Lavau
Villechétif
Crocs de la Terre
Rosson
Pont-Ste-Marie
Dosches
DE LA
les Noës-près-Troyes
Bouranton
Géraudot
Champigny
St-Parres-aux-Tertres
Rés. ornithologique
Maison du Parc
Ste-Savine
Laubressel
Parc de Vision Animalier
TROYES
Thennelières
la Rivière-de-Corps
FORÊT D'ORIENT
St-Julien-les-Villas
Courteranges
Lac d'Orient
la Loge-aux-Chèvres
St-André-les-Vergers
Rouilly-St-Loup
Ruvigny
Lusigny-sur-Barse
Base de Loisirs
Vendeuvre-sur-Barse
Rosières-près-Troyes
Mesnil-St-Père
St-Germain
Bréviandes
Montaulin
la Civanne
Champ-sur-Barse
Laines-aux-Bois
St-Léger-près-Troyes
Daudes
Montiéramey
la Villeneuve-au-Chêne
la Coloterie
Buchères
Verrières
St-Pouange
Montreuil-sur-Barse
Puits-et-Nuisement
la Boderonne
la Barse
Moussey
Clérey
Fresnoy-le-Château
Troyes-le-Plessis
Isle-Aumont
Bierne
Souligny
Villemereuil
St-Thibault
Troyes-Fresnoy-le-Château
Chauffour-lès-Bailly
Briel-sur-Barse
Villy-en-Trodes
Thieffrain
Roncenay
Clérey-Sud
Bouilly
Villy-le-Maréchal
Vove
Marolles-lès-Bailly
Beurey
les Bordes-Aumont
St-Jean-de-Bonneval
Assenay
la Mogne
Vaudes
Villemoyenne
Poligny
Magnant
Villery
la Vendue-Mignot
Cormost
l'Hozain
St-Parres-lès-Vaudes
Chappes
Fralignes
Lirey
Villy-le-Bois
Montceaux-lès-Vaudes
Fouchères
Courtenot
Javernant
Longeville-sur-Mogne
F. Dom.
le Long du Bois
Rumilly-lès-Vaudes
Manoir des Tourelles
la Borde

F
G
H
J
K
Lac du Der-Chantecoq
Réserve Ornithologique
Giffaumont-Champaubert
Éclaron-Braucourt-Ste-Livière
Humbécourt
Drosnay
Brandonvilliers
Outines
Margerie-Hancourt
Arrembécourt
Châtillon-sur-Broué
Forêt Dom. du Der
Joncreuil
Bailly-le-Franc
Droyes
Chavanges
Puellemontier
Wassy
Voillecomte
Montier-en-Der
Lentilles
Villeret
Ceffonds
Forêt du Der
Domblain
Vallentigny
Louze
Maizières-lès-Brienne
Juzanvigny
Épothémont
la Ville-aux-Bois
Sommevoire
Doulevant-le-Château
Soulaines-Dhuys
Nully
Brienne-la-Vieille
Chaumesnil
la Chaise
Thil
Dienville
Cirey-sur-Blaise
Éclance
Trannes
Bossancourt
Arsonval
Bar-sur-Aube
Lignol-le-Château
Colombey-les-Deux-Églises
Mémorial Ch. de Gaulle
Couvignon
Bayel
Juzennecourt
Longchamp-sur-Aujon
Rennepont
Champignol-lez-Mondeville
Vitry-le-Croisé
52

92
A
B
C
D
E
1
2
3
4
5
6
64
91
116
-en-Perthois
Nant
Brauvilliers
Dammarie-
-sur-Saulx
Morley
Couvertpuis
Baudignécourt
Delouze-
-Rosières
Rosières en
Bienville
F. Dom.
de
Chevillon
Forêt de Morley
Beauregard
Ecurey
Biencourt-
-sur-Orge
St-Thiébaut
Houdelaincourt
Badon
-Gérau
Géravilliers
Bayard-
-sur-Marne
Vestiges d'Aqueduc
Gallo-Romain
Fontaines-sur-Marne
Eurville-Bienville
Gourzon
Sommeville
Forêt
de
Montiers
Montiers-
-sur-Saulx
Ribeaucourt
55
Bonnet
Abainville
Gondrecourt-
-le-Château
la Landre
Chevillon
Rachecourt-
-sur-Marne
Paroy-sur-Saulx
Bure
Breuil-
-sur-Marne
la Marne
Osne-le-Val
Effincourt
Saudron
Tourailles
sous Bois
Mandres-
-en-Barrois
Horville-
-en-Ornois
Forêt Dom.
du Vau
Maizières
Chatonrupt-
-Sommermont
Curel
Autigny-le-Petit
Autigny-le-Grand
Pancey
Gillaumé
Luméville en Ornois
Fays
Sommermont
Montreuil-
-sur-Thonnance
Echenay
Chat.
de Beaupré
Chassey-Beaupré
Guindrecourt-
-aux-Ormes
Vecqueville
Thonnance-
-lès-Joinville
Aingoulaincourt
Cirfontaines-
-en-Ornois
Dainville-
-Bertheléville
Vaude
Joinville
Suzannecourt
la Saulx
Soulaincourt
Harméville
Bois
de Saulx
le Chênoi
Nomécourt
Sailly
Lezéville
Avranville
Rupt
Poissons
Noncourt-
-sur-le-Rongeant
Bressoncourt
Chermise
Mathons
Thonnance-
-les-Moulins
Laneuville-au-Bois
Germay
le Rongeant
Brouthières
Lafolie
Fronville
St-Urbain-
-Maconcourt
Germisay
Ste-Libaire
Grand
Théâtre
Romain
Ferrière-
-et-Lafolie
Maconcourt
Annonville
Bettoncourt-
-le-Haut
Épizon
Morionvilliers
Brechainville
Blécourt
Mussey-
-sur-Marne
Vaux-sur-St-Urbain
Trampot
Audeuil
Landéville
Augeville
Donjeux
Flammerécourt
Domremy-
-Landéville
Chambroncourt
Aillianville
Rouvroy-sur-Marne
Saucourt-sur-Rognon
Pautaines-
-Augeville
Gudmont-Villiers
le Rognon
Busson
Leurville
le Cul
du Cerf
Liffol-le-
Rouécourt
Doulaincourt-Saucourt
F. Dom.
de la Bouloire
Villiers-
-sur-Marne
Roches-Bettaincourt
(Bettaincourt-sur-Rognon)
Ambonville
Provenchères-sur-Marne
Orquevaux
Lafauche
Liffol-le-
Cerisières
Froncles
Reynel
la Manoise
Roches-sur-Rognon
Vesaignes-
-sous-Lafauche
Prez-
-sous-Lafauche
Mirbel
Buxières-lès-Froncles
Humberville
Montot-
-sur-Rognon
Manois
St-Blin
la Genevroye
Vignory
Forêt Dom.
d'Heu
Signéville
Vignes-
-la-Côte
Semilly
Chât.
Fort
Vouécourt
Rimaucourt
Soncourt-sur-Marne
Montéclair
Chalvraines
l'Abbaye
Vraincourt
Viéville
Anc. Abb.
de Septfontaines
Andelot-
-Blancheville
52
la Sueurre
Bois de Chalvraines
Oudincourt
Rochefort-sur-
-la-Côte
Morteau
Blancheville
Ormoy-
-lès-Sexfontaines
Cyclo-rail
Chantraines
Lamancine
Roôcourt-
-la-Côte
Lacrête
Anc. Abb.
Ecot-la-Combe
Briaucourt
F. Dom.
de Lacrête
Annéville-
-la-Prairie
Bologne
Cirey-
-lès-Mareilles
Clinchamp
Bourg
-Ste-Ma
Le Bel-Air
Meures
Marault
Mareilles
Churey
Ozières
Romain-sur-M.
Riaucourt
Consigny
Huilliécourt
Darmannes
Bourdons-sur-Rognon
Laharmand
Vroncourt-
-la-Côte
Thol-
-lès-Millières
Forcey
Brethenay
Bellevue
Treix
Condes
Côte d'Alun
Ferme du Bon
Espoir
Millières
Maisoncelles
le Puits-
-des-Mèzes
Pont
Jonchery
Longchamp
Forêt
de
Clefmont
Euffigneix
Reclancourt
Esnouveaux
le Bois Perron
F. Dom. d'Ageville
Audel
N67
N74
N19
D960
D966
D10
D193
D191
D182
D132
D32
D138
D175
D215
D257
D115
D25
D427
D183
D71
D19
D156
D16
D225
D110
D148
D219
D147
D67A
D249
D44
D137
D161
D1
D33
D119
D231
D216
D142
D131
D220
D8
D176
D25
D31
D5
D127B
D166
D127
D9
D184
D180
D247
D332
D60
D179
D151
D114
D181
D4
D126
D117
D200
D217
D13
D194
D186
D253
D166
D258
D134
D322
D161
D109
D220
34
35
40
42
32
28

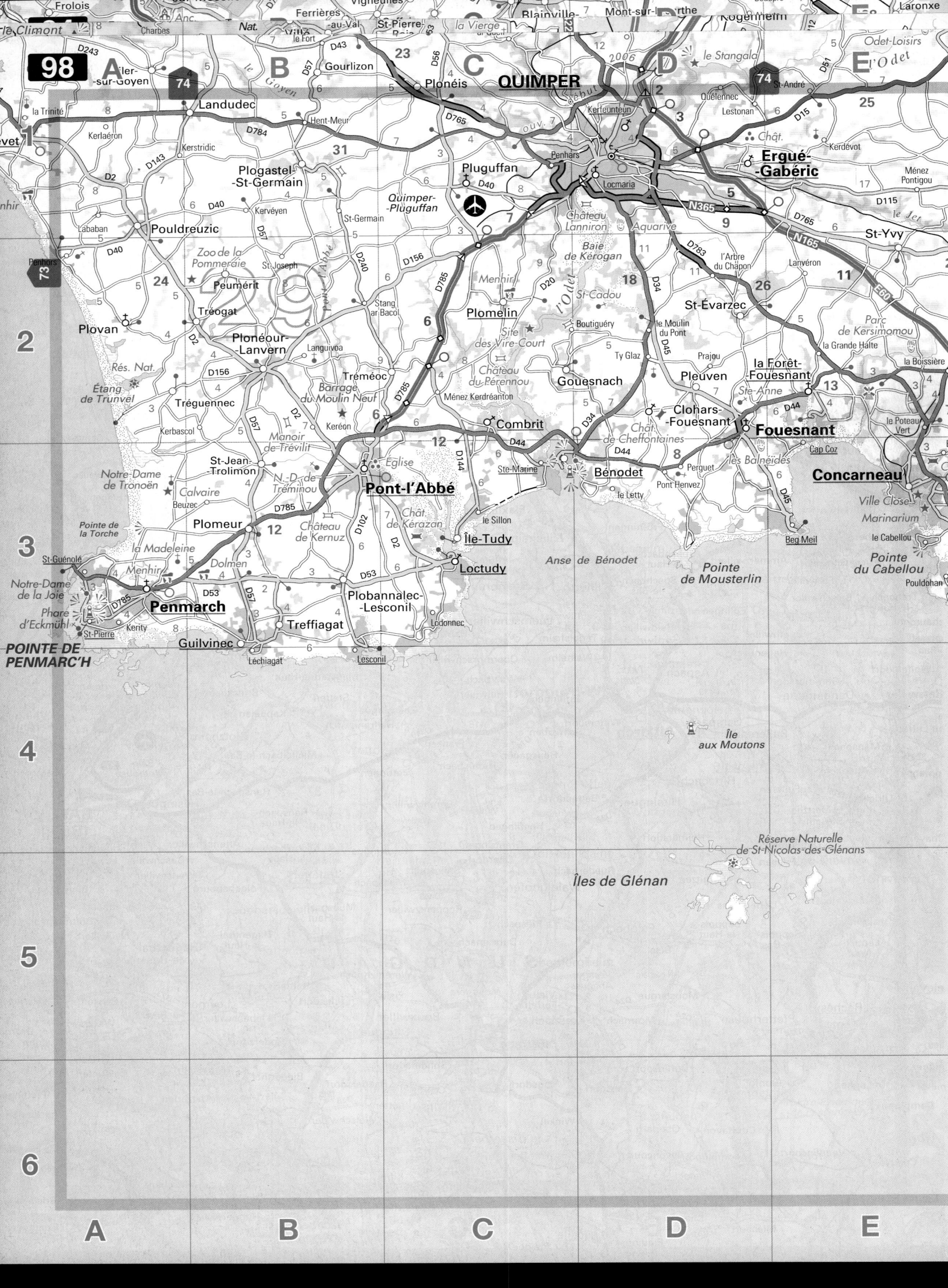

Frolois
le Climont
Charbes
la Trinité
Kerlaéron
Kerstridic
D143
D2
Lababan
Pouldreuzic
D40
Plovan
Rés. Nat.
Étang
de Trunvel
Tréguennec
Kerbascol
Notre-Dame
de Tronoën
Pointe de
la Torche
la Madeleine
St-Guénolé
Notre-Dame
de la Joie
Phare
d'Eckmühl
St-Pierre
Kerity

**POINTE DE
PENMARC'H**

Ferrières
-au-Val
Nat.
le Fort
Gourlizon
D57
D784
Hent-Meur
Landudec
Plogastel-
-St-Germain
Kervéyen
St-Germain
Zoo de la
Pommeraie
St-Joseph
Peumérit
Tréogat
Plonéour-
Lanvern
Languivoa
D156
Trémeoc
Barrage
du Moulin Neuf
Kéréon
Manoir
de-Trévilit
St-Jean-
Trolimon
N.-D. de
Tréminou
Calvaire
Beuzec
Plomeur
Château
de Kernuz
Dolmen
Menhir
D785
Penmarch
Treffiagat
Guilvinec
Léchiagat

Vigneulles
St-Pierre
la Vierge
Villa
D43
Plonéis
Pluguffan
Quimper-
Pluguffan
D156
Plomelin
Site
des Vire-Court
Château
du Pérennou
Ménez Kerdréanton
Combrit
Église
Chât.
de Kérazan
le Sillon
Île-Tudy
Loctudy
Plobannalec-
Lesconil
Lodonnec
Lesconil

Blainville
Mont-sur-
QUIMPER
Penhars
Kerfeunteun
Locmaria
Château
Lanniron
Aquarive
Baie
de Kérogan
St-Cadou
Boutiguéry
Ty Glaz
Gouesnach
Chât.
de Cheffontaines
Bénodet
le Letty
Anse de Bénodet
Pointe
de Mousterlin

le Stangala
Quélennec
Lestonan
St-André
Chât.
Kerdévot
**Ergué-
-Gabéric**
Ménez
Pontigou
St-Yvy
l'Arbre
du Chapon
Lanvéron
St-Évarzec
le Moulin
du Pont
Prajou
Pleuven
Ste-Anne
Clohars-
Fouesnant
Perguet
Pont Henvez
les Balnéides
Cap Coz
la Forêt-
Fouesnant
Fouesnant
Concarneau
Ville Close
Marinarium
le Cabellou
Pointe
du Cabellou
Pouldohan
Beg Meil

Île
aux Moutons

Réserve Naturelle
de St-Nicolas-des-Glénans
Îles de Glénan

Laronxe
Odet-Loisirs
Parc
de Kersimomou
la Grande Halte
la Boissière
le Poteau
Vert

F
G
H
J
K
Guiscriff
Scaër
Rosporden
Elliant
Tourch
le Faouët
Lanvénégen
Meslan
Berné
St-Thurien
Querrien
Bannalec
Melgven
Locunolé
Guilligomarc'h
Mellac
Tréméven
le Trévoux
Quimperlé
Arzano
Trégunc
Pont-Aven
Riec-sur-Belon
Moëlan-sur-Mer
Rédené
Cléguer
Névez
Pont-Scorff
Caudan
Clohars-Carnoët
Guidel
Gestel
Quéven
Ploemeur
Larmor-Plage
Gâvres
Groix
Île de Groix
Anse du Pouldu
le Pouldu
Guidel-Plage
le Fort-Bloqué
Doëlan
Port-Manec'h
Raguénez
Pointe Trévignon
Château du Hénant
Abb. et Chât. de St-Maurice
Parc Animalier des Quinquis
Manoir de Kernault
Parc Aquanature
Réserve Naturelle
Pen-Men
Grand Phare
Trou de l'Enfer
Pointe des Chats
Locmaria
Port-Tudy
Locqueltas
Kerrohet
Quelhuit
Kermario
1
2
3
4
5
6

100
A
B
C
D
E
1
2
3
4
5
6
Inguiniel
Melrand
Bieuzy
St-Samson
St-Nicolas-des-Eaux
Kermorgan
Bodion
Moustoir-Remungol
Pontcallec
St-Armel
Calvaire
Site du Castennec
St-Nicodème
Lochrist
Bubry
Locunel
Locqueltas
Château de la Villeneuve-Jacquelot
Pluméliau
Kermonserh
Kerderrian
l'Evel
St-Thuriau
Nénez
Malachap
Plouay
St-Maurice
St-Yves
St-Barthélemy
Remungol
Manoir de Kermorgan
Locmaria
Keramour
Sarhoët
Lanvaudan
St-Adrien
Notre-Dame du Manéguen
Kerchopine
Kermoizan
Quistinic
Guénin
Kerdanet
Calan
Vallée du Blavet
le Pont de l'Angle
le Blavet
Koh Koëd
St-Symphorien
Baud
Locminé
Penquesten
Lambézégan
Quinipily
Statue de Vénus
Kerdéhel
la Chapelle-Neuve
l'Enfer
le Rudet
Kergonan
Plumelin
Inzinzac-Lochrist
St-Nicolas
Camors
St-Quidy
St-Séverin
Lanveur
Languidic
Lambel
F. Dom. de Camors
Lério
Moustoir
Caudan
Kervarh
Lochrist
Haras Nat.
St-Jean
Gonnec
Kerhéro
Hennebont
St-Gilles
Coët Megan
Locoal
F. Dom. de Floranges
Malachap
Kerès
Brandérion
Trélécan
Bieuzy-Lanvaux
Landes de Lanvaux
Coët Crann
Tréauray
Ste-Brigitte
le Resto
Loperhet
Lanester
Kernours
Kervignac
Landévant
Pluvigner
Brandivy
LORIENT
Base sous-Marine
Nostang
Landaul
le Poteau
St-Trémeur
Grand-Champ
Locmiquélic
Merlevenez
Langonbrac'h
le Veniel
Kerihuelo
Calan
Plumergat
Langroëz
Port-Louis
Riantec
Ste-Hélène
Locoal-Mendon
Brech
Locmaria
Ban-Gâvres
Gâvres
Kerdavid
Lapaul
Plouhinec
Manéguen
Nécr. Nat.
St-Dégan
Locmiquel
Basilique
Nestadio
Kervihan
Ste-Anne-d'Auray
St-Cado
la Chartreuse d'Auray
Mériadec
Kergo
Belz
le Moustoir
Champ des Martyrs
Magouëro
Étel
le Magouer
Auray
Pluneret
Kerdonnerh
Manoir
St-Laurent
Ploemel
Ste-Avoye
Ploeren
Erdeven
Locmaria
Bono
Plougoumelen
Align. de Kerzerho
Plessis-Kaër
Notre-Dame de Béquerel
Kerouriec
Dolmen de Crucuno
Coëtatouz
Kergouët
Dolmen le Runesto
Crach
le Moustoir
Baden
Ste-Barbe
Ste-Anne
Alignements de Carnac
Kersoulard
Kercado
Arradon
St-Michel
Kerdaniel
Tumulus St-Michel
Kerisper
le Guern
Port Blanc
Île-aux-Moines
Plouharnel
le Ménec
St-Philibert
Kerouarc'h
Larmor-Baden
Carnac
la Trinité-sur-Mer
Kergonan
St-Colomban
Tumulus
Carnac-Plage
Ile aux Moines
Locmariaquer
Golfe
Penthièvre
Dolmen des Marchands
Penhap
Côte des Mégalithes
Kerhostin
Kerners
Tumulus de César
Portivy
Pointe du Percho
Pointe de Kerpenhir
Port-Navalo
Arzon
N24
N165
E60

Naizin
Réguiny
Pleugriffet
Lanouée
St-Malo-des-Trois-Fontaines
Radenac
Josselin
Lantillac
Helléan
La Croix-Helléan
Taupont
Ploërmel
Buléon
Guégon
Moréac
St-Allouestre
Guéhenno
Guillac
Bignan
Cruguel
Billio
Lizio
Monterrein
St-Jean-Brévelay
Plumelec
La Chapelle-Caro
Colpo
Sérent
Malestroit
Plaudren
Trédion
St-Marcel
St-Guyomard
Locqueltas
Landes de Lanvaux
Pleucadeuc
Monterblanc
Elven
Meucon
Molac
St-Nolff
St-Avé
Rochefort-en-Terre
Treffléan
Sulniac
Questembert
Pluherlin
VANNES
Séné
Theix
Berric
Limerzel
Noyalo
Lauzach
Caden
Surzur
Noyal-Muzillac
Péaule
Ambon
le Guerno
MORBIHAN
Château de Kerguéhennec
Forteresse de Largouët
Château de Trémohar
Château de Plessis Josso
Parc Zoologique
Château de Loyat
Colonne des Trente
Maquis de la Nouette
Réserve Naturelle
Aquarium
Camp Romain
Notre-Dame du Loc

A
B
C
D
E
1
2
3
4
5
6
78
101
121
122
16
15
Porcaro
Guer
St-Étienne
la Belle Alouette
Brangolo
Plédy
Guignen
le Plessis
Thuaux
Deleix
St-Se
le Binio
la Faraudais
Caro
Monteneuf
Réminiac
Château de Coëtbo
Craon
Les Brulais
Mernel
Maure-de-Bretagne
Comblessac
St-Germain
le Tertre
Chaumeray
Bréhac
St-Malo-de-Ph
le Grand Village
la Telhaie
Trignac
Tréal
le Vieux Bourg
Bourgeix
St-Séglin
Lieuron
Lohéac
Château des Champs
les Combs
la Pironnaie
la Nouëraie
Ruffiac
le Temple
Quelneuc
Bruc-sur-Aff
Landrouais
Pipriac
Guipry
Port de Guipry
l'Aff
Carentoir
Zoo
St-Nicolas-du-Tertre
St-Laurent-sur-Oust
Manoir de Balangeard
la Danais
Noyal
Bellevue
la Vieille Forêt
la Chapelle-Gaceline
la Corblaie
Couesmé
St-Congard
la Gacilly
Sixt-sur-Aff
Dolmen du Tréal
St-Just
St-Ganton
Combray
Malon
les Emailleries
la Roussière
Boeuvres
Radineuf
Carhon
St-Martin
Cournon
Alignements Mégalithique
la Porte
les Fougerêts
Craon
la Rochelle
Port de Roche
Entreland
la Brisselaie
St-Gravé
l'Oust
Peillac
Glénac
Trobert
Renac
le Canut
Ste-Anne-sur-Vilaine
Langon
la Vilaine
Rochefort-en-Terre
St-Vincent-sur-Oust
Bains-sur-Oust
la Chapelle-de-Brain
St-Jacut-les-Pins
la Méhiais
Ste-Marie
St-Jean-d'Apileur
Malansac
Parc de la Préhistoire
le Vieux Bourg
Painfaut
Brain-sur-Vilaine
Beslé
St-Perreux
Redon
Lezin
Massérac
Beix
St-Eutrope
Bonard
la Provotaie
Coismo
Castres
la Butte des Fougerais
St-Gorgon
Allaire
St-Jean-la-Poterie
St-Nicolas-de-Redon
Avessac
la Déroute
St-Yves
Cade
la Ville en Pierre
le Pont Esnault
la Hunaudière
Fin 2005
Bellion
le Val
le Poteau Vert
le Broussais
le Port Janier
Guémené-Penfao
Tremelan
Ecarré
Bocquereu
Tréfin
le Bois Alin
Bas Tesdan
Béganne
la Vilaine
Rieux
Château de Léhellec
Brécéan
Trévolo
le Bas Luc
la Grée Ruault
le Petit Bézo
Fégréac
Bellevue
Tréfoux
le Château
Bringuin
Cran
Villeberte
le Saint des Bois
Trégouet
Ste-Anne
Théhillac
Barrisset
St-Cry
Canal
Sévérac
le Dresny
le Pigeon Blanc
St-Dolay
le Clandre
Marongle
Trélan
Nivillac
Izernac
la Martinais
le Pibot
le Plessis
le Coudray
la Réserve
Lancé
Rozay
Plessé
la Pommeraie
Ville Marguerite
Belle-Étoile
la Bauce
St-Clair
Base de Loisirs
Guenrouet
l'Angle
St-Gildas-des-Bois
la Gouarais
Chap. de Carheil
la Ville Perrotin
Burin
la Croix de Haut
la Clavelaie
le Clos Neuf
la Douettée
F. Dom. du Gâvre
Pont d'Orzon
Chât. de la Bretesche
Missillac
les Mortiers
Brivé
la ville Rio
la Béchetais
le Clos
Notre-Dame de Grâce
Quinhu
la Chaussée
l'Angle Bertho
Perno
Rendreux
Drefféac
Peslan
St-Omer-de-Blain
la Gravelais
Ste-Anne-sur-Brivet
la Chapelle-des-Marais
Ste-Reine-de-Bretagne
Branducas
Quilly
le Gravie
Brest
Château
Nantes

A
B
C
D
E
1
2
3
4
5
6
80
79
103
124
Poce-les-Bois
St-Aubin-des-Landes
St-Étienne
Erbrée
Bréal-sous-Vitré
St-Pierre-la-Cour
Port-Brillet
Olivet
le Genest-St-Isle
Château des Rochers-Sévigné
Mondevert
Péage
Bois des Gravelles
la Brûlatte
Paplonière
St-Berthevin
Étrelles
Argentré-du-Plessis
la Gravelle
Torcé
les Rues
Mal Avisé
la Chapelle du Chêne
Sorinière
Loiron
Ruillé-le-Gravelais
la Fauconnerie
le Lattay
Vergéal
le Bois des Cherbault
le Pertre
St-Cyr-le-Gravelais
Bais
St-Germain-du-Pinel
Brielles
Beaulieu-sur-Oudon
Montjean
Ahuillé
Montigné-le-Brillant
Domalain
Gennes-sur-Seiche
la Roche de Bretagne
le Bourg du Chemin
la Maison Neuve
Chât. de Montjean
la Morinière
Courbeveille
Étrogné
Nuillé-sur-Vicoin
Moutiers
Availles-sur-Seiche
Carcraon
Cuillé
la Hénaudière
l'Hommeau
Mingé Neuf
St-Poix
Gastines
Méral
Astillé
la Guerche-de-Bretagne
la Selle-Guerchaise
Laubrières
Soulioche
le Grand Bechevreuil
la Haute
Cossé-le-Vivien
les Places
Ligneroge
la Promenade
Moussé
Rannée
Melleray
l'Assis
la Frénouse
le Fresne
Fontaine-Couverte
le Fléchard
le Pont Vien
le Chef-Lieu
Cosmes
Quelaines-St-Gault
la Roche Porée
Abb.
les Chesnaies
la Chenonnière
la Chapelle-Craonnaise
Brains-sur-les-Marches
la Roë
Ballots
les Masses
les Bûcheries
la Galbronnière
St-Gault
St-Michel-de-la-Roë
Athée
le Clos
Simplé
les Lisières
Livré
Denazé
Peuton
la Croix Rouge
la Chênaie
la Brancherie
Forges-la-Forêt
Chelun
la Haie Rouge
la Guyonnière
Marigné-Peuton
la Basse Futaie
Loigné-sur-Mayenne
les Thibergères
Chât. de la Lande
St-Aignan-sur-Roë
la Selle-Craonnaise
Niafles
Craon
la Chauvinière
Chanteloup
les Quatre Routes
Laigné
Eancé
la Rouaudière
le Grand Boulay
la Crue
les Vallées
Pommerieux
le Puits
St-Morand
la Maronnerie
St-Saturnin-du-Limet
Bouchamps-lès-Craon
la Véronnière
Chevrollière
Mondésir
Senonnes
Congrier
St-Martin-du-Limet
le Petit Gaubert
Ampoigné
la Tricouillère
les Grandes Maisons
Renazé
Chérancé
Guinefolle
Mée
Château de St-Ouen
Villepot
la Touche
St-Erblon
la Martinière
la Boissière
les Hautes Plasnières
Chemazé
la Laizerie
Virebouton
la Chapelle-Hullin
le Bois Blin
St-Quentin-les-Anges
Château Mortier Crolle
St-Gilles
Bourg-Philippe
St-Aubin
Chât.
Chazé-Henry
Grugé-l'Hôpital
Châtelais
les Anges
l'Hôtellerie
Cochardière
Bouillé-Ménard
l'Hôtellerie-de-Flée
St-Sauveur-de-Flée
Pouancé
Carbay
Bourg-l'Évêque
la Chapelle aux Pies
la Ferrière-de-Flée
Château de Bouillé-Thévalle
Chanillet
le Tertre
la Prévière
Vergonnes
Charmont
la Petite Couère
la Mulonnaie
Bouvenay
Armaillé
Menhir Pierre Frite
Nyoiseau
les Jonchères
Anc. Prieuré de la Primaudière
Forêt de Juigné
Combrée
Bel-Air
Cité du Bois-1
Cité de Brèges
St-Aubin du Pavoil
Avìré
la Conulaie
Noëllet
Noyant-la-Gravoyère
Louvaines
le Teillais
Juigné-des-Moutiers
St-Michel-et-Chanveaux
le Tremblay
le Bourg-d'Iré
Segré
le Hardas
la Chapelle-sur-Oudon
Ste-Gemmes-d'Andigné
St-Julien-de-Vouvantes
Ruigné
Chanveaux
la Croix Couverte
la Cézilaie
Château de Dieusie
Andigné
la Jaillette
35
49
N157
E50
A81
N171
D775
D32
D25
D4

Louverné
la Chapelle-Anthenaise
St-Céneré
Rochers de Barikot
Livet
Ste-Suzanne
Torcé-Viviers-en-Charnie
Laval-Bonchamp
Argentré
la Chapelle-Rainsouin
Bonchamp-lès-Laval
St-Léger
Chammes
LAVAL
Louvigné
Soulgé-sur-Ouette
Villeray
Loriolet
Vaiges
Blandouet
Forcé
St-Georges-le-Fléchard
St-Jean-sur-Erve
Thorigné-en-Charnie
St-Denis-d'Orques
Bazougers
Entrammes
Parné-sur-Roc
St-Pierre-sur-Erve
Grotte de Rochefort
Arquenay
la Bazouge-de-Chemeré
Viré-en-Champagne
Grotte à Margot
Saulges
Bannes
Maisoncelles-du-Maine
St-Denis-du-Maine
Chémeré-le-Roi
Origné
Meslay-du-Maine
la Cropte
Cossé-en-Champagne
Brûlon
le Bignon-du-Maine
Épineux-le-Seguin
Avessé
Préaux
Ballée
Villiers-Charlemagne
St-Charles-la-Forêt
le Buret
Poillé-sur-Vègre
Beaumont-Pied-de-Boeuf
Ruillé-Froid-Fonds
Auvers-le-Hamon
St-Loup-du-Dorat
Asnières-sur-Vègre
Grez-en-Bouère
Bouessay
Longuefuye
Fromentières
Bouère
Juigné-sur-Sarthe
Château-Gontier
Gennes-sur-Glaize
St-Brice
Solesmes
Azé
Souvigné-sur-Sarthe
Sablé-sur-Sarthe
Vion
Bierné
Châtelain
St-Denis-d'Anjou
Pincé
Coudray
Courtillers
Louailles
Argenton-Notre-Dame
Ménil
St-Michel-de-Feins
St-Laurent-des-Mortiers
Précigné
Daon
Miré
Chemiré-sur-Sarthe
Morannes
Sœurdres
la Jaille-Yvon
Contigné
Notre-Dame-du-Pé
la Chapelle-d'Aligné
Marigné
Chenillé-Changé
Cherré
Brissarthe
Daumeray
Chambellay
Châteauneuf-sur-Sarthe
Querré
Champteussé-sur-Baconne
Champigné
Durtal
A81
E50
N157
N162
A11
L'Océane

A
B
C
D
E
1
2
3
4
5
6
Rouez
Conlie
Souligné-sous-Ballon
Ste-Sabine-sur-Longève
Ste-Jamme-s-Sarthe
Parennes
Anc. Abb. de Champagne
Tennie
Neuvillette-en-Charnie
Domfront-en-Champagne
la Chapelle-St-Fray
Souillé
Joué-l'Abbé
la Guierche
la Bazoge
Neuvy-en-Champagne
Cures
Châtt. de Sourches
Neuville-sur-Sarthe
Savigné-l'Évêque
Lavardin
Aigné
la Milesse
St-Symphorien
Bernay
Ruillé-en-Champagne
Chemiré-en-Charnie
Épineu-le-Chevreuil
Amné
la Quinte
Degré
St-Saturnin
Coulaines
Sargé-lès-le-Mans
St-Pavace
la Chapelle-St-Aubin
Trangé
Joué-en-Charnie
Chassillé
Longnes
Chaufour-N.-D.
Yvré-l'Évêque
Gripperies
Brains-sur-Gée
Coulans-sur-Gée
Châtt. de Coulans
Fay
Pruillé-le-Chétif
Rouillon
Auvers-sous-Montfaucon
Loué
Mareil-en-Champagne
Tassillé
Crannes-en-Champagne
Souligné-Flacé
St-Georges-du-Bois
Allonnes
LE M
Parc de Loisirs
Abb. de l'Épau
St-Christophe-en-Champagne
Vallon-sur-Gée
Louplande
Étival-lès-le-Mans
Circuit Automobile
Chevillé
St-Ouen-en-Champagne
St-Pierre-des-Bois
Maigné
Chemiré-le-Gaudin
Voivres-lès-le-Mans
Spay
Arnage
Ruaudin
Chantenay-Villedieu
Pirmil
Mulsanne
Fontenay-sur-Vègre
Fercé-sur-Sarthe
la Suze-sur-Sarthe
Roézé-sur-Sarthe
Fillé
Moncé-en-Belin
Teloché
Tassé
Noyen-sur-Sarthe
St-Gervais-en-Belin
Avoise
St-Jean-du-Bois
Guécélard
Laigné-en-Belin
Parcé-sur-Sarthe
Parigné-le-Pôlin
St-Ouen-en-Belin
Dureil
Malicorne-sur-Sarthe
Mézeray
Cérans-Foulletourte
Écommoy
Oizé
Yvré-le-Pôlin
St-Biez-en-Belin
Arthezé
Château-l'Hermitage
la Fontaine-St-Martin
Courcelles-la-Forêt
Requeil
Bousse
le Bailleul
Ligron
Villaines-sous-Malicorne
Crosmières
Mayet
Pontvallain
la Chapelle-d'Aligné
St-Jean-de-la-Motte
Mansigné
Clermont-Créans
Sarcé
Mareil-sur-Loir
Bazouges-sur-le-Loir
la Flèche
Luché-Pringé
Coulongé
Aubigné-Racan
Cré
Thorée-les-Pins
A81
A11
E501
N157
N23
N138
72

F
G
H
J
K
Beaufay
Prévelles
St-Denis-des-Coudrais
St-Martin-des-Monts
Courgenard
Torcé-en-Vallée
Boëssé-le-Sec
la Ferté-Bernard
Villaines-la-Gonais
Gréez-sur-Roc
St-Célerin
Tuffé
St-Hilaire-le-Lierru
Lamnay
St-Jean-des-Échelles
Sillé-le-Philippe
la Chapelle-St-Rémy
Sceaux-sur-Huisne
Montmirail
Melleray
Lombron
Parnouette
Beillé
Vouvray-sur-Huisne
Bouër
St-Maixent
St-Corneille
Champrond
Haras de Maulepaire
Connerré
Duneau
le Luart
Vibraye
Dolmen de la Pierre Couverte
Lavaré
Montfort-le-Gesnois
Fatines
Thorigné-sur-Dué
Dollon
Champagné
St-Mars-la-Brière
Semur-en-Vallon
Forêt de Vibraye
Camp d'Auvours
Soulitré
le Breil-sur-Mérize
St-Michel-de-Chavaignes
Ardenay-sur-Mérize
Coudrecieux
Berfay
Valennes
Parc Animalier
Château de Pescheray
Surfonds
Bouloire
Château de la Buzardière
Rahay
Conflans-sur-Anille
Parigné-l'Évêque
Challes
Volnay
Maisoncelles
Écorpain
Montaillé
St-Mars-de-Locquenay
St-Calais
Marolles-lès-St-Calais
Brette-les-Pins
Tresson
Évaillé
Manoir de la Chevalerie
Ste-Cérotte
Ste-Osmane
St-Gervais-de-Vic
St-Mars-d'Outillé
Savigny-sur-Braye
Cogners
Montreuil-le-Henri
le Grand-Lucé
Villaines-sous-Lucé
la Chapelle-Huon
Pruillé-l'Éguillé
St-Georges-de-la-Couée
Vancé
Bessé-sur-Braye
Marigné-Laillé
St-Vincent-du-Lorouër
Cellé
St-Pierre-du-Lorouër
Courdemanche
Bonneveau
Château des Étangs
Château de Follet
Forêt Domaniale de Bercé
la Chapelle-Gaugain
Fontaine-les-Coteaux
Jupilles
Futaie des Clos
Lavenay
Troo
Beaumont-Pied-de-Bœuf
Dolmen de Maupertuis
Poncé-sur-le-Loir
Sougé
St-Jacques-des-Guérets
Thoiré-sur-Dinan
Couture-sur-Loir
Château de la Motte Tibergeau
Chahaignes
Lhomme
Ruillé-sur-Loir
Manoir de la Possonnière
Artins
Flée
la Chartre-sur-le-Loir
Tréhet
les Essarts
Ternay
Château-du-Loir
Luceau
Marçon
Villedieu-le-Château
Montrouveau
les Hayes
St-Martin-des-Bois
Vouvray-sur-Loir
Beaumont-sur-Dême
Prieuré Ste-Madeleine-de Croixval
Montabon
A11
E50
N23
N157
N138
E502

A
B
C
D
E
la Bazoche-Gouet
Chapelle-Royale
Chapelle-Guillaume
le Gault-Perche
le Plessis-Dorin
St-Avit
Arrou
Courtalain
Châtillon-en-Dunois
Lanneray
Marboué
St-Denis-les-Ponts
Oigny
Arville
Ancienne Commanderie des Templiers
la Fontenelle
le Poislay
St-Pellerin
Boisgasson
Souday
St-Agil
Droué
Langey
St-Hilaire-sur-Yerre
Douy
la Chapelle-du-Noyer
Boursay
Montigny-le-Gannelon
Ruan-sur-Egvonne
Bouffry
Cloyes-sur-le-Loir
Autheuil
Choue
la Chapelle-Vicomtesse
Fontaine-Raoul
Villebout
Mondoubleau
Romilly-sur-Aigre
Baillou
Cormenon
St-Marc-du-Cor
Chauvigny-du-Perche
St-Jean-Froidmentel
Brévainville
Romilly
Beauchêne
le Temple
Forêt de Fréteval
Sargé-sur-Braye
la Ville-aux-Clercs
St-Hilaire-la-Gravelle
Moisy
Morée
Épuisay
Danzé
Busloup
Fréteval
Rahart
Pezou
Lignières
Vievy-le-Rayé
Fortan
Azé
Lisle
St-Firmin-des-Prés
Renay
Mazangé
Gare de Vendôme-Villiers-sur-Loir T.G.V.
Villiers-sur-Loir
Beauvilliers
La Chapelle-Enchérie
Oucques
Lunay
Meslay
St-Ouen
Areines
Rocé
Faye
Épiais
Naveil
Vendôme
Ste-Gemmes
Thoré-la-Rochette
les Roches-l'Évêque
Villetrun
Coulommiers-la-Tour
Baigneaux
Villeneuve-Frouville
Montoire-sur-le-Loir
Lavardin
St-Rimay
Houssay
Villiersfaux
Marcilly-en-Beauce
Villerable
Ste-Anne
Selommes
Rhodon
Conan
Boisseau
Huisseau-en-Beauce
Crucheray
Périgny
Villemardy
Villeromain
Nourray
St-Martin-des-Bois
Sasnières
St-Arnoult
Ambloy
Prunay-Cassereau
Lancé
Champigny-en-Beauce
N10
N157
D927
84
107
128
41

Châteaudun
Orgères-en-Beauce
Patay
Loigny-la-Bataille
Varize
Péronville
Lutz-en-Dunois
Villamblain
Tournoisis
St-Péravy-la-Colombe
Coinces
Bricy
Gidy
Saran
Ormes
St-Jean-de-la-Ruelle
Ingré
Épieds-en-Beauce
Coulmiers
Ouzouer-le-Marché
Binas
Verdes
Ozoir-le-Breuil
Huisseau-sur-Mauves
Chaingy
la Chapelle-St-Mesmin
St-Ay
Mareau-aux-Prés
Meung-sur-Loire
Cléry-St-André
Baule
Beaugency
Lorges
Marchenoir
St-Laurent-des-Bois
St-Léonard-en-Beauce
Talcy
Tavers
Lailly-en-Val
Jouy-le-Potier
Mer
St-Laurent-Nouan
Centrale Électrique de St-Laurent-des-Eaux
Dolmen de la Mouïse
Châtre
le Bardon
Baccon
Charsonville
Prénouvellon
Membrolles
Tripleville
Moléans
St-Christophe
Cormainville
Bazoches-en-Dunois
Terminiers
Rouvray-Ste-Croix
Sougy
Boulay-les-Barres
Gémigny
St-Sigismond
Villorceau
Josnes
Concriers
Séris
Lestiou
Avaray
Courbouzon
Dry
Messas
N157
D955
A10
A71
N152

Aivernon
Chaussy
Bazoches-les-Gallerandes
Pithiviers-le-Vieil
Pithiviers
Châtillon-le-Roi
Gueudreville
Dadonville
le Grand Bréau
Spuis
Gourvilliers
Denainvilliers
Yèvre-la-Ville
Givraines
Oison
Lion-en-Beauce
Jouy-en-Pithiverais
Crottes-en-Pithiverais
Escrennes
Ascoux
Tiellay
Rougemont
Reigneville Grand
Boynes
Attray
Montigny
Laas
Ruan
Teillay-St-Benoît
Bouzonville-aux-Bois
Verrine
Courcelles
Villechat
Aschères-le-Marché
Mareau-aux-Bois
Trinay
Mézières
St-Germain-le-Grand
Santeau
Bouilly-en-Gâtinais
Arconville
Artenay
Min Pierre
les Bordes Latrées
Chilleurs-aux-Bois
Vrigny
Nancray-sur-Rimarde
Bucy-le-Roi
Villereau
Neuville-aux-Bois
Ronville-le-Fort
Courcy-aux-Loges
le Buisson d'Aronce
Chât. de la Luzerne
Chât. de la Motte
Chât. de Chamerolles
Chambon-la-Forêt
Villeneuve
la Croix Verte
les Mardelles
St-Lyé-la-Forêt
la Rive du Bois
les Forestières
St-Barthélemy
Bougy-lez-Neuville
Étg du Grand Vau
Chemault
Boiscommun
Chevilly
St-Louis
Chât. de Chevilly
FORÊT
Chât. du Hallier
Nibelle
Montlia
Ambert
Loury
Abbaye
les Templiers
la Grange Thivet
Nesplo
Cercottes
Rebréchien
Ingrannes
Sully-la-Chapelle
Seichebrières
Sury-aux-Bois
Chanteau
Marigny-les-Usages
Traînou
la Croix
Étang de la Vallée
(déclassé)
Saran
ORLÉANS
Vennecy
Combreux
le Pont des Besniers
l'Herveline
Nestin
Vitry-aux-Loges
Fleury-les-Aubrais
l'Aizeau
Canal d'Orléans
Chicamour
les Barres
St-Jean-de-la-Ruelle
Semoy
Boigny-sur-Bionne
Fay-aux-Loges
les Poteries
les Quatre Routes
Châten
St-Jean-de-Braye
Donnery
les Grillons
Chécy
les Bréteaux
Combleux
DOMANIALE
St-Jean-le-Blanc
Mardié
Bou
St-Denis-de-l'Hôtel
Châteauneuf-sur-Loire
St-Pryvé-St-Mesmin
St-Denis-en-Val
Olivet
Chât. de la Source
Parc Floral d'Orléans-la-Source
le Chêne Coquin
Darvoy
Jargeau
LA LOIRE
St-Martin-d'Abbat
les Quatre Routes
le Coudray
la Fontaine St-Vrain
les Pointes
Sandillon
Germigny-des-Prés
le Mesnil
Noras
Sce du Loiret
Savigny
Férolles
les Chevalliers
St-Aignan-des-Gués
la Dhuy
la Grosse Planche
Ouvrouer-les-Champs
Sigloy
les Boutrons
Bray-en-Val
Orléans-la-Source
St-Cyr-en-Val
St-Benoît-sur-Loire
les Rues
la Commanderie
Parc de Bruel
Guilly
Bonnée
la Petite Mérie
Vienne-en-Val
Tigy
Neuvy-en-Sullias
Bouteille
les Places
Chât. de Boisgibault
Ardon
Étang des Pointes
Terre Neuve
Min à Vent Bel Air
St-Père-sur-Loire
l'Ardoux
Marcilly-en-Villette
Alosse
Farges
Mille-Mottes
le Gué Robert
la Colonie
Fanneville
Bellefontaine
Grand Étg de la Motte
les Quatre Routes
les Touchardières
Viglain
la Ferté-St-Aubin
Étang des Seigneurs
Vannes-sur-Cosson
le Bec d'Able
Étang des Sauteriaux
le Cosson
Ménestreau

Échilleuses
Boësses
Beaumont-du-Gâtinais
Gaubertin
Auxy
Égry
Bordeaux-en-Gâtinais
Site Archéologique d'Aquis-Segeste
Sceaux-du-Gâtinais
Courtempierre
Préfontaines
Mondreville
Château-Landon
Chenou
Pilvernier
Tremainville
Anc. Abb. St-Séverin
le Hêtre Pourpre
Cercanceaux
Mocpoix
Dordives
Bransles
Chevry-sous-le-Bignon
Chevannes
Pers-en-Gâtinais
Nargis
Fontenay-sur-Loing
Ferrières-en-Gâtinais
le Sophora
Griselles
la Selle-sur-le-Bied
Corbeilles
Treilles-en-Gâtinais
Beaune-la-Rolande
Juranville
Lorcy
Mignerette
Gondreville
Mignères
Corquilleroy
Girolles
Cepoy
Paucourt
Forêt Domaniale de Montargis
Louzouer
Thorailles
Chapelon
Mézières-en-Gâtinais
Villevoques
Pannes
Moulon
Fréville-du-Gâtinais
St-Loup-des-Vignes
Quiers-sur-Bézonde
Bellegarde
Ladon
Villemoutiers
Ouzouer-sous-Bellegarde
Montargis
Châlette-sur-Loing
Villemandeur
Chât. de Plateville
St-Maurice-sur-Fessard
la Chapelle-St-Sépulcre
la Selle-en-Hermoy
Amilly
St-Firmin-des-Bois
St-Germain-des-Prés
le Liquidambar
Auvilliers-en-Gâtinais
Presnoy
Chevillon-sur-Huillard
Vimory
Conflans-sur-Loing
Mormant-sur-Vernisson
Gy-les-Nonains
Chât. de la Motte
Beauchamps-sur-Huillard
Chailly-en-Gâtinais
Lombreuil
Étang de Piquereau
Étang de la Noue Mazone
Noyers
Thimory
Montcresson
Coudroy
Oussoy-en-Gâtinais
St-Hilaire-sur-Puiseaux
Solterre
Cortrat
Vieilles-Maisons-sur-Joudry
Lorris
la Cour-Marigny
Pressigny-les-Pins
Ouzouer-des-Champs
Varennes-Changy
Amphithéâtre de Chenevières
la Chapelle-sur-Aveyron
Montbouy
St-Maurice-sur-Aveyron
Montereau
Nogent-sur-Vernisson
le Jardin des Arbres
Le Moulinet-sur-Solin
Arboretum des Barres
Langesse
Ste-Geneviève-des-Bois
Châtillon-Coligny
Donjon
les Bordes
Étg du Ravoir
Étg de Corcambon
Les Choux
Étg de Beaumont
Aillant-sur-Milleron
Boismorand
Dammarie-sur-Loing
D'ORLÉANS
Ouzouer-sur-Loire
Dampierre-en-Burly
Adon
Rogny-les-Sept-Écluses
la Bussière
Feins-en-Gâtinais
St-Aignan-le-Jaillard
Étg de la Grande Brosse
Lion-en-Sullias
Nevoy
Gien
Escrignelles
St-Gondon
Étg de Pont-Chevron
Étg de la Grande Rue
A77
N7
N60
E60
A6

A
B
C
D
E
88
le Bignon-Mirabeau
la Belliole
Villeneuve-la-Dondagre
Villeroy
Subligny
Gron
Collemiers
Malay-le-Grand
Noé
Rosoy
Étigny
Véron
Passy
Bazoches-sur-le-Betz
Autoroute
Rosoy-le-Vieil
Domats
Courtoin
Égriselles-le-Bocage
Marsangy
Cornant
Foucherolles
Vernoy
Rousson
Chaumot
Villeneuve-sur-Yonne
Les Bordes
Mérinville
Ervauville
Savigny-sur-Clairis
A6
E15
la Selle-sur-le-Bied
St-Loup-de-Gonois
St-Hilaire-les-Andrésis
Chantecoq
Courtemaux
Courtenay
Piffonds
Bussy-le-Repos
St-Julien-du-Sault
Armeau
Villevallier
St-Martin-d'Ordon
St-Loup-d'Ordon
Verlin
Villecien
St-Aubin-sur-Yonne
89
45
Chuelles
Cudot
Cézy
Joigny
la Couline
la Celle-St-Cyr
Précy-sur-Vrin
Montcorbon
Chamvres
Béon
Paroy-sur-Tholon
Triguères
Douchy
Villefranche
Sépeaux
Château-Renard
Dicy
St-Romain-le-Preux
Champvallon
la Loupière
Volgré
Senan
Prunoy
Chevillon
la Ferté-Loupière
Melleroy
Chêne-Arnoult
Fontenouilles
Charny
Villiers-sur-Tholon
Aillant-sur-Tholon
Laduz
Chambeugle
Perreux
Sommecaise
les Ormes
Poilly-sur-Tholon
Chassy
St-Martin-sur-Ouanne
Marchais-Beton
St-Maurice-Thizouaille
St-Aubin-Château-Neuf
St-Maurice-le-Vieil
Malicorne
St-Denis-sur-Ouanne
Grandchamp
St-Martin-sur-Ocre
Égleny
Lindry
Merry-la-Vallée
Beauvoir
le Charme
Aillant-sur-Milleron
Champignelles
Villiers-St-Benoît
Parly
Dracy
Pourrain
Champcevrais
Tannerre-en-Puisaye
Villeneuve-les-Genêts
Toucy
Diges
Bléneau
Mézilles
Moulins-sur-Ouanne
Fontaines
132
111

F
G
H
J
K
89
Coulours
Fournaudin
Berluvier
Chevréaux
la Belle Fayte
les Boulins
Champsicourt
les Vallées
les Thorets
Augère
l'Ormeau
Villesabot
le Champion
la Mivoie
Forêt Chenu
Cerisiers
Vaudeurs
Villefroide
Bœurs-en-Othe
Nogent-en-Othe
Marchais Rallu
les Loges
la Grande Jarronnée
la Guinand
Eaux
le Pont Evrat
Puiseaux
Eaux-Puiseaux
Beauciard
la Coudre
Vosnon
Auxon
les Pommerats
la Tuilerie
les Chapelles
Villeneuve-au-Chemin
Montigny-les-Monts
Villechétive
Arces-Dilo
Sivrey
le Charme
le Vaudevanne
Chailley
le Fays
Sormery
Coursan-en-Othe
le Mesnil-St-Georges
Dilo
la Brosse
la Coudre
le Merisier
le Saudurand
les Fourneaux
la Grande Vallée
Montfey
Maison Forestière de l'Épine
le Montelard
le Ruet
Lasson
Boullay
Racines
Ervy-le-Châtel
Davrey
Vachy
Prunelles
Cuchot
Linant
l'Hôpital
Neuvy-Sautour
la Racherie
la Ramée
Bellechaume
Vigny
Venizy
Turny
Courcelles
Survannes
Paroy-en-Othe
Mercy
Champlost
Bas Turny
Haut Chainq
Courtaoult
Chessy-les-Prés
les Maisons Rouges
Bussy-en-Othe
Chatton
Boudernault
Beugnon
Mont Avrelot
Soumaintrain
Mézières
Bligny-en-Othe
Vau du Puits
l'Armance
Grand-Champ
Villepied
Avrolles
les Buissons
Vieux-Champs
Loge-Borgne
Brienon-sur-Armançon
St-Florentin
Germigny
la Chaussée
les Croûtes
Brion
Esnon
Frévau
Canal de Bourgogne
Butteaux
Migennes
les Graviers
Crécy
Vergigny
Chéu
Percey
les Millieres
St-Cydroine
Laroche-St-Cydroine
les Cités
l'Armançon
Jaulges
Flogny-la-Chapelle
la Chapelle-Vieille-Forêt
Marolles-sous-Lignières
Ormoy
Mont-St-Sulpice
Bouilly
Cheny
Chichy
Rebourseaux
la Tuilerie
Charmoy
Forêt Domaniale de Pontigny
Villiers-Vineux
le Boutoir
la Malmaison
l'Ordonnois
Charrey
Bonnard
les Millois
Bassou
Serein
Hauterive
la Rue Feuillée
Ligne
Carisey
Roffey
Tronchoy
les Prés du Bois
Ancienne T.G.V.
Villemer
Beaumont
les Quatre-Vingts Besaces
Cheney
l'Yonne
Pontigny
Anc. Abb.
Varennes
Bernouil
Danne
Seignelay
Héry
Vézinnes
Chichery
Venouse
Ligny-le-Châtel
Méré
Dyé
Chemilly-sur-Yonne
Rouvray
le Tertre
Voie
Branches
les Chaumes
la Mouillère
Vézannes
Junay
Pâtures
Appoigny
Montigny-la-Resle
Villy
Maligny
les Jeiges
Romaine
Gurgy
Grand Pien
Tonnerre
la Biche
Péage
les Bries
Sougères-sur-Sinotte
Lignorelles
Fontenay-près-Chablis
Tissey
le Thureau
Merry
Villeneuve-St-Salves
la Chapelle-Vaupelteigne
Collan
les Courlis
Monéteau
les Bois Impériaux
Serrigny
Bréandes
Bleigny-le-Carreau
Rameau
les Chesnez
Laborde
Poinchy
Fyé
Charbuy
les Groseilliers
la Chapelle
Milly
Fleys
la Baulche
Perrigny
Égriselles
les Soleines
Beine
Chablis
Béru
Viviers
St-Georges-sur-Baulche
Péage
Venoy
Chichée
Yrouerre
les Bruyères
le Cul de Sac
Venoy-Soleil Levant
Montallery
Nangis
le Serein
AUXERRE
Venoy-Grosse Pierre
Courgis
Villefargeau
Quenne
Chemilly-sur-Serein
Poilly-sur-Serein
Orgy
Augy
Chitry
Préhy
Vaux
la Grosse Tour
Chevannes
Ste-Vertu
St-Bris-le-Vineux
Grand Vaucharme
St-Cyr-les-Colons
Môlay
Vallan
Champs-sur-Yonne
Lichères-près-Aigremont
Maulny
la Cour Barrée
la Croix-Pilate
Arton
Escamps
Serein
Tourisme
Bailly
le Buisson Rond
Puits-de-Courson
Égl.
Irancy
Gy-l'Évêque
Jussy
Site Archéologique
Caves
Aigremont
Semilly
Avigneau
Escolives-Ste-Camille
Vincelottes
Cheuilly
Vau Germain
le Chevreuil
la Grilletière
Coulanges-la-Vineuse
Vincelles
Sauvegenou
Courtenay
133
114

A
B
C
D
E
1
2
3
4
5
6
90
113
134
Javernant
Lirey
Villy-le-Bois
Montceaux-lès-Vaudes
Courtenot
Longeville-sur-Mogne
F. Dom. d'Aumont
Rumilly-lès-Vaudes
Manoir des Tourelles
Virey-sous-Bar
Bourguignons
Buxières-sur-Arce
Crésantignes
Machy
Jeugny
Maupas
le Beaucaron
le Long du Bois
Forêt Dom. de Rumilly
Chât. de Vaux
Jully-sur-Sarce
Bar-sur-Seine
Ville-sur-Arce
l'Arce
St-Phal
Fays-la-Chapelle
Chamoy
la Commanderie
Forêt de Crogny
Avaleur
N.-D. du Chêne
Merrey-sur-Arce
Pont aux Verriers
Vougrey
Villemorien
Celles-sur-Ource
les Loges-Margueron
Lantages
Polisot
Metz-Robert
les Bruyères
Villiers-sous-Praslin
l'Ource
Loches-sur-Ource
la Coudre
l'Armance
F. Dom. de Fiel
Polisy
Buxeuil
les Bordes
les Granges
Chaource
Praslin
Arrelles
Neuville-sur-Seine
Avreuil
la Loge-Pomblin
la Sarce
Balnot-sur-Laignes
Gyé-sur-Seine
Forêt de Cussangy
Pargues
Avirey-Lingey
Courteron
Vanlay
Turgy
Lagesse
Cussangy
Maisons-lès-Chaource
Ricey-Bas
les Riceys
Maisons Rouges
le Breuil
la Gorvelle
la Laignes
Plaines-St-Lange
Vallières
Balnot-la-Grange
Bagneux-la-Fosse
Bernon
le Châtelier
Beauvoir-sur-Sarce
Prusy
Chesley
Bragelogne-Beauvoir
Villiers-le-Bois
Chaserey
Étourvy
Noiron-sur-Seine
Coussegrey
Lignières
Chaserey-Haut
Quincerot
Channes
Molesme
Anc. Abb.
le Grand Virey
Trichey
Égl.
Arthonnay
Béchineuil
Vest. Gallo-Romains de Vertillum
Chamelard
Mélisey
les Scies
Panfol
Vertault
Villedieu
Bellevue
Forêt de Maulnes
Villon
Thorey
F. de l'Hôpital
Dannemoine
Rugny
Maulnes
Villiers-les-Moines
Boux
Molosmes
Val de Quenouil
Channay
Larrey
Vaulichères
Griselles
Poinçon-lès-Larrey
Épineuil
St-Martin-sur-Armançon
Nicey
Marcenay
Cruzy-le-Châtel
Commissey
Baon
Bissey-la-Pierre
Laignes
Tanlay
Voie Romaine
Pimelles
Paisson
Ferme de la Chappe
St-Vinnemer
Angy
Argentenay
Gland
Gigny
Balot
les Mulots
Sennevoy-le-Haut
Sennevoy-le-Bas
Lézinnes
Ancy-le-Libre
Massoult
Yrouerre
la Loge
Fontaines-les-Sèches
Vireaux
Ancy-le-Franc
Jully (la Maine)
Stigny
Nesle-et-Massoult
Ferme du Patouillet
Pacy-sur-Armançon
Frace Ferme
Sambourg
l'Armançon
la Balance
la Folie
Ferme de Beaulieu
Chassignelles
Fresnes
Cestre
Anc. Chapelle St-Marc
Planay
Argenteuil-sur-Armançon
Verdonnet
Puits
Moulins-en-Tonnerrois
Fulvy
Ravières
Savoisy
Annay-sur-Serein
Nuits
Villiers-les-Hauts
Asnières-en-Montagne
le Charmoi
Chât. de Rochefort
Cry
Étais
Noyers
Pasilly
Censy
Arrans
Perrigny-sur-Armançon
Forêt Dom. du Grand Jailly
10
89
N71
N77
D443
D34
D3
D17
D905
D965
D952
D12
D5
D953
D102
D101

Éguilly-sous-Bois
Bertignolles
Champignol-lez-Mondeville
Mondeville
Fontaine de St-Bernard
Vaudrémont
Maranville
Ville-sous-la-Ferté
Juvancourt
Autreville-sur-la-Renne
Buxières-lès-Villiers
Noë-les-Mallets
Fays Haut
Cirfontaines-en-Azois
Aizanville
Braux-le-Châtel
Laferté-sur-Aube
Saint-Usage
Pont-la-Ville
Orges
Bricon
Fontette
les Fosses
le Grand Mallet
Essey-les-Ponts
Villars-en-Azois
Silvarouvres
Châteauvillain Orges
Blessonville
Essoyes
Cunfin
Marmesse
Châteauvillain Val Marnay
Châteauvillain
Verpillières-sur-Ource
Dinteville
Parc aux Daims
Beaumont Ferme
Lanty-sur-Aube
Créancey
Forêt Dom. de Beaumont
Forêt Dom. d'Arc-en-Barrois
la Borde
Foiseul
Montribourg
Grancey-sur-Ource
Autricourt
Gevrolles
Latrecey-Ormoy-sur-Aube
Coupray
Grande Réserve
Mussy-sur-Seine
Riel-les-Eaux
Cour-l'Évêque
Pont de l'Abattoir
Arc-en-Barrois
Charrey-sur-Seine
Belan-sur-Ource
Montigny-sur-Aube
Veuxhaulles-sur-Aube
la Jarrie
Thoires
Boudreville
Montrot
Villers-Patras
Chaumont-le-Bois
Obtrée
Mosson
Brion-sur-Ource
Bissey-la-Côte
Courban
Dancevoir
Aubepierre-sur-Aube
Vannaire
la Montagne
Mont Lassois
Vix
Massingy
Louesme
Lignerolles
Forêt Domaniale de la Chaume
St-Marcel
Courcelles
Layer-sur-Roche
Montliot-et-Courcelles
les Goulles
Casc. Pétrifiante d'Étufs
la Chaume
Ste-Colombe-sur-Seine
Marigny
Prusly-sur-Ource
Rouvres-sur-Aube
Parc
Sce de la Douix
Villotte-sur-Ource
Lucey
Arbot
Châtillon-sur-Seine
Maisey-le-Duc
Faverolles-lès-Lucey
Gurgy-la-Ville
Aulnoy-sur-Aube
Vanvey
Gurgy-le-Château
Darbois
Villiers-le-Duc
Chap. St-Phal
le Petit St-Broing
Chaumont la Rotière
Buncey
Voulaines-les-Templiers
Leuglay
Menhir le Cheval Gris
Val Serveux
Froidvent
Ampilly-le-Sec
Buxerolles
Germaines
Lugny
Chambain
Anc. Chartreuse
F. Dom. de Chamesson
Forêt Domaniale de Châtillon
Chamesson
Colmier-le-Haut
Recey-sur-Ource
Menesble
Colmier-le-Bas
Amorey
la Seine
Nod-sur-Seine
Voisin
Anc. Abb. du Val des Choues
Villars-Santenoge
Bon Espoir
la Grange Didier
St-Germain-le-Rocheux
Essarois
Chaugey
Aisey-sur-Seine
le Puiset
la Forêt
Santenoge
Bure-les-Templiers
Chemin-d'Aisey
Vaurois
Busseaut
Rochefort-sur-Brévon
Montmoyen
Brémur-et-Vaurois
Hierce
Terrefondrée
Châ. de Rochefprise
Beaulieu
Semond
Châtellenot
Romprey
Poinson-lès-Grancey
Valfermet
Origny
Mauvilly
la Maison
St-Marc-sur-Seine
Bellenod-sur-Seine
St-Broing-les-Moines
Beneuvre
Vaux
Magny-Lambert
Meulson
Beaunotte
Moitron
Neuvelle-lès-Grancey
Montenaille
Cosne
Forêt Dom. de Châtillon

CHAUMONT
Langres
Nogent
Rolampont
Chalindrey
Longeau-Percey
Val-de-Meuse (Montigny-le-Roi)
Arc-en-Barrois
Auberive
Prauthoy
Biesles
Luzy-sur-Marne
Neuilly-l'Évêque
Saints-Geosmes
Balesmes-sur-Marne
Villegusien-le-Lac
Chassigny
Montsaugeon
Le Pailly
Foulain
Vesvres-sous-Chalancey
Vals-des-Tilles (Chalmessin)
Grancey-le-Château-
Clefmont
Is-en-Bassigny
Dampierre
Bannes
Champigny-lès-Langres
Peigney
Chamarandes-Choignes
Villiers-le-Sec
Semoutiers-Montsaon
Richebourg
Bugnières
Giey-sur-Aujon
St-Loup-sur-Aujon
Rochetaillée
Voisines
Vitry-en-Montagne
Bay-sur-Aube
Aulnoy-sur-Aube
Germaines
Praslay
Vivey
Vaillant
Poinsenot
Mouilleron
Chalancey
Aujeurres
Leuchey
Aprey
Baissey
Flagey
Orcevaux
Brennes
Bourg
Cohons
Heuilley-Cotton
Palaiseul
Violot
Grandchamp
Grenant
Coublanc
Dommarien
Culmont
Torcenay
Chatenay-Vaudin
Celsoy
A5 E17 E54 A31 E21 N19 N74
116 92 115 136
A B C D E
1 2 3 4 5 6
52

F
G
H
J
K
1
2
3
4
5
6
88
70
-en-Bassigny
Rozières-sur-Mouzon
Relanges
Germainvilliers
Martigny-les-Bains
Gignéville
Châl. de Lichecourt
Breuvannes-en-Bassigny
Damblain
Rocourt
Villotte
Serocourt
Marey
Belmont-lès-Darney
Darney
Tollaincourt
Frain
Nonville
Attigny
l'Aiguisière
Romain-aux-Bois
Lamarche
Morizécourt
Anc. Prieuré
Bleurville
La Grange Jacquot
La Grange au Bois
Colombey-lès-Choiseul
Aureil-Maison
Abb. de Morimond
Serécourt
Tignécourt
Droiteval
Merrey
F. Dom. de Morimond
Flabémont
Monthureux-sur-Saône
Claudon
Fresnoy-en-Bassigny
Ravennefontaines
F. Dom. du Fort Ferré
la Saône
la Grange Rouge
la Sybille
Larivière-Arnoncourt
Mont-lès-Lamarche
Isches
St-Julien
Mont de Savillon
la Grande Catherine
Maulain
Aigremont
Fouchécourt
Parnoy-en-Bassigny
Arnoncourt-sur-Apance
Godoncourt
Anc. Couvent des Cordeliers
Ainvelle
Serqueux
les Thons
Fignévelle
Regnévelle
Martinvelle
Passavant-la-Rochère
la Rochère
Malroy
Beaucharmoy
Dammartin-sur-Meuse
le Châtelet-sur-Meuse (Pouilly-en-Bassigny)
Senaide
Lironcourt
Bousseraucourt
la Volle aux Fers
Selle
Bois du Danouce
Bourbonne-les-Bains
Châtillon-sur-Saône
Grignoncourt
Saulxures
Damrémont
Fresnes-sur-Apance
Jonvelle
Ameuvelle
Vougécourt
Montcourt
Demangevelle
Montdoré
Rançonnières
Villars-St-Marcellin
Parc Animalier
Enfonvelle
Bourbévelle
Corre
Châl.
Laneuvelle
Vicq
Coiffy-le-Bas
Genrupt
Coiffy-le-Haut
Ranzevelle
Hurecourt
Lavernoy
les Granges Huguet
Montcharvot
Villars-le-Pautel
Ormoy
Terre-Natale (Varennes-sur-Amance)
Voisey
Melay
Blondefontaine
Aisey-et-Richecourt
Saponcourt
Polaincourt-et-Clairefontaine
Presle
F. Dom. de Marcilly-Voisey
Chézeaux
Neuvelle-lès-Voisey
Betaucourt
Clairefontaine
Champigny-sous-Varennes
Soyers
Barges
Raincourt
Magny-lès-Jussey
Vaux-la-Douce
Guyonvelle
Vernois-sur-Mance
l'Amance
Cemboing
Cendrecourt
Tartécourt
Bize
Anrosey
Laferté-sur-Amance
Rosières-sur-Mance
la Gare
Venisey
Senoncourt
Maizières-sur-Amance
Velles
Betoncourt-sur-Mance
Contréglise
Pisseloup
St-Marcel
Jussey
Montureux-lès-Baulay
Buffignécourt
Rougeux
Charmoy
Montesson
Vitrey-sur-Mance
Noroy-lès-Jussey
Gevigney-et-Mercey
Ouge
St. Hubert
Chauvirey-le-Châtel
Montigny-lès-Cherlieu
l'Ougeotte
Fouchécourt
Pierremont-sur-Amance (Pierrefaites)
Mercey
Baulay
Chauvirey-le-Vieil
Anc. Abb.
Bougey
Aboncourt-Gesincourt
Aboncourt
Fayl-Billot
la Quarte
Bois de l'Hourie
Augicourt
Port-d'Atelier-Amance
Preigney
Lambrey
Port-d'Atelier-Village
Broncourt
Oigney
Poinson-lès-Fayl
Purgerot
la Rochelle
Cintrey
Chargey-lès-Port
Champsevraine (Bussières-lès-Belmont)
Pressigny
Melin
Semmadon
Arbecey
Conflandey
Charmes-St-Valbert
Molay
Malvillers
la Rigotte
Réserve Naturelle
Chaux-lès-Port
Belmont
Genevrières
Savigny
Voncourt
Lavigney
Gourgeon
Combeaufontaine
la Roche-Morey
Parc de Loisirs
Bourguignon-lès-Morey
Ferme Jean Luquet
St-Valère
Pont
Valleroy
Farincourt
St-Julien
la Neuvelle-lès-Scey
Tornay
Cornot
le Magny
Port-sur-Saône
Gilley
Perte de la Rigotte
Suaucourt-et-Pisseloup
Betoncourt-les-Ménétriers
Scey-l'Église
Scey-sur-Saône-et-St-Albin
Frettes
Villers-Vaudey
Vauchoux
Argillières
Pisseloup
Confracourt
Vauconcourt-Nervezain
Nervezain
Ferrières-lès-Scey
Chemilly
Velleguibelle
Fleurey-lès-Lavoncourt
Francourt
Fouvent-le-Bas
la Gourgeonne
Vy-lès-Rupt
St-Albin
Montigny-lès-Vesoul
N19
E54
93
118
137

Vioménil
Uzemain
Urimenil
Hadol
Remiremont
Belrupt
Grandrupt-de-Bains
la Haye
Harsault
Xertigny
Raon-aux-Bois
Hennezel
la Chapelle-aux-Bois
Gruey-lès-Surance
Hautmougey
les Voivres
Bellefontaine
Bains-les-Bains
Ambiévillers
Fontenoy-le-Château
Trémonzey
Plombières-les-Bains
Vauvillers
Aillevillers-et-Lyaumont
le Val-d'Ajol
Fougerolles
Corbenay
St-Loup-sur-Semouse
Anjeux
Fontaine-lès-Luxeuil
Ainvelle
Saint-Remy
Luxeuil-les-Bains
St-Sauveur
Froideconche
Bourguignon-lès-Conflans
Amance
Faverney
Conflans-sur-Lanterne
Breuches
Lure
Port-sur-Saône
Saulx
Magny-Vernois

Gérardmer
le Tholy
La Forge
Cleurie (les Bouxeux)
St-Amé
le Syndicat (Bréhavillers)
Remiremont
Vagney
Sapois
Rochesson
la Bresse
Gerbamont (Lejole)
Dommartin-lès-Remiremont
Basse-sur-le-Rupt (Planois)
Haut du Roc
Vecoux
Thiéfosse
Cornimont
Saulxures-sur-Moselotte
Ventron
le Grand Ventron
Wildenstein
Rothenkopf
le Hohneck
Grand Artimont
Munster
Muhlbach-sur-Munster
Metzeral
Mittlach
Sondernach
le Schweisel
Kruth
Oderen
Fellering
le Grand Ballon
Col d'Oderen
Col du Page
Rupt-sur-Moselle
Ferdrupt
Ramonchamp
le Thillot
Fresse-sur-Moselle
Bussang
Urbès
Storckensohn
Husseren-Wesserling
St-Amarin
Moosch
Mollau
Mitzach
Malmerspach
St-Maurice-sur-Moselle
Ballon d'Alsace
Ballon de Servance
Haut-du-Them-Château-Lambert
Beulotte-St-Laurent
Servance
Miellin
Belfahy
Sewen
Dolleren
Oberbruck
Wegscheid
Kirchberg
Niederbruck
Sickert
Masevaux
Baerenkopf
Rimbach-près-Masevaux
Rossberg
Bitschwiller-lès-Thann
Willer-sur-Thur
Bourbach-le-Haut
Bourbach-le-Bas
Ternuay-Melay-et-St-Hilaire
Plancher-les-Mines
Lepuix
Giromagny
Auxelles-Haut
Auxelles-Bas
Riervescemont
Lamadeleine-Val-des-Anges
Vescemont
Rougegoutte
Grosmagny
Rougemont-le-Château
Sentheim
Guewenheim
Lauw
Mélisey
Fresse
Plancher-Bas
Ronchamp
Champagney
Chaux
Lachapelle-sous-Chaux
Sermamagny
Étueffont
Petitmagny
Bourg-sous-Châtelet
Anjoutey
Romagny-sous-Rougemont
Lachapelle-sous-Rougemont
St-Germain-le-Châtelet
Éloie
Offemont
Valdoie
Évette-Salbert
Errevet
Magny-Danigon
Clairegoutte
Frédéric-Fontaine
Frahier-et-Chatebier
Échavanne
Cravanche
Chenebier
Châlonvillars
BELFORT
Essert
Bavilliers
Danjoutin
Pérouse
Chèvremont
Bessoncourt
Denney
Eguenigue
Phaffans
Lacollonge
Fontaine
Frais
Foussemagne
Vézelois
Novillard
Montreux-Vieux
Lomont
Andornay
Magny-Jobert
Étobon
Belverne
NATUREL RÉGIONAL DES BALLONS
F G H J K
1 2 3 4 5 6
N66 N19 E54 D486 D465 D12
95 96 97 139

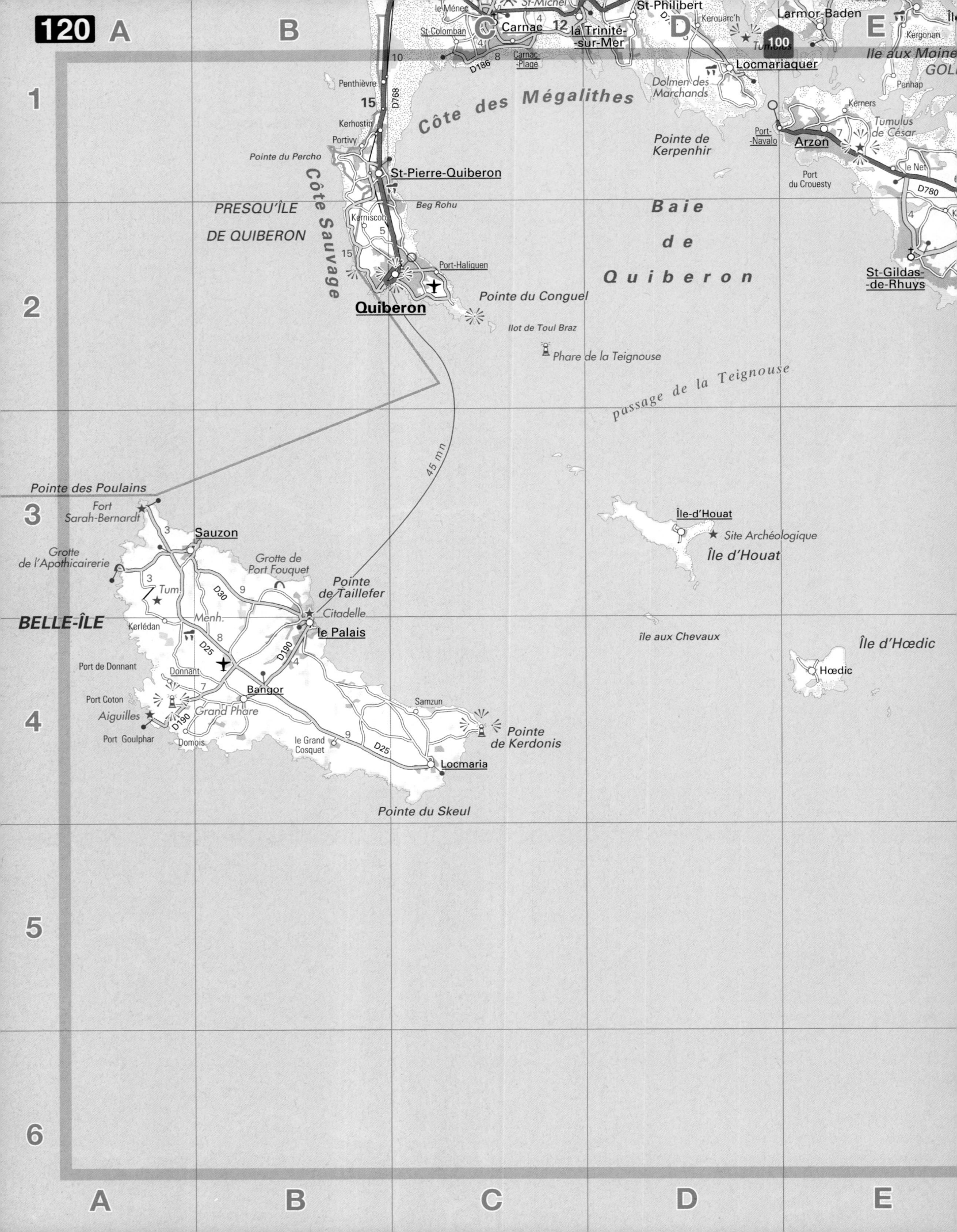

A **B** **C** **D** **E**

le Ménec
St-Michel
St-Philibert
Larmor-Baden
St-Colomban
Carnac
la Trinité-
sur-Mer
Kerouarc'h
Kergonan
100
Île aux Moines
1
4
12
D186
8
Carnac-
Plage
Locmariaquer
GOL
10
Dolmen des
Marchands
Penhap
Penthièvre
Côte des Mégalithes
Pointe de
Kerpenhir
Kerners
15
D768
Tumulus
de César
Kerhostin
Port-
Navalo
Arzon
7
Portivy
Pointe du Percho
Pointe de
Kerpenhir
le Net
St-Pierre-Quiberon
D780
PRESQU'ÎLE
DE QUIBERON
Beg Rohu
B
a
i
e
Port
du Crouesty
4
Côte Sauvage
Kerniscob
5
d
e
St-Gildas-
-de-Rhuys
15
Port-Haliguen
2
Quiberon
Q
u
i
b
e
r
o
n
Pointe du Conguel
Îlot de Toul Braz
Phare de la Teignouse
45 mn
passage de la Teignouse
Pointe des Poulains
Île-d'Houat
3
Fort
Sarah-Bernardt
Site Archéologique
Sauzon
Île d'Houat
3
Grotte
de l'Apothicairerie
Grotte de
Port Fouquet
Pointe
de Taillefer
3
Tum.
D30
9
Citadelle
île aux Chevaux
Île d'Hœdic
BELLE-ÎLE
Menh.
le Palais
Kerlédan
D25
8
Hœdic
Port de Donnant
D190
4
Donnant
Bangor
Port Coton
7
Samzun
Aiguilles
D190
Grand Phare
4
Pointe
de Kerdonis
Port Goulphar
Domois
le Grand
Cosquet
9
D25
Locmaria
Pointe du Skeul

5

6

A **B** **C** **D** **E**

F
G
H
J
K
Sarzeau
St-Armel
Surzur
la Trinité-Surzur
Noyal-Muzillac
Parc Zoologique
Branféré
le Guerno
Péaule
Château de Kerlévenan
Manoir de Caden
Ambon
Muzillac
Séréac
Bourg Paul
Billiers
Damgan
le Tour-du-Parc
Port Groix
St-Colombier
Kerguet
Suscinio
le Rohaliguen
Kerfontaine
Banaster
Penvins
Penerf
Kervoyal
Bétahon
Penn Lann
Dolmen le Crapaud
Lantiern
St-Jean-Baptiste
Arzal
Marzan
la Roche-Bernard
Bge d'Arzal
Vieille Roche
Bourgerel
Haut-Pénestin
Tréhiguier
Pénestin
Camoël
Férel
Kerfalher
le Bile
Pointe du Bile
Île Dumet
Caire
Mesquéry
Kergoche
Herbignac
Kermoret
Châl. de Ranrouet
Assérac
Pont d'Arm
Quimiac
Kercabellec
Mesquer
Petit Arm
Pompas
Arbourg
PARC
St-Lyphard
Piriac-sur-Mer
Pointe du Castelli
St-Molf
Kertrait
St-Sébastien
Lérat
Belmont
Méliniac
Coispéan
Miroux
Kerlo
Bouzaire
RÉGIO
la Grande Brière
DE
Kerhinet
la Guérandaise
Moulin du Diable
Kergonan
la Turballe
le Grand Trescalan
Clis
Cogea
la Chaussée Neuve
Guérande
les Maisons Brûlées
Kerignon
Porte St-Michel
la Duine
Bilac
St-André-des-Eaux
Océarium
Pointe du Croisic
le Croisic
Saillé
Chât. de Careil
Kerquessaud
Escoublac
Brais
le Marais d'Ust
le Pouliguen
Batz-sur-Mer
Chapelle
Kervalet
la Baule-Escoublac
Cim. Brit.
Cim. All.
l'Immaculée
les Quatre Vents
Pornichet
Penchâteau
Grotte des Korrigans
Bonne Source
St-Sébastien
St-Marc
Ste-Marguerite
Côte d'Amour
N165
E60
N171
Château de Léhellec
le Château
la Ville Perrotin
la Ville en Bois
la Ville Rio
Hoscas
Caillaudin
MORBIHAN
Île d'Arz
Montsarrac
Pennéro
Lasné
Billion
Roz
le Pigeon Vert

F G H J K

Pontchâteau
Savenay
Montoir-de-Bretagne
Trignac
Donges
ST-NAZAIRE
Paimbœuf
Corsept
St-Brevin-les-Pins
St-Viaud
Frossay
St-Père-en-Retz
St-Michel-Chef-Chef
La Plaine-sur-Mer
Préfailles
Pornic
Chauvé
Chéméré
Arthon-en-Retz
St-Hilaire-de-Chaléons
Ste-Pazanne
La Bernerie-en-Retz
Les Moutiers-en-Retz
Bourgneuf-en-Retz
Machecoul
St-Étienne-de-Montluc
Cordemais
Le Temple-de-Bretagne
Malville
Bouvron
Campbon
Crossac
St-Joachim
Vue
Rouans
Le Pellerin
Cheix-en-Retz
LA LOIRE
Baie de Bourgneuf
Noirmoutier-en-l'Île

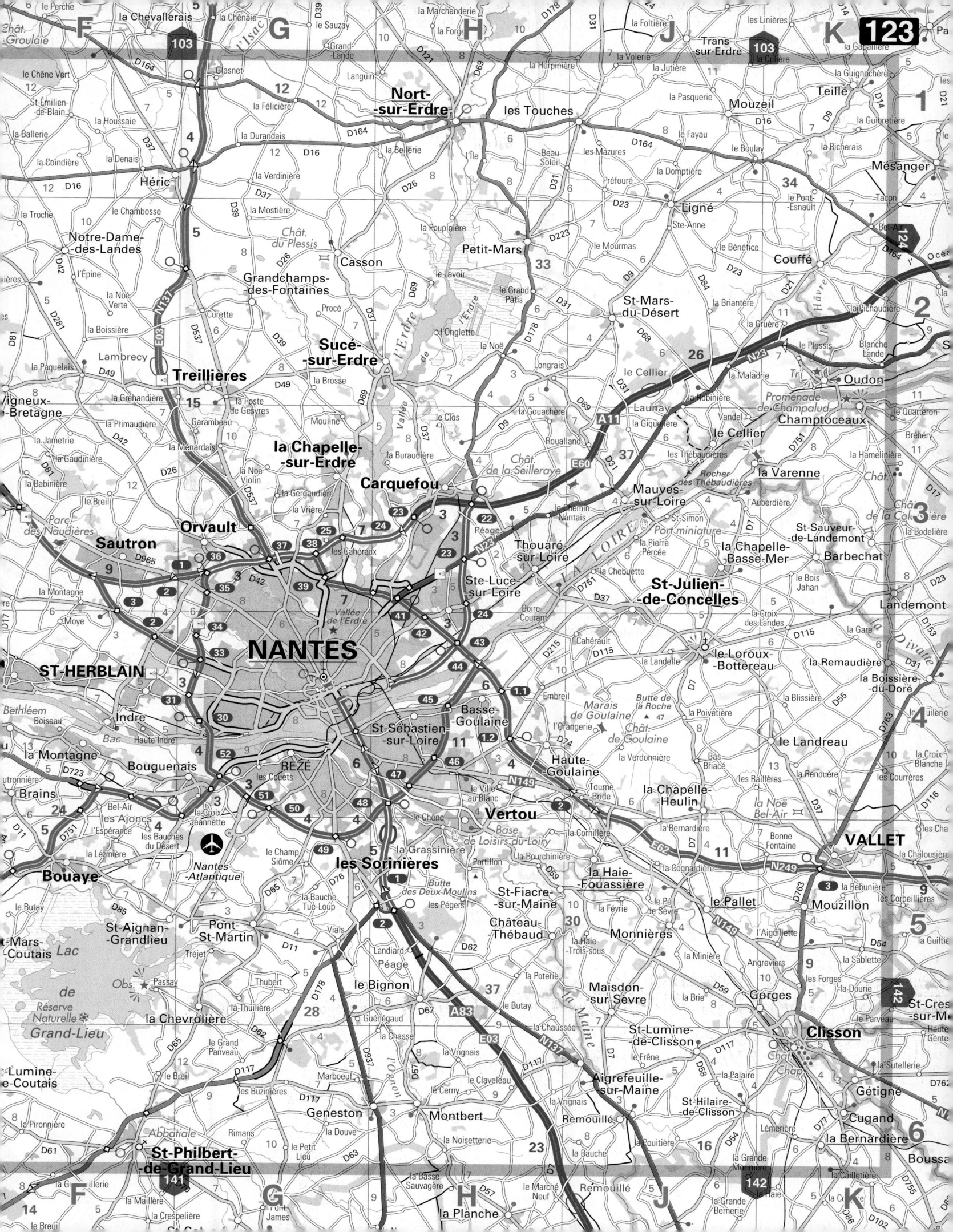

F
G
H
J
K
1
2
3
4
5
6
103
124
141
142
NANTES
ST-HERBLAIN
Nort-sur-Erdre
les Touches
Mouzeil
Teillé
Mésanger
Trans-sur-Erdre
la Chevallerais
Héric
Notre-Dame-des-Landes
Grandchamps-des-Fontaines
Casson
Petit-Mars
Ligné
Couffé
St-Mars-du-Désert
Sucé-sur-Erdre
Treillières
Vigneux-de-Bretagne
la Chapelle-sur-Erdre
Carquefou
Orvault
Sautron
Thouaré-sur-Loire
Ste-Luce-sur-Loire
Mauves-sur-Loire
le Cellier
Oudon
Champtoceaux
la Varenne
St-Sauveur-de-Landemont
la Chapelle-Basse-Mer
Barbechat
St-Julien-de-Concelles
Landemont
le Loroux-Bottereau
la Remaudière
la Boissière-du-Doré
le Landreau
Basse-Goulaine
Haute-Goulaine
St-Sébastien-sur-Loire
Rezé
Indre
Bouguenais
la Montagne
Brains
Bouaye
Nantes-Atlantique
les Sorinières
Vertou
la Chapelle-Heulin
VALLET
la Haie-Fouassière
le Pallet
Mouzillon
St-Fiacre-sur-Maine
Château-Thébaud
Monnières
Gorges
Clisson
Gétigné
Cugand
la Bernardière
St-Aignan-Grandlieu
Pont-St-Martin
le Bignon
Maisdon-sur-Sèvre
St-Lumine-de-Clisson
Aigrefeuille-sur-Maine
St-Hilaire-de-Clisson
Remouillé
Montbert
Geneston
la Chevrolière
St-Philbert-de-Grand-Lieu
St-Lumine-de-Coutais
St-Mars-de-Coutais
Lac de Grand-Lieu
Réserve Naturelle
la Planche
Boussay
LA LOIRE
A11
A83
E03
E60
E62
N23
N137
N149
N249
D164
D16
D23
D31
D37
D39
D42
D62
D117
D178
D751

A
B
C
D
E
104
103
123
142
143
Challain-la-Potherie
la Chapelle-Glain
Chât. de la Motte-Glain
Moulin du Rat
Loiré
Marans
Chazé-sur-Argos
Chât. de Raguin
Vern-d'Anjou
Gené
St-Sulpice-des-Landes
le Pin
Vritz
Candé
Angrie
le Moulin Neuf
Freigné
St-Mars-la-Jaille
la Pouëze
Ste-Emerance
le Louroux-Béconnais
Voie de la Liberté
l'Erdre
la Cornuaille
Bécon-les-Granits
Pannecé
Maumusson
la Commanderie
Chât. de Landeronde
Pouillé-les-Côteaux
Belligné
Villemoisan
St-Augustin-des-Bois
la Rouxière
St-Sigismond
la Roche-Blanche
la Chapelle-St-Sauveur
Varades-le-Génetais
Chât. de Lancrau
Chât. du Pin
Montilets
Réveillon
St-Herblon
Varades la Bédoire
Champtocé-sur-Loire
St-Germain-des-Prés
St-Georges-sur-Loire
Prieuré de l'Epinay
Ancenis
Anetz
Varades
Montrelais
Ingrandes
Montjean-sur-Loire
Marais de Grée
Chât. de Vair
St-Géréon
Chât. Juigné
Anc. Abb.
le Marillais
St-Florent-le-Vieil
le Mesnil-en-Vallée
St-Laurent-du-Mottay
la Pommeraye
Chalonnes-sur-Loire
Liré
Drain
Château de la Turmelière
Bouzillé
Château de la Mauvaisinière
Chât. de la Bourgonnière
la Chapelle-St-Florent
Cirque de Courossé
Chât. de la Baronnière
Moulin de Bêne
Beausse
St-Laurent-de-la-Plaine
Botz-en-Mauges
Bourgneuf-en-Mauges
St-Laurent-des-Autels
la Boissière-sur-Evre
Chaudron-en-Mauges
St-Quentin-en-Mauges
le Fuilet
St-Rémy-en-Mauges
St-Pierre-Montlimart
Ste-Christine
Landemont
la Salle-et-Chapelle-Aubry
Neuvy-en-Mauges
St-Christophe-la-Couperie
Montrevault
le Pin-en-Mauges
St-Lézin
LES MAUGES
le Puiset-Doré
le Fief-Sauvin
la Poitevinière
la Chapelle-Rousselin
Beaupréau
la Chaussaire
A11
N23
E60

ANGERS
Champteussé-sur-Baconne
Champigné
Juvardeil
Étriché
Durtal
Montreuil-sur-Maine
Thorigné-d'Anjou
Huillé
Baracé
Lézigné
Château de l'Isle-Briand
Sceaux-d'Anjou
Écuillé
Cheffes
Tiercé
Grez-Neuville
Montreuil-sur-Loir
la Chapelle-St-Laud
Montigné-lès-Rairies
Pruillé
Soulaire-et-Bourg
Seiches-sur-le-Loir
Feneu
Soucelles
Marcé
Beauvau
Briollay
Corzé
Villevêque
Jarzé
la Membrolle-sur-Longuenée
le Plessis-Macé
Cantenay-Épinard
Écouflant
Chaumont-d'Anjou
Montreuil-Juigné
St-Sylvain-d'Anjou
Pellouailles-les-Vignes
la Meignanne
Avrillé
Lué-en-Baugeois
le Plessis-Grammoire
Sarrigné
Cornillé-les-Caves
Fontaine-Milon
St-Georges-du-Bois
Beaucouzé
St-Barthélemy-d'Anjou
Bauné
Andard
Corné
Mazé
St-Jean-de-Linières
Brain-sur-l'Authion
Trélazé
St-Martin-du-Fouilloux
Ste-Gemmes-sur-Loire
Bouchemaine
la Daguenière
la Bohalle
Beaufort-en-Vallée
les Ponts-de-Cé
Juigné-sur-Loire
St-Jean-des-Mauvrets
Blaison-Gohier
St-Mathurin-sur-Loire
St-Jean-de-la-Croix
Savennières
Béhuard
Mûrs-Erigné
St-Sulpice
St-Saturnin-sur-Loire
St-Rémy-la-Varenne
la Ménitré
Denée
St-Melaine-sur-Aubance
Le Thoureil
Rochefort-sur-Loire
Soulaines-sur-Aubance
Mozé-sur-Louet
Brissac-Quincé
Charcé-St-Ellier-sur-Aubance
Coutures
Les Rosiers-sur-Loire
St-Aubin-de-Luigné
St-Georges-des-Sept-Voies
Chemellier
Gennes
Vauchrétien
Grézillé
Beaulieu-sur-Layon
St-Lambert-du-Lattay
les Alleuds
Notre-Dame-d'Allençon
Rablay-sur-Layon
Faye-d'Anjou
Saulgé-l'Hôpital
Louerre
Luigné
Noyant-la-Plaine
Chanzeaux
Thouarcé
Champ-sur-Layon
Chavagnes
Ambillou-Château
Dénezé-sous-Doué
Martigné-Briand
Faveraye-Mâchelles
Brigné
Louresse-Rochemenier
Valanjou
Aubigné-sur-Layon
Forges
les Ulmes
Meigné
CÔTEAUX DU LAYON
LA LOIRE
Vallée de la Loire
Villages Troglodytiques
105
126
143
144

la Flèche
Cré
Thorée-les-Pins
Zoo du Tertre Rouge
Coulongé
Aubigné-Racan
le Lude
Les Rairies
Fougeré
Clefs
St-Quentin-lès-Beaurepaire
Savigné-sous-le-Lude
Dissé-sous-le-Lude
La Chapelle-aux-Choux
St-Germain-d'Arcé
Bois de Parnay
Cheviré-le-Rouge
Château de Sancé
Montpollin
Vaulandry
Genneteil
Chigné
Broc
St-Martin-d'Arcé
Échemiré
Dolmen de Pierre Couverte
Pontigné
Manoir du Breil de Foin
Chalonnes-sous-le-Lude
Marcilly-sur-Maulne
Braye-sur-Maulne
Villiers-au-Bouin
Baugé
Hôtel-Dieu
le Vieil-Baugé
Chavaignes
Lasse
Dénezé-sous-le-Lude
Château du Bouchet
Sermaise
Château de Landifer
Auverse
Noyant
Lublé
St-Georges-du-Bois
Château de la Tour du Pin
Boçé
F. Dom. de Chandelais
Meigné-le-Vicomte
St-Laurent-de-Lin
Fontaine-Guérin
Chartrené
le Guédéniau
Méon
Courcelles-de-Touraine
Cuon
la Lande-Chasles
Mouliherne
Breil
Channay-sur-Lathan
Manoir de Princé
Parc de Loisirs
Manoir de la Touche
Linières-Bouton
la Pellerine
Château du Lathan
Retenue de Pincemaille
Base de Loisirs
Brion
Château de Chavigné
Jumelles
Rillé
Longué-les Cossonnières
Parçay-les-Pins
Longué-la Couaille
Hommes
St-Philibert-du-Peuple
Vernantes
Château de la Ville au Fourrier
Gizeux
Avrillé-les-Ponceau
Longué-Jumelles
Vernoil
Courléon
Continvoir
Blou
la Breille-les-Pins
St-Clément-des-Levées
Neuillé
LOIRE-ANJOU-TOURAINE
St-Martin-de-la-Place
Vivy
Château de Boumois
Chênehutte-Trèves-Cunault
Brain-sur-Allonnes
Allonnes
St-Nicolas-de-Bourgueil
Benais
Ingrandes-de-Touraine
Bourgueil
Restigné
Man. de Launay
SAUMUR
École Nat. d'Equitation
Villebernier
Verrie
Varennes-sur-Loire
Château de Poce
Grd Dolmen
LA LOIRE
Troglodytes
Chouzé-sur-Loire
Château des Réaux
La Chapelle-sur-Loire
Château d'Ussé
Distré
Souzay-Champigny
Parnay
Turquant
Montsoreau
Centrale Électrique d'Avoine-Chinon
Huismes
Château de Lavillaume
N147
N152
A85
E60
D766
D938
D306
D305

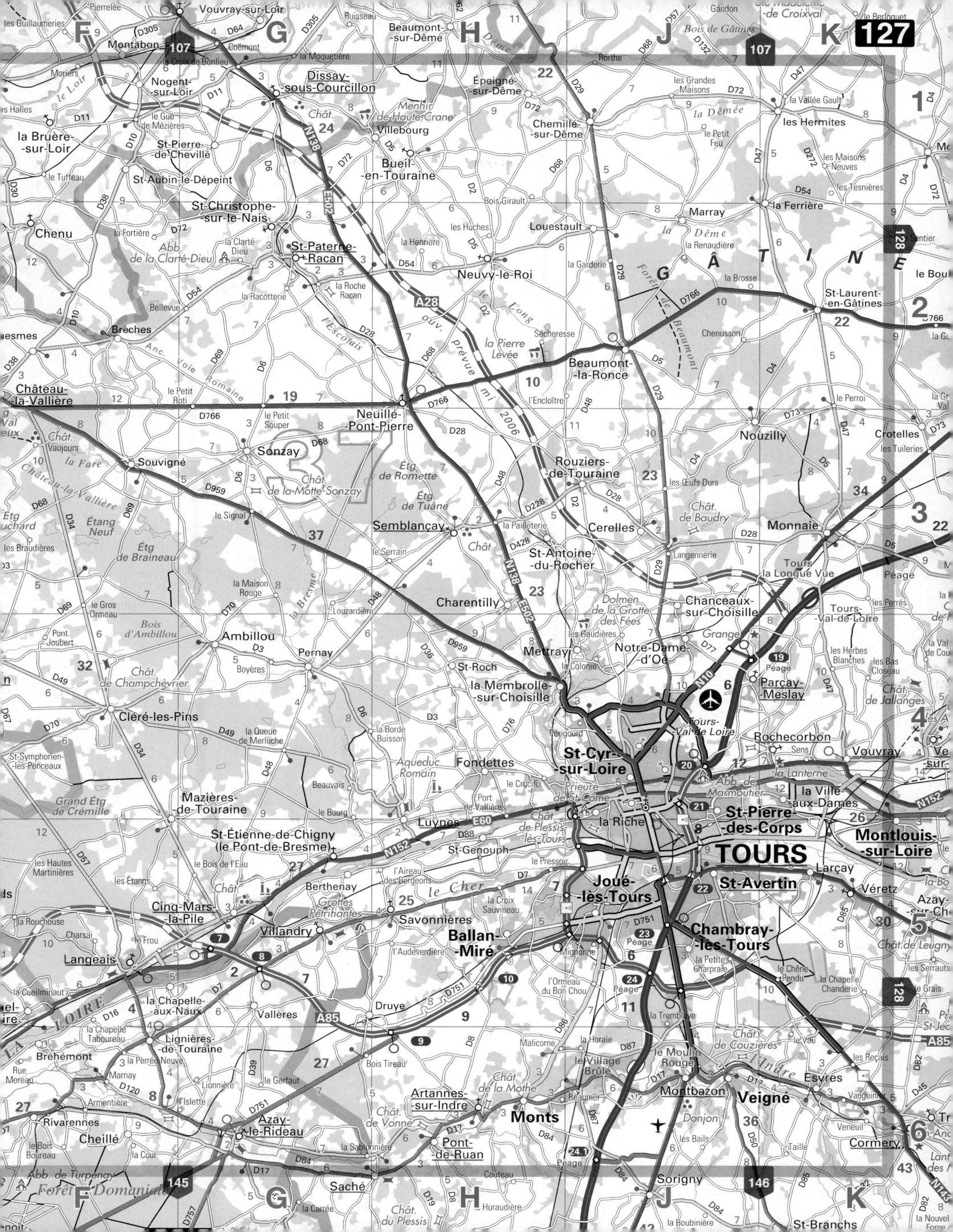

A
B
C
D
E
108
1
2
3
4
5
6
Prunay-Cassereau
St-Amand-Longpré
Lancé
Brenne
Villemot
Migneray
Villebouzon
Tourailles
le Breuil
Villefrancœur
Averdon
Villiers
Châ. du Fresne
le Cassereau
Villethiou
Champ delay
Pray
la Chapelle-Vendômoise
la Grande Pierre
Longpré
St-Gourgon
Bourges
la Pierre Levée
Rés. Nat. Grand-Pierre-et-Vitain
Monthodon
Villechauve
Authon
Gombergean
Lancôme
Landes-le-Gaulois
Grivelle
Marolles
Villeporcher
Pias
Villée
Russy
St-Bohaire
la Hersonnière
St-Cyr-du-Gault
Brûlé
Fosse
Villebrême
Francillon
le Sentier
Neuville-sur-Brenne
Françay
l'Aquitaine
Villebarou
127
le Boulay
Château-Renault
Saunay
le Gault
la Chatière
Herbault
St-Lubin-en-Vergonnois
St-Sulpice-de-Pommeray
St-Étienne-des-Guérets
Étg de la Tombe
les Bruères
Jardin Botanique
Forêt Domaniale de Blois
Basilique N.-D.-de-la-Trinité
la Moulinerie
Orchaise
Chavy
BLOIS
la Guignardière
St-Nicolas-des-Motets
Molineuf
Atlantique
E60
Santenay
Bury
Morand
E05
la Picardière
Chambon-sur-Cisse
Cim. St-Saturnin
St-Ge-la-F
la Grande Vallée
A10
Châ.
les Grouets
Auzouer-en-Touraine
la Courte Épée
Seillac
Coulanges
Châ. de la Vicomté
telles
Villedômer
Tuileries
le Grand Moléon
18
Péage
Dame-Marie-les-Bois
Vauliard
Chailles
Abb. de la Guiche
Dolmen
la Picardière
Autrèche
Chouzy-sur-Cisse
Villelouet
Ville Savoir
Madon
la Haye
Neuillé-le-Lierre
Mesland
T.G.V.
Pierre Bise
Fleuray
le Colombier
Seur
Pinson
Onzain
la Cisse
Montreuil-en-Touraine
Meuves
N152
les Montils
Melotin
la Hargandière
Monteaux
Candé-sur-Beuvron
le Beuvron
la Brenne
la Fontenelle
la Lande
Châ. de la Côte
Reugny
Ligne
la Bastrie
Chaumont-sur-Loire
Monthou-sur-Bièvre
Ouchamps
Valmer
la Brémonderie
St-Ouen-les-Vignes
Veuves
Valaire
Savonnière
la Vallée de Cousse
Limeray
Cangey
Rilly-sur-Loire
le Mousseau
LA LOIRE
Chançay
Poncé
Mosnes
Pocé-sur-Cisse
le Haut Chantier
les Hauts Noyers
Pavillon de Sudais
Fougères-sur-Bièvre
l'Écorard
la Mazère
Artigny
Feings
Chap. des Archevêques
Nazelles-Négron
Chargé
Étg de Sudais
Sambin
la Crapaudière
Vallières-les-Grandes
Vernou-sur-Brenne
Noizay
la Cisse
Amboise
Oppidum des Châtelliers
Souvigny-de-Touraine
St-Règle
la Frelonnière
Négron
l'Alleu
Lussault-sur-Loire
Manoir du Clos Lucé
Husseau
la Genaudière
Pontlevoy
Thenay
Phages
Montlouis-sur-Loire
le Cormier
Aquarium de Touraine
Pagode de Chanteloup
Anc. Abb.
la Gitonnière
Nouy
Forêt d'Amboise
la Rouërie
Châ. de la Bourdaisière
St-Martin-le-Beau
Grand Étg de Jumeaux
Forêt de Montrichard
la Serrerie
Habitations Troglodytes
Azay-sur-Cher
le Cher
Dierre
Villefrault
la Drolinière
Châ. de Gué-Péan
Châ. de Leugny
Châ. de Nitray
la Croix-en-Touraine
Civray-de-Touraine
Chissay-en-Touraine
Donjon
Bourré
Monthou-sur-Cher
les Serrauts
Vallet
Vineuil
Athée-sur-Cher
Chenonceaux
Nanteuil
Montrichard
Angé
les Mozelles
Bléré
Chisseaux
St-Julien-de-Chédon (l'Ormeau)
Thésée
Prieuré de St-Jean-du-Grais
la Roche
Thoré
St-Georges-sur-Cher
le May
les Coudraies
Faverolles-sur-Cher
le Pernas
Pouillé
Francueil
la Rochette
la Chaise
le Chêne Gauthier
la Pichonnerie
A85
la Binetterie
la Basse Lande
le Boulay
Anc. Abb.
Preuilland
Brosdail
Ouv. prév. fin 2007
les Gâts
les Noues
Aiguevives
le Préau
Bois Bidault
la Fontaine
Mareuil-sur-Cher
Truyes
Anc. Abb.
Étang de Brosse
Épeigné-les-Bois
Cosson
Chauvigny
Sublaines
Neuillé
Céré-la-Ronde
Basfer
Lanterne des Morts
Cigogné
Luzillé
la Cève
Courçay
146
Châ. de Montpoupon
147
Zoo Parc de Beauval
Rocher
la Hubaudière
la Resgnière
les Bûcherons
la Nouvelle Forge
Reignac
la Roche
36
N10
N76
E604
N143
A85

Mer
Courbouzon
Herbilly
le Verger
-Nouan
Mulsans
Épiez
Chousy
Balâtre
Moncellereux
Les Basses Fontaines
Huppemeau
la Californie
Ligny-le-Ribault
Blois-Villerbon
Blois-Menars
Dizier
Nouan sur-Loire
LA LOIRE
la Tronne
Bois de la Ferté
Suèvres
Fleury
Muides-sur-Loire
Crouy-sur-Cosson
la Ferté-St-Cyr
Étang Gaillard
Menars
Cour-sur-Loire
St-Dyé-sur-Loire
Villeneuve
Montlivault
Maslives
Thoury
Bonneville
Villeny
St-Marc
Yvoy-le-Marron
St-Denis-sur-Loire
St-Claude-de-Diray
Chambord
le Cosson
Grand Étang de Rhuys
la Patte d'Oie
la Chaussée-St-Victor
les Brigaudières
la Chaussée-le-Comte
la Rote
les Tardins
Huisseau-sur-Cosson
Forêt Domaniale de Boulogne
Dhuizon
Étg de la Giraudière
les Palquois
la Marolle-en-Sologne
Vineuil
la Taupinière
le Chiteau
Mont-près-Chambord
Neuvy
Étg de la Clavalière
Étang Neuf
Montrieux-en-Sologne
Rue de Meneuil
Chât. de Villesavin
Bracieux
Chât. d'Herbault
Ponts d'Arian
l'Hôtellerie
Étg de Beaumont
la Ferté-Beauharnais
Chât. de Beauregard
Tour-en-Sologne
Bauzy
Neung-sur-Beuvron
le Beuvron
Cellettes
la Boulaie
le Néant
Favelle
Avignon
la Picoisière
Cour-Cheverny
Fontaines-en-Sologne
les Ruaux
Chitenay
Chât. Troussay
le Conon
Vernou-en-Sologne
Étg de la Pivardière
Étang de Bièvre
Cormeray
Cheverny
Étg du Menou
Étg de Vilpalé
Étang de Malzone
la Fontenille
la Pochatière
Étg de la Rousselière
la Pilourdière
Courmemin
Forêt de Cheverny
Favras
le Gué de Guinevert
Étg de Teillay
Villechenay
Marcilly-en-Gault
la Gaucherie
les Courtais
Étg Neuf
les Berthoisières
Étg de Meuné
Millançay
la Californie
le Grand Étang
Chât. de la Morinière
Bourgnouveau
Fresnes
la Ménerie
Montgiron
Chât. Roujoux
les Gâts
Villechaise
Contres
les Maisons Rouges
Veilleins
Soings-en-Sologne
Mur-de-Sologne
Lac de Soings
Monthault
Forêt de Bruadan
Aigrain
Loreux
Oisly
Sassay
Étang du Lieu
le Moulin Corbeau
Étg Bézard
les Robinières
Champdilly
Lanthenay
le Gandier
Chemin de la Beauce
Étg de Bonneuil
la Goinfrerie
Lassay-sur-Croisne
Migeraux
Aliotis Aquarium
Couddes
Rougeou
Chât. du Moulin
Villeherviers
Voeurs
le Portail
Étg de Bâtarde
Étg de l'Arche
Gy-en-Sologne
Romorantin-Lanthenay
Chémery
Morlu
Man. de Beauregard
Méhers
Péage
la Rennes
la Richaudière
Pruniers-en-Sologne
la Maison Blanche
Romain-sur-Cher
Ballenette
la Villatte
Billy
la Croisne
la Sauldre
I.G.N. Sologne
Villefranche-sur-Cher
la Boulaie
Forêt de Gros Bois
le Gibet
l'Étg des Barons
les Girardières
le Theil
la Bondice
Noray
la Vendrie
les Tréchis
Fourchaud
le Pont de Sauldre
Saugirard
St-Lazare
Noyers-sur-Cher
les Mardelles
Châtillon-sur-Cher
Selles-sur-Cher
Berry
Canal de Berry
Langon
Villiedieu
St-Julien-sur-Cher
le Cher
Mennetou-sur-Cher
la Haye-Jallet
Trévety
la Thizardière
Gièvres
la Pêcherie
St-Aignan
les Martinières
le Fouzon
Champcol
la Chapelle-Montmartin
St-Loup
les Galliers
Seigy
Couffy
Varnay
le Gué de Meusnes
le Berquin
Chabris
Villequemoy
Meusnes
la Vernelle
Launay
les Huets
Porcherioux
les Goujonneaux
de Maray

Ménestreau-en-Villette
Sennely
Isdes
Villemurlin
La Ferté-St-Aubin
Chaumont-sur-Tharonne
Vouzon
Souvigny-en-Sologne
Cerdon
Lamotte-Beuvron
Chaon
Clémont
Brinon-sur-Sauldre
Nouan-le-Fuzelier
St-Viâtre
Pierrefitte-sur-Sauldre
Ste-Montaine
Souesmes
Ménétréol-sur-Sauldre
Salbris
La Ferté-Imbault
Selles-St-Denis
Presly
Nançay
Salbris-la-Loge
Salbris-Theillay
Theillay
Neuvy-sur-Barangeon
Méry-ès-Bois
Orçay
Mennetou-sur-Cher
Châtres-sur-Cher
Vouzeron
Théniou
Méry-sur-Cher
Station de Radioastronomie
Forêt Domaniale de Vierzon
Forêt Domaniale de Vouzeron
SOLOGNE

110
129
148
149

Gien
Nevoy
St-Gondon
St-Florent
Poilly-lez-Gien
St-Martin-sur-Ocre
St-Brisson-sur-Loire
Ouzouer-sur-Trezée
Briare
St-Firmin-sur-Loire
Dammarie-en-Puisaye
Batilly-en-Puisaye
Coullons
Autry-le-Châtel
Châtillon-sur-Loire
Ousson-sur-Loire
Thou
Bonny-sur-Loire
Argent-sur-Sauldre
Blancafort
Cernoy-en-Berry
Beaulieu-sur-Loire
Neuvy-sur-Loire
Pierrefitte-ès-Bois
Santranges
Belleville-sur-Loire
Concressault
Barlieu
Sury-près-Léré
Léré
Oizon
Sury-ès-Bois
La Celle-sur-Loire
Dampierre-en-Crot
Vailly-sur-Sauldre
Savigny-en-Sancerre
Myennes
Villegenon
Assigny
Boulleret
Subligny
Jars
Ste-Gemme-en-Sancerrois
Bannay
le Noyer
Sury-en-Vaux
la Chapelotte
Menetou-Râtel
Verdigny
St-Satur
Ivoy-le-Pré
Sens-Beaujeu
Sancerre
Tracy-sur-Loire
Henrichemont
Neuilly-en-Sancerre
Crézancy-en-Sancerre
Bué
Ménétréol-sous-Sancerre
Thauvenay
Vinon
St-Bouize
Couargues
Achères
Neuvy-Deux-Clochers
Gardefort
Veaugues
Humbligny
Morogues
COLLINES DU SANCERROIS
LA LOIRE
Canal latéral à la Loire
la Sauldre
45

132
A
B
C
D
E
1
2
3
4
5
6
89
Mézilles
Fontaines
Lalande
Leugny
St-Privé
Blandy
le Loing
Étg des Blondeaux
Champoulet
Ronchères
St-Martin-des-Champs
St-Fargeau
les Sapins
Étg des Barres
le Mlin de Vanneau
Fontenoy
Levis
Sementron
Chât. du Tremblay
Obélisque
Saints
les Boulmiers
St-Sauveur-en-Puisaye
Étg de Moutiers
Moutiers-en-Puisaye
Rvoir du Bourdon
Base de Loisirs
Parc Naturel St-Hubert de Boutissaint
Chât. de Boutissaint
Chantier de Guédelon
Lavau
Faverelles
Thury
Ste-Colombe-sur-Loing
Sce du Loing
Lainsecq
Sougères-en-Puisaye
Chât. de Ratilly
Treigny
Arquian
Annay
Perchin
St-Amand-en-Puisaye
Dampierre-sous-Bouhy
Sainpuits
Étais-la-Sauvin
Bouhy
Bitry
St-Vérain
Alligny-Cosne
Entrains-sur-Nohain
Billy-sur-Oisy
Trucy-l'Orgueilleux
Corvol-l'Orgueilleux
Ciez
St-Loup
Myennes
Cosne-Cours-sur-Loire
St-Père
Chap. de la Commanderie
Menestreau
Couloutre
Perroy
Chât. de la Motte Josserand
La Chapelle-St-André
Chât. de Corbelin
Pougny
Donzy
la Talvanne Abb.
Prieuré N.-D. du Pré
Chap. de Tête Ronde
Menou
Varzy
St-Martin-sur-Nohain
St-Quentin-sur-Nohain
Suilly-la-Tour
Chât. des Granges
Cessy-les-Bois
Colméry
Oudan
St-Laurent-l'Abbaye
Ste-Colombe-des-Bois
St-Malo-en-Donziois
St-Andelain
Forêt Dom. de Bellary
Ancienne Chartreuse
Châteauneuf-Val-de-Bargis
Champlemy
Corvol-d'Embernard
Couargues
Pouilly-sur-Loire
Chât. du Vieux Moulin
Vielmanay
Garchy
Nannay
Réserve Naturelle du Val de Loire
la Nièvre
Bulcy
Narcy
Arbourse
St-Bonnot
Arzembouy
Chât. d'Apremont
COLLINES DE LA PUISAYE
112
131
150
151
A77
N7
N151
D965
D957
D955
D2
D1
D33
D168
D14

F
G
H
J
K
1
2
3
4
5
6
Ste-Camille
Vincelottes
Vincelles
Coulanges-la-Vineuse
Cravant
Vermenton
Migé
Val-de-Mercy
Bazarnes
Accolay
Sacy
Nitry
Merry-Sec
Mouffy
Charentenay
Ste-Pallaye
Prégilbert
Anc. Abb. de Régny
Joux-la-Ville
Massangis
Fontenailles
Courson-les-Carrières
Fontenay-sous-Fouronnes
Trucy-sur-Yonne
Lucy-sur-Cure
Fouronnes
Mailly-le-Château
Mailly-la-Ville
Sery
Bessy-sur-Cure
Arcy-sur-Cure
Manoir de Chastenay
Grtes d'Arcy
Grtes de St-Moré
Anc. Voie Romaine d'Agrippa
Précy-le-Sec
Montmorency
Hervaux
Coutarnoux
Rés. Nat. du Bois du Parc
Rocher du Saussois
Merry-sur-Yonne
St-Moré
Voutenay-sur-Cure
Camp Antique
Thory
Lucy-le-Bois
Festigny
Frétoy
Bois-d'Arcy
Provency
Coulanges-sur-Yonne
Châtel-Censoir
Brosses
Sermizelles
Annay-la-Côte
Blannay
Girolles
Tharot
Lucy-sur-Yonne
Montillot
Sauvigny-le-Bois
Andryes
Château de Faulin
Givry
Annéot
Surgy
Pousseaux
Lichères-sur-Yonne
Vault-de-Lugny
Avallon
Asnières-sous-Bois
Domecy-sur-le-Vault
Pontaubert
Vallée du Cousin
Asquins
Clamecy
Basilique de la Madeleine
Vézelay
Island
Armes
Parc Préhistorique Imaginaire Cardo-Land
St-Père
Tharoiseau
Chap. des Templiers
Chevroches
Chamoux
Fouilles des Font. Salées
Menades
Dornecy
Roche Percée
Foissy-lès-Vézelay
Pierre-Perthuis
Rix
Brèves
Fontenay-près-Vézelay
St-Germain-des-Champs
la Maison-Dieu
Domecy-sur-Cure
Chastellux-sur-Cure
Ouagne
Villiers-sur-Yonne
Asnois
St-Aubin-des-Chaumes (Charancy)
St-André-en-Morvan
Metz-le-Comte
Nuars
St-Pierre-du-Mont (la Pouge)
St-Germain-des-Bois
Amazy
Teigny
Bazoches
Tannay
Flez-Cuzy (Cuzy)
Neuffontaines
Marigny-l'Église
Cuncy-lès-Varzy
Beuvron
Vignol
Saizy
Chât. de Vauban
Rvoir du Crescent
Lys
St-Didier
Empury
Talon
Monceaux-le-Comte
Moissy-Moulinot (Moissy)
St-Martin-du-Puy
Chalaux
Parigny-la-Rose
Grenois
Ruages
Pouques-Lormes
Oppidum
Taconnay
Challement
Diroll
Anthien
Asnan
Magny-Lormes
T. d'Orient
Lormes
Lac de Chaumeçon
Base de Loisirs
Brinon-sur-Beuvron
Moraches
Germenay
Marigny-sur-Yonne
Chât. de Villemolin
Gorges de Navau
Michaugues
Bussy-la-Pesle
Dompierre-sur-Héry
Héry
Chitry-les-Mines
Corbigny
Brassy
Beaulieu
Chaumot
Neuilly
Cervon
Vauclaix
Champlin
Pazy
58
89
A6
E15
E60
N6
N151
113
134
151
152

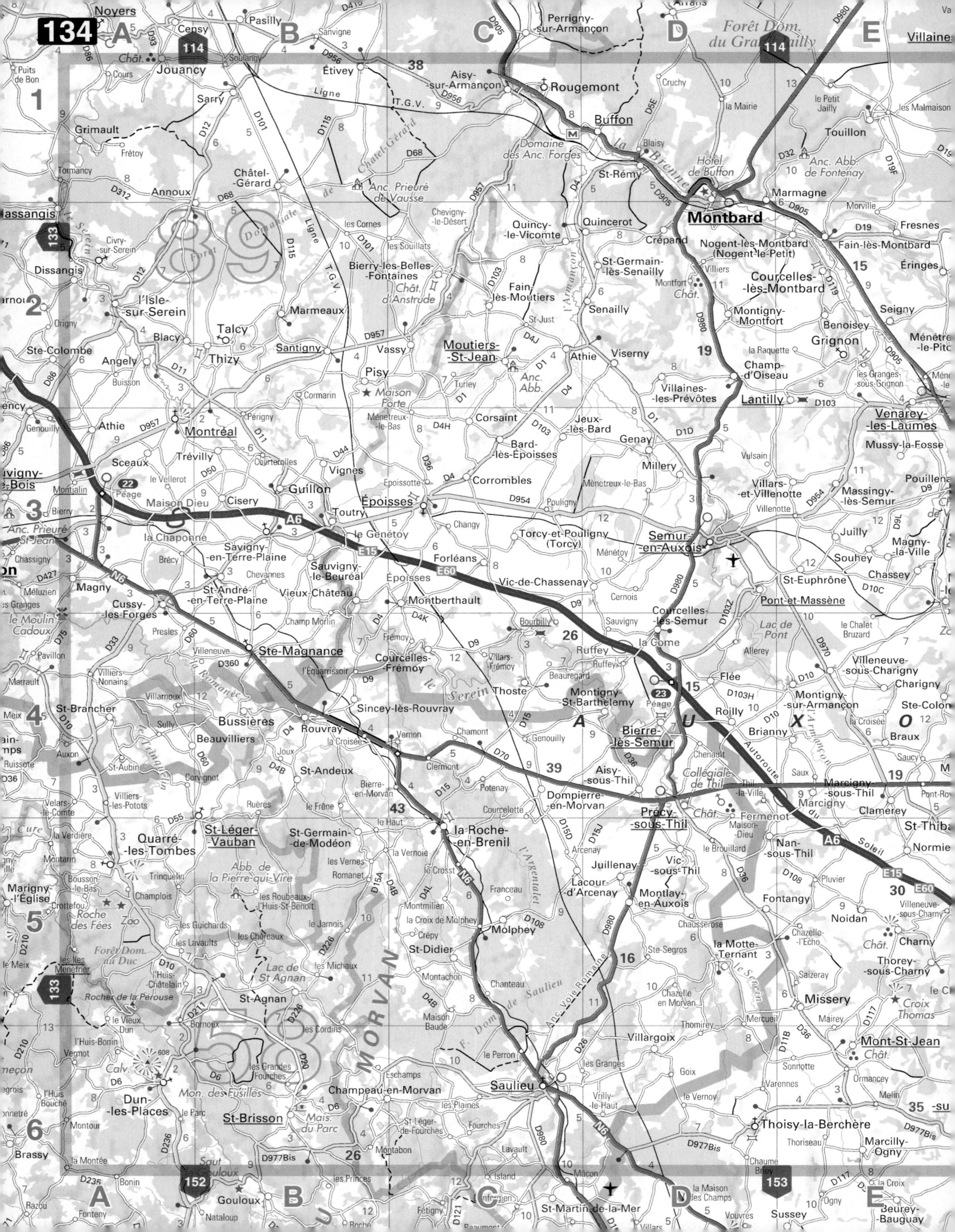
Noyers
Censy
Pasilly
Perrigny-sur-Armançon
Forêt Dom. du Grand-Jailly
Villaines
114
Jouancy
Soulangy
Étivey
Aisy-sur-Armançon
Rougemont
Cruchy
Puits de Bon
Cours
Sarry
Ligne T.G.V.
Buffon
Petit Jailly
Les Malmaison
Grimault
Fretoy
Domaine des Anc. Forges
Blaisy
Hôtel de Buffon
Touillon
Anc. Abb. de Fontenay
Tormancy
Châtel-Gérard
Anc. Prieuré de Vausse
St-Rémy
La Brenne
Marmagne
Annoux
Massangis
Montbard
Morville
Fresnes
133
Chevigny-le-Désert
Quincy-le-Vicomte
Quincerot
Crépand
Nogent-lès-Montbard (Nogent-le-Petit)
Fain-lès-Montbard
Civry-sur-Serein
Les Cornes
Les Souillats
Dissangis
Bierry-les-Belles-Fontaines
St-Germain-lès-Senailly
Villiers
Éringes
Chât. d'Anstrude
Fain-lès-Moutiers
Montfort
Courcelles-lès-Montbard
L'Isle-sur-Serein
Marmeaux
Senailly
Seigny
Origny
Talcy
St-Just
Montigny-Montfort
Benoisey
Blacy
Santigny
Vassy
Moutiers-St-Jean
Athie
Viserny
Grignon
Ménétreux-le-Pitois
Ste-Colombe
Angely
Thizy
Pisy
Anc. Abb.
La Raquette
Champ-d'Oiseau
Les Granges-sous-Grignon
Buisson
Cormarin
Maison Forte
Turley
Villaines-les-Prévôtes
Lantilly
Venarey-les-Laumes
Montréal
Périgny
Ménétreux-le-Bas
Corsaint
Jeux-lès-Bard
Genay
Athie
Genouilly
Bard-lès-Époisses
Mussy-la-Fosse
Trévilly
Vulsain
Sceaux
Courterolles
Vignes
Millery
Savigny-en-Bois
Le Vellerot
Corrombles
Pouillenay
Montjalin
Guillon
Époissotte
Ménetreux-le-Bas
Villars-et-Villenotte
Massingy-lès-Semur
Péage
Maison Dieu
Cisery
Époisses
Pouligny
Bierry
Toutry
Villenotte
Anc. Prieuré St-Jean
Le Génetoy
Changy
Torcy-et-Pouligny (Torcy)
Semur-en-Auxois
Juilly
La Chaponne
Magny-la-Ville
Chassigny
Brécy
Savigny-en-Terre-Plaine
Sauvigny-le-Beuréal
Forléans
Ménétoy
Souhey
Chassey
Chevannes
Époisses
Vic-de-Chassenay
St-Euphrône
Méluzien
Magny
St-André-en-Terre-Plaine
Vieux-Château
Montberthault
Cernois
Pont-et-Massène
Les Granges
Cussy-les-Forges
Le Moulin Cadoux
Champ Morlin
Bourbilly
Sauvigny
Courcelles-lès-Semur
Lac de Pont
Le Chalet Bruzard
Presles
Frémoy
Ste-Magnance
Ruffey
La Come
Allerey
Pavillon
Villeneuve
Courcelles-Frémoy
Villars-Frémoy
Villeneuve-sous-Charigny
Villiers-Nonains
L'Équarrissoir
Beauregard
Flée
Charigny
Marrault
Villarnoux
Le Serein
Thoste
Montigny-St-Barthélemy
Montigny-sur-Armançon
Meix
St-Brancher
Sincey-lès-Rouvray
Péage
Roilly
Ste-Colombe
Sully
Bussières
Rouvray
Bierre-lès-Semur
La Croisée
Beauvilliers
La Croisée
Vernon
Chamont
Genouilly
Brianny
Braux
Auxon
Joux
St-Aubin
Clermont
Chenault
Saucy
Ruissote
St-Andeux
Saux
Corvignot
Bierre-en-Morvan
Potenay
Aisy-sous-Thil
Collégiale de Thil
Thil-la-Ville
Marcigny-sous-Thil
Villiers-les-Potots
Dompierre-en-Morvan
Marcigny
Pont-Royal
Velars-le-Comte
Ruères
Le Frêne
Courcelotte
Précy-sous-Thil
Chât.
Fermenot
Clamerey
Cure
Quarré-les-Tombes
St-Léger-Vauban
St-Germain-de-Modéon
Le Haut
La Roche-en-Brenil
Maison-Dieu
St-Thibault
La Verdière
Le Brouillard
Nan-sous-Thil
Normier
Montarin
La Vernoie
Arcenay
Autoroute du Soleil
Abb. de la Pierre-qui-Vire
Les Vernes
Juillenay
Vic-sous-Thil
Bousson-le-Bas
Trinquelin
Romanet
Le Crosst
Pluvier
Marigny-l'Église
Champlois
Les Roubeaux-l'Huis-St-Benoît
Lacour-d'Arcenay
Crottefou
Roche des Fées
Zoo
Montmilien
Franceau
Montlay-en-Auxois
Fontangy
Villeneuve-sous-Charny
La Croix de Molphey
Les Guichards
Le Jarnois
Molphey
Chausserose
Noidan
Crépy
Chazelle-l'Écho
Les Lavaults
Les Chéreaux
St-Didier
Ste-Segros
La Motte-Ternant
Charny
Forêt Dom. au Duc
Les Michaux
Le Meix
Ménefrier
Lac de St Agnan
L'Huis-Châtelain
Montachon
Le Serein
Thorey-sous-Charny
Saizeray
Chanteau
Rocher de la Pérouse
St-Agnan
Chazelle en Morvan
Missery
F. Dom. de Saulieu
Anc. Voie Romaine
Croix Thomas
Le Vieux Dun
Maison Baude
Thomirey
Mercueil
Mairey
Bornoux
Les Cordins
MORVAN
Villargoix
Mont-St-Jean
L'Huis-Bonin
Vermot
Le Perron
Les Granges
Goix
Sonnotte
Calv.
Les Grandes Fourches
Eschamps
Ormancey
Mon. des Fusillés
Champeau-en-Morvan
Saulieu
Vrilly-le-Haut
Varennes
L'Huis Bouché
Le Vernoy
Melin
Dun-les-Places
Le Parc
St-Brisson
Les Plaines
Mais. du Parc
St-Léger-de-Fourches
Thoisy-la-Berchère
Montour
Fourches
Brassy
Montabon
Lavault
Thoriseau
Marcilly-Ogny
Saut de Gouloux
La Montée
Chaume
Bley
Bonin
152
Les Princes
Island
Mâcon
153
La Maison des Champs
La Croix
Gouloux
Infergien
Ogny
Fonteny
Nataloup
Fétigny
St-Martin-de-la-Mer
Vouvres
Sussey
Beurey-Bauguay
Razou
Roche
Beaumont
Villars
A6
E15
E60
N6
22
23
38
39
43
26
16
30
35
15
19

Aignay-le-Duc
Minot
Baigneux-les-Juifs
Forêt Domaniale du Moloy
Courtivron
Lamargelle
Chanceaux
Flavigny-sur-Ozerain
Salmaise
St-Seine-l'Abbaye
Forêt Domaniale d'Is-sur-Tille
Vitteaux
Val-Suzon
Hauteville-lès-Dijon
Plombières-lès-Dijon
Talant
Sombernon
Velars-sur-Ouche
Fleurey-sur-Ouche
Mâlain
Marsannay-la-Côte
Pouilly-en-Auxois
Commarin
Créancey
Thoisy-le-Désert
Gevrey-Chambertin
Vandenesse-en-Auxois
la Bussière-sur-Ouche
Quemigny-Poisot
Site Présumé d'Alésia
Statue de Vercingétorix
Sce de la Seine
Sce de l'Ignon
Abîme du Creux Percé
Parc Nat. de la Combe à la Serpent
Châtr. de Bussy-Rabutin
Châtr. de Montculot
Châtr. de Marigny
Canal de Bourgogne
A38
N71
PLATEAU

A
B
C
D
E
116
Chalancey
Montsaugeon
Choilley-Dardenay
Grancey-le-Château-Neuvelle
Maison Forte
Rivière-les-Fosses
Vaux-sous-Aubigny
Aubigny sur Badin
Courlon
Cussey-les-Forges
Vernois-lès-Vesvres
Isômes
Cusey
Couzon-sur-Coulange
Pressant
Boussenois
Champlitte
Avot
la Tille
les Forges
Foncegrive
Bel Air
Occey
Percey-le-Grand
Percey-sous-Montormentier
Orain
Courchamps
Le Prélot
Marey-sur-Tille
la Villa des Tuillières
Sacquenay
St-Maurice-sur-Vingeanne
Anc. Chât. de la Romagne
135
Avelanges
Selongey
Ste-Gertrude
Montigny-Mornay-Villeneuve-sur-Vingeanne
Poiseul-lès-Saulx
Bonvent
Villey-sur-Tille
Crécey-sur-Tille
Orville
Chazeuil
Chaume-et-Courchamp
la Villeneuve-sur-Vingeanne
Mornay
Luxerois
Pouilly-sur-Vingeanne
Fontaine-Française
St-Seine-sur-Vingeanne
Saulx-le-Duc
Péage
Véronnes
Véronnes les Petites
Échevannes
Is-sur-Tille
Til-Châtel
Diénay
Marcilly-sur-Tille
St-Seine-la-Tour
Fahy-lès-Autrey
Villecomte
Lux
les Maisons Neuves
Bourberain
Fontenelle
Chât. de Rosières
Licey-sur-Vingeanne
Attricourt
Autrey-lès-Gray
Sce de la Bèze
Dampierre-et-Flée
Verfontaine
Flée
Chaignay
Gemeaux
Grte de Bèze
Bèze
Beaumont-sur-Vingeanne
Loeuilley
Broye-les-Loups-et-Verfontaine
Chevigny
Épagny
Pichanges
Spoy
Blagny-sur-Vingeanne
Champagne-sur-Vingeanne
Poyans
Forêt d'Autrey
Marsannay-le-Bois
les Épenouses
Noiron-sur-Bèze
Savigny-le-Sec
Vievigne
Flacey
Dijon-Spoy
Oisilly
Grand Beire
Beire-le-Châtel
Dijon-Brognon
Messigny-et-Vantoux
Norges-la-Ville
Clénay
Brognon
Vesvrotte
Tanay
Renève-le-Château
Renève
Vantoux-lès-Dijon
Norges-le-Bas
Bretigny
St-Julien
Petit Beire
Fouchanges
Mirebeau-sur-Bèze
Cheuge
Jancigny
Asnières-lès-Dijon
Magny-St-Médard
Bézouotte
Arceau
Savolles
Cuiserey
Charmes
Hauteville-lès-Dijon
Bellefond
Echirey
Arcelot
Ruffey-lès-Echirey
Orgeux
Ahuy
Parc de la Toison d'Or
Belleneuve
Arçon
Montmançon
St-Sauveur
Talmay
Daix
Varois-et-Chaignot
Chaignot
Marandeuil
Fontaine-lès-Dijon
Arc-sur-Tille
Trochères
Drambon
Maxilly-sur-Saône
Heuilley-sur-Saône
Talant
St-Apollinaire
Fort de Varois
Couternon
Binges
Étevaux
Trey
Broye-Aubigney-Montseugny
Pré d'Azur
Remilly-sur-Tille
Perrigny-sur-l'Ognon
Chartreuse de Champmol
Palais des Ducs
Quetigny
la Tille
St-Léger-Triey
Pontailler-sur-Saône
DIJON
Chevigny-St-Sauveur
Bressey-sur-Tille
Cirey-lès-Pontailler
Forêt Dom. de St-Léger
Clos du Roi Pressoirs
Sennecey-lès-Dijon
Vaux-sur-Crône
Tellecey
Vonges
le Pâquier du Bois
Chenôve
Izier
Cessey-sur-Tille
Chambeire
Le Pays Neuf
Lamarche-sur-Saône
Vielverge
Marsannay-la-Côte
Longvic
Neuilly-lès-Dijon
Crimolois
Magny-sur-Tille
Longchamp
Forêt Dom. de Longchamp
Soissons-sur-Nacey
Dijon-Longvic
Ouges
Petit Ouges
Labergement-Foigney
Montarlot
Perrigny-lès-Dijon
Fauverney
Genlis
Magny-Montarlot
Poncey-lès-Athée
Bretenière
Beire-le-Fort
Flammerans
Brochon
Chevigny
Rouvres-en-Plaine
Varanges
Bois Défendu
Premières
Athée
Bois de Mondragon
Fénay
Beire-le-Fort
Collonges-lès-Premières
154
Saulon-la-Rue
Huchey
155
Gevrey-Chambertin
Barges
Saulon-la-Chapelle
Thorey-en-Plaine
Marliens
Pluvet
Villers-les-Pots
Pont de Pierre
la Feuillée
A31
E17
E21
N74
N5
Autoroute Verte
la Saône
la Vingeanne
la Bèze
la Norges
l'Albane
Canal de la Marne à la Saône
Voie Romaine

F
G
H
J
K
1
2
3
4
5
6
117
138
155
156
70
25
Fleurey-lès-Lavoncourt
Fouvent-St-Andoche
(Fouvent-le-Haut)
Francourt
Renaucourt
la Gougeonne
Rupt-sur-Saône
Chassey-lès-Scey
Pontcey
Pierrecourt
la Colombière
St-Andoche
Raucourt
Mont-St-Léger
Lavoncourt
Theuley
Grandecourt
Chantes
Ovanches
Bucey-lès-Traves
Larret
Trecourt
le Vannon
Volon
Aumonières
Fédry
Traves
Aroz
Boursières
Pierre Percée
la Saône
Champlitte-la-Ville
Courtesoult-et-Gatey
Gatey
Roche-et-Raucourt
Brotte-lès-Ray
Tincey-et-Pontrebeau
Vanne
Cubry-lès-Soing
Clans
Margilley
Pontrebeau
Vy-le-Ferroux
le Mouterot
Vaite
Membrey
Ste-Anne
Charentenay
Raze
Neuvelle-lès-Champlitte
Recologne
Ray-sur-Saône
Soing-Cubry-Charentenay
Hameau de la Côte
Ferrières-lès-Ray
Ancienne
Framont
Achey
Delain
Denèvre
Mont-le-Franois
Ste-Reine
Queutrey
Noidans-le-Ferroux
Rosey
Vellexon-Queutrey-et-Vaudey
le Crochot
Montot
Dampierre-sur-Salon
Seveux
le Mont
Fresne-St-Mamès
Vezet
le Pont-de-Planches
Neuvelle-lès-la-Charité
Autet
Savoyeux
la Vaivre
la Marquise Maison forestière
Vaudey
Greucourt
la Romaine
le Perrenot
Oyrières
Vars
Quitteur
Mercey-sur-Saône
Chazelot
Vereux
St-Gand
Lieffrans
Motey-sur-Saône
la Vernotte
Bourguignon-lès-la-Charité
Grandvelle-et-le-Perrenot
la Rente Rouge
Pierrejux
Auvet-et-Chapelotte
Montureux-et-Prantigny
les Bâties
Beaujeu-St-Vallier-Pierrejux-et-Quitteur
la Madeleine
Maizières
St-Vallier
Ste-Reine
les Verrières
Velloreille-lès-Frétigney
Fretigney-et-Velloreille
la Chapelotte
Chargey-lès-Gray
Prantigny
F. Dom. de Belle Vaivre
Igny
la Chapelle-St-Quillain
Vaux-le-Moncelot
Recologne-lès-Rioz
St-Roch
Vellemoz
Fondremand
Rigny
la Montbleuse
Étrelles-et-la-Montbleuse
Villers-Bouton
Frasne-le-Château
Arc-lès-Gray
Anc. Abb. de Corneux
Angirey
Villers-Chemin-et-Mont-lès-Étrelles
Tresilley
Hôtel de Ville
Ancier
St-Broing
Corneux
Gray
Sauvigney-lès-Gray
Vantoux-et-Longevelle
Villers-Chemin
Grachaux
la Morte
Vellefrey-et-Vellefrange
Hauterive
Gray-la-Ville
Nantouard
Velleclaire
l'Abbayotte
Velet
St-Loup-Nantouard
Citey
Bucey-lès-Gy
Oiselay-et-Grachaux
les Malbuissons
Montarlot-lès-Rioz
Mantoche
Battrans
Roche
Cordonnet
Velesmes-Echevanne
Echevanne
la Dhuys
Sorans-lès-Breurey
Forêt Domaniale des Hauts Bois
Villefrancon
Gy
Esmoulins
Velloreille
Choye
St-Maurice
Bonnevent-Velloreille
Champvans
Cresancey
Vellorelle-lès-Choye
Ferme de Vau
Venise
Boult
Apremont
Onay
Chaux-la-Lotière
Noiron
la Tenise
le Tremblois
Champtonnay
Autoreille
Montboillon
Germigney
Cugney
Charcenne
Fontelenay
la Gravoille
Arsans
Gézier-et-Fontenelay
Venère
Étuz
Boulot
Vadans
Lieucourt
Virey
Courcuire
Cussey-sur-l'Ognon
Bussières
Voray-sur-l'Ognon
Tromarey
Chambornay-lès-Pin
Chevroz
la Grande-Résie
Chevigney
Valay
Bonboillon
Avrigney-Virey
Pin
Sauvagney
Devecey
Aubigney
Chancevigney
Geneuille
Chancey
Vregille
Beaumotte-lès-Pin
la Résie-St-Martin
Cult
Châtillon-le-Duc
Hugier
Émagny
Moncley
Auxon-Dessus
le Gros Bois
Brussey
Auxon-Dessous
l'Ognon
Sauvigney-lès-Pesmes
Chaumercenne
Motey-Besuche
Chevigney-sur-l'Ognon
Miserey-Salines
Marnay
Bay
Chaucenne
Les Forges
Montagney
Ruffey-le-Château
Péage
Pelousey
Valentin
Recologne
Pelousey
Chenevrey-et-Morogne
Bard-lès-Pesmes
École-Valentin
Pesmes
Sornay
Morogne
Burgille
Noironte
Bois de Frachère
Placey
Audeux
Pirey
Malans
Abb. d'Acey
Courchapon
Chazoy
Franey
Fort
Pouilley-les-Vignes
Marpain
Bresilley
Jallerange
Sce de la Roche
Champagney
Champvans-les-Moulins
Dammartin-Marpain
Thervay
Balançon
Pagney
Lavernay
Mazerolles-le-Salin
Péage
Francis
Vitreux
le Moutherot
Serre-les-Sapins
Vertière
Châtillon
Ougney
Lantenne-Vertière
Corcondray
Vaux-les-Prés
Citad.
Étrabonne
Brans
Rouffange
Corcelles-Ferrières
Villers-Buzon
Chemaudin
Mercey-le-Grand
Montmirey-Château
Saligney
Taxenne
l'Étang
Bois de Serpole
Avanne-Aveney
Beure
Vigearde
Cottier
Ferrières-les-Bois
Boismurie
Dannemarie-sur-Crête
Offlanges
Serre-les-Moulière
Romain
Pouilley-Français
Frasne-les-Meulières
Gendrey
Louvatange
le Petit-Mercey
Thelange
Grandfontaine
Arguel
Massif de la Serre
Hyombre
Velesmes-Essarts
Rancenay
Montferrand
Pugey
A36
E60

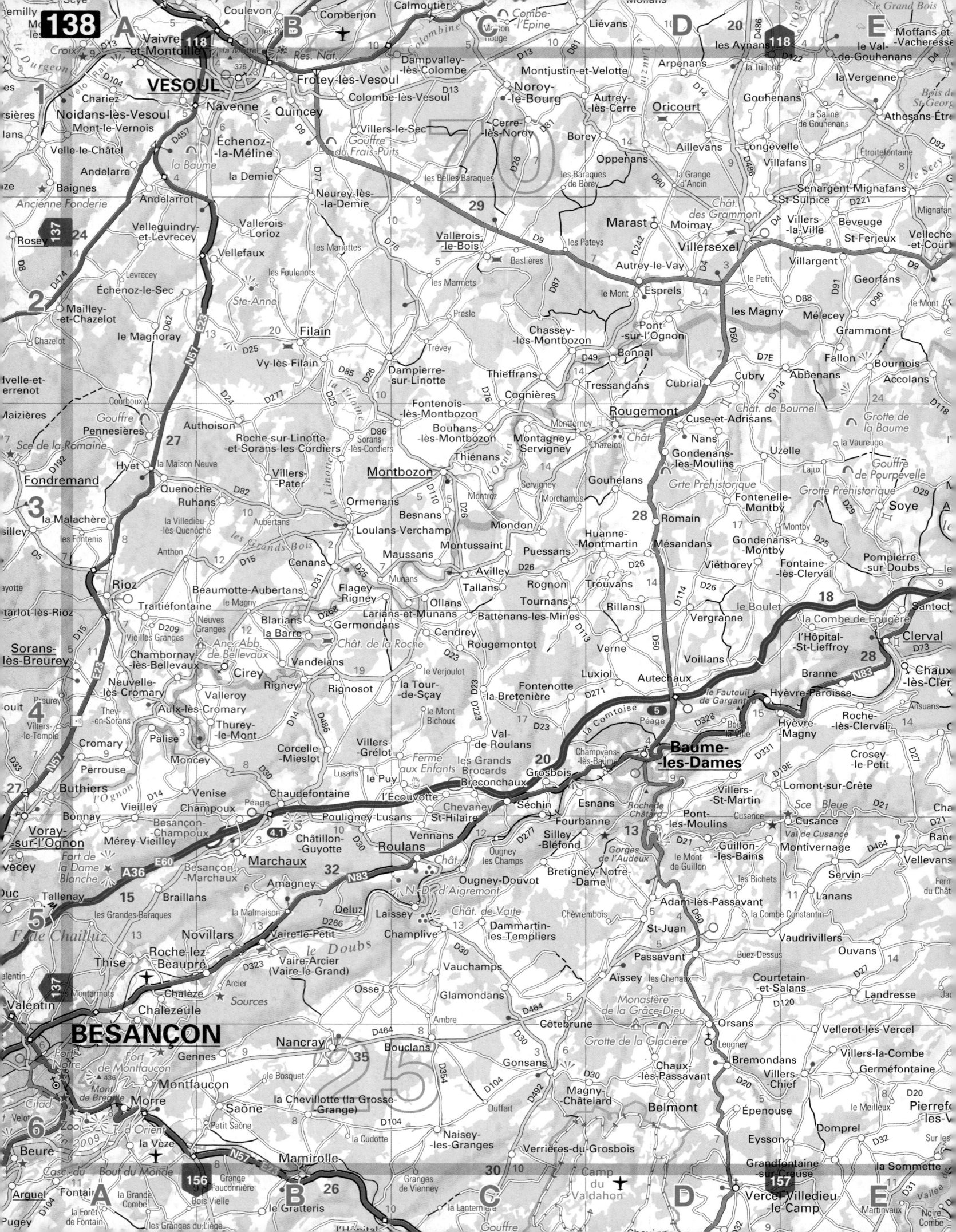
A
B
C
D
E
1
2
3
4
5
6
118
137
156
157
Coulevon
Comberjon
Calmoutier
Combe-l'Épine
Liévans
les Aynans
le Val-de-Gouhenans
Moffans-et-Vacheresse
Vaivre-et-Montoille
VESOUL
Res. Nat.
Dampvalley-lès-Colombe
Montjustin-et-Velotte
Arpenans
la Tuilerie
la Vergenne
Frotey-lès-Vesoul
Noroy-le-Bourg
Autrey-lès-Cerre
Oricourt
Gouhenans
Athesans-Étroitefontaine
Chariez
Navenne
Quincey
Colombe-lès-Vesoul
Noidans-lès-Vesoul
Mont-le-Vernois
Villers-le-Sec
Gouffre du Frais-Puits
Cerre-lès-Noroy
Borey
Aillevans
Longevelle
la Saline de Gouhenans
Étroitefontaine
Villafans
Velle-le-Châtel
Échenoz-la-Méline
Oppenans
les Baraques de Borey
la Grange d'Ancin
Andelarre
la Baume
la Demie
les Belles Baraques
Senargent-Mignafans
Baignes
Ancienne Fonderie
Andelarrot
Neurey-lès-la-Demie
Châtel des Grammont
St-Sulpice
Villers-la-Ville
Beveuge
Rosey
Velleguindry-et-Levrecey
Vallerois-Lorioz
29
Marast
Moimay
Villersexel
St-Ferjeux
Velleche-et-Courb
Vellefaux
les Mariottes
Vallerois-le-Bois
les Pateys
Baslières
Autrey-le-Vay
Villargent
Levrecey
les Foulenots
les Marmets
Esprels
le Mont
le Petit
Georfans
Échenoz-le-Sec
Ste-Anne
Mailley-et-Chazelot
Presle
Chassey-lès-Montbozon
Pont-sur-l'Ognon
les Magny
Mélecey
Grammont
Chazelot
le Magnoray
Filain
Trévey
Vy-lès-Filain
Dampierre-sur-Linotte
Bonnal
Fallon
Bournois
Thieffrans
Tressandans
Cubrial
Cubry
Abbenans
Accolans
Courboux
Cognières
Fontenois-lès-Montbozon
Rougemont
Cuse-et-Adrisans
Châl. de Bournel
Grotte de la Baume
Gouffre
Authoison
Bouhans-lès-Montbozon
Montagney-Servigney
Nans
la Vaureuge
Pennesières
Roche-sur-Linotte-et-Sorans-les-Cordiers
Sorans-lès-Cordiers
Thiénans
Gondenans-les-Moulins
Uzelle
Gouffre de Pourpevelle
Sce de la Romaine
27
la Maison Neuve
Villers-Pater
Montbozon
Servigney
Gouhelans
Grte Préhistorique
Grotte Préhistorique
Hyet
Fondremand
Quenoche
Ruhans
Ormenans
Morchamps
Fontenelle-Montby
Soye
la Malachère
la Villedieu-lès-Quenoche
Aubertans
Besnans
Mondon
28
Romain
les Fontenis
Anthon
les Grands Bois
Loulans-Verchamp
Montussaint
Huanne-Montmartin
Gondenans-Montby
Montby
Maussans
Puessans
Mésandans
Pompierre-sur-Doubs
Cenans
Avilley
Viéthorey
Fontaine-lès-Clerval
Rioz
Beaumotte-Aubertans
Flagey-Rigney
Munans
Rognon
Trouvans
le Boulet
18
Santoche
Traitiéfontaine
le Magny
Ollans
Tallans
Tournans
Rillans
Vergranne
la Combe de Fougère
Larians-et-Munans
Battenans-les-Mines
Blarians
Germondans
Neuves Granges
Clerval
l'Hôpital-St-Lieffroy
Sorans-lès-Breurey
Vieilles Granges
la Barre
Châl. de la Roche
Cendrey
Rougemontot
Verne
Voillans
Anc. Abb. de Bellevaux
Chambornay-lès-Bellevaux
Vandelans
Cirey
le Verjoulot
Luxiol
Autechaux
Branne
Chaux-lès-Clerval
Neuvelle-lès-Cromary
Valleroy
Rigney
Rignosot
la Tour-de-Sçay
la Bretenière
Fontenotte
le Fauteuil de Gargantua
Hyèvre-Paroisse
Aulx-lès-Cromary
le Mont Bichoux
Villers-le-Temple
Thurey-le-Mont
la Comtoise
Péage
Hyèvre-Magny
Roche-lès-Clerval
Ansuans
Palise
Cromary
Corcelle-Mieslot
Villers-Grélot
Val-de-Roulans
Bois la Ville
Crosey-le-Petit
Perrouse
Moncey
Ferme aux Enfants
les Grands Brocards
Champvans-lès-Baume
Baume-les-Dames
20
Grosbois
Buthiers
Lusans
le Puy
Breconchaux
Villers-St-Martin
Lomont-sur-Crête
l'Ognon
Vieilley
Venise
Chaudefontaine
l'Écouvotte
Esnans
Séchin
Bonnay
Champoux
Chevaney
Roche de Châtard
Sce Bleue
Voray-sur-l'Ognon
Besançon-Champoux
Pouligney-Lusans
St-Hilaire
Fourbanne
Pont-les-Moulins
Cusance
Mérey-Vieilley
Châtillon-Guyotte
Vennans
Silley-Bléfond
Val de Cusance
Fort de la Dame Blanche
Marchaux
Roulans
Ougney les Champs
Gorges de l'Audeux
Guillon-les-Bains
Montivernage
Vellevans
le Mont de Guillon
Besançon-Marchaux
Amagney
32
Ougney-Douvot
Bretigney-Notre-Dame
les Bichets
Servin
Lanans
Tallenay
15
Braillans
N.-D. d'Aigremont
Adam-lès-Passavant
les Grandes-Baraques
la Malmaison
Deluz
Laissey
Châl. de Vaite
Chèvrembois
la Combe Constantin
F. de Chailluz
Dammartin-les-Templiers
St-Juan
Novillars
Vaire-le-Petit
Champlive
Vaudrivillers
Ouvans
Roche-lez-Beaupré
le Doubs
Passavant
Buez-Dessus
Thise
Vaire-Arcier (Vaire-le-Grand)
Vauchamps
Aïssey
les Chenaux
Courtetain-et-Salans
Arcier
les Montarmots
Chalèze
Osse
Glamondans
Monastère de la Grâce-Dieu
Landresse
Sources
Chalezeule
Valentin
Ambre
Côtebrune
Orsans
Vellerot-lès-Vercel
BESANÇON
Nancray
Bouclans
Grotte de la Glacière
Leugney
Porte Noire
Fort de Montfaucon
Gennes
35
Gonsans
Bremondans
Villers-la-Combe
Germéfontaine
Citad.
le Bosquet
Chaux-lès-Passavant
Villers-Chief
Mont de Brégille
Montfaucon
Magny-Châtelard
Morre
Saône
la Chevillotte (la Grosse-Grange)
Duffait
Belmont
Épenouse
Pierrefontaine-les-Varans
le Meilleux
Zoo
Petit Saône
la Cudotte
Dompre
Beure
la Vèze
Mamirolle
Naisey-les-Granges
Verrières-du-Grosbois
Eysson
Casc. du Bout du Monde
Grange Fauconnière
Granges de Vienney
30
Camp du Valdahon
Grandfontaine-sur-Creuse
la Sommette
Arguel
Fontain
la Grande Combe
Bois Vielle
26
Vercel-Villedieu-le-Camp
la Forêt de Fontain
le Gratteris
la Lanternière
Martinvaux
Pugey
les Granges du Liège
Gouffre
l'Hôpital
A36
E60
N83
N57
E23
D50
D4

139
Héricourt
MONTBÉLIARD
Sochaux
Audincourt
Valentigney
Mandeure
Seloncourt
Delle
Beaucourt
Hérimoncourt
Porrentruy
Pont-de-Roide
St-Hippolyte
Maîche
Charquemont
Belvoir
Sancey-le-Grand
Sancey-le-Long
Vaucluse
Damprichard
le Russey
Goumois
Saignelégier
le Noirmont
les Breuleux
St-Imier
Biaufond
Montbéliardot
Laval-le-Prieuré
l'Isle-sur-le-Doubs
Colombier-Fontaine
Arcey
Montenois
Bavans
Voujeaucourt
Exincourt
Étupes
Bourogne
Danjoutin
Andelnans
Châtenois-les-Forges
Montreux-Château
Froidefontaine
Grandvillars
Courtelevant
Boncourt
Fahy
Courtedoux
Chevenez
Soubey
Epiquerez
le Doubs
le Dessoubre
Montagnes du Lomont
Franches Montagnes
Chaux d'Abel
Ajoie
CH
25
90
A36
E60
E54
N19
N83
N463
N99

A   B   C   D   E

122

Tharon-Plage
Port-Giraud
la Gautrais
la Rochandière
les Granges
la Feuill'es
le Branda
Chauvé
le Poirier
D206
D213
D96
D136
D86
la Sèvrie
les Genaubins
la Michelais des Marais
Haute Perche
D6
le Pas de la Haie
D5
D67

Pointe St-Gildas
la Plaine-sur-Mer
la Ferté
les Raises
la Bourrelière
le Pont
11
D13
la Baconnière

Préfailles
D313   5
le Portmain
Allée Couverte
10
le Porteau
Ste-Marie
Pornic
D751
le Clion-sur-Mer
le Port
5
D751
Arthon-en-Ret

Côte   de   Jade
Corniche de la Noëveillard
D213
D13
D66
la Tartouzerie
la Milsandri
la Glé

Dolmen de la Joselière
la Bernerie-en-Retz
D97
le Poteau
14
D13
9
D67
Chap. de Prigny
D5
11
le Tem

Baie
de
les Moutiers-en-Retz
Lanterne des Morts
la Croix
la Guérivière
D758
1A

Pointe des Charniers
Bourgneuf
Bourgneuf-en-Retz
D758

Anc. Abb. de la Blanche
Pointe de l'Herbaudière
la Madeleine
le Grand Vieil
Phare des Dames
Port du Collet
les Rivières aux Guérins

l'Herbaudière
D5
D95
6
D948
Bois de la Chaise
les Brochets
D118
9
la Haute Folie
le Sud
Lo

Plage de Luzéronde
Aquarium
Crypte
Noirmoutier-en-l'Île
D21
D758
17
le Frêne
la Neuve
la Frette
18

l'Épine
D38
4
D948
Réserve Naturelle des Marais de Mullembourg
Port des Champs
Bouin
D59
D21
D21A

la Guérinière
6
le Fier
D95
8
25
Passage du Gois (Praticable à marée basse)
le Marais Salé
D758
8
D59

Île de Noirmoutier
Barbâtre
les Onchères
l'Époids
M A R I S
la Chauvinerie
Abb.
Châtea

la Frandière
D95
D38
5
l'Époids
D948
la Croix Rouge
Beauvoir-sur-Mer
la Chapelle
11
le Petit Moulin

la Fosse
Fromentine
3
le Grand Pont
D28
la Pierre Blanche

10
D22
St-Gervais
18
Belle-Fontaine
D75

5
2
la Barre-de-Monts
4
D103
les Morandières
St-Urbain
les Quatre Moulins
la Croix Jôslain

la Graffinière
4
D948
7

Île d'Yeu
le Pré Cheminée
Min à Vent de Rairé
Sallertaine
7

Notre-Dame-de-Monts
D82
la Grande Croix
D51
B R E T O N
la Botte
D103
10
D753

14
le Vieux Cerne
la Vairée
85
16
Chât. de la Vérie
7

D38
la Lande
D82
le Perrier
D82

les Vignes
le Bois Notaire
D753
D59
D69

St-Jean-de-Monts
les Mattes
Soullans

Atlantis
11
Orouet
D59
D69

le Pège
D123
D38
18
N.-D.-de-Riez
Vill

le Pissot
2
Beaulieu
D83
7

St-Hilaire-de-Riez
158
Sion sur l'Océan
D6
6
le F
D754

Île d'Yeu (inset)

Pointe du But
Dolmens
l'Île-d'Yeu (Port Joinville)

le Grand Phare
Chât.
5
St-Sauveur
Île d'Yeu

Côte
Pointe du Châtelet
4
Port de la Meule
la Croix

Sauvage
Phare des Corbeaux
Pointe de la Tranche

A   B   C   D   E

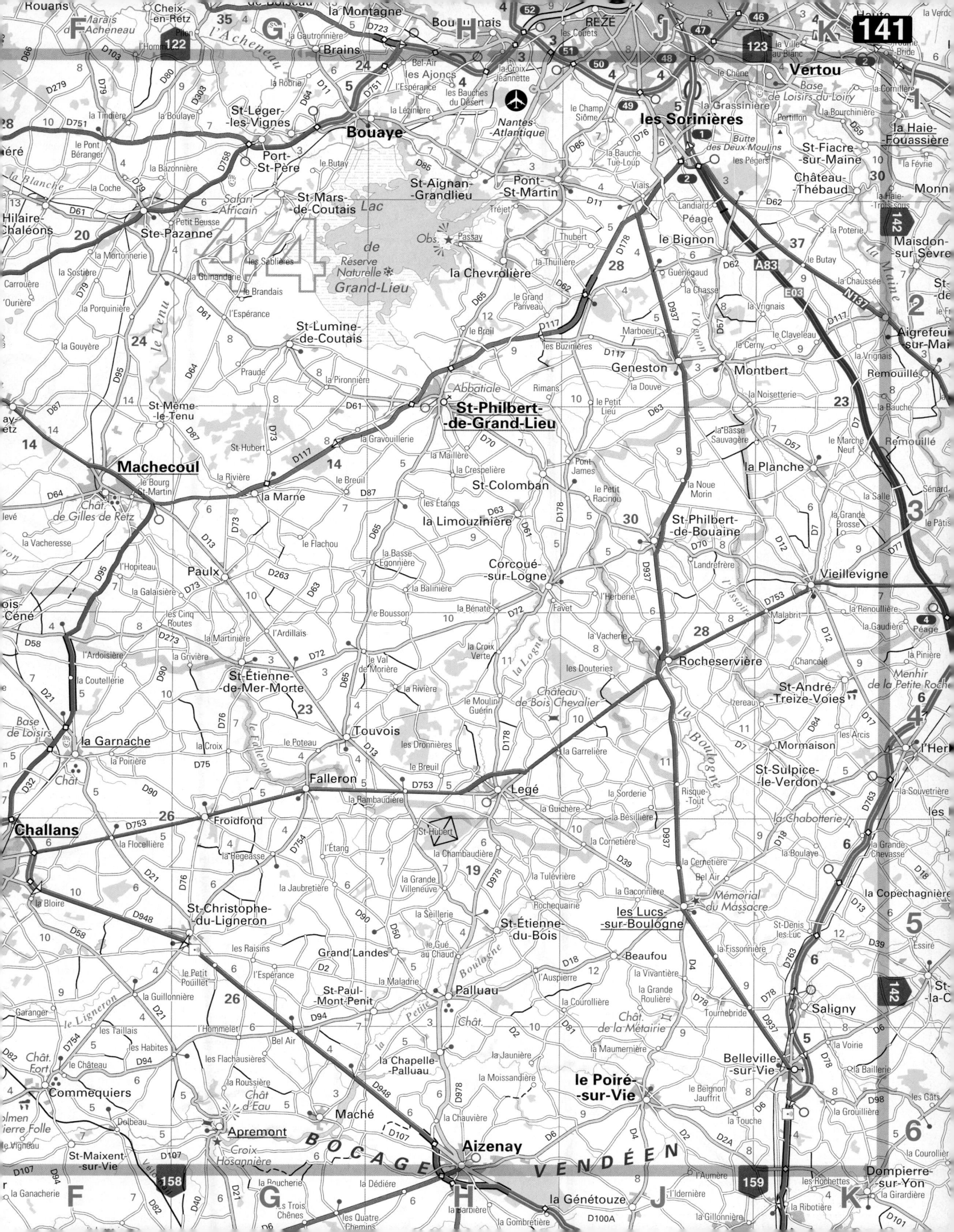

Rouans
Cheix-en-Retz
Marais d'Acheneau
l'Acheneau
la Montagne
Bouguenais
Rezé
Haute-Goulaine
la Gautronnière
Brains
Bel-Air
les Ajoncs
la Croix Jeannette
les Couëts
Vertou
la Ville au Blanc
la Rouë Bride
la Robrie
l'Espérance
les Bauches du Désert
le Chêne
Base de Loisirs du Loiry
la Cornillère
la Tindière
la Boulaye
St-Léger-les-Vignes
la Lézinière
Bouaye
Nantes-Atlantique
le Champ Siôme
les Sorinières
la Grassinière
la Bourchinière
Portillon
la Haie-Fouassière
le Pont Béranger
Port-St-Père
la Bazonnière
le Butay
la Bauche Tue-Loup
Butte des Deux Moulins
les Pégers
St-Fiacre-sur-Maine
la Février
Château-Thébaud
la Blanche
la Coche
Safari Africain
St-Mars-de-Coutais
St-Aignan-Grandlieu
Pont-St-Martin
Viais
Landiard
Péage
Monnières
St-Hilaire-de-Chaléons
Petit Beusse
Ste-Pazanne
Lac de Grand-Lieu
Tréjet
Passay
Obs.
Réserve Naturelle
Thubert
le Bignon
la Poterie
Maisdon-sur-Sèvre
la Maine
la Mortonnerie
les Sablières
la Thuilière
Guénégaud
le Butay
la Chaussée
Carrouère
la Sostière
la Guinanderie
la Chevrolière
la Chasse
l'Ourière
le Brandais
le Grand Panveau
la Vrignais
la Porquinière
l'Espérance
le Breil
Marboeuf
le Claveleau
Aigrefeuille-sur-Maine
la Gouyère
le Tenu
St-Lumine-de-Coutais
les Buzinières
l'Ognon
le Cerny
Praude
Geneston
Montbert
la Vrignais
Remouillé
la Pironnière
Abbatiale
Rimans
la Douve
la Noisetterie
St-Même-le-Tenu
St-Philbert-de-Grand-Lieu
le Petit Lieu
la Bauche
la Gravouillerie
la Basse Sauvagère
le Marché Neuf
Remouillé
St-Hubert
la Maillère
Pont James
la Crespelière
Machecoul
la Rivière
le Breuil
St-Colomban
la Planche
le Bourg St-Martin
la Marne
le Petit Racinou
la Noue Morin
Sénard
Chât. de Gilles de Retz
les Étangs
la Salle
la Limouzinière
St-Philbert-de-Bouaine
la Grande Brosse
le Pâtis
la Vacheresse
le Flachou
la Basse Égonnière
Landefrère
Vieillevigne
l'Hopiteau
Paulx
Corcoué-sur-Logne
la Balinière
l'Issoire
la Galaisière
l'Herbetière
Bois-de-Céné
les Cinq Routes
le Bousson
la Bénate
Favet
Malabrit
la Renouillère
la Gaudière
Péage
l'Ardillais
la Martinière
la Vacherie
l'Ardoisière
la Grivière
la Croix Verte
le Val de Morière
Rocheservière
Chancelé
la Pinière
la Coutellerie
St-Étienne-de-Mer-Morte
la Logne
les Douteries
Menhir de la Petite Roche
la Rivière
Château de Bois Chevalier
St-André-Treize-Voies
Base de Loisirs
le Moulin Guérin
Izereau
la Garnache
le Falleron
Touvois
les Dronnières
la Garrelière
la Boulogne
Mormaison
les Arcis
le Poteau
la Croix
l'Herbergement
la Poirière
le Breuil
Chât.
Falleron
Legé
Risque-Tout
St-Sulpice-le-Verdon
la Rambaudière
la Sorderie
la Souvetrière
Challans
Froidfond
la Guichère
la Bésillière
la Chabotterie
les Brouzils
la Flocellière
St-Hubert
la Cornetière
l'Étang
la Regeasse
la Chambaudière
la Grande Chevasse
la Cernetière
Bel Air
la Jaubretière
la Grande Villeneuve
la Tulévrière
la Gaconnière
Mémorial du Massacre
la Copechagnière
la Bloire
la Seillerie
Rochequairie
St-Christophe-du-Ligneron
St-Étienne-du-Bois
les Lucs-sur-Boulogne
St-Denis-la-Chevasse
les Luc
Essiré
les Raisins
Grand'Landes
le Gué au Chaud
Beaufou
la Fissonnière
le Petit Pouillet
l'Espérance
la Maladrie
l'Auspierre
la Vivantière
St-Paul-Mont-Penit
Palluau
la Grande Roulière
St-Martin-des-Noyers
le Ligneron
la Guillonnière
la Courollière
Saligny
Garanger
Tournebride
les Taillais
l'Hommelet
Bel Air
Chât. de la Métairie
la Voirie
les Habites
les Flachausières
la Chapelle-Palluau
la Jaunière
la Maumernière
Chât. Fort
le Château
Belleville-sur-Vie
la Baillerie
Commequiers
la Roussière
Chât d'Eau
la Moissandière
le Poiré-sur-Vie
le Beignon Jauffrit
Menhir de la Pierre Folle
Dolbeau
Maché
la Touche
les Gâts
la Grouillère
la Chauvière
Apremont
Croix Hosannière
la Vigneau
St-Maixent-sur-Vie
Aizenay
Bocage Vendéen
la Courollière
la Boucherie
la Dédière
l'Aumère
les Rochettes
Dompierre-sur-Yon
la Girardière
la Ganacherie
les Trois Chênes
la Barbière
la Génétouze
l'Idernière
la Ribotière
les Quatre Chemins
la Gombretière
la Gillonnière

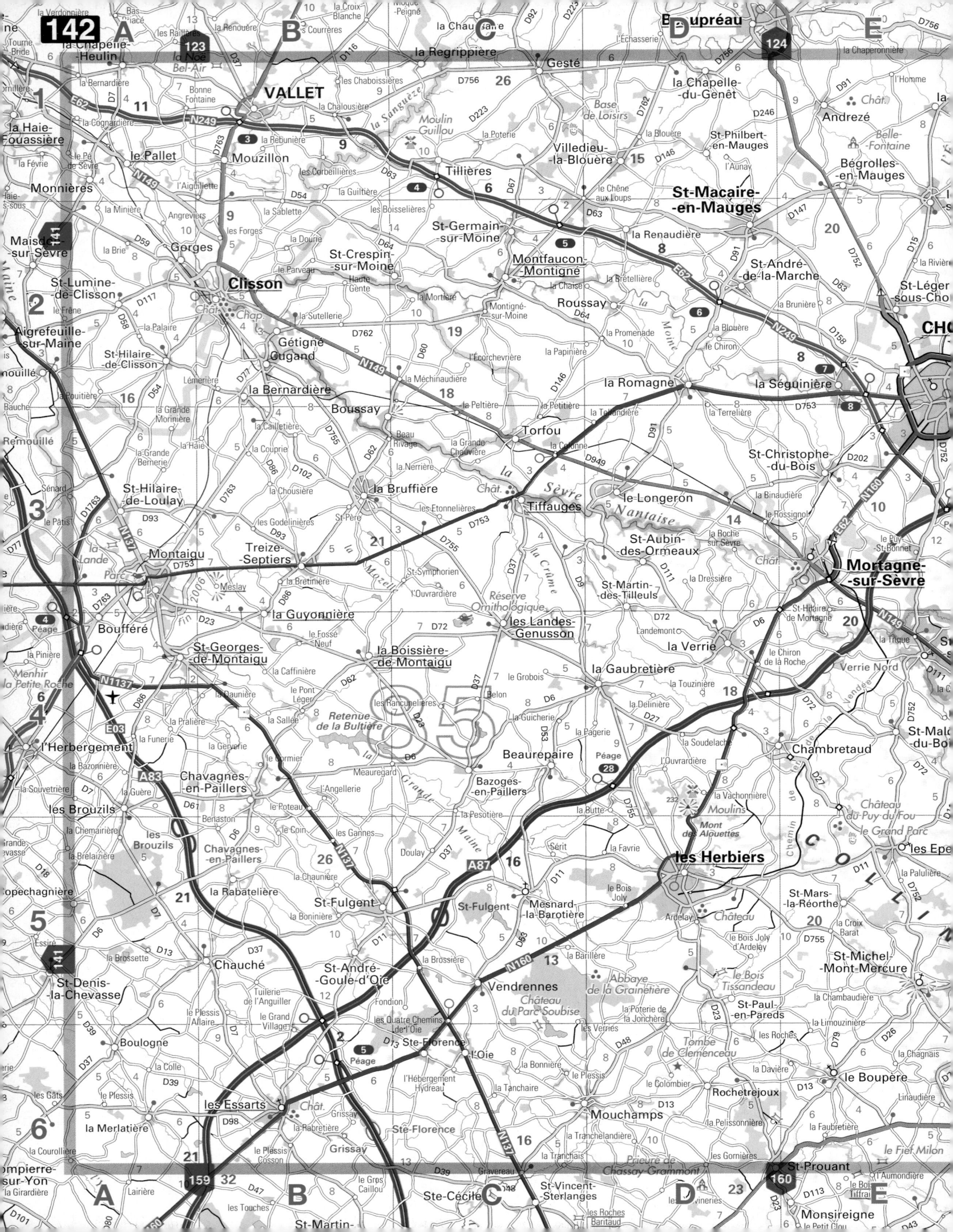
A
B
C
D
E
1
2
3
4
5
6
123
124
141
159
160
85
Beaupréau
la Chapelle-Heulin
la Regrippière
Gesté
VALLET
la Chapelle-du-Genêt
Andrezé
la Haie-Fouassière
le Pallet
Mouzillon
Tillières
Villedieu-la-Blouère
St-Philbert-en-Mauges
Bégrolles-en-Mauges
Monnières
St-Macaire-en-Mauges
Gorges
St-Germain-sur-Moine
Montfaucon-Montigné
St-Crespin-sur-Moine
St-André-de-la-Marche
Clisson
St-Lumine-de-Clisson
Roussay
St-Léger-sous-Cholet
Aigrefeuille-sur-Maine
Gétigné
Cugand
St-Hilaire-de-Clisson
la Romagne
la Séguinière
la Bernardière
Boussay
Torfou
St-Christophe-du-Bois
Remouillé
la Bruffière
Tiffauges
le Longeron
St-Hilaire-de-Loulay
la Sèvre Nantaise
St-Aubin-des-Ormeaux
Montaigu
Treize-Septiers
Mortagne-sur-Sèvre
St-Martin-des-Tilleuls
la Guyonnière
les Landes-Genusson
Boufféré
la Verrie
St-Georges-de-Montaigu
la Boissière-de-Montaigu
la Gaubretière
Verrie Nord
l'Herbergement
Beaurepaire
Chambretaud
Chavagnes-en-Paillers
Bazoges-en-Paillers
Château du Puy du Fou
les Brouzils
les Herbiers
Mont des Alouettes
la Rabatelière
St-Fulgent
Mesnard-la-Barotière
St-Mars-la-Réorthe
Chauché
St-André-Goule-d'Oie
Vendrennes
St-Michel-Mont-Mercure
St-Denis-la-Chevasse
Abbaye de la Grainetière
Château du Parc Soubise
St-Paul-en-Pareds
Boulogne
Ste-Florence
l'Oie
Tombe de Clemenceau
le Boupère
les Essarts
Mouchamps
Rochetrejoux
la Merlatière
Grissay
St-Prouant
Prieuré de Chassay-Grammont
Ste-Cécile
St-Vincent-Sterlanges
Monsireigne
N249
N149
N137
N160
E62
A83
A87
E03
D753
D762

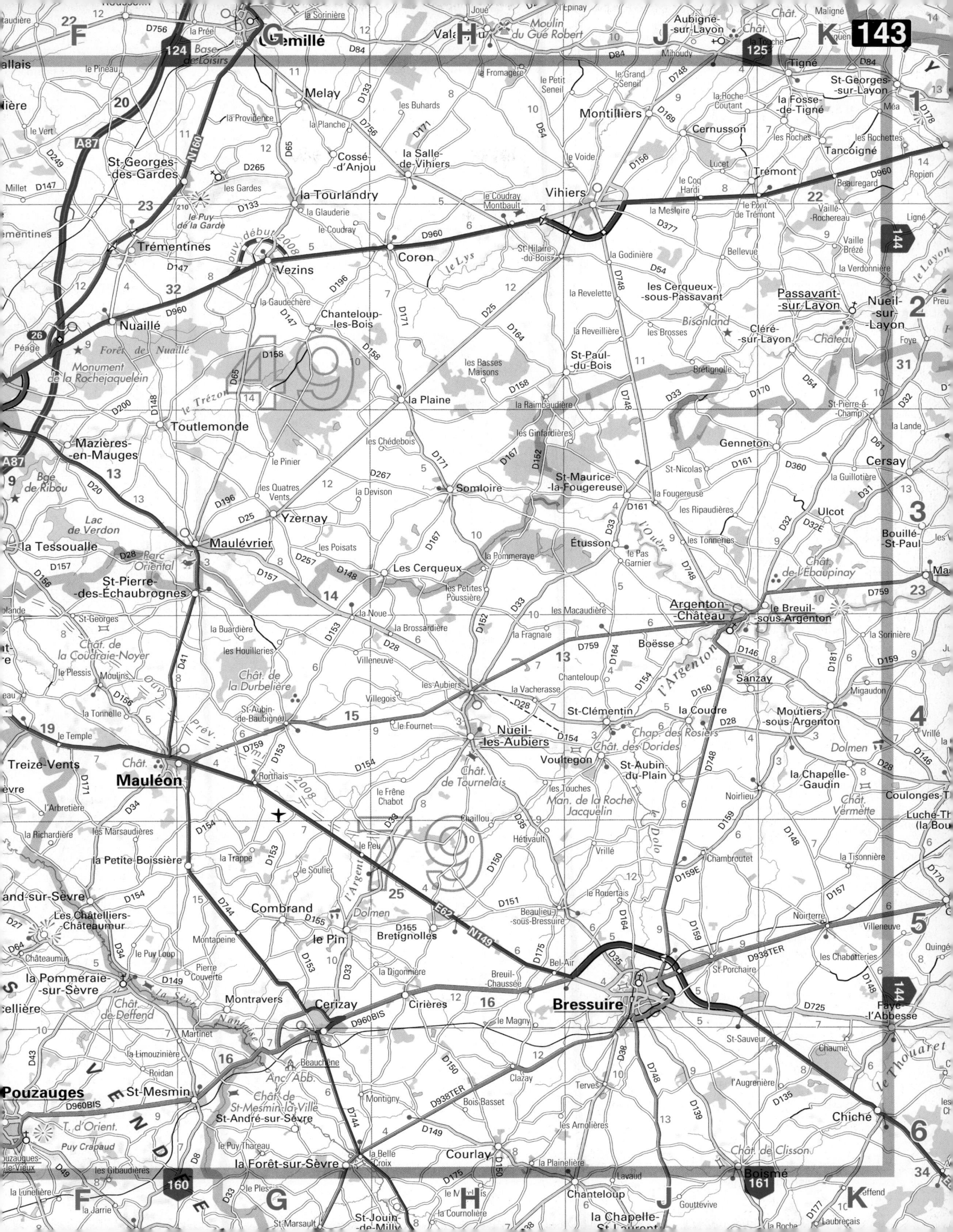

Chemillé
Valanjou
Moulin du Gué Robert
Aubigné-sur-Layon
Chât.
Maligné
Tigné
St-Georges-sur-Layon
la Fosse-de-Tigné
Melay
Montilliers
Cernusson
Tancoigné
Trémont
les Buhards
la Providence
la Planche
Cossé-d'Anjou
la Salle-de-Vihiers
St-Georges-des-Gardes
les Gardes
le Puy de la Garde
la Tourlandry
la Glauderie
le Coudray
le Coudray Montbault
Vihiers
la Mesloire
le Pont de Trémont
Vaillé-Rochereau
Trémentines
Vezins
Coron
le Lys
St-Hilaire-du-Bois
la Godinière
les Cerqueux-sous-Passavant
Passavant-sur-Layon
Nueil-sur-Layon
Nuaillé
Forêt de Nuaillé
Monument de la Rochejaquelein
Chanteloup-les-Bois
la Revelette
la Reveillière
Bisonland
les Brosses
Cléré-sur-Layon
Château
St-Paul-du-Bois
les Basses Maisons
Bretignolle
le Trézon
la Plaine
la Raimbaudière
St-Pierre-à-Champ
Toutlemonde
Mazières-en-Mauges
les Ginfardières
Genneton
Cersay
les Chédebois
le Pinier
Bge de Ribou
St-Maurice-la-Fougereuse
St-Nicolas
les Quatres Vents
la Devison
Somloire
la Fougereuse
les Ripaudières
Ulcot
Lac de Verdon
Yzernay
Bouillé-St-Paul
la Tessoualle
Parc Oriental
Maulévrier
les Poisats
la Pommeraye
Étusson
le Pas Garnier
l'Ouère
les Tonneries
Chât. de l'Ébaupinay
St-Pierre-des-Échaubrognes
Les Cerqueux
les Petites Poussière
Argenton-Château
le Breuil-sous-Argenton
St-Georges
la Noue
la Brossardière
les Macaudière
Chât. de la Coudraie-Noyer
la Buardière
les Houilleries
la Fragnaie
Boësse
la Sorinière
le Plessis
Moulins
Chât. de la Durbelière
Villeneuve
Chanteloup
l'Argenton
Sanzay
Migaudon
la Tonnelle
St-Aubin-de-Baubigné
Villegois
les Aubiers
la Vacherasse
St-Clémentin
la Coudre
Moutiers-sous-Argenton
le Temple
le Fournet
Nueil-les-Aubiers
Chap. des Rosiers
Chât. des Dorides
Dolmen
Treize-Vents
Mauléon
Rorthais
Voultegon
St-Aubin-du-Plain
la Chapelle-Gaudin
Chât. de Tournelais
les Touches
Man. de la Roche Jacquelin
Noirlieu
Châte. Vermette
Coulonges-T
l'Arbretière
le Frêne Chabot
Chaillou
la Richardière
les Marsaudières
Hétivault
le Dolo
la Petite-Boissière
la Trappe
le Peu
Vrillé
Chambroutet
la Tisonnière
le Soulier
l'Argent
le Rouertais
Les Châtelliers-Châteaumur
Combrand
Dolmen
Beaulieu-sous-Bressuire
Noirterre
Villeneuve
le Pin
Bretignolles
Montapeine
Châteaumur
le Puy Loup
Pierre Couverte
la Pommeraie-sur-Sèvre
la Dignonnière
Bel-Air
St-Porchaire
les Chabotteries
Breuil-Chaussée
Montravers
Cerizay
Cirières
Bressuire
Faye-l'Abbesse
Châte. de Deffend
le Magny
St-Sauveur
Martinet
la Limouzinière
Beauchêne
Chaume
Roidan
Anc. Abb.
Clazay
le Thouaret
Pouzauges
St-Mesmin
Châte. de St-Mesmin-la-Ville
Montigny
Terves
l'Augrenière
St-André-sur-Sèvre
Bois Basset
Chiché
T. d'Orient
Puy Crapaud
le Puy Thareau
les Arnolières
Châte. de Clisson
la Forêt-sur-Sèvre
la Belle Croix
Courlay
la Plainelière
les Gibaudières
Boismé
Lavaud
la Lunelière
la Jarrie
le Plessis
Chanteloup
la Chapelle-St-Laurent
Gouttevive
Laubreçais
St-Marsault
St-Jouin-de-Milly
la Cournolière
VENDÉE
A87
N160
N149
E62
D960
D748
D759
D938TER
D960BIS
124
125
144
160
161
F
G
H
J
K
1
2
3
4
5
6
49
79

Rochemenier
Meigné
Distré
Varrains
Souzay-Champigny
Parnay
Turquant
Montsoreau
Candes-St-Martin
Chouzé-sur-Loire
Forges
Doué-la-Fontaine
Les Ulmes
Chacé
Artannes-sur-Thouet
Champigny
Soulanger
Montfort
Courchamps
Saumoussay
Troglodytes
Savigny-en-Véron
Concourson-sur-Layon
Cizay-la-Madeleine
Le Coudray-Macouard
St-Cyr-en-Bourg
Camp Militaire de Fontevraud
St-Germain-sur-Vienne
Fontevraud-l'Abbaye
St-Hilaire
Fosse Bellay
Brossay
L'Abbaye d'Asnières
Mollay
St-Just-sur-Dive
Brézé
Grand Fond
Thizay
Les Verchers-sur-Layon
Messemé
Le Petit Chalet
Couziers
Vaudelnay
Montreuil-Bellay
Épieds
La Rigauderie
Bizay
La Tourette
Saix
Château de Chavigny
Lerné
Le Puy-N.-D.
St-Macaire-du-Bois
Menhirs
Méron
Balloire
Roiffé
Allée Couverte la Pierre Folle
Chambernou
Chavannes
Sanziers
Trézé
Douvy
Morton
Raslay
F. de Brignon
Passais
La Motte Bourbon
St-Martin-de-Sanzay
Coulon
Pouançay
Antoigné
Dolmen de la Font. du Son
Manoir du Chant d'Oiseau
Bournand
Vézières
Bouillé-Loretz
Lernay
Bagneux
Château du Bois de Sanzay
Berrie
St-Léger-de-Montbrillais
Les Trois-Moutiers
Commanderie de Moulins
Brion-près-Thouet
Taizon
Pont
Argenton-l'Église
St-Cyr-la-Lande
Tourtenay
Pigeonnier Souterrain
Grand-Savoie
Dolmen de Vaon
Montjaugin
Château de Verrière
Château de la Tour du Bois Gourmont
Dolmen de Vernaise
Roche Vernaize
Bernazay
Vitray
Monceau
Blanchard
Champigny
Mayé
Ternay
Véniers
Basses
Massais
Soulbrois
Pompois
Ste-Verge
Louzy
Chavigny
Curçay-sur-Dive
Le Grand Insay
La Bruyère
Loudun
Rés. Nat. du Toarcien
St-Léger-de-Montbrun
St-Martin-de-Mâcon
Donjon
Jalnay
Germier
Velors
Tour Carrée Bois-Rogue
Belleville
Ligron
Vrines
Launay
Puyraveau
Limon
Ranton
Glénouze
Baussay
Lassay
Villiers
Ste-Radegonde
Mauzé-Thouarsais
Thouars
Château du Pressoir
Dolmen de la Pierre Levée
St-Léger-de-Montbrun (Vrère)
Pas-de-Jeu
Nériau
Mouterre-Silly
Laire
St-Laon
Château de la Fuye
St-Jacques-de-Thouars
St-Jean-de-Thouars
Orbé
Dolmen de Chantebrault
Arçay
Chasseignes
Chalais
Fontenay
Vrillé
Cirque de Missé
Missé
Luguet
Monpalais
Oiron
Leugny
La Grève
Tumulus
Chassigny
La Grollière
St-Cassien
Angliers
Dolmen
La Charouillère
Rigné
Butte de Moncoué
Maulais
Bilazais
Fourchefière
Thiors
Auboué
Coulonges-Thouarsais
La Gruée
Luzay
Taizé
Anveau
Le Boismont
Luché-Thouarsais (la Bourelière)
La Coindrie
Brie
Château de Sautonne
Le Grand Triou
Le Chaffaud
Noizé
Germond
Sauzeau
Ouzilly-Vignolles
Martaizé
Aulnay
Ste-Gemme
Boucoeur
Pont Roman
St-Jouin-de-Marnes
Base de Loisirs
Moncontour
Le Grand Vâtre
Château de la Bonnetière
La Chaussée
St-Guillaume
Dixmé
St-Varent
St-Généroux
Irais
La Motte
Donjon
St-Clair
Maison de l'Acadie
Geay
Chiré
Argentine
Monts-sur-Messais
Pierrefitte
Glénay
Availles-Thouarsais
Château de Retournay
St-Aubin
Messais
Quinçé
Soussigny
Douron
Marnes
Lion
Arbec
Beaumont
Biard
Repéroux
Dandesigny
La Roche
Frontenay-sur-Dive
Boussais
Barroux
Château
Borcq-sur-Airvault
Jay
St-Jean-de-Sauves
Puyravault
La Marchetière
La Maucarrière
Pont de Vernay
Airvault
Chausserais
L'Hôpiteau
Enjouran
Tessonnière
Les Jumeaux
Tumulus Motte de Puy Taillé
Notre-Dame-d'Or
Leugny
Billy
Villiers
Les Deux Chênes
Louin
Maisoncelle
Pouzioux
Chouppes
Champeau
La Grimaudière
Mornay
Veluché
Assais-les-Jumeaux
Marconnay
Ligniers
Villeneuve
St-Loup-Lamairé
Mazeuil
Verger-sur-Dive
Mirebeau
Maisontiers
La Tache
Ripère
Orfeuille
Crémille
L'Orangerie
Le Chillou
Valette
Craon
Poué
Amberre
La Bourrelière

Chinon
Avoine
Beaumont-en-Véron
Huismes
St-Benoît-la-Forêt
Forêt Domaniale de Chinon
Landes du Ruchard
Saché
Thilouze
Villaines-les-Rochers
Villeperdue
Neuil
Sainte-Maure-de-Touraine
Cravant-les-Côteaux
Avon-les-Roches
Crissay-sur-Manse
St-Épain
Rivière
Anché
Sazilly
Tavant
L'Île-Bouchard
Crouzilles
Trogues
Noyant-de-Touraine
Ste-Maure-de-Touraine
la Roche-Clermault
Ligré
Marçay
Lémeré
Champigny-sur-Veude
Parçay-sur-Vienne
Pouzay
Rilly-sur-Vienne
Chezelles
Nouâtre
Maillé
Marcilly-sur-Vienne
Draché
Chaveignes
la Tour-St-Gelin
Courcoué
Verneuil-le-Château
Luzé
Ceaux-en-Loudun
Richelieu
la Celle-St-Avant
Marcé-sur-Esves
Port-de-Piles
Pussigny
Antogny-le-Tillac
Braslou
Braye-sous-Faye
Razines
Marigny-Marmande
les Ormes
Faye-la-Vineuse
Jaulnay
Mondion
Vellèches
Dangé-St-Romain
St-Rémy-sur-Creuse
Monts-sur-Guesnes
St-Christophe
Leigné-sur-Usseau
Vaux-sur-Vienne
Sérigny
St-Gervais-les-Trois-Clochers
Châtellerault-Antran
Châtellerault-Usseau
Berthegon
Orches
Usseau
Ingrandes
Oyré
Savigny-sous-Faye
Sossais
Antran
Doussay
Coussay
Thuré
St-Genest-d'Ambière
Lencloître
Scorbé-Clairvaux
CHÂTELLERAULT
St-Sauveur
les Meuniers
Ouzilly
Colombiers
Cenon-sur-Vienne
Senillé
Thurageau

St-Branchs
Reignac-sur-Indre
Tauxigny
Azay-sur-Indre
Chédigny
St-Quentin-sur-Indrois
Genillé
Louans
St-Bauld
Chambourg-sur-Indre
le Louroux
Dolus-le-Sec
Ste-Catherine-de-Fierbois
Manthelan
Chanceaux-près-Loches
Ferrière-sur-Beaulieu
Beaulieu-lès-Loches
Loches
Bossée
Perrusson
Sennevières
la Chapelle-Blanche-St-Martin
Vou
Mouzay
St-Jean-St-Germain
Sepmes
Bournan
Varennes
Ciran
Verneuil-sur-Indre
St-Hippolyte
Ligueil
Esves-le-Moutier
St-Senoch
Civray-sur-Esves
Cussay
Bridoré
St-Cyran-du-Jambot
Fléré-la-Rivière
Ferrière-Larçon
Betz-le-Château
Châtillon-sur-Indre
Neuilly-le-Brignon
Paulmy
Descartes
St-Flovier
Abilly
la Celle-Guenand
le Grand-Pressigny
le Petit-Pressigny
Charnizay
Obterre
Cléré-du-Bois
Murs
Leugny
la Guerche
Barrou
Chaumussay
Mairé
Preuilly-sur-Claise
Azay-le-Ferron
Paulnay
Lésigny
Chambon
Boussay
Bossay-sur-Claise
Coussay-les-Bois
Martizay
Mézières-en-Brenne
St-Michel-en-Brenne
la Roche-Posay
Yzeures-sur-Creuse
Forêt Domaniale de Loches
Forêt de Preuilly
Parc Zoologique de la Haute-Touche
Dolmen Palais de Gargantua

F
G
H
J
K
128
129
148
164
165
Parc de Beauval
Seigy
Couffy
Meusnes
la Vernelle
Chabris
Châteauvieux
Lye
Fontguenand
Menetou-sur-Nahon
Varennes-sur-Fouzon
Sembleçay
Orbigny
Villentrois
Parpeçay
St-Christophe-en-Bazelle
Beaumont-Village
Montrésor
Faverolles
Valençay
Ste-Cécile
Villeloin-Coulangé
Nouans-les-Fontaines
Luçay-le-Mâle
Poulaines
Buxeuil
Veuil
Vicq-sur-Nahon
Loché-sur-Indrois
Écueillé
Langé
Rouvres-les-Bois
Villedômain
Baudres
Gehée
Bouges-le-Château
Jeu-Maloches
Préaux
Selles-sur-Nahon
Heugnes
Moulins-sur-Céphons
St-Médard (la Févrie)
Frédille
Bretagne
Pellevoisin
St-Martin-de-Lamps
Levroux
St-Pierre-de-Lamps
le Tranger
Villegouin
Sougé
Palluau-sur-Indre
Brion
Argy
Francillon
Clion
St-Genou
Villegongis
Arpheuilles
Buzançais
St-Lactencin
Vineuil
Chezelles
Saulnay
Villers-les-Ormes
Ste-Gemme
Villedieu-sur-Indre
la Chapelle-Orthemale
Niherne
Déols
St-Maur
Vendœuvres
36
N143
Forêt de Gâtine
Parc Animalier
Château du Domaine d'Oublaise
Abb. N.-D. du Landais
Village Gaulois les Châteliers
Dolm. et Cromlech de la Pierre
Lanterne des Morts
Châ. de l'Île-Savary
l'Indre
l'Indrois
le Nahon
la Claise
Étang de Bellebouche
Étg Neuf

129
130
147
165
166
VIERZON
Issoudun
CHÂTEAUROUX
36
Méry-sur-Cher
Maray
Thénioux
Étg de Mar
les Goujonneaux
le Fouzon
Coulommiers
les Bourdains
le Four à la Pérelle
Péage
les Tiercaux
Belle Chasse
le Briou
St-Laurent
Guérigny
Vignoux-sur-Barangeon
Chaillot
Givry
Foëcy
Brinay
les Varennes
les Belliards
la Chartrerie
le Petit Chézeau
la Boulaye
la Chaume
St-Georges-sur-la-Prée
Anc. Prieuré
Chât. de la Maisonfort
la Grande Lœuf
St-Hilaire-de-Court
Dun-le-Poëlier
les Pichons
Anjouin
Lourière
Genouilly
Chât. de Fins
Menhir la Pierre Levée de Boisy
Bagneux
Dolmen la Pierre Folle
Menhirs
Princay
Dampierre-en-Graçay
Bellevue
Alnay
les Bruns
l'Yèvre
l'Amérique
Provenchères
le Val du Cher
Chanteray
Orville
la Poterie
St-Loup
Méreau
la Chaussée de César
le Grand Villain
les Croquettes
Quincy
Cornançay
St-Outrille
Graçay
Nohant-en-Graçay
Massay
Anc. Abb.
les Mineaux
les Villaines
l'Occitane
Lury-sur-Arnon
les Cindrays
Lenay
Chéry
la Pomaille
Cerbois
les Thureaux
Reboursin
l'Espérance
St-Pierre-de-Jards
Cermelles
Boistier
Preuilly
les Champs d'Amour
Bois-St-Denis
Guilly
Luçay-le-Libre
Reuilly
les Lats
St-Florentin
Vatan
Meunet-sur-Vatan
l'Ormeteau
la Ferté
Lazenay
Limeux
Fublaine
Fontenay
la Chapelle-St-Laurian
Giroux
Chât. de Font-Moreau
Concisain
Dadin
Paudy
Mérolles
Prenay
Diou
le Souchet
Dolm. de la Pierre Levée
Poncet-la-Ville
la Ronde
Poisieux
Plou
Liniez
Voeu
Migny
le Bouchet
Ménétréols-sous-Vatan
Brouillamnon
Néroux
Ste-Lizaigne
Châtillon
Villeneuve
Villiers
St-Georges-sur-Arnon
Chârost
le Petit Entrevin
le Grand Entrevin
la Chaise
le Coudray
les Lagnys
Lizeray
les Bordes
Civray
Saugy
Avail
St-Denis
Brion
Parc Aquatique
St-Valentin
la Champenoise
St-Aoustrille
la Rivière
St-Ambroix
Villefavant
César
la Presle
Soulas
Jean-Varenne
Chouday
Villesaison
la Prée Anc. Abb.
Primelles
l'Orme
Gouers
Thizay
les Quatre Routes
Neuvy-Pailloux
Ségry
les Blés d'Or
la Théols
Notz
Condé
Chaussée
Mareuil-sur-Arnon
Montierchaume
les Loges
la Pouge
Céré
le Noyer
Ste-Fauste
Dampierre-en-Lignières
le Grand Villiers
St-Aubin
Brives
Forêt Domaniale de Chœurs
Meunet-Planches
Forêt Domaniale de Bommiers
Villeclair
le Petit Villiers
St-Baudel
Ablenay
l'Arnon
Diors (Fourches)
Planches
Chezal-Benoît
Villecelin
Lanterne des Morts
Vouillon
Tilliaires
Mâron
Chât. des Minimes
les Bindets
Bommiers
Ambrault
Boisramier
Piou
Chignay
la Brauderie
Prunniers
les Meuniers
A20
E09
N151
N76
A71
D320
D918
D925
D960
D922
D926
D27
D28
D68
D2
D16
D12
D8
D9
D84
D18
D20
D113
D30
D31

F
G
H
J
K
130
131
150
166
167
1
2
3
4
5
6
Mitterand
Les Crots de Vaux
Humbligny
Veaugues
Morogues
Parassy
Châtt. de Maupas
Montigny
Allogny
St-Palais
Menetou-Salon
Quantilly
Aubinges
St-Céols
Forêt Domaniale d'Allogny
les Rousseaux
Boursac
St-Martin-d'Auxigny
Dionet
les Aix-d'Angillon
Villepéant
le Bas Fe
le Haut Fouillet
les Roches
St-Georges-sur-Moulon
Soulangis
Rians
Azy
Bourgneuf
Vignoux-sous-les-Aix
les Pillets
le Rhin du Bois d'en Haut
les Clous
la Pierre à la Femme
Pigny
les Poirioux
Séry
Allouis
St-Éloy-de-Gy
la Breuille
Lizy
le Nuainté
Étréchy
Vasselay
Mehun-sur-Yèvre
Valleau
St-Michel-de-Volangis
Guilly
Francheville
le Vernay
Fussy
Champfort
Ste-Solange
Bouy
Brécy
les Collins
Gron
le Petit Gérissay
Asnières-lès-Bourges
Rousseland
Graire
les Pieds Blancs
Nérigny
St-Igny
le Bois de Loup
Berry-Bouy
Solérieux
St-Doulchard
Maubranche
Bellevue
Marmagne
les Coupances
Bourges-Marmagne
Villabon
Nohant-en-Goût
Palais Jacques-Cœur
St-Germain-du-Puy
l'Yèvre
Moulins-sur-Yèvre
le Luet
Pierrelay
BOURGES
Farges-en-Septaine
Baugy
Osmoy
la Chapelle-St-Ursin
la Baudouine
Bois-Bouzon
Fontaine Claire
Lazenay
Augy
la Sapinière
Plan d'Eau du Val d'Auron
Base de Loisirs
Saligny-le-Vif
Savigny-en-Septaine
Morthomiers
Péage
Givaudins
Avord
le Bois des Dames
Soye-en-Septaine
Polygône
le Cabaret
le Subdray
Étang de Craon
Trouy
Crosses
Anc. Abb.
Bengy-sur-Craon
St-Florent-sur-Cher
Plaimpied-Givaudins
St-Just
Jussy-Champagne
Champfrost
le Gîte aux Loups
Vornay
Châtt. de Jussy
Verrières
Raymond
St-Caprais
Lissay-Lochy
le Bertray
Annoix
Lochy
Cornusse
Arçay
Senneçay
Vorly
Louy
Osmery
St-Denis-de-Palin
Lunery
Bois Sir Amé
Lugny-Bourbonnais
Lapan
Levet
la Chaussée
Ste-Lunaise
St-Germain-des-Bois
Nizerolle
Lantan
Bussy
Guilly
Forêt Domaniale de Thoux
Corquoy (Effe)
Corquoy
Blet
Fragnin
Dun-sur-Auron
Serruelles
Marais de Contres
Luceau
Parc Animalier
Contres
St-Loup
Chalivoy-Milon
Coudron
Barantheaume
Chérigny
Châteauneuf-sur-Cher
Chavannes
Cogny
Parnay
Hurtault
Venesmes
la Leux
Châtt. d'Yssertieux
les Chaumettes
Rousson
Thaumiers
Montlouis
les Occans
St-Loup-des-Chaumes
Verneuil
St-Symphorien
Crézançay-sur-Cher
Uzay-le-Venon
le Pondy
Bannegon
Chambon
Segogne
Bois d'Arpeuilles
Arpheuilles
Canal de Berry
le Rhimbé
l'Auron
Ancienne Voie Romaine

150
A
B
C
D
E
1
2
3
4
5
6
Jalognes
Vinaigy
Feux
Pesselières
Groises
le Bas Fouillet
le Haut Fouillet
les Bordes
Lugny-Champagne
les Loges
les Estiveaux
Étréchy
l'Ourosse
Asnins
Sancergues
St-Martin-des-Champs
le Corbet
Charentonnay
Sévry
Gron
Chaumoux-Marcilly
Couy
Solérieux
Pignoux
Villaine
Crux
Naubois
Garigny
Précy
le Liard
la Vauvise
Chevroux
Villequiers
la Baudouine
Mornay-Berry
St-Hilaire-de-Gondilly
Menetou-Couture
Donj.
Chassy
Saligny-le-Vif
Vizy
Laverdines
Dejointes
Chât. de Villiers
Anc. Abb. de Fontmorigny
Torteron
Jouet-sur-l'Aubois
Marseilles-lès-Aubigny
Beaurenard
Patinges
Nérondes
Milly
Bengy-sur-Craon
Tendron
les Chaumes du Bois Clair
Flavigny
Ignol
Cornusse
les Grands Champs
la Taille
le Chautay
le Gravier
Chichevet
la Guerche-sur-l'Aubois
Canal de Berry
Croisy
Chât. Renaud
Ourouer-les-Bourdelins
Germigny-l'Exempt
les Grivaux
la Chapelle-Hugon
Forêt d'Apremont
la Planche Chevrier
Étg de la Planche Chevrier
Charly
la Grande Forêt
Vereaux
Grossouvre
Neuvy-le-Barrois
Chât. de Neuvy
Chaumont
Chât.
Sagonne
Givardon
Lévigny
Donjon
Jouy
Étang de Javoulet
Sancoins
Bauvais
la Villeneuve
Mornay-sur-Allier
Neuilly-en-Dun
le Poteau
le Grand Vesvre
la Grande Baire
le Rhimbé
l'Ormenay
Augy-
Chât. de
Mauboux
Champalay
du Val de Loire
la Sarrée
Herry
Beaucaire
le Vergnol
Passy
Jarnay
la Chapelle-Montlinard
la Barque
l'Étang
Argenvières
Jussy-le-Chaudrier
les Chamignons
les Bruyères
les Chaumes
les Loges
Pouilly
Bulcy
Mesves-sur-Loire
Neuville
Garchy
Narcy
Varennes-lès-Narcy
Chât. de Passy-les-Tours
les Étiveaux
Villatte
Sourdes
Ste-Hélène
la Charité
la Charité-sur-Loire
Raveau
Chazué
Pète-Loup
Munot
la Marche
Champvoux
St-Léger-le-Petit
Chaulgnes
le Chazeau
Tronsanges
le Petit Varenne
Beffes
Germigny-sur-Loire
Chevigny
Clamour
Pougues-les-Eaux
Soulangy
Garchizy
Foncelin
Azy
la Môle
Cours-les-Barres
Fourchambault
Corcelles
Marzy
Chât.
Cuffy
St-Baudière
le Bec d'Allier
le Guétin
les Chaumes de St-Aignan
Pont Canal
Gimouille
Chât. du Marais
Fertot
la Cité
Thé
Saincaize-Meauce
Apremont-sur-Allier
Meauce
Sornay
la Tour
Mars-sur-Allier
Buis
Chât. de Villars
Dhéré
Aude
Langeron
Vary
Alligny
Marcigny
LA LOIRE
l'Allier
le Pont Charrault
les Hottes
la Coulisse
le Boisson
les Brins
les Bertins
Beauregard
les Planchards
Forêt Domaniale des Bertranges
les Bois de Raveau
les Grandes Vallées
Eugnes
les Aubues
le Tremblay
Pinay
Satinges
Parigny-les-Vaux
Chât. de Villemenant
Pougues-les-Eaux
Priez
Varennes
Vernuche
Varennes-Vauzelles (Vauzelles)
Coulanges-lès-Nevers
Chaluzy
Palais Ducal
NEVERS
St-Antoine
Challuy
le Clos
Plagny
les Faienciers
les Tuileries
le Vernay
Aglan
les Pommais
les Pitiaux
Magny-Cours
le Blénay
Moiry
la Chapelle
Circuit Auto Moto
St-Parize-le-Châtel
Maison Rouge
St-Pierre-le-Moûtier
Guichy
Chasnay
St-Lay
Gagy
Mauvrain
Murlin
les Bois de Beaumont
le Gué de la Chaise
St-Aubin-les-Forges
Frasnay
Poiseux
Forge-Bas
les Champs Martin
la Nièvre
la Quellerie
Guérigny
Demeurs
Chât. des Bordes
Urzy
Chât. des Évêques
Feuilles
le Gué d'Heuillon
la Grippe
Chevannes
Aubeterre
Forge
St-Éloi
le Crot de Savigny
Sermoise-sur-Loire
Chevenon
Theuran
Chap. de Jaugenay
Chéron
Domaine Maillard
Soultrait
Mont
Civière
les Bruyères Radon
les Loges Renard
Azy-le-Vif
l'Hôpital
Arbourse
la Celle-sur-
les Ponts de B
Beaumont-la-Ferri
Chât. de Sauvag
CÔTES
18

F
G
H
J
K
M
1
2
3
4
5
6
58
NIVERNAIS
St-Bonnot
Arzembouy
132
Chât. Apremont
Thory
Neuilly
Chanteloup
St-Grémange
Pazy
la Chaise
133
Champlin
Champallement
les Bordes
Ancray
les Granges
Précy
Montigny
Giry
Noison
Chât.
Butte de Montenoison
Flassy
Brèches
Guipy
Prélichy
Mouches
Marcilly
Montliffé
Montenoison
Bourgade de Compierre
St-Révérien
Beaumont
la Brosse
Ste-Camille
Picampoix
Coulon
Forêt de Mor
les Charnets
Busseaux
Vitry-Laché
Sardy-lès-Epiry
Tavenay
Oulon
Aubigny
Sancenay
les Angles
Laché
Mouron-sur-Yonne
Gipy
Boulon
Moussy
Assarts
Grand Étang de Vaux
Bailly
Fussy
Epiry
Nantin
Doudoye
Étg d'Aron
Étg de Baye
Ecluses
Aqueduc
Montreuillon
Prémery
Marolles
Sancy
Challuée
Mourry
Vorroux
la Collancelle
Château Gaillard
St-Maurice
Breuil
Vilaine
Crux-la-Ville
Jailly-le-Petit
Baye
Mouas
152
Marré
les Badières
Forcy
Fussilly
Lurcy-le-Bourg
Pourcelanges
Sangué
Ligny
les Grands Faux
le Guérignault
Meuré-le-Grand
Egreuil
le Grand Rigny
les Gobets
St-Franchy
les Maisons du Bois
Viard
Marmantray
Bussière
Bazolles
Pain
Montchar
le Bourgareau
les Cours Beaume
Montpillard
Mougny
Achun
Crieur
Franay
l'Abbaye
Pouzy
Briotte
le Grand Bussy
Selins
Sauvigny
Chât. de Quinci
Nolay
Chauprix
St-Benin-des-Bois
St-Martin
Ste-Marie
Aunay-en-Bazois
Savenay
Niault
les Merlées
Roche
Prunevaux
la Mignonnerie
St-Saulge
St-Maurice
Montat
Marigny
Cuy
Arriault
Martangy
Giverdy
Jailly
Chevrenot
Mont-et-Marré (Marré)
Chougny
Sermentray
Spouse
Nyon
Fontenelle
Lucy
Montapas
le Chagnot
Dun-sur-Gran
Ougny
le Petit Massé
Lichy
Rigny
St-Pé
Balleray
Aglan
St-Benin-des-Champs
Sanisy
Espeuilles
Semelin
Varennes
Cornille
la Varenne
Bernière
Vouavre
Ourouër
les Frébaults
Bona
Pornas
les Loges
Petit Neuzilly
Fresnay
les Passys
la Motte
le Creuzet
Châtillon-en-Bazois
Tamnay-en-Bazois
37
l'Huis Labour
St-Sulpice
Méard
la Ruée
Saxi-Bourdon
le Taillis
Grandchamp
Mouligny
la Bretonnière
Machigny
la Montagne
l'Moreau Huis
St-Firmin
les Sept Voies
les Simonots
la Fontaine
Pont
Montigny-aux-Amognes
Nanton
Sury
Semelin-Dessus
Patry
la Barre
Alluy
Andenas
le Grain
Chérault
Chevannes
Rouy
Perranges
la Condemaine
le Landay
Noille
Vannay
Billy-Chevannes
Chât. de Vesvres
Grond
Maupertuis
Romenay
Nantilly
St-Jean-aux-Amognes
la Haute Cour
Segoule
Touteuille
Biches
Brinay
le Boissot
Nanteuil
Frasnay-Reugny
Brienne
36
St-Benin-d'Azy
Tintury
Bernay
Limanton
St-Péraville
Chât. d'Azy
la Perrière
Fleury
les Patureaux
Chassy
Forêt Domaniale de Vincence
Canal du Nivernais
Anc. Prieuré
Valotte
Mousseaux
Cizely
le Gros Reugny
la Charnizot
Mont
Tour
Montgoublin
Faches
Crécy-sur-Canne
Fertrève
Limon
les Feuillats
Chât. d'Anizy
la Fermeté
le Petit Lugues
Anlezy
la Forêt
les Ourgneaux
les Sarreaux
Pannecot
Savigny-les-Bois
Thiernay
Chassy
les Lucas
les Boutiques
le Bouchot
Ville-Langy
les Rondes
les Rues
le Mousseau
Arcilly
Marcilly
la Chapelle
Langy
la Chaume des Champs
Sardolles
Beaumont-Sardolles
Forêt Domaniale des Minimes
les Tonnins
Montigny-sur-Canne
54
la Sardolle
28
Romenay
Dienne-Aubigny
Baudin
Vander
fin 2009
Trois-Vèvres
la Pouillaterie
Poisson
Aubigny-le-Chétif
la Forêt
Isenay
l'Éguillon
les Riblets
Thianges
Savigny-le-Bas
Grand Vernay
les Essarts
la Justice
Germignon
le Moulin à Vent
Travant
le Pavillon
Chevannes
St-Gratien-Savigny (St-Gratien)
Pouligny
Creule
St-Ouen-sur-Loire (la Chapelle-Gond)
Bussières
Domaine Picard
Mazille
Montaron
41
la Machine
Druy-Parigny
les Coppes
Vanzé
les Baudraies
le Barbier
Martigny
les Loges
Béard
Cercy-la-Tour
Verneuil
Forêt de Burmont
Loire
Chât. de Rosemont
Sougy-sur-Loire
Dardault
St-Gervais
Couéron
Thaix
Château de la Motte Farchat
la Croix
St-Léger-des-Vignes
les Arreaux
l'Alène
les Loges
Champvert
Faye
Champlevois
la Garenne
Fleury-sur-Loire
Base de Loisirs
Faubourg d'Allier
Tinte
l'Aron
le Bas de Fours
Avril-sur-Loire
Faubourg St-Privé
Decize
les Brosses
les Roses
les Bruyères de Fleury
les Bruyères de Crécy
les Arbelats
la Réserve
Fours
le Chenil des Chiens
les Crots Favés
46
Sce Minérale de St-Aré
Chez le Bourg
les Feuillats
Devay
le Petit Bois
le Magny
Étg Donjon
168
les Montées
169
St-Loup
LA LOIRE
Charrin
Bois de Briffault
Bois de Fours
Base de Loisirs
Levanges
les Cours
N81
D977bis
D978
D958
D34
D38
D145
D146
D274
D985
D945
D285
D107
D115
D129
D181
D135
D293
D175
D256
D25
D160
D109
D257
D9
D26
D176
D179
D148
D2
D204
D112
D132
D18
D418
D271
D106
D10
D159
D194
D169
D136
D37
D206
D123
D262
D205
D116
D979
D120
D201
D173
D13
D978A
D182
D273
D139

A
B
C
D
E
133
134
151
169
170
1
2
3
4
5
6
Vauclaix
Gâcogne
Gouloux
Montsauche-les-Settons
Alligny-en-Morvan
Ouroux-en-Morvan
Mhère
Marigny
Base de Loisirs des Branlasses
Lac des Settons
Moux-en-Morvan
Bge de Pannecière-Chaumard
Rvoir de Pannecière-Chaumard
Chaumard
Planchez
Montigny-en-Morvan
Gien-sur-Cure
Ménessaire
Villiers-en-Morvan
Blismes
Éperon Barré de Verdun
Lavault-de-Frétoy
Pierre à Pétroglyphe
Sce de la Cure
Chissey-en-Morvan
Cussy-en-Morvan
Corancy
Châtin
Chougny
Dun-sur-Grandry
St-Hilaire-en-Morvan
T. d'Orient
Château-Chinon (Campagne)
Château-Chinon
Anost
N.-D. de l'Aillant
Lucenay-l'Évêque
St-Péreuse
Dommartin
Maux
la Petite-Verrière
Sommant
Reclesne
Arleuf
Roussillon-en-Morvan
St-Léger-de-Fougeret
Sermages
Gorges de la Canche
la Celle-en-Morvan
Tavernay
Moulins-Engilbert
Châtelet
Fâchin
le Bois du Roi
le Haut Folin
Châtelet
la Grande-Verrière
Onlay
Glux-en-Glenne
St-Prix
Monthelon
Sce de l'Yonne
Villapourçon
Mont Beuvray
St-Léger-sous-Beuvray
Oppidum de Bibracte
Préporché
Vandenesse
St-Honoré-les-Bains
Mont Genièvre
la Pierre Aiguë
Laizy
Brion
Châtt. de Chazeu
Vieille Montagne
Larochemillay
la Comelle
Poil
Étang-sur-Arroux
Mesvres
Chiddes
Sémelay
Millay
St-Didier-sur-Arroux
la Chapelle-sous-Uchon
St-Nizier-sur-Arroux
Rémilly
Lanty
Avrée
Luzy
Thil-sur-Arroux
Charbonnat
Savigny-Poil-Fol
Mont Julien
la Tagnière
PARC NATUREL RÉGIONAL DU MORVAN
N81
D978
D980
D994
58
36
39
40
42
46

Vandenesse-en-Auxois
Châteauneuf
la Bussière-sur-Ouche
St-Victor-sur-Ouche
St-Jean-de-Bœuf
Forêt Dom. de Détain Gergeuil
Sussey
Beurey-Bauguay
Châtellenot
Arconcey
Chaignot
Rouvres-sous-Meilly
Meilly-sur-Rouvres
Essey
Viécourt
Censerey
Allerey
Clomot
Ste-Sabine
Crugey
Veuvey-sur-Ouche
Détain-et-Bruant
Diancey
Chazilly
Chaudenay-le-Château
Colombier
Antheuil
Collonges-lès
Bard-le-Régulier
Longecourt-lès-Culêtre
Cussy-le-Châtel
Chaudenay-la-Ville
Thorey-sur-Ouche
Musigny
Jouey
Marcheseuil
Mimeure
Culètre
Painblanc
Aubaine
Bouilland
Arnay-le-Duc
Veilly
Auxant
Manlay
Foissy
Vic-des-Prés
Bligny-sur-Ouche
Abb. Ste-Marguerite
Roches du Châtelet
St-Prix-lès-Arnay
Magnien
Antigny-la-Ville
Bessey-la-Cour
Lusigny-sur-Ouche
Bessey-en-Chaume
Voudenay
Barnay
Maligny
Thomirey
Écutigny
Savigny-lès-Beaune
Lacanche
Saussey
Vievy
Champignolles
Montceau-et-Écharnant
Mavilly-Mandelot
Bouze-lès-Beaune
St-Pierre-en-Vaux (les Carreaux)
Jours-en-Vaux
Colonne Romaine
Cussy-la-Colonne
Ivry-en-Montagne
Meloisey
Nantoux
Igornay
Cordesse
Thury
Châte. de Corabœuf
Beaune
Molinot
Pommard
Volnay
Dracy-St-Loup
St-Léger-du-Bois
Santosse
St-Romain
Sully
Monthelie
Meursault
Épinac
Aubigny-la-Ronce
Auxey-Duresses
Cirque du Bout du Monde
Vauchignon
Curgy
Baubigny
Cormot-le-Grand
Falaise de Cormot
la Rochepot
Saisy
Nolay
Puligny-Montrachet
Morlet
Auxy
Monastère du Val St-Benoît
St-Aubin
F. Dom. des Battées
B. des Feuillies
Collonge-la-Madeleine
Épertully
Mont de Rème
Chassagne-Montrachet
Corpeau
Tintry
St-Gervais-sur-Couches
Casc. de Brisecou
la Coiffe du Diable
F. Dom. de Pierre-Luzière
Créot
Paris-l'Hôpital
Santenay
St-Martin-de-Commune (Quincy)
Sampigny-lès-Maranges
Dezize-lès-Maranges
Remigny
Chagny
Antully
St-Émiland
Dracy-lès-Couches
St-Sernin-du-Plain
Chassey-le-Camp
Cheilly-lès-Maranges
Bouzeron
St-Maurice-lès-Couches
St-Gilles
Rully
Couches
Châte. d'Épiry
Dennevy
Chamilly
Châte. de Brandon
Châte. de Marguerite de Bourgogne
St-Léger-sur-Dheune
Aluze
Mercurey
Fontaines
St-Sernin-du-Bois
St-Pierre-de-Varennes
Farges-lès-Chalon
St-Jean-de-Trézy
Marmagne
St-Symphorien-de-Marmagne
St-Bérain-sur-Dheune
St-Martin-sous-Montaigu
St-Firmin
Perreuil
St-Mard-de-Vaux
St-Jean-de-Vaux
Mellecey
Essertenne
Morey
Châtel-Moron
St-Denis-de-Vaux
Dracy-le-Fort
LE CREUSOT
le Breuil
Montcenis
Barizey
Givry
Torcy
Gare du Creusot-Montceau-Montchanin T.G.V.
St-Julien-sur-Dheune
Jambles
Villeneuve-en-Montagne
Charmoy-la-Ville
134
135
154
170
171
A6
E15
E60
N6
N81
N80
N74
D973
D978
D981
F
G
H
J
K
1
2
3
4
5
6

Nuits-St-Georges
Beaune
Chalon-sur-Saône
Seurre
Verdun-sur-le-Doubs
Gevrey-Chambertin
Chambolle-Musigny
Vougeot
Vosne-Romanée
Aloxe-Corton
Savigny-lès-Beaune
Ladoix-Serrigny
Corgoloin
Brazey-en-Plaine
St-Jean-de-Losne
St-Usage
Aiserey
Longecourt-en-Plaine
Broindon
Agencourt
Quincey
Gerland
Argilly
Bagnot
Auvillars-sur-Saône
Pagny-le-Château
Glanon
Corberon
Pouilly-sur-Saône
Combertault
Merceuil
Demigny
Allerey-sur-Saône
Gergy
Ciel
Sermesse
Navilly
Frontenard
Mervans
Montcoy
St-Marcel
Oslon
Crissey
Champforgeuil
Forêt Domaniale de Cîteaux
Abb. de Cîteaux
la Saône
le Doubs
la Dheune
la Vouge
A31
A36
A6
N73
N74
D973
21
71

Montmirey-la-Ville
Offlanges
Serre-les-Moulières
Gendrey
Louvatange
Romain
Berthelange
Pouilley-Français
Moissey
Frasne-les-Meulières
Massif de la Serre
Sermange
Hyombre
Auxonne
Peintre
Vriange
Auxange
Malange
Forêt d'Arne
Evans
St-Vit
Tillenay
le Caporal
Chât. Neuf
Chevigny
Amange
Monteplain
Roset-Fluans
les Trois Maisons
Forêt des Crochères
Menotey
Romange
Lavans-lès-Dole
Dampierre
Salans
Labergement-lès-Auxonne
Rainans
Gredisans
Dole-Romange
Ranchot
Fraisans
Osselle
Villers-Rotin
Archelange
Châtenois
Lavangeot
Grotte d'Osselle
Flagey-lès-Auxonne
Biarne
Orchamps
la Barre
Rans
Billey
Jouhe
Dole-Audelange
Étrepigney
Courtefontaine
Bois des Potets
Authume
Audelange
Our
Plumont
Villars-St-Georges
St-Seine-en-Bâche
Sampans
Rochefort-sur-Nenon
Éclans-Nenon
la Bretenière
Mont Roland
Monnières
Baverans
Falletans
Fourg
Champvans
St-François
Brevans
Samerey
Foucherans
DOLE
Forêt Domaniale de Chaux
la Chatelaine
Grand Contour
Damparis
Abergement-la-Ronce
Crissey
la Clauge
Lieslé
Mesmay
Choisey
Villette-lès-Dole
Champagne-sur-Loue
Aumur
Tavaux
les Tōrots
la Vieille-Loye
Saline Royale d'Arc-et-Senans
Buffard
Gevry
le Moulin d'Allery
Arc-et-Senans
St-Aubin
Dole-Tavaux
Goux
la Loye
Chatelay
Germigney
Rennes-sur-Loue
Molay
Augerans
Montbarrey
Santans
Chissey-sur-Loue
Cramans
Parcey
Belmont
Champdivers
la Loue
Écleux
Port-Lesney
Rés. Nat. de l'Île du Girard
Nevy-lès-Dole
Ounans
Chamblay
Villers-Farlay
la Vouivre
Souvans
Rahon
Louis Pasteur
Bans
Vaudrey
Mouchard
Pagnoz
Peseux
St-Baraing
Mont-sous-Vaudrey
Villeneuve-d'Aval
l'Orain
la Veuge
Petit Villers-Robert
la Cuisance
Certémery
Aiglepierre
Balaiseaux
Longwy-sur-le-Doubs
Chaussin
Montmalin
St-Cyr-Montmalin
Villers-Robert
Forêt de Choiseul
Fort St-
le Deschaux
Chât. de Fabulys
la Ferté
Molamboz
les Arsures
Hotelans
Asnans-Beauvoisin
Gatey
Vadans
Petit-Noir
Mathenay
St-Pierre-sous-Vadans
Villette-lès-Arbois
Montigny-lès-Arsures
Chaînée-des-Coupis
Séligney
Abergement-le-Grand
Vigne de Pasteur
Beauvoisin
Tassenières
Villers-les-Bois
Maison de Pasteur
les Coupis
Bretenières
Oussières
la Grozonne
Arbois
les Essards-Taignevaux
Pleure
Chêne-Bernard
Aumont
Abergement-le-Petit
Mesnay
les Hays
Rathier
Montholier
Reculée des Planches
Sergenon
Biefmorin
Neuvilley
Grozon
Ermitage
Pupillin
Abergement-St-Jean
Sergenaux
les Deux-Fays
Colonne
les Planches-près-Arbois
les Champs
le Chateley
Chat Perché
Brainans
la Châtelaine
Chouillère
Pont du Bourg
Buvilly
le Ferment
Champrougier
Cirque du Fer à Cheval
Rye
le Viseney
Bois de Dissey
Foulenay
Jument Verte
Villerserine
Tourmont
Mouthier-en-Bresse
la Chassagne
Chemenot
Bersaillin
Verne
Utre
le Bouchaud
Grotte des Moidons
Chêne-Sec
Chaumergy
le Villey
Monay
Poligny
Chamole
Torpes
Grand Or
les Bigueures
la Charme
Chaussenans
Molain
Bellevesvre
Beauvernois
la Brenne
la Ronce
Sellières
St-Lothain
Anc. Égl.
Vaux-sur-Poligny
F. de la Chaux d'Event
Francheville
Toulouse-le-Château
Culée de Vaux
Charnay
la Piotière
Bois-de-Gand
Barretaine
Monts-de-Vaux
la Réchassière
la Chaux-en-Bresse
vers-sous-Sellières
Darbonnay
Miéry
Champvaux
Belv.
les Grands Camus
Montchauvier
Montrond
l'Argillois
Froideville
Plasne
la Darge
Commenailles
Recanoz
Passenans
Tour
Chapelle-Voland
le Vernois
Mantry
St-Lamain
Besain
Brery
Frontenay
N.-D. de Lourdes
le Planois
les Piotelats
la Pinodière
Lombard
les Chavannes
les Montarlots
Vincent
Ménétru-le-Vignoble
Granges de Ladoye
le Fied
les Baraques
Petit Nance
la Seille
Petit Bêche
Jura
Domblans
Cirque de Ladoye
Crotenay
Relans
Desnes
Arlay
Voiteur
Ladoye-sur-Seille
Picarreau
Jurafaune
St-Germain-Arlay
Château-Chalon
Fay-en-Montagne
Cosges
Bletterans
Ruffey-sur-Seille
Ruines féodales
Nevy-sur-Seille
Blois-sur-Seille
la Marre
les Lorins
l'Ain
A36
A39
N5
N73
N83
E60
D15
D31
D36
D472
D469
D475
D405
136
137
156
172
173

156
A
B
C
D
E
1
2
3
4
5
6
Pouilley-Français
Grandfontaine
Rancenay
Velesmes-Essarts
Montferrand-le-Château
Thoraise
Arguel
Fontain
la Grande Combe
la Forêt de Fontain
Pugey
Larnod
Fauconnière
Bois Vielle
les Granges du Liège
le Gratteris
la Lanternière
l'Hôpital-du-Grosbois
Gouffre de Poudrey
Pirouletté
Torpes
Routelle
Busy
Bonnet Rond
le Chalet d'Arguel
les Cloutiers
Trépot
Tarcenay
Foucherans
Charbonnières-les-Sapins
Étalans
Oupans
Boussières
Vorges-les-Pins
Grand Méandre
les Granges Mathieu
Mérey-sous-Montrond
Villers-sous-Montrond
Grotte de Plaisir Fontaine
Dino-Zoo
Bonnevaux-le-Prieuré
Fallerans
Osselle
Abbans-Dessous
Chenecey-Buillon
Montrond-le-Château
Ravin du Puits Noir
le Petit Champagnole
Anc. Forge
les Granges du Sapin
Malbrans
Étoleux
Saules
Guyans-Durnes
Abbans-Dessus
Byans-sur-Doubs
le Doubs
Charnay
Grange-Wito
Épeugney
N.-D. du Chêne
Durnes
Vernierfontaine
Maisières-Notre-Dame
Abb. de Buillon
Chouzelot
Cessey
Scey-Maisières (Scey-en-Varais)
Miroir
Ornans
Trébuchot
Voires
Nods
Quingey
Miroir de Scay
Anc. Forge de Châtillon
Courcelles
Rurey
Cademène
Castel-St-Denis
la Tuilerie
Lavans-Vuillafans
Chasnans
Athose
Lavans-Quingey
Palantine
Rouhe
Châtillon-sur-Lison
Cléron
Chassagne-St-Denis
Montgesoye
Goux-sous-Landet
Rés. Nat. du Ravin de Valbois
la Grange Millet
Échevannes
la Baraque
le Sapey
Lombard
Pessans
Amondans
les Vieilles Vignes
Vuillafans
Châteauvieux-les-Fossés
Suchaux
Hautepierre-le-Châtelet
Mesmay
Pointvillers
Confluent
Vallée de la Loue
Val Ste-Marie
la Roche
Brères
Montfort
Cussey-sur-Lison
Lizine
Fertans
Norvaux
Lods
Mouthier-Haute-Pierre
Samson
Ronchaux
Échay
Malans
Amancey
Flagey
Chantrans
Longeville
Source du Pontet
Buffard
Paroy
Bartherans
Doulaize
Refranche
Silley-Amancey
Amathay-Vésigneux
Grte des Faux Monnayeurs
Chay
Bejard
Chiprey
Coulans-sur-Lison
Bolandoz
Croix
Renédale
Sce de la Loue
Myon
le Lison
Reugney
Gorges de Nouailles
Rennes-sur-Loue
By
Alaise
le Gour de Conche
Éternoz
Déservillers
Évillers
Ouhans
Casc. d'Éternoz
Saraz
Ferme de la Broche
la Chapelle-sur-Furieuse
Grange-de-Vaivre
Ivrey
Montmahoux
Granges-Maillot
Septfontaines
Goux-les-Usiers
Mont Poupet
Nans-sous-Ste-Anne
Labergement-du-Navois
Bians-les-Usiers
Grte Sarrasine
Pagnoz
St-Thiébaud
Grange de Vaux
Belv.
Sce du Lison
Gevresin
Pissenavache
Saizenay
Geraise
Ste-Anne
Crouzet-Migette
Levier
Sombacour
Vuillecin
Marnoz
Clucy
F. Dom. de Levier
Fort St-André
Salins-les-Bains
Pont et Cascade du Diable
Villeneuve-d'Amont
le Souillot
Dommartin
Pretin
Salines
Fort Belin
Bracon
Dournon
Chapelle-d'Huin
Chaffois
Cernans
l'Entrepôt
Houtaud
Arc-sous-Montenot
Pont
Ivory
Arloz dessous
Thésy
Abergement-lès-Thésy
Villers-sous-Chalamont
Drugeon
Champagny
Aresches
Lemuy
Maison Forestière de la Tour
Bulle
Bannans
Chaux-Champagny
Moutaine
Boujailles
Dompierre-les-Tilleuls
Ste-Colombe
Granges-Narboz
Reculée des Planches
Chilly-sur-Salins
Fonteny
Courvières
Grte des Planches
Montmarlon
la Rivière-Drugeon
Oye-et-Pallet
la Châtelaine
Pont-d'Héry
Sapin Président
la Gare de Boujailles
Frasne
Bouverans
Frasne
la Vessoye
Montagne du Laveron
Andelot-en-Montagne
Supt
F. Dom.
Arboretum
la Gaudine
la Planée
Sapins de la Glacière
de la Joux
Torbières
les Grangettes
Malpas
Chapois
Cuvier
St-Point-Lac
Valempoulières
le Magasin
Vaux-et-Chantegrue
le Larderet
Censeau
Bief-du-Fourg
Bonnevaux
vers-en-Montagne
Plénise
Esserval-Tartre
le Latet
Route des Sapins
Communailles-en-Montagne
Chantegrue
Plénisette
Esserval-Combe
Mignovillard
Granges-Ste-Marie
Montrond
la Rochère
le Pasquier
Moutoux
F. Dom. de Fresse
les Nans
Onglières
Molpré
Tour
les Baraques
Mièges
Mournans-Charbonny
l'Ermitage
Essavilly
Froidefontaine
Labergement-Ste-Marie
Pont de Gratteroche
Mournans
Rés. Nat. du Lac de Remoray
Foucatier-et-Maison-Neuve
Ardon
St-Germain-en-Montagne
Charency
Nozeroy
Longcochon
Remoray-Boujeons
Vannoz
Doye
Rix
Billecul
le Sillet
le Doubs
Équevillon
Châl.
Casc.
la Latette
Brey-et-Maison-du-Bois
Rochejean
Boujeons
Cluse d'Entreportes
Conte
la Favière
Maison du Bois
Champagnole
Sapois
Lent
Sce de l'Ain
Cerniébaud
Gellin
Villedieu-le-Chéjean
Rocher des Commères
Bourg-de-Sirod
Fraroz
Rondefontaine
Les Villedieu (Villedieu-les-Mouthe)
l'Ain
la Praz
Ney
Sirod
Gillois
Arsure-Arsurette
Sarrageois
25
39

F
G
H
J
K
138
139
174
175
Vercel-Villedieu-le-Camp
Adam-lès-Vercel
Longechaux
Loray
Vennes
Plaimbois-Vennes
Consolation-Maisonnettes
Guyans-Vennes
Mont-de-Laval
le Luhier
Russey
le Mémont
le Bizot
Narbief
le Barboux
Grand'Combe-des-Bois
la Ferrière
Flangebouche
Orchamps-Vennes
Avoudrey
Fuans
la Bosse
le Bélieu
la Chenalotte
Fournets-Luisans
Passonfontaine
Rantechaux
Noël-Cerneux
Mont Pouillerel
la Chaux-de-Fonds
les Planchettes
les Eplatures
le Crêt du Locle
Roches de Moron
Saut du Doubs
les Fins
Longemaison
Morteau
Villers-le-Lac
les Brenets
le Locle
la Sagne
la Corbatière
Tête de Ran
les Hauts-Geneveys
Les-Combes (la Motte)
Montlebon
Grand'Combe-Châteleu
Gilley
Arc-sous-Cicon
le Prévoux
le Quartier
Sommet Martel
le Cerneux-Péquignot
le Cachot
la-Chaux-du-Milieu
les Ponts-de-Martel
Boudevilliers
les Geneveys-sur-Coffrane
Plamboz
Montmollin
Corcelles
la Chaux
la Longeville
Montbenoît
Ville-du-Pont
la Châtagne
les Gras
la Brévine
Montflovin
Hauterive-la-Fresse
Maisons-du-Bois-Lièvremont
les Alliés
Arçon
Crêt de Sapel
Crêt du Cervelet
Mont Brenin
Noiraigue
Brot-Dessous
Brot-Plamboz
Martel Dernier
Rochefort
Chambrelien
Bôle
Boudry
Cortaillod
Perreux
Montagne de Boudry
Bevaix
Travers
Creux du Van
la Chaille
les Cornées
le Grand Taureau
les Bayards
le Petit Cemet
St-Sulpice
Couvet
Boveresse
Môtiers
Val de Travers
Gorgier
Montalchez
Provence
St-Aubin-Sauges
Sauges
Fresens
Mutrux
Vaumarcus
Vernéaz
les Verrières
Meudon
Fleurier
Montagne de Buttes
Buttes
Verrières-de-Joux
la Côte-aux-Fées
la Cluse-et-Mijoux (le Frambourg)
le Chasseron
Mauborget
Fontanezier
Corcelles-près-Concise
Estavayer-le-Lac
Villars-Burquin
Concise
Bonvillars
Onnens
Grandevent
Fontaines-sur-Grandson
Champagne
les Fourgs
la Vraconne
les Rasses
Bullet
Novalles
Fiez
Corselettes
Ste-Croix
la Mothe
Vugelles-la-Mothe
Giez
l'Auberson
la Sagne
Vuiteboeuf
Orges
Valeyres-sur-Montagny
Grandson
Yvonand
Cheyres
Mont de Baulmes
Pency
Montagny
Les Tuileries
Baulmes
Villars-sous-Champvent
Chamblon
Champvent
Yverdon-les-Bains
Montela
Cuarny
les Hôpitaux-Vieux
les Hôpitaux-Neufs
le Suchet
Mont de Chambon
Treycovagnes
Métabief
Mathod
Suscévaz
Pomy
Cronay
Jougne
l'Abergement
Rances
Valeyres-sous-Rances
Gressy
Valeyres-sous-Ursins
Donneloye
Sergey
Ependes
Belmont-s-Yverdon
Epautheyes
Ursins
Gossens
Prahins
Lignerolle
la Russille
Ballaigues
les Clées
Montcherand
Orbe
Essert-Pittet
Orzens
Denezy
Bretonnières
Agiez
Suchy
Nonfoux
Oppens
Ogens
Correvon
Lucens
Bofflens
Essertines-sous-Yverdon
Thierrens
Lac de Neuchâtel
CH
Moudon

A   B   C   D   E

le Fenouiller   la Ganacherie   le Plessis
Sion sur l'Océan   la Largerie
la Corniche Vendéenne   D6A   D754   D32   **141**
St-Gilles-
-Croix-de-Vie   St-Révérend   Coi
D6   **28**
Givrand   l'Aiguillon-sur-Vie   Jardin
D42   la Faverie
D38   Lac du Jaunay   la Roc Baudou
Chât. de Beaumarchais   D32   D40   le Pré
la Sauzaie   D12   **la Chaize-Giraud**   le Noyer   l'Edmo
la Parée   Landevieille   **28**
Bretignolles-sur-Mer   la Frémière   la Sourder
le Marais Girard   le Plessis
Parc de Loisirs   St-Nicolas de Brem
D54   **Vairé**
Brem-sur-Mer   D38
les Granges   **31**   la Salaire   la Flaiviè
Menhir la Conche Verte   la Burelière
D90   **l'Île-d'Olonne**   D87
10   la Poulini
Champclou   la Bauduère   **16**
Olonne-sur-Mer   Gahou
la Girvière   D32
la Chaume   **Ch**
Fort St-Nicolas   **-d'**
Phare de l'Armandèche   Zoo
les Sables-d'Olonne   la Pironnière
Puits d'Enfer

Baie de Ca

ÎLE DE RÉ

P e r t u i s   B r e t o n

Phare des Baleines   **les Portes-en-Ré**
8
le Gillieux   2   D101
2   3   Rés. Nat. de Lileau des Niges
St-Clément-des-Baleines   B. de Trousse-Chemise
(le Chabot)   4
D735   Loix
Ars-en-Ré   7
la Passe   **St-Martin-de-Ré**
8   3   D735   6   Anc. Abb. des Châteliers
la Couarde-sur-Mer   6   3   D103   **la Flotte**
D201   4   Fort de la Prée
le Bois-Plage-en-Ré   le Morinant
Ph. de Chancharchon   les Gros Joncs   5   D201E1
Ensembles Littoraux et Marais de l'Île de Ré   15   **Rivedoux-Plage**
D201   Sablanceaux   D735
la Noue
Ste-Marie-de-Ré
Ph. de Chauveau

A   B   C   D   E

F
G
H
J
K
141
142
176
160
la Boucherie
la Dédière
les Trois Chênes
les Quatre Chemins
la Barbière
la Génétouze
la Gombretière
l'Idernière
D100A
Mouilleron-le-Captif
les Rochettes
-sur-Yon
la Girardière
la Ribotière
Lairière
Moulin Neuf
les Poudrières
la Ferrière
Bel Air en Forêt
la Chapelle-Hermier
le Plessis aux Moines
le Précanteau
la Davière
la Mazurie
la Chevalerie
les Astiers
A87
N160
le Lutron
Martinet
le Jaunay
la Nicolière
Venansault
les Chauvières
le Bois aux Moines
la Réveillère
la Vacherie
les Tessonnières
la Brissonnière
la Boursière
la Bretèche
Château Fromage
la Chapellière
la Chaize-le-Vicomte
la Ménardière
la Malvergne
Beaulieu-sous-la-Roche
le Châtellier
Abb. des Fontenelles
St-André d'Ornay
Péage
le Bourg sous-la-Roche
Landeronde
la Plinière
la Grangerie
Haras
la Lucilière
les Moulières
St-Georges-de-Pointindoux
la Guittière
St-Julien-des-Landes
l'Angelmière
Tournefou
la Landette
la Grolle
LA ROCHE-SUR-YON
les Essarts Gouin
la Pelonnière
Fougeré
la Bardonnière
la Giraudière
les Clouzeaux
la Livraie
Belle Place
le Moulin de Badiole
la Mollerie
le Puits Pélerin
la Richard
la Mothe-Achard
Ste-Flaive-des-Loups
Bourdigal
le Moulin Neuf
le Fougeré
la Bougrière
la Limouzinière
la Barre
l'Embretière
l'Auzance
Reffes
la Chapelle-Achard
Migné
la Bourie
la Giraudière
Aubigny
l'Inaudière
la Marinière
Thorigny
le Grand Poiron
St-Florent-des-Bois
la Grennetière
la Braudière
Bellevue
Nesmy
la Merlerie
St-Mathurin
le Girouard
la Ciboule
l'Augizière
Nieul-le-Dolent
la Boissière-des-Landes
Chaillé-sous-les-Ormeaux
les Fossés
Château-Guibert
le Tablier
la Mainborgère
le Marillet
la Fromentinière
la Gobinières
la Belle Eugénie
l'Épinette
la Guitardière
Ste-Foy
la Vergne
la Vrignaie
Bellenoue
Grosbreuil
l'Émerière
la Burcerie
la Glorandière
le Grand Bois Clos
l'Yon
Rosnay
Mareuil-sur-Lay-Dissais
la Nellière
la Croisée de la Lièvre
la Bigeoire
la Saiverie
l'Épinette
le Bois Guitton
le Bois Jaulin
Josse
St-Avaugourd-des-Landes
la Bergerie
Pierre Folle
la Couture
les Jarries
Poiroux
la Croix Blanche
St-Vincent-sur-Graon
le Graon
le Champ-St-Père
Mortevieille
Lavaud
les Arpents Village
Moutiers-les-Mauxfaits
les Rivières
Noailles
Péault
Château des Gorges Cathus
Menhirs
les Quatre Routes
l'Île
les Aires
la Bretonnière-la-Claye
les Magnils-Reigniers
Chât.
Chât. de la Cantaudière
St-Sornin
la Claye
Talmont-St-Hilaire
St-Hilaire de Talmont
le Gué Chatenay
le Brandais
la Clémentinière
Avrillé
les Landes
Château de Court d'Aron
Parc Floral
Château de la Guignardière
le Givre
la Brunière
le Port de la Claye
Chasnais
la Vignolière
les Côtes
St-Hilaire-la-Forêt
le Pont Rouge
St-Cyr-en-Talmondais
Curzon
Beugné l'Abbé
le Veillon
la Guittière
Dolmens
Lairoux
les Voureuils
Bourgenay
le Port
Dolmen du Grand Bouillac
le Bernard
le Breuil
la Jonchère
Crypte
le Booth Bourdin
le Payré
St-Nicolas
Fontaine
Pointe du Payré
Anc. Abb. de Lieu-Dieu
la Raisinière
Longeville-sur-Mer
la Cigogne
St-Benoist-sur-Mer
Base de Loisirs
Jard-sur-Mer
St-Vincent-sur-Jard
l'Aurière
la Mongerie
Angles
Morica
la Cabane Verte
Mais. de Clemenceau
les Rabouillères
Tour
St-Denis-du-Payré
Grues
la Ville
les Conches
Triaize
Rés. Nat. de St-Denis du Payré
les Tendes
les Chaussées
la Banche
le Vignaud
la Terrière
les Mottes
Anc. Abb.
St-Michel-en-l'Herm
Pointe du Grouin du Cou
la Grière
les Violettes
la Tranche-sur-Mer
la Faute-sur-Mer
l'Aiguillon-sur-Mer
la Dive
Pertuis Breton
Pointe d'Arçay
les Sablons
M A R A
D6
D50
D42
D55
D57
D978
D55A
D12
D948
D100
D4
D2
D937
D37
D101
D80
D29
D60
D36
D747
D85
D746
D87
D21
D45
D108
D73
D130
D105
D70
D19
D109
D949
D1046
D46
D46B
D105B
D44
D25
D127
D46C

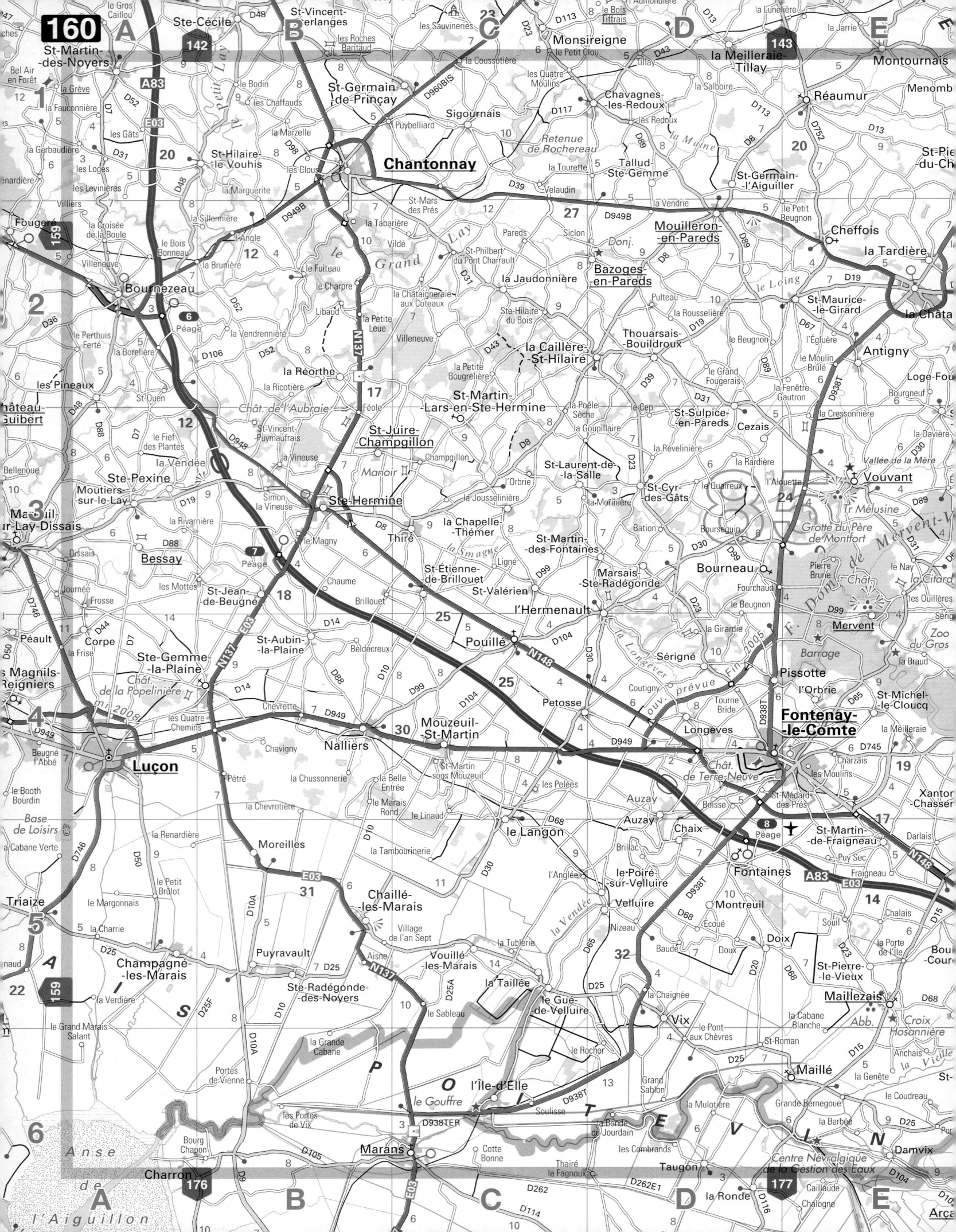

160
A
B
C
D
E
1
2
3
4
5
6
142
143
159
176
177
Ste-Cécile
St-Vincent-Sterlanges
les Sauvineries
Monsireigne
le Petit Clou
le Bois Tiffrais
la Lunelière
la Jarrie
Montournais
St-Martin-des-Noyers
Bel Air en Forêt
la Grève
la Fauconnière
les Roches Baritaud
la Coussotière
les Quatre Moulins
la Meilleraie-Tillay
Tillay
St-Germain-de-Prinçay
le Bodin
les Chaffauds
Chavagnes-les-Redoux
les Redoux
la Salboire
Réaumur
Menomb
A83
E03
Sigournais
Puybelliard
Retenue de Rochereau
la Maine
les Gâts
la Marzelle
la Gerbaudière
les Loges
les Levinières
St-Hilaire-le-Vouhis
les Clous
Chantonnay
la Tourette
Tallud-Ste-Gemme
St-Germain-l'Aiguiller
St-Pie-du-Ch
la Marguerite
D949B
St-Mars des Prés
Velaudin
la Vendrie
le Petit Beugnon
Villiers
Fougeré
la Croisée de la Boule
la Sillonnière
la Tabarière
Pareds
Siclon
Mouilleron-en-Pareds
Cheffois
la Tardière
le Bois Bonneau
l'Angle
Vildé
Donj.
le Grand Lay
St-Philbert du Pont Charrault
Bazoges-en-Pareds
Villeneuve
la Brumière
le Fuiteau
la Jaudonnière
le Loing
St-Maurice-le-Girard
Bournezeau
le Charpre
la Châtaigneraie aux Coteaux
Pulteau
la Rousselière
la Châta
Péage
Libaud
la Petite Leue
Ste-Hilaire du Bois
Thouarsais-Bouildroux
le Beugnon
l'Églière
Antigny
le Perthuis Ferté
la Vendrennière
la Borelière
Villeneuve
la Caillère-St-Hilaire
le Moulin Brûlé
Loge-Fou
les Pineaux
la Réorthe
la Petite Bougrelière
le Grand Fougerais
la Fenêtre Gautron
Bourgneuf
la Ricotière
St-Ouen
N137
Château-Guibert
Chât. de l'Aubraie
Féole
St-Martin-Lars-en-Ste-Hermine
la Poêle Sèche
le Cep
St-Sulpice-en-Pareds
Cezais
la Cressonnière
St-Vincent-Puymaufrais
St-Juire-Champgillon
la Goupillaire
la Davière
le Fief des Plantes
la Vineuse
Champgillon
la Révelinière
Vallée de la Mère
Bellenoue
la Vendée
Manoir
St-Laurent-de-la-Salle
la Rardière
Ste-Pexine
l'Orbrie
St-Cyr-des-Gâts
le Quaireux
l'Alouette
Vouvant
Moutiers-sur-le-Lay
Simon la Vineuse
Ste-Hermine
la Jousselinière
la Morinière
Mareuil-sur-Lay-Dissais
la Rivarnière
Thiré
la Chapelle-Thémer
Bation
Boursequin
Tr Mélusine
Grotte du Père de Montfort
le Magny
la Smagne
St-Martin-des-Fontaines
Dissais
Bessay
Ligné
Marsais-Ste-Radégonde
Bourneau
Pierre Brune
Chât.
le Nay
la Citard
Journée
Frosse
les Mottes
St-Jean-de-Beugné
Chaume
St-Étienne-de-Brillouet
St-Valérien
Fourchaud
F. Dom. de Mervent-V
Brillouet
l'Hermenault
le Beugnon
les Ouillères
Péault
Corpe
la Frise
St-Aubin-la-Plaine
Beldecreux
Pouillé
la Girardie
Mervent
Zoo du Gros
Barrage
la Braud
Ste-Gemme-la-Plaine
N148
la Longèves
Sérigné
Les Magnils-Reigniers
Chât. de la Popelinière
Petosse
Coutigny
ouv. prévue Fin 2005
Pissotte
l'Orbrie
St-Michel-le-Cloucq
Chevrette
Tourne Bride
D938T
Fontenay-le-Comte
les Quatre Chemins
Mouzeuil-St-Martin
Nalliers
Longèves
la Meilleraie
Beugné l'Abbé
Luçon
Chavigny
St-Martin sous Mouzeuil
Chât. de Terre-Neuve
Charzais
les Moulins
le Booth Bourdin
Pétré
la Chussonnerie
la Belle Entrée
les Pelées
St-Médard-des-Prés
Xanton-Chasser
la Chevrotière
le Marais Rond
Auzay
Boisse
Base de Loisirs
le Linaud
le Langon
Chaix
St-Martin-de-Fraigneau
Darlais
la Cabane Verte
la Renardière
Moreilles
la Tambourinerie
Brillac
Fontaines
Puy Sec
Fraigneau
l'Anglée
le Poiré-sur-Velluire
le Petit Brûlot
Velluire
Montreuil
Chaillé-les-Marais
Chalais
Triaize
le Margonnais
Écoué
Soull
la Vendée
Village de l'an Sept
Nizeau
la Charrie
la Tublerie
Baudé
Doux
Doix
la Porte de l'Île
Champagné-les-Marais
Puyravault
Vouillé-les-Marais
St-Pierre-le-Vieux
Aisne
Ste-Radégonde-des-Noyers
la Taillée
le Gué-de-Velluire
la Chaignée
Maillezais
la Verdière
le Sableau
la Cabane Blanche
Abb.
Croix Hosannière
le Grand Marais Salant
la Grande Cabane
Vix
le Pont aux Chèvres
St-Roman
le Rocher
Anchais
la Vieille
Portes de Vienne
P
O
I
T
E
V
I
N
A
I
S
l'Île-d'Elle
Grand Sablon
Maillé
la Genête
le Gouffre
Soulisse
la Mulotière
Grande Bernegoue
le Coudreau
les Portes de Vix
la Bonde du Jourdain
la Barbée
Bourg Chapon
Marans
Cotte Bonne
les Combrands
Damvix
Anse de l'Aiguillon
Charron
Thairé le Fagnoux
Taugon
Centre Névralgique de la Gestion des Eaux
Caillaude
Chalogne
la Ronde
Arça
D938TER
D262
D262E1
D114
D105
D9

Parthenay
NIORT
St-Maixent-l'École
Secondigny
Moncoutant
Champdeniers-St-Denis
Coulonges-sur-l'Autize
Mazières-en-Gâtine
l'Absie
Châtillon-sur-Thouet
Chauray
Échiré
St-Gelais
la Crèche
Faymoreau
Beaulieu-sous-Parthenay
Allonne
St-Pardoux
Azay-sur-Thouet
Clessé
Amailloux
Viennay
Pompaire
Augé
Cherveux
Ste-Néomaye
Coulon
Magné
Benet
Oulmes
Villiers-en-Plaine
St-Maxire
Sciecq
Xaintray
Ardin
Béceleuf
Fenioux
St-Marc-la-Lande
Vouillé
Bessines
Fressines
Aigonnay

A
B
C
D
E
144
145
161
178
179
1
2
3
4
5
6
le Chillou
Crémille
l'Orangerie
Orfeuille
Naide
Jaunay
Valette
Craon
Poué
Agressais
Amberre
Thurageau
la Bourrelière
Villeneuve
Cuhon
la Moix
Varennes
Jarzay
Pitachon
Boussais
Pressigny
Doux
Massognes
Aubigny
Pont Roman
Gourgé
la Gare
le Peu
la Moinie
Nouzières
Ourly
Blaslay
Cheneché
Chabournay
Thénezay
Donj.
Cherves
Maisonneuve
Champigny-le-Sec
les Rochelles
la Palu
le Pressoux
Chât. de la Roche Faton
les Saules
Dolm. de Fontenaille
Lhoumois
Vouzailles
le Rochereau
Charrais
Bataillé
Chât. de Maurivet
la Touche
la Boissière
Puysan
les Grippeaux
Beauvais
Dolmen de la Bie
Chât. d'Etables
Couture
Oroux
Séran
Neuville-de-Poitou
le Thouet
la Pionnière
Maillé
Yversay
Dolm.
Poireil
la Peyratte
la Pierre de Massigny
Villiers
Furigny
la Ferrière-en-Parthenay
Chalandray
Ayron
Frozes
la Valinière
la Vauceau
Vaulorin
Base de Loisirs
Cissé
Lonchard
Paché
Châl. de la Motte
la Vendelogne
Lavausseau
la Verrerie
Menh.
la Chapelle-Bertrand
Picardie
Chiré-en-Montreuil
Vouillé
Chât. de Grand Maison
Périgny
la Percerie
Boisguillon
Saurais
Chât. de la Chèze
le Querroir
Masseuil
Limbre
Moulinet
Magot
Latillé
les Essarts
le Fontagnoux
Brin
l'Auxance
la Coursaudière
le Poteau
la Jarrie
Quinçay
Terrier de St-Martin-du-Fouilloux
Belle-Mare
les Cent Septiers
le Lac Noir
St-Martin-du-Fouilloux
la Grimaudière
Petite
Poitiers
Chât. de la Sayette
Ferrière
Maison Forestière du Poteau
l'Hôpiteau
Chât.
Vasles
la Boivre
Chaussauvent
la Loge du Pin
Vouneuil-sous-Biard
la Poitevinière
le Jardin des Agneaux
Lavausseau
Abb. du Pin
Béruges
les Quatre Vents
l'Aubertière
Vausseroux
Reffannes
la Gruzardière
Benassay
Péage
Montreuil-Bonnin
la Bardonnerie
la Torchaise
la Vonne
Vautebis
les Forges
Nesdes
Grassay
la Chapelle-Montreuil
Croute
Fontaine-le-Comte
Chât. de Marconnay
F. de l'Epine
la Pagerie
le Boisseau
la Coudre
la Guérinière
la Turpauderie
Coutières
Ruines Gallo-Romaines d'Herbord
Chantecorps
Chap. des Hospices
Curzay-sur-Vonne
Coulombiers
Ménigoute
Sanxay
le Saule
Abb. des Châteliers
le Ripault
Ruffigny
Pommier
Fomperron
Coulombiers
Iteuil
les Chaumes
la Boucherie
Aigne
la Matière
Thou
Jazeneuil
Marçay
St-Germier
Fontarnault
la Groie
l'Aquitaine
Rouillé-Pamproux
Mongadon
les Loges
Mougon
Crieuil
Exireuil
Ravin du Puits d'Enfer
Cloué
Fouilloux
Vallée
le Châtaignier
Lusignan
Promenade de Blossac
Jouarenne
Soudan
Narbonneau
Vivonne
Chavagné
Vieilpain
Rouillé
Celle-Lévescault
Marigny-Chemereau
Baptresse
Nanteuil
la Bruyère
Boisgrollier
le Grand Souilleau
l'Epine
la Corberaie
Man. de Jorigny
Ste-Eanne
Martin-t-Maixent
les Coudraies
Ste-Eanne (le Breuil)
le Petit Breuil
Venours
Comblé
Vaugeton
St-Martin
Pamproux
le Grand Breuil
la Forêt
Chât. de Cercigny
Souvigné
Salles
Avon (Thorigné)
Tumulus
Nillé
Anne-Marie
Touchaubert
Chavagné
la Motte de Ganne
la Villedieu-de-Comblé
la Mothe-St-Héray
Bougon
F. Dom. de Saint-Sauvant
les Forges
la Garennerie
Dolm.
les Minières
Orangerie
Loubigné
St-Sauvant
Montmatin
Exoudun
la Chevraise
Parc de Loisirs
Voulon
Guron
Anché
Bois Brunet
Bagnaux
Jassay
le Vivier
le Breuil de Chenay
Pouzeau
le Poyau
Payré
Malfoie
la Couarde
Brieuil
Chenay
Courgé
le Bouchaud
Chemin des Romains
la Forêt
Châtillon
le Pontreau
Ceaux-en-Couhé
Faugeré
Chey
Bizon
E62
N149
N11
N10
N147
A10
E05
D5
D21
D62
D27
D7

145
146
164
179
180
F
G
H
J
K
1
2
3
4
5
6
Ouzilly
Colombiers
la Girardière
Corset
Chagniats
Péage
Targé
Laveau
la Roche-
Cenon-sur-Vienne
Senillé
Champ Fleury
Chât. de la Tour
Chât. de la Tour d'Oiré
la Grande-Vallée
Chézelles
Menh.
le Village de Vaux
Leigné-les-Bois
St-Sennery
Chât. de Rouhet
l'Aquitaine
Naintre
Marigny-Brizay
Availles-en-Châtellerault
la Merci Dieu
Mousseaux
Crémillé
Vieux
Brétigny
Baudiment
Domine
le Vieux Poitiers
Th. Gallo-Romain
les Cartes
Beaumont
Villaray
Monthoiron
les Faguets
la Châtaigneraie
Pleumartin
Vicq-sur-Gartempe
Chabonne
Chât. de Chitré
le Clain
Pied-Sec
le Pontereau
la Tricherie
Parc de Loisirs
St-Cyr
Chenevelles
les Écoubesses
les Chézeaux
Chincé
Parigny
Menhir de Pierrefitte
Vouneuil-sur-Vienne
Champoisay
Traversay
Chât. du Fou
Poitiers-Jaunay-Clan
Poitiers-Chincé
Dissay
Bondilly
Chabonne
Prieuré de Savigny
la Chapelle-Roux
les Bouchaux
la Papelotière
Ribes
la Grève
Rés. Nat. du Pinail
Trainebot
la Bouriottière
Pérusse
la Parialère
Aillé
Chât. Couvert
la Cormaillère
la Champignolière
l'Ozon
Rijoux
les Rabauds
Angles-s
Jaunay-Clan
Futuroscope
St-Georges-les-Baillargeaux
Bonneuil-Matours
la Côte Eclue
Archigny
St-Pierre-de-Maillé
Péage
Gare T.G.V.
Logerie
Parc de Loisirs
Haute Limousinière
le Loup Pendu
Chât. de Vayres
le Peu
Forêt Dom. de Moulière
St-Claude
la Ligne Acadienne
Chasseneuil-du-Poitou
la Chapelle-Moulière
la Vienne
Bellefonds
Anc. Abb. de l'Étoile
les Hermitières
Fontaine
Cenan
la Puye
Ensoulesse
Chaumont
Ste-Radégonde
la Bussière
Montamisé
Charassé
les Maillets
Chêne l'Abbé
Chât. de Touffou
Chât. de Loubressay
le Râteau
Maurepas
la Corbière
Péage
la Vallée
Liniers
les Terrières
le Gâtineau
Buxerolles
Butte du Teil
Lauthiers
les Loge
POITIERS
Bignoux
Lavoux
Bonnes
Base de Loisirs
la Boutallerie
les Chirons
Hypogée Martyrium
le Breuil-Mingot
la Chaumillière
les Barbalières
Beauvais
la Galmardièr
Chât. de la Minauderie
Chât. du Bois-Doussé
Baptistère St-Jean
le Colombier
Sèvres-Anxaumont
Chauvigny
Église St-Pierre
Paizay-le-Sec
Jardres
Banlègre
la Gibaudrie
St-Julien-l'Ars
Chât. d'Harcourt
Vélo-Rail
Lespinasse
Peuron
St-Benoît
Mignaloux-Beauvoir
Puygiron
Bois de Gond
St-Pierre-les-Églises
la Caronnière
Flex
la Babigère
Flée
Voie
Ancienne
Romain
Savigny-Lévescault
Grte de Gioux
Montgorand
Pouillé
Villeneuve
les Places
Chât. de Vaucour
Joumé
Lanterne des Morts
Gros Puits
la Prunerie
Poiroux
Anc. Abb. Saint-Martin
les Bordes
Anc. Abb.
Tercé
la Quaillère
Cougouille
Smarves
Bonneuil
Pouzioux
Parc Animalier du Bois de St-Pierre
Nouaillé-Maupertuis
Valdivienne (St-Martin-la-Rivière)
le Breuil
Leignes-sur-Fontaine
le Guillé
Fontprévoir
Roches-Prémarie-Andillé
Dolm. de Pouzac
Prieuré de Ste-Marie d'Availles
Jaunoux
Salles-en-Toulon
Chapelle-Viviers
Pindray
Servon
Chapelle-Morthemer
la Roche à Baussant
Dolmens
Raboué
Nieuil-l'Espoir
Fleuré
Morthemer
Salles
la Poirière
la Clielle
la Montgodard
Chât. de Chambonneau
la Parthenière
Prunier
la Villedieu-du-Clain
la Guillonnière
Cim. Gallo-Romain
la Tour au Cognum
la Chaise
le Petit Chambonneau
la Bussière
Aslonnes
Gizay
Vernon
Dienné
Civaux
Lhommaizé
Domaine de la Forge de Verrières
Forêt de Lussac
Crypte St-Cathe
Vivonne
Dolmen
Chiré-les-Bois
Forêt de Verrières
Médelle
Villeneuve
Sillars
Octogo
Loubressac
Verrières
Dolmen
Mazerolles
Grte de la-Marche
Marnay
Auget
St-Laurent-de-Jourdes
Chanteloup
Mon.
Lussac-les-Châteaux
la Clouère
St-Maurice-la-Clouère
Chantegros
l'Age Boué
Chât. de Galmoisin
le Dognon
Donj. de la Rigaudière
Theuil
Gençay
Chât.
la Liardière
les Bordes
Chât. de la Roche-Gençay
Bois des Cartes
les Aubières
Grand Féraboeuf
Magné
les Rabries
Bouresse
Gouex
la Porcelaine
la Crouzette
la Pommeraie
Brion
la Miettrie
la Rallerie
Poilieux
Chât. de la Mothe
les Sables
l'Epinet
Persac
la Pommeraie
Orfonds
Biais
Parc de Loisirs
St-Secondin
Queaux
la Ferrière-Airoux
Moulismes
la Blourde
A10
E05
N10
N151
N147
E62
D1
D2
D3
D6
D8
D9
D11
D12
D13
D15
D17
D18
D20
D31
D83
D749

164
A
B
C
D
E
146
147
163
180
181
1
2
3
4
5
6
Yzeures-sur-Creuse
Cingé
la Carielle
la Duranderie
Baudrussais
Rés. N. D. de Chérine
Étg Roux
Étg des Baudets
Étang de Bellebouche
Lignez
Marigny
la Merci Dieu
le Port
la Brousse
la Beauge
Thais
Étang Poitiers
les Bordes
les Grands Étangs
Étg de Gabriau
la Gabrière
le Grand Aslon
le Temple
la Blinerie
Étang des Vigneaux
Étg de Bignotoi
Mousseaux
Bois Garnault
Néons-sur-Creuse
Launay
Lureuil
Lingé
Réserve Ornithologique
Étg de la Gabrière
Étg d'Usseau
Usseau
Châtaigneraie
Tournon-St-Pierre
la Borde
Étang Purais
Étg de Hardouine
le Maupas
PARC
NATUREL
Vicq-sur-Gartempe
Tournon-St-Martin
le Blizon
Étang du Sault
Châtre de la Brosse
Surjoux
le Bouchet
Mais. du Parc
les Lauriers
Gormond
la Jarrige
la Bonnière
Châtre du Jutreau
Lurais
la Chauvelière
les Sablons
Étg de la Mer Rouge
Lussais
la Gillerie
le Prépicault
la Boudinière
Douadic
Rosnay
Angles-sur-l'Anglin
Preuilly-la-Ville
Vaugirard
la Chaume
Étg du Coudreau
le Coudreau
Châtre
la Toltière
Abb. Notre-Dame
Pouligny-St-Pierre
la Coudraie
Pied Griffé
Fourniou
Fontgombault
Dintes
la Guignoterie
Sauzelles
Bénavent
RÉGIONAL
les Hermitières
Madrolles
les Fourdines
Dolmen et Cromlech
les Bois
la Rivière
Vallée
Muant
Nervault
Tilloux
Mont la Chapelle
Étg des Grandes Fourdines
St-Aigny
le Blanc
les Grands Marsilly
Avant
Scoury
Longefont
Maurepas
Mérigny
le Breuil
Coubernard
Ruffec
la Roche
Ciron
Varennes
les Marnes
Corss
la Corbière
Anc. Prieuré de Puychevrier
Châtre Naillac
la Creuse
Lanterne des Morts
Romefort
Oulches
les Loges
Linier
Chap. de Plaincourault
les Âges
Scévolles
la Rouère
Nalliers
Ingrandes
Concremiers
Ég de la Chennerie
Anguyenne
DE
LA
BRENNE
le Haut Prémilly
Prigny
Rolnier
Roussac
la Vallée
Châtre de Forges
Villiers
Étg de la Rouère
les Loges
Roche
Boisherpin
Beauvais
Mauvières
Étang Bienfait
St-Savin
Bouesse
Vrassac
les Gorciers
a Babigère
St-Germain
Anc. Abb.
la Forêt
St-Hilaire-sur-Benaize
Charneuil
Romaine
Villemort
Béthines
les Gauthiers
Bélâbre
Châtre de Céré
l'Anglin
Chalais
Châtre de la Garde
Theuret
Antigny
Fontigon
la Forge
Nesmes
Lanterne des Morts
Bois Morand
Arché
Rocheblond
la Breuille
les Georgets
Jemelle
Anc. Abb.
Thenet
Mln de Roche
Liglet
la Roche Chevreux
Prissac
Villesalem
Haims
Jouhet
Peufavard
Fontmoron
Barbières
la Plaine
les Roches
Eport
Rillé
Château Guillaume
Vouhet
la Braudière
Gartempe
la Trimouille
Prunier
Journet
Lanterne des Morts
Regeignet
Dunet
Chénier
la Métairie de l'Étang
la Loge
Lignac
le Four
la Forêt
Bernier
Biard
la Maison Neuve
Concise
Martreuil
le Monteil
le Peumochat
les Hérolles
Bouza
Milloux
Chaillac
Ste Catherine
St-Léomer
Ruines
le Coury
Montmorillon
Octogone
la Jonchère
Thollet
Chabanne
Lagebautaud
le Breuil
Brosse
Lanterne des Morts de Moussac
la Filonnière
Gouma
la Frissonnière
les Mâts
Séchaud
Tilly
Coulonges
Martray
la Lande
Lajonc
Dolmen
Brigueil-le-Chantre
Theuil
Bourg-Archambault
la Bergerie
Ste-Marie
Vieilleville
Beaulieu
Saulgé
la Furetière
Champagne
Eports
Bonneuil
la Macherie
les Grandes Rochettes
l'Expardelière
Pierrefolle
Champs
Lafa
St-Martin-le-Mault
les Plaignes
Jouac
Lathus-St-Rémy
la Casine
Verneuil-Moustiers
Lussac-les-Églises
Cromac
Biais
Plaisance
le Bancherea
Lhoume
le Bois Ris
la Villatte
Menussac
Lascroux
Crx et Caveaux
les Portes d'Enfer
la Betouille
la Courandière
Lémarrière
Chez
N151
D975
D20
D3
D10
D33
D5
D54
D727
D121
D117
D912

F
G
H
J
K
147
148
166
181
182
1
2
3
4
5
6
Neuillay-les-Bois
Grand Étg de Grandeffe
le Poinçonnet
Forêt Domaniale de Châteauroux
Étg Gaby
Étg du Grand Mez
Méobecq
Luant
la Pentière
Mersan
les Fenets
le Perron
Étg de Bayal
le Raz
Fourchaud
les Mille Étangs
Val d'Indre
Lothiers
Courcenay
la Pérouille
Lothiers-Gare
Arthon
Velles
Étrechet
Sanguille
Varennes
Lourouer-les Bois
Clavière
St-Vincent
Ardent
les Loges de Dressais
Villejovet
les Bois Communaux
les Fragnets
Nuret-le-Ferron
Mesle
la Tremblaire
Vauzelles
Jeu-les-Bois
Étg de Lys-St-Georges
Lys-St-Georges
les Loges Brûlées
les Baudets
Chasseneuil
St-Gaultier
Chitray
Rivarennes
Thenay
les Brunets
Neuville
le Pont-Chrétien-Chabenet
Tendu
Yvernaud
Châtt. de la Rocherolle
Donjons
Châtt. de la Chaise
la Maison Dieu
Chabenet
la Verrerie
Buxières-d'Aillac
Mosnay
Bouesse
St-Marin
Amphithéâtre
St-Marcel
Argenton-sur-Creuse
St-Benoît
les Rollins
Neuvy-St-Sépulchre
Gourdon
les Nébilons
le Broussat
Landes
le Pêchereau
Châtt. du Courbas
Bonnilly
Malicornay
Maillet
Gournay
Bord
Bonavois
Étrechet
Mouhers
le Vivier
Chavin
le Menoux
Luzeret
la Boudre
la Marche Occitane
Vaux
Val de Creuse
Villamoux
Badecon-le-Pin
Cluis
Châtt.
Châtt. du Châtellier
Hallé
le Petit Jouhet
le Colombier
la Minière
Chazelet
Celon
Ceaulmont
Chatillon
Gargilesse-Dampierre
Pommiers
Frûlon
Laveau
les Favés
Châtt. de la Prune au Pot
la Prune
Vigoux
St-Civran
Bouchais
la Buxière
Bazaiges
Mais. de G. Sand
Dampierre
Béthenet
la Fonteneille
les Châtaigniers
Chassingrimont
Baraize
les Chérons
Châtt. de Breuil-Yvain
le Courtioux
la Buxerette
Montchevrier
St-Gilles
Roussines
le Joux
Cuzion
Orsennes
Dolm.
la Silvine
la Glézolle
Montcocu
la Ligne
Châtt. de Châteaubrun
le Fay
Parnac
le Meslier
Mainclef
Éguzonnet
Bge d'Éguzon
St-Plantaire
le Poirond
la Régnière
Éguzon-Chantôme
Fressignes
le Trimoulet
Dolmen de Chardy
St-Benoît-du-Sault
Argentières
le Quéru
Mazotin
le Pouzat
Lac d'Éguzon
Bonnu
les Lilas
Dolm. du Bois Plantaire
Aigurande
Dolmen de Passe-Bonneau
la Châtre-Langlin
Labetoulle
Anguignier
Chambon
Fougères
Base de Loisirs
Lourdoueix-St-Michel
le Grand Plaix
Méasnes
le Chézeau-Limouzin
Lourdoueix-St-Pierre
le Soleil
Clidier
la Feyte
l'Aumône
St-Jallet
la Davidière
Vallée de la Sédelle
Châtt.
la Renauchat
St-Sébastien
Villeneuve
Crozant
Vallée des Deux Creuses
Mouhet
Beaumont
Vaussujean
l'Âge Quatre Maux
Fresselines
Nouzerolles
le Petit Chatelus
Lignaud
les Bordes
la Bouée
Lignat
Maisons
Lacoux
les Grands-Chézeaux
l'Âge Pouret
la Chapelle-Baloue
les Salesses
les Forges
Villechiron
Chambon-Ste-Croix
Azerables
les Genêts
Bazelat
Chadreugnat
Tenèze
la Bussière
Sardeix
Chéniers
la Forge
Jeux
Lafat
Maison-Feyne
Lourioux
la Chaume
Aubepierre
Bois Mandé
Forgevieille
Puymanteau
Goudener
Héret
A20
E09
N151
N20
l'Occitane
la Bouzanne
la Creuse
la Sédelle
l'Abloux
la Sonne
l'Indre
la Claise
Chaus. de César

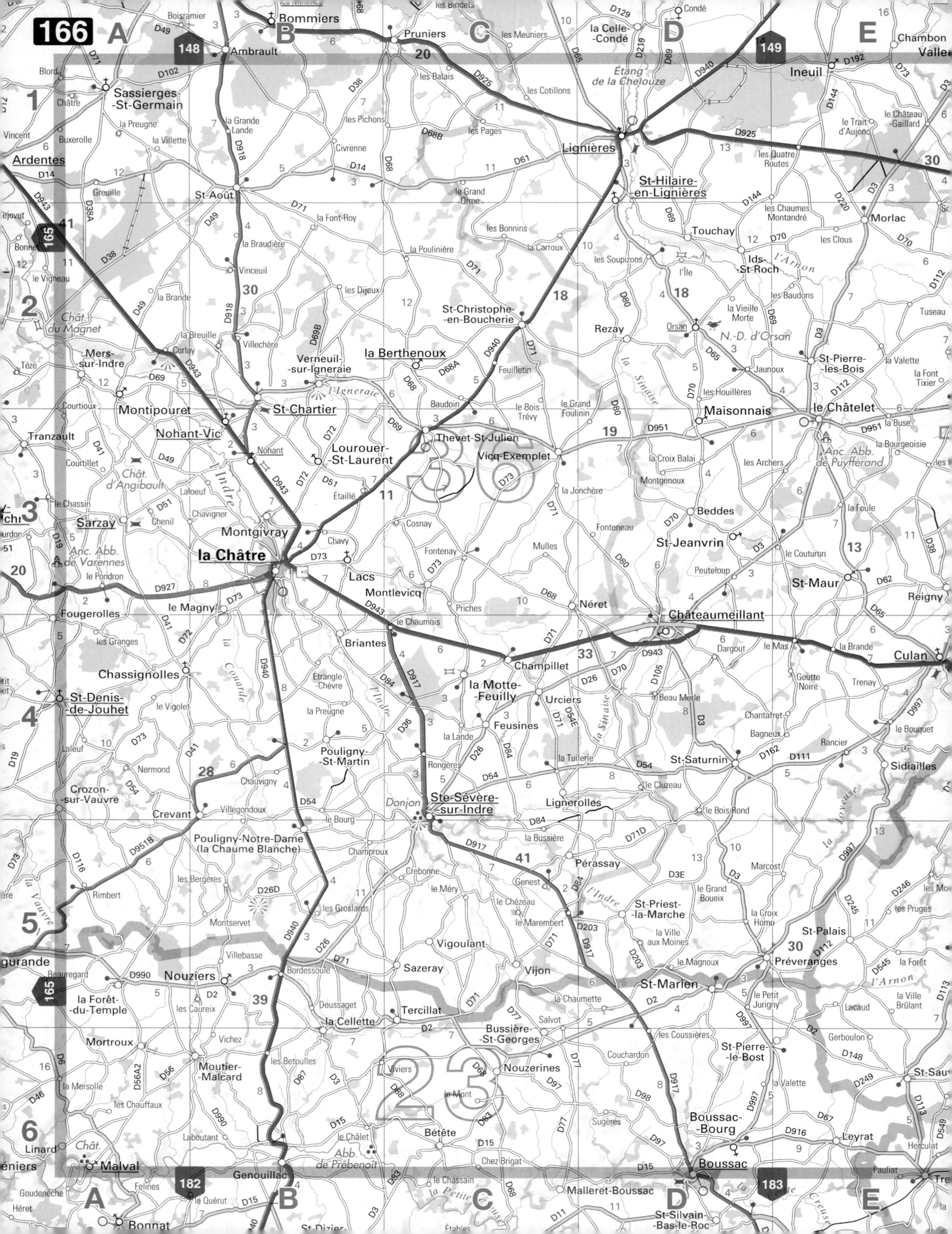
148
149
165
182
183
Boisramier
Bommiers
Pruniers
les Meuniers
la Celle-Condé
Condé
Chambon
Valle
Ambrault
Blord
Sassierges-St-Germain
Châtre
Vincent
Buxerolle
la Preugne
la Villette
la Grande Lande
les Balais
les Pichons
Civrenne
les Pages
les Cotillons
Étang de la Chelouze
Ineuil
le Trait d'Aujonc
le Château-Gaillard
Ardentes
Greuille
St-Août
le Grand Orme
Lignières
St-Hilaire-en-Lignières
les Quatre Routes
Morlac
la Font-Roy
les Bonnins
la Carroux
les Chaumes Montandré
Touchay
Ids-St-Roch
l'Arnon
les Clous
Bonnet
le Vigneau
la Braudière
Vinceuil
la Poulinière
les Soupizons
l'Île
les Baudons
Tuseau
la Brande
les Dijeux
St-Christophe-en-Boucherie
Rezay
la Vieille Morte
Orsan
N.-D. d'Orsan
Chât. du Magnet
la Breuille
Corlay
Villechère
Verneuil-sur-Igneraie
la Berthenoux
Feuilletin
Jaunoux
St-Pierre-les-Bois
la Valette
la Font Tixier
Tézé
Mers-sur-Indre
Montipouret
Courtioux
l'Igneraie
St-Chartier
Baudoin
le Bois Trévy
le Grand Foulinin
les Houillères
Maisonnais
le Châtelet
la Buse
Tranzault
Nohant-Vic
Nohant
Lourouer-St-Laurent
Thevet-St-Julien
Vicq-Exemplet
la Croix Balai
les Archers
la Bourgeoisie
Anc. Abb. de Puyferrand
Courtillet
Chât. d'Angibault
Montgenoux
l'Indre
Étaillé
la Jonchère
le Chassin
Laloeuf
Chavigner
Chenil
Sarzay
Montgivray
Beddes
la Foule
Cosnay
Fonteneau
Chavy
St-Jeanvrin
Anc. Abb. de Varennes
la Châtre
Lacs
Fontenay
Mulles
le Couturon
Peuteloup
St-Maur
Reigny
le Pondron
Montlevicq
Priches
Néret
Fougerolles
le Magny
le Chaumois
Châteaumeillant
les Granges
Briantes
Champillet
Dargout
le Mas
la Brande
Culan
Chassignolles
Etrangle-Chèvre
la Motte-Feuilly
Urciers
Goutte Noire
Trenay
St-Denis-de-Jouhet
le Vigolet
la Preugne
Feusines
Beau Merle
Chantafret
Bagneux
le Bouquet
Rancier
Laleuf
Nermond
Pouligny-St-Martin
la Lande
Rongères
la Tuilerie
St-Saturnin
Sidiailles
Chauvigny
Crozon-sur-Vauvre
le Cluzeau
Crevant
Villegondoux
le Bourg
Donjon
Ste-Sévère-sur-Indre
Lignerolles
le Bois Rond
Pouligny-Notre-Dame (la Chaume Blanche)
la Bussière
Champroux
Pérassay
Marcost
la Joyeuse
Crebonne
le Méry
Genest
Rimbert
les Bergères
le Chézeau
le Grand Boueix
St-Priest-la-Marche
la Croix Homo
les Pruges
les Groslards
le Marembert
la Ville aux Moines
Montservet
Vigoulant
St-Palais
la Vauvre
Villebasse
Vijon
Préveranges
la Forêt
gurande
Beauregard
Nouziers
Bordessoule
Sazeray
le Magnoux
St-Marien
la Ville Brûlant
la Forêt-du-Temple
les Caureix
Doussaget
Tercillat
la Chaumette
le Petit Jurigny
Lacaud
la Cellette
Salvot
Bussière-St-Georges
les Coussières
Mortroux
Vichez
Moutier-Malcard
Couchardon
St-Pierre-le-Bost
Gerboulon
les Betoulles
Viviers
Nouzerines
St-Sau
la Mersolle
la Valette
les Chauffaux
le Mont
Sugères
Boussac-Bourg
Labouřant
le Châlet
Bétête
Leyrat
Herculat
Linard
Chât.
Malval
Abb. de Prébenoît
Chez Brigat
Boussac
Pauliat
Genouillac
le Chassain
Goudeneche
Felines
le Quérut
Malleret-Boussac
Héret
Bonnat
la Petite Creuse
St-Silvain-Bas-le-Roc
Étables
36
23

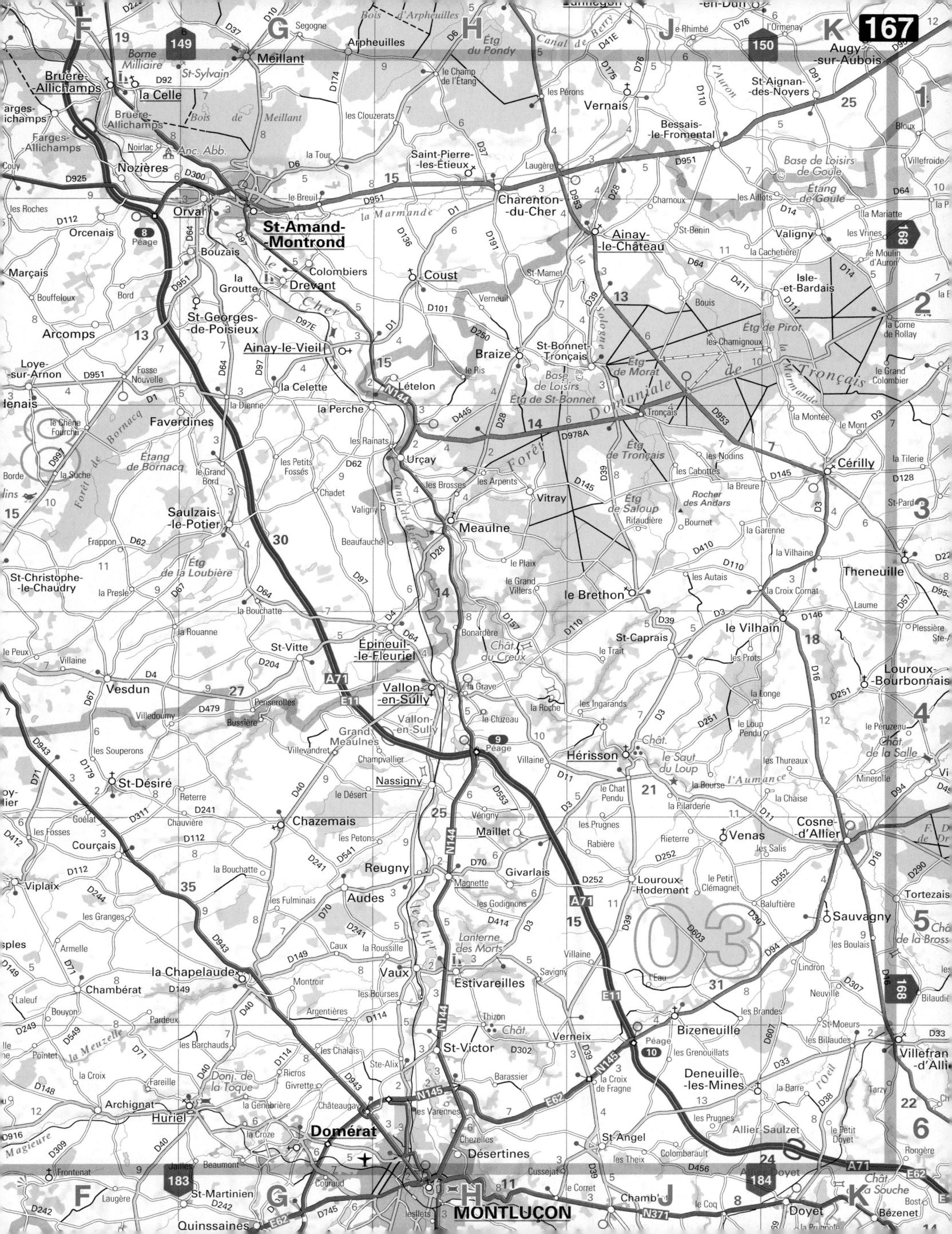
St-Amand-Montrond
Montluçon
Meillant
Bruère-Allichamps
la Celle
Orval
Nozières
Drevant
Colombiers
Coust
Charenton-du-Cher
Ainay-le-Château
Ainay-le-Vieil
St-Georges-de-Poisieux
Braize
St-Bonnet-Tronçais
Forêt Domaniale de Tronçais
Cérilly
Urçay
Meaulne
Vitray
le Brethon
Saulzais-le-Potier
Faverdines
Épineuil-le-Fleuriel
Vallon-en-Sully
Vesdun
St-Vitte
Hérisson
Theneuille
le Vilhain
Louroux-Bourbonnais
Cosne-d'Allier
St-Désiré
Chazemais
Nassigny
Maillet
Reugny
Audes
Givarlais
Louroux-Hodement
Venas
Sauvagny
la Chapelaude
Vaux
Estivareilles
Chambérat
Bizeneuille
St-Victor
Deneuille-les-Mines
Huriel
Domérat
Désertines
St-Angel
Villefranche-d'Allier
Doyet
A71
E11
N144
N145
E62
03

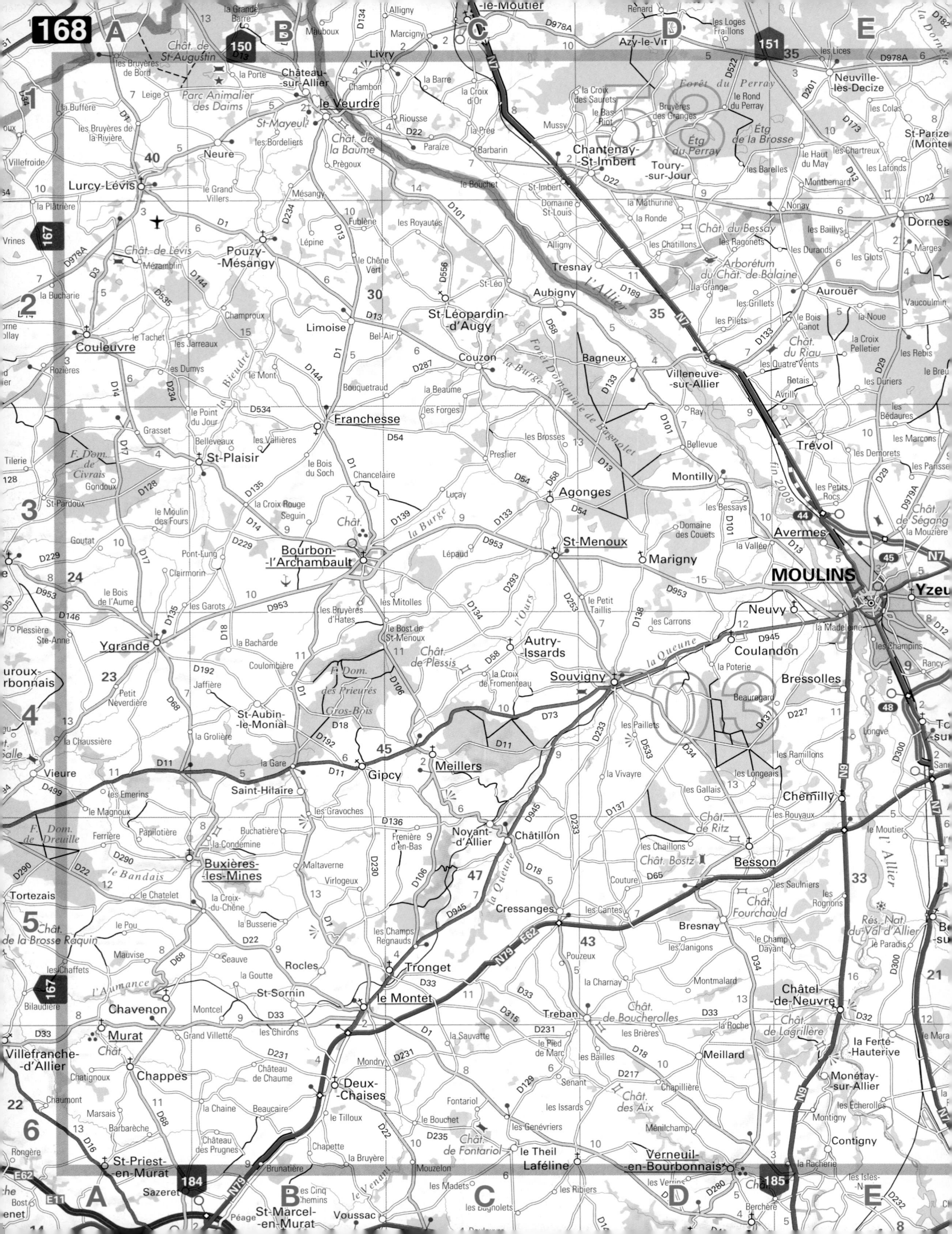

Charrin
Montambert
Savigny-Poil-Fol
Bois de Fours
Base de Loisirs
la Nocle-Maulaix
Ternant
St-Hilaire-Fontaine
Lamenay-sur-Loire (Nogent)
Cossaye
Toury-Lurcy
la Cressonne
Gannay-sur-Loire
Cronat
St-Seine
Lucenay-lès-Aix
Cressy-sur-Somme
Maltat
St-Ennemond
Vitry-sur-Loire
St-Martin-des-Lais
Etang de Garnot
la Chapelle-aux-Chasses
Paray-le-Frésil
Lesme
Garnat-sur-Engièvre
Bourbon-Lancy
St-Nazaire
Mont
Chevagnes
Beaulon
Chalmoux
Chézy
Lusigny
Châtt. de Pommay
St-Aubin-sur-Loire
Abb. de Sept Fonts
Diou
Gilly-sur-Loire
Perrigny-sur-Loire
Montbeugny
Thiel-sur-Acolin
Dompierre-sur-Besbre
Pierrefitte-sur-Loire
St-Agnan
Parc Animalier
Chapeau
Châtt. de la Cour
Chât. de Toury
St-Pourçain-sur-Besbre
Coulanges
Neuilly-le-Réal
Mercy
Saligny-sur-Roudon
Vaumas
Monétay-sur-Loire
Gouise
Chap. du Verger
St-Voir
Thionne
Châtelperron
St-Léon
Liernolles
Puy St-Ambroise
St-Didier-en-Donjon
Jaligny-sur-Besbre
St-Gérand-de-Vaux
Treteau
Sorbier
Châtt. du Vieux Chambord
Chavroches
Montcombroux-les-Mines
Le Donjon
Neuilly-en-Donjon
Montoldre
Cindré
Trézelles
Bert
LOIRE
N79
E62
N2079
D973
D979
D15
D12
D779
D480
D989
D994
151
152
170
185
186

170
A
B
C
D
E
1
2
3
4
5
6
152
153
169
186
187
71
Fléty
Luzy
Chevigny
la Tagnière
les Bonneaux
Chât. de Trélage
Aigrefeuille
Charmoy-la-Ville
Montjalmain
Tazilly
Perrigny
Dettey
le Mast
Valveron
Charmoy
Renizot
le Bois de Barnaud
les Cruziaux
Cuzy
la Boulaye
le Breuil
la Croix de l'Arbre
Montmort
St-Eugène
Courmarcou
la Croix des Mât
le Pont de Vaux
Rigny
Moulin de Montmort
les Golliards
Sauvage
la Somme
Marly-sous-Issy
Armecy
Corcelles
Pontins
la Coudraye
la Sorme
Broaille
la Praye
St-Berain-sous-Sanvignes
Blanzy
les Grands Garreaux
Issy-l'Évêque
Bost
le Ragotier
Toulon-sur-Arroux
ressy-Somme
Faubourg d'Arroux
Montagrin
le Bois du Verne
Giné
la Sauzée
la Faye
la Tour Va
les Mines
les Gautherons
Ste-Radegonde
les Coraux
les Tuileries-St-Pierre
Grury
Grand Dardon
Busserole
Sanvignes-les-Mines
le Magny
Montceau-les-Mines
la Tuilerie
Villaire
Champ du Plat
Uxeau
Dornand
Bois Bouché
Cité des Gautherets
le Prompt
Bassenier
les Loges
les Essarts
St-Romain-sous-Versigny
Dompierre-sous-Sanvignes
St-Vallier
Montpalais
Ville Fèvre
Ramus
la Petite Faye
Rozelay
la Chapelle-au-Mans
Vendenesse-sur-Arroux
Marly-sur-Arroux
Pré St-Martin
Coire
St-Romain-sous-Gourdon
l'Arroux
Perrecy-les-Forges
les Seux
Chât. de Lavaux
la Condamine
le Bois Simon
Pouilloux
Étang de Briffaut
Gueugnon
Mazoncle
Ciry-le-Noble
Thomasse
Vesvre
Chedde
les Bruyères
Civry
Neuvy-Grandchamp
Curdin
Chadzeau
Chât. de Croix
la Tête des Bois
Chassy
Génelard
le Breuil
Soumilly
le Grand Baronnet
Étang de Beauchamp
Base de Loisirs
Oudry
le Petit Baronnet
le Montet
la Coupe Trahan
Clessy
l'Oudrache
St Eloi
Palinges
Villars
les Places
le Pertuis Froid
Morigny
Champvigy
Villars
Bois du Quarteron
Chât. de Digoine
Ballore
Rigny-sur-Arroux
Bois Melas
Bois de la Motte
St-Vincent-Bragny
Varennes
Pont
les Guerreaux
Martigny-le-Comte
les Lienneries
St-Bonnet-de-Vieille-Vigne
Fontenette
En Vèvre
Grandvaux
la Gravoine
Bourbince
Chevagny
le Buttet
la Villeneuve
Poujux
St-Agnan
St-Denis
la Motte-St-Jean
Montassin
le Verdier
Neuzy
Vigny lès Paray
le Bois de Paray
Pringues
St-Aubin-en-Charollais
la Vallière
Baron
Tilly
Varenne
Digoin
le Launay
la Grille
Chamoge
Fontenay
Canal du Centre
Chiseuil
Pouilly
St-Léger-lès-Paray (les Mûriers)
Champlecy
Viry
Forêt d'Arconce
le Péage
Volesvres
l'Arconce
Plainchassagne
Mortillon
Chavanne
Chechy
Molinet
Hôtel de Ville
Cypierre
ouv. prév. fin 2006
la Fourche
Bierre
les Pougeaux
Vignerons
la Rozière
Tranche Gorge
Vitry-en-Charollais
Hautefond (Boyer)
F. Dom. de Charolles
Vendenesse-lès-Charolles
Collanges
Chassenard
Paray-le-Monial
les Eaux Mortes
Charolles
les Pacauds
les Chartiers
la Grande Moirette
la Semence
Pommier
les Molenchats
Chaugne
Varenne-St-Germain
Changy
Vaudebarrier
le Pommier Blanc
Sommery
Givry
Lugny-lès-Charolles
Pignières
Beaubery
le Pin
la Brosse
Chât. de Terzé
les Bordes
Montchâlon
St-Yan
St-Léger-sur-Vouzance
Orcilly
Tourny
Epinassy
Marcilly-la-Gueurce
le Moulin la Cour
Vaivre
les Millets
l'Hôpital-le-Mercier
le Tailleret
Nochize (le Bourg)
Maringues
Ozolles
les Siacrots
la Loire
Poisson
Charnay
les Drouillards
le Grand Sélore
le Guidon
Mans
Chevagny
la Jonchère
Martigny
Coptier
Trablème
les Merlières
les Gras
Bornat
St-Julien-de-Civry
Ouroux-sous-le-Bois-Ste-Marie
Dyo
les Miregois
le Fourneau
le Bois Clair
Luneau
Versaugues
Prizy
Vindecy
Bonnand
le Perret
St-Germain-en-Brionnais
Colombier-en-Brionnais
Montceaux-l'Étoile
la Maison Brûlée
les Mignonnets
le Bois d'Oyé
Roussy
l'Argolay
St-Symphorien-des-Bois
Bois-Ste-Marie
Arcy
St-Didier-en-Brionnais
Varenne-l'Arconce
les Burneaux
les Glaux
le Bas-Précy
Fragne
Avrilly
Chevrigny
Chât. de Chaumont
Amanzé
Chât. de Drée
les Simonins
Réffy
Oyé
Frécy
au Bois des Noyés
Chérancre
St-Georges
Bourg-le-Comte
Anzy-le-Duc
Sarry
les Noues
Curbigny
N2079
N79
E62
N70
E607
D973
D25
D985
D141
D114
D240
D255
D42
D57
D102
D120
D224
D994
D198
D51
D226
D419
D230
D119
D60
D92
D238
D52
D7
D237
D242
D352
D974
D387
D327
D200
D33
D979
D248
D301
D479
D982
D167
D263
D191
D34
D169
D210
D382
D458
D10
D20
D211
D962
D174
D108
D989
D79

Torcy
Gare du Creusot-Montceau-Montchanin T.G.V.
St-Julien-sur-Dheune
Villeneuve-en-Montagne
Jambles
Givry
Poncey
Corcelles
Taisey
St-Rémy
Lans
153
Montchanin
Écuisses
Ste-Hélène
Cercot
St-Désert
N80
E607
154
Lux
Épervans
Moroges
Rosey
Granges
Cortelain
Sevrey
20
St-Laurent-d'Andenay
les Baudots
Bissey-sous-Cruchaud
St-Loup-de-Varennes
Varennes-le-Grand
Montchanin le Haut
St-Martin-d'Auxy
Marcilly-lès-Buxy
Cruchaud
la Charmée
Sassangy
Buxy
St-Germain-lès-Buxy
St-Eusèbe
St-Privé
le Martrat
Cersot
Montagny-lès-Buxy
la Coudre
la Ferté
St-Ambreuil
la Pierre aux Fées
St-Micaud
Mondornon
Saviange
Jully-lès-Buxy
St-Cyr
Marigny
la Baume
le Puley
Rimont
St-Vallerin
Ponneau
Forêt Dom. de la Ferté
Base de Loisirs
Boucansaud
Égl. Priorale
31
Germagny
Chenôves
Fley
Buisson Roncin
Beaumont-sur-Grosne
Gigny-sur-Saône
les Volans
Pont Baudras
Bissy-sur-Fley
Saules
St-Boil
Messey le Bois
Lalheue
Laives
Santagny
Genouilly
St-Martin-du-Tartre
Culles-les-Roches
Sépultures Gallo-Romaines
Messey-sur-Grosne
St-Martin
St-Julien
Sennecey-le-Grand
Lampagny
Mont-St-Vincent
Gourdon
Collonge-en-Charollais
Vaux-en-Pré
St-Maurice-des-Champs
Chaumois
Étivau
Chât. de Ruffey
Sens
Farge la Grande
23
les Perrons
T. d'Orient
Rains
la Rochette
la Chapelle-de-Bragny
Nanton
Montceaux-Ragny
Boyer
St-Clément-sur-Guye
Joncy
St-Gengoux-le-National
Santilly
Hauterive
Limace
Mary
En Bourges
Sercy
St-Forgeuil
Bresse-sur-Grosne
Villeneuve
Corlay
Jugy
le Jonchet
Venière
St-Martin-de-Croix
Champlieu
Burzy
Burnand
Savigny-sur-Grosne
Colombier sous Uxelles
Étrigny
Vers
es Poulets
St-Martin-la-Patrouille
48
Champagny-sous-Uxelles
Balleure
Mancey
Robatot
Noireux
St-Huruge
Curtil-sous-Burnand
la Place
Ougy
Bissy-sous-Uxelles
la Montagne ou Vannière
Dulphey
Tournus
le Rousset
Cray
Messeugne
Malay
Nogent
Charmes
St-Ythaire
Cortemblin
Chapaize
Lancharre
Collonge
Royer
St-Quentin
Bierre
Châtel
St-Hyppolite
la Chapelle-sous-Brancion
Brancion
St-Marcelin-de-Cray
Sigy-le-Châtel
Bonnay
Cormatin
F. Dom. de Chapaize
Ozenay
la Guiche
la Grande Bussière
Besanceuil
Confrançon
Menh.
le Trémont
Chevagny-sur-Guye
Passy
Sailly
Angoin
Cortevaix
Chazelle
Lys
Prayes
Plottes
Martailly-lès-Brancion
Gratay
Champvenot
Ameugny
Chissey-lès-Mâcon
Farges-lès-Mâcon
St-Martin-de-Salencey
Bois de Sailly
Chérizet
Salornay-sur-Guye
Taizé
Grevilly
Cruzille
Culey
Chardonnay
la Croix au Maître
le Gros Chigny
Mont
Bray
Mont St-Romain
Fragnes
Champvent
Uchizy
Flagy
26
30
St-André-le-Désert
Vitry-lès-Cluny
Massilly
Toury
Nouville
T. d'Orient
Fissy
Temple Ste-Catherine
les Garroux
Vivier
Charcuble
Collongette
Mercey
St-Bonnet-de-Joux
Pressy-sous-Dondin
Massy
27
Sirot
Cortambert
Grottes de Blanot
Bissy-la-Mâconnaise
Montbellet
la Vineuse
Collonge
Blanot
Lugny
St-Vincent-des-Prés
Chevagny
Varanges
St-Gengoux-de-Scissé
Thurissey
St Oyen
Mirande
Lournand
Burgy
Bassy
Viré
Chiddes
Availly
Donzy-le-National
le Martray
Donzy-le-Pertuis
St-Pierre-de-Lanques
le Buc
le Molard
Fleurville
Grottes d'Azé
Rizerolles
Péronne
Reyssouze
Butte de Suin
Vaux
Vauzelle
Suin
T. d'Orient
les Granges
Anc. Abb.
Cluny
Vaux-sur-Aine
Azé
Quintaine
St-Albain
les Bruyères
Tillay
Sivignon
Buffières
Château
Jalogny
Bois de Bourcier
Champagne
Mâcon-St-Albain
Clessé
Chussin
Mont
le Martrat
Châtillon
Bergesserin
Vaux
la Mutte
Bois de Vaux
St-Maurice-de-Satonnay
Mâcon-la Salle
34
Chât. du Terreau
Curtil-sous-Buffières
Mazille
Domange
Satonnay
Laizé
Sénozan
Verosvres
Igé
la Chapelle-du-Mont-de-France
Champlot
Charbonnières
Asnières-sur-Saône
les Essertines
Trivy
Ste-Cécile
Berzé-le-Châtel
Verchizeuil
St-Martin-Belle-Roche
N79
E62
le Mont
Bois Clair
Chap.
Verzé
Blany
Pierres
Meulin
Brandon
Ancien Prieuré
Villard
Bourgvilain
28
St-Jean-le-Priche
Dompierre-les-Ormes
Clermain
Corcelle
Escolles
Péage
Vésines
la Faye
Montagny-sur-Grosne
Sologny
Berzé-la-Ville
Sennecé-lès-Mâcon
Hurigny
la Ferdière
Chât. de Lamartine
Milly-Lamartine
la Roche-Vineuse
Arborétum de Pézanin
Oully
Camp Retranché
Chât. de Montceau
Chagny
St-Point
Bussières
Sancé
Feillens
Audour
les Charrières
Pierreclos
Chevagny-les-Chevrières
Base de Loisirs
Montmelard
la Toule
Trambly
Montillet les Barras
Prissé
Salornay
Chât. des Essertaux
187
188
la Mouille
Présentin
les Roches
Roche de Vergisson
Charnay-lès-Mâcon
Hôtel-Dieu
St-Laurent-sur-Saône
Bâgé-le-Châtel
T. d'Orient
Château-Tiers
la Bussière
Vergisson
Matour
Tramayes
Champvent
Serrières
Davayé
Replonges
35
St-Léger-sous-
la Farge
Roche de Solutré
MÂCONNAIS
A6
E15
E21
N6
172
F
G
H
J
K
1
2
3
4
5
6

Louhans
Tournus
Cuisery
Romenay
St-Trivier-de-Courtes
Pont-de-Vaux
Montrevel-en-Bresse
St-Amour
Coligny
Marboz
Foissiat
Varennes-St-Sauveur
Montpont-en-Bresse
Sornay
Branges
Simandre
Ouroux-sur-Saône
St-Germain-du-Plain
Montret
St-Usuge
Montcony
Beaurepaire-en-Bresse
Sagy
Frontenaud
Cousance
Bâgé-le-Châtel
Bâgé-la-Ville
Manziat
St-Jean-sur-Reyssouze
St-Julien-sur-Reyssouze
Courtes
Vernoux
Curciat-Dongalon
St-Nizier-le-Bouchoux
Cormoz
Beaupont
Domsure
Lescheroux
Jayat
Béréziat
Marsonnas
Malafretaz
Étrez
Cras-sur-Reyssouze
St-Didier-d'Aussiat
St-Sulpice
St-André-de-Bâgé
Dommartin
Chevroux
Boissey
Gorrevod
St-Étienne-sur-Reyssouze
Chavannes-sur-Reyssouze
Servignat
Mantenay-Montlin
St-Bénigne
Arbigny
Vescours
Sermoyer
la Truchère
Ratenelle
le Villars
Préty
Lacrost
Brienne
la Genête
la Chapelle-Thècle
Ménetreuil
Rancy
Bantanges
Huilly-sur-Seille
Loisy
Jouvençon
l'Abergement-de-Cuisery
Ormes
la Frette
Savigny-sur-Seille
St-André-en-Bresse
Baudrières
St-Vincent-en-Bresse
St-Étienne-en-Bresse
Tronchy
Vérissey
Lessard-en-Bresse
Thurey
Simard
St-Germain-du-Bois
Sens-sur-Seille
Frangy-en-Bresse
Vincelles
Montagny-près-Louhans
Ratte
la Vallière
Savigny
Flacey-en-Bresse
St-Martin-du-Mont
Bruailles
la Chapelle-Naude
Ste-Croix
Dommartin-lès-Cuiseaux
le Miroir
Joudes
Condal
Balanod
Montagna-le-Reconduit
Verjon
Courmangoux
Pirajoux
Villemotier
Salavre
Senaud
St-Jean-d'Étreuse
P L A I N E
B R E S S E
A B C D E
1 2 3 4 5 6
154 155 171 188 189

Champagnole
Lons-le-Saunier
Montmorot
Perrigny
Conliège
Orgelet
Clairvaux-les-Lacs
Moirans-en-Montagne
St-Claude
Arinthod
St-Julien
Montfleur
Baume-les-Messieurs
Château-Chalon
St-Laurent-en-Grandvaux
Les Piards
Prénovel
Chaux-des-Prés
Lavans-lès-St-Claude
Villards-d'Héria
Lavancia-Epercy
Dortan
Arbent
Les Bouchoux
Les Moussières
La Pesse
Haut-Jura
155
156
189
190

174
A
B
C
D
E
156
157
173
190
191
Sapois
Lent
les Communes
Bourg-de-Sirod
Sirod
Gillois
Fraroz
Cerniébaud
Arsure-Arsurette
Rondefontaine
Sarrageois
Gellin
Les Villedieu (Villedieu-les-Mouthe)
Villedieu-les-Rochejean
T. du Mont d'Or
Mont du Day
Bretonnières
Premier
Vallorbe
Romainmôtier-Envy
Treffay
Perte de l'Ain
Crans
Roche des Sarrasins
Syam
Bief-des-Maisons
Les Chalesmes
les Pontets
le Crouzet
Reculfoz
Mouthe
Sce du Doubs
le Petit Sapeau
Résurgence de l'Orbe
T. d'Orient
Juriens
Vaulion
le Gros Pouille
le Petit Pré
Petite-Chaux
le Pré Audin
Chaux-Neuve
le Pré loin
Petit Risoux
Dent de Vaulion
le Pont
Casc. de la Billaude
la Billaude
Petit Chalesme
la Perrena
Châtelblanc
Rés. Nat.
le Bayard
Foncine-le-Haut
le Gros Crêt
les Charbonnières
le Séchey
les Cailles
le Cernois
la Laizinette dessus
la Pra
Gorges de la Langouette
les Planches-en-Montagne
Chaux-des-Crotenay
Casc. du Bief de la Ruine
les Pétetin
le Mont Risoux
le Lieu
l'Abbaye
Mont-la-Ville
Entre-deux-Monts
Foncine-le-Bas
la Bédugue
La Maison Michaud
PARC
le Solliat
Vers chez Aron
Lac de Joux
Joux
l'Isle
Mauraz
Villars Bozon
Grand Bois à Ban
Fort-du-Plasne
la Gypserie
la Golisse
Bas des Bioux
le Sentier
Montricher
le Coin d'Aval
le Voisinal
Bas des Prés Hauts
Chapelle-des-Bois
Mont Tendre
Pont de Lemme
l'Orient
Lac-des-Rouges-Truites (les Thévenins)
la Madone
Cabane du Cunay
Pampigny
la Chaumusse
les Martins
Chalet des Mortes
le Brassus
le Chenit
Crêt de Mondisé
Mollens
Bois de Fermens
Grandvaux
la Combe de Morbier
NAT.
Forêt du Risoux
Vallée de Joux
Salave de Vent
T. de la Savine
Col du Marchairuz
Berolle
Ballens
Apples
Bouvets d'Amont
les Marais
Bellefontaine
Reverolle
F. de la Joux devant
Mussillons
Chauvins
Morbier
Crêt des Sauvages
Cabane Trois Chalets
Combe des Amburnex
Bière
Chardonney-sur-Morges
Bussy-Chardonney
Abb. de Grandvaux
Tancua
Roche du Dade
Bois-d'Amont
Mont Chaubert
Yens
de l'Abbaye
Chez Bugy
le Vivier des Rousses
Saubraz
St-Livres
Villars-sous-Yens
St-Georges
Gimel
Morez
Fort du Risoux
Mont Sala
Montherod
Lavigny
les Mouillés
St-Oyens
Pizy
Aubonne
la Mouille
Lac des Rousses
Mont Pelé
Cabane les Pralets
Longirod
Lézat
REG.
la Doye
Marchissy
Essertines-sur-Rolle
Signal de Bougy
Féchy
Gorges de la Bienne
Gorges de la Chaille
les Rousses
les Plans
le Vaud
Bougy-Villars
LA CÔTE
Mont-sur-Rolle
Allaman
les Baptaillards
les Arcets
Fort
La Cure
Cabane du Carroz
Sapins de Borsattaz
Burtigny
Tartegnin
Perroy
Gilly
Longchaumois
Prémanon
Col de la Givrine
Cabane Rochefort
Arzier
Bassins
Vinzel
Bursins
Rolle
Maison de la Flore
Rosset
les Jouvencelles
Belvédère des Dappes
N90
le Muids
Luins
Les Raisses
Mais. de la Faune
St-Cergue
Chât.
Genolier
Begnins
Bursinel
la Barillette
Givrins
Bursinel
Dully
Vich
Gland
Chalet de la Frasse
Haut-Crêt
Forêt du Massacre
la Dôle
Grande Côte de Bonmont
Côte de Nyon
Coinsins
Trélex
DU
D25
Source de la Valserine
Gingins
Duillier
Prangins
La Chaux Berthod
Crêt Pela
Chéserex
La Main Morte
la Marténi
Abb. de Bonmont
Grens
Signy-Avenex
Promenthoux
Lamoura
la Vattay
la Rippe
Borex
Nyon
THONON-
Casc. de la Queue de Cheval
les Combes
Vésenex
Eysins
Arnex-sur-Nyon
Yvoire
Nernier
Anthy-sur-Léman
Lajoux
Col de la Faucille
Divonne-les-Bains
Crassier
Crans-près-Céligny
Septmoncel
Mijoux
Bogis-Bossey
Messery
Essert
Excenevex
Le Chapeau de Gendarme
Petit Montrond
T. d'Orient
Vesancy
Château de Crans
Chevilly
la Pointe
Céligny
Séchex
les Moulins
Chavannes-de-Bogis
Châtel de Beauregard
Bonnatrait
Jussy
Montrond
Founex
Chens-sur-Léman
Filly
Sciez
Les Molunes
Creux de l'Envers
Grilly
Tougues
Sous Etraz
le Colomby de Gex
Gex
Commugny
Véreître
Chavannex
Massongy
Maison Fromages
Cessy
Chavannes-des-Bois
Bachelard
Tannay
Coppet
le Bourg Neuf
Hermance
Douvaine
Forêt de Planbois
Bellecombe
Échenevex
Sauverny
Mies
Aubonne
Ballaison
Les Crapons Nord
Lélex
la Maréchaude
Versonnex
Marcorens
Loisin
Lully
Refuge de la Loge
Crozet
Ségny
Chevrens
Ballavais
Brenthonne
Rés. Nat. de la Haute Chaîne du Jura
Chevry
Bossy
Versoix
Veigy-Foncenex
Bons-en-Chablais
Collex
Anières
Tholomaz
Genthod
Gros Perrier
Ferney-
Ornex
Valserine
Sous-Balme
E25
E62
A1
N1
N5
N79
N87
N90
D437
D46
D389
D286
D17
D127
D278
D18
D18A
D415
D29E2
D69
D126
D304
D313
D936
D292
D991
D15H
D984C
D15
D35
D1
N206

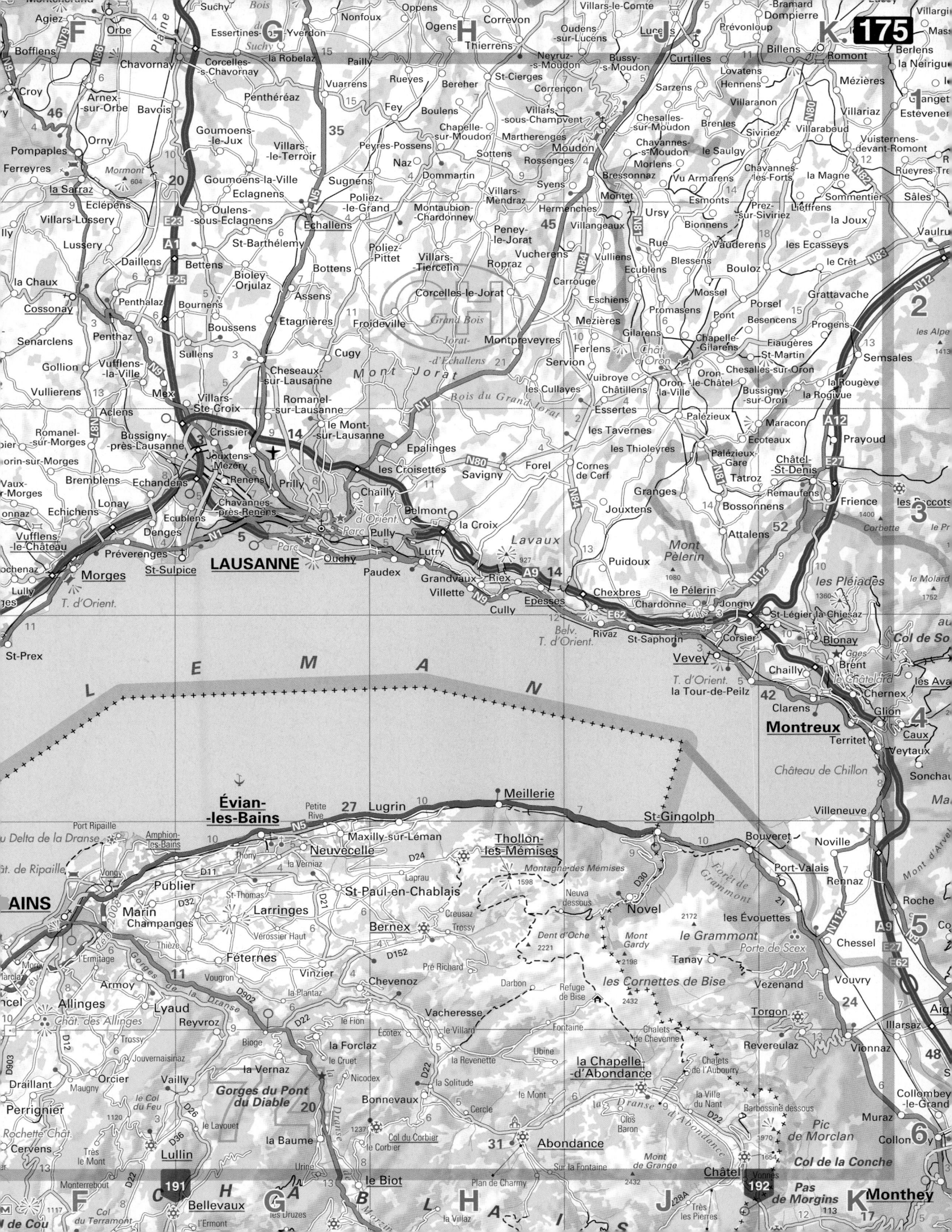

Lausanne
Morges
Montreux
Vevey
Évian-les-Bains
L E M A N
St-Gingolph
Romont
Moudon
Echallens
Cossonay
Lutry
Pully
Thollon-les-Mémises
Abondance
la Chapelle-d'Abondance
Châtel
Monthey
Lullin
Bellevaux
Le Biot
Châtel-St-Denis
Oron-la-Ville
Port-Valais
Torgon
Villeneuve
Château de Chillon
Les Cornettes de Bise
Dent d'Oche
le Grammont
Gorges du Pont du Diable
Col de la Conche
Pas de Morgins
Mont Jorat
Lavaux

A
B
C
D
E
Pertuis Breton
Pointe d'Arçay
les Sablons
l'Aiguillon
160
Pointe de l'Aiguillon
Pointe St-Clément
Esnandes
les Portes-en-Ré
B. de Trousse-Chemise
Rés. Nat. de Lileau des Niges
Loix
Ars-en-Ré
158
la Passe
St-Martin-de-Ré
la Couarde-sur-Mer
la Flotte
le Bois-Plage-en-Ré
Ph. de Chanchardon
Ensembles Littoraux et Marais de l'Île de Ré
le Morinant
les Gros Joncs
Anc. Abb. des Châteliers
Fort de la Prée
Rivedoux-Plage
Sablanceaux
la Noue
Ste-Marie-de-Ré
ÎLE DE RÉ
Ph. de Chauveau
Péage
la Rochelle-Île de Ré
l'Houmeau
Lauzières
Nieul-sur-Mer
Marsilly
la Pelle
Nantilly
Villedoux
Lagord
Puilboreau
St-Xandre
le Payaud
la Sauzaie
Usseau
Dompierre-sur-Mer
les Brandes
Fétilly
Lafond
Rompsay
Laleu
la Pallice
Vieux Port
la Genette
Temple
Vieux Port
Aquarium
Villeneuve des Salines
Périgny
l'Abbaye
Chevillon
St-Rogatien
Varaize
Clavette
LA ROCHELLE
Aytré
Chât. de Buzay
la Jarne
Chassagné
Salles-sur-Mer
Croix-Chapeau
Angoulins
St-Jean des Sables
Chât. de l'Herbaudière
Loin du Bruit
St-Vivien
Châtelaillon-Plage
Vieux Châtelaillon
les Boucholeurs
Rés. Nat. du Marais d'Yves
Voutron
Yves
Pertuis d'Antioche
Ph. de Chassiron
la Morelière
St-Denis-d'Oléron
le Moulin des Combes
la Brée-les-Bains
les Boulassiers
les Huttes
l'Île
Chaucre
Foulerot
St-Georges-d'Oléron
Domino
Chéray
Sauzelle
Boyardville
les Sables Vignier
les Salines
Ensembles Littoraux de l'Île d'Oléron
Lanterne des Morts
St-Pierre-d'Oléron
la Menounière
Arceau
les Allards
Parc Ornithologique
Pierre Levée
Le Marais aux Oiseaux
la Cotinière
Dolus-d'Oléron
Grand Deau
la Brande
la Perroche
la Remigeasse
la Gaconnière
Vert-Bois
Fort
le Château-d'Oléron
Ors
ÎLE D'OLÉRON
Plage
le Grand-Village-Plage
Pont Viaduc d'Oléron
St-Trojan-les-Bains
la Plage
les Bris
Rades des Basques
Île d'Aix
Mais. de l'Empereur
Île-d'Aix
Fort Boyard
la Fumée
Pointe de la Fumée
Fouras
St-Pierre
St-Laurent-de-la-Prée
la Roche
Île Madame
Côte de Piédemont
Port-des-Barques
St-Nazaire-sur-Charente
Fontpourry
Soubise
St-Froult
Anc. Seigneurie des Rohan
Moëze
Rés. Nat. de Moëze-d'Oléron
Croix Hosannière
Parcs à Huîtres
Fort du Chapus
Bourcefranc-le-Chapus
la Tour
Brouage
Hiers-Brouage
Chât. de la Gataudière
le Grand Breuil
194
1
2
3
4
5
6

St-Jean-de-Liversay
Courçon
St-Hilaire-la-Palud
Arçais
Sansais
Frontenay-Rohan
St-Sauveur-d'Aunis
la Laigne
Mauzé-sur-le-Mignon
Épannes
Vérines
Bouhet
St-Médard-d'Aunis
Usseau
Aigrefeuille-d'Aunis
Surgères
St-Georges-du-Bois
Forêt de Benon
Le Thou
St-Germain-de-Marencennes
Breuil-la-Réorte
Vandré
Muron
Genouillé
Landes
Loulay
Tonnay-Boutonne
Tonnay-Charente
ROCHEFORT
St-Hippolyte
Échillais
St-Agnant
Bords
St-Savinien
Grandjean
St-Jean-d'Angély
Annepont
Taillebourg

160
161
178
194
195

Aiffres
Mougon
Thorigné
Beaussais
Prahecq
Celles-sur-Belle
Fors
Melle
St-Martin-lès-Melle
St-Léger-de-la-Martinière
St-Vincent-la-Châtre
Marigny
Beauvoir-sur-Niort
St-Romans-lès-Melle
Mazières-sur-Béronne
Périgné
St-Génard
Maisonnay
Paizay-le-Tort
Secondigné-sur-Belle
Vernoux-sur-Boutonne
Villiers-en-Bois
Brioux-sur-Boutonne
Forêt Dom. de Chizé
Zoorama
Chizé
Chef-Boutonne
Ensigné
Dampierre-sur-Boutonne
la Villedieu
Aubigné
Forêt Domaniale d'Aulnay
Aulnay
St-Mandé-sur-Brédoire
Villemain
Nuaillé-sur-Boutonne
Contré
Saleignes
Romazières
les Éduts
Longré
Villiers-Couture
Couture-d'Argenson
Cherbonnières
Néré
Chives
Fontaine-Chalendray
Seigné
St-Fraigne
Varaize
Cressé
Bazauges
Barbezières
Matha
Beauvais-sur-Matha
Aigre
Haimps
St-Ouen
Verdille
17
79

179
F
G
H
J
K
162
163
180
196
197
40
28
37
39
86
16
Vançais
Rom
Couhé
Vaux
Châtillon
-en-Couhé
Champagné-
-St-Hilaire
la Ferrière-Airoux
Sommières-du-Clain
Châtillon
Romagne
Château-Garnier
Châtelet de Vareilles
Ste-Soline
Vanzay
Brux
Pers
Lanterne des Morts
Chaunay
Caunay
Blanzay
Champniers
St-Romain
Jousse
Payroux
Clussais-
-la-Pommeraie
Champagné-
-le-Sec
Château de la Maillolière
la Chapelle-Bâton
Mauprévoir
Pliboux
Linazay
St-Pierre-
-d'Exideuil
Savigné
Grte du Chaffaud
Château de Rochemeaux
Charroux
Anc. Abb. St-Sauveur
Mairé-Levescault
Sauzé-Vaussais
Limalonges
Civray
Château de Léray
St-Saviol
St-Macoux
St-Gaudent
Genouillé
Asnois
Lorigné
Montalembert
Voulême
Montjean
Londigny
Lizant
Surin
Château de Cibioux
Chatain
Pleuville
les Adjots
la Forêt-
-de-Tessé
la Magdeleine
St-Martin-
-du-Clocher
Taizé-
-Aizie
Bernac
(les Montées)
la Chèvrerie
le Bouchage
Benest
Château d'Ordières
Villiers-
-le-Roux
Ruffec
Condac
Bioussac
Empuré
Villefagnan
la Faye
Alloue
Raix
Nanteuil-
-en-Vallée
Anc. Abb.
Vieux-
-Ruffec
Champagne-
-Mouton
St-Coutant
Courcôme
Villegats
Barro
Verteuil-
-sur-Charente
St-Georges
Tuzie
Souvigné
Bessé
Charmé
Salles-
-de-Villefagnan
Poursac
Chenon
St-Gourson
le Vieux-Cérier
Chassiecq
Turgon
St-Laurent-
-de-Céris
Tusson
Abb. des Dames
Lonnes
Juillé
Ligné
Croix Hausannière
Chenommet
Couture
St-Sulpice-
-de-Ruffec
Beaulieu-
-sur-Sonnette
Parzac
le Grand-
-Madieu
Fontenille
Dolmens
Bayers
Aunac
Moutonneau
Lichères
Luxé
St-Groux
Fouqueure
Fontclaireau
St-Front
Mouton
Valence
Ventouse
Cellefrouin
Lanterne des Morts
St-Claud
Nieuil
Mansle
Villognon
Puyréaux
la Tâche
Cellettes
Maine-de-Boixe
St-Ciers-
-sur-Bonnieure
Lussac
Cours de la Charente
N10
N141
D948
D148
D740

A
B
C
D
E
163
164
179
197
198
86
16
Queaux
Orfonds
Biais
Plaisance
le Banchereau
Lathus-St-Rémy
Moulismes
Chez et Caveaux
les Portes d'Enfer
Chât. de Cluzeau
la Potière
Châtre
Jeu
Chez Tabuteau
Pardines
Chamousseau
la Celle
la Font d'Usson
Nérignac
St-Rémy-en-Montmorillon
les Bordes
Châtl. de la Messelière
Moussac
la Roche
Usson-du-Poitou
le Chaussat
Tageau
Maison Celle
le Breuil
Casc. du Saut de la Brame
la Genebrière
Entrefin
la Chaume
Thiat
la Grande Vergne
Chez Ranger
Tour la Côte au Chapt
Fleuransant
Chez Nadeau
Adriers
le Theix
Bachellerie
la Ressière
la Tâche
Frêté
le Courtioux
l'Isle-Jourdain
St-Paixent
Bel-Air
Bussière-Poitevine
St-Martin-l'Ars
le Vigeant
Roche
Chez Mazeraud
la Roche
Chez Caillaud
Darnac
Miaumande
Combe
Circuit Automobile
le Puy Catelin
Anc. Abb. de la Réau
Port de Salles
Mouterre-sur-Blourde
Pétavaud
St-Liguaire
Millac
Chez Vignant
le Grand Pin
la Ferrandière
Chez Touraud
Villechampagne
le Mas du Bost
Pont St-Martin
St-Sornin-la-Marche
le Bas Sébioux
Badeuil
Chaume
Luchapt
St-Barbant
Lanterne des Morts
le Peu Bataillé
Chansenigoult
Rebeyrolles
Lhubert
Asnières-sur-Blour
St-Martial-sur-Isop
St-Bonnet-de-Bellac
le Theil
la Croix-s
le Pou
les Vieilles Forges
Chez Poirier
Chez Lucas
Bel-Air
Montserand
Menh.
Villedon
la Graule
Chardat
la Manière
Sissac
Chardat
Oradour-Fanais
Darvizat
Availles-Limouzine
Pressac
le Marnier
Gajoubert
les Ages
Chât. de Serre
les Galeries
le Cérier
Abzac
Marcillac
Jouvignac
les Loges
la Croix du Talet
Chanteloube
Mézières-sur-Issoire
Bessereix
la Courade
Chât. de Fayolle
la Châtre
les Champs
Champeaux
Chât. du Fraisse
l'Âge Marenche
la Perche
les Quatre Chemins
l'Issoire
Bel-Air
Le Boucheron
Épenède
la Barde
Lessac
la Chaise
le Terroux
Falaise Granitique de Lessac
Brillac
Chât.
Bonnesseix
Hiesse
St-Germain-de-Confolens
Bussière-Boffy
Nouic
la Seunie
l'Avancée
Chât.
Blond
l'Âge Vieille
le Pignoux
le Transval
Mortemart
Esse
Roche
Chât. des Ducs
Lasfont
la Cour
Montrol-Sénard
Chât. de Villevert
la Courrière
le Dognon
la Ferrandière
Monts
Beaumont
les Essarts
Beauguefier
Joumard
la Valette
Chez Gaucher
Pont
St-Quentin
le Marousse
les Repaires
Confolens
Lesterps
l'Aumônerie
Peyrelade
Villerajouze
Villemier
le Chiron
Priésac
St-Christophe
Montrocher
la Vergne
Chez Fourot
Beaubost
Beaupuy
Ambernac
le Poirier
Ansac-sur-Vienne
Montbazet
la Bregère
St-Martin
le Petit Mesurat
le Chêne Pignier
Mazouin
le Mas
la Cigogne
Montrollet
Villechaise
le Devaix
le Breuil
le Vieux Fougerat
St-Maurice-des-Lions
Pommier
Terracher
Villechéroux
Villeforceix
Marcillac
les Chéronnies
Lésignac
Anglars
Villemonteix
Lascoux
Rouffignac
Villemaleix
Lavenaud
Manot
Rue
Gamory
Saulgond
Brigueuil
Villeneuve
Javerdat
le Goire
Laplaud
le Chambon
les Mottes
Villars
le Couret
la Forêt
Oradour-sur-Glane
les Barussies
Chabrac
la Tuilerie
la Pécoulie
la Gouie
le Masgiral
Lanterne des M
la Glane
le Bourdeau
les Monts
Chirac
Gorce
le Monteil
l'Âge
le Bois Moreau
Laplaud
Assit
Peyras
Chât. de Rochebrune
le Mas
la Jalette
la Bretagne
les Séguines
Agnas
Chadenat
Villepanais
Roumazières-Loubert (la Pièce de l'Étang)
la Sèchère
Site Corot
fin 2006
Touillac
les Quatre Vents
Étagnac
Chabanas
Glane
Montrosier
la Malaise
Exideuil
le Puy de Mallet
la Péruse
Chât. de la Chétardie
les Rivauds
St-Junien
St-Brice-sur-Vienne
Fontafie
Roumazières
Chât. de Peyras
Chabanais
la Vienne
Beaulieu
Saillat-sur-Vienne
Chaillac-sur-Vienne
N.-D. du Pont
St-Martin-de-Jussac
St-Victurni
Puyoernard
Condillac
Grenord
la Vienne
la Gartempe
la Blourde
le Clain
la Clouère
le Payroux
la Courrière
la Marchadaine
la Goire
Vélo-Rail
E603
E62
N141
N147

F
G
H
J
K
164
165
182
198
199
A20
E09
N145
N147
E62
Lhoume
le Bois du Ris
la Villatte
Lémarrière
Menussac
Lascroux
St-Georges-les-Landes
Jeux
la Chaume
Forgevieille
Azat-le-Ris
les Clôtures
Cruet
Mailhac-sur-Benaize
St-Sulpice-les-Feuilles
Bois Mandé
Chez Craud
les Grandes Lignes
le Puy St-Jean
Chap. de la Plain
Tersannes
la Salesse
le Noyer
Lafatvieille
Fontvieille
Vareilles
Essouby
la Chenedière
St-Léger-Magnazeix
Ruffasson
la Villaubrun
Clairbize
St-Agnant-de-Versillat
l'Écluse
Arnac-la-Poste
les Chiers
Gouaineix
Lanterne des Morts
Beautribeau
le Grand Couret
la Brousse
Villagrand
les Petits Caires
la Bussière-Madeleine
le Chiron
Lezat
la Bazeuge
Arcoulant
Foulventour
St-Hilaire-la-Treille
l'Occitane
la Souterraine
Lage-Troinet
Oradour-St-Genest
Dinsac
les Forges
Plaisance
la Poste
Champagnac
la Brame
Mazerat
Chinquioux
Magnac-Laval
la Bachellerie
Dompierre-les-Églises
le Dognon
Dolm.
le Dorat
la Sagne Barrat
Montulat
St-Maurice-la-Souterraine
Sagnemoussouse
la Valette
Cressac
la Zaphix
la Croisière
le Maubert
St-Sornin-Leulac
la Saumagne
le Peux
Faites
la Vallade
St-Priest-le-Betoux
la Valette Montavie
la Bussière Rapy
la Semme
Cros
Mounismes
la Brousse
Villefavard
St-Amand-Magnazeix
Chégurat
Montoys
le Breuil
St-Ouen-sur-Gartempe
Vérines
Fromental
Chabannes
le Nouhaud
Droux
Chégurat
les Cros
la Coulerouze
Peyrat-de-Bellac
Morterolles-sur-Semme
St-Pierre-de-Fursac
Pont
Rancon
Lanterne des Morts
Châteauponsac
St-Étienne-de-Fursac
Blanzac
la Gartempe
la Croix du Breuil
la Traverse
Lavaud
Crépiat
Bellac
Chasseneuil
Laprade
le Cluzeau
le Maubert
le Montillon
Montmaud
Villard
Paulhac
Balledent
Gaffary
Bessines-sur-Gartempe
les Grandes Magnelles
Folles
Fursannes
Lagudée
les Monts
Bois aux Arrêts
l'Ardour
Lacombe
Belzanes
le Petit Boigiraud
St-Junien-les-Combes
Fougerolles
Pierrefiche
Bersac-sur-Rivalier
Dolmens
Charrin
la Chaize
la Borderie
Roussac
la Couze
Villarcoin
Baubiat
Laurière
Berneuil
le Puy
Chatenet-Colon
Maillaufargueix
Nouailles
Volondat
Vauzelle
St-Symphorien-sur-Couze
St-Pardoux
Chanteloube
Bois des Échelles
la Vergne
Breuilaufa
la Garde
la Roche
Charensannes
St-Sulpice-Laurière
la Courrière
Clavière
Razès-Bas
le Mazeaud
le Chatain
le Buis
Étang de St-Pardoux
Jeanmeyrat
les Combes
Puy de Jabreilles
le Fraisse
Pierre Millier
Razès
St-Léger-la-Montagne
Vaulry
Morcheval
le Vincou
le Puymenier
Chabannes
St-Pierre-la-Montagne
les Adoux
Jabreilles-les-Bordes
le Grand Puybouraud
Fregeaigue
la Combe
Brugères
Malley
Arborétum
la Gare
Nantiat
Châtenet-Maussan
Sauvagnac
Chamboret
Fanay
Grandmont
la Jonchère-St-Maurice
Thouron
la Glayeule
Cieux
Compreignac
St-Morat
Vauzelle
la Crouzille
St-Sylvestre
Anc. Abb.
Vieux
Traspont
Grand-Chaud
Taillac
Les Grands Marmiers
Boissournet
Conore
Massac
Sénélas
Gabatoux
Nepoulas
la Chaise
Entrecolles
Banèche
le Petit Charrat
Neuvillas
Montégut
le Coussat
Auziat
les Billanges
Mas de Glane
Peyrilhac
St-Jouvent
Bonnac-la-Côte
les Courrières
Ambazac
St-Laurent-les-Églises
Brugéras
les Villards
Bled
Vedrenne
Peret
les Loges
Bussin
P. du Dognon
Village Martyr
Senon
la Croze
la Glane
le Châtenet
Morcheval
Goupillaux
Bge de St-Marc
le Maureix
Nouaillas
St-Martin-Terressus
la Grange de Boeuil
St-Gence
Nieul
Beaune-les-Mines
Montignac
Chambourssat
Vallée de la Mazelle
les Charriers
le Châtenet-en-Dognon
Doueineix
Veyrac
Chaptelat
les Bardys
Rilhac-Rancon
le Puy-Dieu
St-Martin-du-Fault
Grossereix
Chât. de Salvanais
la Barre
le Theil
St-Priest-Taurion
la Chapelle Blanche
la Chassagne
le Malabre
la Haute Mazelle
le Montfayon
Parc de Loisirs
la Garde
Marie-de-Vaux
Tranchepie
Bellegarde
Mas de l'Age
Couzeix
le Palais-sur-Vienne
Lajoumard

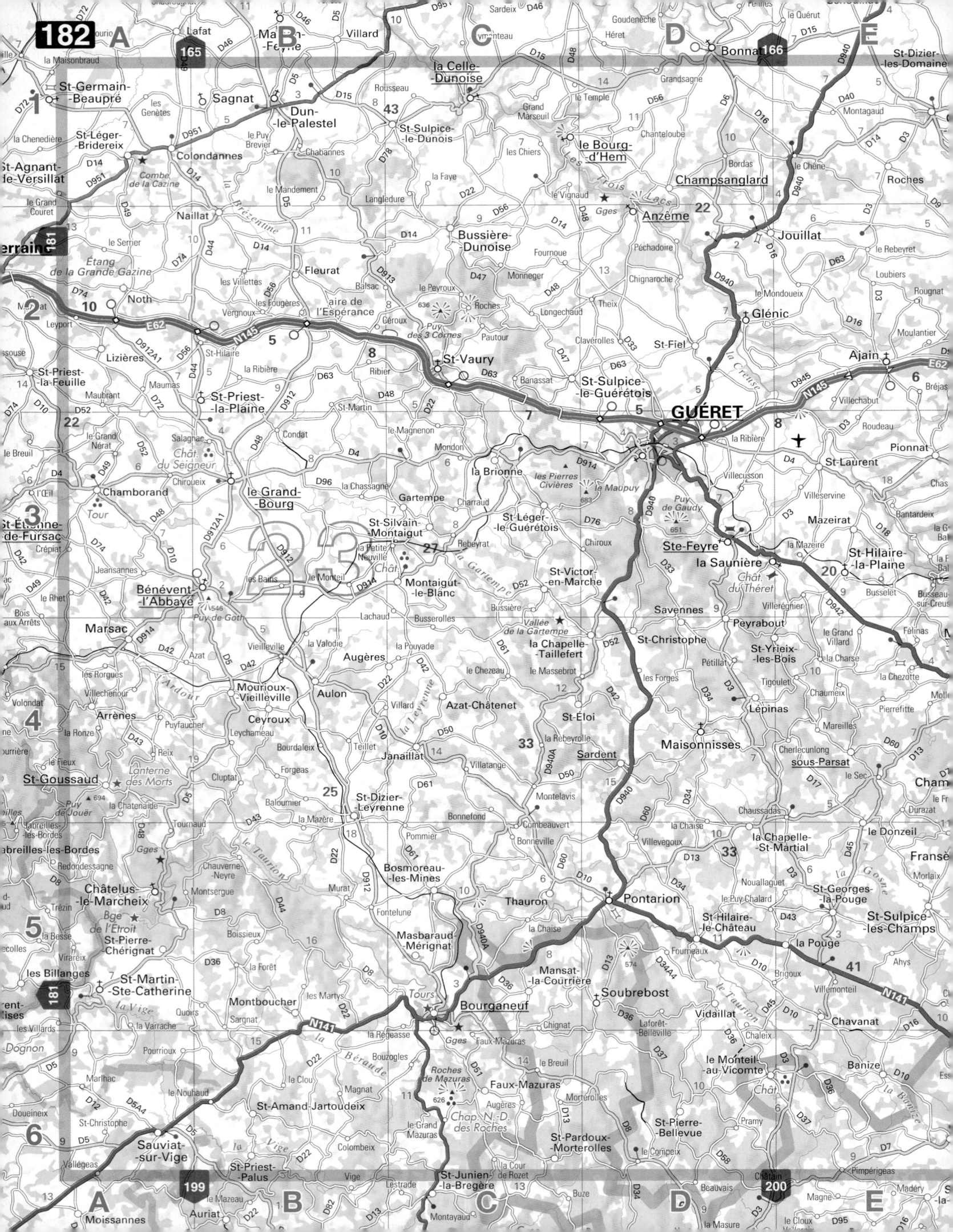

182
A
B
C
D
E
1
2
3
4
5
6
165
166
181
199
200
Lafat
Villard
Sardeix
Goudeneche
Héret
Bonnat
le Quérut
St-Dizier-les-Domaine
la Maisonbraud
la Celle-Dunoise
St-Germain-Beaupré
Sagnat
Dun-le-Palestel
Rousseau
St-Sulpice-le-Dunois
Grand Marseuil
le Temple
Grandsagne
Montagaud
les Genêtes
la Chenedière
St-Léger-Bridereix
Colondannes
le Puy Brevier
Chabannes
le Bourg-d'Hem
Chanteloube
les Chiers
St-Agnant-de-Versillat
Combe de la Cazine
la Faye
Bordas
le Chêne
Roches
le Grand Couret
le Mandement
Langledure
le Vignaud
Gges
Champsanglard
Lacs
Anzême
Naillat
la Brézentine
Bussière-Dunoise
Fournoue
Jouillat
le Rebeyret
le Serrier
Péchadoire
Étang de la Grande Gazine
Fleurat
Monneger
Chignaroche
Loubiers
Rougnat
les Villettes
Balsac
le Peyroux
Roches
le Mondoueix
Noth
Vergnoux
les Fougères
aire de l'Espérance
Puy des 3 Cornes
Longechaud
Theix
Glénic
Leyport
Géroux
Pautour
Clavérolles
St-Fiel
Moulantier
Lizières
St-Hilaire
la Ribière
St-Vaury
Ajain
St-Priest-la-Feuille
Maumas
Ribier
Banassat
St-Sulpice-le-Guérétois
la Creuse
Bréjas
Maubrant
St-Priest-la-Plaine
St-Martin
Villechabut
GUÉRET
Roudeau
le Grand Nérat
Condat
le Magnenon
la Ribière
Salagnac
Chât. du Seigneur
Mondon
Pionnat
le Breuil
la Brionne
les Pierres Civières
le Maupuy
St-Laurent
Chiroueix
la Chassagne
Villecusson
Chamborand
le Grand-Bourg
Gartempe
Charraud
Puy de Gaudy
Villeservine
Tour
St-Léger-le-Guérétois
Mazeirat
Bantardeix
St-Étienne-de-Fursac
St-Silvain-Montaigut
Crépiat
la Petite Neuville
Rebeyrat
Chiroux
Ste-Feyre
la Mazeire
St-Hilaire-la-Plaine
Jeansannes
le Monteil
la Gartempe
la Saunière
Chât. du Théret
Bénévent-l'Abbaye
les Bains
Montaigut-le-Blanc
St-Victor-en-Marche
Busselet
le Rhet
Puy-de-Goth
Bussière
Villerégnier
Bois aux Arrêts
Lachaud
Busserolles
Savennes
Peyrabout
Marsac
Vallée de la Gartempe
la Chapelle-Taillefert
St-Christophe
le Grand Villard
Félinas
Azat
Vieilleville
la Valodie
la Pouyade
St-Yrieix-les-Bois
la Charse
les Rorgues
Augères
Pétillat
l'Ardour
le Chezeau
le Massebrot
les Forges
Tigoulet
la Chezotte
Villechenour
Mourioux-Vieilleville
Aulon
Chaumeix
Volondat
Villard
Azat-Châtenet
St-Éloi
Lépinas
Pierrefitte
Arrènes
Puyfaucher
Ceyroux
Mareilles
Leychameau
la Leyrenne
la Rebeyrolle
Maisonnisses
la Ronze
Reix
Bourdaleix
Teillet
Janaillat
Sardent
le Fieux
Lanterne des Morts
Forgeas
Villatange
Cherlecunlong
sous-Parsat
St-Goussaud
Cluptat
le Sec
Puy de Jouër
la Chatenaide
Baloumier
St-Dizier-Leyrenne
Montelavis
Chaussadas
Durazat
Tournaud
la Mazère
Bonnefond
Combeauvert
la Chaise
la Chapelle-St-Martial
le Donzeil
Labreilles-les-Bordes
Pommier
Bonneville
Villevegoux
Redondessagne
le Taurion
Chauverne-Neyre
Bosmoreau-les-Mines
Noualhaguet
Fransèches
Morlaix
Châtelus-le-Marcheix
Montsergue
Murat
Thauron
Pontarion
le Puy Chalard
St-Georges-la-Pouge
la Gosne
Trézin
Bge de l'Étroit
Fontelune
St-Hilaire-le-Château
St-Sulpice-les-Champs
la Besse
St-Pierre-Chérignat
Boissieux
Masbaraud-Mérignat
la Chaise
Fourneaux
la Pouge
Virareix
Ahys
les Billanges
la Forêt
Mansat-la-Courrière
Brigoux
St-Martin-Ste-Catherine
les Martys
Soubrebost
Villemonteil
la Vige
Quaire
Montboucher
Tours
Bourganeuf
Vidaillat
Chavanat
la Varrache
Sargnat
Chignat
Laforêt-Belleville
les Villards
la Regeasse
Gges
Faux-Mazuras
Chaleix
Pourrioux
la Béraude
Bouzogles
le Breuil
le Monteil-au-Vicomte
Banize
Marlhac
le Clou
Roches de Mazuras
Faux-Mazuras
Châ.
le Nouhaud
Magnat
Augères
Morterolles
Doueineix
St-Amand-Jartoudeix
Chap. N.-D. des Roches
St-Pierre-Bellevue
Pramy
St-Christophe
le Grand Mazuras
St-Pardoux-Morterolles
Sauviat-sur-Vige
Colombeix
le Compeix
Vallègeas
St-Priest-Palus
Vige
la Cour de Rozet
Pimpérigeas
Lestrade
St-Junien-la-Bregère
Buze
Beauvais
Châtain
Madéry
le Mazeau
Auriat
Montayaud
Magne
Moissannes
la Masure
le Cloux

Malleret-Boussac
Gilvain-Bas-le-Roc
Lavaufranche
Châtre de la Commanderie
Les Pierres Jaumâtres
Clugnat
Jalesches
Toulx-Ste-Croix
Soumans
Nouhant
Lamaids
Quinssaines
St-Martinien
Prémilhat
Verneiges
Viersat
Bord-St-Georges
St-Silvain-sous-Toulx
Ladapeyre
Domeyrot
Blaudeix
Rimondeix
Trois-Fonds
Auge
Lépaud
Montluçon-Guéret
la Celle-sous-Gouzon
Budelière
Teillet-Argenty
Bge de Rochebut
Parsac
Gouzon
Chambon-sur-Voueize
Évaux-les-Bains
Jarnages
Lussat
Étang de Landes
Cressat
St-Dizier-la-Tour (la Tour)
Pierrefitte
St-Loup
St-Julien-la-Genête
Tardes
St-Chabrais
St-Julien-le-Châtel
Chénérailles
Sannat
le Chauchet
Reterre
Fontanières
Anc. Abb. de Bonlieu
St-Priest
St-Pardoux-les-Cards
Lavaveix-les-Mines
Peyrat-la-Nonière
Chât. de Mazeau
la Serre-Bussière-Vieille
Mainsat
Arfeuille-Châtain
Rougnat
Issoudun-Létrieix
St-Martial-le-Mont
St-Médard-la-Rochette
St-Domet
Puy-Malsignat
Auzances
Bussière-Nouvelle
Champagnat
Ars
St-Maixant
Bosroger
Bellegarde-en-Marche
Lupersat
le Compas
les Mars
Alleyrat
St-Amand
St-Alpinien
St-Silvain-Bellegarde
Sermur
Brousse
Blessac
Colline du Marchedieu
Châtelard
St-Michel-de-Veisse
Aubusson
Lioux-les-Monges
Chard
Mautes
St-Pardoux-le-Neuf
Gorges de la Rozeille
St-Marc-à-Frongier
Bge des Combes
St-Avit-de-Tardes
la Villetelle
Moutier-Rozeille
Néoux
St-Bard
Mérinchal
Ste-Feyre-la-Montagne
la Villeneuve
Felletin
St-Pardoux-l'Arnet
St-Oradoux-près-Crocq
la Mazière-aux-Bons-Hommes
St-Avit
23
F
G
H
J
K
1
2
3
4
5
6

184
A
B
C
D
E
MONTLUÇON
167
168
Chamblet
le Coq
N371
Doyet
Bézenet
Sazeret
Montmarault
St-Marcel-en-Murat
Lavault-Ste-Anne
Néris-les-Bains
Commentry
Malicorne
Montvicq
Hyds
Louroux-de-Beaune
Beaune-d'Allier
St-Bonnet-de-Four
Blomard
Vernusse
Lignerolles
Villebret
Colombier
St-Genest
Durdat-Larequille
Ste-Thérence
Arpheuilles-St-Priest
la Celle
Lapeyrouse
Louroux-de-Bouble
Coutansouze
Mazirat
Terjat
Ronnet
Ars-les-Favets
Buxières-sous-Montaigut
Échassières
la Petite-Marche
Chambonchard
Marcillat-en-Combraille
la Crouzille
Montaigut
Durmignat
Moureuille
Anc. Abb. de Bellaigue
Virlet
Youx
St-Éloy-les-Mines
Servant
Lalizolle
Nades
St-Marcel-en-Marcillat
St-Fargeol
le Quartier
Chouvigny
Château-sur-Cher
Pionsat
Menat
Gorges de la Sioule
St-Gal-sur-Sioule
St-Hilaire
la Cellette
Teilhet
Neuf-Église
Pouzol
St-Maigner
St-Rémy-de-Blot
Marcillat
St-Maurice-près-Pionsat
Bussières
Ste-Christine
Gouttières
Lisseuil
St-Pardoux
St-Julien-la-Geneste
Roche-d'Agoux
Ayat-sur-Sioule
Blot-l'Église
Espinasse
Vergheas
St-Gervais-d'Auvergne
Châteauneuf-les-Bains
Charbonnières-les-Vieilles
St-Angel
Biollet
St-Priest-des-Champs
Sauret-Besserve
Dontreix
Charensat
63
Viaduc des Fades
Le Méandre de Queuille
Queuille
Vitrac
Manzat
Etang de Chancelade
183
A89
Retenue des Fades-Besserves
St-Georges-de-Mons
Loubeyrat
Montel-de-Gelat
Les Ancizes-Comps (les Ancizes)
Charbonnières-les-Varennes
Villosanges
St-Jacques-d'Ambur
Tralaigues
Miremont
Chapdes-Beaufort
Pulvérières
201
202
Landogne
Montfermy
Gorges du Sioulet
N144

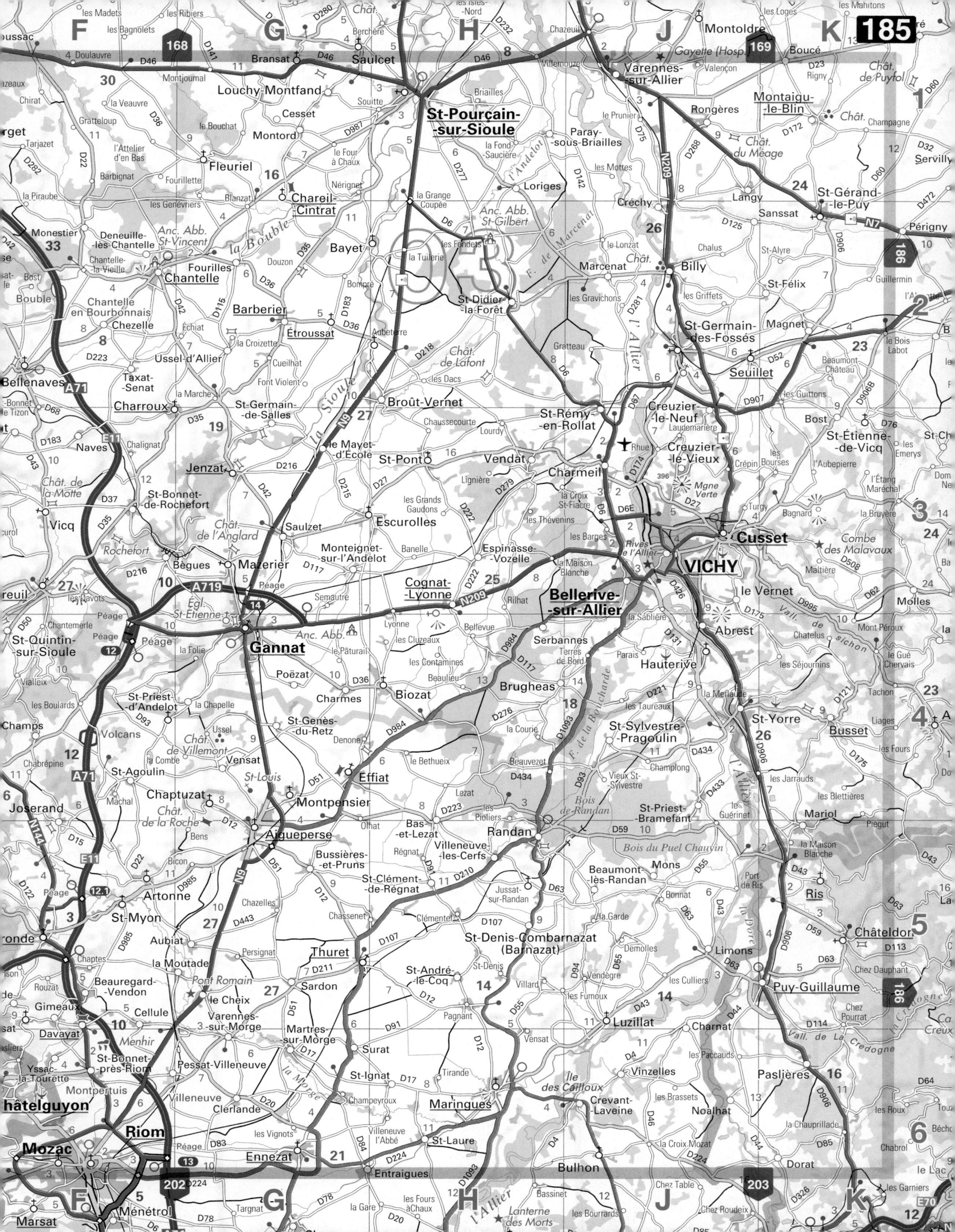
F
G
H
J
K
168
169
186
202
203
St-Pourçain-sur-Sioule
Saulcet
Bransat
Louchy-Montfand
Cesset
Montord
Fleuriel
Chareil-Cintrat
Bayet
Loriges
Paray-sous-Briailles
Varennes-sur-Allier
Montoldre
Bouçé
Montaigu-le-Blin
Rongères
St-Gérand-le-Puy
Sanssat
Langy
Créchy
Billy
Marcenat
St-Didier-la-Forêt
Chantelle
Fourilles
Deneuille-lès-Chantelle
Monestier
Chantelle en Bourbonnais
Chezelle
Barberier
Étroussat
Ussel-d'Allier
Taxat-Senat
Bellenaves
Charroux
St-Germain-de-Salles
Broût-Vernet
Naves
Jenzat
St-Bonnet-de-Rochefort
Vicq
Le Mayet-d'École
St-Pont
Vendat
Charmeil
St-Rémy-en-Rollat
Creuzier-le-Neuf
Creuzier-le-Vieux
St-Germain-des-Fossés
Magnet
Seuillet
St-Félix
Bost
St-Étienne-de-Vicq
Escurolles
Saulzet
Mazerier
Bègues
Monteignet-sur-l'Andelot
Espinasse-Vozelle
Cognat-Lyonne
Bellerive-sur-Allier
VICHY
Cusset
le Vernet
Abrest
Molles
Gannat
St-Quintin-sur-Sioule
Serbannes
Hauterive
Biozat
Charmes
Poëzat
Brugheas
St-Yorre
Busset
St-Sylvestre-Pragoulin
St-Priest-d'Andelot
St-Genès-du-Retz
Effiat
Vensat
St-Agoulin
Chaptuzat
Montpensier
Joserand
Aigueperse
Bas-et-Lezat
Randan
St-Priest-Bramefant
Mariol
Villeneuve-les-Cerfs
Bussières-et-Pruns
St-Clément-de-Régnat
Beaumont-lès-Randan
Mons
Ris
Artonne
St-Myon
Aubiat
Thuret
St-Denis-Combarnazat (Barnazat)
Limons
Châteldon
Puy-Guillaume
la Moutade
Beauregard-Vendon
Sardon
St-André-le-Coq
Cellule
Varennes-sur-Morge
Martres-sur-Morge
Surat
Luzillat
Charnat
Davayat
St-Bonnet-près-Riom
Pessat-Villeneuve
St-Ignat
Vinzelles
Paslières
Châtelguyon
Villeneuve
Clerlande
Maringues
Crevant-Laveine
Noalhat
Riom
Mozac
Ennezat
St-Laure
Entraigues
Bulhon
Dorat
Ménétrol
Marsat
A71
A719
N9
N209
N7
N144
E11
E70
D906
D1093

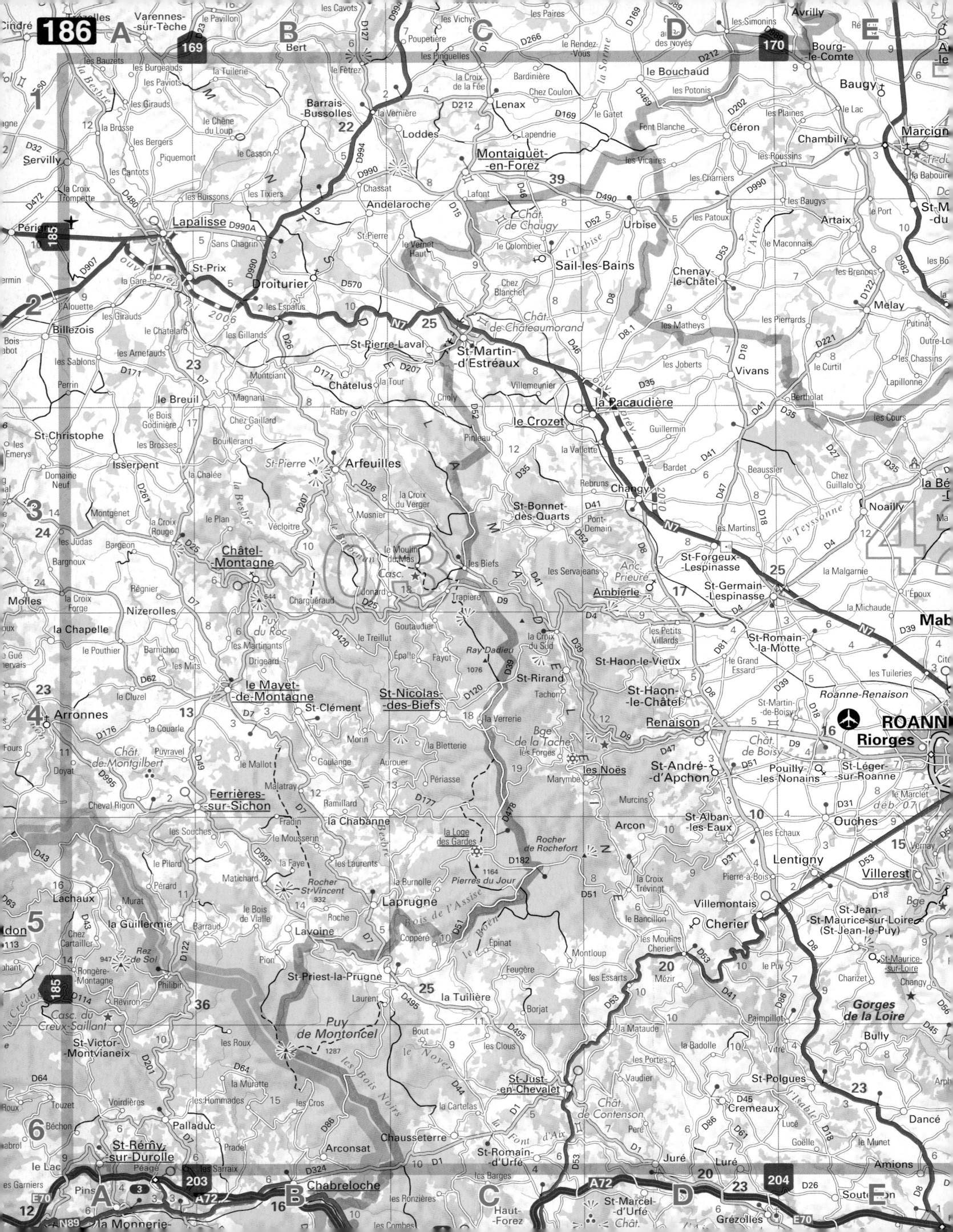
169
170
185
203
204
A
B
C
D
E
1
2
3
4
5
6
Trézelles
Varennes-sur-Tèche
le Pavillon
les Cavots
les Vichys
les Paires
Avrilly
les Simonins
Cindré
Bert
Poupetière
le Rendez-Vous
au Bois des Noyés
Bourg-le-Comte
les Bauzets
les Pinguelles
le Fêtrez
les Burgeauds
la Tuilerie
la Croix de la Fée
Bardinière
le Bouchaud
Baugy
les Paviots
Chez Coulon
les Potonis
les Giraudis
Barrais-Bussolles
la Vernière
Lenax
le Gatet
Font Blanche
Céron
les Plaines
le Lac
la Brosse
le Chêne du Loup
Loddes
Lapendrie
Chambilly
Marcigny
les Bergers
Servilly
Piquemort
le Casson
Montaiguët-en-Forez
les Vicaires
les Roussins
les Cantots
Chassat
les Charriers
la Babouin
la Croix Trompette
les Buissons
les Tixiers
Lafont
les Baugys
Andelaroche
Artaix
Lapalisse
Sans Chagrin
St-Pierre
Châtᵗ de Chaugy
Urbise
les Patoux
le Port
le Maconnais
le Vernet Haut
le Colombier
Sail-les-Bains
St-Prix
Droiturier
la Gare
Chez Blanchet
Chenay-le-Châtel
les Brenons
l'Alouette
les Espalus
Melay
Billezois
les Giraudis
le Chatelard
Châtᵗ de Châteaumorand
les Matheys
les Pierrards
les Gillands
St-Pierre-Laval
St-Martin-d'Estréaux
les Joberts
Vivans
le Curtil
Outre-Loire
les Chassins
les Arnefauds
les Sablons
Montciant
Châtelus
la Tour
Villemeunier
Lapillonne
Perrin
le Breuil
Magnant
Choly
la Pacaudière
Bertholat
Raby
le Crozet
Guillermin
les Cours
le Bois Godinière
Chez Gaillard
St-Christophe
les Emerys
Bouillerand
les Brosses
Pinleau
la Vallette
Isserpent
St-Pierre
Arfeuilles
Bardet
Beaussier
Domaine Neuf
la Chalée
Rebruns
Changy
Chez Guillalo
la Croix du Verger
Noailly
Montgenet
le Plan
Mosnier
St-Bonnet-des-Quarts
Pont-Demain
les Martins
la Croix Rouge
Vécloitre
les Judas
Bargeon
Châtel-Montagne
le Moulin du Mas
les Biefs
St-Forgeux-Lespinasse
Bargnoux
les Servajeans
Anc. Prieuré
la Malgarnie
Casc.
St-Germain-Lespinasse
Régnier
Ambierle
l'Époux
Molles
la Croix Forge
Charguéraud
Jonard
Trapière
Nizerolles
Puy du Roc
la Michaude
la Chapelle
Goutaudier
la Croix du Sud
les Petits Villards
St-Romain-la-Motte
les Martinants
le Treillut
le Pouthier
Barnichon
Drigeard
Épalle
Fayot
Ray Dadieu
St-Haon-le-Vieux
le Grand Essard
les Tuileries
les Mits
St-Rirand
Tachon
le Cluzel
le Mayet-de-Montagne
St-Clément
St-Nicolas-des-Biefs
St-Haon-le-Châtel
St-Martin-de-Boisy
Roanne-Renaison
Arronnes
la Couarle
la Verrerie
Renaison
ROANNE
Riorges
Bge de la Tache
les Forges
Châtᵗ de Boisy
Morin
la Bletterie
Fours
Châtᵗ de Montgilbert
Puyravel
le Mallot
Goulange
Aurouer
Périasse
les Noës
Marymbe
St-André-d'Apchon
Pouilly-les-Nonains
St-Léger-sur-Roanne
Doyat
le Marclet
Cheval Rigon
Ferrières-sur-Sichon
Malatray
Ramillard
Murcins
Ouches
la Chabanne
St-Alban-les-Eaux
Arcon
Fradin
la Loge des Gardes
Rocher de Rochefort
les Souches
le Mousserin
les Échaux
Vernay
le Pilard
la Faye
les Laurents
Lentigny
Villerest
Pierre-à-Bois
Pérard
Matichard
la Burnolle
Pierres du Jour
la Croix Trévingt
Lachaux
Rocher St-Vincent
Murat
Laprugne
Villemontais
Chez Cartailler
la Guillermie
le Bois de Vialle
Barraud
Roche
Bois de l'Assise
le Bancillon
Cherier
St-Jean-St-Maurice-sur-Loire (St-Jean-le-Puy)
Lavoine
Coppéré
Épinat
les Moulins Cherier
Rez de Sol
Pion
Montloup
St-Maurice-sur-Loire
Rongère-Montagne
Philibin
St-Priest-la-Prugne
Feugère
les Essarts
Mézir
le Puy
Charizet
Réviron
Laurent
la Tuilière
Changy
Casc. du Creux-Saillant
Borjat
Gorges de la Loire
St-Victor-Montvianeix
Puy de Montoncel
Bout
la Mataude
Paimpillot
les Roux
les Clous
le Noyer
la Badolle
Bully
Vitré
les Portes
la Murette
Vaudier
St-Polgues
Touzet
Voirdières
les Hommades
les Cros
les Bois Noirs
St-Just-en-Chevalet
la Cartelas
Châtᵗ de Contenson
Cremeaux
Dancé
Béchon
Palladuc
Pradel
Arconsat
Chausseterre
Pere
Lucé
Goëlle
le Munet
St-Rémy-sur-Durolle
St-Romain-d'Urfé
Juré
Luré
Amions
le Lac
les Sarraix
Péage
les Barges
les Garniers
Pins
Chabreloche
les Ronzières
St-Marcel-d'Urfé
Souternon
la Monnerie-
Haut-Forez
les Combes
Grézolles
la Besbre
la Sorme
l'Urbise
l'Arçon
la Teyssonne
le Boën
la Credogne
l'Isable
la Font d'Aix
MONTS DE LA MADELEINE
03
42
N7
A72
E70
N89
D990
D990A
D907
D32
D472
D480
D26
D171
D207
D7
D261
D25
D420
D62
D176
D995
D49
D43
D122
D114
D201
D64
D324
D1
D53
D495
D44
D51
D182
D478
D177
D120
D39
D9
D41
D52
D35
D46
D8
D8.1
D18
D47
D81
D4
D47
D31
D53
D18
D86
D45
D61
D26
D27
D221
D122
D982
D490
D52
D570
D212
D169
D266
D202
D469
D994
D127
D15
D53
D56
D45
644
1076
1164
932
1287
947

MÂCON
Charnay-lès-Mâcon
St-Laurent-sur-Saône
Replonges
St-André-de-Bâgé
Solutré-Pouilly
Roche de Solutré
Chasselas
Crêches-sur-Saône
Pont-de-Veyle
Crottet
St-Cyr-sur-Menthon
St-Jean-sur-Veyle
Juliénas
St-Amour-Bellevue
Vonnas
St-Julien-sur-Veyle
Romanèche-Thorins
Thoissey
Neuville-les-Dames
Beaujeu
Corcelles-en-Beaujolais
Quincié-en-Beaujolais
Belleville
Châtillon-sur-Chalaronne
Montmerle-sur-Saône
St-Trivier-sur-Moignans
St-Georges-de-Reneins
Salles-Arbuissonnas-en-Beaujolais
St-Julien
VILLEFRANCHE-SUR-SAÔNE
Montmelas-St-Sorlin
Villars-les-Dombes
Ambérieux-en-Dombes
Ars-sur-Formans
Jassans-Riottier
Gleizé
Jarnioux
Trévoux
Oingt
Theizé
Chazay-d'Azergues
St-Jean-des-Vignes
Châtillon
Montluel
BEAUJOLAIS
DOMBES

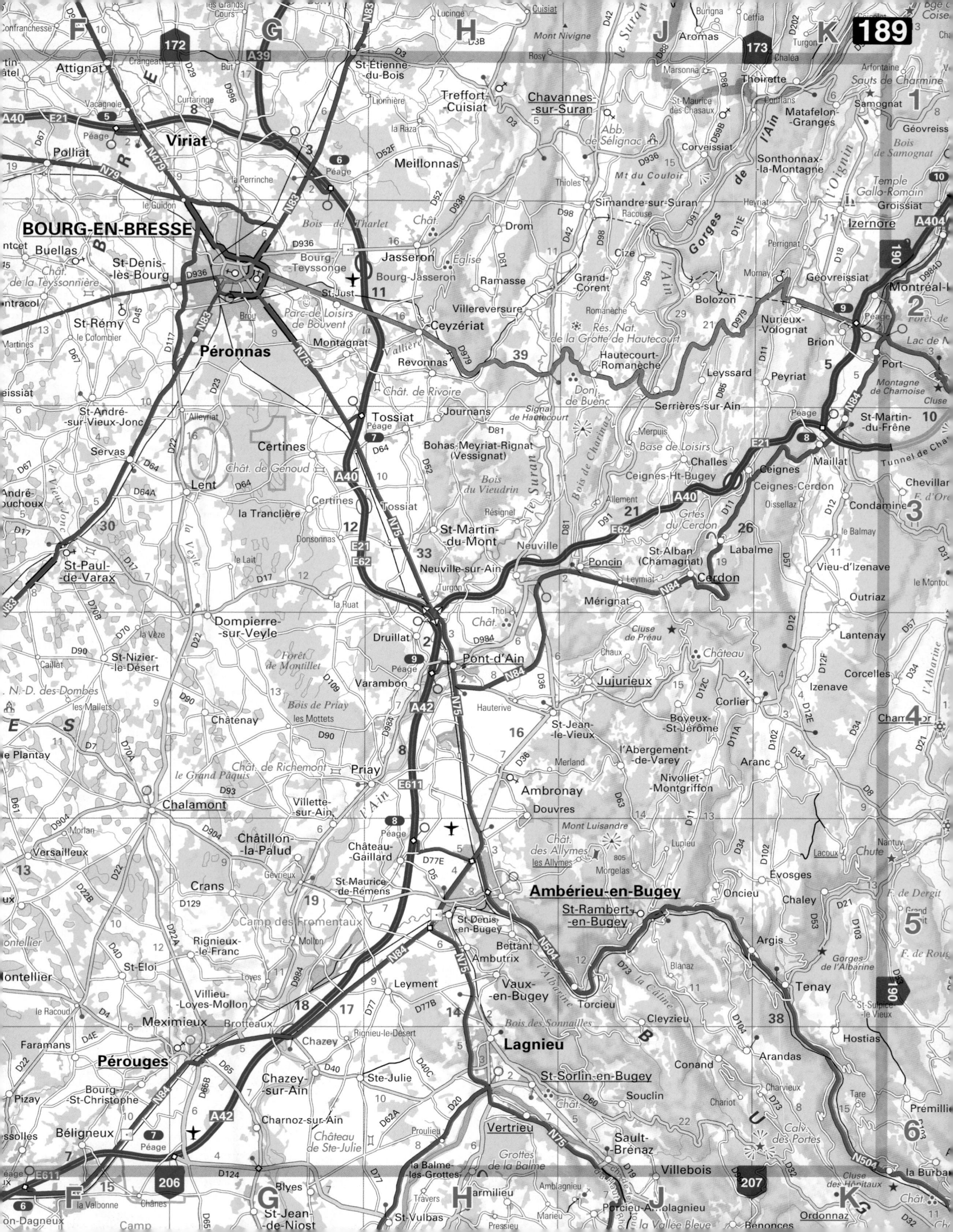
BOURG-EN-BRESSE
Viriat
Péronnas
Attignat
Polliat
Buellas
St-Denis-lès-Bourg
St-Rémy
Meillonnas
Treffort-Cuisiat
St-Étienne-du-Bois
Jasseron
Ceyzériat
Montagnat
Revonnas
Tossiat
Journans
Certines
Lent
Servas
St-André-sur-Vieux-Jonc
St-Paul-de-Varax
Dompierre-sur-Veyle
St-Nizier-le-Désert
Châtenay
Chalamont
Versailleux
Châtillon-la-Palud
Crans
Rignieux-le-Franc
St-Éloi
Villieu-Loyes-Mollon
Meximieux
Pérouges
Béligneux
Bourg-St-Christophe
Pizay
Faramans
Chazey-sur-Ain
Charnoz-sur-Ain
Ste-Julie
Leyment
Lagnieu
St-Sorlin-en-Bugey
Vertrieu
Sault-Brénaz
Villebois
Souclin
Vaux-en-Bugey
Torcieu
Ambutrix
Bettant
Ambérieu-en-Bugey
St-Rambert-en-Bugey
St-Denis-en-Bugey
St-Maurice-de-Rémens
Château-Gaillard
Villette-sur-Ain
Priay
Varambon
Pont-d'Ain
Druillat
Ambronay
Douvres
St-Jean-le-Vieux
Jujurieux
Neuville-sur-Ain
St-Martin-du-Mont
Bohas-Meyriat-Rignat (Vessignat)
Poncin
Cerdon
Mérignat
St-Alban (Chamagnat)
Labalme
Challes
Ceignes
Maillat
St-Martin-du-Frêne
Serrières-sur-Ain
Hautecourt-Romanèche
Villereversure
Ramasse
Drom
Simandre-sur-Suran
Chavannes-sur-Suran
Cize
Grand-Corent
Bolozon
Nurieux-Volognat
Brion
Montréal-la-Cluse
Port
Peyriat
Leyssard
Izernore
Géovreissiat
Samognat
Matafelon-Granges
Thoirette
Corveissiat
Sonthonnax-la-Montagne
Aromas
Condamine
Vieu-d'Izenave
Outriaz
Lantenay
Izenave
Corcelles
Corlier
Boyeux-St-Jérôme
L'Abergement-de-Varey
Nivollet-Montgriffon
Aranc
Évosges
Oncieu
Chaley
Argis
Tenay
Hostias
Cleyzieu
Conand
Arandas
Prémillieu
Blyes
St-Jean-de-Niost
St-Vulbas
Loyettes
Porcieu-Amblagnieu
Ordonnaz
Gorges de l'Ain
Gorges de l'Albarine
Grottes de la Balme
Camp des Fromentaux
A40
A42
A39
A404
N75
N84
N83
N504
F
G
H
J
K
1
2
3
4
5
6
172
173
190
206
207

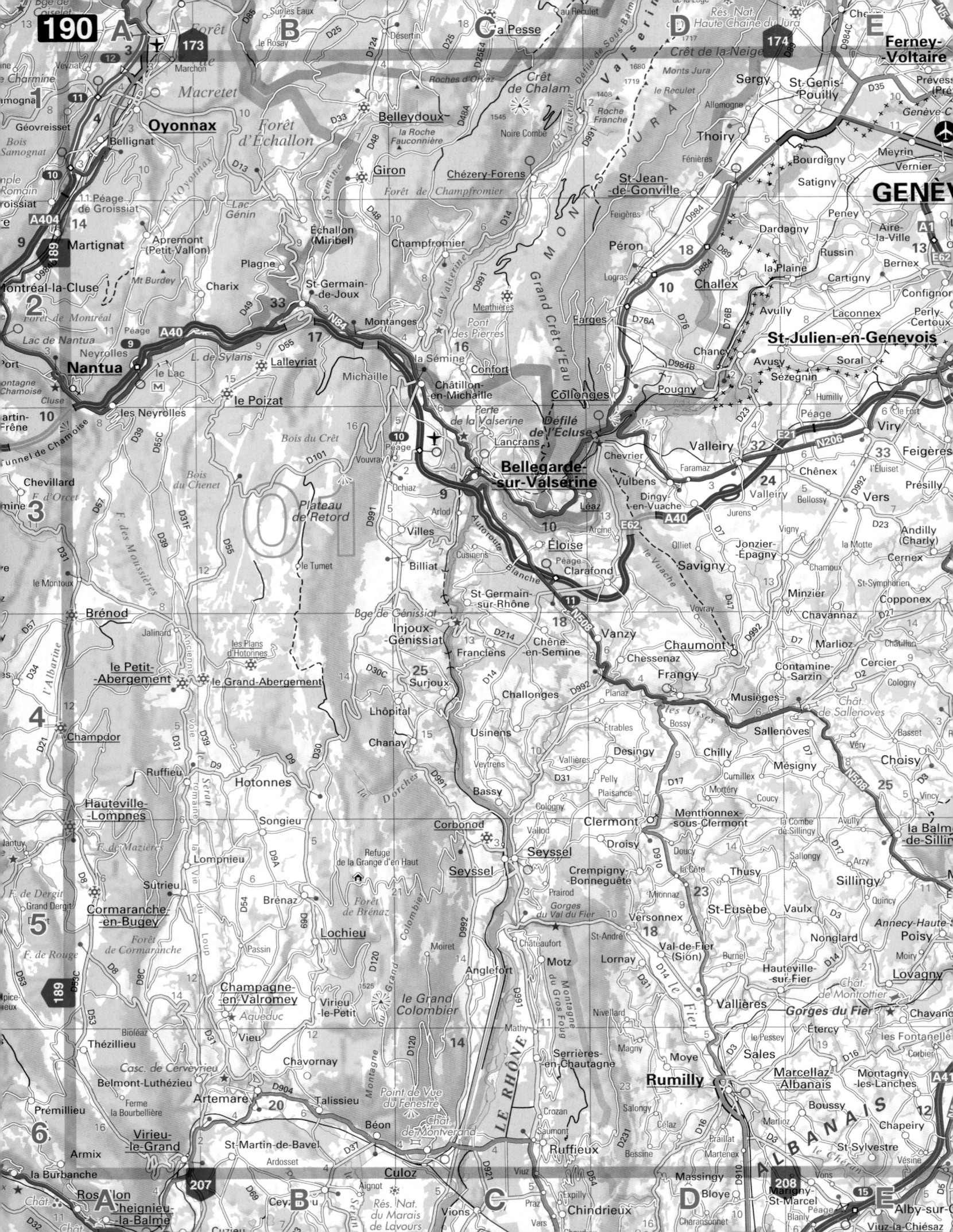

A
B
C
D
E
173
174
189
207
208
1
2
3
4
5
6
Forêt de Macretet
Oyonnax
Forêt d'Échallon
Bellignat
Géovreisset
Marchon
Veyziat
Charmine
Groissiat
Péage de Groissiat
Martignat
Apremont (Petit-Vallon)
Lac Génin
Mt Burdey
Montréal-la-Cluse
Charix
Plagne
Échallon (Miribel)
Belleydoux
la Roche Fauconnière
Giron
Forêt de Champfromier
Champfromier
Chézery-Forens
Crêt de Chalam
Noire Combe
Roche Franche
Crêt de la Neige
Monts Jura
le Reculet
Rés. Nat. Haute Chaîne du Jura
Roches d'Orvaz
La Pesse
Désertin
le Rosay
Sur les Eaux
au Reculet
Ferney-Voltaire
Sergy
St-Genis-Pouilly
Thoiry
Allemogne
Fénières
St-Jean-de-Gonville
Meyrin
Vernier
Satigny
Bourdigny
GENÈVE
Peney
Aire-la-Ville
Dardagny
Russin
Bernex
Péron
la Plaine
Cartigny
Confignon
Challex
Avully
Laconnex
Perly-Certoux
Farges
Chancy
Avusy
Soral
St-Julien-en-Genevois
Sézegnin
Pougny
Collonges
Défilé de l'Écluse
Humilly
Viry
Valleiry
Feigères
Chênex
Présilly
Vers
Vulbens
Dingy-en-Vuache
Léaz
Bellegarde-sur-Valserine
Lancrans
Perte de la Valserine
Châtillon-en-Michaille
la Sémine
Confort
Pont des Pierres
Menthières
Grand Crêt d'Eau
Montanges
St-Germain-de-Joux
Michaille
Lalleyriat
L. de Sylans
Nantua
Lac de Nantua
Neyrolles
le Lac
le Poizat
les Neyrolles
Forêt de Montréal
Tunnel de Chamoise
Bois du Crêt
Bois du Chenet
Plateau de Retord
Vouvray
Ochiaz
Villes
Billiat
Arlod
Éloise
Clarafond
Arcine
Cusinens
Autoroute Blanche
St-Germain-sur-Rhône
Savigny
Jonzier-Épagny
Andilly (Charly)
Cernex
Minzier
Copponex
Chavannaz
le Vuache
Chaumont
Vanzy
Chêne-en-Semine
Chessenaz
Frangy
Marlioz
Contamine-Sarzin
Cercier
Bge de Génissiat
Injoux-Génissiat
Franclens
Surjoux
Challonges
Lhôpital
Chanay
Musièges
Châ. de Sallenôves
Sallenôves
Usinens
Desingy
Chilly
Mésigny
Choisy
Bassy
Clermont
Menthonnex-sous-Clermont
Droisy
la Balme-de-Sillingy
Sillingy
Corbonod
Seyssel
Crempigny-Bonneguête
Thusy
St-Eusèbe
Vaulx
Versonnex
Val-de-Fier (Sion)
Lornay
Nonglard
Poisy
Hauteville-sur-Fier
Lovagny
Gorges du Fier
Vallières
Sales
Rumilly
Marcellaz-Albanais
Montagny-les-Lanches
Boussy
Chapeiry
St-Sylvestre
ALBANAIS
Massingy
Bloye
Marigny-St-Marcel
Alby-sur-Chéran
Chevillard
Brénod
le Montoux
Jalinard
les Plans d'Hotonnes
le Petit-Abergement
le Grand-Abergement
Champdor
Ruffieu
Hotonnes
Hauteville-Lompnes
Songieu
Lompnieu
Sûtrieu
Cormaranche-en-Bugey
Forêt de Cormaranche
Brénaz
Lochieu
Forêt de Brénaz
Refuge de la Grange d'en Haut
Champagne-en-Valromey
Aqueduc
Virieu-le-Petit
le Grand Colombier
Vieu
Thézillieu
Chavornay
Casc. de Cerveyrieu
Belmont-Luthézieu
Artemare
Talissieu
Point de Vue du Fenestre
Béon
Châ. de Montverand
Prémillieu
Virieu-le-Grand
Armix
St-Martin-de-Bavel
la Burbanche
Rossillon
Cheignieu-la-Balme
Culoz
Rés. Nat. du Marais de Lavours
Anglefort
Motz
Serrières-en-Chautagne
LE RHÔNE
Ruffieux
Chindrieux
Vions
A40
A404
A41
N84
N206
N508
E21
E62

Annemasse
Gaillard
Bonneville
Cluses
Scionzier
la Roche-sur-Foron
ANNECY
Annecy-le-Vieux
Thônes
LAC D'ANNECY
Sévrier
St-Jorioz
Talloires
Menthon-St-Bernard
Veyrier-du-Lac
Duingt
Thorens-Glières
Plateau des Glières
le Grand-Bornand
St-Jean-de-Sixt
la Clusaz
les Villards-sur-Thônes
Manigod
Col des Aravis
la Giettaz
Flumet
Notre-Dame-de-Bellecombe
Praz-sur-Arly
Sallanches
Mieussy
St-Jeoire
Viuz-en-Sallaz
la Tour
Contamine-sur-Arve
Reignier
Arbusigny
Archamps
Collonges-sous-Salève
Mont Salève
Cruseilles
Monnetier-Mornex
Machilly
St-Cergues
Saxel
Habère-Poche
Mégevette
Onnion
le Reposoir
Chaîne du Bargy
le Petit-Bornand-les-Glières
Mont-Saxonnex
Brizon
Marignier
Thyez
Ayse
Amancy
Chaîne des Aravis
Necropole Nationale de Morette
F A U C I G N

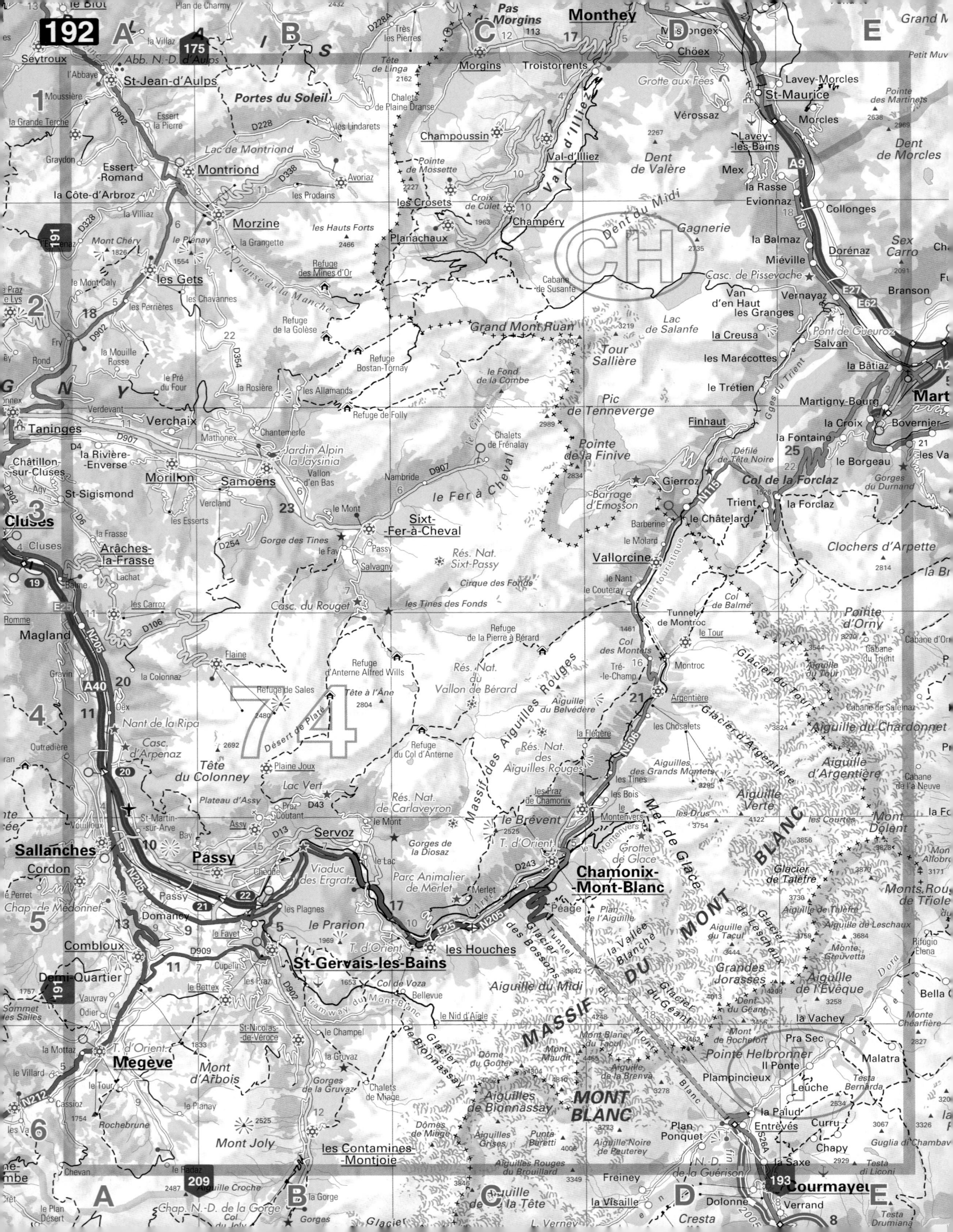

175
Monthey
Pas de Morgins
Seytroux
Abb. N.-D. d'Aulps
St-Jean-d'Aulps
Portes du Soleil
Morgins
Troistorrents
Chöex
St-Maurice
Lavey-Morcles
Morcles
Vérossaz
Tête de Linga
Chalets de Plaine Dranse
Les Lindarets
Champoussin
Val-d'Illiez
Lavey-les-Bains
Dent de Valère
Dent de Morcles
Lac de Montriond
Montriond
Essert-Romand
Avoriaz
Pointe de Mossette
la Côte-d'Arbroz
les Prodains
les Crosets
Croix de Culet
Champéry
Mex
la Rasse
Evionnaz
Collonges
Dent du Midi
Morzine
les Hauts Forts
Planachaux
Gagnerie
la Balmaz
Dorénaz
Mont Chéry
le Pleney
la Grangette
la Dranse de la Manche
Refuge des Mines d'Or
Mieville
les Gets
Cabane de Susanfe
Casc. de Pissevache
Van d'en Haut
les Granges
Vernayaz
Branson
Lac de Salanfe
Refuge de la Golèse
Grand Mont Ruan
Tour Sallière
la Creusa
Pont de Gueuroz
Salvan
les Marécottes
Refuge Bostan-Tornay
la Bâtiaz
le Pré du Four
la Rosière
les Allamands
le Fond de la Combe
Pic de Tenneverge
le Trétien
Martigny-Bourg
Verdevant
Verchaix
Taninges
Refuge de Folly
Finhaut
la Croix
Bovernier
Mathonex
Chantemerle
Chalets de Frénalay
Pointe de la Finive
la Fontaine
le Borgeau
la Rivière-Enverse
Jardin Alpin la Jaysinia
Défilé de Tête Noire
Châtillon-sur-Cluses
Morillon
Samoëns
Vallon d'en Bas
Nambride
le Fer à Cheval
Col de la Forclaz
Gierroz
Barrage d'Emosson
Trient
la Forclaz
St-Sigismond
Cluses
Vercland
les Esserts
le Mont
Sixt-Fer-à-Cheval
Barberine
le Châtelard
la Frasse
Arâches-la-Frasse
Gorge des Tines
le Fay
Passy
Rés. Nat. Sixt-Passy
le Molard
Vallorcine
Clochers d'Arpette
Lachat
Salvagny
Cirque des Fonds
le Nant
le Couteray
Balme
les Carroz
Casc. du Rouget
les Tines des Fonds
Col de Balme
Tunnel de Montroc
Pointe d'Orny
Magland
Refuge de la Pierre à Bérard
Col des Montets
le Tour
Cabane du Trient
Flaine
Refuge d'Anterne Alfred Wills
Rés. Nat. du Vallon de Bérard
Tré-le-Champ
Montroc
Glacier du Tour
Aiguille du Tour
la Colonnaz
Refuge de Sales
Tête à l'Âne
Massif des Aiguilles Rouges
Aiguille du Belvédère
Argentière
Cabane de Saleinaz
Désert de Platé
les Chosalets
Glacier d'Argentière
Aiguille du Chardonnet
Nant de la Ripa
Casc. d'Arpenaz
Refuge du Col d'Anterne
la Flégère
Rés. Nat. des Aiguilles Rouges
Aiguille d'Argentière
Cabane de l'A Neuve
Tête du Colonney
Plaine Joux
Aiguilles des Grands Montets
les Tines
Aiguille Verte
Lac Vert
Plateau d'Assy
Rés. Nat. de Carlaveyron
les Praz de Chamonix
les Bois
Mer de Glace
Montenvers
les Drus
les Courtes
Mont Dolent
St-Martin-sur-Arve
Assy
Servoz
le Mont
le Brévent
Grotte de Glace
Gorges de la Diosaz
T. d'Orient.
Glacier de Talèfre
Sallanches
Passy
Viaduc des Egratz
le Lac
Chamonix-Mont-Blanc
Cordon
Chedde
Parc Animalier de Merlet
Merlet
Aiguille de Talèfre
Monts Rouges de Triolet
Chap. de Médonnet
Domancy
les Plagnes
le Prarion
les Houches
Plan de l'Aiguille
Glacier des Bossons
la Vallée Blanche
Aiguille du Tacul
Aiguille de Leschaux
Combloux
le Fayet
St-Gervais-les-Bains
Tunnel du Mont Blanc
Grandes Jorasses
Mont Gruetta
Rifugio Elena
Demi-Quartier
Cupelin
le Bettex
les Praz
Col de Voza
Bellevue
Aiguille du Midi
Glacier du Géant
Aiguille de l'Évêque
Sommet des Salles
Vauvray
tramway du Mont-Blanc
le Nid d'Aigle
Massif du Mont Blanc
Dent du Géant
la Vachey
Mont Chéarfière
St-Nicolas-de-Véroce
le Champel
Glacier de Bionnassay
Mont Blanc du Tacul
Mont Maudit
Mont de Rochefort
Pra Sec
Malatra
la Mottaz
Megève
Mont d'Arbois
Dôme du Goûter
Pointe Helbronner
Il Ponte
le Villard
la Gruvaz
Aiguille de la Brenva
Plampincieux
Testa Bernarda
Gorges de la Gruvaz
Chalets de Miage
Aiguilles de Bionnassay
Mont Blanc
Leuché
Cassioz
le Planay
la Palud
Rochebrune
Dômes de Miage
Aiguilles Grises
Punta Baretti
Aiguille Noire de Peuterey
Plan Ponquet
Entrèves
Curru
Mont Joly
les Contamines-Montjoie
Chapy
Guglia di Chambave
Chevan
le Radaz
Aiguilles Rouges du Brouillard
la Saxe
Testa di Liconi
209
Aiguille Croche
Freiney
N.-D. de la Guérison
193
Courmayeur
la Gorge
Aiguille de la Tête
la Visaille
Dolonne
Verrand
le Plan Désert
Chap. N.-D. de la Gorge
Gorges
Glacier
Cresta
Testa Drumiana
74
CH
191

Courmayeur
Dolonne
Verrand
Cresta d'Arp
Pallusieux
Pré-St-Didier
Lavancher
Morgex
Morge
Castello di Châtelard
la Salle
Court di Bard
Pautex
Arpi
le Pont
Villair
Chabodey
Lazei
Derby
Vedun
Vens
Fossaz
St-Nicolas
Villeneuve
Avise
Runaz
Lavergogne
Arvier
Villes
Indrod
Défilé de Pierre-Taillée
Becca Pugnenta
Monte Charvel
Torre del Tighet
Monte Colombo
Monte Colmet
Monte Lusse
Monte Monbette
Planaval
Chamençon
Rhêmes-St-Georges
Buillet
Monte Paramont
Rifugio Deffeyes
la Betthaz
Plante
Valgrisenche
Bonne
Becca del Merlo
Voëx
Monte Paillasse
Becca di Tos
Prossaz
Kovenaud
Melignon
Valsavarenche
Becca di Pré d'Amont
L. di Beauregard
Becca di Tei
Carre
Chanavey
Rhêmes-Notre-Dame
Surier
PARCO
DEL
GRAN
Grande Rousse Nord
Truc Blanc
Punta Bassac Nord
Punta Bassac Sud
Rifugio Benevolo
Monte Taou Blanc
Punta Grand Vaudala
Rifugio Savoia
Punta Violetta
Rifugio Città di Chivasso
Serru
Pointe de la Galise
Rifugio Alpinisti Chivassesi
Grande Aiguille Rousse
Aiguille Percée
Levanna Occidentale
Refuge du Carro
la Duis
Glacier des Sources de l'Arc
Pointe Mezzenile
Cirque des Évettes
Pic Regaud
Punta Albaron di Sea
Pointes du Grand Fond
l'Albaron
Uia di Ciamarella
Aiguille de tré la Tête
Glacier de Tré la Tête
la Visaille
L. Verney
Val Veny
Rifugio Elisabetta
Monte Favre
Tête de l'Âne
Aiguille de la Lex Blanche
Montagne des Glaciers
Refuge Robert Blanc
Col de la Seigne
Monte Percé
Monte Berio Blanc
Elevaz
Déf. de l'Urrido
Punta Léchaud
Monte Belleface
la Balme
Chalet-Refuge des Mottets
Monte Ouille
la Thuile
Thovex
Pont-Serrand
Coletta
Refuge du Col de la Croix du Bonhomme
la Ville des Glaciers
Mont Miravidi
Punta del Ghiacciai
Col des Veis
les Grandes Aiguilles
Aiguille des Veis
Lancebranlette
Monte Chaz-Dura
Monte Thuilette
les Chapieux
Cromlech
Col du Petit St-Bernard
Vallée des Chapieux
Pointe de la Terrasse
Crêt Bettex
les Veis devant
Versoye-les-Granges
Bonneval-les-Bains
du Grand Fond
Maison des Bergers
Glacier de l'Invernet
Testa del Rutor
Plan André
St-Germain
les Échines-Dessus
Villard dessus
Fort du Truc
la Rosière
la Sassière
Becca du Lac
Bourg-St-Maurice
Séez
Longefoy
Montvalezan
le Crot
Refuge de l'Archeboc
Col du Mont
le Miroir
la Masure
Montrigon
Vulmix
Villaroger
Ste-Foy-Tarentaise
Arc 1600
Hauteville-Gondon
les Chapelles
Pointe d'Archeboc
le Planay
Bon Conseil
Arc 2000
Arc 1800
Landry
Valezan
Montchavin
le Monal
le Plan
Pointe des Mines
Aiguille Rouge
Vallandry
la Gurraz
Rifugio Mario Bezzi
Plan Peisey
les Coches
Peisey-Nancroix
Rés. Nat. des Hauts de Villaroger
Chenal
le Biolley
Chap. N.-D. des Vernettes
Pointe du Nant Cruet
Grande Traversière
les Frasses
Nancroix
les Lanches
Mont Pourri
Glacier de la Sassière
Aiguille de la Petite Sassière
Plagne Bellecôte
les Bauches
Chalet-Refuge de Rosuel
Pramain
Dôme de la Sache
les Brévières
l'Isère
Pointe de la Traversière
Punta Grand Vaudala
Chalet du Santel
Granta Parei
Belle-Plagne
Sommet de Bellecôte
Rés. Nat. de Tignes Champagny
les Boisses
le Villaret du Nial
Lac de la Sassière
Colle di Nivoletta
Plagne-Villages
Roche de Mio
Refuge Entre-le-Lac
Lac du Chevril
Rochers Rouges
la Reculaz
Rés. Nat. de la Grande Sassière
la Tsanteleina
Tignes
Pointe du Lavachet
la Daille
Rés. Nat. de la Bailletaz
Montagne de la Vallaisonnay
la Chiserette
Refuge du Col du Palet
Val Claret
Val-d'Isère
Refuge de Prariond
le Planay
Friburge
Refuge du Laisonnay
Crête des Vés
C. de Fresse
le Fornet
Belv. de la Tarentaise
Rocher de Bellevarde
le Joseray
T. d'Orient
le Villard
Rés. Nat. de Tignes Champagny
le Solaise
Refuge de la Glière
Glacier de la Grande Motte
le Manchet
Pointe du Montet
le Grand Bec
Col de l'Iseran
Planay
Chamberanger
Pointe du Vallonnet
la Grande Casse
Grande Motte
Pointe des Lessières
la Croix
Refuge de la Leisse
Col de la Vanoise
Refuge Félix Faure du Col de la Vanoise
Mt Bochor
Refuge des Barmettes
Pointe de la Sana
VANOISE
l'Écot
l'Arc
Pralognan-la-Vanoise
Pointe de la Réchasse
LA
Pointe de Mean Martin
Bonneval-sur-Arc
Chalet-Refuge de l'Isertan
Glacier de la Vanoise
Refuge d'Entre Deux Eaux
DE
Pierre Blanche
Refuge de la Femma
Mont Pelve
Pointe des Broës
Refuge les Prioux
Refuge du Plan du Lac
Glacier du Vallonnet
le Villaron
Pointes de l'Ouillarse
Dôme de Chasseforêt
TIONAL
Grand Roc Noir
Chap. St-Antoine
la Chavière
Montaimont
Bessans
Roc

Marennes
la Tremblade
Arvert
Étaules
Chaillevette
les Mathes
Mornac-sur-Seudre
Breuillet
St-Augustin (Charosson)
St-Sulpice-de-Royan
Vaux-sur-Mer
St-Palais-sur-Mer
Royan
Médis
Saujon
le Gua
Sablonceaux
St-Georges-de-Didonne
Semussac
Meschers-sur-Gironde
Talmont-sur-Gironde
Arces
Cozes
Grézac
Corme-Écluse
Meursac
Thézac
St-Romain-de-Benet
Balanzac
Corme-Royal
Nancras
St-Sornin
Ste-Gemme
la Gripperie-St-Symphorien
St-Jean-d'Angle
St-Just-Luzac
Pont-l'Abbé-d'Arnoult
St-Sulpice-d'Arnoult
Champagne
Nieulle-sur-Seudre
l'Éguille
le Verdon-sur-Mer
Soulac-sur-Mer
Grayan-et-l'Hôpital
St-Vivien-de-Médoc
Vensac
Jau-Dignac-et-Loirac (le Centre)
Valeyrac
Mortagne-sur-Gironde
Chenac-St-Seurin-d'Uzet
Épargnes
Barzan
Boutenac-Touvent
St-Fort
St-Romain-sur-Gironde
Montalivet-les-Bains
POINTE DE LA COUBRE
POINTE DE GRAVE
PRESQU'ILE D'ARVERT
Forêt Dom. de la Coubre
Embouchure de la Gironde
Grde Passe de l'Ouest
LA GIRONDE
Phare de Cordouan
Phare de Grave
Phare St-Nicolas
Phare de Richard
Ph. de la Coubre
Ph. de Terre Nègre
Pointe de Gatseau
Pointe de Maumusson
Pointe de Vallières
Pointe de Suzac
Côte Sauvage
Camp Romain de César
Tr de Pirelongue
Site Archéologique du Fâ
Grotte Matata
Conche des Nonnes
Grande Conche
Promenade de la Corniche
Ermitage St-Martial
Tour de Broue
Anc. Abb.
Chât. de Didonne
Nécropole Nation
Mln de Vensac
Train touristique
N150
N215
D25
D728
D730
D145
D14
D2
D101
176
177
210
A
B
C
D
E
1
2
3
4
5
6
17
33

SAINTES
Cognac
Jonzac
Pons
Taillebourg
Annepont
Juicq
Bercloux
Aujac
Courcerac
Authon-Ébéon
Port-d'Envaux
Plassay
le Douhet
Écoyeux
Brizambourg
Prignac
Mons
Thors
St-Vaize
Vénérand
Villars-les-Bois
Migron
Écurat
Bussac-sur-Charente
Fontcouverte
le Seure
Mesnac
Burie
St-Georges-des-Coteaux
St-Bris-des-Bois
la Chapelle-des-Pots
St-Césaire
St-Sulpice-de-Cognac
Cherves-Richemont
Pessines
St-Sauvant
les Gonds
Chaniers
Varzay
Courcoury
Dompierre-sur-Charente
Chérac
Louzac-St-André
Javrezac
Boutiers-St-Trojan
Chermignac
Rétaud
St-Laurent-de-Cognac
Merpins
St-Brice
Châteaubernard
St-Sever-de-Saintonge
Rouffiac
Brives-sur-Charente
Salignac-sur-Charente
Thénac
Préguillac
Montils
Rioux
Tesson
Berneuil
Colombiers
Ars
Gimeux
Gensac-la-Pallue
St-Simon-de-Pellouaille
St-Seurin-de-Palenne
St-Léger
Pérignac
Salles-d'Angles
Genté
St-André-de-Lidon
Villars-en-Pons
Coulonges
Lonzac
Celles
Angeac-Champagne
Cravans
Jazennes
Bougneau
St-Martial-sur-Né
Gémozac
Tanzac
Biron
Échebrune
Germignac
Cierzac
Avy
Jarnac-Champagne
Givrezac
Belluire
Chadenac
Fléac-sur-Seugne
Ste-Lheurine
St-Palais-du-Né
Champagnolles
St-Quantin-de-Rançanne
St-Palais-de-Phiolin
Marignac
Neuillac
Arthenac
Archiac
St-Germain-du-Seudre
Mosnac
St-Grégoire-d'Ardennes
Neulles
St-Eugène
Bois
St-Genis-de-Saintonge
St-Georges-Antignac
Clam
Clion
St-Maurice-de-Tavernole
Réaux
Moings
Brie-sous-Archiac
Lorignac
Plassac
Lussac
St-Martial-de-Vitaterne
Allas-Champagne
St-Sigismond-de-Clermont
St-Germain-de-Lusignan
St-Ciers-du-Taillon
Guitinières
Meux
St-Dizant-du-Gua
Ste-Ramée
Consac
St-Hilaire-du-Bois
Champagnac
St-Ciers-Champagne
St-Germain-de-Vibrac
St-Maigrin
St-Dizant-du-Bois
Semillac
Nieul-le-Virouil
Ozillac
St-Médard
Mortiers
Semoussac
St-Martial-de-Mirambeau
Allas-Bocage
St-Simon-de-Bordes
Fontaines-d'Ozillac
Agudelle
Thermes Romains
Arènes
Arc de Triomphe de Germanicus
Théâtre Gallo-Romain
Abb. de Fontdouce
Châtau de Chenel
Parc François 1er
Chât. des Valois
Marais des Breuils
la Charente
la Seugne
Anc. Hôp. des Pèlerins
Chât. d'Usson
Anc. Abb. de la Tenaille
Ancienne Voie Romaine
Chemin Romains
A10
E5
A837
E602
E603
N141
N137
N150
D732
D731
D700
196
177
178
211
F
G
H
J
K

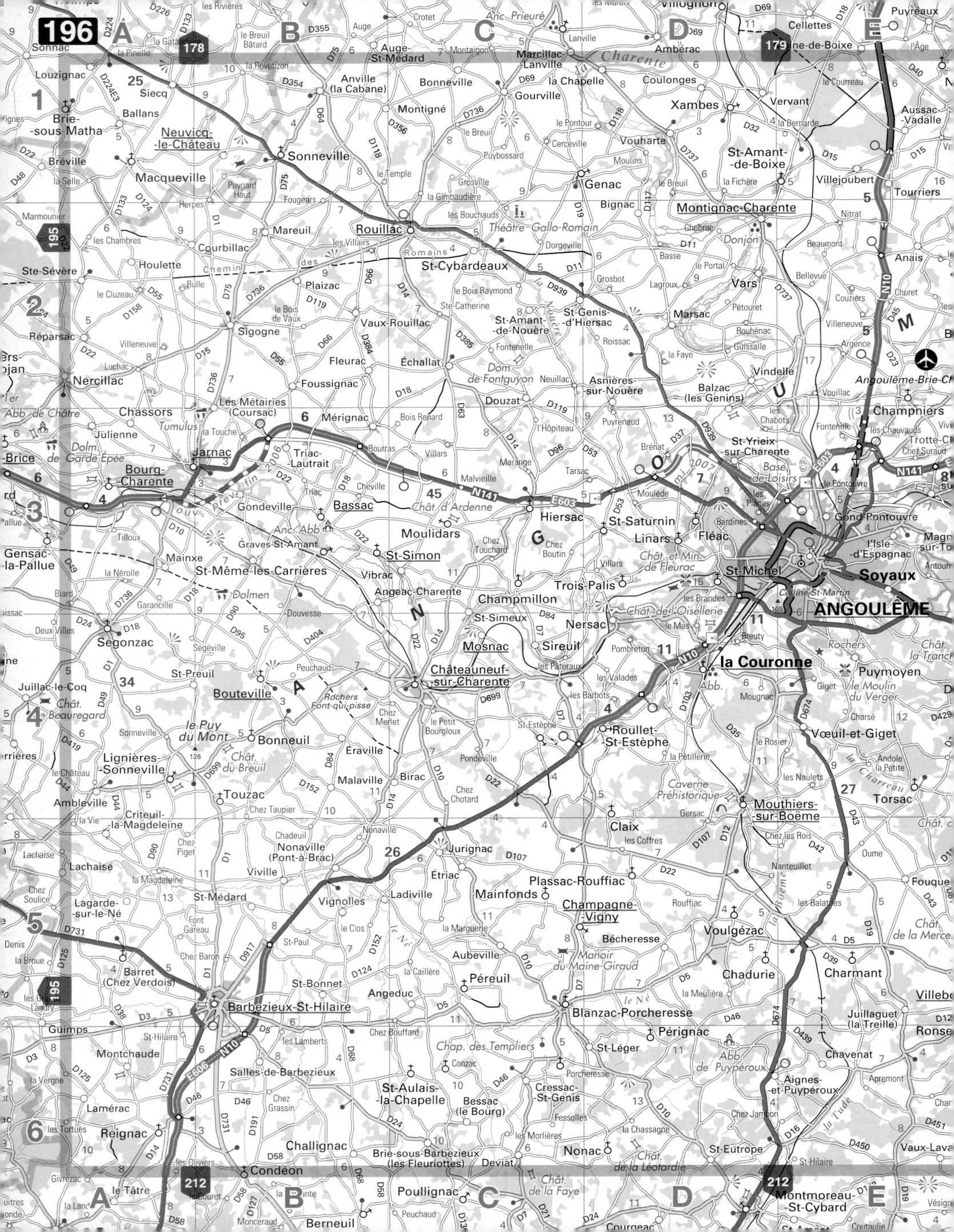
A
B
C
D
E
1
2
3
4
5
6
178
179
195
212
Sonnac
Louzignac
Brie-sous-Matha
Bréville
Neuvicq-le-Château
Macqueville
Sonneville
Siecq
Ballans
Auge
Auge-St-Médard
Anville (la Cabane)
Bonneville
Montigné
Marcillac-Lanville
Lanville
Anc. Prieuré
Gourville
la Chapelle
Ambérac
Coulonges
Xambes
Vervant
Cellettes
Puyréaux
Aussac-Vadalle
Vouharte
Genac
Bignac
St-Amant-de-Boixe
Villejoubert
Tourriers
Montignac-Charente
Rouillac
Mareuil
Courbillac
Houlette
Ste-Sévère
St-Cybardeaux
Théâtre Gallo-Romain
Chemin des Romains
Plaizac
Sigogne
Vaux-Rouillac
Échallat
Fleurac
Foussignac
St-Amant-de-Nouère
St-Genis-d'Hiersac
Dom. de Fontguyon
Douzat
Asnières-sur-Nouère
Marsac
Vars
Vindelle
Balzac (les Genins)
Anais
Champniers
Angoulême-Brie-Champniers
Réparsac
Nercillac
Chassors
Les Métairies (Coursac)
Jarnac
Julienne
Bourg-Charente
Triac-Lautrait
Mérignac
Abb. de Châtre
Dolm. de Garde Épée
Gondeville
Bassac
Châţ. d'Ardenne
Moulidars
Hiersac
St-Saturnin
Linars
Fléac
St-Yrieix-sur-Charente
Gond-Pontouvre
l'Isle-d'Espagnac
Soyaux
ANGOULÊME
St-Michel
Gensac-la-Pallue
Mainxe
Graves-St-Amant
St-Simon
St-Même-les-Carrières
Vibrac
Angeac-Charente
Champmillon
Trois-Palis
Nersac
Châţ. de l'Oisellerie
Mosnac
Sireuil
St-Simeux
la Couronne
Puymoyen
Segonzac
Juillac-le-Coq
St-Preuil
Bouteville
Châteauneuf-sur-Charente
Rochers Font-qui-pisse
Châţ. Beauregard
Bonneuil
le Puy du Mont
Lignières-Sonneville
Ambleville
Touzac
Éraville
Malaville
Birac
Roullet-St-Estèphe
Vœuil-et-Giget
Mouthiers-sur-Boëme
Caverne Préhistorique
Torsac
Criteuil-la-Magdeleine
Claix
Jurignac
Nonaville (Pont-à-Brac)
Viville
Lachaise
Lagarde-sur-le-Né
St-Médard
Étriac
Ladiville
Vignolles
Plassac-Rouffiac
Mainfonds
Champagne-Vigny
Voulgézac
Bécheresse
Manoir du Maine-Giraud
Chadurie
Charmant
Barret (Chez Verdois)
Barbezieux-St-Hilaire
St-Bonnet
Angeduc
Aubeville
Péreuil
Blanzac-Porcheresse
Juillaguet (la Treille)
Pérignac
Guimps
Montchaude
Salles-de-Barbezieux
Chap. des Templiers
St-Léger
Abb. de Puypéroux
Chavenat
Aignes-et-Puypéroux
St-Aulais-la-Chapelle
Bessac (le Bourg)
Cressac-St-Genis
Lamérac
Reignac
Challignac
Brie-sous-Barbezieux (les Fleuriottes)
Nonac
Châţ. de la Léotardie
St-Eutrope
Deviat
Condéon
le Tâtre
Poullignac
Châţ. de la Faye
Montmoreau-St-Cybard
Berneuil
N10
N141
E603
E606
la Charente
le Né

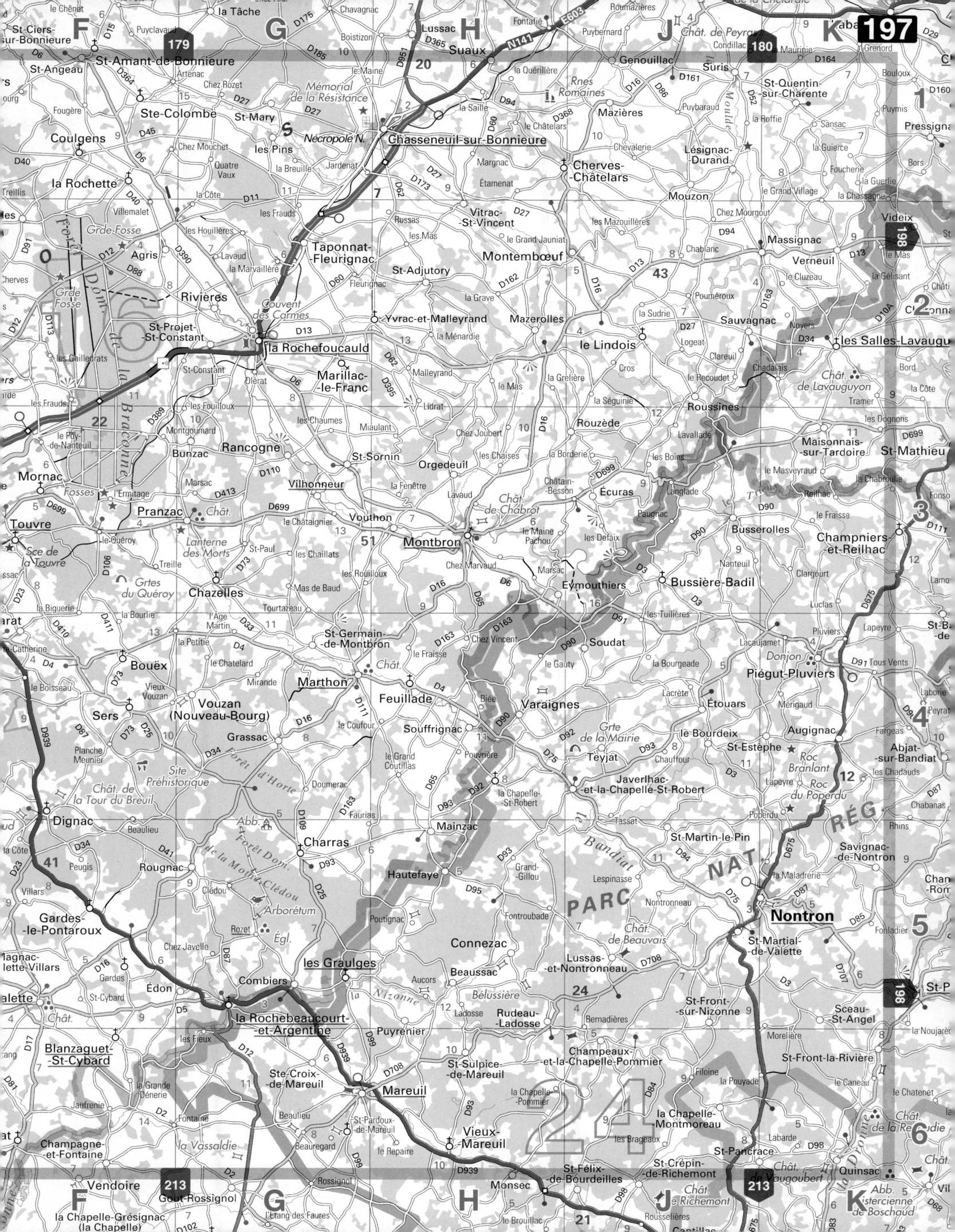
Chasseneuil-sur-Bonnieure
la Rochefoucauld
Montbron
Nontron
Marthon
Vilhonneur
Pranzac
la Rochebeaucourt-et-Argentine
Mareuil
les Graulges
Blanzaguet-St-Cybard
Montembœuf
Piégut-Pluviers
St-Amant-de-Bonnieure
Mémorial de la Résistance
Nécropole N.
Forêt Dom. de la Braconne
Forêt d'Horte
Forêt Dom. de la Mothe-Clédou
Site Préhistorique
Grtes du Quéroy
Sce de la Touvre
Lanterne des Morts
Roc Branlant
Roc du Poperdu
PARC NAT RÉG.
24
16

Saillat-sur-Vienne
Chaillac-sur-Vienne
N.-D. du Pont
St-Martin-de-Jussac
St-Victurnien
Ste-Marie-de-Vaux
Verneuil-sur-Vienne
Limoges-Bellegarde
Chassenon
Mon. Gallo-Romain
Rochechouart
Pressignac
Cognac-la-Forêt
Lanterne des Morts
St-Yrieix-sous-Aixe
St-Priest-sous-Aixe
St-Auvent
St-Cyr
Aixe-sur-Vienne
Isle
St-Gervais
Chéronnac
Vayres
Lavauguyon
St-Laurent-sur-Gorre
Séreilhac
Beynac
Gorre
Oradour-sur-Vayres
St-Bazile
Champagnac-la-Rivière
Cussac
Champsac
Flavignac
Meilhac
Jourgnac
St-Mathieu
Burgnac
Lavignac
Pageas
les Cars
Nexon
Châlus
Chât. de Châlus-Chabrol
Chât. de Châlus-Maulmont
Promontoire du Château Chabrol
la Chapelle-Montbrandeix
St-Barthélemy-de-Bussière
Marval
Dournazac
Bussière-Galant
Rilhac-Lastours
St-Hilaire-les-Places
LIMOUSIN
PERIGORD
MONTS DU LIMOUSIN
Pensol
Firbeix
la Meyze
Abjat-sur-Bandiat
Ladignac-le-Long
St-Pierre-de-Frugie
Mialet
St-Saud-Lacoussière
la Coquille
St-Priest-les-Fougères
le Chalard
Champs-Romain
Saut du Chalard
Chaleix
St-Yrieix-la-Perche
St-Pardoux-la-Rivière
St-Jory-de-Chalais
Jumilhac-le-Grand
Milhac-de-Nontron
St-Paul-la-Roche
Glandon
St-Martin-de-Fressengeas
Grte de Villars
Chât. de la Marthonie
Chât. de Puyguilhem
Sarrazac
Sarlande
Villars
St-Jean-de-Côle
St-Romain-et-St-Clément
Thiviers
Nanthiat
Angoisse
A B C D E
1 2 3 4 5 6

LIMOGES
le Palais-sur-Vienne
Panazol
Feytiat
St-Just-le-Martel
Royères
St-Léonard-de-Noblat
Moissannes
Auriat
Champnétery
Cheissoux
Bujaleuf
St-Moreil
Aureil
Eybouleuf
St-Denis-des-Murs
Eyjeaux
la Geneytouse
Boisseuil
le Vigen
St-Paul
Masléon
Roziers-St-Georges
Eymoutiers
Neuvic-Entier
Châteauneuf-la-Forêt
St-Hilaire-Bonneval
Pierre-Buffière
St-Genest-sur-Roselle
St-Bonnet-Briance
Linards
Ste-Anne-St-Priest
St-Jean-Ligoure
Glanges
St-Méard
Sussac
Domps
Vicq-sur-Breuilh
St-Priest-Ligoure
La Croisille-sur-Briance
St-Gilles-les-Forêts
Magnac-Bourg
St-Vitte-sur-Briance
St-Germain-les-Belles
Château-Chervix
Surdoux
la Porcherie
Chamberet
Meilhards
Soudaine-Lavinadière
Meuzac
Masseret
Lamongerie
Rilhac-Treignac
Affieux
Montgibaud
Benayes
Coussac-Bonneval
Salon-la-Tour
Peyrissac
Condat-sur-Ganaveix
Eyburie
le Lonzac
St-Julien-le-Vendômois
Lubersac
St-Martin-Sepert
St-Ybard
St-Éloy-les-Tuileries
Ségur-le-Château
St-Pardoux-Corbier
Uzerche
Pierrefitte
Chamboulive
LIMOUSIN
A20
E09
181
182
200
215
216

Peyrat-le-Château
St-Martin-Château
Royère-de-Vassivière
Lac de la Vaud-Gelade
St-Marc-à-Loubaud
la Nouaille
St-Quentin-la-Chabanne
Felletin
Lac de Vassivière
Gentioux-Pigerolles
Anc. Commanderie
Clairavaux
Beaumont-du-Lac
St-Amand-le-Petit
Faux-la-Montagne
Lac de Faux
Féniers
le-Mas-d'Artige
Nedde
PARC NATUREL
PLATEAU DE MILLEVACHES
Peyrelevade
St-Setiers
Rempnat
Tarnac
Sornac
Toy-Viam
Lacelle
l'Église-aux-Bois
Millevaches
St-Merd-les-Oussines
Chavanac
St-Sulpice-les-Bois (l'Arfeuillère)
St-Germain-Lavolps
St-Hilaire-les-Courbes
Viam
Bugeat
DE MILLEVACHES
Pérols-sur-Vézère
Rnes Romaines des Cars
Mont Bessou
Alleyrat
Barsanges
Meymac
Treignac
Bge de Treignac
Gourdon-Murat
Bonnefond
EN LIMOUSIN
Affieux
Lestards
Veix
Pradines
Massif des Monédières
Grandsaigne
Péret-Bel-Air
Davignac
Combressol
Madranges
Suc au May 908
Chaumeil
Maussac
St-Yrieix-le-Déjalat
Soudeilles
Darnets
St-Augustin
Beaumont
Palisse
Chât. du Lieuteret
87
23
19

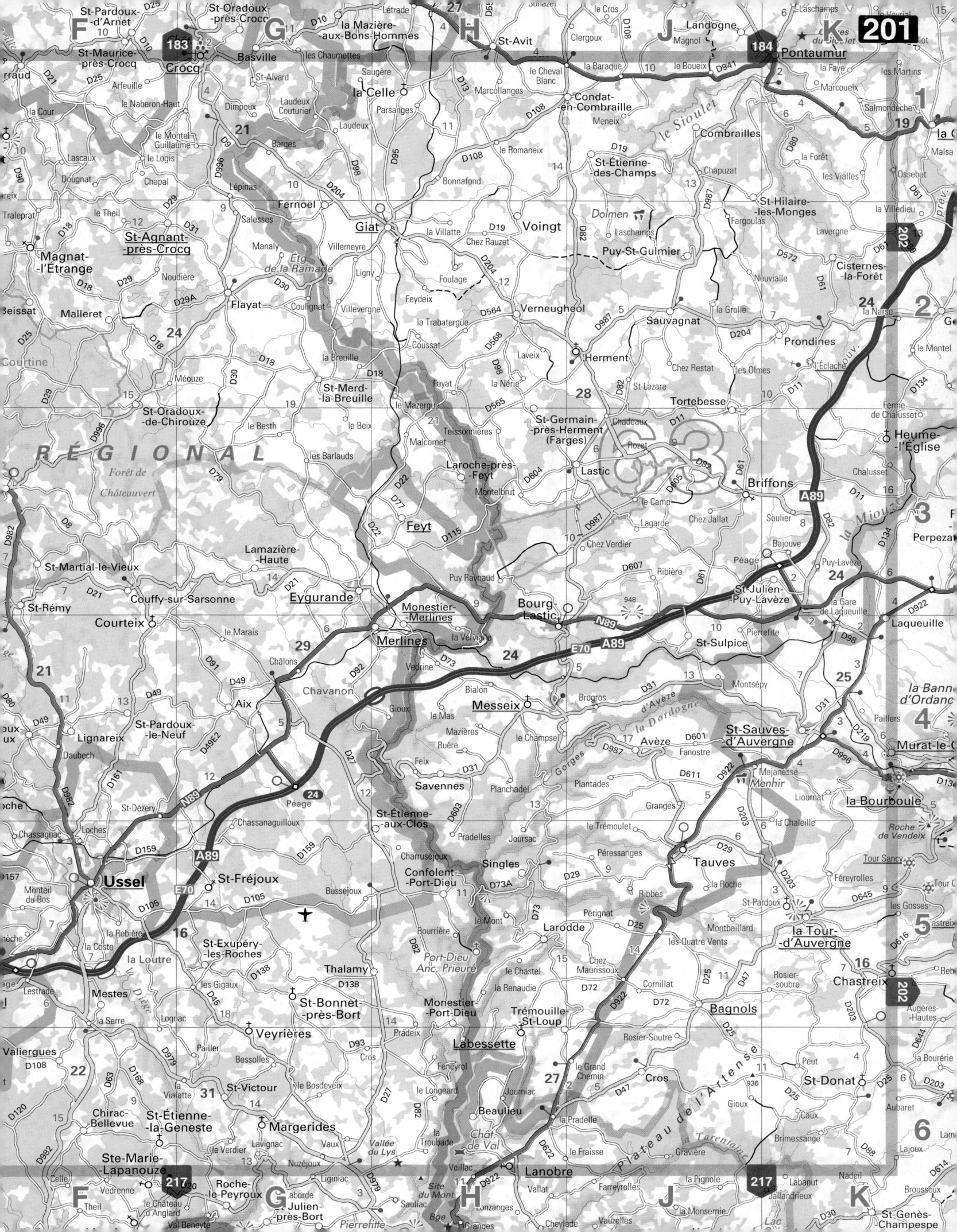

201
F
G
H
J
K
1
2
3
4
5
6
183
184
202
217
St-Pardoux-d'Arnet
St-Oradoux-près-Crocq
Létrade
la Mazière-aux-Bons-Hommes
St-Avit
le Cros
Landogne
Magnol
Laschamps
Pontaumur
St-Maurice-près-Crocq
Crocq
Basville
les Chaumettes
St-Alvard
Saugère
la Celle
Arfeuille
le Naberon-Haut
la Cour
Dimpoux
Laudeux Couturier
Parsanges
Laudeux
Clergoux
la Baraque
le Boueix
le Cheval Blanc
Condat-en-Combraille
Marcollanges
Meneix
le Sioulet
Combrailles
la Faye
les Martins
Marcoueix
Salmondèche
la Forêt
les Vialles
Ossebet
Malsa
le Montel Guillaume
le Logis
Lascaux
Dougnat
Chapal
Barges
Lépinas
Fernoël
Bonnafond
le Romaneix
St-Étienne-des-Champs
Chapuzat
St-Hilaire-les-Monges
Fargoulas
la Villedieu
Lavergne
Traleprat
le Theil
Salesses
Giat
la Villatte
Voingt
Dolmen
Laschamps
Puy-St-Gulmier
Cisternes-la-Forêt
Neuvialle
St-Agnant-près-Crocq
Magnat-l'Étrange
Manaly
Étg de la Ramade
Villemeyre
Chez Rauzet
Ligny
Foulage
Feydeix
Noudière
Flayat
Coulignat
Villevergne
Malleret
Beissat
Verneugheol
Sauvagnat
la Grolle
la Narse
Prondines
la Trabatergue
Coussat
Laveix
Herment
Chez Restat
les Olmes
le Montel
l'Éclache
Courtine
Méouze
la Breuille
St-Merd-la-Breuille
Fayat
la Nérie
St-Lazare
Tortebesse
Ferme de Chalusset
St-Oradoux-de-Chirouze
le Besth
le Beix
le Mazergue
Teissonnières
St-Germain-près-Herment (Farges)
Chadeaux
Rozet
Heume-l'Église
RÉGIONAL
Forêt de Châteauvert
les Barlauds
Malcornet
Laroche-près-Feyt
Montelbrut
Lastic
Briffons
Chalusset
le Camp
Lagarde
Chez Jallat
Soulier
la Miouze
Perpezat
Feyt
Chez Verdier
Bajouve
Péage
Puy-Laveze
Lamazière-Haute
St-Martial-le-Vieux
Puy Raynaud
Ribière
St-Julien-Puy-Lavèze
la Gare de Laqueuille
Laqueuille
St-Rémy
Couffy-sur-Sarsonne
Eygurande
Monestier-Merlines
Bourg-Lastic
Courteix
le Marais
Merlines
la Vervialle
Pierrefite
St-Sulpice
Châlons
Vedrine
Montsépy
la Banne d'Ordanche
Chavanon
Bialon
Messeix
Brogros
Aix
Gioux
le Mas
d'Avèze
la Dordogne
Paillers
Lignareix
St-Pardoux-le-Neuf
Mazières
le Champsel
Avèze
Fanostre
St-Sauves-d'Auvergne
Murat-le-Quaire
Daubech
Ruère
Gorges
Feix
Savennes
Plantades
Mejanesse
Menhir
Liournat
la Bourboule
Péage
Planchadel
Granges
St-Dézery
Chassanaguilloux
St-Étienne-aux-Clos
Pradelles
le Trémoulet
la Chaleille
Roche de Vendeix
Chassagnac
Loches
Joursac
Péressanges
Tauves
Tour Sancy
Charrusèjoux
Singles
Féreyrolles
Ussel
St-Fréjoux
Confolent-Port-Dieu
la Roche
Monteil du Bos
Bussèjoux
Ribbes
St-Pardoux
les Gosses
Pérignat
le Mont
Larodde
Montbaillard
la Tour-d'Auvergne
la Rebière
Bourrière
les Quatre Vents
la Coste
la Loutre
St-Exupéry-les-Roches
Port-Dieu Anc. Prieuré
Chez Maurissoux
Chastreix
Lestrade
Mestes
Thalamy
le Chastel
Rosier-soubre
Cornillat
la Renaudie
les Gigaux
St-Bonnet-près-Bort
Monestier-Port-Dieu
Trémouille-St-Loup
Bagnols
Augères-Hautes
la Serre
Lognac
Pradeix
Rosier-Soutre
Valiergues
Veyrières
Labessette
Pailler
Bessolles
Cros
la Bourérie
le Grand Chemin
Feneyrol
Cros
Peut
St-Donat
Plateau de l'Artense
Chirac-Bellevue
St-Victour
le Bosdeveix
le Longeard
Journiac
Vialatte
Gioux
Aubaret
St-Étienne-la-Geneste
Beaulieu
la Pradelle
Caux
Margerides
Brimessange
Lavignac
Vallée du Lys
la Troubade
Chât. de Val
le Fraisse
Gravière
la Tarentaine
Lajoux
le Verdier
Vaux
Ste-Marie-Lapanouze
Nuzéjoux
Veillac
Lanobre
Nadeil
Celle
Liginiac
Site du Mont
Vallat
Farreyrolles
la Pignole
Labanut
Vedrenne
Roche-le-Peyroux
Jallandrieux
Broussoux
Theil
le Château d'Anglard
Laborde
St-Julien-près-Bort
Sauliac
Lonzanges
la Monsernie
St-Genès-Champespe
Val Beneyte
Pierrefitte
Bge
Granges
Cheylade
Vauzelles
Lac
A89
E70
N89

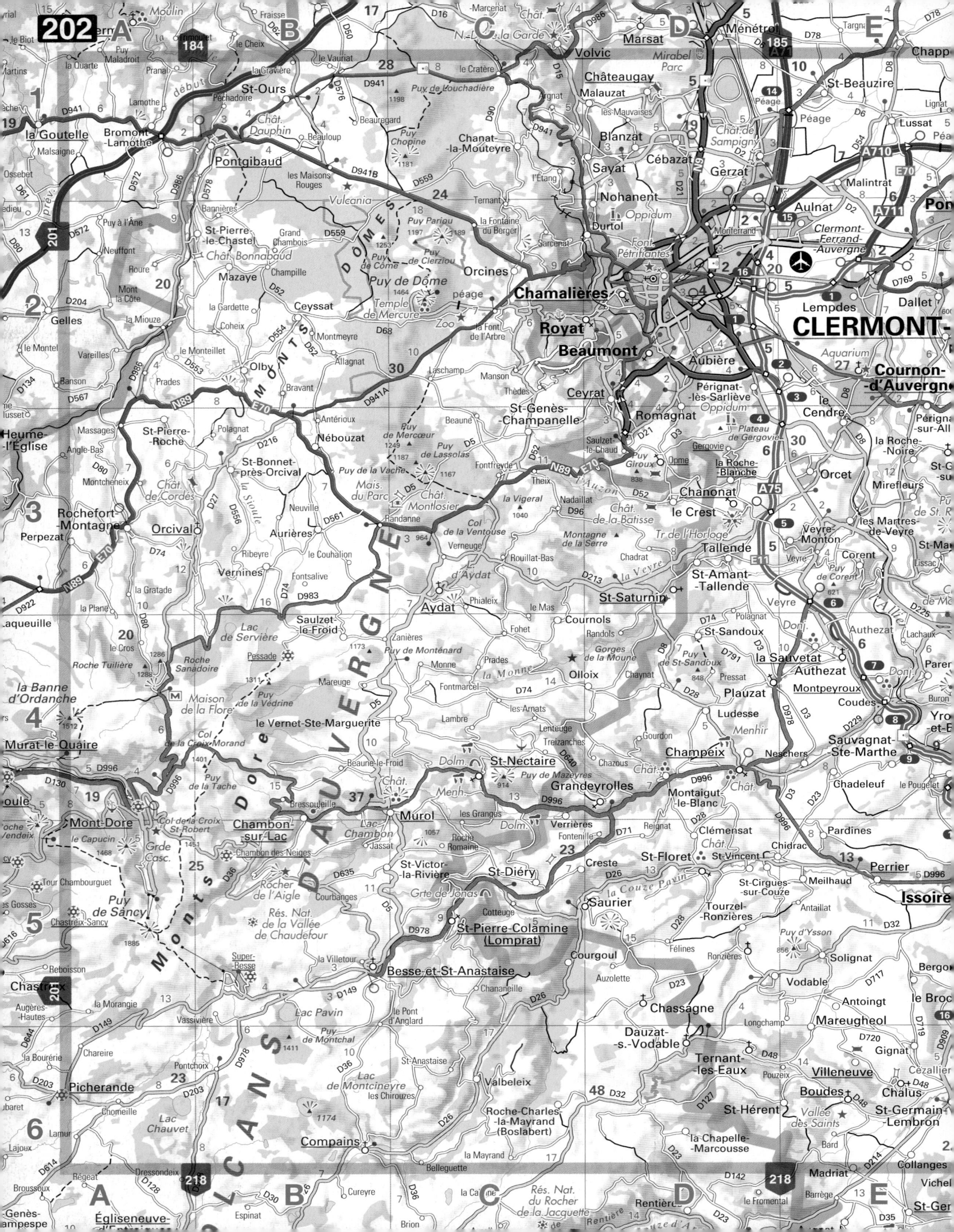

202
Moulin
Fraisse
-Marcenat
Châts
N.-D. de la Garde
Marsat
Ménétrol
Volvic
Mirabel Parc
Chapp
184
185
le Cheix
Puy Maladroit
Pranal
la Quarte
le Vauriat
la Gravière
le Cratère
St-Ours
Péchadoire
Puy de Louchadière
Châteaugay
Malauzat
St-Beauzire
Lamothe
Beauregard
Puy Chopine
Argnat
les Mauvaises
Lussat
la Goutelle
Bromont-Lamothe
Châtt. Dauphin
Beauloup
Chanat-la-Mouteyre
Blanzat
Cébazat
Châtt. de Sampigny
Gerzat
Malsaigne
Pontgibaud
Ossebet
les Maisons Rouges
Vulcania
l'Étang
Sayat
Nohanent
Oppidum
Malintrat
Aulnat
Ternant
Bannières
Puy à l'Âne
St-Pierre-le-Chastel
Grand Chambois
Puy Pariou
la Fontaine du Berger
Durtol
Montferrand
Clermont-Ferrand-Auvergne
Neuffont
Châtt. Bonnabaud
Puy de Côme
Puy de Clerziou
Sarcenat
Font. Pétrifiantes
Roure
Mazaye
Champille
Orcines
DÔMES
Puy de Dôme
Temple de Mercure
péage
Mont la Côte
la Gardette
Ceyssat
Zoo
la Font de l'Arbre
Chamalières
Royat
Lempdes
Dallet
CLERMONT-
Gelles
la Miouze
Coheix
Montmeyre
Allagnat
Beaumont
Aubière
Aquarium
Cournon-d'Auvergne
le Montel
Vareilles
le Monteillet
Olby
MONTS
Laschamp
Manson
Thèdes
Ceyrat
Pérignat-lès-Sarliève
Oppidum
le Cendre
Banson
Prades
Bravant
St-Genès-Champanelle
Romagnat
Pérignat-sur-Allier
Heume-l'Église
Massages
St-Pierre-Roche
Polagnat
Antérioux
Nébouzat
Beaune
Puy de Mercœur
Puy de Lassolas
Saulzet-le-Chaud
Plateau de Gergovie
la Roche-Noire
Angle-Bas
St-Bonnet-près-Orcival
Puy de la Vache
Fontfreyde
Theix
Puy Giroux
Opme
Gergovie
la Roche-Blanche
Orcet
Mirefleurs
Montcheneix
Châtt. de Cordès
Mais. du Parc
Châtt. Montlosier
Nadaillat
l'Auzon
Chanonat
la Vigeral
le Crest
Châtt. de la Batisse
Rochefort-Montagne
Neuville
Randanne
Col de la Ventouse
les Martres-de-Veyre
Perpezat
Orcival
Aurières
la Sioule
Montagne de la Serre
Tr. de l'Horloge
Veyre-Monton
Ribeyre
le Couhalion
Verneuge
Rouillat-Bas
Chadrat
Tallende
Corent
Vernines
Fontsalive
Lac d'Aydat
la Veyre
St-Amant-Tallende
Puy de Corent
la Gratade
Aydat
Phialeix
St-Saturnin
Veyre
la Plane
le Mas
Cournols
Polagnat
Laqueuille
Lac de Servière
Saulzet-le-Froid
Randols
St-Sandoux
Authezat
Lachaux
le Cros
Zanières
Pessade
Puy de Monténard
Fohet
Gorges de la Monne
Puy de St-Sandoux
la Sauvetat
Roche Tuilière
Roche Sanadoire
Monne
Prades
la Monne
Olloix
Chaynat
Pressat
Montpeyroux
la Banne d'Ordanche
Maison de la Flore
Puy de la Védrine
Mareuge
Fontmarcel
Plauzat
Coudes
les Arnats
Ludesse
Murat-le-Quaire
le Vernet-Ste-Marguerite
Lambre
Lenteuge
Menhir
Sauvagnat-Ste-Marthe
Col de la Croix Morand
Treizanches
Gourdon
Champeix
Neschers
Puy de la Tache
Beaune-le-Froid
Dolm.
St-Nectaire
Chazous
Puy de Mazeyres
Grandeyrolles
Chadeleuf
le Pouget
Bressouleille
Châtt.
Menh.
Montaigut-le-Blanc
Mont-Dore
Col de la Croix St-Robert
Chambon-sur-Lac
Murol
les Granges
Verrières
Fontenille
Reignat
Clémensat
Pardines
le Capucin
Lac Chambon
Jassat
Roche Romaine
Chidrac
Grde Casc.
Chambon des Neiges
St-Victor-la-Rivière
St-Diéry
Creste
St-Floret
St-Vincent
Perrier
Tour Chambourguet
Rocher de l'Aigle
Courbanges
Grte de Jonas
la Couze Pavin
St-Cirgues-sur-Couze
Meilhaud
Issoire
Saurier
Tourzel-Ronzières
Antaillat
Puy de Sancy
Chastreix-Sancy
Rés. Nat. de la Vallée de Chaudefour
Cotteuge
St-Pierre-Colamine (Lomprat)
Puy d'Ysson
Solignat
Reboisson
Super-Besse
la Villetour
Besse-et-St-Anastaise
Courgoul
Félines
Ronzières
Chastreix
Chananeille
Auzolette
Vodable
Bergo
Augères-Hautes
la Morangie
Lac Pavin
le Pont d'Anglard
Chassagne
Antoingt
le Broc
Vassivière
Puy de Montchal
Dauzat-s.-Vodable
Longchamp
Mareugheol
la Bourérie
Chareire
St-Anastaise
Ternant-les-Eaux
Gignat
Pontchoix
Lac de Montcineyre
les Chirouzes
Valbeleix
Pouzeix
Villeneuve
Cézallier
Picherande
Chalus
Boudes
St-Hérent
Vallée des Saints
St-Germain-Lembron
Chomeille
Lac Chauvet
Roche-Charles-la-Mayrand (Boslabert)
Lamur
Lajoux
la Chapelle-Marcousse
Compains
Bard
la Mayrand
Collanges
Dressondeix
Belleguette
Madriat
Vichel
218
Régeat
Broussoux
Cureyre
Rés. Nat. du Rocher de la Jacquette
la Caline
Rentières
le Fromental
Barrège
Genès-Champespe
Égliseneuve-d'Entraigues
Espinat
Brion
Monts Dore
MONTS D'AUVERGNE
VOLCANS
St-Ger

Chabreloche
Culhat
Orléat
Thiers
la Monnerie-le-Montel
Celles-sur-Durolle
Lezoux
Limagne
Pont de Dore
Peschadoires
Viscomtat
Noirétable
Beauregard-l'Évêque
Seychalles
St-Jean-d'Heurs
Escoutoux
Ste-Agathe
Néronde-sur-Dore
Bort-l'Étang
Ravel
Moissat
Bouzel
Vassel
Vollore-Ville
Vollore-Montagne
Châtt. de Aulteribe
Châtt. de la Barge
Aubusson-d'Auvergne
Sermentizon
Courpière
Glaine-Montaigut
Espirat
Reignat
Neuville
la Chamba
la Chambonie
la Renaudie
Bongheat
Trézioux
Augerolles
Billom
Égliseneuve-près-Billom
Sauviat
St-Flour
Olmet
le Brugeron
Mauzun
Montmorin (la Vialle)
St-Julien-de-Coppel
Domaize
St-Gervais-sous-Meymont
Olliergues
St-Pierre-la-Bourlhonne
Estandeuil
St-Dier-d'Auvergne
Tours-sur-Meymont
Fayet-le-Château
Marat
Vertolaye
Châtt. de la Rochette
Tour de Croizat
Ceilloux
Sallèdes
Isserteaux
St-Jean-des-Ollières
Pic de la Garde
Cunlhat
la Chapelle-Agnon
Bertignat
Job
Manglieu
Sugères
Brousse
Auzelles
Grandval
la Forie
St-Babel
Thiolières
Aulhat-St-Privat
Égliseneuve-des-Liards
St-Amant-Roche-Savine
St-Éloy-la-Glacière
le Monestier
Ambert
Brenat
Sauxillanges
St-Quentin-sur-Sauxillanges
Condat-lès-Montboissier
Échandelys
Parentignat
Usson
Varennes-sur-Usson
St-Jean-en-Val
St-Rémy-de-Chargnat
St-Étienne-sur-Usson
Chaméane
St-Genès-la-Tourette
Aix-la-Fayette
Fournols
St-Ferréol-des-Côtes
Champétières
Chambon-sur-Dolore
St-Martin-des-Plains
PARC NATUREL RÉGIONAL DU LIVRADOIS-F
Bansat
Orsonnette
Lamontgie
la Chapelle-sur-Usson
Vernet-la-Varenne
Marsac-en-Livradois
Esteil
Champagnat-le-Jeune
Ste-Catherine
St-Germain-l'Herm
St-Bonnet-le-Chastel
Beaulieu
Auzat-la-Combelle
Jumeaux
Peslières
St-Bonnet-le-Bourg
Novacelles
Valz-sous-Châteauneuf
Charbonnier-les-Mines
St-Martin-d'Ollières
Fayet-Ronaye
Brassac-les-Mines
St-Jean-
Arlanc
la Dore

A
B
C
D
E
1
2
3
4
5
6
194
228
228
Montalivet-les-Bains
Vendays-Montalivet
Mayan
Sémian
Périgueys
Queyrac
Courbian
Troussas
Bégadanet
Bégadan
Laujac
la Verdotte
Lescapon
Biail
Trembleaux
Couquèques
Civrac-en-Médoc
Gaillan-en-Médoc
Prignac-en-Médoc
Blaignan (Caussan)
les Ourmes
Coudessan
Pey du Haut
Bourgueyraud
la Modeneuve
Blanc
Tour
Lafon
St-Trélody
Potensac
Lesparre-Médoc
Canquillac
St-Germain-d'Esteuil
Plassan
Artiguillon
Liard
St-Gaux
Péris
Lugagnac
Cazeaux
la Caussade
les Reynats
Lescarp
le Pin Sec
St-Isidore
Lizan
Naujac-sur-Mer
Magagnan
Vignolles
Forêt Domaniale du Flamand
Hourtin-Plage
Contaut
Piqueyrot
Cartignac
Hourtin-Port
Hourtin
Pey de Camin
Lachanau
Lac d'Hourtin
F. Dom. d'Hourtin
Phare d'hourtin
Sémignan
Villeneuve
Marcillan
Mourlan
St-Laurent-Médoc
Ste-Hélène
le Garthieu
Ste-Hélène
Couyras
Benon
Base de Loisirs
Lac de Carcans
Bombannes
F. Dom. de Carcans
Carcans-Plage
Villeneuve
Carcans
Maubuisson
Cap de Ville
Troussas
Berron
le Montaut
Étang de Cousseau
Rés. Nat. de l'Etang de Cousseau
Bernones
le Mayne de la Lande
Brach
Touleron
F. Dom. de Lacanau
Castelnau-de-M
Lacanau-Océan
Carreyre
le Moutchic
Talaris
Marina de Talaris
Méogas
le Grand Ludée
le Petit Ludée
Cordes
Lacanau
Méjos
Taussac
le Devès
Sadouillan
Lac de Lacanau
Touriac
Longarisse
Ste-Hélène
les Andraurts
Mistre
Salaunes
le Grand Bos
Saumos
la Rue
Porge
D101
D102
D202
D3E2
D3
D4
D205
D101E7
D104
D207
D104E4
D6
D6E1
D5
D5E3
N215
33

211
F
G
H
J
K
195
212
229
1
2
3
4
5
6
St-Thomas-de-Conac
Semoussac
Semillac
St-Martin-de-Mirambeau
Allas-Bocage
St-Simon-de-Bordes
Ozillac
Fontaines-d'Ozillac
St-Sorlin-de-Conac
St-Georges-des-Agoûts
Mirambeau
Agudelle
Villexavier
Léoville
St-Bonnet-sur-Gironde
Soubran
Salignac-de-Mirambeau
Tugéras-St-Maurice
Chaunac
Vibrac
Christoly-Médoc
Port de Cônac
Vitrezay
Pleine-Selve
St-Palais
Boisredon
Courpignac
Rouffignac
Chartuzac
Expiremont
Pommiers-Moulons
St-Yzans-de-Médoc
St-Seurin-de-Cadourne
St-Estèphe
St-Ciers-sur-Gironde
St-Caprais-de-Blaye
Chamouillac
Souméras (Chez Galant)
Coux
Sousmoulins
Montendre
Jussas
St-Aubin-de-Blaye
Marcillac
Braud-et-St-Louis
Centrale Nucléaire
Donnezac
Corignac
Chepniers
Étauliers
Reignac
Anglade
Pauillac
Île de Patiras
Bussac-Forêt
St-Androny
Eyrans
Cartelègue
Générac
Saugon
Campugnan
Fours
St-Julien-Beychevelle
Île Bouchaud
Bedenac
St-Genès-de-Blaye
Mazion
St-Seurin-de-Cursac
St-Martin-Lacaussade
St-Paul
St-Girons-d'Aiguevives
St-Yzan-de-Soudiac
Blaye
Cars
St-Savin
Cussac-Fort-Médoc
St-Christoly-de-Blaye
Saint-Mariens
Plassac
Berson
St-Vivien-de-Blaye
Civrac-de-Blaye
Laruscade
Lamarque
St-Trojan
Teuillac
Pugnac
Cavignac
Listrac-Médoc
Villeneuve
St-Ciers-de-Canesse
Mombrier
Cézac
Île Verte
Comps
Samonac
Cubnezais
Moulis-en-Médoc
Soussans
Île du Nord
Lansac
Tauriac
Marsas
Margaux
Bourg
Peujard
Marcenais
Avensan
Île Cazeau
Prignac-et-Marcamps
Gauriaguet
Cantenac
St-Laurent-d'Arce
Virsac
Aubie-et-Espessas
Labarde
Ambès
St-Gervais
St-Antoine
St-Genès-de-Fronsac
Arsac
Macau
LA GARONNE
Salignac
Périssac
Mouillac
St-André-de-Cubzac
Vérac
Ludon-Médoc
Cubzac-les-Ponts
Le Pian-Médoc
St-Louis-de-Montferrand
St-Vincent-de-Paul
St-Romain-la-Virvée
Asques
Cadillac-en-Fronsadais
Villegouge
Lugon-et-l'Île-du-Carnay
Parempuyre
St-Germain-de-Rivière
St-Aubin-de-Médoc
Ambarès
Dordogne

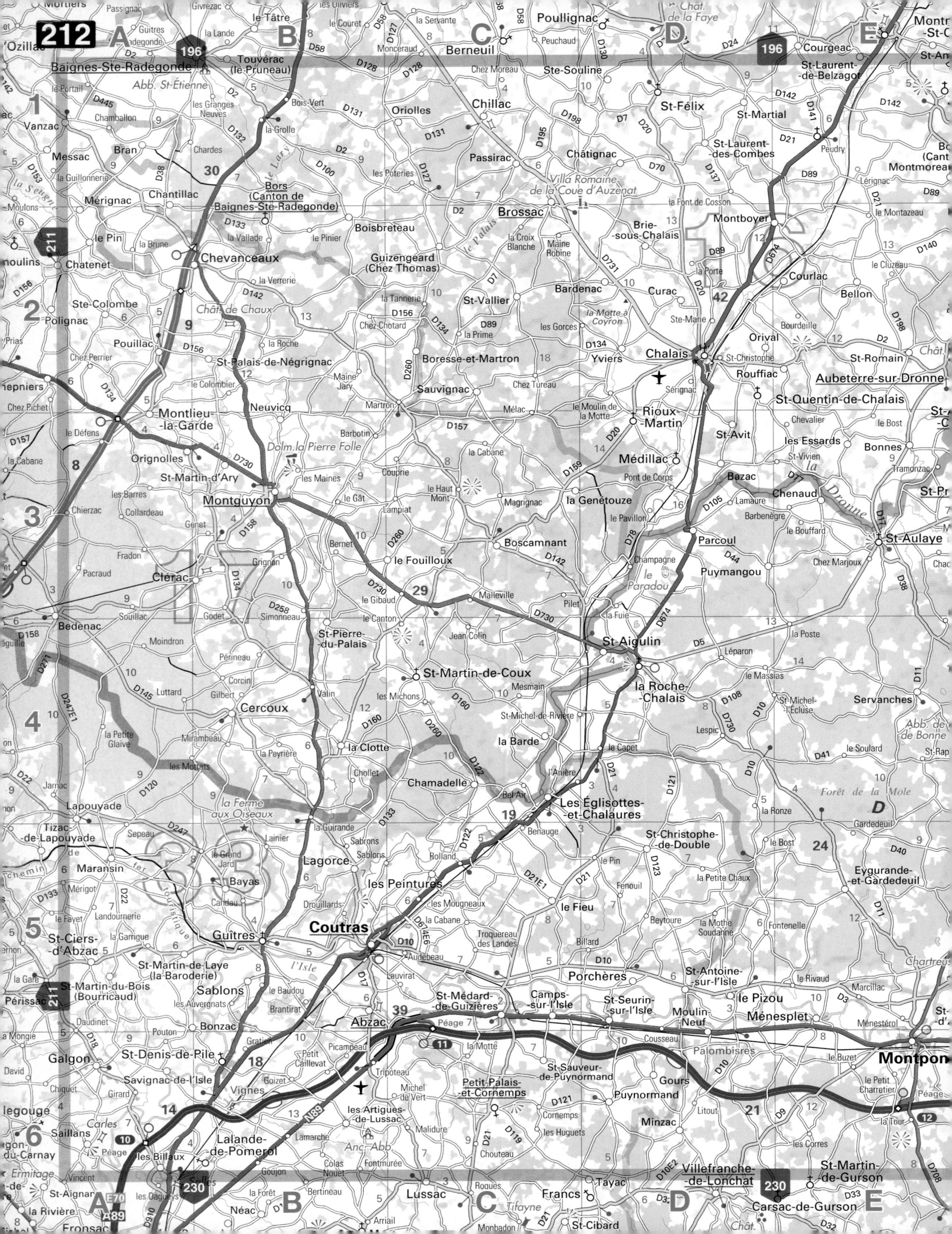

212
A
B
C
D
E
1
2
3
4
5
6
196
211
230
Baignes-Ste-Radegonde
Abb. St-Étienne
Touvérac
(le Pruneau)
le Tâtre
Berneuil
Poullignac
Châl. de la Faye
Courgeac
St-Laurent-de-Belzagot
Montmoreau-St-Cybard
Ste-Souline
Chillac
Oriolles
St-Félix
St-Martial
St-Laurent-des-Combes
Peudry
Vanzac
Messac
Bran
Chardes
Bors
(Canton de
Baignes-Ste-Radegonde)
Passirac
Châtignac
Villa Romaine
de la Coue d'Auzenat
Brossac
Brie-sous-Chalais
Montboyer
Mérignac
Chantillac
le Pin
Chatenet
Chevanceaux
Boisbreteau
Guizengeard
(Chez Thomas)
la Croix Blanche
Maine Robine
Bardenac
Curac
Courlac
Bellon
Ste-Colombe
Polignac
Pouillac
Châl. de Chaux
St-Vallier
la Motte-à Coyron
Ste-Marie
Chalais
St-Christophe
Orival
St-Romain
Aubeterre-sur-Dronne
St-Palais-de-Négrignac
Boresse-et-Martron
Yviers
Rouffiac
St-Quentin-de-Chalais
Sauvignac
Montlieu-la-Garde
Neuvicq
Martron
Mélac
Rioux-Martin
St-Avit
les Essards
Bonnes
Orignolles
St-Martin-d'Ary
Dolm. la Pierre Folle
Médillac
Bazac
Chenaud
Montguyon
la Genétouze
Parcoul
St-Aulaye
Chierzac
Boscamnant
Puymangou
le Fouilloux
Clérac
le Paradou
Bedenac
St-Pierre-du-Palais
St-Aigulin
la Roche-Chalais
St-Martin-de-Coux
Servanches
Abb. de Bonne
Cercoux
la Clotte
la Barde
Chamadelle
Les Églisottes-et-Chalaures
Forêt de la Mole
Lapouyade
Tizac-de-Lapouyade
la Ferme aux Oiseaux
St-Christophe-de-Double
Maransin
Bayas
Lagorce
les Peintures
Eygurande-et-Gardedeuil
le Fieu
Coutras
St-Ciers-d'Abzac
Guîtres
St-Martin-de-Laye
(la Baroderie)
Porchères
St-Antoine-sur-l'Isle
Périssac
St-Martin-du-Bois
(Bourricaud)
Sablons
St-Médard-de-Guizières
Camps-sur-l'Isle
St-Seurin-sur-l'Isle
Moulin-Neuf
le Pizou
Ménesplet
Bonzac
Abzac
Montpon
Galgon
St-Denis-de-Pile
St-Sauveur-de-Puynormand
Gours
Puynormand
Savignac-de-l'Isle
Vignes
Petit-Palais-et-Cornemps
Minzac
Saillans
les Artigues-de-Lussac
Lalande-de-Pomerol
Villefranche-de-Lonchat
St-Martin-de-Gurson
Carsac-de-Gurson
Lussac
Francs
Tayac
Néac
Fronsac
St-Cibard
D2
D58
D128
D131
D142
D156
D134
D157
D730
D158
D260
D159
D20
D89
D674
D731
D142
D10
D17
D21
D22
D133
D247
D123
D121
D5
D11
D38
N89
A89
E70

Vendoire
Gout-Rossignol
la Chapelle-Grésignac (la Chapelle)
Cherval
la Chapelle--Montabourlet
Léguillac-de-Cercles
la Gonterie--Boulouneix
Cantillac
Salles-Lavalette
Nanteuil-Auriac--de-Bourzac
St-Martial--Viveyrol
la Tour-Blanche
Cercles
Brantôme
St-Julien--de-Bourdeilles
Palluaud
Verteillac
Chapdeuil
Paussac--et-St-Vivien
Montignac--le-Coq
Bouteilles--St-Sébastien
Bourg--des-Maisons
St-Just
St-Paul--Lizonne
Lusignac
Coutures
St-Séverin
Valeuil
Bourdeilles
Bertric-Burée
Creyssac
Petit-Bersac
Sencenac--Puy-de-Fourches
Nabinaud
Allemans
Celles
Grand--Brassac
Biras
Comberanche-et-Épeluche
Montagrier
Lisle
Bourg--du-Bost
Villetoureix
Bussac
Chassaignes
St-Méard-de-Drône
Tocane--St-Apre
Ribérac
Douchapt
Château--l'Évêque
St-Martin-de-Ribérac
la Chapelle--Gonaguet
Festalemps
Mensignac
Vanxains
St-Pardoux-de-Drône
St-Vincent--Jalmoutiers
St-Sulpice--de-Roumagnac
Segonzac
Chancelade
Ponteyraud
Siorac-de-Ribérac
Coulounieix-Chamiers
St-Aquilin
Léguillac--de-l'Auche
Marsac-sur-l'Isle
la Jemaye
Chantérac
Annesse-et-Beaulieu (Gravelle)
St-Vincent--de-Connezac
Razac--sur-l'Isle
St-André--de-Double
St-Jean-d'Ataux
St-Astier
St-Germain--du-Salembre
Échourgnac
Montrem
Coursac
St-Léon-sur-l'Isle
Beauronne
Neuvic
Chalagnac
St-Étienne--de-Puycorbier
Douzillac
Manzac--sur-Vern
St-Michel-de-Double
Grignols
St-Paul--de-Serre
St-Barthélemy--de-Bellegarde
Vallereuil
Creyssensac--et-Pissot
St-Louis--en-l'Isle
St-Martin-l'Astier
St-Front--de-Pradoux
Péage de Mussidan
St-Laurent--des-Hommes
St-Médard-de-Mussidan
Sourzac
Jaure
St-Séverin-d'Estissac
Bourrou
Grun-Bordas
Mussidan
St-Jean--d'Estissac
Villamblard
St-Hilaire--d'Estissac
Bourgnac
Issac
St-Maime--de-Péreyrol
Beaupouyet
Beleymas
Douville
St-Géry
St-Sauveur--Lalande
les Lèches
Église-Neuve-d'Issac
Beauregard--et-Bassac
Fouleix
Montagnac--la-Crempse
St-Géraud--de-Corps
Bosset
St-Jean-d'Eyraud
St-Julien--de-Crempse
St-Martin--des-Combes
A89
N89
N21
197
214
231
24

Thiviers
Nanthiat
Champagnac-de-Belair
Condat-sur-Trincou
la Chapelle-Faucher
St-Pierre-de-Côle
Lempzours
Vaunac
Eyzerac
Corgnac-sur-l'Isle
St-Jory-las-Bloux
St-Sulpice-d'Excideuil
Clermont-d'Excideuil
Dussac
Lanouaille
St-Médard-d'Excideuil
Excideuil
Négrondes
St-Front-d'Alemps
Eyvirat
Ligueux
Sorges
Agonac
St-Germain-des-Prés
St-Pantaly-d'Excideuil
St-Martial-d'Albarède
Preyssac-d'Excideuil
Anlhiac
Coulaures
St-Raphaël
Cherveix-Cubas
Savignac-les-Églises
Mayac
Tourtoirac
Cornille
St-Vincent-sur-l'Isle
Sarliac-sur-l'Isle
St-Pantaly-d'Ans
Ste-Eulalie-d'Ans
Chourgnac
Temple-Laguyon
Champcevinel
Antonne-et-Trigonant
Escoire
Cubjac
la Boissière-d'Ans
Nailhac
Granges-d'Ans
Gabillou
Brouchaud
Ste-Orse
Trélissac
Périgueux-Bassillac
Bassillac
le Change
Chamiers
PÉRIGUEUX
Boulazac
Blis-et-Born
Montagnac-d'Auberoche
St-Rabier
Eyliac
Limeyrat
Ajat
St-Laurent-sur-Manoire
Atur
Azerat
St-Antoine-d'Auberoche
Thenon
Ste-Marie-de-Chignac
St-Pierre-de-Chignac
St-Crépin-d'Auberoche
Fossemagne
Notre-Dame-de-Sanilhac
Milhac-d'Auberoche
Auriac-du-Périgord
Marsaneix
St-Geyrac
Bars
Église-Neuve-de-Vergt
la Douze
Rouffignac-St-Cernin-de-Reilhac
Fanlac
Montignac
Breuilh
Lacropte
Plazac
Thonac
Valojoulx
Vergt
Salon
St-Félix-de-Reillac-et-Mortemart
Fleurac
St-Léon-sur-Vézère
Sergeac
St-Amand-de-Vergt
Veyrines-de-Vergt
Mauzens-et-Miremont
Cendrieux
Peyzac-le-Moustier
St-Michel-de-Villadeix
Journiac
Savignac-de-Miremont
Manaurie
Tursac
Tamniès
St-Laurent-des-Bâtons
A89
E70
N21
N89

Uzerche
Vigeois
Arnac-Pompadour
St-Sornin-Lavolps
Concèze
Juillac
St-Bonnet-la-Rivière
Vignols
Voutezac
Objat
Allassac
Donzenac
St-Viance
Varetz
Ussac
Malemort-s.-Correze
BRIVE-LA-GAILLARDE
Aubazines
Perpezac-le-Noir
Perpezac-le-Blanc
Yssandon
St-Robert
Ayen
Terrasson-Lavilledieu
Larche
St-Pantaléon-de-Larche
Cosnac
Noailles
Jugeals-Nazareth
Chavagnac
Turenne
Collonges-la-Rouge
Meyssac
Lagraulière
Savignac-Lédrier
Payzac
Beyssenac
St-Geniès
Salignac-Eyvigues
St-Crépin-et-Carlucet
la Cassagne
Nespouls
Estivals
Cressensac
Gignac
Cuzance
Sadroc
Ste-Féréole
Mansac
Cublac
Beauregard-de-Terrasson
Villac
Badefols-d'Ans
Louignac
Coubjours
Lissac-sur-Couze
Chasteaux
Noailhac
Ligneyrac
Saillac
Sarrazac
Cavagnac
Condat
Strenquels
Lanteuil
Dampniat
St-Pardoux-l'Ortigier
St-Germain-les-Vergne
Chanteix
Estivaux
St-Bonnet-l'Enfantier
Orgnac-sur-Vézère
Chât. de Comborn
Gorges du Saillant
A20
E70
E09
N89
N20
N120
l'Occitane
199
216
233

217
F
G
H
J
K
201
La Palisse
Cheyssac
Celle
Vedrenne
Theil
le Château d'Anglard
Roche-le-Peyroux
Laborde
St-Julien-près-Bort
Liginiac
Sauliac
Site du Mont
Vallat
Lonzanges
Farreyrolles
la Pignole
Pellassiauve
Pellachal
Val Beneyte
Site de St-Nazaire
Sarroux
Pierrefitte
Granges
Cheylade
Vauzelles
Géline
Marchal
Lac de Crégut
Chabrat
Teldes
Cronzat
Pailler
la Vedrenne
Puy de Bort
Bort-les-Orgues
Champs-sur-Tarentaine-Marchal
le Chastagner
Puy de Manzagol
Bge de Marèges
Chaissac
St-Pierre
Lagrange
les Orgues
Lastioulles
L.de Lastioulles
Antiges
Marèges
Ribeyrol
la Plantade
Fournols
Valessard
Neuvic
Gioux
Combret
Saverniolles
Moulergues
Châ.
Saut de la Saule
Sarran
Chez Malguid
Embort
le Faucher
Bge de la Triouzone
Monanges
Madic
St-Thomas
le Bouchet
Gges de la Rhue
Trémouille
Meymac-Basse
la Siauve
Vernéjoux
Bouissou
Verchalles
Soubro
la Bouboulie
Montruc
Cheyssac
St-Hilaire-Luc
Sérandon
Chassagne
Champagnac
Lachamp
Chât. de Couzans
Bélier
la Rhue
Boix
la Jeansonie
la Rousserie
Prodelles
Ydes
Fleurac
Courtilles
Antignac
Ridoux
St-Étienne-de-Chomeil
Coindre
218
Belv. de Gratte-Bruyère
Haute Vallée de la Dordogne
les Plaines
le Fau
Chât.
Vebret
Saignes
Chap. N.D. du Roc Vignonnet
Neuvialle
Mont de Bélier
Jointy
Esteyriches
Labrousse
les Ages
Veyrières
Chavagnac
Sauvat
Ribes
Chastel Marlhac
la Monselie
Habitation Préhist. de Châteauneuf
Journiac
Rouffianges
le Vent-Haut
la Chevalerie
la Jarrige
le Mas
Bassignac
Milhac
Chât. de Murat-la-Rabbe
le Liocamp
Embesse
Furlanges
le Braud
Arches
Chabannes
Broussolles
le Monteil
Vensac
Menet
Riom-ès-Montagnes
Autranges
Latronche
les Andrieux
Vendes
Auteroche
Toulat
Brocq
la Sumène
Ortigier
Embrassac
Roudalhac
Tautal-Bas
Lamirande
Sourniac
Alsac
Drulhes
Crayssac
la Sagne
Merly
le Cheix
Vezac
Soursac
Chât. de Miremont
Fialeix
Marlat
Olgeac
Valette
Rignac
le Mons
la Terrade
l'Herm
la Forestie
Bilgeac
Jaleyrac
Varleix
Cheyrouse
Auzers
Lafage
Aymons
Tonnac
Méallet
Lieuchy
Trizac
Marcombes
Peyre Grosse
Bge de l'Aigle
le Breuil
la Besse
Angles
Claveyres
Lachassagne
Fouroux
Chalvignac
Conrut
Moussages
Chavaroche
Durfort
Aynes
Serre
Boulan
Montbrun
Laveissière
Plateau de Trizac
Collandres
Doumis
Barbary
Jailhac
Fressanges
Laferrière
Crouzit Bas
Escoalier
le Vigean
Baliergues
Labro
Chamblat
St-Hippolyte
Mauriac
Pradelles
le Mars
Chât. de Chanterelle
Alberoche
N.D. de la Font Sainte
Charafrage
Brageac
St-Thomas
Trébiac
Anglards-de-Salers
St-Vincent-de-Salers
Verlhac le Jeune
Noux
Joncoux
la Bade
Tourniac
Salins
le Chambon
15
le Four
Ostenac
Chambres
Chât. de Mazerolles
le Cheix
Fignac
Vallée du Falgoux
Lextrait
Artiges
Cussac
Chât. de la Vigne
Casc.
le Vaulmier
le Pomeyrol
Ginalhac
Apcher
Fageolles
Chapsières
l'Auze
la Buge
Saligoux
Chaussenac
Ally
Escorailles
Vernet
Drugeac
Masdamont
Espinouze
Saintrie
Visis
la Grille
Vèze
Drignac
St-Bonnet-de-Salers
Tougouse
le Falgoux
le Pou
Loudiès
Escladines
Custrac
Boussac
Lesmaronies
les Chaumillous
Granoux
Bouval
le Puy Soutro
Nebouillères
Merlhac
Ruzolles
la Maronne
Beth
Fages
Fontenille
Bournazel
St-Paul-de-Salers
Récusset
la Chaze
Pleaux
Barriac-les-Bosquets
Burc
Giroux
Roc du merle
Mialet
Conroc
Vialard
Salers
Vielmur
Puy Violent
le Verdier
Serres
Loupiac
Ste-Eulalie
St-Martin-Valmeroux
le Theil
MONTS DU
Pas de Peyrol
Nozières
le Raynal
Vedèche
Malrieu
Cirque de Falgoux
Lherm
St-Christophe-les-Gorges
Chât.
Branzac
Soumaille
Fontanges
Restivalgues
le Fau
Puy Mary
Jauriac
Farges
Auzeral
Malgorce
Chastrade
Puy Chavaroche
Gorges de la Maronne
N.-D. du Chât.
l'Aspre
PARC NA
Lajarrige
Besse
St-Chamant
la Peire
St-Dolus
St-Georges
la Roche
Enchanet
Salesse
St-Martin-Cantalès
Serres
Bourcenac
la Bertrande
Rivière
St-Projet-de-Salers
Casc. de Liadouze
Liadouze
L.d'Enchanet
Gorges de la Bertrande
le Raynal
Marzes
Viellespesse
St-Julien-de-Jordanne
Mandailles-St-Julien
Bge d'Enchanet
Darnis
St-Cirgues-de-Malbert
Anglards
Chât. du Cambon
le Bouscatel
Col de Legal
le Couderc
Albart
Cavarnac
Arnac
le Poux
St-Illide
St-Cernin
Chât. d'Anjony
la Forge
Vallée de Mandailles
Méjanet
Laveissière
le Beix
Tournemire
la Doire
le Bruel
Brousse
Lagarde
Chât. de Rageaud
Chât. de Faussanges
la Jordanne
Casc. de Faillitoux
Armandie
Gounoulès
Veillant
Favars
Bargues
Girgols
Vendogre
Solliage
Houade
Uzols
la Soulane
Bel-Air
Ourzeaux
Aybre
St-Santin-Cantalès
Labontat
Freix-Anglards
Nouvialle
Laroquevieille (Vercuères)
St-Cirgues-de-Jordanne
le Clout
Prunis
le Claux
Frayssi
Apcher
Pradines
Lascelle
Lagat
Espinat
St-Victor
Bassignac
Cautrunes
Péruéjouls
Laroquevieille
Thiézac
la Bitarelle
Chât. de la Voulte
Chât. Sedaiges
Salhès
Bruel
Sarrus
Breisse
Marmanhac
Velzic
Casc.
Vaurs
Renhac
Caussac
Vermenouze
Grte des Anglais
Pas de Cère
Lasvergnes
Casc. du Trou de la Conche
Clavières
Salvanhac
Nieudan
Ayrens
Jussac
Vic-sur-Cère
235
Messac
Peyrelevade
Teissières-les-Cornet
Sournac
Reilhac
Chât. de la Cavade
Comblat le Château
St-Clément
Col de Curebourse
Laroquebrou
Lavaurette
Crandelles
Leyritz
St-Jean-de-Dône
Chât. de la Laubie
Belliac
Rouffiac
Boussac
Onsac
Rocher des Pens
Avise Toi
Brousse
Naucelles
St-Simon
Chât. de Pestels
Comblat
La Roque

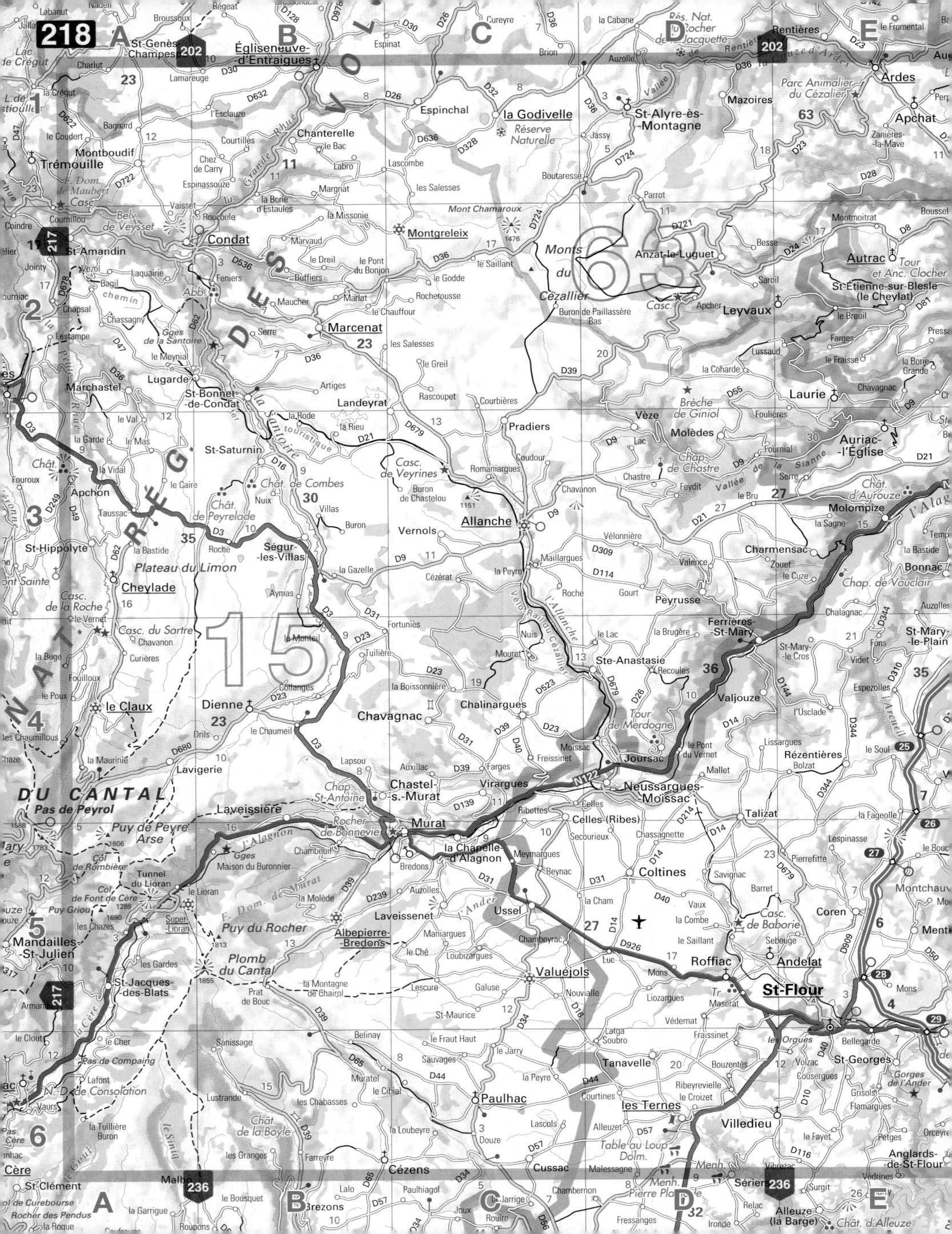

Églisenenve-d'Entraigues
la Godivelle
St-Alyre-ès-Montagne
Ardes
Apchat
Trémouille
Condat
Montgreleix
Anzat-le-Luguet
Autrac
St-Étienne-sur-Blesle (le Cheylat)
Leyvaux
Marcenat
Monts du Cézallier
Laurie
Auriac-l'Église
Allanche
Molompize
Apchon
Cheylade
Ségur-les-Villas
Ferrières-St-Mary
Ste-Anastasie
le Claux
Dienne
Chavagnac
Chalinargues
Joursac
Neussargues-Moissac
Chastel-s.-Murat
Murat
La Chapelle-d'Alagnon
DU CANTAL
Pas de Peyrol
Puy de Peyre Arse
Tunnel du Lioran
Puy Griou
Puy du Rocher
Albepierre-Bredons
Plomb du Cantal
Mandailles-St-Julien
St-Jacques-des-Blats
Valuéjols
Coltines
Roffiac
Andelat
St-Flour
Paulhac
Les Ternes
Villedieu
Cézens
Cussac
Anglards-de-St-Flour
Brezons
Alleuze (la Barge)
Chât. d'Alleuze

F
G
H
J
K
1
2
3
4
5
6
St-Gervazy
Charbonnier-les-Mines
Brassac-les-Mines
St-Jean-St-Gervais
St-Martin-d'Ollières
Ronaye
Doranges
Moriat
Ste-Florine
Vézézoux
Chassignolles
St-Sauveur-la-Sagne
Frugerès-les-Mines
Auzon
Lempdes-sur-Allagnon
Chambezon
Gorges de l'Alagnon
St-Hilaire
St-Vert
St-Alyre-d'Arlanc
Vergongheon
Azérat
Léotoing
Torsiac
Champagnac-le-Vieux
Laval-sur-Doulon
La Chapelle-Geneste
Lafayette-Lorlanges
St-Géron
Bournoncle-St-Pierre
Agnat
Lorlanges
Cohade
Chaniat
Cistrières
La Chaise-Dieu
Espalem
Beaumont
Lamothe
Paulhac
Brioude
Basilique
Fontannes
Javaugues
St-Didier-sur-Doulon
Connangles
Forêt de Lamandie
St-Laurent-Chabreuges
Frugières-le-Pin
Vals-le-Chastel
Sembadel
St-Beauzire
Vieille-Brioude
Lavaudieu
Montclard
St-Pal-de-Senouire
Massiac
Lubilhac
la Senouire
St-Préjet-Armandon
Domeyrat
Château Féodal
Collat
St-Just-près-Brioude
la Chomette
La Chapelle-Bertin
Chassagnes
Paulhaguet
Josat
Salzuit
Villeneuve-d'Allier
Val d'Allier
Ste-Marguerite
Mercoeur
St-Ilpize
St-Privat-du-Dragon
Couteuges
Mazerat-Aurouze
Varennes-St-Honorat
la Chapelle-Laurent
Blassac
Jax
Ally
Lavoûte-Chilhac
Chilhac
Cerzat
St-Georges-d'Aurac
Chavaniac-Lafayette
Celoux
St-Cirgues
Aubazat
Falaise de Blot
Ste-Eugénie-de-Villeneuve
Fix-St-Geneys
Mazeyrat-d'Allier
St-Austremoine
Arlet
Vissac-Auteyrac
Rageade
Chazelles
Langeac
Siaugues-Ste-Marie (Siaugues-St-Romain)
Lastic
Soulages
Cronce
Ferrussac
Chastel
St-Arcons-d'Allier
St-Romain Chât.
Védrines-St-Loup
Chanteuges
Pinols
Gorges de l'Allier
Ste-Marie
Forêt de la Margeride
Dolmen la Tuile des Fées
Tailhac
St-Julien-des-Chazes
Vernet
Vabres
Pébrac
Prades
St-Bérain
Chazelles
Desges
Ruynes-en-Margeride
Cubelles
Auvers
Mon. National aux Maquis
Mont Mouchet
Venteuges
la Seuge
Clavières
Viaduc de Garabit
la Besseyre-St-Mary
Saugues
Monistrol-d'Allier
Chaliers
Lorcières
Paulhac-
N102
E11
la Méridienne
l'Allier
le Doulon
l'Alagnonnette
la Desges
203
220
237

Arlanc
Medeyrolles
Sauvessanges
Dore-l'Église
Usson-en-Forez
Apinac
St-Nizier-de-Fornas
Merle-Leignec
Estivareilles
Rozier-Côtes-d'Aurec
St-Jean-d'Aubrigoux
St-Pal-de-Chalencon
St-Hilaire-Cusson-la-Valmitte
Malvalette
St-Victor-sur-Arlanc
Malvières
la Chaise-Dieu
Craponne-sur-Arzon
Boisset
Valprivas
Bas-en-Basset
Julliianges
St-Julien-d'Ance
St-Georges-Lagricol
Beaune-sur-Arzon
St-André-de-Chalencon
Solignac-sous-Roche
Beauzac
Félines
Chomelix
St-Pierre-du-Champ
Monlet
Bellevue-la-Montagne
Roche-en-Régnier
Retournac
Allègre
Mont Bar
Céaux-d'Allègre
Chamalières-sur-Loire
Vorey
St-Geneys-près-St-Paulien
St-Vincent
Mézères
Vernassal
St-Paulien
Rosières
St-Julien-du-Pinet
Yssingeaux
Lissac
Beaulieu
Bessamorel
Lavoûte-sur-Loire
Blanzac
Malrevers
Loudes
Chaspinhac
St-Étienne-Lardeyrol
Queyrières
St-Vidal
Polignac
St-Jean-de-Nay
Chaspuzac
Chadrac
Aiguilhe
Brives-Charensac
Blavozy
St-Pierre-Eynac
Sanssac-l'Église
Espaly-St-Marcel
LE PUY-EN-VELAY
St-Germain-Laprade
St-Julien-Chapteuil
Ceyssac
Vergezac
Vals-près-le-Puy
Bains
St-Christophe-sur-Dolaison
Lantriac
Coubon
Arsac-en-Velay
St-Privat-d'Allier
Cussac-sur-Loire
Laussonne
St-Didier-d'Allier
Monistrol-d'Allier
St-Jean-Lachalm
Séneujols
Solignac-sur-Loire
Chadron
Moudeyres

PARC NATUREL RÉGIONAL DU PILAT
Crêt de l'Œillon
Firminy
Unieux
la Ricamarie
le Chambon-Feugerolles
St-Paul-en-Cornillon
Fraisses
Aurec-sur-Loire
St-Ferréol-d'Auroure
la Chapelle-d'Aurec
Pont-Salomon
St-Just-Malmont
St-Romain-les-Atheux
St-Genest-Malifaux
Planfoy
Tarentaise
le Bessat
Thélis-la-Combe
la Versanne
Graix
Colombier
St-Julien-Molin-Molette
Véranne
St-Appolinard
Jonzieux
St-Didier-en-Velay
la Séauve-sur-Semène
St-Victor-Malescours
St-Régis-du-Coin
Marlhes
St-Romain-Lachalm
St-Sauveur-en-Rue
Bourg-Argental
St-Marcel-lès-Annonay
Boulieu-lès-Annonay
Burdignes
St-Clair
Ste-Sigolène
St-Pal-de-Mons
Riotord
Dunières
Villevocance
Vanosc
Roiffieux
Monestier
Vocance
St-Alban-d'Ay
St-Julien-Molhesabate
Lapte
Raucoules
Montfaucon-en-Velay
St-Julien-Vocance
St-Symphorien-de-Mahun
Montregard
St-Bonnet-le-Froid
Satillieu
Chenereilles
St-André-en-Vivarais
St-Pierre-sur-Doux
Tence
le Mas-de-Tence
Lalouvesc
Vaudevant
St-Jeures
Devesset
Rochepaule
Pailharès
St-Félicien
le Chambon-sur-Lignon
Mazet-St-Voy
St-Jeure-d'Andaure
Nozières
Empurany
Arlebosc
Bozas
Mars
St-Agrève
Labatie-d'Andaure
Champclause
Désaignes
Lamastre
Fay-sur-Lignon
les Vastres
St-Julien-Boutières
Intres
St-Barthélemy-Grozon
St-Basile
St-Clément
Lachapelle-sous-Chanéac
St-Jean-Roure

A
B
C
D
E
1
2
3
4
5
6
206
221
240
St-Maurice-l'Exil
St-Romain-de-Surieu
la Chapelle-de-Surieu
Moissieu-sur-Dolon
Faramans
-de-Beaurepaire
Pisieu
Malleval
Roisey
Bessey
Lupé
St-Pierre-de-Bœuf
Ville-sous-Anjou
Château de Bresson
Bellegarde-Poussieu
Revel-Tourdan
le Péage-de-Roussillon
Roussillon
Sonnay
Salaise-sur-Sanne
Maclas
Limony
Anjou
St-Barthélemy
Pajay
Pact
Beaurepaire
St-Jacques-d'Atticieux
Charnas
Agnin
Jarcieu
Lapeyrouse-Mornay
Beaufort
Vinzieux
Bougé-Chambalud
Brossainc
Félines
Sablons
Chanas
Marcollin
Serrières
Épinouze
Manthes
Lentiol
St-Rambert-d'Albon
St-Sorlin-en-Valloire
Moras-en-Valloire
Lens-Lestang
Savas
Peaugres
Bogy
Champagne
le Grand-Serre
St-Clair
Colombier-le-Cardinal
Anneyron
Hauterives
le Palais Idéal
Davézieux
St-Désirat
St-Cyr
Andancette
Albon
Tour d'Albon
Annonay
St-Étienne-de-Valoux
Andance
Châteauneuf-de-Galaure
Tersanne
Thorrenc
Beausemblant
Fay-le-Clos
Mureils
St-Martin-d'Août
St-Christophe-et-le-Laris
Talencieux
Vernosc-lès-Annonay
Laveyron
la Motte-de-Galaure
Miribel
St-Avit
Montchenu
Quintenas
Ardoix
Sarras
St-Uze
Ratières
Claveyson
Bathernay
St-Laurent-d'Onay
Crépol
St-Barthélemy-de-Vals
St-Romain-d'Ay
St-Vallier
Ponsas
Eclassan
Défilé de St-Vallier
Charmes-sur-l'Herbasse
le Chalon
Montmiral
St-Jeure-d'Ay
Arras-sur-Rhône
Serves-sur-Rhône
Margès
Arthémonay
Bren
Préaux
Sécheras
St-Donat-sur-l'Herbasse
Geyssans
Cheminas
Érôme
Marsaz
Lemps
Gervans
Chantemerle-lès-Blés
Triors
Vion
Chavannes
Larnage
Crozes-Hermitage
St-Victor
Étables
Peyrins
Génissieux
St-Bardoux
Veaunes
St-Jean-de-Muzols
Tain-l'Hermitage
Clérieux
Mours-St-Eusèbe
Mercurol
Colombier-le-Vieux
Chanos-Curson
ROMANS-SUR-ISÈRE
Tournon-sur-Rhône
Granges-les-Beaumont
St-Barthélemy-le-Plain
Mauves
Bourg-de-Péage
Boucieu-le-Roi
Beaumont-Monteux
Pont-de-l'Isère
Chatuzange-le-Goubet
Colombier-le-Jeune
Châteauneuf-sur-Isère
le Crestet
Plats
Glun
la Roche-de-Glun
Châteaubourg
St-Sylvestre
St-Marcel-lès-Valence
Alixan
Marches
Gilhoc-sur-Ormèze
St-Romain-de-Lerps
Besayes
Champis (la Bâtie-de-Crussol)
Cornas
Bourg-lès-Valence
St-Péray
Alboussière
VALENCE
Montélier
Charpey
Guilherand-Granges

223
F
G
H
J
K
Penol
le Trièves
Sardieu
Poiponnier
le Rival
la Mange
St-Hilaire-de-la-C.
Grenoble-St-Geoirs
Bièvre
Péage
St-Blaise-du-Buis
la Murette
Châtelard
Réaumont
St-Cassien
Voiron
-de-Crossey
du Grd Crossey
Coublevie
St-Julien-de-Raz
Courbatières
Rives
Caves de la Grande Chartreuse
Brézins
la Gare
Charnècles
St-Jean-de-Moirans
la Buisse
Layat
les Reyr
St-Siméon-de-Bressieux
le Temple
le Bessey
St-Étienne-de-St-Geoirs
Sillans
Beaucroissant
Izeaux
Renage
Criel
Sanissard
Moirans
Voreppe
Pommiers-
Bressieux
Châtenay
Château
le Collet
Cours
St-Geoirs
le Chambard
Plan
N.-D. de Parménie
Vourey
Fures
les Îles
les Gentils
St-Pierre-de-Bressieux
Viriville
St-Paul-d'Izeaux
Marnans
St-Michel-de-St-Geoirs
l'Eslinard
la Fure
Revel
Brion
la Forteresse
Tullins
l'Isère
la Roche
Péage
St-Quentin-sur-Isère
l'Isle Rose
Mont-St-Marti
Abb. de Chalais
Camp de Chambaran
le Château Rocher
Moretté
Quincieu
Cras
Tizin
Veurey-Voroize
Montaud
Montaud
Galaure
Serre-Nerpol (les Caves)
Vatilieu
le Vert
le Muet
Ezy
-Cornillo
Roybon
Chambaran
Chasselay
la Folcatière
le Rif
Poliénas
le Coing
la Buffe
Noyarey
les Envers
N.-D.-de-l'Osier
Charpenay
Chantesse
Col de Montaud
Tunnel interdit
St-Jean
Levaux
Linage
la Rivière
Bec de l'Orient
Forêt de Chambaran
Varacieux
Gonnardière
l'Albenc
la Sure
les Engenières
l'Allègrerie
le Lignet
Refuge de Gève
Refuge de la Sure
Gorges du Furon
Murinais
Vozelle
Vinay
l'Albenc
le Rivet
les Cuves
Sassenage
la Ville d'Or
Bourjonnière
Dionay
Bessins
Rovon
St-Gervais
les Ronins
Châtel de Quincivet
Engins
Beaulieu (le Gua)
le Raillet
le Rivier
Tour sans Venin
St-Jean-le-Fromental
St-Appolinard
Chevrières
Tèche
Gorges
Autrans
le Truc
St-Nizier-du-Moucherotte
St-Vérand
Cognin-les-Gorges
St-Antoine-l'Abbaye
St-Sauveur
Gorges du Nant
Seyssins
le Moucherotte
T. d'Orient
St-Marcellin
Chambaran
Chagneux
Malleval
Vallon du Bruyant
le Mont Julin
la Lunette
Col de Romeyre
l'Olette
Bouveyres
Montagne
Chatte
St-Sauveur (la Richonnière)
Izeron
Prélong
Mais. du Parc
Malhivert
Jardin Ferroviaire
Gontier
Jaume
Lans-en-Vercors
St-Bonnet-de-Chavagne
St-Pierre-de-Chérennes
Méaudre
les Jailleux
Claix
Château
le Peuil
Jayères
les Muronnières
St-Romans
Beauvoir-en-Royans
PARC NATUREL
Bouilly
la Sierre
la Sône
l'Isère
Rencurel
Pic St-Michel
les Sablières
Serre Cocu Belv.
Gorges du Méaudre
St-Hilaire-du-Rosier
St-André-en-Royans
Serre Grier
la Balme-de-Rencurel
les Jarrands
St-Lattier
Presles
Rochers de Presles
Gorges de la Bourne
Villard-de-Lans
St-Paul-de-Varces
Porte de la Drôme
Royans-Vercors
St-Just-de-Claix
la Bourne
Vif
Péage
la Gare
Auberives-en-Royans
Grtes de Choranche
Choranche
l'Essarton
les Cochettes
les Mallets
St-Nazaire-en-Royans
Pont-en-Royans
Châtelus
Gorges de la Bourne
Calv. de Valchevrière
les Clots
Grte de Thaïs
Grotte de Bournillon
St-Julien-en-Vercors
le Balcon de Villard
la Baume-d'Hostun
la Motte-Fanjas
St-Thomas-en-Royans
Ste-Eulalie-en-Royans
Petits Goulets
Échevis (la Cure)
la Gratte
Herbouilly
Lans
le Genevray
Hostun
-Maurice)
Château
Rochechinard (les Robins)
Rochechinard
St-Laurent-en-Royans
RÉGIONAL
Corrençon-en-Vercors
le Guâ
Pas de l'Œille
Prélenfrey
St-Martin-en-Vercors
Clot de la Balme
St-Jean-en-Royans
Vernaison
déb. 2008
le Bard
la Grande Moucherolle
C. des Deux Sœurs
St-Benoît
Oriol-en-Royans
Combe Laval
Tourtre
Beauregard-Barret
Laval
les Grands Goulets
les Baraques-en-Vercors
Vercors
Montagne de Lans
Col de l'Arzelier
Essart-Garin
Cassoulet
Tête d'Homme
Tamée
Montagne de l'Écharasson
Château-Bernard
St-Martin-le-Colonel
Tunnel des Moines
les Patins
Mgne de Musan
les Aubaneaux
Miribel-Lanchâtre (Lanchâtre)
les Ducs
les Pignes
les Foges
Belvédère de la Portette
les Ronnins
la Chapelle-en-Vercors
St-Andéol
St-Guillaume
Bouvante
Lente
Mur des Fusillés
Chabotte
le Bouchet
Col de Carri
DU VERCORS
Grisail
Grte de la Draye Blanche
St-Paul-lès-Monestier
Belv.
Roc de Serves
la Charge
Bouvante-le-Haut
Grte du Brudour
Allard
St-Agnan-en-Vercors
Rés. N.
le Chaumeil
Monestier-de-Clermont

GRENOBLE
ST-MARTIN-D'HÈRES
Échirolles
St-Égrève
la Tronche
Meylan
St-Ismier
Villard-Bonnot
Domène
Vizille
Claix
Vif
le Bourg-d'Oisans
Allemond
Vaujany
Oz
Huez
Auris
Vénosc
Chamrousse
Lumbin
Crolles
Froges
Theys
Goncelin
le Touvet
la Terrasse
Tencin
PARC NATUREL RÉGIONAL DE CHARTREUSE
MASSIF DE LA CHARTREUSE
GRÉSIVAUDAN
CHAÎNE DE BELLEDONNE
OISANS
VALBONNAIS
Massif d'Allevard
Grand Pic de Belledonne
Croix de Chamrousse
Haute Vallée du Bréda
la Mure
Laffrey
Valbonnais
Entraigues
le Périer
Sinard
Monestier-de-Clermont
Livet-et-Gavet
Séchilienne
Notre-Dame-de-Mésage
Vaulnaveys-le-Haut
Uriage-les-Bains
St-Martin-d'Uriage
Eybens
Poisat
Gières
Seyssinet-Pariset
Fontaine
Sassenage
Seyssins
Le Pont-de-Claix
Jarrie
Champagnier
Varces-Allières-et-Risset
Proveyssieux
Sarcenas
St-Pierre-de-Chartreuse
Voreppe
38

F
G
H
J
K
209
226
243
1
2
3
4
5
6
la Chambre
St-Étienne-de-Cuines
Ste-Marie-de-Cuines
St-Avre
Montpascal
Montvernier
Pontamafrey-Montpascal
le Châtel
Hermillon
St-Jean-de-Maurienne
Jarrier
St-Alban-des-Villards
St-Colomban-des-Villards
N.D. des Grâces
les Bottières
St-Pancrace
Villargondran
Villard Clément
St-Julien-Mont-Denis
Montricher-Albanne (le Bochet)
Albiez-le-Jeune
la Toussuire
Villarembert
Fontcouverte-la-Toussuire
le Corbier
Col du Glandon
St-Sorlin-d'Arves
Col de la Croix de Fer
St-Jean-d'Arves
Albiez-Montrond (Albiez-le-Vieux)
Combe Génin
les Karellis
Montricher
St-Martin-de-la-Porte
St-Michel-de-Maurienne
St-Martin-d'Arc
Orelle
Col du Télégraphe
Valmeinier
Valmeinier 1800
Valloire
Fourneaux
Freney
A43
N6
D902
MASSIF DE LA MAURIENNE
73
Grand Perron des Encombres
Les Menuires
Reberty
les Bruyères
Mt du Borgne
Val Thorens
Aiguille de Péclet
Aiguille de Polset
Refuge de Péclet Polset
Glacier de Gébroulaz
Glacier de Chavière
Cime de Caron
Mont Bréquin
Charbutan
Refuge de l'Étendard
Pic de l'Étendard
Aiguilles d'Arves
Aiguille de l'Épaisseur
Pic du Mas de la Grave
Aiguilles de la Saussaz
Aiguille d'Argentière
Aiguille du Goléon
Mont Coburne
Bge de Bissorte
Lac de Bissorte
Valfréjus
Refuge du Mont Thabor
Mont Thabor
Col du Fréjus
Pointe du Fréjus
le Grand Argentier
Roche Bernaude
Cime de la Planette
Pointe Balthazar
Refuge des Drayères
Refuge de Laval
Chalets des Thures
Camp des Rochilles
le Grand Galibier
Col du Galibier
Besse
Chalets du Fay
Rivet de la Cime
Hameau de Valfroide
Mais. du Parc
les Hières
le Chazelet
les Terrasses
Oratoire du Chazelet
Jardin Alpin du Lautaret
la Grave
Villar-d'Arène
Col du Lautaret
N91
D207
Mais. du Parc
Rés. Nat. de Combeynot
Pic Ouest de Combeynot
le Lauzet
Bec de l'Homme
LA MEIJE
le Râteau
Pic Gaspard
Refuge de l'Alpe de Villar-d'Arène
05
Gl. de la Girose
Glacier de Mont-de-Lans
Chalet Communal de la Fée
Refuge de la Selle
Refuge du Châtelleret
Refuge du Pavé
Roche Méane
Refuge Adèle Planchard
Col d'Arsine
le Casset
le Monêtier-les-Bains
D300
Refuge du Chardonnet
Vall. de la Clarée
Névache
Chalets de Buffère
D301T
Plampinet
Granon
Col de Granon
le Freyssinet
les Guibertes
la Guisane
la Salle-les-Alpes
St-Jean-Baptiste
le Villard-Laté
St-Chaffrey
St-Arnould
Villeneuve
Chantemerle
Station de Serre-Chevalier
Champcella
Pramorel
Serre Chevalier
Briançon
Puy-St-Pierre
Puy Chalvin
St-André
Aiguille du Plat de la Selle
Massif du Soreiller
Refuge du Soreiller
la Grde Ruine
Pic Bourcet
Pic de Neige Cordier
Mgne des Agneaux
Tête de la Maye
Roche Faurio
Glacier Blanc
Refuge du Glacier Blanc
BARRE DES ECRINS
Pré de Madame Carle
Rés. Nat. du Torrent de St-Pierre
Refuge Cézanne
la Bérarde
Rés. Nat. de la Hte Vallée du Vénéon
la Bernardière
Champhorent
D530
Tête de Lauranoure
Refuge Temple Écrins
Pic Coolidge
Glacier Noir
MASSIF DES ÉCRINS
MT PELVOUX
Refuge du Carrelet
Refuge de la Lavey
Ailefroide
Refuge du Pelvoux
Cime de la Condamine
Chambran
BRIANÇONNAIS

A
B
C
D
E
193
1
2
3
4
5
225
227
PARC NATIONAL DE LA VANOISE
Dôme de Chasseforêt
Montaimont
Aiguille des Corneillets
Dôme de l'Arpont
Refuge de l'Arpont
la Dent Parrachée
Refuge Éclot Polset
Refuge du Plan du Lac
la Chavière
Glacier du Vallonnet
Grand Roc Noir
Chap. St-Antoine
Bessans
la Goulaz
Pointes de l'Ouillarse
la Petite Ciamarella
Refuge du Vallonbrun
Refuge du Cuchet
le Collet
F. Com. de Bessans
Vincendières
Avérole
Giasset
la Bessanèse
Refuge d'Avérole
Glacier d'Arnès
Glacier du Baounet
D126
le Mont
le Suffet
le Villard
les Fontaignous
Fontaniou
Chap. St-Sébastien
Lanslevillard
Lanslebourg-Mont-Cenis
la Cassette
D902
Pointe de Charbonnel
Signal du Grand Mont Cenis
Glacier du Vieux
Sollières-Sardières (Solières-l'Endroit)
Termignon
Grte des Balmes
la Ramasse
Pointes du Grand Fond
Pointe de l'Échelle
Refuge Plan Sec
Monolithe
D83
l'Envers
Col du Mont Cenis
N6
Pointe de Ronce
Molin
Pointes de la Grande Felouse
Pointe du Lamet
Glacier de Rochemelon
Pointe du Ribon
le Châtel
Montfroid
Lac du Mt Cenis
Sardières
Refuge de l'Orgère
Aussois
le Verney
Bramans
les Rivets
Bge
MASSIF DU MONT CENIS
Rifugio Tazzetti
Casc. St-Benoît
Forts
Col du Petit Mont Cenis
Moncenisio
Rocciamelone
Villarodin-Bourget
Avrieux
Anc. Prieuré de St-Pierre d'Extravache
les Coulours
le Planey
73
Novalesa
Rifugio Ca' d'Asti
Monte Palon
Villarodin
Refuge de la Bramanette
la Norma
Modane
Roche d'Étache
Mont Giusalet
Bar Cenisio
S25
Péage
Chalet de Longe Côte
le Fond
Chalets de St-Barthélémy
Dents d'Ambin
Punta Mulatera
Molaretto
Monte Ciarmetta
San Martino
Costa
Tour
Val de Suze
la Belle Plinier
Aiguille de Scolette
Refuge d'Ambin
Mont d'Ambin
Bonetti
Venaus
Mompantero
Foresto
Tunnel
le Grand Vallon
Glacier Sommeiller
Punta de Ferrant
Vestiges
Giaglione
Susa
Meana-di-Susa
Tanze
Pointe du Fréjus
Pointe de Paumont
Rifugio Scarfiotti
Cima Quattro Denti
A32
S24
Gravere
Col du Fréjus
Mattie
Assiere
E70
Chiomonte
Rifugio Levi
Molière
Madona della Losa
Rochemolles
Punta Valfredda
Casses Blanches
l'Argentier
Tunnel du Fréjus
Tête Pierre Muret
Cima del Vallonetto
San Colombano
Forte d'Exilles
Exilles
Frais
Valle di Suza
Eclause
Colle delle Finestre
Monte Jafferau
Monte Seguret
Colle dell' Assietta
Cima Ciantiplagna
Monte Orsiera
Salbertrand
Gran Bosco
Montagne Seu
Bardonecchia
les Arnauds
T4
S335
Monte Pelvo
Balboutet
Usseaux
Rifugio Selleries
Melezet
Traverses
Péage
Pourrières
Savoulx
Signols
Monfol
Pian del Colle
Gad
Fraisse
Fenestrelle
Souchères Basses
Mentoulles
Beaulard
Oulx
Sauze d'Oulx
Meano
Chambons
Monte Ciabertas
Villaretto
Punta della Mulattiera
Jouvenceaux
Punta di Moucrons
Pragelato
Monte Albergian
Balma
Chalets des Acles
Sportinia
Monte Gran Miuls
Truc Cialabrie
Monte Triplex
Traverses
Bric Rosso
Plampinet
Désertes
Colle Basset
Punta Raccias
Punta Midi O Muret
Solomiac
Fenils
Monte Fraiteve
S23
Laval
05
Balsiglia
Gros Passet
Massello
Mollières
Punta del Beth
Mt Chaberton
Sestrière
Monte Blanchetta
Monte Lapare
Maniglia
Granon
Cesana-Torinese
San Sicario
Champlas-Séguin
Bric Ghinivert
Chiabrano
la Draye
Champlas-du Col
Monte Sises
Punta della Blanchetta
Salza-di-Pinerolo
Perrero
Val-des-Prés
Clavière
Rollières
Sauze di Cesana
Passo San Giacomo
Punta Rognosa
Monte Trusciera
Fontane
Faetto
Montgenèvre
N94
Bousson
Monte Pignerol
Rodoretto
C. de Montgenèvre
Rifugio Pian Gimont
Colle de Bercia
Thures
Cima del Bosca
Monte Platasse
Balma
St-Arnould
la Vachette
Lauze
Ruilles
Monte Furgon
Colle Clapis
Monte Barifreddo
Prali Villa
le Fontenil
Citadelle
Rifugio Mautino
Argentiera
Colle di Rodoretto
Ghigo
Pont d'Asfeld
Thuras
Punta Ciatagnera
Punta Vergia
Pomieri
Cappello d'Envie
Poët-Morand
Pont de Cervières
Terre Rouge
D89T
Bourget
Monte Giaissez
Bric Froid
Passo
Ribba
Cervières

227
A
B
C
D
E
1
2
3
4
5
6
226
243
260
261
Cervières
Pont de Cervières
Poët-Morand
Terre Rouge
St-Pancrace
Villar-St-Pancrace
le Bourget
Monte Giaissez
Punta Ciatagnera
Bric Froid
Punta Vergia
Passo della Longia
Ribba
Punta Cornour
Cima Chiapos
les Chalps
Grand Glaiza
Colle de la Civia
Pic Charbonnel
Tête de Frappier
Grand Queyron
Col Saint Martin
Bric Bouchet
le Mélézin
le Laus
les Fonds
Chalets des Ayes
le Clot
la Rama
Martin-Queyrières
Pic de Rochebrune
Refuge Napoléon
Musée du Tour de France
Col d'Izoard
T. d'Orient.
P. des Beaudouis
la Casse Déserte
le Roux
Valpréveyre
Valle Pellice
Malpe
Chalets de l'Alp
le Lombard
Abriès
Tête du Pelvas
Villanova
Rifugio Jervis al Pra
Colle Baracun
Brunissard
Aiguilles
Ristolas
PARC NAT. RÉG. DU QUEYRAS
la Chalp
Souliers
Peynin
l'Échalp
Arvieux
les Meyries
Ville-Vieille
Punta Pleng O Pareat
le Cougnet
Château-Ville-Vieille
(Château-Queyras)
Rés. de Chasse de Ségure-Ristolas
Pic du Béal Traversier
Prat Hauts
Queyras
la Demoiselle Coiffée
Petit Belvédère du Viso
Monte Manz
Villargaudin
l'Ange Gardien
T. d'Orient.
Sommet Bucher
Molines-en-Queyras
Rifugio Monte Granero
Monte Granero
che-de-Rame
Refuge de Furfande
Montbardon
Fontgillarde
le Grand Queyras
Source
le Villard
Bramousse
St-Véran
Belvédère du Viso
Refuge du Viso
St-Crépin
Combe du Queyras
le Guil
le Pain de Sucre
Refuge Agnel
Col Agnel
Monte Ruine
Piano
Rifugio Vallanta
Pré Riond
le Villard
N.-D.-de-Clausis
Rocca Bianca
Punta tre Chiosis
MONT
Mont-Dauphin
Eygliers
Ceillac
la Clapière
Refuge de la Blanche
Tête de Longet
Tête des Toillies
Costa Ciabert
Gges du Guil
Guillestre
Barbein
Pied du Mélezet
Chianale
Rifugio Savigliano
Casc. de la Pisse
T. d'Orient. de Peyre Haute
Risoul
Pointe de la Saume
la Riaille
Clément-Durance
le Péouvou
Bric de Rubren
Genzana
Pontechianale
Castello
Barrage
Refuge de Basse Rua
Risoul 1850
Lac St-Anne
Ste-Anne
Tête de Malacoste
Monte Ferra
Monte Pietralunga
Château
St-Marcellin
Pic des Heuvières
Maurin
Pic du Pelvat
les Florins
Vars (Ste-Marie)
Pic des Houets
Pic de Panestrel
la Barge
Maljasset
Pointe Haute de Mary
Celle
Chiesa
Chiazale
Colle Bicocca
BRUNAIS
la Mortice
l'Ubaye
Pelvo d'Elva
Viani
Refuge-Hôtel des Cassettes
Vars
les Claux
Ref. Napoléon
Aiguille de Chambeyron
Colle di Bellino
Brec de l'Homme
Monte Faraut
Chiosso
Elva
la Chalp
Crévoux
St-Antoine
la Souvagea
Refuge du Chambeyron
Pont du Châtelet
Grande Serenne
Col de Vars
Monte Chersogno
Brec de Chambeyron
Fouillouse
les Prats
Cheminées de Fées
Monte Cervet
Campiglione
St-Paul-sur-Ubaye
Monte Chirlé
Pas de la Reyssole
Tête de la Courbe
Rocca Blanca
Tête de Vallon Claous
Chiappera
Tête de Sautron
le Grand Parpaillon
Tournoux
Redoute de Berwick
Ussolo
Prazzo-Superiore
St-Ours
Saretto
Acceglio
Meyronnes
Fort de Tournoux
Frere
Forts
Ste-Anne-la-Condamine
Auto Vallonasso
Monte Freid
Canosio
Larche
Chialvetta
la Condamine-Châtelard
Grand Bérard
l'Aupillon
Tête de Moïse
Pratorotondo
Preit
Fort
Colle della Maddalena
Bric Cassin
Monte Cassorso
Col de Larche
L. della Maddalena
Jausiers
Base de Loisirs
du Riou Bourdoux
Servino
Rifugio
05
04
I

Saumos
le Grand Bos
le Petit Bos
le Porge-Océan
le Vignas
le Porge
le Temple
Sautuges
Camp de Souge
Laruau
Lauros
la Saussouze
Martignas-s
le Grand-Crohot
Lège-Cap-Ferret
le las
les Chalets
Arès
Rés. Nat. des prés Salés d'Arès Lège-Cap Ferret
Dunes Boisées
F. Dom. de Lège et Garonne
Claouey
Pointe des Quinconce
Andernos-les-Bains
Parcs à Huîtres
le Petit Piquey
les Jacquets
le Truc Vert
le Piquey
le Grand Piquey
Taussat
Cassy
BASSIN
Lubec
la Pointe
le Canon
l'Herbe
Île aux Oiseaux
Lanton
Pisciculture
Certes
Audenge
la Courbe
Marcheprime
Croix d'Hins
Bergant
D'ARCACHON
les Arbousiers
Arcachon
les Trucails
Vigneau
les Argentières
Phare du Cap-Ferret
Bélisaire
le Moulleau
Parc Ornithologique
Château Ruat
Biganos
Lacanau de Mios
le Cap-Ferret
Pyla sur Mer
la Teste-de-Buch
la Hume
Gujan-Mestras
le Teich
Facture
les Douils
CAP FERRET
la Pointe
le Pilat
Notre-Dame des Monts
Base de Loisirs
Chante-Cigale
Lamothe
le Pilat Plage
Mios
la Carreyre
Rés. Nat. du Banc d'Arguin
Truc de la Truque
Peyot
Arnauton
Dune du Pilat
Lillet
Argilas
Maison Forestière de Gaillouneys
Castandet
Vallée de l'Eyre
Salles
Perrin
Cazaux
Caudos
le Caplanne
F. Dom. de la Teste
le Béguey
Bilos
Lanot
Langeot
Étang de Cazaux et de Sanguinet
l'Aiguille
F. Dom. de Lagnereau
Béliet
le Vieux Lugos
Lugos
Sanguinet
Lombard
Méoule
Corneilley
les Hautes Rives
Mais. du Parc
le Clercq
Mons
Biscarrosse
PARC NATUREL
DES
33
A B C D E
1 2 3 4 5 6
210 244 245

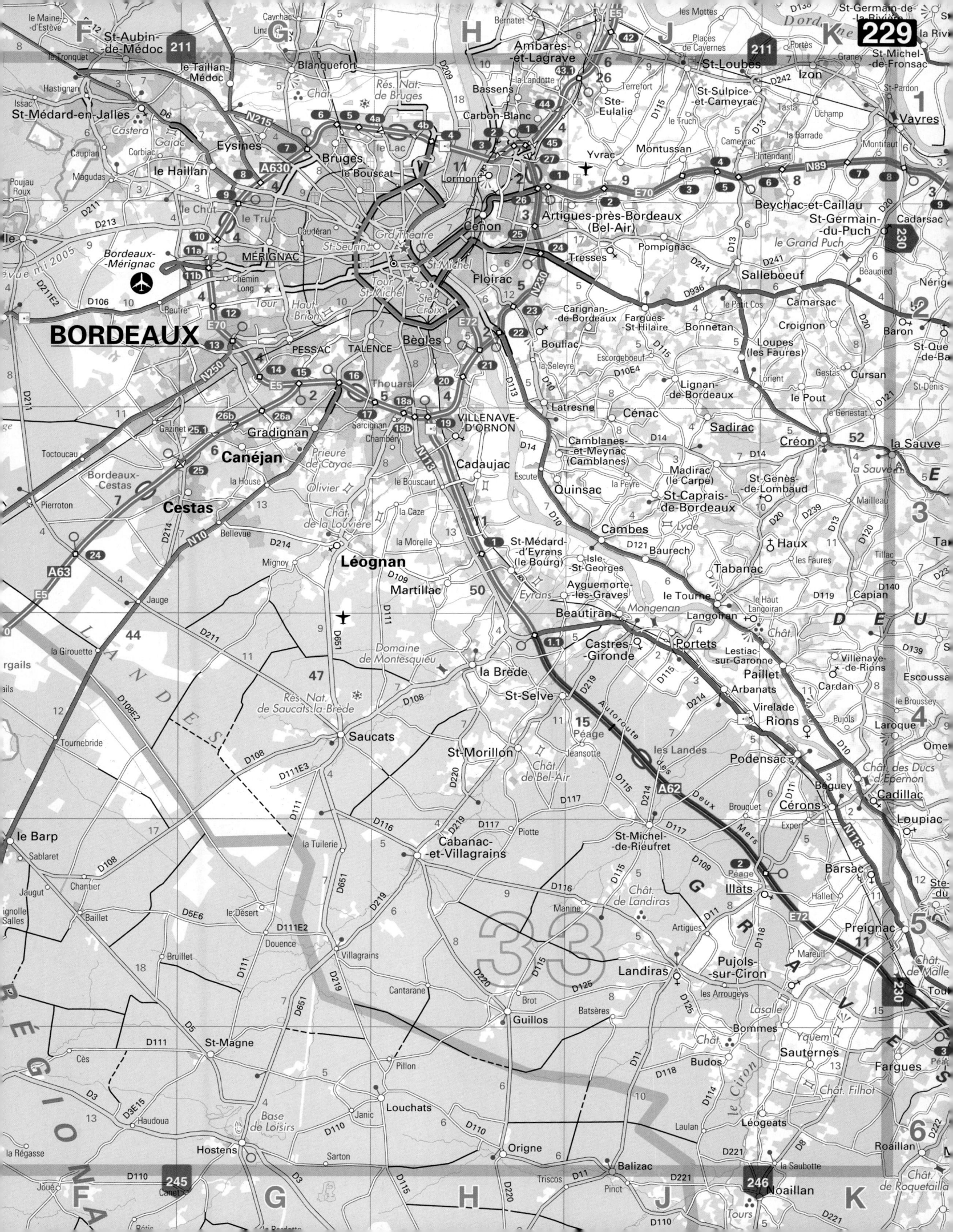

230
212
A
B
C
D
E
1
2
3
4
5
6
Lussac
Francs
Carsac-de-Gurson
Néac
Pomerol
Montagne
St-Cibard
Fronsac
Libourne
St-Georges
Puisseguin
St-Philippe-d'Aiguille
Les Salles-de-Castillon (Lamour)
Montpeyroux
Vayres
Port
Pont
la Croix Figeac
Parsac
Gardegan-et-Tourtirac
Châl. de Matecoulon
Caves
St-Émilion
Égl. Souterraine Monolithe
St-Genès-de-Castillon
St-Christophe-des-Bardes
Condat
la Salargue
Châl. du Roi
Belvès-de-Castillon
St-Vivien
Montazeau
Arveyres
Péage
Grand-Bigaroux
Châl. de Montaigne (Tour)
Bonneville-et-St-Avit-de-Fumadières
St-Sulpice-de-Faleyrens
St-Laurent-des-Combes
St-Étienne-de-Lisse
Ste-Colombe
Castagens
Nastringues
Cadarsac
St-Hippolyte
St-Michel-de-Montaigne
Génissac
St-Magne-de-Castillon
Font. des Fées
St-Germain-du-Puch
Montcaret
Thermes
Vélines
Moulon
St-Pey-d'Armens
Castillon-la-Bataille
Vignonet
Lamothe-Montravel
Nérigean
Branne
Ste-Terre
Mouliets-et-Villemartin (Pique-Sègue)
St-Seurin-de-Prats
St-Antoine-de-Breuilh
Tizac-de-Curton
Cabara
Civrac-sur-Dordogne
St-Quentin-de-Baron
Grézillac
Lugaignac
St-Jean-de-Blaignac
Flaujagues
Pessac-sur-Dordogne
Eynesse
St-Aubin-de-Branne
Ste-Florence
St-Pey-de-Castets
Pujols
Juillac
Gensac
Guillac
Espiet
Daignac
Naujan-et-Postiac
St-Vincent-de-Pertignas
Ste-Radegonde
St-Avit-de-Soulège
Camiac-et-St-Denis
Mérignas
Bossugan
Doulezon
les Lèves-et-Thoumeyragues
Dardenac
Jugazan
Coubeyrac
St-Quentin-de-Caplong
la Sauve
Blésignac
Faleyras
Rauzan
Ruch
Caplong
Bellefond
St-Antoine-du-Queyret
E N T R E
St-Léon
Romagne
le Moulin de Labarthe
Massugas
Courpiac
Base de Loisirs
Listrac-de-Durèze
Lugasson
Anc. Abb.
38
Targon
Bellebat
Blasimon
Mauriac
Cessac
Frontenac
Pellegrue
Landerrouat
Auriolles
Baigneaux
Cleyrac
Soussac
Montignac
Martres
Daubèze
Cazaugitat
Esclottes
U X M E R S
Ladaux
St-Genis-du-Bois
St-Brice
Savignac-de-Duras
Soulignac
Sauveterre-de-Guyenne
Caumont
St-Ferme
Ste-Colombe-de-Duras
Cantois
Coirac
Escoussans
St-Pierre-de-Bat
Castelmoron-d'Albret
Baleyssagues
Arbis
St-Sulpice-de-Pommiers
St-Martin-du-Puy
Rimons
Omet
Châl. de Benauge
Gornac
Castelviel
St-Hilaire-du-Bois
Dieulivol
Donzac
Mourens
St-Martin-de-Lerm
Landerrouet-sur-Ségur
le Puy
Neuffons
Cours-de-Monségur
St-Martial
St-Laurent-du-Bois
St-Félix-de-Foncaude (Foncaude)
Mesterrieux
Coutures
Monségur
Taillecavat
Loupiac
Monprimblanc
St-Germain-de-Grave
St-Exupéry
Camiran
Loubens
St-Sulpice-de-Guilleragues
Lévignac-de-Guyenne
Semens
St-Laurent-du-Plan
Bagas
Roquebrune
Châl. des Guilleragues
Ste-Gemme
Gabarnac
Châl. Malromé
St-Géraud
Ste-Croix-du-Mont
St-André-du-Bois
Ste-Foy-la-Longue
Morizès
les Esseintes
St-Sève
St-Vivien-de-Monségur
Verdelais
Tombe de Toulouse-Lautrec
St-Hilaire-de-la-Noaille
Gironde-sur-Dropt
Fossès-et-Baleyssac
Caubon-St-Sauveur
le Pian-sur-Garonne
la Réole
Signal du Mirail
St-Michel-de-Lapujade
St-Maixant
St-Pierre-d'Aurillac
Caudrot
Casseuil
Montagoudin
Châl. de Malle
les Quatre Sos
St-Martin-de-Sescas
Floudès
St-Macaire
Barie
Bassanne
Mongauzy
Castelnau-sur-Gupie
St-Pierre-de-Mons
Castets-en-Dorthe
Bourdelles
Lamothe-Landerron
St-Martin-Petit
Toulenne
St-Loubert
Blaignac
Fontet
Langon
St-Pardon-de-Conques
Castillon-de-Castets
Puybarban
Lagupie
Mauvezin-sur-Gupie
Hure
Loupiac-de-la-Réole
Bieujac
Pondaurat
Jusix
Beaupuy
Ste-Bazeille
Auros
Savignac
Brannens
Noaillac
Meilhan-sur-Garonne
Bazadais
Marmande
Couthures-sur-Garonne
Mazères
Coimères
Auros
Châl. Roquetaillade
Berthez
le Niz
Cazats
St-Sauveur
Gaujac
Coussan

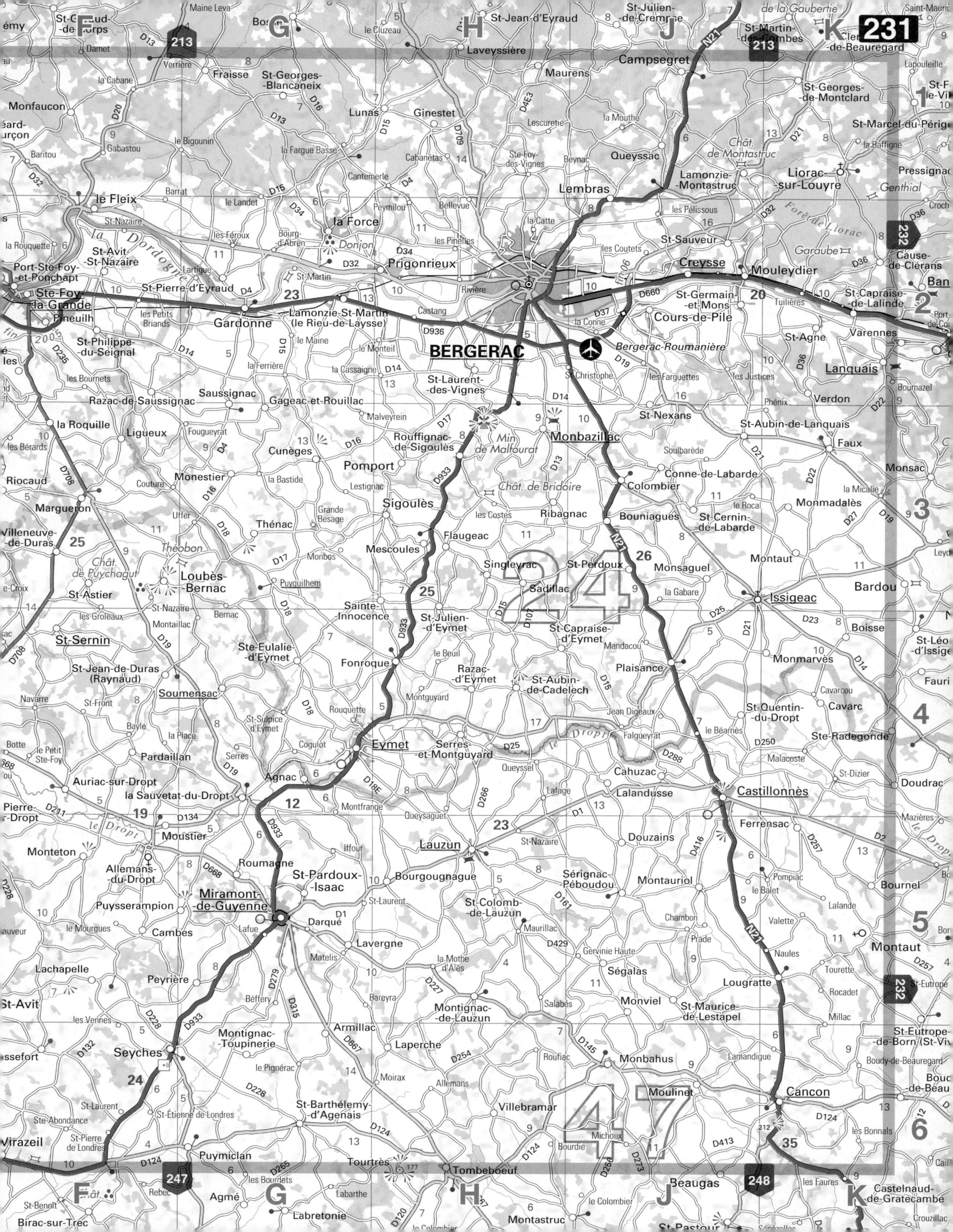
231
F
G
H
J
K
213
232
247
248
1
2
3
4
5
6
24
47
Maine Leva
St-Jean-d'Eyraud
St-Julien-de-Crempse
de la Gaubertie
Saint-Mauric
St-Martin-des-Combes
Clermont-de-Beauregard
le Cluzeau
Laveyssière
Campsegret
Damet
Verrière
Fraisse
St-Georges-Blancaneix
Maurens
St-Georges-de-Montclard
Lapouleille
la Cabane
Monfaucon
Lunas
Ginestet
Lescurette
la Mouthe
St-Marcel-du-Périgord
Gabastou
le Bigounin
la Fargue Basse
Cabanétas
Ste-Foy-des-Vignes
Beynac
Queyssac
Chât. de Montastruc
la Raffigne
Baritou
Cantemerle
Lembras
Lamonzie-Montastruc
Liorac-sur-Louyre
Pressignac
Genthial
Barrat
le Fleix
le Landet
Peymilou
Bellevue
les Pélissous
Forêt de Liorac
St-Nazaire
la Dordogne
les Féroux
Bourg-d'Abren
la Force
Donjon
les Pinelles
la Catte
les Coutets
St-Sauveur
Garaube
Cause-de-Clérans
la Rouquette
St-Avit-St-Nazaire
Lartigue
Prigonrieux
Creysse
Mouleydier
Port-Ste-Foy-et-Ponchapt
St-Martin
Rivière
St-Germain-et-Mons
St-Capraise-de-Lalinde
Tuilières
Ste-Foy-la-Grande
St-Pierre-d'Eyraud
Lamonzie-St-Martin (le Rieu-de-Laysse)
Castang
la Conne
Cours-de-Pile
Pineuilh
les Petits Briands
Gardonne
Varennes
St-Philippe-du-Seignal
le Maine
le Monteil
BERGERAC
Bergerac-Roumanière
St-Agne
la Ferrière
la Cassaigne
St-Christophe
les Farguettes
les Justices
Languais
les Bournets
St-Laurent-des-Vignes
Bournazel
Saussignac
Razac-de-Saussignac
Gageac-et-Rouillac
Phénix
Verdon
St-Nexans
la Roquille
Malveyrein
St-Aubin-de-Lanquais
Ligueux
Fougueyrat
Rouffignac-de-Sigoulès
Mln de Malfourat
Monbazillac
Faux
les Bérards
Cunèges
Soulbarède
Pomport
Monsac
Riocaud
Monestier
Couture
la Bastide
Lestignac
Chât. de Bridoire
Conne-de-Labarde
Colombier
la Micalie
Margueron
Sigoulès
Grande Besage
les Costes
le Roca
Monmadalès
Uffer
Ribagnac
Bouniagues
St-Cernin-de-Labarde
Villeneuve-de-Duras
Thénac
Flaugeac
Théobon
Mescoules
Monbos
Singleyrac
St-Perdoux
Monsaguel
Montaut
Bardou
Chât. de Puychagut
Loubès-Bernac
Puyguilhem
Sadillac
la Gabare
Issigeac
St-Astier
Sainte-Innocence
St-Julien-d'Eymet
St-Capraise-d'Eymet
Boisse
les Groleaux
St-Nazaire
Bernac
Montaillac
St-Sernin
Ste-Eulalie-d'Eymet
Mandacou
Monmarvès
St-Léon-d'Issigeac
St-Jean-de-Duras (Raynaud)
Fonroque
le Beuil
Plaisance
Razac-d'Eymet
St-Aubin-de-Cadelech
Faurilles
Soumensac
Cavarcou
Navarre
St-Front
Montguyard
Jean Digeaux
St-Quentin-du-Dropt
Cavarc
Bayle
Rouquette
St-Sulpice-d'Eymet
Falgueyrat
le Béarnès
Ste-Radegonde
Botte
le Petit Ste-Foy
la Place
Cogulot
Eymet
Serres-et-Montguyard
le Dropt
Pardaillan
Serres
Queyssel
Cahuzac
Malacoste
St-Dizier
Auriac-sur-Dropt
Agnac
Lafage
Lalandusse
Castillonnès
Doudrac
Pierre-sur-Dropt
la Sauvetat-du-Dropt
Montfrange
Queysaguet
Ferrensac
Mazières
Moustier
Iffour
St-Nazaire
Lauzun
Douzains
Monteton
Roumagne
Allemans-du-Dropt
St-Pardoux-Isaac
Bourgougnague
Sérignac-Péboudou
Montauriol
Pompiac
le Balet
Bournel
Miramont-de-Guyenne
Puysserampion
St-Laurent
St-Colomb-de-Lauzun
Lalande
Darqué
Chambon
Valette
Lafue
le Mourgues
Cambes
Maurillac
Prade
Montaut
Lavergne
Gervinie Haute
Naules
Matelis
la Mothe d'Alès
Tourette
Lachapelle
Ségalas
Peyrière
Lougratte
Rocadet
Béffery
Bareyra
Montignac-de-Lauzun
Salabès
Monviel
St-Maurice-de-Lestapel
St-Eutrope
St-Avit
les Vennes
Armillac
Millac
St-Eutrope-de-Born (St-Vivien)
Montignac-Toupinerie
Laperche
Seyches
Roufiac
Monbahus
Lamandigue
ssefort
le Pignérac
Moirax
Allemans
Boudy-de-Beauregard
Bouc-de-Beau
Moulinet
Cancon
St-Laurent
St-Étienne de Londres
St-Barthélemy-d'Agenais
Villebramar
Ste-Abondance
St-Pierre de Londres
Michoux
les Bonnals
Virazeil
Bourdie
Puymiclan
Tourtrès
Tombeboeuf
les Bourdets
Beaugas
les Faures
Castelnaud-de-Gratecambe
Rebec
Agmé
Labarthe
St-Benoît
le Colombier
Crouzillac
Lebretonie
Montastruc
Birac-sur-Trec
St-Pastour
N21
D933
D936
D660
D14
D15
D16
D17
D18
D19
D20
D21
D22
D25
D27
D32
D34
D36
D107
D124
D134
D145
D161
D211
D227
D228
D235
D250
D254
D256
D257
D265
D266
D273
D279
D288
D315
D413
D416
D429
D667
D668
D708
D709
D18E
D4E3

214
231
248
249
A
B
C
D
E
1
2
3
4
5
6
Ste-Alvère
St-Laurent-des-Bâtons
Journiac
Tursac
Manaurie
Marquay
St-Félix-de-Villadeix
Ste-Foy-de-Longas
St-Avit-de-Vialard
le Bugue
Aquarium
Caverne de Bara-Bahau
St-Cirq
les Eyzies-de-Tayac-Sireuil
Font de Gaume
Grte de Bernifal
Combarelles
Cap Blanc
Château de Laussel
Château de Commarque
Château de Puymartin
Château du Roc
Campagne
Paunat
Pezuls
Pressignac-Vicq
Cingle de Trémolat
Trémolat
Limeuil
Audrix
Meyrals
St-Cyprien
Castels
St-André-d'Allas
Château de Fages
Château de la Roque
Mauzac-et-Grand-Castang
Calès
Alles-sur-Dordogne
Dordogne
St-Chamassy
Baneuil
Lalinde
Badefols-sur-Dordogne
le Buisson-de-Cadouin
Mouzens
Berbiguières
Bézenac
St-Vincent-de-Cosse
Beynac-et-Cazenac
Couze-et-St-Front
Pontours
Coux-et-Bigaroque
Marnac
Allas-les-Mines
Château de Fayrac
Vézac
Siorac-en-Périgord
Cadouin
Molières
Bourniquel
Urval
Cladech
Castelnaud-la-Chapelle
St-Germain-de-Belvès
Bayac
Château de Bannes
Château la Bourlie
Monplaisant
Carves
Veyrines-de-Domme
St-Cybranet
St-Avit-Sénieur
Belvès
Sagelat
Beaumont-du-Périgord
Forêt Dom. de la Bessède
Grives
Naussannes
Bouillac
St-Pardoux-et-Vielvic
St-Amand-de-Belvès
Montferrand-du-Périgord
St-Avit-Rivière
Labouquerie
Ste-Croix
Larzac
St-Laurent-la-Vallée
Nojals-et-Clotte
St-Romain-de-Monpazier
St-Marcory
Doissat
Ste-Foy-de-Belvès
St-Pompont
St-Léon-d'Issigeac
Rampieux
Lolme
Salles-de-Belvès
Orliac
Faurilles
Marsalès
Ste-Sabine-Born
Lavalade
Capdrot
Mazeyrolles
Prats-du-Périgord
Campagnac-lès-Quercy
Tourliac
St-Cassien
Monpazier
Mazières-Naresse (Loys)
Château St-Germain
Gaugeac
Besse
Doudrac
Parranquet
Rayet
Soulaures
Rives
St-Martin-de-Villeréal
St-Cernin-de-l'Herm
Villefranche-du-Périgord
Villeréal
Vergt-de-Biron
Biron
St-Étienne-de-Villeréal
Lacapelle-Biron
St-Caprais
Dévillac
Blanquefort-sur-Briolance
Gisement préhistorique
Sauveterre-la-Lémance
Lavaur
Loubejac
Laussou
St-Front-sur-Lémance
St-Eutrope-Born (St-Vivien)
Paulhiac
Gavaudun
Boudy-de-Beauregard
Salles
Cuzorn
Montcabrier
Montagnac-sur-Lède
Monflanquin
Bonaguil
St-Martin-le-Redon
Cassagnes
Duravel
Fumel
Monsempron-Libos
Touzac
Puy-l'Évêque
Pescadoires
Lacaussade
D703
D710
D660
D25
D51
D53
D2
D676
D28
D29
10
12
21
28
30
36
39
42
61
16
14
24
47
P
É
R
I
G
O
R
D
N
O
H

Sarlat-la-Canéda
St-Vincent-le-Paluel
Proissans
Ste-Nathalène
Prats-de-Carlux
Simeyrols
Orliaguet
Borrèze
Carlux
Peyrillac-et-Millac
Cazoulès
Souillac
Lachapelle-Auzac (Lamothe)
Cuzance
Martel
St-Denis-lès-Martel
Baladou
Floirac
Mayrac
Creysse
St-Sozy
Meyronne
Montvalent
Calviac-en-Périgord
St-Julien-de-Lampon
Carsac-Aillac
Ste-Mondane
Veyrignac
Nadaillac-de-Rouge
Lanzac
Lamothe-Fénelon
Masclat
Lacave
Vitrac
Groléjac
Domme
Cénac-St-Julien
St-Cirq-Madelon
Milhac
Fajoles
Rouffilhac
Anglars-Nozac
Loupiac
Payrac
Calès
Alvignac
Rocamadour
Couzou
Reilhaguet
Nabirat
Payrignac
Gourdon
le Vigan
St-Projet
PARC NATUREL
Daglan
St-Martial-de-Nabirat
St-Aubin-de-Nabirat
Léobard
Florimont-Gaumier
Saint-Cirq-Souillaguet
Ginouillac
Carlucet
le Bastit
Soucirac
Séniergues
Montfaucon
Salviac
St-Clair
St-Chamarand
Dégagnac
Vaillac
Concorès
Frayssinet
Beaumat
Fontanes-du-Causse
Cazals
Rampoux
Lavercantière
St-Germain-du-Bel-Air
Labastide-Murat
Soulomès
Gindou
Peyrilles
Caniac-du-Causse
les Arques
Thédirac
Montamel
Lamothe-Cassel
St-Sauveur-la-Vallée
Uzech
Ussel
St-Cernin
Gigouzac
Montgesty
Mechmont
St-Martin-de-Vers
Lherm
St-Denis-Catus
Lauzès
Sabadel-Lauzès
Catus
Nadillac
Cras
Lentillac-du-Causse
Pontcirq
Nuzéjouls
Boissières
Maxou
Francoulès
Orniac
St-Médard
Calamane
St-Pierre-Lafeuille
Valroufié
Labastide-du-Vert
Espère
Mercuès
Castelfranc
Cours
Cabrerets
A20
N20
N140

A
B
C
D
E
216
Vayrac
Queyssac-les-Vignes
Astaillac
Cahus
Laval-de-Cère
Lamativie
Siran
Bétaille
Billac
Gagnac-s.-Cère
Comiac
Liourdres
Biars-s.-Cère
Calviac
Carennac
Puybrun
Girac
Bretenoux
Glanes
Estal
Teyssieu
Tauriac
Cornac
Prudhomat (Bonneviole)
Gintrac
St-Michel-Loubéjou
Belmont-Bretenoux
St-Laurent-les-Tours
233
Loubressac
St-Médard-de-Presque
Frayssinhes
Sousceyrac
Autoire
St-Jean-Lespinasse
St-Céré
Latouille-Lentillac
Lacam-d'Ourcet
St-Saury
Miers
Padirac
Gouffre de Padirac
St-Vincent-du-Pendit
St-Paul-de-Vern
Sénaillac-Latronquière
Labastide-du-Haut-Mont
Alvignac
Thégra
St-Jean-Lagineste
Mayrinhac-Lentour
Ladirat
Rignac
Bannes
Bessonies
Lavergne
Molières
Gorses
Latronquière
Gramat
Saignes
Aynac
Leyme
Terrou
Bio
Albiac
St-Médard-Nicourby
Lauresses
St-Hilaire
Espeyroux
Rueyres
Labathude
Issendolus
Thémines
Anglars
St-Maurice-en-Quercy
Montet-et-Bouxal (la Vitarelle)
Sabadel-Latronquière
St-Cirgues
Rudelle
Lacapelle-Marival
Ste-Colombe
Flaujac-Gare
Théminettes
le Bourg
St-Bressou
Reilhac
Prendeignes
Lunegarde
St-Simon
Sonac
le Bouyssou
Cardaillac
Durbans (Ladignac)
Assier
St-Perdoux
Issepts
Fourmagnac
Fons
Bagnac-s.-Célé
Linac
Reyrevignes
Quissac
Livernon
Camburat
Viazac
Espédaillac
Grèzes
Planioles
Lissac-et-Mouret
St-Jean-Mirabel
Cambes
Figeac
St-Félix
Corn
Lunan
Felzins
Espagnac-Ste-Eulalie
Boussac
Camboulit
Lentillac-St-Blaise
Capdenac
Cuzac
St-Sulpice
Brengues
Béduer
Blars
Faycelles
Capdenac-Gare
Marcilhac-sur-Célé
Carayac
Frontenac
Sonnac
St-Chels
Gréalou
St-Pierre-Toirac
Larroque-Toirac
Balaguier-d'Olt
Causse-et-Diège (Gelle)
Naussac
Sauliac-sur-Célé
Ambeyrac
Foissac
Montbrun
250
251
46 RÉGIONAL
N140

F
G
H
J
K
217
Laroquebrou
Peyrelevade
Lavaurette
Crandelles
Leyritz
St-Jean-de-Dône
Naucelles
St-Simon
Polminhac
St-Gérons
St-Étienne-Cantalès
Bge de St-Étienne-Cantalès
Avise Toi
l'Hôpital
N120
Passefons
Brousse
Chât. de Cologne
Chât. de St-Étienne
la Jordanne
Mazic
Mamou Haut
Giou-de-Mamou
Roquecelier
N122
Meymac
Vixouze
Aris
Vernet
Vixe
Pailhe
Jou-sous-Mo
St-Paul-des-Landes
Escouderc
le Pontet
Peyrolles
AURILLAC
Yolet
Marfons
Maruéjouls
les Huttes
Badailhac
Chât. de Cropières
Espinet
Labouygues
Lacapelle-Viescamp
Braconnat
Jallès
Foulan
Chât. de Lamartinie
Careizac
Ytrac
Belbex
Boudieu
Haras
Carnejac
Boudieu
Caillac
le Doux
le Rieu
Espeils
St-Étienne-de-Carlat
Raulhac
Selves
le Ribeyrès
Vernols
Arpajon-sur-Cère
le Montat
Carlat
Sansac-de-Marmiesse
Vézac
Brouzac
Empeyrolo
Rocher de Carlat
Poulhès
Morzières
la Salesse
Chât. de Messilhac
Brommes
Pers
Lescazelles
Omps
le Peyrou
Conros
les Granges
Lapeyrusse
le Pont de Couffins
le Bex
la Cère
Cros-de-Ronesque
le Dat
Madunhac-Haut
Bourrierques
Griffeuilles
Imbert
Lentat
le Bourru
Calves
umégoux
le Rouget
St-Mamet-la-Salvetat
Roannes-St-Mary
Laveissière
Senilhes
Combemaury
Labrousse
Peyrat
Escoubiac
Venzac
Laroqu
Lestival
Manhes
Verniol
Toules
les Quatre Routes
la Joyeuse
Julhac
Longuebrousse
Mur-de-Barrez
Cayrols
Montboisset
Lagarde
Besse
Uzols
la Salvetat
Prantignac
le Garric
Grignac
Moissac
Ronesque
Taussac
Lenseigne
St-Mary
Prunet
Champ Grand
Teissières-lès-Bouliès
Roussy
Vitrac
la Baccalerie
Canet
Muratet
Canhac
Feydel
le Toyre
Trémoulines
Canines
Vezels-Roussy
Masclat
la Vayssa
Cayrac
Pradeyrols
Serrières
Salesse
Mayrinhac
Rouziers
Boissadel
Conquans
la Rance
Labouygue
Lacapelle
Lafeuillade-en-Vézie
Puy de la Pause
le Bos
la Combe
la Raygasse
Bancarel
Boisset
Grange
Teulade
Marcolès
la Rodde
Estieu
Lacapelle-del-Fraisse
Trémouille
Manhaval
le Castelet
Lacroix-Barrez
St-Julien-de-Toursac (les Estresses)
Bonnemayoux
Peyrou
Cabrespines
Cances
Leucamp
Murols-Soubeyre
Bars
le Brézou
le Mazet
Lacaze
le Pouget
Monlogis
Bramarie
la Morétie
Bezons
Lascombes
Chât. d'Entraygues
St-Antoine
Ladinhac
Talayssac
Frayssé
Fraquier
Murols
Rouens
la Truyère
Gorges
Bersagol
Leynhac
la Forêt
Sansac-Veinazès
Labesserette
les Cazottes
Vallon
Lassalle
Lapeyrugue
Fraquier
le Pouget
Escazeaux
Polvrières
Chât. de Murat
Pressoires
Peyre
les Barraques
Calvinet
Goudergues
la Chourlie
le Puy de l'Arbre
Thély
Montclaux
la Blanquie
Quotidiane
la Trappe
Altabesse
le Belguiral
la Barésie
Calhac
la Rouquette
Junhac
Montsalvy
Anc. Abb.
Ruols
Pons
Artigues
St-Hippolyte
Montézic
Lacluse
la Cabane
Lamothe
Sénezergues
Cité du Stade
Couesques
Cassou
Puechroux
Antraygues
Labeylie
Lessal
Mourjou
Cassaniouze
Boulzac
Servant
Aubespeyre
Bge
Campouriez
Combe Bisou
St-Constant
le Célé
Fournoulès
Montourcy
les Garrigues
Lalo
Volonzac
Colombez
Labouriate
Salecroux
Fourcoux
la Rouquette Basse
Laborie des Puech
le Vert
Cassos
Banhars
Ginolhac
Ayssiols
le Trioulou
St-Jean
Piganiolet
Monals
le Prat
le Blat
Enguialès
St-Santin
St-Julien de Piganiol
le Bex
Selves
la Vinzelle
St-Projet
la Garrigue
Montarnal
le Fel
Crestes
Pont
Bge de Cambeyrac
Puy de Montabès
Cambeyrac
Entraygues-sur-Truyère
les Bouygues
Vieillevie
le Lot
Mazac
Tieulet
Grand-Vabre
Lagarde
Florentin-la-Capelle
Montredon
Brayes
St-Parthem
Vielmont
Pomiès
Espeyrac
la Vaysse
Port d'Agrès
Ginouilhac
Mazerac
Taulamet
Riach
les Cazals
le Nayra
Flagnac
Laviale
St-Marcel
Conques
Sénergues
les Albusquiès
Golinhac
Issac
Crussac
Boisse-Penchot
Almont-les-Junies
Embrousse
Montignac
Pressoires
Anglars
le Relai
Vernayrès
Castaillac
Fombillou
Livinhac-le-Haut
Pagas
Chât.
les Clémenties
Gorges du Lot
Agnac
Roziès
la Bessière
Lagarrigue
la Bessenoits
les Blanquies
Nacoulorques
Fonteilles
la Boudie
Decazeville
Noailhac
les Colombies
Campuac
Viviez
le Puy de Volf
Mascles
Lunel
St-Félix-de-Lunel
Servières
Foncayrade
Cérons
Mine de la Découverte
la Bruellie
St-Cyprien-sur-Dourdou
Polissal
St-Geniès des Ers
Firmi
Cité de Cerles
la Galteyrie
Gensac
Pruines
Mousset
Villecomtal
le Gua
Aubin
251
Cransac
St-Julien de Malmont
Arjac
Nauviale
Mouret
Segonzac
Sébrazac
Malaval
Nespoulières
Bramarigues
Fijagols
Léguens
Combret
Chât. de la Servayrie
Rayrolles
252
Muret-
Brussac
Caldecoste
la Rayasse
Auzits
St-Julien
15
12
236

Pailherols
Jou-sous-Monjou
Lacapelle-Barrès
Narnhac
St-Martin-sous-Vigouroux
Pierrefort
Gourdièges
Neuvéglise
Oradour
Chambernon
Tagenac
Lavastrie
Vallée de la Haute Truyère
Faverolles
Alleuze (la Barge)
Chât. d'Alleuze
L. du Bge de Grandval
Bge de Grandval
Fridefont
Thérondels
Paulhenc
Ste-Marie
Espinasse
Gorges de la Truyère
Châtt. de Montvallat
Chaudes-Aigues
St-Martial
Albaret-le-Comtal
Maurines
Arzenc-d'Apcher
Lieutadès
Cantoin
Brommat
Bge de Sarrans
Lac du Barrage de Sarrans
Ste-Geneviève-sur-Argence
Vitrac-en-Viadène
Jabrun
Deux-Verges
St-Juéry
Anterrieux
Fournels
Noalhac
Chauchailles
St-Rémy-de-Chaudes-Aigues
St-Laurent-de-Veyrès
Alpuech
Lacalm
Graissac
la Terrisse
la Trinitat
Brion
la Fage-Montivernoux
Grandvals
St-Symphorien-de-Thénières
Cassuéjouls
Huparlac
Laguiole
St-Urcize
Recoules-d'Aubrac
Malbouzon
St-Amans-des-Cots
Soulages-Bonneval
Nasbinals
Marchastel
Montpeyroux
Curières
Puech du Roussillon
Lac des Salhiens
Grte de Déroc
Casc. de Déroc
Aubrac
Bois de Rigambal
les Truques d'Aubrac
AUBRAC
Monts d'Aubrac
le Nayrac
Condom-d'Aubrac
Forêt Dom. d'Aubrac
le Cayrol
St-Chély-d'Aubrac
Station de Ski de Brameloup
le Signal de Mailhe-Biau
Refuge des Rajas
Estaing
Coubisou
Castelnau-de-Mandailles
Prades-d'Aubrac
Espalion
Bessuéjouls
St-Côme-d'Olt
Aurelle-Verlac
218
235
252
253
12
15
31
48
A B C D E
1 2 3 4 5 6

F
G
H
J
K
219
Garabit
la Chassagne
la Besseyre-St-Mary
le Ménial
Chaliers
Lorcières
Marcillac
Fraissinoux
Auzenc
Paulhac-en-Margeride
Saugues
Longevialle
Feyrolettes
Chabanoles
Recoules
Rognac
le Vernet
la Besse
la Veysseyre
Loubaresse
le Terran
Chalelles
Amourettes
Vachellerie
le Pinet
Freycenet
Ombret
Pouzas
la Beaume
Paladines
Julianges
Broussous
Servières
Clavières d'outre
le Villard Grand
Chaulhac
St-Privat-du-Fau
Grèzes
Esplantas
St-Préjet-d'Allier
la Chassagne
Chambaron
Bugeac
la Clauze
Tour
Croisances
Nozerolles
Gizerac
Vabres
St-Marc
la Roche
la Vessière
Fraissinet Chazalet
la Brugère
Vazeilles-près-Saugues
St-Just
Albaret-Ste-Marie
le Crouzet
le Falzet
la Mouteyre
Verreyrolles
Blavignac
St-Léger-du-Malzieu
Couffours Hauts
le Villeret d'Apchier
le Cheylot
Babonnès
A75
la Lozère
Montchabrier
le Malzieu-Forain (l'Estivalet)
les Ducs
Montrézon
Arcomie
Orfeuille
Verdezun
Chanaleilles
Thoras
Verrières
St-Vénérand
Mazeyrac
Mialanes
le Malzieu-Ville
Fraissinet Langlade
Remparts
Madrières
Croisières
Plagnes
la Bessière
le Rouveyret
la Vialette
le Crouzet
Tunnel d'Herbouse
St-Pierre-le-Vieux (Vareilles)
Villechailles
Lajo
St-Symphorien
Berc
Molières
la Gardelle
l'Herm
Recoules
Prunières
la Rouzeire
Ancette
Ancelpont
Civeyrac
le Marlet
Tour
Apcher
Ferluc
Brenac
le Chayla d'Ance
Boirelac
Aloziers
Sarroul
Chabannes-des-Bois
Chams
Civergols
Parc Animalier Bisons d'Europe
St-Chély-d'Apcher
les Faux
Montagnac
la Fage-St-Julien
la Rouvière
le Rouget
le Charzel
St-Paul-le-Froid
les Cayres
Combes
Florensac
la Roueyre
Chassignoles
Ste-Eulalie
Limbertès
Grazières Mages
la Bataille
Grandrieu
St-Alban-sur-Limagnole
Tridos
Forêt Dom. de la Croix de Bor
les Bessons
le Crouzet
Rimeize
Ferluguet
la Malige
Espinouse
Malarèche
Salèles
Chabanes Planes
Sepches
le Viala
Chabestras
Aubespeyre
Fau-de-Peyre
Pont-Archat
le Rouchat
Courbettes
le Vestit
Montchamp
la Roche
l'Aubrac
Fontans
Nozières
Rimeizenc
les Estrets
le Crouzet
St-Denis-en-Margeride
la Panouse
Gély
Beauregard
Aumont-Aubrac
Lestival
le Recoux
la Villedieu
Baraques de la Motte
Grandviala
Tiracols
le Mazel des Laubies
Limousis
Lasbros
le Cheylaret
St-Jean-la-Fouillouse
la Chaze-de-Peyre
Serverette
le Vidalès
St-Sauveur-de-Ginestoux
Roch. du Vane
Javols
la Chazotte
les Laubies
Meyrilles
Ste-Colombe-de-Peyre
Roch. St-Jean
la Salassette
le Crouset Chafol
Fontanes
Ferme de Fiougage
la Combe
Aubigeyres
St-Gal
Estables
le Giraldès
Lasfonds
la Bessière
Fontbonne
Froidviala
Arzenc-de-Randon
St-Sauveur-de-Peyre
St-Amans
Couffinet
Roc de Peyre
le Crouzet
le Pierre Branlante
Recoules-de-Fumas
les Pigeyres-Hautes
Vitrolles
Albuges
Combettes
le Grach
Chapchiniès
Ribennes
le Savignet
Rieutort-de-Randon
Mon. à Du Guesclin
Lac de Charpal
le Gibertès
Arboussous
Montchiroux
Malassagne
Coulagnes-Hautes
le Buisson
le Mont
Champagnac
Baraque de la Grange
le Bouchet
Parc du Gévaudan
les Vernets
la Roche
Plateau du Palais du Roi
Lachamp
Espères
Gourgons
Ste-Lucie
Tunnel de Ste-Lucie
la Brugère
St-Laurent-de-Muret
Coulagnet
St-Léger-de-Peyre
la Colombèche
Antrenas
Combettes
l'Espinas
Laubert
la Fagette
Valadou
le Mazet
le Mas
Fabrèges
Inosse
Servières
Chauvets
St-Martin
Pelouse
la Bête du Gévaudan
le Born
Marvejols
le Villaret
Aspres
Chastel-Nouvel
Porte
Chanteruéjols
Alteyrac
le Beyrac
Montrodat
le Viala-Haut
la Rouvière
Alteyrac
Gabrias
le Maze
Marvejols
Chanteruejols
Badaroux
Allenc
Ginestoux
Goudard
Pierrefiche
Chabannes
Pont Notre-Dame
Sirvens
les Salces
Chirac
Chausserans
Nojaret
Pierrefiche
Palhers
MENDE
Ste-Hélène
Chadenet
le Crouzet
le Bruel
St-Bonnet-de-Chirac
Grèzes
Signal de Flagit
254
Causse du Masseguin
le Monastier-Pin-Moriès
Barjac
Changefège
le Rocher de Moïse
Lanuéjols
Busses
Pin-Moriès
St-Julien
43
48
MONTS DE LA MARGERIDE
N106
N2009
N88
N108

St-Jean-Lachalm
Séneujols
Solignac-sur-Loire
Chadron
Moudeyres
le Devès
le Brignon
le Monastier-sur-Gazeille
Cayres
Monts Breysse
Présailles
Alleyras
Ouides
le Bouchet-St-Nicolas
Costaros
Goudet
Alleyrac
Freycenet-la-Cuche
les Estables
Arlempdes
Salettes
le Béage
St-Christophe-d'Allier
St-Haon
Landos
Issarlès
Chambon-le-Château
le Lac-d'Issarlès
St-Bonnet-de-Montauroux
St-Paul-de-Tartas
Lachapelle-Graillouse
Laval-Atger
Rauret
Coucouron
St-Étienne-du-Vigan
Grandrieu
Fontanes
Pradelles
Issanlas
St-Cirgues-en-Montagne
Auroux
Réservoir de Naussac
Lavillatte
Lespéron
Lanarce
Chastanier
Naussac
Langogne
Mazan-l'Abbaye
St-Alban-en-Montagne
Le Plagnal
Rocles
St-Jean-la-Fouillouse
St-Flour-de-Mercoire
Pierrefiche
Cellier-du-Luc
Astet
Mayres
Chaudeyrac
St-Étienne-de-Lugdarès
Châteauneuf-de-Randon
Cheylard-l'Évêque
Luc
Laveyrune
St-Laurent-les-Bains
Borne
Col de Meyrand
Loubaresse
la Bastide-Puylaurent
Valgorge (le Villard)
Montbel
Sources de l'Allier
Laval-d'Aurelle
Dompnac
Belvezet
St-Frézal-d'Albuges
Chasseradès
Allenc
Prévenchères
Sablières
Montselgues
Bagnols-les-Bains
St-Julien-du-Tournel
N88
N102
237
220
254
255
43
48
07

F
G
H
J
K
221
Mont Signon
St-Clément
Lachapelle-sous-Chanéac
Chanéac
St-Martin-de-Valamas
Châf. de Rochebonne
St-Jean-Roure
St-Cierge-sous-le-Cheylard
Nonières
St-Prix
Mounens
St-Basile
Châf. de Maison Seule
St-Apollinaire-de-Rias
Châteauneuf-de-Vernoux
Mont Mézenc
la Rochette
Borée
Arcens
Jaunac
le Cheylard
St-Michel-d'Aurance
St-Julien-Labrousse
St-Jean-Chambre
Vernoux-en-Vivarais
Mariac
Accons
St-Barthélemy-le-Meil
Beauvène
Chalencon
Silhac
St-Martial
St-Christol
Gorges de l'Eyrieux
Dornas
Gluiras
St-Maurice-en-Chalencon
LE GERBIER DE JONC
Sce de la Loire
St-Andéol-de-Fourchades
le Chambon
St-Genest-Lachamp
St-Michel-de-Chabrillanoux
Marcols-les-Eaux
Albon-d'Ardèche
St-Pierreville
St-Sauveur-de-Montagut
Lachamp-Raphaël
Mézilhac
Col de Mézilhac
St-Étienne-de-Serre
les Ollières-sur-Eyrieux
Casc. du Ray Pic
Sagnes-et-Goudoulet
Péreyres
Issamoulenc
St-Julien-du-Gua
Pranles
Lyas
Laviolle
Ajoux
Creysseilles
Pourchères
Burzet
St-Joseph-des-Bancs
Gourdon
PRIVAS
Coux
Veyras
Labastide-sur-Bésorgues
Genestelle
Montpezat-sous-Bauzon
Aizac
Antraigues-sur-Volane
St-Priest
Alissas
St-Étienne-de-Boulogne
Juvinas
St-Michel-de-Boulogne
St-Pierre-de-Colombier
Chirols
St-Andéol-de-Vals
Châf. de Boulogne
Freyssenet
Rochessauve
Thueyts
Meyras
Châf. de Ventadour
Vals-les-Bains
St-Julien-du-Serre
St-Pierre-la-Roche
Pont-de-Labeaume
Lalevade-d'Ardèche
Fabras
Ucel
Vesseaux
Darbres
Berzème
Jaujac
Prades
Mercuer
St-Privat
St-Laurent-sous-Coiron
St-Gineis-en-Coiron
la Souche
St-Cirgues-de-Prades
Aubenas
Lussas
Sceautres
Lentillères
St-Étienne-de-Fontbellon
St-Didier-s/s-Aubenas
Oppidum de Jastres
Mirabel
St-Pons
Prunet
Chazeaux
Ailhon
St-Jean-le-Centenier
Aubignas
Rocher
Fons
Lavilledieu
Lachapelle-sous-Aubenas
St-Sernin
Ville Antique
Joannas
Rocles
Tauriers
Chassiers
Vogüé
St-Germain
Villeneuve-de-Berg
Alba-la-Romaine
Largentière
Vinezac
Lanas
Beaumont
Sanilhac
St-Andéol-de-Berg
Montréal
Uzer
St-Maurice-d'Ardèche
Village Féodal
Laurac-en-Vivarais
Rochecolombe
Vernon
St-Maurice-d'Ibie
St-Thomé
Balazuc
Valvignères
Rosières
255
256
240
N304
N102
1
2
3
4
5
6

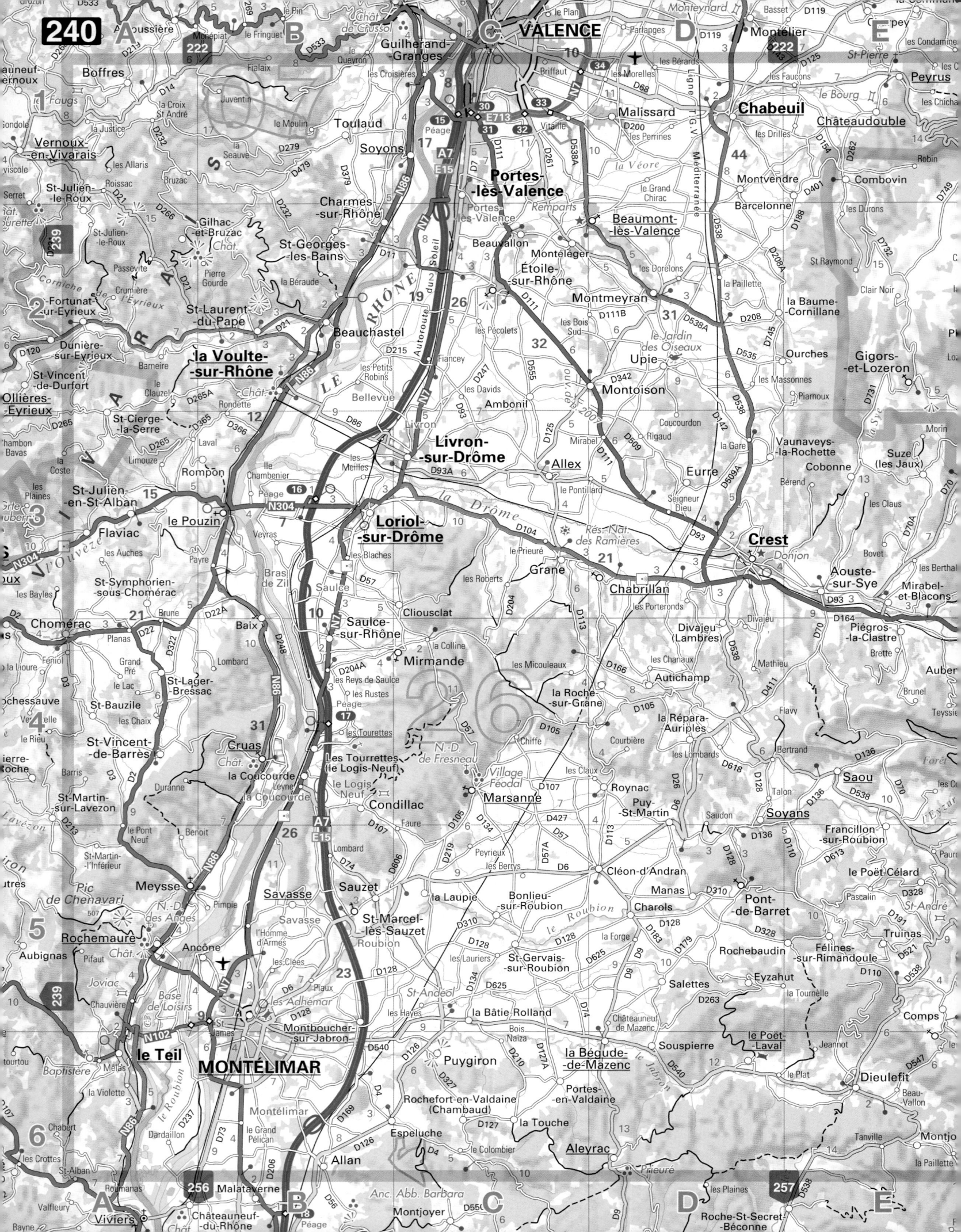
VALENCE
Guilherand-Granges
Boffres
Vernoux-en-Vivarais
Toulaud
Soyons
Portes-lès-Valence
Chabeuil
Châteaudouble
Malissard
Peyrus
Montélier
Charmes-sur-Rhône
St-Georges-les-Bains
Beaumont-lès-Valence
Montvendre
Combovin
Barcelonne
Beauvallon
Montéléger
Étoile-sur-Rhône
Montmeyran
Beauchastel
St-Laurent-du-Pape
la Voulte-sur-Rhône
Upie
Ourches
Gigors-et-Lozeron
Montoison
Ambonil
Livron-sur-Drôme
Allex
Eurre
Vaunaveys-la-Rochette
Loriol-sur-Drôme
Crest
Aouste-sur-Sye
Mirabel-et-Blacons
Grane
Chabrillan
le Pouzin
Flaviac
St-Julien-en-St-Alban
Chomérac
Baix
Saulce-sur-Rhône
Cliousclat
Mirmande
Divajeu
Autichamp
la Roche-sur-Grane
la Répara-Auriples
St-Lager-Bressac
St-Vincent-de-Barrès
Cruas
Condillac
Marsanne
Roynac
Puy-St-Martin
Saou
Soyans
Cléon-d'Andran
Manas
Pont-de-Barret
Meysse
Savasse
Sauzet
St-Marcel-lès-Sauzet
Bonlieu-sur-Roubion
Charols
Rochemaure
St-Gervais-sur-Roubion
Salettes
Rochebaudin
Félines-sur-Rimandoule
le Teil
MONTÉLIMAR
Montboucher-sur-Jabron
Puygiron
la Bâtie-Rolland
la Bégude-de-Mazenc
le Poët-Laval
Dieulefit
Rochefort-en-Valdaine (Chambaud)
Portes-en-Valdaine
Espeluche
Allan
Aleyrac
Malataverne
Châteauneuf-du-Rhône
Viviers
Montjoyer
Roche-St-Secret-Béconne
A7
E15
N7
N86
N304
D93
D538

F
G
H
J
K
223
Léoncel
Col de la Bataille
Roc de Toulau
Vassieux-en-Vercors
St-Agnan-en-Vercors
Gresse-en-Vercors
Col de l'Allimas
Plateaux du Vercors
Roissard
St-Michel-les-Portes
Plateau d'Ambel
Omblèze (les Bouaches)
Centre Préhistorique
Col de Rousset
Mont Aiguille
St-Martin-de-Clelles
Clelles
Chichilianne
Mon. à la Résistance
St-Julien-en-Quint
Gorges d'Omblèze
Casc. de la Druise
Marignac-en-Diois
Chamaloc
St-Andéol
Eygluy-Escoulin
Vachères-en-Quint
Ponet-et-St-Auban
Romeyer
Source de Rays
Col de Menée
Cirque d'Archiane
Montagne de Glandasse
Ste-Croix
Die
Vestiges Antiques
Remparts
Pontaix
Anc. Abb. de Valcroissant
Treschenu-Creyers (Bénevise)
Véronne
Barsac
Molières-Glandaz
Vercheny (le Temple)
Aix-en-Diois (Pont de Quart)
Laval-d'Aix
Châtillon-en-Diois
Saillans
Aurel
St-Roman
Glandage
Montmaur-en-Diois (les Nals)
Menglon
Espenel
Chastel-Arnaud
St-Benoit-en-Diois
Rimon-et-Savel
Barnave
Recoubeau-Jansac
Boulc
la Chaudière
Pennes-le-Sec
Aucelon
Montlaur-en-Diois
Forêt Domaniale du Claps
Miscon
Luc-en-Diois
D I O I S
Pradelle
Poyols
Éboulements des Claps
Saut de la Drôme
Lesches-en-Diois
Val-Maravel (Fourcinet)
Bézaudun-sur-Bîne
Rochefourchat
Brette (le Monestier)
Beaurières
Jonchères
Beaumont-en-Diois
Bourdeaux
les Tonils
St-Nazaire-le-Désert
Volvent
Crupies
Charens
Bellegarde-en-Diois
St-Dizier-en-Diois
Valdrôme
Vesc
Bouvières
Chalancon
Establet
Gumiane
Arnayon (Berlières)
la Motte-Chalancon
la Charce
Bruis
Rottier
Cornillon-sur-l'Oule
Ste-Marie
Vaudebonne (les Nauds)
Valouse
257
258
242
1
2
3
4
5
6

A
B
C
D
E
1
2
3
4
5
6
224
241
258
259
VALBONNAIS
TRIÈVES
DÉVOLUY
VALGAUDEMAR
38
26
05
la Mure
Susville (Nantison)
Sousville (le Pivol)
Siévoz
Valbonnais
Entraigues
Parc Nat. du Haut Béranger
Pic de Valsenestre
la Chapelle-en-Valjouffrey
Valjouffrey
Valjouffrey (la Chalp)
le Sénépy
Prunières
Ponsonnas
Gorges de la Jonche
Cognet
Mayres-Savel
St-Arey
St-Pierre-de-Méaroz
St-Laurent-en-Beaumont
St-Michel-en-Beaumont
Gargas
T. d'Orient
la Salle-en-Beaumont
Ste-Luce
N.-D. de la Salette
la Salette-Fallavaux (l'Église)
Pont de Brion
St-Jean-d'Hérans
St-Sébastien
Quet-en-Beaumont
les Côtes-de-Corps
Lavars
St-Martin-de-Clelles
Cornillon-en-Trièves (le Grand Oriol)
Col Accarias
Cordéac
Barrage et Pont du Sautet
L. du Sautet
Corps
Aspres-lès-Corps
St-Maurice-en-Valgodemard
Clelles
Mens
Châtel de Montmeilleur
Pellafol
Ambel
Percy
le Monestier-du-Percy
Prébois
Grande Tête de l'Obiou
Beaufin
St-Firmin
St-Jacques-en-Valgodemard
St-Baudille-et-Pipet
Monestier-d'Ambel
Chauffayer
le Glaizil
les Costes
St-Maurice-en-Trièves
Lalley
Tunnel de Larchat
Tréminis
Défilé de la Souloise
St-Disdier
St-Eusèbe-en-Champsaur
la Motte-en-Champsaur
Tunnel du Bois Noir
Petit Ferrand
Grand Ferrand
Route Napoléon
Col de la Croix Haute
le Noyer
Bénévent-et-Charbillac (les Gentillons)
St-Bonnet-en-Champsaur
Agnières-en-Dévoluy
Col des Rioupes
Col du Noyer
St-Étienne-en-Dévoluy
Poligny
les Amayères
la Joue du Loup
Superdévoluy
la Fare-en-Champsaur (les Baraques)
la Jarjatte
Vallon de la Jarjatte
Col du Festre
Lus-la-Croix-Haute
Station de Laye
Laye
Montagne d'Aurouze
la Cluse
Durbon Ancienne Chartreuse
F. Dom. de Durbon
Observatoire
Forêt Domaniale des Sauvas
F. Dom. de Gap Chaudun
Col Bayard
Chauvet
St-Julien-en-Beauchêne
Rabou
Château de Charance
Montbrand
Montmaur
Chât. du Terrail
la Roche-des-Arnauds
GAP
la Faurie
la Haute-Beaume
Ste-Philomène
Manteyer
la Beaume
Furmeyer
la Freissinouse
Aspres-sur-Buëch
Veynes
Pelleautier
St-Pierre-d'Argençon
Châteauneuf-d'Oze
Céüse 2000
Mgne de Céüse
Neffes
la Bâtie-des-Fonds
Oze
St-Auban-d'Oze
F. Dom. de Céüse
Châteauvieux
Aspremont
Col des Guérins
Sigoyer
la Piarre
Chabestan
le Saix
Tallard
Fouillouse
Sigottier
Esparron
N85
N75
E712

F
G
H
J
K
225
1
2
3
4
5
6
227
259
260
Refuge de la Lavey
Refuge du Carrelet
Mt Pelvoux
Cime de la Condamine
Ailefroide
Puy-St-Pierre
les Combes
Ste Lucie de Puy Salvin
Villar-St
Pointe du Vallon des Étages
l'Ailefroide
Refuge du Pelvoux
Aiguille de l'Olan
Refuge de Font Turbat
Refuge de la Pilatte
Pnte du Sélé
Refuge du Sélé
Vallon de Celse Niere
Pelvoux (St-Antoine)
Ratière
St-Jacques
le Villaret
Prelles
le Clot de la Rama
les Rouies
Pnte Richardson
les Bans
Puy Aillaud
Vallouise
l'Olan
Refuge du Pigeonnier
St-Sébastien
St-Hippolyte
St-Martin-de-Queyrières
Bouchier
Refuge de l'Olan
Refuge Bivouac de Chalance
Rés. Nat. de la Haute Séveraisse
les Grésonnières
Puy-St-Vincent
St-Vincent
les Alberts
les Prés
Queyrières
Refuge des Bans
Casc. de Combefroide
le Bourg
Refuge du Clot
le Rif du Sap
Pic de Bonvoisin
Narreyroux
Station 1600
les Vigneaux
les Andrieux
Casc. du Casset
la Chapelle-en-Valgaudémar
Séveraisse
l'Argentière-la-Bessée
Belv. du Pelvoux
Maïs. du Parc
les Oulles du Diable
Refuge de Vallonpierre
ECRINS
05
Navette
le Sirac
les Lauzes
St-Jean
Pic de Parières
Refuge du Pré de la Chaumette
Freissinières
D38B
la Roche-de-Rame
Pic de Pian
les Choucières Vertes
les Viollins
Pallon
Pic de Colle Blanche
Vallée du Drac de Champoléon
D238
Dormillouse
le Gouffre de Gourfouran
Champsaur
Pic de Mal Cros
Aiguille de Cédéra
Vieux Chaillol
Rés. Nat. du Cirque du Grand Lac des Estaris
Champcella
le Villard
les Fermonds
St-Crépin
Champoléon
Pic de Rocheclaire
Tête de Vautisse
D944A
Orcières-Merlette
D474
Prapic
Chaillol 1600
les Marches
Orcières
St-Michel-de-Chaillol
la Coche
D944
Val du Drac Noir
Mont-Dauphin
Serre-Eyrauds
Réotier
Barbein
St-Jean
St-Michel
St-Jean-St-Nicolas (Pont-du-Fossé)
Archinard
D475
les Clots
St-Clément-sur-Durance
Buissard
Chabottes
N94
le Mourre Froid
D945
Chabottes
St-Léger-les-Mélèzes
les Chamousses
D186
St-Marcellin
C H A M P S A U R
St-Hilaire
Ancelle
Châteauroux-les-Alpes
D13
les Gourniers
Siguret
Col de Manse
Moissière
la Reste
les Florins
Réallon
D241
Pré Clos
les Baumes
le Collet
la Rochette
les Méans
D994D
St-André-d'Embrun
les Rousses
Puy-St-Eusèbe
Caléyère
les Borels
le Petit Puy
les Casses
la Blache
les Vabres
Grand Larra
la Bâtie-Neuve
les Andrieux
Chèrines
D9
Embrun
D39
la Bâtie-Vieille
les Gourres
Puy-Sanières
le Coin
Praveyral
Crévoux
St-Apollinaire
Montgardin
Chorges
Prunières
St-Julien
Crots
Baratier
St-Sauveur
les Santons
les Guérins
D942
D6
les Olliviers
les Bernards
Picomtal
l'Osselin
Montmirail
D40
le Château
Notre-Dame du Laus
Avançon
St-Michel
Chanteloube
Savines-le-Lac
Lac de Serre-Ponçon
D954
les Sallettes
St-Jean
les Orres
le Fein
la Rama
F. de Boscodon
D568
D90
Pramouton
Station des Orres
Pontis
Anc. Abb.
la Montagne
St-Étienne-le-Laus
l'Avance
Salle du Bal des Demoiselles Coiffées
les Demoiselles Coiffées
Cirque de Morgon
Font. de l'Ours
Valserres
Rousset
Belv.
le Sauze-du-Lac
l'Adroit de Pontis
Cirque de Bragousse
Théus
Remollon
D53
Espinasses
Bge de Serre-Ponçon
04
D900B
D3
la Bréole
Champ Contier
l'Aupillon
les Forests
Rochebrune
D56
D7
St-Vincent-les-Forts
le Lauzet-Ubaye
le Lautaret
la Romeyère
E M B R U N
U B A Y

Biscarrosse Plage
Ispe
Mayotte
Forêt Com. de Biscarrosse
Petit Étang de Biscarrosse
En Bergoin
Camp de Naouas
Biscarrosse
F. Dom. de Biscarrosse
En Bonnet
Lahitte Centre
le Mouliès
Parentis-en-Born
Étang de Biscarrosse et de Parentis
Gastes
Herran
Esleys
Maynage
Mongaillard
Zone Militaire Interdite
Courant de Ste-Eulalie
F. Dom. de Ste-Eulalie
Ste-Eulalie-en-Born
la Guirosse
Pontenx-les-Forges
St-Jean
Sce
Étang d'Aureilhan
Aureilhan
Merquedey
Mimizan Plage
Abb.
Mimizan
St-Paul-en-Born
Jean de Crabe
Méneou
Terrenave
Angoulin
Bourroc
Leych
Jouanicot
Escource
F. Dom. de Mimizan
Bias
Bouheben
Capas
Larden
Sallebert
Lesbordes
F. Dom. de St-Julien-en-Born
Contis les Bains
Cusson
Mézos
St-Julien-en-Born
Onesse-et-Laharie
Cap de l'Homy-Plage
F. Dom. de Lit-et-Mixe
Lit-et-Mixe
Uza
le Cout
Lévignacq
Mixe
Lugaucts
Naboude
40
228
262
264

F
G
H
J
K
228
229
246
264
265
1
2
3
4
5
6
Mons
Joué
Canet
Rétis
la Berdotte
le Tuzan
Gardit
la Gare de Lugos
le Puch
Boutox
Pichemonge
Nigon
Capsus
St-Roch
Saugnacq-et-Muret
le Muret
Biganon
Mano
St-Symph
Belhade
Argelouse
Larrival
Castelnau
Hourtoy
Moustey
Berdoy
Montauzey
Muret
Mothes
Richet
le Brous
Ychoux
Liposthey
Harribey
la Ville
le Douc
la Grotte
Sore
Pissos
Pirette
Escoursolles
Bern
Gruey
Petit Ligautenx
le Thus
Pince
Daugnague
Labouheyre
Luxey
Lüe
Gaillard
les Houssats
Caplanne
Labrit
Commensacq
Trensacq
Écomusée de la Grande Lande
Marquèze
le Plaisy
Train touristique
Lesgouadies
Cap de Pin
Solférino
Sabres
Perrègue
Quartier de Capboeuf
Lestage
Tarisson
Pierre de Grimann
Cornalis
le Platiet
Les Chinans
Luglon
le Barrail
Vert
Plaisance
Hourre
Morcenx
Cité des Cigales
Garein
Brocas
Menjuc
Garrosse
Morcenx Bourg
Arjuzanx
Chât. de Castillon
Arengosse
la Chapelle
Vallée de la Petite Leyre
la Petite l'Eyre
Vallée de la Grande Leyre
F. Com. de Trensacq
LANDES DE GASCOGNE
33
40
A63
N10
N134
D348
D651
D3E18
D220E2
D410
D120
D10E
D43
D134
D34
D45
D143
D315
D626
D63
D402
D44
D77
D325E
D325
D385
D327
D14
D57
D353
D153
D392
D3
D220

246
229
230
245
265
266
Noaillan
Tours
Brouqueyran
Berthez
le Nizan
Cazats
le Mirail
Lados
Aillas
Villandraut
Aubiac
Castelnau de Cernès
la Broque
la Burthe
Gans
Labescau
Uzeste
St-Symphorien
St-Léger-de-Balson
Privaillet
Lignan-de-Bazas
Bazas
St-Vincent
Gajac
St-Côme
Trazitz
Labardin
Pont de la Trave
Sendets
Birac
Marimbault
Villemégea
Châtʳ. de la Fue
la-Trave
Cauvignac
Préchac
Pompéjac
Sauviac
Masseille
Min de Cossarieu
Peyredieu
Jeambos
les Gillets
Lavazan
Cudos
Châtʳ. de Cazeneuve
Grignols
Artiguevieille
Marions
Merrein
Bernos-Beaulac
Bourideys
Beaulac
Sillas
Insos
Souis
Agnaoutoun
33
Cazalis
Lucmau
Briel
G
la Garenne
Pétron
le Ciron
U
Lerm-et-Musset
le Crec
Goualade
Escaudes
Pirette
Callen
Garillon
Captieux
Lucbernet
Sallebert
Castelnau
St-Michel-de-Castelnau
la Fille
Anc. Ateliers de Produits Résineux
Luxey
Giscos
Pichon
Lartigue
Maillas
Caplanne
Camp Militaire de Captieux
Lagavarre
Hourquey
le Pont Long
l'École du Poteau
Allons
le Grand Lac
Broustic
les Traverses
Ancienne Commanderie
Plaisance
Anc. Moulin de Lestrat
le Sen
Bourriot-Bergonce
Bergonce
Jourets
Lencouacq
Retjons
Losse
Lubbon
Chap. Lugaut
Lussolle
Cachen
l'Estampon
Bélis
Estampon
40
Arue
St-Gor
L A N D E S
Lapeyrade
Vielle-Soubiran
Chicot
Maillères
le Ginx
Roquefort
Estigarde
Sarbazan
St-Martin de Noët
Canenx-et-Réaut
Triscos
Pinot
Gardit
N524
D932
D932N
D933N
D9
D10
D12
D24
D53
D115
D124
D379

247
230
231
248
266
267
F
G
H
J
K
1
2
3
4
5
6
A62
N113
E72
Gaujac
Marcellus
Coussan
Garrigues
St-Benoît
Birac-sur-Trec
Rebec
Agmé
Labretonie
Les Bourdets
le Colombier
Maurice
Verteuil-d'Agenais
Montpouillan
St-Pardoux-du-Breuil
Tauzina
Longueville
St-Pierre-de-Nogaret
Gontaud-de-Nogaret
Hautesvignes
Brugnac
Montardit
Verdegas
le Chant du Coucou
Sabla de Bas
Cocumont
Gouts
Pont des Sables
Paillès
Taillebourg
Monplaisir
Fourques-sur-Garonne
Péage St-Sauveur
Fauguerolles
Caumont-sur-Garonne
Samazan
Sablé
Fauillet
Varès
Sénestis
St-Caprais
Grateloup-St-Gayrand
Romestaing
Guérin
Ste-Marthe
St-Martin
le Mas-d'Agenais
Grand Jean
Cante-Merle
Sermet
Balahade
Esquerdes
le Mas d'Agenais
Lagruère
Tonneins
Lacastagnal
Bouglon
Figuès
Argenton
Grézet-Cavagnan
Campanet
St-Juin
le Bret
les Baudons
Castelmoron-sur-Lot
Jean Bernège
Laparade
Cours-les-Bains
le Clavier
Cavagnan
Calonges
Rés. Nat. de l'Étang de la Mazière
Montbarbat
le Gabach
Bachac
Bellebarbe
Marsac
Roussanes
Granges-sur-Lot
Ruffiac
Poussignac (l'École)
Labastide
Ste-Gemme-Martaillac (Bladas)
Martaillac
Villeton (le Pont Canal)
St-Christophe
Clairac
Antagnac
Plantey
St-Gény
Razimet
Queyran
Unet
la Luque
Picharry
Beauséjour
Labastide-Castel-Amouroux (Veyries)
Ayet
Lafitte-sur-Lot
Puch-d'Agenais
Monheurt
Fernand
Bourran
Beauziac (Bouchet)
Leyritz-Moncassin
Estérots
St-Brice
Colleignes
Casteljaloux
Bataille
Nicole
Villefranche-du-Queyran
Monluc
St-Vincent
Ste-Radegonde
Le Passage
Péjouans
Baraton
Campagne
Aiguillon
Dominipech
Quitimont
le Lanin
la Réunion (Mirande)
Chap. St-Sabin
St-Léon
Damazan
Galapian
St-Salvy
la Forge
Péage
Lagarrigue
St-Léger
Tour
le Chey
Pindères
Anzex
St-Côme
Frégimont
Couthures
Cap du Bosc
la Baïse
St-Bartélemy
Pompogne
Caubeyres
Buzet-sur-Baïse
Port-Ste-Marie
Bazens
Sauméjan
Fargues-sur-Ourbise
St-Pierre-de-Buzet
Thouars-sur-Garonne
Ste-Médard
Font Guillem
St-Julien
Buzet-sur-Baïse
Méneaux
St-Laurent
le Paravis
Clermont-Dessous
Gache
Anc. Prieuré
Ambrus
Calezun
Feugarolles
Bourdineau
Palisse
Tour d'Avance
Sérignac-sur-Garonne
Bruch
Houeillès
Baradé
Mongaillard
Trenquéléon
F. Dom. de Campet
Xaintrailles
Brazalem
Bruch
Montesquieu
Bertranet
Vianne
Pompiey
Limon
Salles
Coupard
Estussan
Lausseignan
Lavardac
Brèchan
Barbaste
Moulin Fortifié
Espiens
Forêt
Durance
Dom. de Capbourteil
Majoureau
Peyres-Blanques
Lonmaron
Montagnac-sur-Auvignon
Boussès
Barthe
Barterotte
Cauderoue
Nérac
Châl. de Henri IV
la Garenne
Fontarède
Calignac
Saumont
Tustem
Tauziette
Nazareth
Cazal du Bos
Larroudé
Forêt Com. d'Arx
Arx
Lisse
Puy-Fort Éguille
Garlies
Baudignan
St-Pau
Réaup-Lisse
Andiran
Fréchou
Fieux
Meylan
Peyrouet
St-Ourens
Pomarède
Cieuse
Andrioux
Mézin
Lasserre
Francescas
Baulens
Rimbez-et-Baudiets
Goubin
Lahitte
Pouy
Carrère
Gueyze
Loulié
Sos
Poudenas
le Colome
Lagrangerie
Artigues
Gardères
Campaigno
la Gélise
Bernadon
Arbussan
Villeneuve
Lannes
le Haget
Moncrabeau
St-Cirice
Estrépouy

250
233
234
269
270
DES CAUSSES DU QUERCY
46
82
Causse de Limogne
Cabrerets
Vers
St-Géry
Bouziès
Laroque-des-Arcs
Lamagdelaine
Arcambal
St-Cirq-Lapopie
Tour-de-Faure
St-Martin-Labouval
Cénevières
Calvignac
Larnagol
Cajarc
Salvagnac-Cajarc
Sauliac-sur-Célé
Montbrun
Cadrieu
Saujac
Crégols
Berganty
Esclauzels
Concots
Aujols
Flaujac-Poujols
Laburgade
Cremps
Lugagnac
Limogne-en-Quercy
St-Jean-de-Laur
Puyjourdes
Promilhanes
Escamps
Varaire
Bach
Cieurac
Lalbenque
Vaylats
Beauregard
Vidaillac
Laramière
Saillac
Fontanes
St-Projet
Puylagarde
Camp de Caylus
Labastide-de-Penne
Belmont-Ste-Foi
Montdoumerc
Belfort-du-Quercy
Mouillac
Loze
Lacapelle-Livron
Parisot
Puylaroque
Montpezat-de-Quercy
Caylus
Cayriech
St-Georges
Lapenche
Montalzat
Lavaurette
Ginals
Verfeil
Auty
Septfonds
Monteils
Caussade
St-Vincent
St-Antonin-Noble-Val
Varen
St-Cirq
Féneyrols
Montrosier
Milhars
Réalville
Cazals
St-Michel-de-Vax
Roussayrolles
Cayrac
Albias
Bioule
Nègrepelisse
Montricoux
Penne
Gorges de l'Aveyron
Vaour
Tonnac
Bruniquel
St-Etienne-de-Tulmont
Mouzieys-Panens
Marnaves

251
Villefranche-de-Rouergue
Rignac
Montbazens
Rieupeyroux
Naucelle
Baraqueville
Najac
Carmaux
Monestiés
Cordes-sur-Ciel
Belcastel
Sauveterre-de-Rouergue
Pampelonne
Tanus
Mirandol-Bourgnounac
la Salvetat-Peyralès
Clairvaux-d'Aveyron
Peyrusse-le-Roc
Auzits
Villeneuve
Colombiès
Pradinas
Lunac
la Fouillade
St-André-de-Najac
Bor-et-Bar
Jouqueviel (le Tel)
St-Christophe-Vallon
Goutrens
Bournazel
Boussac
Crespin
Castelmary
Cabanès
Camjac
St-Just-sur-Viaur
Lédas-et-Penthiès
Lacapelle-Pinet
Moularès
St-Jean-de-Marcel
St-Benoît-de-Carmaux
Salles
Laparrouquial
Lacapelle-Ségalar
St-Martin-Laguépie
Viaduc du Viaur
Parc Animalier
Anc. Chartreuse
234
235
252
270
271
F
G
H
J
K
1
2
3
4
5
6
12
81

237
238
253
273
274
Balsiègues
St-Bauzile
Brenoux
Lanuéjols
Tombeau Romain
St-Julien-du-Tournel
le Bleymard
Mas-d'Orcières
Altier
Cubières
Cubiérettes
Truc de Balduc
St-Étienne-du-Valdonnez
Le Bleymard Mont-Lozère
MONT LOZÈRE
Forêt Dom. du Mont Lozère
Col de Finiels
Source du Tarn
Pic Cassini
Chantegrive
le Mas de la Barque
Col de Montmirat
Montmirat
Sauveterre
les Bondons
Fraissinet-de-Lozère
Casc. de Runes
Mais. des Monts de Lozère
le Pont-de-Montvert
le Tarn
Quézac
Ispagnac
Rocheblave
Castelbouc
Prades
Montbrun
Charbonnières
Florac
Mais. du Parc
Cocurès
Bédouès
la Salle-Prunet
St-Julien-d'Arpaon
St-Maurice-de-Ventalon
St-Frézal-de-Ventalon (le Gériponi)
St-Privat-de-Vallongue (la Combe)
Cassagnas
la Mimente
St-André-de-Lancize
St-Hilaire-de-Lavit
Montagne des Ayres
Causse Méjan
Plaine de Chanet
Nivoliers
Drigas
Hures
St-Laurent-de-Trèves
Col des Faïsses
Barre-des-Cévennes
Vebron
Nîmes le Vieux
Fraissinet-de-Fourques
Rousses
St-Flour du Pompidou
Molezon (Biasses)
le Pompidou
St-Martin-de-Lansuscle
St-Germain-de-Calberte
Ste-Croix-Vallée-Française
Gabriac
N.-D. de Valfrancesque
Moissac-Vallée-Française (le Claoutrier)
St-Étienne-Vallée-Française
Meyrueis
Gatuzières
la Jonte
Gorges du Tapoul
Tunnel du Marquairès
Bassurels
Corniche des Cévennes
St-André-de-Valborgne
St-Roman-de-Tousque
Col de l'Exil
Roquedols
Forêt Domaniale de l'Aigoual
MONT AIGOUAL
Abîme de Bramabiau
Prat Peyrot
Arborétum de l'Hort de Dieu
St-Sauveur-Camprieu
Col de la Serreyrède
l'Espérou
les Plantiers
Saumane
Peyroles (l'Arbous)
l'Estréchure
St-Jean-du-Gard
F. Dom. de la Vallée Borgne
Valleraugue
l'Hérault
Pic de Barette
Serre de la Lusette
Col du Minier
Col de l'Asclié
Soudorgues
Dourbies
Gorges de la Dourbie
Notre-Dame-de-la-Rouvière
Lasalle
PARC NAT. DES CÉVENNES
48
30
N106
D986
D907
D983
D996
D9
D20

Joyeuse
Rosières
Ruoms
Labeaume
Villefort
Génolhac
les Vans
Chambonas
Banne
Berrias-et-Casteljau
Beaulieu
St-Paul-le-Jeune
St-André-de-Cruzières
Barjac
Bessèges
Peyremale
St-Ambroix
Molières-sur-Cèze
les Mages
la Grand-Combe
Rousson
Salindres
Navacelles
Lussan
Méjannes-le-Clap
ALÈS
St-Christol-lès-Alès
Vézénobres
Anduze
Générargues
Mialet
St-Jean-du-Pin
St-Julien-les-Rosiers
Allègre-les-Fumades (la Bégude)
St-Hilaire-de-Brethmas
Euzet
Seynes
Vallérargues
Aigaliers
Boisset-et-Gaujac
Ribaute-les-Tavernes

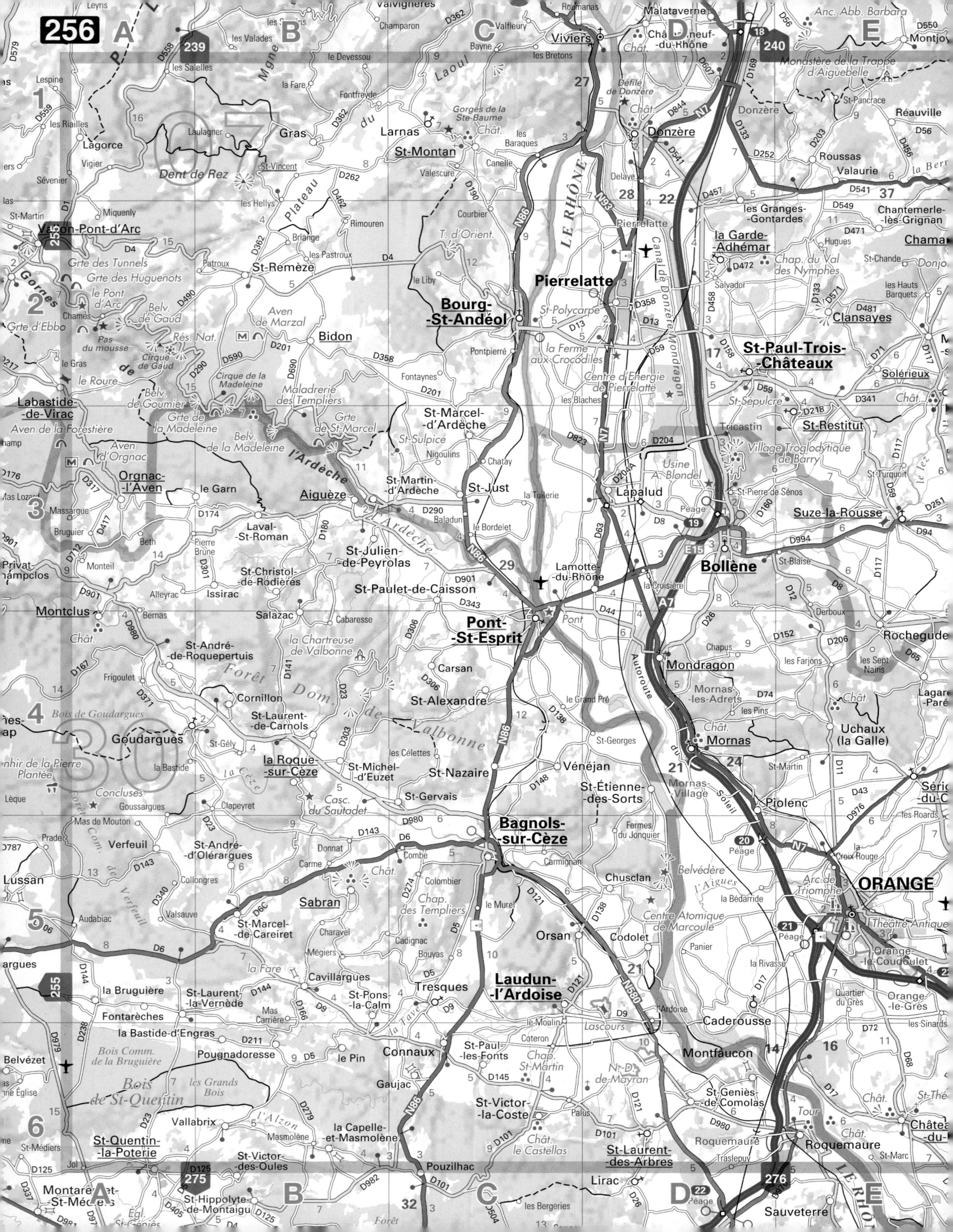

Viviers
Châteauneuf-du-Rhône
Malataverne
Anc. Abb. Barbara
Montjoyer
Monastère de la Trappe d'Aiguebelle
Défilé de Donzère
Donzère
Larnas
Gras
Lagorce
St-Montan
Gorges de la Ste-Baume
Dent de Rez
Réauville
Roussas
Valaurie
les Granges-Gontardes
Chantemerle-lès-Grignan
la Garde-Adhémar
Vallon-Pont-d'Arc
St-Remèze
Pierrelatte
Bourg-St-Andéol
LE RHÔNE
Canal de Donzère Mondragon
Grte des Tunnels
Grte des Huguenots
le Pont d'Arc
Belv. de Gaud
Aven de Marzal
Bidon
Cirque de Gaud
Cirque de la Madeleine
Maladrerie des Templiers
Clansayes
St-Paul-Trois-Châteaux
Solérieux
St-Restitut
Village Troglodytique de Barry
Labastide-de-Virac
Aven de la Forestière
Grte de la Madeleine
Belv. de la Madeleine
l'Ardèche
St-Marcel-d'Ardèche
Grte de St-Marcel
Orgnac-l'Aven
Aven d'Orgnac
le Garn
Aiguèze
St-Martin-d'Ardèche
St-Just
Lapalud
Usine A. Blondel
Suze-la-Rousse
Laval-St-Roman
St-Julien-de-Peyrolas
Bollène
St-Christol-de-Rodières
Issirac
Montclus
Lamotte-du-Rhône
St-Paulet-de-Caisson
Pont-St-Esprit
Rochegude
St-André-de-Roquepertuis
la Chartreuse de Valbonne
Forêt Dom. de Valbonne
Mondragon
Carsan
Cornillon
St-Alexandre
Mornas-les-Adrets
St-Laurent-de-Carnols
Goudargues
Mornas
Uchaux (la Galle)
la Roque-sur-Cèze
St-Michel-d'Euzet
St-Nazaire
Vénéjan
St-Étienne-des-Sorts
Piolenc
Casc. du Sautadet
St-Gervais
Bagnols-sur-Cèze
Verfeuil
St-André-d'Olérargues
Chusclan
Belvédère
ORANGE
Arc de Triomphe
Théâtre Antique
Lussan
Sabran
Chap. des Templiers
Centre Atomique de Marcoule
St-Marcel-de-Careiret
Orsan
Codolet
Orange-le-Coudoulet
la Bruguière
St-Laurent-la-Vernède
Cavillargues
St-Pons-la-Calm
Tresques
Laudun-l'Ardoise
Caderousse
Orange-le-Grès
Fontarèches
la Bastide-d'Engras
Pougnadoresse
Connaux
St-Paul-les-Fonts
Montfaucon
Bois de St-Quentin
Gaujac
St-Victor-la-Coste
St-Geniès-de-Comolas
Vallabrix
la Capelle-et-Masmolène
Roquemaure
St-Quentin-la-Poterie
St-Victor-des-Oules
Pouzilhac
St-Laurent-des-Arbres
Lirac
Sauveterre
St-Hippolyte-de-Montaigu
A7
N7
N86
N580
E15

257
F
G
H
J
K
240
241
258
276
277
1
2
3
4
5
6
Roche-St-Secret-Béconne
Chaudebonne (les Nauds)
Valouse
Teyssières
Salles-sous-Bois
Enceinte Fortifiée
Taulignan
Montbrison-sur-Lez
Prieuré Ste-Anne
le Pègue
les Gorges de Trente-Pas
St-Ferréol-Trente-Pas
Villeperdrix
St-May
Rémuzat
Eyroles
Sahune
Montréal-les-Sources
Grignan
Rousset-les-Vignes
Condorcet
Grillon
St-Pantaléon-les-Vignes
Venterol
Curnier
les Pilles
Aubres
Colonzelle
Valréas
les Pénitents Blancs
le Poët-Sigillat
Arpavon
Nyons
le Trou de Pontias
Montaulieu
Richerenches
Ste-Jalle
N.D. de Beauvert
Vieux Village
Rochebrune
Vinsobres
Châteauneuf-de-Bordette
Visan
N.D. des Vignes
Mirabel-aux-Baronnies
Piégon
Bénivay-Ollon
Beauvoisin
Gorges d'Ubrieux
Vercoiran
St-Maurice-sur-Eygues
Tulette
Buisson
Villedieu
Mérindol-les-Oliviers
Propiac
Buis-les-Baronnies
la Roche-sur-le-Buis
St-Roman-de-Malegarde
Puyméras
Faucon
St-Romain-en-Viennois
la Penne-sur-l'Ouvèze
Pierrelongue
Eygaliers
Ste-Cécile-les-Vignes
Roaix
Vaison-la-Romaine
Mollans-sur-Ouvèze
Clue de Plaisians
Plaisians
Cairanne
Rasteau
St-Marcellin-lès-Vaison
Montagne de Bluye
Crestet
Entrechaux
St-Léger-du-Ventoux
Séguret
Brantes
Sablet
Beaumont-du-Ventoux
Mont Serein
Travaillan
Malaucène
N.D. du Groseau
MONT VENTOUX
Gigondas
Suzette
Dentelles de Montmirail
Camaret-sur-Aigues
Violès
Lafare
la Roque-Alric
le Chalet Reynard
le Barroux
Vacqueyras
St-Hippolyte-le-Graveyron
Crillon-le-Brave
Bédoin
Jonquières
Beaumes-de-Venise
Caromb
Aubignan
Modène
St-Pierre-de-Vassols
Flassan
Courthézon
Sarrians
Loriol-du-Comtat
Mormoiron
Villes-sur-Auzon
Mazan
Carpentras
Bédarrides
Monteux
Aquarium Oxygène
Blauvac
Malemort-du-Comtat
Méthamis

258
A
B
C
D
E
241
242
257
277
278
Cornillon-sur-l'Oule
Ste-Marie
Bruis
Montmorin
Sigottier
la Bâtie-Montsaléon
Pommerol
Chatusse Haute
Serres
Savournon
la Fromagère
l'Armanenche
le Rosas
le Bersac
Montclus
l'Épine
Ribeyret
Moydans
Rémuzat
Tête du Mouret
05
Mont de St-Genis
Rosans
Verclause
Pelonne
Prieuré
Sorbiers
Vaucluse-Basse
Vaucluse-Haute
Méreuil
Montrond
St-Genis
Colombe
St-André-de-Rosans
les Millets
Sironne
Montjay
Chanousse
Trescléoux
la Tuilière
l'Écluse
Lazer
Montferrand-la-Fare
Chapaïsses
Lagrand
Eyguians
Bellecombe-Tarendol
Lemps
Saléon
Arzeliers
St-Sauveur-Gouvernet
les Traverses
Gouvernet
Roussieux (Bardin)
l'Armalause
la Montagne
Villebois-les-Pins
Nossage-et-Bénévent
Laragne-Montéglin
la Bâtie-Verdun
les Viarrands
Chauvac-Laux-Montaux
le Laux
Étoile-St-Cyrice
Orpierre
BOCHAINE
N
I
E
S
26
Chevalet-le-Haut
Ste-Euphémie-sur-Ouvèze
le Pouzet
T. d'Orient
le Plan
Laborel
les Bègues
Ste-Colombe
Châteauneuf-de-Chabre (Quartier-de-l'École)
St-Auban-sur-l'Ouvèze
Montguers
Ruissas
Col de Perty
Barret-le-Haut
Rioms (Fontenouille)
la Combe
Montagne de Chabre
Gges de la Méouge
Antonaves
la Rochette-du-Buis
Montauban-sur-l'Ouvèze (Bagnols)
les Aires
Izon-la-Bruisse
Barret-sur-Méouge
Ballons
St-Pierre-Avez
le Poët-en-Percip
les Granges
la Méouge
le Verger
Mévouillon (Gresse)
Pelleret
Nécropole Nationale
Salérans
l'Adrech
Eygalayes
Lachau
Vers-sur-Méouge (le Plan)
le Col
Pré Rond
Rougnouse
la Flogère
la Farette
N.-D. de Calma
les Peyres
les Flaux
Aulan
Villefranche-le-Château
St-Jaume
Éourres
les Charles
Séderon
le Plan du Château
Mgne du Buc
la Gabelle
Vergol
Boucoule Ferme
Aubard
la Retranche
St-Vincent-sur-Jabron
la Grangeotte
Barret-de-Lioure
les Anières
Curel
Savoillan
Châteauneuf-Miravail (les Curniers)
Montbrun-les-Bains
Reilhanette
les Omergues
Montfroc
Lange
le Couvent
la Tuilière
Montagne d'Albion
Gour des Oules
le Toulourenc
Sommet de Lure
Ferrassières
Ferrassières-de-Barret
Aurel
les Crottes
Tinette
Station de Lure
MONTAGNE DE LURE
04
les Michouilles
les Morards
les Girons
Redortiers (le Contadour)
Anc. Abb. de N.-D. de Lure
Verdolier
St-Trinit
Vière
Saumane
l'Hospitalet
la Loge
Sault
Caire
Revest-du-Bion
le Jonquet
Plateau d'Albion
la Rochegiron
Monieux
Grand Débat
Lardiers
84
les Roumigières
St-Étienne-les-Orgues
St-Jean
Banon
St Pierre
Ongles
les Molières
Brouville
le Rocher d'Ongles
St-Christol
les Vallettes
Fontienne
Plan Chavonnet
Montsalier
le Castellet
VAUCLUSE
Haut Cheyran
les Bourbons
Sarraud
Sigonce
la Laye
le Buëch
E712
N75

F
G
H
J
K
242
243
260
278
279
04
Esparron
les Combes
Tournoux
Piégut
Vente
Rochebrune
L'Ardier-et-Valença
Vitrolles
la Saulce
Curbans
Péage
Urtis
Gigors
Bréziers
Bellaffaire
l'Eygaye
les Goirands
St-Jean
Station du col St-Jean
Montclar
Chaumenc
Villaudemard
A51
la Curnerie
Rousset
les Roches
Faucon-du-Caire
le Forest-loin
Turriers
St-Martin-lès-Seyne
le Col
Pompiery
Pibert
Monêtier-Allemont
Bois Noir
Selonnet
la Gineste Haute
Claret
le Caire
Gautière
Astoin
F. Dom. des Gorges du Sasse
Bas Chardavon
Citad.
Seyne
Ventavon
Autoroute du Val de Durance
la Durance
Melve
les Hautes-Graves
Bayons
la Haute Combe
Chabanon
le Grand Pré
la Motte-du-Caire
la Rouchaye
Clamensane
Villarnaud
Sigoyer
Thèze
la Bréjonnière
Esparron-la-Bâtie
Reynier
l'Infernet Bas
Ferme Béridon
le Grand
Auzet
Escuyer
le Poët
Fourniers
Vaumeilh
Nibles
Valavoire
la Sapie
la Route
Verdaches
Châteaufort
Barles
Clues de Verdaches
le Forest
Valernes
Route Napoléon
les Amayons
St-Clément
le Villard
St-Geniez
la Bastide
Chabert
N.-D. de Dromont
Rocher de Dromont
Authon
Défilé de la Pierre Écrite
la Silve
Plan de la Baume
Entrepierres
le Château
Clues de Barles
Esclangon
Pré Forant
Melan
les Chabanons
Citad.
Sisteron
Vilhosc
le Vanson
St-Symphorien
le Castellard-Melan
Hautes-Duyes
Site de l'Ichtyosaure
Toge
Champ Roubin
la Robine-sur-Galabre
le Guéni
le Brusquet
Clot de Moune
St-Martin
Salignac
Sourribes
les Romans
Thoard
les Ubachons
Draix
Peipin
Aubignosc
la Tuilière
Beaucouse
Marcoux
Archail
Péage
le Forest
Égl. St-Martin
Centre Géologique de St-Benoit
le Villard
Courbons
N.-D. du Bourg
Volonne
Barras
les Épinettes
DIGNE-LES-BAINS
St-Jérôme
Château-Arnoux-St-Auban
Châteauneuf-Val-St-Donat (les Chabannes)
Champtercier
le Villard
les Beauduns
l'Escale
Base de Loisirs
Terres Rouges
les Dourbes
le Belvédère de Peyruis
St-Auban
Montfort
Mirabeau
Aiglun
les Hôtelleries
Chap. St-Donat
la Bléone
Malijaï
St-Pierre
Entrages
Mardaric
Mallemoisson
Péage
Châţ. de Fontenelle
le Chaffaut-St-Jurson
St-Jurson
F. Dom. de Cousson
les Martrons
les Pénitents
la Clappe
Peyruis
les Mées
Châteauredon
l'Asse
Espinouse
Ganagobie
St-Pierre
Chaudon
Mézel
Beynes
Prieuré de Ganagobie
les Pierras
Dabisse
Chaudon-Norante

le Lauzet-Ubaye
Méolans-Revel (la Fresquière)
les Thuiles
St-Pons
Barcelonnette
Jausiers
Faucon-de-Barcelonnette
Enchastrayes
Uvernet-Fours
Montclar (Serre-Nauzet)
Seyne
Grande Séolane
CIME DE LA BONETTE
Col d'Allos
les Trois Évêchés
le Vernet
Verdaches
MONT PELAT
Col de la Cayolle
Allos
Prads-Haute-Bléone
Beaujeu
Colmars
Entraunes
la Javie
Villars-Colmars
St-Martin-d'Entraunes
Beauvezer
Brusquet
Draix
Archail
Thorame-Haute
Thorame-Basse
Tartonne (Plan-de-Chaude)
Lambruisse
Méailles
Clumanc
le Fugeret
la Mure-Argens
Allons
Braux
Annot
St-Benoît
St-André-les-Alpes
St-Lions
St-Jacques
Chaudon-Norante
04
PARC

Col de Larche
della Maddalena
della Maddalena
227
Argentera
Grangie
Rifugio Gardette
Servino
Gias Maro
Campo Molino
Monte Tibert
Chiappi
San Magno
Chiotti
Pentenera
Frise
San Pietro di Monterosso
Figlière
San Lucia
Monte Bram
Monte Oserot
Bersezio
Monte Giordano
Gias Bandia
Monte Omo
Monte Bore
Monte Grum
Beccas del Mezzodi
Tête de l'Enchastraye
Preinardo
Monte Sale
Testa Gardon
Rocher des Trois Evêques
Ferriere
Pontebernardo
Castello
Monte Bersaio
Monte Nebius
San Giacomo
Trinita
Chiapue
Murenz
Pietraporzio
Moriglione San Lorenzo
San Maurizio
Monte Bassura
Sambuco
Villetta
Neraissa
Cornaletto
Fèdio
Demonte
Cima del Rous
Monte Autes
Remparts
Aisone
Stura di Demonte
le Pra
Monte Peiron
Monte Vaccia
Vinadio
Forani
Perdioni
la Tinée
Refuge de Vens
Pianche
Goletta Sott
San Eligio
Pratolungo
Becco Alto del Piz
Valle Stura
Ruviera
Pinet
Bergemoletto
Cima Cialancia
Bagni de Vinadio
Monte Ciastella
Mt Ténibre
Monte Alivè
Gias Vei
Monte Bourel
Monte Merqua
Monte Saletta
Monte Laroussa
Cima Georgia Cagna
St-Dalmas-le-Selvage
Refuge de Rabuons
Corborant
Punta Ciarnier
IL PARCO
REGIONALE
Couvent
St-Étienne-de-Tinée
Callieri
San Bernolfo
Testa Mouton
Rifugio Bianco
Sant'Anna di Valdieri
Rifugio del Laus
Punta Maladecia
Cime de Maleterre
Cima Tesina
Cima Valrossa Nord
Monte Matto
Cima del Lausetto
Drogon
Santuario di Sant'Anna
Monte Aver
Auron
le Bourguet
Cima Moravacciera
Cime de la Lombarde
Cima Valrossa Sud
Terme di Valdieri
Asta Sottana
Vacherie de Demandols
Douans
Réserve de Chasse de Valdieri
Oriol
Col de la Lombarde
las Donnas
D2205
la Blache
Cime de Tavels
Rifugio Questa
Rifugio Morelli
Cima Sud Argentera
Vieux Clocher
Isola 2000
Roya
Isola
Testa di Bresses
la Madre Dio
NATIONAL
Tête des Portettes
Mont St-Sauveur
Cima di Fremamorta
Cima del Baus
les Tourres
Mollières
Cima di Br
la Gardivole
Montagne de l'Alp
Cima Ghilié
Mont Mounier
DU
Valabre
06
Réserve de Chasse du Mercantour
la Baumette
MERCANTOUR
Vignol
Refuge de Longon
Barels
le Parc
Refuge des Adus
le Boréon
Châteauneuf-d'Entraunes
Rougios Granges
la Colle
Tiecs Granges
Refuge Saladin
Péone
Vacherie des Millefonts
Casc.
Bouchanières
le Villard
Gorges de Valabres
l'Oustallet
Cougne
Beuil
Roubion
St-Sébastien
le Villars
les Clos
Vall. de la Madone de F
les Amignons
Valberg
les Launes
St-Ginié
Roure
Col St-Martin
St-Sauveur-sur-Tinée
Valdeblore (la Roche)
la Colmiane
St-Martin-Vésubie
St-Brès
Croix de Valberg
Bergians
le Villars
St-Sébastien
Buisses
Liberture
Fort
le Planet
la Colmiane-Valdeblore
Villetalle Basse
Abéliéra
Rimplas
St-Dalmas
Ste-Claire
le Touron
Tête de la Colombière
Tête de Giarons
Mt Viroulet
le Bois Noir
Cime de Colmiane
Venanson
Raton
les Clots
Libaret
Cime du Pra
Gorges Sup. du Cians
la Vésubie
Dôme de Barrot
Ilonse
Marie
Tête de Rigaud
Pierlas
Roquebillière Vieux
Mont Tournairet
Roquebillière
Gorges de Daluis
Liouc
la Méléa
les Granges de la Brasque
Clot de Marre
Mont Fracha
la Tinée
Clans
Léouvé
Pra d'Astier
St-Antoine
Quinson
St-Léger
Rigaud
Lieuche
Pointe des Quatre Cantons
Forêt de Duina
Bairols
Lantosque
Auvare
la Croix-sur-Roudoule
Montagne de Mayola
Thiéry
la Madone
Villars-la-Croix
Gorges de la Roudoule
St-Jean
Pélasque
Puget-Rostang
Gorges Inf. du Cians
Pointe de la Gardette
Roussillon
Loda
280
281
Puget-Théniers
Touët-sur-Var
Villars-sur-Var
Tournefort
la Tour
le Suquet
le Var

244
264
282
F. Dom. de Vielle St-Girons
Vielle-St-Girons
St-Girons Plage
Linxe
Étang de Léon
Rés. Nat. du Courant d'Huchet
Léon
Castets
Moliets-et-Maa
Messanges
Azur
Vieux-Boucau-les-Bains
Magescq
Soustons
F. Com. de Soustons
Étang de Soustons
Atlantic Park
Seignosse
Tosse
Lac d'Hossegor
Soorts-Hossegor
Angresse
St-Geours-de-Maremne
St-Vincent-de-Tyrosse
Capbreton
Bénesse-Maremne
Saubusse
Tercis-les-Bains
Saubrigues
Orx
Labenne
St-Jean-de-Marsacq
St-Martin-de-Hinx
l'Adour
St-Étienne-d'Orthe
Port-de-Lanne
Ondres
St-André-de-Seignanx
Tarnos
Boucau
Biarrotte
St-Martin-de-Seignanx
Ste-Marie-de-Gosse
Orthevielle
Hastingues
40

A
B
C
D
E
1
2
3
4
5
6
Côte d'Argent
Cap du Figuier
Pointe Ste-Anne
Pointe de Ste-Barbe
la Corniche
Ste-Madeleine
Chapelet
Bidart
Guéthary
Elizaldia
Bassussarry
Villefranque
Arbonne
Arcangues
Arrauntz
Herauritz
Alotz
Ahetze
Hendaye-Plage
Abbadie
Socoa
Fort
Mais. Louis XIV
St-Jean-de-Luz
Chantako
Haizabia
Ciboure
Sokorri
Urtubie
Urrugne
Hendaye
Marina
Irun
Béhobie
Kampobaita
Péage
Musugorria
Serrès
Errotaberria
Aranea
Ascain
Ibarron
Chât.
St-Pée-sur-Nivelle
Base de Loisirs
Lac de St-Pée
Larressore
Musée-Demeure d'Edmond Rostand
Souraïde
Espelette
Cambo-les-Bains
Ustaritz
Jatxou
Halsou
Héguia
Elizaberry
Pilota Plaza
Chap. St-Sauveur
Route Impériale des Cimes
Urcuray
Biriatou
Herboure
Olhette
Ermitage de St-Martial
Xoldokocana
Montagne de Ciboure
Col de St-Ignace
Amotz
Pont
Amezpetu
Mt Urzumu
Haranéa
Itxassou
Macaye
Louhossoa
Mandale
Train touristique
Sare
Cherchebruit
Ihalar
Lehenbizcai
Istilarté
Laxia
Pas de Roland
la Nive
Olhaénéa
Peñas de Haya
Endarlatsa
la Rhune
Ainhoa
Dancharia
Vallée de la Bidassoa
Bera (Vera de Bidasoa)
Zia
Zalain
Ibanteli
Grotte de Sare
Zugarramurdi
Urdax (Urdazubi)
Telleria
Artzamendi
Lesaka
Atxuria
Arouchia
Bidarray
Frain
Igantzi
Berrizaun
Etxalar
Chouhourra Borda
St-Martin-d'Arrossa
Artikutza
Alcurrunz
Pic d'Iparla
Oustélégui
Pic de Tutulia
la Bastide
Urdos
Gorramendi
Arantza
Amaiur (Maya)
Bozate
Erratzu
Azpilkueta
Col d'Ispéguy
Etchaux
St-Étienne-de-Baïgorry
Irouléguy
Sunbilla
Arizkun
Ihitza
Vallée des Aldudes
Elgorriaga
Aurtitz
Ituren
Oteitza
Oyeregui
Oronoz
Lekaroz
Elizondo
Latsaga
Doneztebe (Santesteban)
Legasa
Narbarte
Arraioz
Irurita
Gartzain
Ciga
Zuraurre de Ciga
Aniz
Oitz
Donamaria
Banca
Urrotz
Berroeta
Saldias
Almandoz
Aldudes
Beintza-Labaien
Luzaide (Valcarlos)
Esnazu
Maneixhandy
Urepel
Igoa
Borde
Puerto de Velato
Orokieta
Eltzaburu
Ilarregi
Ventas de Arraitz
Arraitz
Alkotz
Lantz
Auza
Embalse
Auritz
E5
E70
E80
A63
A8
N10
N121A
N121B
N138
N135
NA4000
NA4020
NA2655
NA2600
NA1210
NA411
D932
D137
D22
D357
D855
D655
D755
D255
D250
D307
D3
D20
D622
D420
D10
D4
D404
D406
D306
D918
D305
D249
D349
D948
D949
D58
D1
D21
282
312
64
E

40
Dax
St-Paul-lès-Dax
Castets
Tartas
Rion-des-Landes
Montfort-en-Chalosse
Pontonx-sur-l'Adour
Peyrehorade
Pouillon
Amou
Habas
Pomarez
Mimbaste
Laluque
Lesgor
Boos
Taller
Gourbera
Herm
Lesperon
Villenave
Beylongue
Ygos-St-Saturnin
Ousse-Suzan
St-Yaguen
Souprosse
Laurède
Mugron
Nerbis
Hinx
Narrosse
Candresse
Yzosse
Mées
Angoumé
Seyresse
Oeyreluy
Saint-Pandelon
Saugnac-et-Cambran
Heugas
Siest
Tercis-les-Bains
Bénesse-lès-Dax
St-Lon-les-Mines
Gaas
Bélus
Cagnotte
Misson
Estibeaux
Mouscardès
Tilh
Arsague
Castel-Sarrazin
Clermont
Sort-en-Chalosse
Garrey
Ozourt
Poyartin
Gibret
Baigts
Caupenne
Bergouey
Donzacq
Bastennes
Gaujacq
Castelnau-Chalosse
Gamarde-les-Bains
Goos
Nousse
Lourquen
Lahosse
Poyanne
St-Geours-d'Auribat
Louer
Préchacq-les-Bains
Gousse
Cassen
Vicq-d'Auribat
Onard
Gouts
Audon
St-Jean-de-Lier
Bégaar
Téthieu
St-Vincent-de-Paul
Buglose
Arjuzanx
Arengosse
Carcen-Ponson
Carcarès-Ste-Croix
Labatut
Cauneille
Ossages
St-Girons
Bonnut
Bonnegarde
N10
N124
N117
D947
A641

244 245 262 283

F
G
H
J
K
245
246
266
284
1
2
3
4
5
6
Canenx-et-Réaut
Sarbazan
St-Martin de Noët
la Douze
Geloux
Cère
Parentis
Pouyblanc
Capsus
Lucbardez-et-Bargues
Bostens
Pouydesseaux
St-Justin
Betbezer
St-Martin-d'Oney
Uchacq-et-Parentis
Campet-et-Lamolère
St-Avit
le Caloy
Gaillères
Ste-Foy
Lacquy
le Frêche
N.-D. des
MONT-DE-MARSAN
le Midou
le Moulin de St-Orens
Batanès
Gaube
Beaussiet
Zoo
St-Médard
Bougue
St-Cricq-Villeneuve
Villeneuve-de-Marsan
Maureillan
St-Vidou
Lannemaignan
Arthez-d'Armagnac
Poutéo
St-Pierre-du-Mont
St-Perdon
Campagne
le Pouy
Marcadé
Mazerolles
les Garbays
la Halte
Nauton
Perquie
Montégut
Laglorieuse
Pujo-le-Plan
Château de Ravignan
le Plan
Bretagne-de-Marsan
Bostens
Artassenx
Gaube
Monguilhem
Gauché
Haut-Mauco
le Leuy
Benquet
Lartigue
Bascons
Maurrin
St-Gein
Bidaous
Bourdalat
Hontanx
Aurice
Carille
Castandet
Perron
Arbouts
Loubens
Lamothe
Bas-Mauco
Château d'Estignols
Marquestau
Bouet
Cauna
Ricaou
St-Maurice-sur-Adour
Grenade-sur-l'Adour
Larrivière
Lamensans
le Coumat
le Vignau
Lussagnet
St-Aubin
l'Adour
Péré
Ste-Eulalie
St-Sever
Augreilh
Loustalot
Bordères-et-Lamensans
Cazères-sur-l'Adour
Pierrons
Renung
Anc. Abb. St-Jean de la Castelle
Cantiran
Banos
le Moulin Neuf
Haut de Poule
Montgaillard
Fargues
Boucou
Montsoué
Eyres-Moncube
Nègre
les Arrats
Subéhargues
Château du Lau
Duhort-Bachen
Borrits
Lapersonne
Audignon
Bahus Juzanx
Lasbezeilles
Bachen
Aire-sur-l'Adour
la Haille
Vergoignan
Dumes
le Camps
Buanes
Classun
Eugénie-les-Bains
Doazit
Sarraziet
Coudures
Ste-Quitterie
Barcelonne-du-Gers
Horsarrieu
Ste-Colombe
Vielle-Tursan
St-Loubouer
Bahus-Soubiran
le Boué
Crypte de St-Girons
St-Girons
Aubagnan
Damoulens
Lourine
le Faubourg
Bernède
Gée-Rivière
Hagetmau
Serres-Gaston
Bats
Castelnau-Tursan
Higuères
Ragot
Urgons
Pécorade
Pourin
Samadet
Tour
Geaune
Lannux
le Gabas
Payros-Cazautets
Sorbets
Latrille
Momuy
Lacrabe
Morganx
Arboucave
Clèdes
Mauries
Ségos
Labastide-Chalosse
Hatche
Monségur
Moulin de Mant
Aurensan
Puyol-Cazalet
Lacajunte
Miramont-Sensacq
St-Agnet
Verlus
Projan
le Luy de France
Argelos
Mant
Sarron
Beyries
Poudenx
Peyre
Pimbo
Sensacq
Moncla
Portet
Glaudy
Monjouan
Monget
Malaussanne
Philondenx
Lauret
Bassercles
Castelner
Boucoue
Poursiugues-Boucoue
Castetpugon
Garlin
N134
N124
D932
D933N
D934
D1
D30
D2
D11
fin 2006
40
G
A
E
S
O

266
A
B
C
D
E
246
247
Estigarde
Herré
Buros
Bernadon
Arbussan
Villeneuve-de-Mézin
Ste-Maure-de-Peyriac
Pinchau
Créon-d'Armagnac
St-Pé-St-Simon
Loustaunau
Torrebren
Jouet
Fourcès
Betbezer-d'Armagnac
St-Julien-d'Armagnac
Gabarret
Corneillan
Lagrange
Escalans
Labastide-d'Armagnac
Bridon
Chât. de Briat
Égl. de Luzanet
Labarrère
Balarin
N.-D. des Cyclistes
Mauvezin-d'Armagnac
Barbotan les Thermes
le Poteau
la Croix d'Arech
Poujoulé
Montréal
Chât. Gayrosse
Lauga
Tavernes
Parleboscq (Sarran)
Castelnau-d'Auzan
Villa Gallo-Romaine
Rome
Cazaubon
Base de Loisirs
Pichourret
Arquizan
Moreau
Séviac
Lauraët
Monclar
Lac de l'Uby
Duran
Bouau
Cucassé
Sentex
le Chiro
Garbay
Mauléon-d'Armagnac
Larée
Belit
Lamothe
Poutéou
Soubère
la Courrege
Lagraulet-du-Gers
la Douze
l'Izaute
Esplavis
Hillo
Marguestau
Cutxan
Cap Pelat
Escagnan
Bretagne-d'Armagnac
Cazeneuve
Gondrin
Castex-d'Armagnac
Estang
Notre-Dame
le Nouet
Campagne-d'Armagnac
Eauze
la Pélinguette
Quille Campot
Monguilhem
Maupas
Lias-d'Armagnac
Réans
le Baqué
St-Amand
Lahitte
St-Roch
Aylzieu
Toujouse
Galiane
Labarthe
le Panier Fleuri
Courrensan
Mauras
Cacarens
Monlezun-d'Armagnac
Sauboires
Panjas
Bourrouillan
la Gélise
Bascaules
Laujuzan
Salles-d'Armagnac
Théous
Ramouzens
Noulens
Jugavarre
Mormès
Cantiran
les Cassouats
Manciet
Lannepax
Caupenne-d'Armagnac
Bascous
Aubin
le Houga
Perchède
le Claux
Ste-Christie-d'Armagnac
Espas
le Sentex
Magnan
Espagnet
Bouit
Seignebon
la Parisienne
Nogaro
Cravencères
l'Izaute
Dému
Lagraulas
Lanne-Soubiran
Arblade-le-Haut
Cloître
Séailles (Lagouardère)
Luppé-Violles
Arblade-le-Haut (Cadet)
Loubédat
Avéron-Bergelle
Barres
Urgosse
Sion
Mérix
Violles
Loissan
Margouët-Meymes (Lahougeyre)
la Haille
St-Griède
Sorbets
Bats
Vergoignan
St-Martin-d'Armagnac
Mauriet
le Petit Midour
Bétous
le Parré
Castillon-Débats
Prénero (St-And
Lelin-Lapujolle
Bataille
Arblade-le-Bas
Castaignet
Sabazan
Pionné
Lapujolle
Dando
Chât. Castelmore
Caumont
le Bédat
Laleugue
Bouzon-Gellenave (St-Go)
Aignan
Maulichères
Fustérouau (Thomas)
Lartigue
Héouré
Belmont
Sarragachies
St-Germé
le Mimort
Gellenave
Lupiac
Liot
Gée-Rivière
Tour
Termes-d'Armagnac
Fromentas
Castelnavet
Tarsac
Meujot
Pujos
Corneillan
l'Arros
St-Mont
Riscle
Izotges
Pouydraguin
Hargotte
Ardens
Cazaux-d'Anglès
Loussous-Débat
Hariet
Courdérot
St-Jean
Labarthète
Cahuzac-sur-Adour
Bières
St-Pierre-d'Aubézies
les Arramés
Tasque
Couloumé-Mondebat
Peyrusse-Grande
Callian
Aurensan
le Saget
Lasserade
Goux
Mondebat
Peyrusse-Vieille
l'Auzoue
Dutour
Cannet (Tucot)
Galiax
Maumusson-Laguian
Plaisance
Larroque
Gazax-et-Baccarisse
Viella
Dela l'Arriou
St-Lanne
Préchac-sur-Adour
Ricau
Louslitges
Houmé
Glaoudy
Baulat
Baccarisse
Portet
Aubous
Laloncagne
Jû-Belloc
Caussade
Aydie
Castelnau-Rivière-Basse
Mazères
Beaumarchés
Cayron
Donj.
Disse
Mont-Disse
Bidos
St-Aunix-Lengros
Courties
Bassoues
Belloc
Esparbès
Armous-et-Cau
265
285
32
40
42
43
31
66
N524
N124
D931
D626

Moncrabeau
247
Ligardes
Pouy-Roquelaure
St-Mézard
248
Sempesserre
Ste-Mère
Flamarens
Miradoux
Berrac
Gazaupouy
St-Martin-de-Goyne
Larroque-Engalin
La Romieu
Collégiale
St-Avit-Frandat
Castet-Arrouy
Castelnau-sur-l'Auvignon
Castéra-Lectourois
Lacassagne
Condom
Larressingle
Caussens
Marsolan
Plieux
Lectoure
Gramont
l'Isle-Bouzon
St-Orens-Pouy-Petit
Béraut
Cassaigne
Roquepine
Terraube
Base de Loisirs
Chât. de Tauzia
Magnas (le Lau)
Maignaut-Tauzia
Anc. Abb. de Flaran
Valence-sur-Baïse
Mas-d'Auvignon
St-Puy
Castelnau-d'Arbieu
Mansencôme
Pauilhac
Lamothe-Goas
la Sauvetat
Fleurance
Urdens
Lagardère
Ste-Radegonde
Ayguetinte
Beaucaire
Brugnens
Larroque-St-Sernin
Argentens
Bezolles
Cézan
Réjaumont
Castéra-Verduzan
Céran
Bajonnette
Montestruc-sur-Gers
Goutz
Min de Bonas
Bonas
Préchac
Lalanne
Puységur
Taybosc
Marambat
St-Paul-de-Baïse
Miramont-Latour
St-Brès
Vic-Fezensac
Jegun
Lavardens
Mérens
Roquefort
Gavarret-sur-Aulouste
Ste-Christie
Tourrenquets
Maravat
Châtt. Pimbat de Cruzalet
Peyrusse-Massas
Mirepoix
Puycasquier
Roquebrune
St-Jean-Poutge
Antras (le Gay)
St-Lary
Roquelaure
Châtt. du Rieutort
Crastes
Caillavet
Tour Gallo-Romaine
Castillon-Massas
Preignan
Biran
Montaut-les-Créneaux
Nougaroulet
Ordan-Larroque
Castin
Auch-Lamothe
Ansan
Bazian
le Brouilh-Monbert
Duran
Châtt. de St-Cricq
Leboulin (l'Échac)
Riguepeu
Châtt. de Mazères
Statue de d'Artagnan
Lahitte
Marsan
268
Montégut
AUCH
Aubiet
St-Arailles
Mirannes
Pessan
Lussan
Barran
l'Isle-Arné
Pavie
l'Isle-de-Noé
286
Lasséran
St-Jean-le-Comtal
Montesquiou
Auterive
Castelnau-

Castelsarrasin
Flamarens
Miradoux
Peyrecave
Lachapelle
Poupas
Puygaillard-de-Lomagne
Balignac
Lavit
Gramont
Marsac
Montgaillard
St-Créac
Maumusson
Mauroux
St-Clar
Castéron
Gaudonville
Avezan
Tournecoupe
St-Léonard
Cadeilhan
Bivès
Homps
Monfort
Ste-Gemme
Labrihe
Sérempuy
Mansempuy
Augnax
St-Antonin
Mauvezin
St-Sauvy
Blanquefort (l'Arnauton)
Aubiet
Gimont
Juilles
St-Caprais
Montiron
Beaumont-de-Lomagne
Larrazet
Sérignac
Angeville
Castelferrus
St-Porquier
Escatalens
Cordes-Tolosannes
Garganvillar
Lafitte
Labourgade
Bourret
Finhan
Belbèse
St-Sardos
Mas-Grenier
Comberouger
Bouillac
Verdun-sur-Garonne
Savenès
Beaupuy
Aucamville
Faudoas
Maubec
Solomiac
Sarrant
Brignemont
Cox
Cabanac-Séguenville
Gariès
Lagraulet-St-Nicolas
Escazeaux
Gimat
Cologne
Touget
Cadours
Laréole
Puysségur
Drudas
Launac
Larra
Pelleport
le Grès
Thil
Montaigut-sur-Save
Lévignac
Monbrun
Roquelaure-St-Aubin
Escorneboeuf (En-Gaillardet)
Razengues
Clermont-Savès
l'Isle-Jourdain
Ségoufielle
Mérenville
Lasserre
Pradère-les-Bourguets
Ste-Livrade
Monferran-Savès
Frégouville
Maurens
Giscaro
Pujaudran
Léguevin
Brax
N224
N124
N113
A62
D928
82
32
31
A B C D E
1 2 3 4 5 6

F
G
H
J
K
MONTAUBAN
St-Étienne-de-Tulmont
Bruniquel
Vaïssac
Puygaillard-de-Quercy
Larroque
Puycelci
Vallée de la Vère
Léojac
Génébrières
Bressols
St-Nauphary
la Salvetat-Belmontet
Monclar-de-Quercy
Montdurausse
Corbarieu
St-Urcisse
Verlhac-Tescou
Labastide-St-Pierre
Reyniès
Villebrumier
Montgaillard
Salvagnac
Orgueil
Nohic
Varennes
Beauvais-sur-Tescou
le Born
Tauriac
Montvalen
Fabas
Villemur-sur-Tarn
Canals
Fronton
Bondigoux
Layrac-sur-Tarn
Grazac
Villaudric
Villematier
Mirepoix-sur-Tarn
Roquemaure
Rabastens
Coufouleux
Pompignan
St-Rustice
la Magdelaine-sur-Tarn
Bessières
Mézens
Ondes
Castelnau-d'Estrétefonds
Bouloc
Villeneuve-lès-Bouloc
Vacquiers
Montjoire
Buzet-sur-Tarn
St-Sulpice
Forêt de Buzet
Cépet
Gargas
Villariès
Paulhac
St-Jory
St-Sauveur
Bazus
Roquesérière
Gémil
Montastruc-la-Conseillère
Bruguières
Labastide-St-Sernin
Gratentour
Montberon
Garidech
Lespinasse
Pechbonnieu
St-Loup-Cammas
Montpitol
St-Jean-Lherm
Seilh
Gagnac-sur-Garonne
Castelginest
Lapeyrouse-Fossat
St-Alban
Aussonne
St-Geniès-Bellevue
Gragnague
Mondonville
Fenouillet
Beauzelle
Fonbeauzard
Launaguet
Castelmaurou
Bonrepos-Riquet
Aucamville
Rouffiac-Tolosan
St-Marcel-Paulel
Verfeil
St-Jean
l'Union
Cornebarrieu
Blagnac
Toulouse-Blagnac
Beaupuy
Lavalette
Montrabé
Teulat
St-Pierre
Montcabrier
COLOMIERS
Mondouzil
Pin-Balma
Balma
Gauré
Mons
Drémil-Lafage
Tournefeuille
Flourens
Vallesvilles
Bourg-St-Bernard
A20
A62
A68
A680
A620
A61
N20
N88
N124
N126
249
250
270
288

A
B
C
D
E
1
2
3
4
5
6
250
251
269
289
Vindrac-Alayrac
Livers-Cazelles
St-Benoît-de-Carmaux
Loubers
Amarens
Carmaux
Rosières
Itzac
Campagnac
Cabanes
Souel
Virac
Labastide-Gabausse
Domaine de la Verrerie
Grésigne
St-Beauzile
Alos
Frausseilles
Milhavet
Blaye-les-Mines
Cap Découverte
Ste-Cécile-du-Cayrou
Donnazac
Noailles
Taïx
le Garric
Mailhoc
Andillac
Vieux
le Verdier
Villeneuve-sur-Vère
Musée-Mine de Cagnac
Cahuzac-sur-Vère
Cestayrols
Castanet
Ste-Croix
Cagnac-les-Mines
Castelnau-de-Montmiral
Base de Loisirs
Montels
Broze
Fayssac
Senouillac
Bernac
Lescure-d'Albigeois
Castelnau-de-Lévis
ALBI
Labastide-de-Lévis
Terssac
Marssac-sur-Tarn
Forêt de Sivens
Gaillac
Rivières
le Sequestre
Puygouzon
Brens
Lagrave
Florentin
Rouffiac
Carlus
Saliès
Montans
Lisle-sur-Tarn
les Issarts
Aussac
Poulan-Pouzols
Fréjairolles
Labastide-Dénat
Cadalen
Fénols
Lamillarié
Técou
Orban
Loupiac
Coufouleux
Lasgraisses
Peyrole (St-Maurice)
Parisot
Labessière-Candeil
Sieurac
Lombers
Puybegon
Busque
Laboutarie
Réalmont
Giroussens
Graulhet
Montdragon
St-Genest-de-Contest
St-Julien-du-Puy
Briatexte
St-Gauzens
St-Jean-de-Rives
Ambres
Cabanès
Brousse
Vénès
Lavaur
Labastide-St-Georges (le Gravas)
Fiac
Missècle (en Pons)
Lautrec
Moulayrès (St-Martin)
Peyregoux
Montpinier
Viterbe
Puycalvel
Massac-Séran
Damiatte
Serviès
Laboulbène
Belcastel
Marzens (St-Sauveur)
Teyssode
Cuq (en Carivenc)
Jonquières
St-Paul-Cap-de-Joux
Lalbarède
Guitalens
Lacougotte-Cadoul
Pratviel
Carbes (la Bautié)
Bannières
Viviers-lès-Lavaur
Roquevidal
Vielmur-sur-Agout
Prades
Fréjeville
Villeneuve-lès-Lavaur
Maurens-Scopont
Magrin
Bertre
Algans
Cambon-lès-Lavaur
Vendine
Semalens
CASTRES
A68
N88
N112
l'Agout
le Tarn

A
B
C
D
E
252
253
St-Victor-
-et-Melvieu
St-Rome-
-de-Tarn
St-Georges-
-de-Luzençon
les Costes-Gozon
St-Rome-
-de-Cernon
la Bastide-
-Pradines
Lapanouse-
-de-Cernon
la Cavalerie
Dolmen
de Tiergues
Roquefort-sur-Soulzon
Ste-Eulalie-de-Cernon
Tournemire
Viala-du-Pas-
-de-Jaux
St-Affrique
St-Jean-
d'Alcapiès
Vabres-
-l'Abbaye
RÉGIONAL
St-Jean-
-et-St-Paul
Versols-
-et-Lapeyre
St-Beaulize
Rebourguil
Montlaur
St-Félix-
-de-Sorgues
Marnhagues-
-et-Latour
Fondamente
DES GRANDS-CAUSSES
Gissac
Montagnol
Belmont-
-sur-Rance
Camarès
Sylvanès
le Clapier
Fayet
Ceilhes-
-et-Rocozels
Mounes-
-Prohencoux
Peux-
-et-Couffouleux
Tauriac-
-de-Camarès
Brusque
Murasson
Barre
Avène
Mélagues
Arnac-
-sur-Dourdou
Moulin-
-Mage
Murat-sur-Vèbre
Nages
St-Geniès-
-de-Varensal
Graissessac
Camplong
St-Étienne-
-Estréchoux
Castanet-
-le-Haut
St-Gervais-
-sur-Mare
la Tour-
-sur-Orb
Cambon-
-et-Salvergues
Fraisse-
-sur-Agout
la Salvetat-
-sur-Agout
Rosis
Taussac-
la-Billière
(l'Horte)
Villemagne-
-l'Argentière
Bédarieux
Hérépian
Lamalou-
-les-Bains
Colombières-
271
291
81
34
12

le Vigan
Lodève
Clermont-l'Hérault
St-Jean-du-Bruel
Nant
Sauclières
Alzon
Cirque de Navacelles
le Caylar
la Couvertoirade
St-Guilhem-le-Désert
Gignac
Aniane
St-André-de-Sangonis
Montpeyroux
St-Jean-de-Fos
Montdardier
Brissac
Gorges de la Vis
St-Maurice-Navacelles
St-Jean-de-Buèges
Lac du Salagou
Villeneuvette
Mourèze
Octon
Canet
Argelliers
Puéchabon
Viols-le-Fort
A75
N109
N1009
D999

A
B
C
D
E
1
2
3
4
5
6
254
255
273
293
St-Martial
Colognac
Lasalle
Calviac
les Arnauds
Boisset
Gaujà
Ribaute-les-Tavernes
les Vignolles
Castellas
St-Bonnet-de-Salendrinque
Lale
Vabres
le Serre
la Madeleine
Tornac
Cardet
Cassagnoles
Massanes
Montredon
la Rouvière
Valestalière
St-Félix-de-Pallières
Massillargues-Attuech
Attuech
Lézan
les Arnasseaux
Mazac
Maruéjols-lès-Gardon
le Bousquet
le Castanet
St-Roman-de-Codières
Bouras
Pailhès
Cros (la Combe)
Monoblet
Fressac
St-Martin-de-Sossenac
St-Jean-de-Serres
St-Bénézet
Ledignan
Boucoiran-et-Nozières
Vialaret
Pont d'Hérault
Mgne de la Fage
le Cayla
l'Église de Cros
les Montèzes
Durfort-et-St-Martin-de-Sossenac
St-Nazaire-des-Gardies
Canaules-et-Argentières
Domessargues
Forêt Dom. de la Fage
Sounalou
Sumène
Cambo
Cézas
Valatougès
St-Hippolyte-du-Fort
Videbouteille
St-Jean-de-Crieulon (Villesèque)
Savignargues
Aigremont
Mauressargues
Manthes
le Mercou
Ranc de Banes
Mgne des Cagnasses
la Cadière-et-Cambo
Labric
St-Julien-de-la-Nef
Logrian-Florian
Puechredon
Antignargues
Moulès-et-Baucels
Mandiargues
Conqueyrac
la Gardiole
Salle de Gour
Sauve
Florian
St-Théodorit
Montagnac
Ganges
Blancardy
Lévesque
Avens
Moulézan
Laroque
Montoulieu
Fonsange-les-Bains
Bragassargues
la Roquette
Quissac
Cannes-et-Clairan
Montmirat
Grte des Demoiselles
Agonès
Bois de Monnier
Forêt de Coutach
Orthoux-Sérignac-Quilhan
Coupiac
Guillaumand
Liouc
Crespian
Vielle
St-Mamert-du-Gard
St-Bauzille-de-Putois
Pompignan
Sardan
Bois des Lens
Brissac
Ferrières-les-Verreries
Corconne
Brouzet-lès-Quissac
Quilhan
le Fesq
Vic-le-Fesq
Baraques Montpezat
les Embruscalles
Claret
Combas
le Cayla
Notre-Dame de Prime-Combe
le Causse
Mas Blanc
Vacquières
Bancel
Gailhan
Lecques
Mastargues
Mas de Murle
Lauret
les Rives
Sauteyrargues
Carnas
les Baraques
St-Étienne-d'Issensac
Notre-Dame-de-Londres
Vabre
St-Clément
Fontanès
St-Étienne-d'Escattes
Dolmen de Lamalou
Ravin des Arcs
Salinelles
Souvignargues
Masclac
Gabriac
Rouet (les Camps)
Gourdou
Lancyre
Aspères
Pondres
la Selle
Valflaunès
Montagne d'Hortus
St-Julian
Villevieille
la Conque
le Lamalou
Garrigues
Aujargues
St-Martin-de-Londres
la Brèche
Fontanès
Sommières
Mas-de-Londres
la Vieille
Campagne
le Château
Congénies
Pic St Loup
Mas Rigaud
St-Bauzille-de-Montmel
la Bénovie
Buzignargues
Cazevieille
St-Mathieu
Ste-Croix-de-Quintillargues
Galargues
Boisseron
Junas
Village de l'Âge du Cuivre
Village Préhistorique
St-Mathieu-de-Tréviers
Favas
Saussines
Cambous
Montaud
Montlaur
St-Hilaire-de-Beauvoir
Aubais
Viols-le-Fort
Viols-en-Laval (Cambous)
St-Jean-de-Cuculles
les Mazes
St-Jean-de-Cornies
N.-D. de la Pitié
Aigues-Vives
Villetelle
St-Drézéry
St-Christol
St-Sériès
Lavit
le Triadou
Beaulieu
Restinclières
Saturargues
les Matelles
Mas de Doscares
Guzargues
Vérargues
Cantagrils
Restinclières
St-Vincent-de-Barbeyrargues
Sussargues
le Bérange
Ambrussum
Pont Romain
Bois de Valène
St-Geniès-des-Mourgues
Nabrigas
Argelliers
St-Gély-du-Fesc
Prades-le-Lez
Assas
Fontmagne
Murles
Teyran
la Cadoule
Aqueduc Romain du Château
Lunel
Combaillaux
St-Clément-de-Rivière
Castries
Mas du Roux
Lunel-Viel
St-Brès
Valergues
Vailhauquès
Montferrier-sur-Lez
Vendargues
Baillargues
Mas de Matour
Clapiers
Jacou
les Baléares
Lansargues
St-Just
Montlobre
Montarnaud
Grabels
Mt Maur
le Crès
St-Aunès Nord
Mudaison
St-Nazaire-de-Pézan
Bel Air
Château d'O
Zoo du Lunaret
2006
St-Aunès
Castelnau-le-Lez
Mas de Carthage
Ruines Romaines
MONTPELLIER
Auroux
Tartuguière
St-Georges-d'Orques
la Mosson
Celleneuve
Flaugergues
St-Aunès Sud
Candillargues
Mauguio
Juvignac
Murviel-lès-Montpellier
Anc. Abb. de Vignogoul
la Mogère
Guilhermain
Cabanes du Salaison
Tamariguières
Vauguières le Haut
Pignan
Lavérune
St-Jean-de-Védas
Étang de Mauguio
30
34
N110
N109
N113
A9
E15
E80
D999
D986
D17
D1
D109
D21
D26
D35
D22
D12
D24
D189
D172

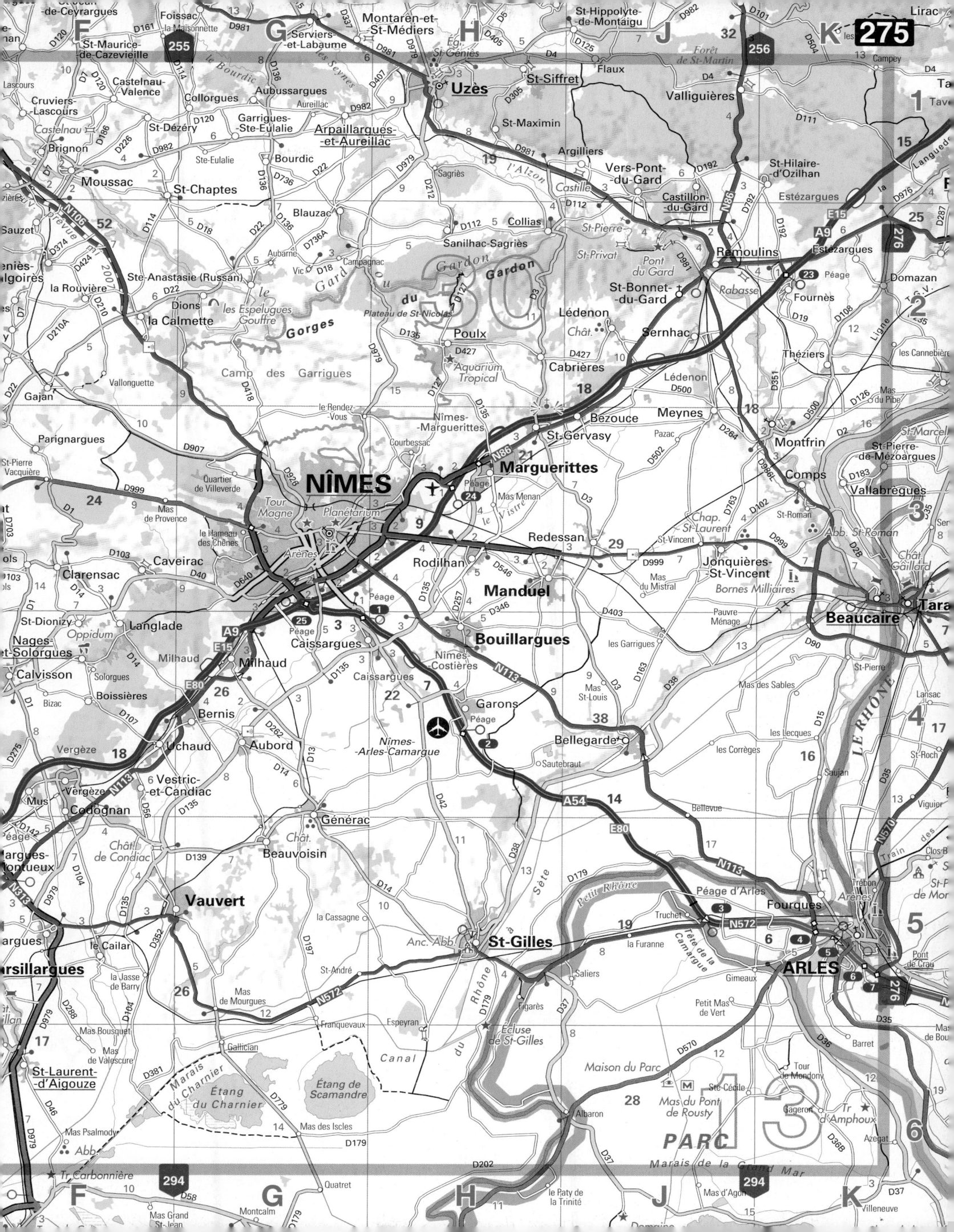

275
F
G
H
J
K
255
256
276
294
1
2
3
4
5
6
Foissac
Montaren-et-St-Médiers
St-Hippolyte-de-Montaigu
Lirac
St-Maurice-de-Cazevieille
Serviers-et-Labaume
Castelnau-Valence
Aubussargues
Uzès
St-Siffret
Flaux
Valliguières
Cruviers-Lascours
Collorgues
St-Dézéry
Garrigues-Ste-Eulalie
Arpaillargues-et-Aureillac
St-Maximin
Brignon
Bourdic
Argilliers
Vers-Pont-du-Gard
St-Hilaire-d'Ozilhan
Moussac
St-Chaptes
Castillon-du-Gard
Estézargues
Blauzac
Collias
Sanilhac-Sagriès
Remoulins
Domazan
Ste-Anastasie (Russan)
Pont du Gard
St-Bonnet-du-Gard
Fournès
la Rouvière
Dions
la Calmette
Gorges du Gardon
Ledenon
Sernhac
Poulx
Théziers
Camp des Garrigues
Aquarium Tropical
Cabrières
Gajan
Vallonguette
Lédenon
Meynes
Bezouce
Montfrin
Parignargues
Nîmes-Marguerittes
St-Gervasy
St-Pierre-de-Mézoargues
Marguerittes
Comps
NÎMES
Vallabrègues
Tour Magne
Planétarium
Redessan
Arènes
Caveirac
Rodilhan
Jonquières-St-Vincent
Clarensac
Manduel
Beaucaire
Tarascon
St-Dionizy
Langlade
Bouillargues
Nages-et-Solorgues
Caissargues
Nîmes-Costières
Milhaud
Calvisson
Boissières
Garons
Bernis
Bellegarde
Nîmes-Arles-Camargue
Uchaud
Aubord
Vergèze
Vestric-et-Candiac
Codognan
Générac
Beauvoisin
Vauvert
Fourques
St-Gilles
ARLES
Marsillargues
le Cailar
Gallician
Étang du Charnier
Étang de Scamandre
St-Laurent-d'Aigouze
Albaron
Mas du Pont de Rousty
PARC
Petit Rhône
LE RHÔNE
A9
E15
A54
E80
N86
N106
N113
N572
N313
N570

Avignon
Sorgues
Monteux
Entraigues-sur-la-Sorgue
Pernes-les-Fontaines
Vedène
Rochefort-du-Gard
Villeneuve-lès-Avignon
Châteaurenard
Cavaillon
Tarascon
St-Rémy-de-Provence
les Baux-de-Provence
Eyguières
St-Martin-de-Crau
Miramas
Lançon-Provence
l'Isle-sur-la-Sorgue
le Thor
Noves
Eygalières
Maussane-les-Alpilles
Orgon
Sénas
Mouriès
Fontvieille
Graveson
Eyragues
Maillane
Barbentane
Chaîne des Alpilles
la Durance
Autoroute du Soleil

Méthamis
Haut Cheyran
Sarraud
VAUCLUSE
257
258
F
G
H
J
K
84
Lagarde-d'Apt
Châ.
Simiane-la-Rotonde
F. Dom. de Venasque
F. Dom. de Saint-Lambert
St-Lambert
la Rouvière
PLATEAU DE
Carniol
Valsaintes
Anc. Abb. de Valsaintes
les Vergiers
Rés. Nat. Géologique du Luberon
Cantarel
Murs
Lioux
Châ.
Marinier
Falaise de la Madeleine
le Château
St-Saturnin-lès-Apt
les Grands Clements
Vachè
Oppedette
Canon d'Oppedette
la Croisière
Rés. Nat. Géologique du Luberon
Rustrel
Gignac
Ste-Croix-à-Lauze
Joucas
les Barbiers
Villars
Bouvène
Gordes
Clavaillan
Carrière d'Ocre
Carr. d'Ocre
Bories
Roussillon
Carrière d'Ocre
Gargas
St-Amas
Viens
Blace
le Calavon
Reillanne
ères-d'Avignon
les Bartagnons
Caseneuve
Min des Bouillons
le Chêne
les Faysses
St-Pantaléon
Apt
Maison du Parc
le Petit Carluc
N.-D. de Lumières
Goult
Casteau
le Coulon
le Boisset
St-Martin-de-Castillon
N100
Saignon
l'Abb. St-Eusèbe
Pont Julien
Roquefure
Céreste
Montjustin
le Coulon
Beaumettes
les Tourrettes
les Agnels
la Bégude
les Frances
Oppède (les Poulivets)
St-Véran
Auribeau
Castellet
Glorivette
Ménerbes
Buoux
Sivergues
Lacoste
Prieuré de St-Symphorien
Moulin Clos
Mourre Nègre
Oppède le Vieux
la Peyrière
Anc. Abb. St-Hilaire
Bonnieux
le Fort
Vitrolles-en-Lubéron
Grand Lubéron
MONTAGNE DU LUBERON
PARC NATUREL RÉGIONAL DU LUBERON
Tour Philippe
Cabrières-d'Aigues
St-Pancrace
Peypin-d'Aigues
la Bastide-des-Jourdans
Luberon
Petit Luberon
Vaugines
Cucuron
la Motte-d'Aigues
Gorges de Régalon
Chât. de la Colette
St-Martin-de-la-Brasque
Grambois
St-Léger
Puyvert
Lourmarin
Mérindol
les Borrys
Sannes
Puget
Lauris
les Patins
Ste-Marie
la Gare
Cadenet
Ansouis
Bramejean
Mallemort
Charleval
Anc. Abb. de Silvacane
Chât.
la Tour-d'Aigues
le Val de Joanis
la Roque-d'Anthéron
St-Christophe
Villelaure
la Durance
la Bastidonne
Mirabe
Pont-Royal
Pertuis
Alleins
Ste-Anne-de-Goiron
St-Estève-Janson
les Regrets
Cazan
St-Césaire
Chaîne des Côtes
Caire Val
Vernègues
Chât. Bas
la Bastide Blanche
le Puy-Ste-Réparade
la Dévention
Péage de Meyrargues
Temple Romain
Aurons
Rognes
A51
E712
St-Michel
Jas Blanc
le Ménage Neuf
Peyrolles-en-Provence
Suès
Lambesc
la Cride
Chât. de Fonscolombe
Meyrargues
Pélissanne
Chât. de la Barben
l'Étape
St-Canadet
Meyrargues-Fontbelle
Trempasse
F. Com. de Peyrolles-en-Provence
Parc Animalier
la Barben
St-Cannat
Chât. de Cabanne
le Camp Chinois
St-Laurent
les Armieux
Venelles
St-Julien
Village des Automates
le Grand-St-Jean
Couteron
Concors
Font Rousse
les Logis
Lançon-Provence
la Touloubre
la Campane
la Trévaresse
Val de Sibourg
Puyricard
T.G.V. Méditerranée
Autoroute du Soleil
Lignane
les Logissons
Chât. de la Gaude
Éguilles
Montjustin
la Calade
la Mignarde
Vauvenargues
296
la Fare-les-Oliviers
Coudoux
Ventabren
les Figons
Celony
St-Marc-Jaumegarde
Tr César
les Avocats
la Provençale
Barrage

Forcalquier
Manosque
Oraison
Valensole
Riez
Gréoux-les-Bains
Vinon-sur-Verdon
Ste-Tulle
Pierrevert
Volx
Villeneuve
Mane
Reillanne
Vachères
Montfuron
Corbières
Beaumont-de-Pertuis
Mirabeau
Jouques
St-Paul-lès-Durance
Rians
Ginasservis
St-Julien
la Verdière
Varages
Tavernes
Barjols
Quinson
Montmeyan
Allemagne-en-Provence
St-Martin-de-Brômes
Esparron-de-Verdon
Lurs
la Brillanne
Niozelles
Dauphin
St-Maime
Limans
Revest-des-Brousses
PLATEAU DE VALENSOLE
PARC NATUREL
Basses Gorges du Verdon
la Durance
le Verdon
Lac d'Esparron
Autoroute du Val de Durance
83
A51
E712
N96
N100
297
277
258
259

279
F
G
H
J
K
259
260
280
298
1
2
3
4
5
6
Chaudon-Norante
St-Jacques
F. Dom. des Trois Asses
Moriez
St-André-les-Alpes
Allons
Hyèges
Argens
Barrême
Route Napoléon
N202
Gévaudan
Réserve Géologique de Haute Provence
Bellegarde
Estoublon
Orésonnis
Trévans
Gorges de Trévans
F. Dom. du Montdenier
Angles
Courchons
Vergons
Col de Notre-Dame
St-Julien-du-Verdon
Lac de Castillon
Clue de Vergons
Lioux
Senez
Mgne de Vibres
Majastres
la Bégude Blanche
le Montdenier
1750
04
l'Estoublaïsse
St-Jurs
Gachore
le Haut Chaudoul
la Tuilière
Boades
Blaron
la Baume
Barrage de Castillon-Demandolx
Demandolx
Clue de Taulanne
Clue de la Roche Percée
Taulanne
N85
la Palud
Blieux
le Chiran
1905
le Grand Mourre
1898
Thon
Sommet de Pré Chauvin
1741
N.-D. du Roc
Castellane
Bge de Chaudanne
Crête du Teillon
1893
l'Auvestre
le Colostre
N.-D. de Beauvoir
Moustiers-Sainte-Marie
D952
Mourre de Chanier
1930
VERDON
Vieux Chasteuil
Chasteuil
Villars-Brandis
la Garde
Destourbes
1543
DU
le Bau
Porte St-Jean
le Verdon
Taloire
Mgne de Robion
1659
Chap. St-Pons
Robion
St-Thyrs
Égl.
Eoulx
la Bâtie
Roumoules
RÉGIONAL
Châteauneuf-les-Moustiers
Clue de Chasteuil
Châl.
Rougon
Clue de Carejuan
Beysse
1282
Belv. du Galetas
Point Sublime
Soleils
le Bourguet
Châteauvieux
Grand
Belv. de Mayreste
la Palud-sur-Verdon
Belv. de l'Escalès
Brenon
la Martre
Aiguines
Col d'Illoire
967
Verdon
Trigance
les Henry
le Plan d'Anelle
Lac de Sainte-Croix
les Salles-sur-Verdon
Cirque de Vaumale
Canyon
Belv. de la Maline
St-Maimes
le Jabron
l'Artuby
Montagne de Broui
1592
Corniche Sublime
du
Balcons de la Mescla
Jabron
la Bastide
Bauduen
D71
Étroit des Cavaliers
Chastillon
1198
Bargème
la Souche
Tunnel du Fayet
Pont de l'Artuby
Colline d'Estelle
Canyon de l'Artuby
N.-D. de Baudinard
Baudinard-sur-Verdon
D619
Comps-sur-Artuby
le Plan
Coussel
D625
Avens
D957
Sauvechane
Chardan
Brovès
Camp
la Grande Nouguière
de
Canjuers
Mgne de Barjaude
1174
83
Moissac-Bellevue
Vérignon
Village de Canjuers
Col du Bel Homme
T. d'Orient.
915
N.-D. de Liesse
la Magdeleine
Bargemon
N.-D. de Spéluque
Aups
Turquet
Montferrat
Gorges de Châteaudouble
Claviers
Ampus
Châteaudouble
Callas
Chât. de Taurenne
la Nartuby
Château de la Garde
Tourtour
Villecroze
les Mandins
Rebouillon
l'Estagnol
Figanières
Sillans-la-Cascade
Salernes
Matourne
Lentier
Casc.
les Sauvachans
Pierre de la Fée
DRAGUIGNAN
Cascade de Siagnon
Cim. Am.
le Flayosquet
Flayosc
l'Etang
Cotignac
Entrecasteaux
les Incapis
Trans-
N.-D.

St-Benoît
Puget-Théniers
Rostang
Malic
Touët-sur-Var
Villars-sur-Var
Pont de la Reine Jeanne
Entrevaux
Citad.
Rochers
les Scaffarels
le Brec
le Plan
Notre-Dame
chemin de fer de Provence
les Tuves
Besseuges
Rourebel
Clue de Rouaine
Ourges
Travers du Content
Montagne de Gourdan
la Penne
Ascros
Mont Brune
l'Iscle
Rouaine
Bay
le Champ
Avenos
la Rochette
le Pin de Noguier
Espouvarel
St-Pierre
St-Antonin
Col de Toutes Aures
Ubraye
Val-de-Chalvagne
Fontagne
le Moulin du Pali
Sauma Longa
Cuébris
le Touyet
Laval
Montagne des Miolans
Crête de la Bernade
Amirat
Collongues
Mt Long
Pierrefeu
Montblanc
Sallagriffon
Clue de Riolan
Roquesteron
Roquestéron-Grasse
la Sagne
les Mujouls
Sigale
St-Sébastien
Clue de la Péguière
Stade de Neige de Vauplane
Clue d'Aiglun
Aiglun
le Prignolet
Briançonnet
Gars
l'Esteron
Vascognes
Clue de Bouisse
Conségudes
Soleilhas
Clue de St-Auban
les Tardons
Montagne de Charamel
Casc. de Vegay
St-Auban
le Graou
le Mas
la Gironde
Végay
Gréolières les Neiges
Crête du Teillon
les Sausses
Montagne du Cheiron
Cime du Cheiron
les Lattes
Col de Bleine
Peyroules (la Rivière)
la Foux
le Jabron
Thorenc-Station
Chap. St-Etienne
Coursegoules
Mgne de Bleine
St-Pons
la Bâtie
la Ferrière
Clue de Gréolières
Gréolières
Malamaire
Valderoure
Castellaras Chât.
les Grèles
Cipières
la Lane
la Selle d'Andon
le Loup
Plateau de Calern
St-Barnabé
Séranon
Caille
Andon
Bramafan
le Logis du Pin
la Doire
Station de l'Audibergue
la Moulière
Canaux
Observatoire
Saut du Loup
Martre
Villaute
Mgne de l'Audibergue
Caussols (St-Lambert)
Courmes
Route Napoléon
Montagne de Brouis
Montagne de Lachens
Plateau de Caussols
Casc. de Courmes
Baïl
Gourdon
Tourrettes-sur-Loup
le Château d'Esclapon
la Bastide
Escragnolles
Pont du Loup
les Gras
Gges du Loup
la Roque-Esclapon
T. d'Orient. Baou Mourine
Pas de la Faye
la Malle
le Bar-sur-Loup
le Moutet
les Bergues
Mgne du Malay
St-Vallier-de-Thiey
le Plus Loin Louquier
le Castellaras
Mons
Grotte de Baume Obscure
C. du Pilon
Magagnosc
Pré du Lac
le Rouret (St-Pons)
Sce
T. d'Orient.
Grottes des Audides
Châteauneuf-Grasse
Jardin
Brovès
Mauvans
Opio
Roquefort-les-Pins (le-Plan)
Aquc de Roche Taillée
Grtes de St-Cézaire
Tansonive
Gorges
Cabris
T. d'Orient.
la Siagnole
GRASSE
Spéracèdes
Anc. Abb.
St-Cézaire-sur-Siagne
la Péjade
le Tignet
Plascassier
Valbonne
Peymeinade
le Plan de Grasse
Seillans
N.-D. de l'Ormeau
les Veyans
les Bérenguiers
Mouans-Sartoux
le Baguier
Callian
Sophia Antipolis
Fayence
Tourrettes
Montauroux
Tournon
Carel
N.-D. des Cyprès
St-Cassien des Bois
la Roquette-sur-Siagne
Mougins
les Grandes Terrasses
Auribeau-sur-Siagne
les Selves
Pibonson
Bréguière
la Bastié
Bge de St-Cassien
Tanneron
Pégomas
la Colle Noire
les Marjoris
LE CANNET
Broves en Seillans
l'Aumade
Lac de Saint-Cassien
Massif du Tanneron
Roc Fleuri
les Farinas
St-Paul-en-Forêt
le Soleil des Adrets
Mandelieu-la-Napoule
St-Cassien
le Suquet
CANNES
l'Endre
Péage
Base de Loisirs
le Ruel
l'Estérel
Minelle
C. de la Croisette
Fort
Bagnols-en-Forêt
l'Église
le Tremblant
la Napoule
Les Adrets-de-l'Estérel (le Planestel)
Forêt
C. de la Cadière
Théoule-sur-Mer
ÎLES DE
les Agates
le Blavet
Mont Vinaigre
la Galère
Miramar

281
F
G
H
J
K
1
2
3
4
5
6
Tournefort
la Tour
Massoins
Malaussène
N202
Gorges de la Mescla
Utelle
T. d'Orient.
Madone d'Utelle
St-Jean la Rivière
le Figaret
le Suquet
Loda
Pierre Plate
T. d'Orient.
Turini
Peïra Cava
Moulinet
Agandon
C. de Brouis
-sur-Roya
Monte Gouta
Monte
Mont Vial
Belv. du Saut des Français
Duranus
l'Engarvin
le Cros d'Utelle
Défilé de Chaudan
Tourrette-du-Château
Revest-les-Roches
Chaudan
Bonson
Levens
les Traverses
Coaraze
le Pontet
le Plantier
Lucéram
Col de Braus
Chap. St-Grat
St-Laurent
Touët-de-l'Escarène
Gorges du Piaon
le Piaon
Mont Grazian
Berrins
Piène Haute
Libre
Monte Colombin
Fanghetto
Olivetta-San-Michele
Olivetta
Airole
Collabassa
Bevera
Torri
Trucco
Monte Abellio
Sospel
Pont
Vallée du Caraï
Mont Razet
T. d'Orient.
C. de Castillon
Castillon
Gazouil
Gorges de la Vésubie
le Plan du Var
Gilette
la Clave
Ste-Marguerite
Bendejun
la Part
Gerps
Berre-les-Alpes
l'Escarène
Gorges du Paillon
Ste-Claire
la Roquette-sur-Var
St-Blaise
St-Martin-du-Var
le Broc
Laval
Sclos de Contes
Contes
la Croix de Fer
le Colombier
Plan d'Arriou
Châteauneuf-Villevieille
la Vernéa
Blausasc
Gaudissart
Ste-Agnès
Péage
Monti
Castellar
San Pancrazio
San Antonio
Scalza
San Lorenzo
Latte
Ventim
Bézaudun-les-Alpes
Carros
Castagniers
Tourrette-Levens
Aspremont
Mont Chauve d'Aspremont
la Bégude
Peille
la Grave de Peille
Peillon
Ste-Thècle
Gorbio
St-Martin de Peille
l'Annonciade
Mortola
Jardin
Capo Mortola
MENTON
Carnolès
Koaland
Roquebrune-Cap-Martin
Cap Martin
la Cagne
Carros-le-Neuf
Gattières
Colomars
Grte St-André
Cantaron
Drap
Notre-Dame
Scoperta
Laghet
la Turbie
Beausoleil
Monte-Carlo
la Condamine
T. d'Orient.
St-Jeannet
St-Roman
St-André-de-la-Roche
Falicon
la Trinité
la Provençale
C. d'Èze
Èze
Jard.
MONACO
Cap-d'Ail
St-Martin
Vence
la Gaude
St-Pancrace
Péage
St-Pons
Cimiez
Jardin
T. d'Orient.
Beaulieu-sur-Mer
Villefranche-sur-Mer
Citad.
Mont-Boron
Zoo
St-Jean-Cap-Ferrat
Cap Ferrat
St-Paul
St-Nicolas
Magnan
Parc Miniatures
Ste-Réparate
NICE
St-Laurent-du-Var
CAGNES-SUR-MER
Villeneuve-Loubet
Cros de Cagnes
Nice-Côte d'Azur
les Hauts
Péage
les Bouches du Loup
Villeneuve-Loubet-Plage
Zoo Marin
Plaine de la Brague
Fort Carré
ANTIBES
Jard.
Chât. Grimaldi
Juan les Pins
T. d'Orient.
la Garoupe
Batterie du Graillon
Cap d'Antibes
Baie des Anges
CORNICHES DE LA RIVIERA
l'Île Rousse 3h00
Bastia 4h00
Ajaccio 4h00
Calvi 3h00
A8
E74
E80
N7
N98
D2564
D2566
D1015
D2209
Ste-Marguerite

282
A
B
C
D
E
262
Barre de l'Adour
Tarnos
Boucau
Péage
Quartier Neuf
St-Laurent-de-Gosse
Hastings
Labas
Bousquet
Marguit
St-Barthélemy
Blancpignon
St-Étienne
la Chambre d'Amour
Cinq Cantons
Citadelle
BAYONNE
les Barthes
Château de Montpellier
la Joyeuse
Base de Loisirs
la Bourgade
Guiche
1
Rocher de la Vierge
ANGLET
BIARRITZ
N10
Comexa
Urcuit
Urt
Lahonce
Mouguerre-Port
Bergeron
A64
Butte de Miremont
Peyrolle
Biarritz-Bayonne-Anglet
Croix de Mouguerre
St-Pierre-d'Irube
Mouguerre
Ilbarritz
Oyarzabal
les Salines
Briscous
Bardos
Quartier Lambert
Larrandou
Chapelet
Ste-Madeleine
263
Bassussarry
D1
E80
Bidart
Guéthary
Arcangues
Villefranque
Elizabery
Arbonne
Héguia
Pilota Plaza
la Bastide-Clairence
Chourio
Alcharberry
2
Bidart
E70
Ahetze
Arrauntz
Herauritz
la Nive
Chap. St-Sauveur
Route Impériale des Cimes
64
Quartier de Pessarou
St-Jean-de-Luz
Chantako
Ustaritz
Jatxou
Ahotzia
Ayherre
Halsou
Larressore
Hasparren
Serrès
Errotaberria
Châţ. Belzunce
Ibarron
St-Pée-sur-Nivelle
Musée-Demeure d'Edmond Rostand
Urcuray
Zelhaya
Bonloc
Isturits
Ascain
Base de Loisirs
Lac de St-Pée
Souraïde
Espelette
Cambo-les-Bains
Grte d'Oxocelhaya et d'Isturits
Mont Ursuya
Gréciette
la Place
3
Col de St-Ignace
Amotz
Pont
Amezpetu
Mt Urzumu
Macaye
Mendionde
St-Esteben
St-Martin-d'Arberoue
Sare
Cherchebruit
Haranéa
Itxassou
Louhossoa
Train touristique
Ihalar
Laxia
Pas de Roland
Lehenbizcai
Istilarté
Ainhoa
Hélette
la Nive
Olhaénéa
Armendarits
Dancharia
Artzamendi
Baïgoura
Grotte de Sare
Zugarramurdi
Iholdy
Urdax (Urdazubi)
Telleria
Arouchia
Pont
4
Atxuria
Bidarray
la Joyeuse
Labordaénéa
Irissarry
Cim. Basque
Chouhourra Borda
St-Martin-d'Arrossa
Ossès
Ascombeguy
Suhescun
Pic d'Iparla
Alcurrunz
Oustélégui
Pic de Tutulia
la Bastide
Gorramendi
Urdos
E
Amaiur (Maya)
Ainhice-Mongelos
Luchianénéa
Jaxu
Dolmen d'Arrodondo
Bozate
Azpilkueta
Erratzu
Etchaux
Bustince-Iriberry
5
NA2600
Dolmen d'Artxvita
Col d'Ispéguy
St-Étienne-de-Baïgorry
Irouléguy
Soroheta
Iriberry
Lacarre
Arizkun
Ispoure
Ascarat
St-Jean-le-Vieux
Anhaux
Chap. St-Blaise
Uhart-Cize
Ihitza
Vallée des Aldudes
la Nive des Aldudes
Lasse
St-Jean-Pied-de-Port
Bussunarits-Sarrasquette
Oronoz
Lekaroz
Elizondo
Arraioz
Irurita
Caro
Aincille
Base de Loisirs
Ahaxe-Alciette-Bascassan
Bascassan
Gartzain
Ciga
Zuraurre de Ciga
St-Michel
Lecumberry
Aniz
Banca
Chocoa
Berroeta
Arnéguy
Dolmen de Chuberam
6
Aldudes
Estérençuby
Luzaide (Valcarlos)
Ondarolle
l'Estérenguibel
Maneixhandy
312
Esnazu
Urepel
Ottarrenia

F
G
H
J
K
1
2
3
4
5
6
264
284
302
Labatut
Ossages
St-Girons
Bonnut
Le Pradeau
Vieux Chât.
Montréal
Cauneille
Oeyregave
Anc. Abb. d'Arthous
Sorde-l'Abbaye
St-Cricq-du-Gave
Lahontan
Puyoô
Ramous
Bellocq
St-Boès
Baigts-de-Béarn
Sallespisse
Ste-Marie
Laclotte
Péage
Quartier du Haut
Loustau
Abb.
Chât.
A64
N117
Pyrénéenne
Léren (Lacroutz)
St-Pé-de-Léren (Chalosse)
Cassaber
Chât. de Gramont
Bérenx
Salles-Mongiscard
Castétarbe
Tour Moncade
Orthez
Pont Vieux
Magret
Balansun
Chapelle d'Ordios
Carresse-Cassaber
Came
La Gaïté
St-Dos
Salies-de-Béarn
Ste-Suzanne
Haut de Départ
Castétis
Base de Loisirs
Auterrive
Castagnède
Pène du Mu
Quartier du Coût
Lanneplaà
Mignot
Pierrette
Biron
Marcerin
Labastide-Villefranche
Tour
Arancou
Escos
Lasbordes
Oraàs
la Saline
L'Hôpital-d'Orion
Laà-Mondrans
Sarpourenx
Argagnon
Castetner
Maslacq
Quartier des Antys
Lartigue
Ozenx-Montestrucq
Montestrucq
Loubieng
Bergouey-Viellenave
Viellenave-sur-Bidouze
Peyrède
Abitain
Athos-Aspis
Burgaronne
Orion
Charritte
Arraute-Charritte
Aspis
Beuste
le Saleys
Lendresse
Arance
Usine de Lacq
Ilharre (Plaça)
St-Martin
Bideren
Sauveterre-de-Béarn
Orriule
Orègue
Masparraute
Autevielle-St-Martin-Bideren
Pont
Andrein
Soulé
Camu
Barraute-Camu
Sauvelade
Labets-Biscay
Guinarthe-Parenties
Castetbon
Lagor
Succos
Gabat
Osserain-Rivareyte
Arbouet-Sussaute
St-Gladie-Arrive-Munein
Laàs
Narp
Lacamoire
Sumberraute
Camou
Rivareyte
Montfort
Ossenx
Béguios
Usquain
Audaux
Amendeuix-Oneix
Suhast
Sussaute
Espiute
Tabaille-Usquain (Campagne)
Araujuzon
Bugnein
Vielleségure
Garris
Oneix
Arbérats-Sillègue
le Saison
Gestas
Araux
Bastanès
Aïcirits-Camou-Suhast
Sillègue
Rivehaute
Viellenave-de-Navarrenx
St-Palais
Domezain-Berraute
Nabas
Camblong
Méritein
Béhasque-Lapiste
Etcharry
Castetnau-Camblong
Camptort
Navarrenx
Beyrie-sur-Joyeuse
Berraute
Charre
Susmiou
Pont de Quinquil
Aroue-Ithorots-Olhaïby
Olhaïby
Lichos
Jasses
Chât. de Mongaston
Ogenne-Camptort
Orsanco
Larribar-Sorhapuru
Sus
Arrast-Larrebieu
Angous
Charritte-de-Bas
Dognen
Lay-Lamidou
Uhart-Mixe
Sorhapuru
Gurs
Lamidou
Harambeltz
Oyhercq
Undurein
Lohitzun-Oyhercq
Moncayolle-Larrory-Mendibieu
Préchacq-Navarrenx
Anc. Abb.
Ostabat-Asme
Arhansus
Ainharp
Espès-Undurein
Préchacq-Josbaig
Saucède
Abense-de-Bas
Berrogain
Mendibieu
Asme-Chilo
Viodos-Abense-de-Bas
Berrogain-Laruns
L'Hôpital-St-Blaise
Geüs-d'Oloron
Aren
Cibits
Arros
Juxue
St-Goin
Poey-d'Oloron
Chéraute
Géronce
Pagolle
Licharre
Mauléon-Licharre
Orin
Bunus
Chât. d'Andurain
Ibarrolle
Garindein
Verdets
Moumour
St-Just-Ibarre
Col d'Osquich
Musculdy
Libarrenx
Bagatziague
Esquiule
Ordiarp
Gotein-Libarrenx
Roquiague
Barcus
Burgia
St-Antoine
Idaux-Mendy
Pitrau
Pont Ste
St-Pée en Bas
Olhoborotéguia
Mendy
Mendite
Hosta
St-Étienne
Urrustoy
Cambot
Aussurucq
Saru
Sauguis-St-Étienne
la Madeleine
Elguéchourry
Féas
Suhare
Ossas-Suhare
Elicabia
Trois-Villes
Ance
Forêt des Arbailles
Source de la Bidouze
Gouffre
Boucau
Serreuille
Camou-Cihigue
Alos-Sibas-Abense
Sibas
Tardets-Sorholus
Aramits
Apoloborro
Abense-de-Haut
Font. d'Ahusquy
Alçay-Alçabéhéty-Sunharette
Lanne-en-Barétous
Ahusquy
Lichans-Sunhar
Restoue
Laguinge-Restoue
Montory
Ancienne Abbaye
Issor
Arette
St-Sauveur
Lacarry-Arhan-Charritte
Athérey
Egurbide Borda
la Bidouze
la Bidouze
64
B
A
S
Q
U

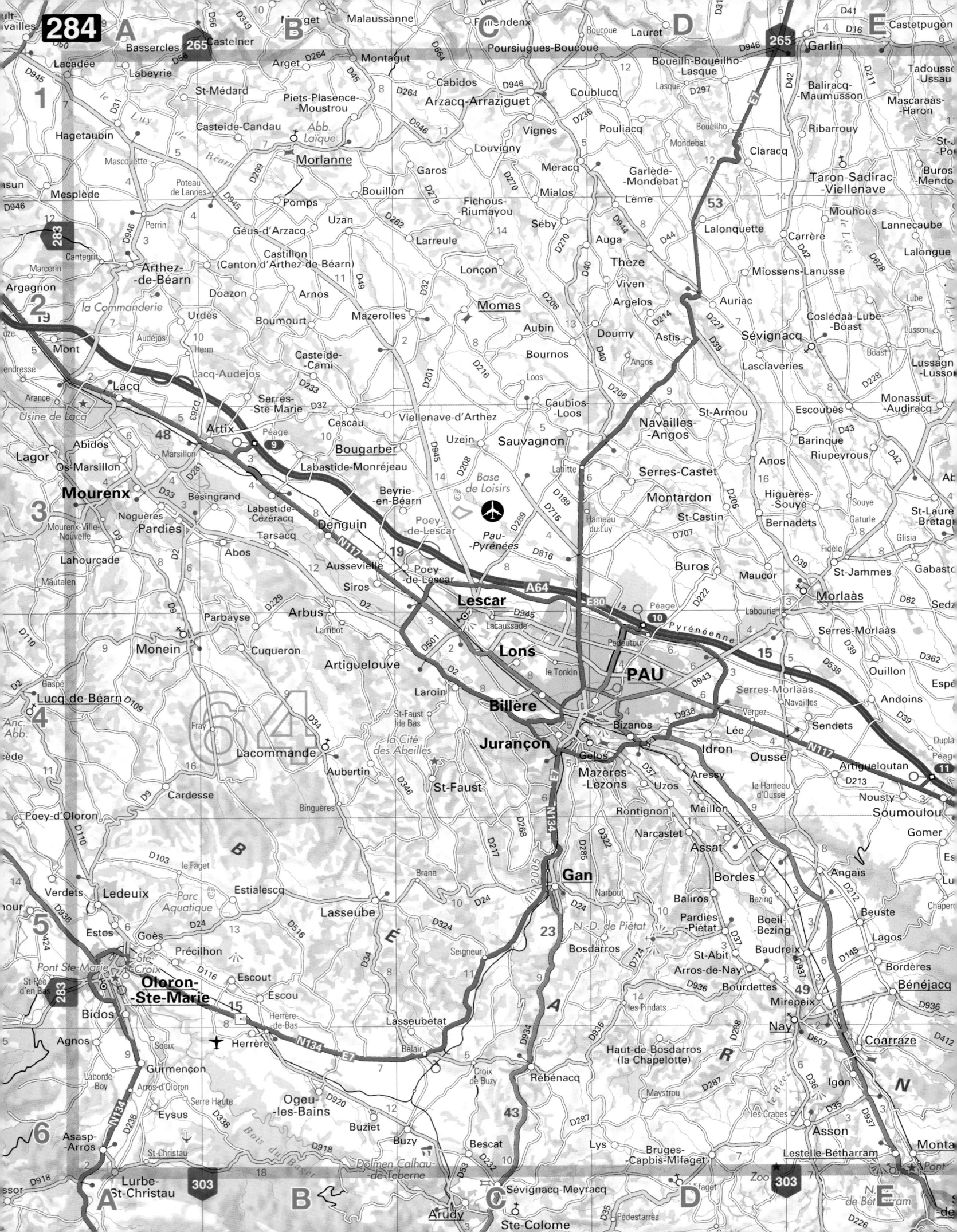
Lacadée
Labeyrie
St-Médard
Arget
Montagut
Cabidos
Piets-Plasence-Moustrou
Arzacq-Arraziguet
Poursiugues-Boucoue
Lauret
Garlin
Casteide-Candau
Morlanne
Hagetaubin
Mesplède
Vignes
Louvigny
Pouliacq
Claracq
Taron-Sadirac-Viellenave
Pomps
Bouillon
Garos
Méracq
Mialos
Fichous-Riumayou
Sèby
Lème
Garlède-Mondebat
Géus-d'Arzacq
Uzan
Larreule
Castillon (Canton d'Arthez-de-Béarn)
Arthez-de-Béarn
Lonçon
Auga
Thèze
Lalonquette
Miossens-Lanusse
Doazon
Arnos
Mazerolles
Momas
Viven
Argelos
Auriac
Sévignacq
Argagnon
Urdès
Boumourt
Aubin
Doumy
Astis
Mont
Casteide-Cami
Bournos
Lacq-Audéjos
Lacq
Serres-Ste-Marie
Cescau
Caubios-Loos
Navailles-Angos
St-Armou
Escoubès
Usine de Lacq
Artix
Viellenave-d'Arthez
Uzein
Sauvagnon
Abidos
Lagor
Os-Marsillon
Bougarber
Labastide-Monréjeau
Serres-Castet
Mourenx
Besingrand
Labastide-Cézéracq
Beyrie-en-Béarn
Base de Loisirs
Montardon
Higuères-Souye
Noguères
Pardies
Denguin
Poey-de-Lescar
Pau-Pyrénées
St-Castin
Bernadets
Tarsacq
Abos
Lahourcade
Aussevielle
Siros
Buros
Maucor
St-Jammes
Morlaàs
Lescar
Arbus
Parbayse
A64
E80
N117
Monein
Cuqueron
Artiguelouve
Lons
PAU
Serres-Morlaàs
Ouillon
Billère
Laroin
Lucq-de-Béarn
Andoins
Sendets
Jurançon
Lacommande
Bizanos
Gelos
Idron
Lée
Ousse
Artigueloutan
Mazères-Lezons
Uzos
Aressy
St-Faust
Cardesse
Nousty
Soumoulou
Poey-d'Oloron
Rontignon
Meillon
Narcastet
Assat
Gan
Bordes
Angaïs
Verdets
Ledeux
Estialescq
Lasseube
Baliros
Pardies-Piétat
Beuste
Boeil-Bezing
Lagos
Goès
Bosdarros
St-Abit
Baudreix
Bordères
Estos
Précilhon
Escout
Arros-de-Nay
Bourdettes
Bénéjacq
Mirepeix
Oloron-Ste-Marie
Escou
Bidos
Lasseubetat
Nay
Coarraze
Agnos
Herrère
Haut-de-Bosdarros (la Chapelotte)
Gurmençon
Rébénacq
Igon
Eysus
Ogeu-les-Bains
Buziet
Asson
Asasp-Arros
Buzy
Bescat
Lys
Bruges-Capbis-Mifaget
Lestelle-Bétharram
Lurbe-St-Christau
Sévignacq-Meyracq
Arudy
Ste-Colome
Dolmen Calhau-de-Teberne

285
Diusse
Aydie
Castelnau-Rivière-Basse
Mont-Disse
Beaumarchés
St-Aunix-Lengros
Courties
Bassoues
Armous-et-Cau
Madiran
Hères
Tieste-Uragnoux (le Château)
Conchez-de-Béarn
Ladevèze-Rivière
Tourdun
Scieurac-et-Flourès
Arrosès
Soublecause
Ladevèze-Ville (Castex)
Juillac
Mascaras (le Château)
Cadillon
Crouseilles
Labatut-Rivière
Base de Loisirs
Marciac
St-Christaud
Hagedet
Laveraët
Lasserre
Bétracq
Caussade-Rivière
Armentieux
Séméacq-Blachon
Monpezat
Lascazères
Bars
Arricau-Bordes
Villefranque
Auriébat
Monlezun
Pallanne
Castillon (Canton de Lembeye)
Moncaup
Estirac
Ricourt
Lespielle
Sombrun
St-Justin
Marseillan
Corbère-Abères
Maubourguet
Escurès
Bassillon-Vauzé
Lahitte-Toupière
Sauveterre
Blousson-Sérian
Tillac
Lembeye
Semboués
Monpardiac
Laas
Lafitole
Cazaux-Villecomtal
Troncens
Samsons-Lion
Vidouze
Larreule
Monfaucon
Buzon
Monségur
Ansost
Peyrelongue-Abos
Nouilhan
Gensac
Barbachen
Malabat
aux-Aussat
Miélan
Luc-Armau
Labatut
Beccas
Haget
Puntous de Laguian
Liac
Ségalas
Laguian-Mazous
Lucarré
Castéra-Loubix
Caixon
Betplan
Anoye
Momy
Bentayou-Sérée
Artagnan
Rabastens-de-Bigorre
Vic-en-Bigorre
Villecomtal-sur-Arros
Estampes
Maure
Lamayou
Oppidum Gallo-Romain
Sarriac-Bigorre
Baleix
Mingot
Castex
Villenave-près-Béarn
Sanous
Montégut-Arros
Casteide-Doat
St-Lézer
Camalès
Fréchède
Estampures
Pontiacq-Viellepinte
Bazillac
Lacassagne
Bédeille
Sénac
Moumoulous
Mazerolles
Montaner
Pujo
Escondeaux
St-Sever-de-Rustan
Bernadets-Debat
Escaunets
Ugnouas
Urost
Lombia
Villenave-près-Marsac
Mansan
Antin
Séron
Ponson-Debat-Pouts
Talazac
Tostat
Lescurry
Peyrun
Laméac
Saubole
Arrien
Siarrouy
Marsac
Tarasteix
Sarniguet
Bouilh-devant
Andrest
Castéra-lou
Jacque
Ponson-Dessus
Soréac
Trouley-Labarthe
Eslourenties-Daban
Oroix
Aurensan
Gayan
Marseillan
Lagarde
Louit
Osmets
Aast
Dours
Bouilh-Péreuilh
Vidou
Oursbelille
Chelle-debat
Luby-Betmont
Bazet
Collongues
Chis
Gardères
Pintac
Bours
Sabalos
Castelvieilh
Mun
Luquet
Menhir
Orleix
Cabanac
Aubarède
Lamarque-Pontacq
Oléac-debat
Lizos
Pouyastruc
Marquerie
Bordères-sur-l'Échez
Sère-Rustaing
Ger
Boulin
Thuy
Peyriguère
Aureilhan
TARBES
Hourc
Coussan
Goudon
les Pyrénées
Ibos
Séméac
Sarrouilles
Souyeaux
Livron
Gonez
Mouledous
Barzun
Laslades
Azereix
Lansac
Clarac
Lespouey
Sinzos
Juillan
Laloubère
Soues
Calavanté
Lhez
Bordes
Peyraube
Pontacq
Odos
Barbazan-Debat
Angos
Mascaras
Ossun
Horgues
Salles-Adour
Montignac
Tournay
Castéra-Lanusse
Lamarque-Pontacq
Tarbes-Lourdes-Pyrénées
Momères
Allier
Fréchou-Fréchet
Ozon
St-Vincent
Louey
Hibarette
Bernac-Debat
Arboretum
Lanespède
Lanne
St-Martin
Oueilloux
Oléac-Dessus
Dolmen
Bénac
Arcizac-Adour
Barbazan-Dessus
Poumarous
Barlest
Bernac-Dessus
Loubajac
Barry
Layrisse
Hitte
Luc
Averan
Ricaud
Forêt de Mourle
Hiis
Vielle-Adour
Chelle-Spou
Adé
Visker
Gourgue
Pouëyferré
Bartrès
Julos
Orincles
Montgaillard
Orignac
Cieutat
Artiguemy
Péré
Peyrouse
L. de Lourdes
Paréac
Serre de Sarsan
Antist
Chât. de Gaston Phœbus
Basiliques
Bourréac
Escoubès-Pouts
Ordizan
A64
N21
N117
E80
F
G
H
J
K

A
B
C
D
E
267
Montesquiou
Mouchès
Lamazère
Auterive
Boucagnères
Castelnau-Barbarens
Pouylebon
Estipouy
Miramont-d'Astarac
Orbessan
Haulies
Monclar-sur-Losse
Labéjan
Durban
Traversères
Boulaur
Idrac-Respailles
Sansan
Lartigue
Mirande
Saramon
St-Martin
Ornézan
Faget-Abbatial
Marseillan
St-Médard
Loubersan
Seissan
Lamaguère
Berdoues
Monferran-Plavès
St-Maur
Labarthe
Laas
Clermont-Pouyguillès
Pouy-Loubrin
Tachoires
Ponsampère
Bazugues
Belloc-St-Clamens
Lourties-Monbrun
Moncassin
Moncorneil-Grazan
Simorre
St-Arroman
Miélan
Lac de Miélan
St-Michel
St-Élix-Theux
Masseube
Bellegarde
Betcave-Aguin
Ste-Dode
Esclassan-Labastide
Meilhan
Villefranche
Sère
Gaujan
Sauviac
Lagarde-Hachan
Montaut
Mont-de-Marrast
Sadeillan
Viozan
Samaran
Bézues-Bajon
Panassac
Monties
Castex
Barcugnan
St-Ost
Monbardon
Manas-Bastanous
Aujan-Mournède
Sarcos
Ste-Aurence-Cazaux
Aussos
Sarraguzan
Arrouède
Ponsan-Soubiran
Nénigan
Bernadets-Debat
Fontrailles
Duffort
Cuélas
Monlaur-Bernet
Chélan
Cabas-Loumassès
St-Blancard
Lunax
Manent-Montané
Lac de la Gimone
Lapeyre
Guizerix
Trie-sur-Baïse
Peyret-St-André
Mont-d'Astarac
Lalanne-Arqué
St-Ferréol-de-Comminges
Lalanne-Trie
Sadournin
Sariac-Magnoac
Larroque
Casterets (Sabatier)
Péguilhan
Vidou
Puntous
Thermes-Magnoac
Tournous-darré
Castelnau-Magnoac
Puydarrieux
Hachan
Boulogne-sur-Gesse
Mondilhan
Villembits
Barthe
Betbèze
Lamarque-Rustaing
Organ
Campuzan
Devèze
Lustar
Betpouy
Aries-Espénan
Lalanne
St-Pé-Delbosc
Sentous
Pouy
Escanecrabe
Bugard
Bonnefont
Tournous-devant
Vieuzos
Cizos
Monléon-Magnoac
Blajan
Libaros
Gensac-de-Boulogne
Ciadoux
Caubous
Villemur
Montgaillard-sur-Save
St-Loup-en-Comminges
Laran
Sabarros
Gaussan
Nizan-Gesse
Lespugue
Bernadets-Dessus
Montastruc
Galan
Recurt
Bazordan
Montmaurin
Charlas
Saman
Lassales
Sarrecave
St-Lary-Boujean
Villa Gallo-Romaine
Monlong
N.-D. de Garaison
Bonrepos
Balesta
Sarremezan
Burg
Castelbajac
Galez
Tajan
Boudrac
Larroque
Cardeilhac
St-Marcet
Cazaril-Tambourès
Arné
Lalouret-Laffiteau
Larcan
PLATEAU DE LANNEMEZAN
Clarens
Réjaumont
Lécussan
St-Plancard
Houeydets
Lodes
Bégole
Campistrous
Sédeilhac
St-Ignan
Latoue
Caharet
Villeneuve-Lécussan
Loudet
Saux-et-Pomarède
Lutilhous
Uglas
Le Cuing
Franquevielle
Lannemezan
305
Villeneuve-de-Rivière
Pinas
les Tourreilles
Ponlat

F
G
H
J
K
268
288
306
Montiron
Frégouville
Monferran-Savès
Pujaudran
Marestaing
Aurimont
St-André
Castillon-Savès
Auradé
Lias
Plaisance-du-Touch
Tirent-Pontéjac
Lahas
Endoufielle
Fontenilles
Bézéril
Bonrepos-sur-Aussonnelle
Cazaux-Savès
Polastron
Noilhan
Empeaux
Saiguède
Fonsorbes
St-Martin-Gimois
Labastide-Savès
St-Lys
Mongausy
St-Soulan
Pompiac
St-Thomas
Seysses-Savès
Nizas
Montamat
Gaujac
Samatan
Ste-Foy-de-Peyrolières
Savignac-Mona
Bragayrac
Cambernard
Lombez
Monblanc
Sabonnères
Lamasquère
Sauveterre
Sauvimont
Pébées
Beaufort
St-Clar-de-Rivière
Labastidette
Sabaillan
Puylausic
Montgras
St-Loube
Montégut-Savès
Lahage
Espaon
Montadet
Forgues
Lherm
Cadeillan
Boissède
Laymont
Monès
St-Hilaire
Mirambeau
Garravet
St-Lizier-du-Planté
le Pin-Murelet
Plagnole
Rieumes
Poucharramet
Frontignan-Savès
Lavernose-Lacasse
Martisserre
Mauvezin
Montpézat
Lautignac
Agassac
Goudex
Sajas
Bérat
Ambax
Savères
Castelgaillard
St-Araille (Lafont)
Montastruc-Savès (Baudelle)
Coueilles
Riolas
Cazac
Sénarens
Pouy-de-Touges
Labastide-Clermont
Bois-de-la-Pierre
Longages
Noé
St-Frajou
Labastide-Paumès
Capens
St-Laurent
Casties-Labrande
Polastron
Gratens
Peyssies
Marquefave
Fabas
Salerm
Lussan-Adeilhac
Castelnau-Picampeau
Fustignac
Marignac-Lasclares
Carbonne
Lafitte-Vigordane
Lilhac
Peyrissas
Montégut-Bourjac
le Fousseret
St-Élix-le-Château
St-André
Eoux
Montoussin
Salles-sur-Garonne
Esparron
Samouillan
Francon
Benque
Lavelanet-de-Comminges
Rieux
Bachas
Lescuns
Mondavezan
Mailholas
Boussan
Alan
Terrebasse
Sana
St-Julien
Montoulieu-St-Bernard
Marignac-Laspeyres
Gensac-sur-Garonne
Aurignac
Cazères
Montesquieu-Volvestre
St-Élix-Séglan
Martres-Tolosane
Palaminy
Couladère
Gouteveirnisse
Peyrouzet
Bouzin
le Fréchet
Mauran
St-Christaud
Gouzens
Thouars-sur-Arize
Cazeneuve-Montaut
Boussens
Montclar-de-Comminges
Laffite-Toupière
Auzas
St-Michel
Fornex
Proupiary
Mancioux
Roquefort-sur-Garonne
le Plan
Sepx
Arnaud-Guilhem
Plagne
Montberaud
Castillon-de-St-Martory
St-Martory
Ausseing
Mazères-sur-Salat
Lahitère
St-Médard
Lestelle-de-St-Martory
Cassagne
Belbèze-en-Comminges
Cérizols
Ste-Croix-Volvestre
A64
E80
N117
N124
la Save
le Touch
la Louge
la Nère
Garonne
l'Arize

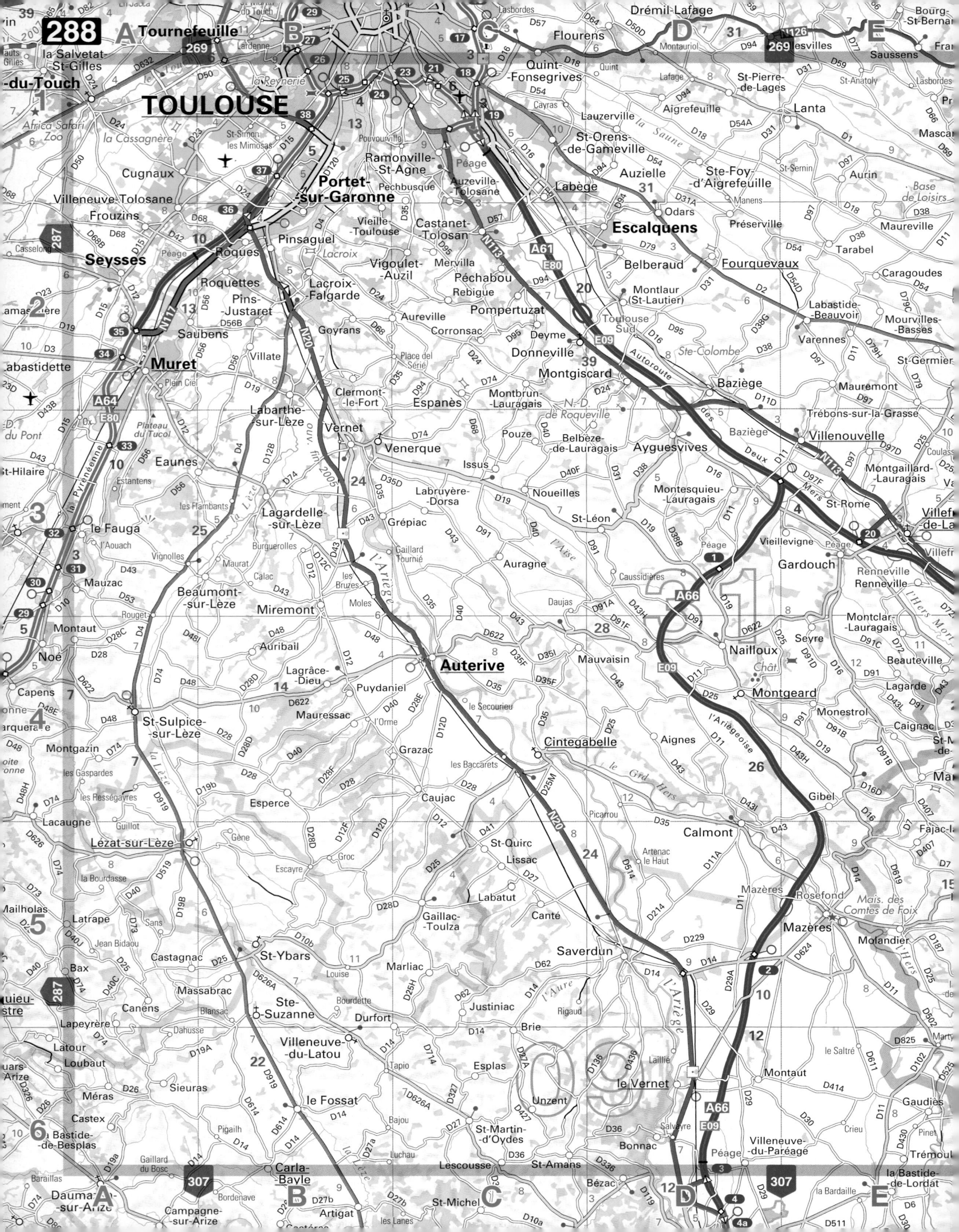
Tournefeuille
la Salvetat-St-Gilles
TOULOUSE
Africa Safari Zoo
la Cassagnère
St-Simon
Cugnaux
Villeneuve-Tolosane
Frouzins
Portet-sur-Garonne
Ramonville-St-Agne
Pechbusque
Auzeville-Tolosane
Quint-Fonsegrives
Flourens
Drémil-Lafage
Montauriol
St-Pierre-de-Lages
Aigrefeuille
Lanta
Lauzerville
St-Orens-de-Gameville
Labège
Auzielle
Ste-Foy-d'Aigrefeuille
Aurin
Odars
Préserville
Maureville
Tarabel
Escalquens
Castanet-Tolosan
Vieille-Toulouse
Pinsaguel
Roques
Seysses
Roquettes
Pins-Justaret
Lacroix-Falgarde
Vigoulet-Auzil
Mervilla
Péchabou
Rebigue
Belberaud
Fourquevaux
Montlaur (St-Lautier)
Caragoudes
Labastide-Beauvoir
Mourvilles-Basses
Pompertuzat
Aureville
Corronsac
Goyrans
Saubens
Muret
Villate
Deyme
Donneville
Montgiscard
Baziège
Varennes
Mauremont
St-Germier
Clermont-le-Fort
Espanès
Montbrun-Lauragais
Labarthe-sur-Lèze
Vernet
Venerque
Pouze
Belbèze-de-Lauragais
Ayguesvives
Villenouvelle
Trébons-sur-la-Grasse
Montgaillard-Lauragais
Eaunes
Issus
Labruyère-Dorsa
Noueilles
Montesquieu-Lauragais
St-Rome
St-Léon
Lagardelle-sur-Lèze
Grépiac
le Fauga
Vieillevigne
Gardouch
Renneville
Auragne
Mauzac
Beaumont-sur-Lèze
Miremont
Caussidières
Montclar-Lauragais
Seyre
Nailloux
Montaut
Noé
Auribail
Lagrâce-Dieu
Puydaniel
Auterive
Mauvaisin
Beauteville
Capens
Lagarde
St-Sulpice-sur-Lèze
Mauressac
Montgeard
Monestrol
Caignac
Montgazin
Grazac
Cintegabelle
Aignes
Esperce
Caujac
Gibel
Lacaugne
Lézat-sur-Lèze
St-Quirc
Lissac
Calmont
Labatut
Gaillac-Toulza
Canté
Mazères
Molandier
Latrape
St-Ybars
Castagnac
Saverdun
Marliac
Massabrac
Ste-Suzanne
Justiniac
Canens
Lapeyrère
Durfort
Brie
Villeneuve-du-Latou
Latour
Loubaut
Esplas
Le Vernet
Montaut
Gaudiès
Sieuras
Méras
le Fossat
Unzent
Castex
la Bastide-de-Besplas
St-Martin-d'Oydes
Bonnac
Villeneuve-du-Paréage
Carla-Bayle
Lescousse
St-Amans
Bézac
Daumazan-sur-Arize
Campagne-sur-Arize
Artigat
St-Michel
la Bastide-de-Lordat
Trémoulet

CASTRES
289
F
G
H
J
K
270
290
308
1
2
3
4
5
6
Loubens-Lauragais
Cambon-Lavaur
Algans
Maurens-Scopont
Bertre
Appelle
Lacroisille
Puylaurens
St-Germain-des-Prés
Cambounet-sur-le-Sor
Sémalens
Fréjeville
Saïx
Viviers-lès-Montagnes
Soual
Cuq-Toulza
le Faget
Albiac
la Salvetat-Lauragais
Caraman
Mouzens
Aguts
Péchaudier
St-Sernin-lès-Lavaur
Blan
Lempaut
Lescout
St-Affrique-les-Montagnes
Labruguière
Auriac-sur-Vendinelle
le Cabanial
Puéchoursi
Montgey
Poudis
St-Avit
Verdalle
Lagardiolle
Nogaret
Garrevaques
Palleville
Belleserre
Massaguel
Escoussens
Dourgne
Cambiac
St-Julia
Montégut-Lauragais
Roumens
Revel
Cahuzac
St-Amancet
Falga
Beauville
Maurens
Juzes
Vaux
St-Félix-Lauragais
Sorèze
Durfort
Bélesta-en-Lauragais
les Cassés
Mourvilles-Hautes
Lux
Vaudreuille
Bassin de St-Ferréol
Arfons
Rieumajou
St-Paulet
Folcarde
Montmaur
la Pomarède
les Brunels
les Cammazes
Lac des Cammazes
Bassin de Lampy
Avignonet-Lauragais
Soupex
Tréville
Labécède-Lauragais
Puginier
Montferrand
Issel
Col de Naurouze
Airoux
Souilhe
Peyrens
Verdun-en-Lauragais
Villemagne
Saissac
St-Denis
Souilhanels
Labastide-d'Anjou
Ricaud
Gourvieille
Baraigne
Castelnaudary
St-Papoul
Cenne-Monestiés
Villespy
Molleville
Mas-Stes-Puelles
St-Martin-Lalande
Carlipa
Montolieu
Belflou
Salles-sur-l'Hers
Cumiès
Lasbordes
St-Martin-le-Vieil
Villeneuve-la-Comptal
Villepinte
Raissac-sur-Lampy
Montauriol
Payra-sur-l'Hers
Fendeille
Mireval-Lauragais
Ste-Camelle
Mézerville
Peyrefitte-sur-l'Hers
Laurabuc
Bram
Alzonne
Ste-Eulalie
St-Sernin
Mayreville
Fonters-du-Razès
Laurac
Villesiscle
Villesèquelande
St-Amans
Pech-Luna
Villasavary
Montréal-Bram
Generville
la Cassaigne
Cazalrenoux
Gaja-la-Selve
Cahuzac
la Force
Montréal
Arzens
Pécharic-et-le-Py
Fanjeaux
Alairac
Plaigne
Ribouisse
Lafage
Lasserre-de-Prouille
Villeneuve-lès-Montréal
Villautou
St-Julien-de-Briola
Fenouillet-du-Razès
Brézilhac
Cailhavel
Orsans
Ferran
Plavilla
la Courtète
Cailhau
Villarzel-du-Razès
A61
E80
N113
N126
Canal du Midi

290
A
B
C
D
E
271
1
2
3
4
5
6
St-Hippolyte
Teillède
Sardagne
Fontbelle
le Bez
Viala
Rouquié
Lixirié
Lacaze
le Siala
la Vitarelle
Fiales
Espérières
Camboünès
Durenque
les Crouzettes
Barthézou
Planacan
Lagarrigue
la Poussarié
Noailhac
Boissezon
Lasfaillades
(Bouisset)
Anglès
Mayet
le Banès
Valdurenque
la Peyrarque
le Rialet
Bouscadié
Lamothe
Castres-Mazamet
Camp du Causse
Augmontel
la Maïs
PARC NATUREL RÉGIONAL
Sept Faux
la Souque
le Soul
Vermels
Pomarède
les Cardines
abruguière
la Mole
Lac des Saints-Peyres
la Miellouane
les Auriols
Caucalières
Rigautou
le Vintrou
St-Baudille
le Mariech
DU HAUT-LANGUEDOC
Payrin-Augmontel
Pont-de-Larn
Gorges du Banquet
le Banquet
Dolm. du Plo de la Gante
Caunan-Engelis
Aussillon
Bout-du-Pont-de-Larn
Faumontagne
Rouairoux
Caylus
Prouilhe
scoussens
Negrin
le Thoré
Aiguefonde
la Ségnarié
Mazamet
St-Amans-Valtoret
Sauveterre
Labastide-Rouairoux
Sabo
D53
les Raynauds
St-Amans-Soult
Lacabarède
Forêt de Montaud
Hautpoul
Châţ. de Soult-Berg
les Montagnes
Base de Loisirs
Cantignous
Font Bruno
les Yès
Forêt Dom. de Nore
les Estrabauts
Albine
Labrespy
la Calmilhe
la Belane
Montagne Noire
les Rousses
Verrerie-de-Mouss
Laprade
Roquerlan
Aymard
Sales
Lebrat
Peyrefiche
Laprade Basse
Plateau du Sambrès
Pic de Nore
Bel Soleil
Pradelles-Cabardès
Castans (Laviale)
Campredon
les Martys
Fournès
le Linas
Faveyrolles
Authèze
les Salvis
la Coste
Lacombe
Escandelle
Lespinassière
Mancès
Ferrals-les-Montagnes
Cubserviès
les Jouys
Bourdials
Masnaguine
Lacombe
Serremijeanne
Forêt Domaniale de Nore
Soulanes
Cassagnoles
la Tourette-Cabardès
Miraval-Cabardès
Roc des Tonnerre
St-André
Caudebronde
Labastide-Esparbairenque
Citou
Cantignergues
Fontiers-Cabardès
St-Pierre-de-Vals
Castanviels
le Pech
Laval
St-Julien-des-Molières
Cuxac-Cabardès
Roquefère
Argentières
Cazelles
Mas-Cabardès
Serre de Montredon
Cabrespine
Pujol-de-Bosc
l'Abeuradou
Villaret
Mont Simel
Roc de l'Aigle
la Planette
Pech de Bade
Carrus
Grte de Limousis
Gouffre de Cabrespine
Camplong
Moulin de Catenat
Brousses-et-Villaret
les Ilhes
Fournes-Cabardès
Trassanel
Fauzan
Villanière
Marmorières
Calamiac
Centeilles
Villardonnel
les Quatre Vieux
Limousis
Félines-Minervois
St-Germain
Salsigne
Lastours
Caunes-Minervois
Fraisse-Cabardès
Sallèles-Cabardès
Anc. Abb.
la Livinière
Montolieu
Trausse
Siran
Villeneuve-Minervois
Tina d'Abrens
Dolm. des Fa
la Combe du Saut
Tholomiers
Bancalis
Pépieux
Aragon
St-Pierre-ès-Liens
Peyriac-Minervois
Villegly
Villarzel-Cabardès
Moussoulens
Rieux-Minervois
Conques-sur-Orbiel
Azille
Ventenac-Cabardès
Villarlong
Laure-Minervois
Bagnoles
Villegailhenc
Villalier
Malves-en-Minervois
St-Frichoux
Pezens
Villemoustaussou
la Redorte
Menhir
Pont Naturel de St-Jean
Pennautier
Canal du Midi
Caux-et-Sauzens
CARCASSONNE
Bouilhonnac
Aigues-Vives
Castelnau
Montredon
Herminis
la Reille
Grazailla
Villedubert
Puichéric
Berriac
Carcassonne-Arzens
Grèzes
Rustiques
Roquecourbe-Minervois
Châţ. Comtal
Trèbes
Badens
Colombier
la Cité
Carcassonne-Salvaza
Marseillette
Blomac
Belv. d'Auriac
Zoo
Mont Legun
Péage
St-Couat-d'Aude
Lavalette
Millegrand
Conilhac-Corbiè
Cazilhac
Floure
Barbaira
Capendu
Villalbe
Belv. de la Cité
Fontiès-d'Aude
Douzens
Moux
Alairac
Palaja
Montirat
Rochers les Bénitiers
Corbières
Roullens
Cavanac
Châţ. de Miramont
Comigne
Fontcouverte
Couffoulens
Montagne d'Alaric
Preixan
Monze
Pradelles-en-Val
Réquy
Roc de l'Aigle
Leuc
Mas-des-Cours
Fabrezan
Montclar
Rouffiac
Camplong
309
N112
N113
A61
E80

A
B
C
D
E
1
2
3
4
5
6
34
Pézenas
Béziers
Agde
Mèze
Marseillan
Sérignan
Valras-Plage
Cap d'Agde
Bassin de Thau
Montagnac
Florensac
Bessan
Vias
Portiragnes
Villeneuve-lès-Béziers
Servian
Roujan
Gabian
Magalas
Paulhan
St-Pargoire
Villeveyrac
Loupian
Pomérols
Pinet
Cers
Sauvian
Vendres
Montblanc
St-Thibéry
Valros
Tourbes
Caux
Neffiès
Cabrières
Aspiran
Adissan
Nizas
Lézignan-la-Cèbe
Castelnau-de-Guers
Alignan-du-Vent
Abeilhan
Espondeilhan
Coulobres
Puissalicon
Bassan
Boujan-sur-Libron
Lieuran-lès-Béziers
Margon
Pouzolles
Fouzilhon
Roquessels
Laurens
Vailhan
Fos
Fontès
Usclas-d'Hérault
Cazouls-d'Hérault
Bélarga
Plaissan
Campagnan
Tressan
Puilacher
Vendémian
Canet
Aumes
Nézignan-l'Évêque
Béziers-Vias
Montpellier

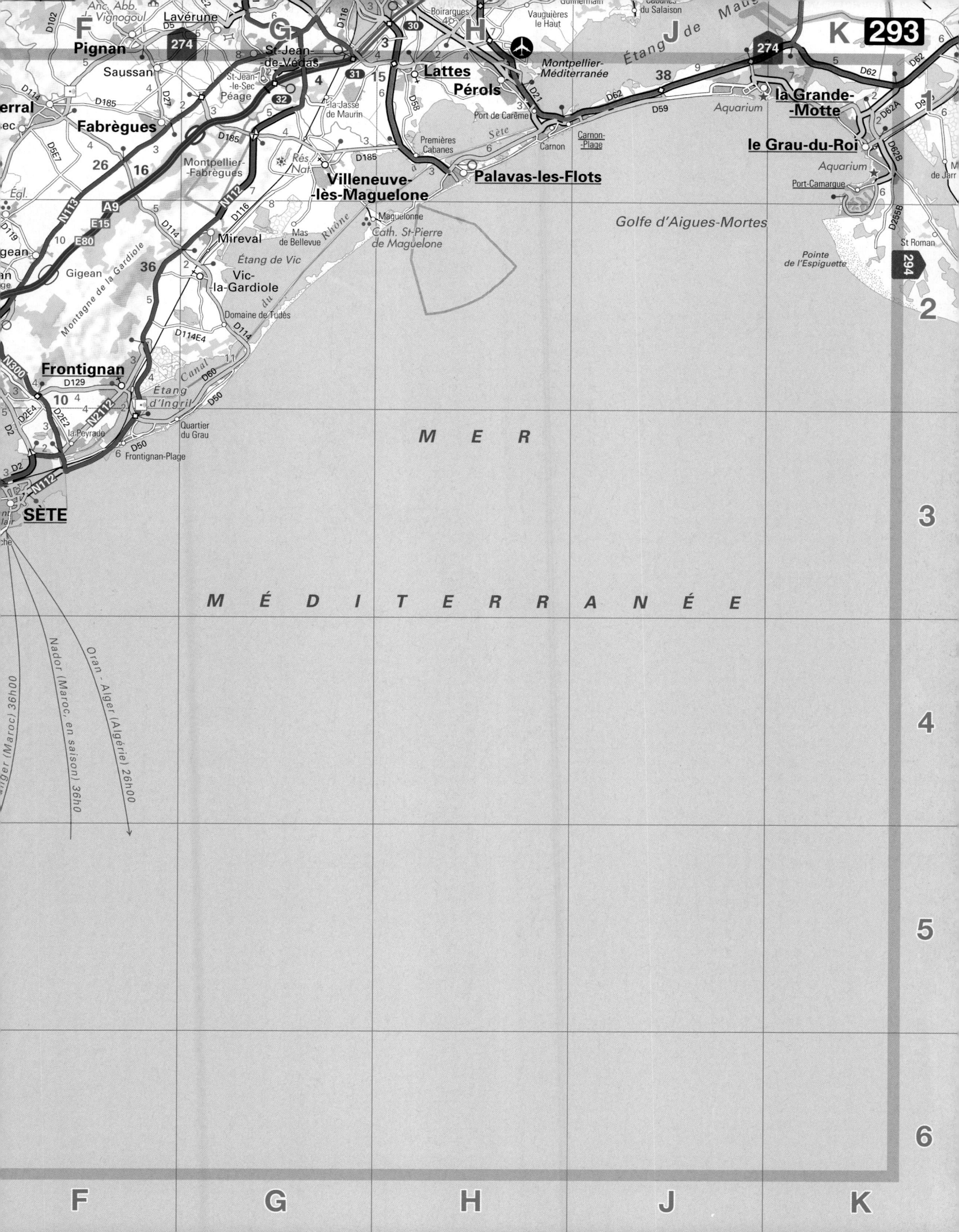

Pignan
Saussan
Fabrègues
Lavérune
St-Jean-de-Védas
St-Jean-le-Sec Péage
Lattes
Pérols
Boirargues
Vauguières le Haut
du Salaison
Étang de Mauguio
Montpellier-Méditerranée
Port de Carême
Carnon
Carnon-Plage
Premières Cabanes
Palavas-les-Flots
la Grande-Motte
Aquarium
le Grau-du-Roi
Port-Camargue
Golfe d'Aigues-Mortes
Pointe de l'Espiguette
St Roman
la Jasse de Maurin
Rés. Nat.
Montpellier-Fabrègues
Villeneuve-lès-Maguelone
Maguelonne
Cath. St-Pierre de Maguelone
Mas de Bellevue
Rhône à Sète
Mireval
Étang de Vic
Vic-la-Gardiole
Gigean
Montagne de la Gardiole
Domaine de Tudès
Frontignan
Étang d'Ingril
Canal
la Peyrade
Quartier du Grau
Frontignan-Plage
SÈTE
MER
MÉDITERRANÉE
Nador (Maroc, en saison) 36h00
Oran - Alger (Algérie) 26h00
F
G
H
J
K
1
2
3
4
5
6

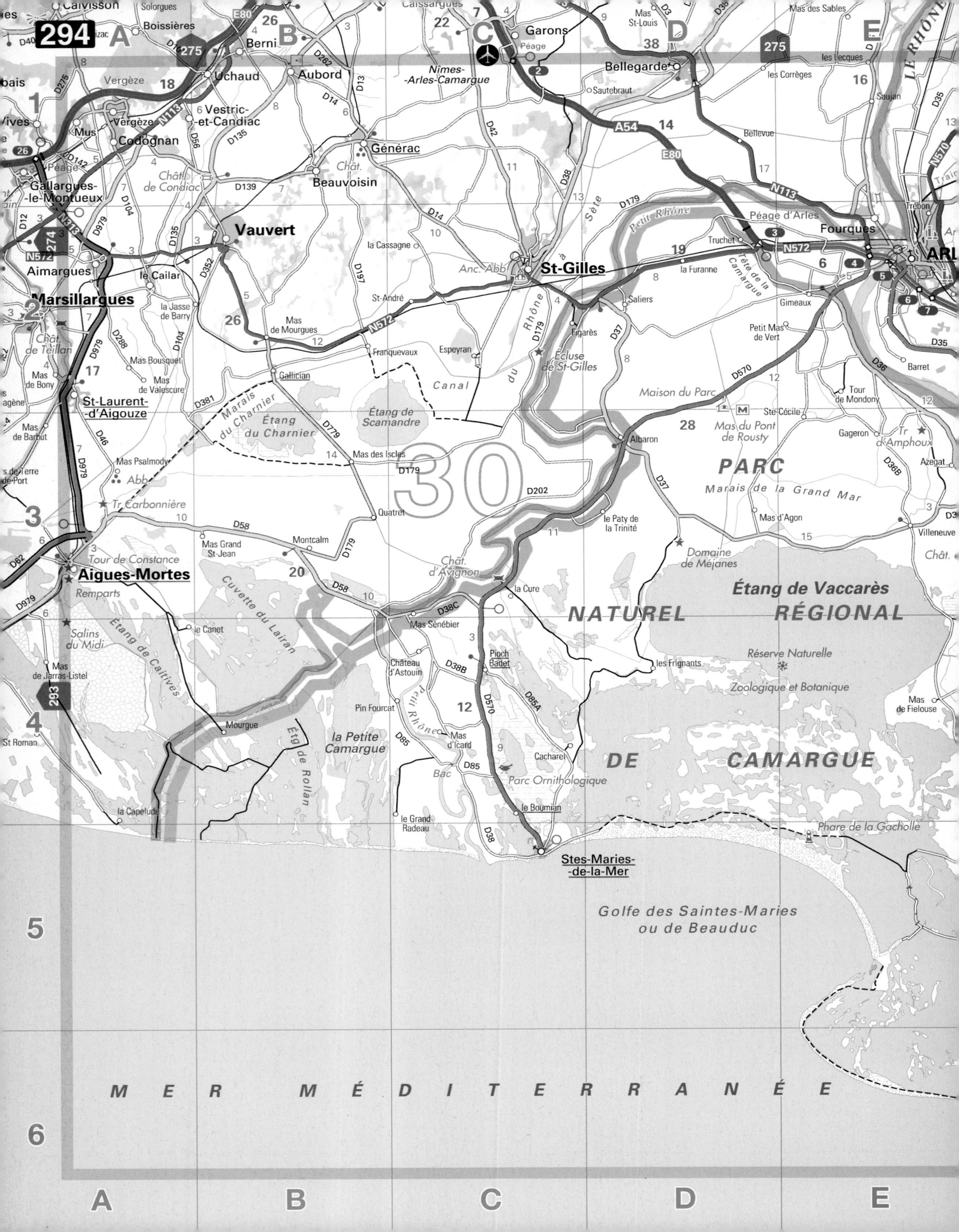

294
275
A
B
C
D
E
1
2
3
4
5
6
Calvisson
Boissières
Bernis
Uchaud
Aubord
Vergèze
Vestric-et-Candiac
Mus
Codognan
Générac
Gallargues-le-Montueux
Châtt. de Condiac
Beauvoisin
Garons
Nîmes-Arles-Camargue
Bellegarde
Sautebraut
les Corrèges
les Tecques
Saujan
Bellevue
Vauvert
Aimargues
Marsillargues
le Cailar
la Cassagne
St-Gilles
Anc. Abb.
St-André
Mas de Mourgues
Franquevaux
Espeyran
Gallician
Châtt. de Teillan
Mas Bousquet
Mas de Valescure
St-Laurent-d'Aigouze
Mas de Bony
Mas de Barbut
Marais du Charnier
Étang du Charnier
Étang de Scamandre
Canal du Rhône à Sète
Écluse de St-Gilles
Figarès
Saliers
la Furanne
Truchet
Péage d'Arles
Fourques
ARL
Tête de la Camargue
Gimeaux
Petit Mas de Vert
Barret
Maison du Parc
Tour de Mondony
Ste-Cécile
Mas du Pont de Rousty
Albaron
Gageron
Tr d'Amphoux
Azegat
PARC
NATUREL
RÉGIONAL
DE
CAMARGUE
Marais de la Grand Mar
Mas d'Agon
Villeneuve
Le Paty de la Trinité
Domaine de Méjanes
Étang de Vaccarès
Réserve Naturelle Zoologique et Botanique
les Frignants
Mas de Fielouse
Mas des Iscles
Quatret
Mas Psalmody
Abb.
Tr. Carbonnière
Mas Grand St-Jean
Montcalm
Tour de Constance
Aigues-Mortes
Remparts
Salins du Midi
Étang de Caitives
Cuvette du Lairan
le Canet
Châtt. d'Avignon
la Cure
Mas Sénébier
Château d'Astouin
Pioch Badet
Mas de Jarras-Listel
293
St Roman
Mourgue
Étg de Rollan
Pin Fourcat
la Petite Camargue
Petit Rhône
Mas d'Icard
Bac
Cacharel
Parc Ornithologique
la Capelude
le Grand Radeau
le Boumian
Stes-Maries-de-la-Mer
Phare de la Gacholle
Golfe des Saintes-Maries ou de Beauduc
MER MÉDITERRANÉE
LE RHÔNE
30

Fontvieille
les Baux-de-Provence
Paradou
Maussane-les-Alpilles
Eygalières
Aureille
Eyguières
Lamanon
Sénas
Mouriès
St-Martin-de-Crau
SALON-DE-PROVENCE
Grans
Lançon-Provence
Miramas
Cornillon-Confoux
St-Chamas
ISTRES
Étang de Berre
St-Mitre-les-Remparts
Fos-sur-Mer
MARTIGUES
Port-de-Bouc
Port-St-Louis-du-Rhône
GOLFE DE FOS
GRAND RHÔNE
Sausset-les-Pins
Cap Couronne
Chaîne de l'Estaque
13
F
G
H
J
K

MARSEILLE
AIX-EN-PROVENCE
MARIGNANE
VITROLLES
Gardanne
Allauch
Cassis
Carry-le-Rouet
Bouc-Bel-Air
Cabriès
Velaux
Ventabren
les Pennes-Mirabeau
Septèmes-les-Vallons
Plan-de-Cuques
Roquevaire
les Calanques
Oran (Algérie) 26h00
Alger (Algérie) 20h30
Béjaia (Algérie) 20h30
Skikda (Algérie) 20h30
Tunis (Tunisie) 23h00
Calvi 11h30
Ajaccio 12h00
Bastia 13h00
Porto-Vecchio 14h00
Porto Torres (Sardaigne) 17h00
L'Île-Rousse 11h30
Propriano 14h30

F
G
H
J
K
Puyloubier
Oppidum Pain de Munition
Basses Selves
Brue-Auriac
Pourrières
Berthoire
Trophée de Marius Tombeau
Seillons-Source-d'Argens
Source d'Argens
Cadry
Châteauvert
Correns
Vallon Sourn
Miraval
Ollières
St-Hilaire
Barcelone
Bras
Rousset
Provençale
Pourcieux
St-Maximin-la-Ste-Baume
la Grande Bastide
le Val
Cambarette
Trets
Peynier
St-Pierre
Bout de Nice
Kirbon
Orat. de St-Jean du Puy
Montmorin
Pas de la Couelle
le Regagnas
la Sorbière
Valjancelle
Chât. de Valbelle
Tourves
les Censiès
les Gaëtans
la Celle
Brignoles
la Gayolle
St-Julien
la Chaumette
Rougiers
Rimbert
le Caramy
Abb.
Train touristique du centre Var
le Moulin de Redon
St-Zacharie
Parc du Moulin Blanc
N.-D. d'Orgnon
Auriol
Nans-les-Pins
Mgne de la Loube
Pas de Peyruis
B. de la Lare
Péage
la Glacière
F. Dom. de la Ste-Baume
Mazaugues
la Roquebrussanne
Forcalqueiret
Nazareth
Plan-d'Aups-Ste-Baume
Hôtellerie
Chap. des Parisiens
Font Mauresque
Taillane
83
F. Dom. de Mazaugues
Fioussac
Garéoult
St-Pilon
Roque Forcade
Néoules
Bertagne
Chaîne de la Ste-Baume
Riboux
Gémenos
Signes
Abb.
Parc de St-Pons
Vallon de St-Pons
Cuges-les-Pins
Méounes-lès-Montrieux
Ok Corral
Montrieux-le-Vieux
les Calottes
les Garrigues
le Camp
Circuit Automobile Paul Ricard
la Tête de l'Évêque
Chartreuse Montrieux-le-Jeune
Belgentier
Cuers
le Lion d'Or
Roquefort
F. de Font-Blanche
la Bégude
Ste-Anne du Castellet
Forêt Domaniale des Morières
la Foux
Valcros
le Grand Caunet
la Ragle
Guiran
Solliès-Toucas
le Brûlat
la Reymonnette
la Bayole
le Castellet
le Beausset
Roboeuf
Valaury
Solliès-Pont
Plaines-Baronnes
Notre-Dame
le Vieux Beausset
Mont Caume
Chât. des Forbin
Solliès-Ville
la Cadière-d'Azur
Aqualand
le Revest-les-Eaux
Liouquet
le Liouquet
les Lecques
St-Cyr-sur-Mer
le Plan du Castellet
le Broussan
Dardennes
la Farlède
LA CIOTAT
Maren
le Gros Cerveau
les Pomets
Mont Faron
le Coudon
la Chaberte
la Madrague
Évenos
Île Verte
Cap St-Louis
Zoo
Gges d'Ollioules
Fauverie
le Port d'Alon
Péage
Sanary
Ollioules
la Valette-du-Var
la Bigue
Bandol
les Routes
St-Augustin
Pointe du Déffend
Île de Bendor
la Garde
la Moutonne
le Mourillon
Sanary-sur-Mer
St-Pierre aux Lions
LA SEYNE-SUR-MER
le Cap Brun
le Pradet
Pointe de la Cride
Bucarin
TOULON
Balaguier
la Garonne
SIX-FOURS-LES-PLAGES
les Sablettes
Tamaris
Nécropole Nationale
le Pradon
Île des Embiez
Aquarium
les Plaines
St-Elme
St-Mandrier
278
298
300

298
279
297
300
A
B
C
D
E
1
2
3
4
5
6
Cotignac
N.-D. de Grâce
Entrecasteaux
Notre-Dame
St-Antonin-du-Var
N.-D. de Benva
Lorgues
Sauve-Clare
les Incapis
Trans-en-Provence
la Motte
Saut du Capelan
les Nouradons
les Pailles
Anc. Abb. de la Celle Roubaud
les Arcs
Taradeau
Oppidum
le Château
les Mourres
Vigneaubière
Anc. Abb. du Thoronet
Montfort-sur-Argens
Carcès
Lac de Carcès
Mines
les Bastides
le Thoronet
l'Argens
les Bertrands
St-Georges
Vidauban
Ste-Brigitte
les Canebières
Vins-sur-Caramy
le Caramy
Cabasse
le Recoux
St-Pons
Vidauban
83
la Provençale
Candumy
Roudaï
Parc Mini-France
le Vieux Cannet
Péage
le Luc
le Cannet-des-Maures
la Bastide Rouge
Camps-la-Source
St-Peyre
Oppidum
Sce Therm.
la Haute Verrerie
l'Aille
la Basse Verrerie
Flassans-sur-Issole
la Lauzade
Rouvède
Repenti
Gonfaron
les Sigues
Plan-de-la-Tour
la Moure
les Plaines
Besse-sur-Issole
l'Issole
l'Aubréguière
le Préconil
Préconil
Ste-Anastasie-sur-Issole
Fort Freinet
la Garde-Freinet
Coriolan
Gonfaron
Cocu de Fontbelle
le Village des Tortues
les Mayons
les Vernades
Chât. du Castellas
N.-D. de Queste
Rocbaron
Carnoules
Pignans
la Court
Val de Gilly
Chât.
la Foux
N.-D. des Anges
Puget-Ville
les Lauvets
Péage
Valescure
Grimaud
Ste-Philomène
le Réal Martin
le Suvé du Vent
la Sauvette
St-Maur
la Ruol
Cogolin
les Crottes
Capelude
Péage
la Portanière
la Verne
le Rayol
les Bonnaux
Chartreuse de la Verne
Collobrières
les Guiols
le Portanier
la Môle
la Croix-Valmer
Pierrefeu-du-Var
la Môle
la Bouisse
Col de Babaou
St-Guillaume
les Campaux
MASSIF DES MAURES
FORÊT DOMANIALE DES MAURES
la Bayole
Camp-Long
Parc Nautique Niagara
les Pradels
l'Eau Blanche
les Campaux
Col du Canadel
Sauvebonne
Valcros
Pierre d'Avenon
Rayol-Canadel-sur-Mer
Nécropole Nationale
Le Rayol
Chât.
Jard. d'Oiseaux Tropicaux
le Batailler
N.-D. de Constance
Aigue Belle
Pramousquier
Cavalière
les Deuxièmes Borrels
Saint-Honoré
Bormes-les-Mimosas
la Fossette
Mesclans
la Verrerie
le Pin
St-Clair
les Jassons
les Maurettes
la Crau
la Londe-les-Maures
le Lavandou
le Fenouillet
Chât. St-Bernard
Chât.
Mauvanne
les Bormettes
le Pellegrin
Léoube
la Favière
CORNICHE DES
HYÈRES
les Salins d'Hyères
Port de Miramar
Brégançon
Cap de Bormes
la Moutonne
Jard. Olbius Riquier
Hyères-le Palyvestre
Cabasson
Domaine de Cap Bénat
Paradis
les Oiseaux
l'Ayguade
le Ceinturon
Chât.
Cap Bénat
Fort de Brégançon
Carqueiranne
le Pradon
Hyères-Plage
A8
E80
N7
N97
A57
D562
D50
D33
D39
D14
D12
N98
D559

F · E · S · T · G

280
la Lieutenante

les Agates

le Safari de l'Esterel

Péage du Capitou

Canaver

les Blavets

37

38

Péage du Capitou

Mosquée

Péage

Châ. Aurélien

12

20

Palayson

St-Pierre

Jas Pellicot

Puget-sur-Argens

Roquebrune-sur-Argens

Rocher Roquebrune

N.-D. de Pitié

Vernède

13

Aquatica

la Rouvière

Mont Vinaigre
Forêt

Domaniale
de l'Esterel

N.-D. de Jérusalem

Pic de l'Ours

Nécropole Nationale
des Guerres en Indochine

Pagode Bouddhique

Valescure

Villeneuve

FRÉJUS

Fréjus-Plage

10

ST-RAPHAËL

Boulouris

Nécropole
Nationale

le Rastel
d'Agay

Agay

le Dramont

Sémaphore

Anthéor

Cap du Dramont

C. de la Cadière

Miramar

la Galère

T. d'Orient.

Pic d'Aurelle

le Trayas

21

T. d'Orient.

Pointe du Cap Roux

Pic du C. Roux

12

34

Pointe de l'Esquillon

30

17

614

N98

CORNICHE DE L'ESTEREL

St-Aygulf

les Terrasses

les Hauts
des Issambres

Val d'Esquières

les Issambres

15

21

les Ricards

la Nartelle

Ste-Maxime

la Croisette

Sémaphore

Pointe
des Sardinaux

Golfe de St-Tropez

9

Citadelle

Rabiou

St-Tropez

Port Grimaud

la Moutte

la Bouillabaisse

Ste-Anne

les Salins

Moulin

Val
de Rian

Pinet

Gassin

Ramatuelle

Pampelonne

Moulins
de Paillas

10

Cap Camarat

Camarat

Col
de Collebasse

l'Escalet

St-Michel

la Bastide Blanche

Cap Taillat ou Cap
Cartaya

Cap Lardier

MÉDITERRANÉE

MER

5

9

D25

D74

D61

D93

131

1

2

3

4

5

6

F · G · H · J · K

Rougiers
Nans-les-Pins
N.-D. d'Orgnon
Mazaugues
la Roquebrussanne
Forcalqueiret
Besse-sur-Issole
Ste-Anastasie-sur-Issole
Garéoult
Néoules
Rocbaron
Carnoules
Puget-Ville
Nazareth
Hôtellerie
Chap. des Parisiens
St-Pilon
Ste-Baume
Riboux
Signes
Méounes-lès-Montrieux
Ok Corral
le Camp
Circuit Automobile Paul Ricard
la Tête de l'Évêque
Montrieux-le-Vieux
Chartreuse Montrieux-le-Jeune
Belgentier
Cuers
Pierrefeu-du-Var
Forêt Domaniale des Morières
Solliès-Toucas
Solliès-Pont
le Castellet
le Beausset
la Cadière-d'Azur
St-Cyr-sur-Mer
le Revest-les-Eaux
Solliès-Ville
la Farlède
Mont Caume
le Gros Cerveau
Évenos
Mont Faron
la Crau
Ollioules
la Valette-du-Var
Bandol
Sanary
Sanary-sur-Mer
la Garde
HYÈRES
Île de Bendor
Pointe de la Cride
LA SEYNE-SUR-MER
TOULON
le Pradet
Carqueiranne
Hyères-le Palyvestre
SIX-FOURS-LES-PLAGES
Île des Embiez
Nécropole Nationale
St-Mandrier-sur-Mer
Presqu'Île de St-Mandrier
Étg des Pesquiers
Giens
Cap Sicié
N.-D. de la Garde ou du Mai
Porto Tórres (Sardaigne) 8h45
Ajaccio 7h00
l'Ile Rousse (en saison) 5h45
Bastia (en saison) 10h00
Rome (Italie) 14h30

F
G
H
J
K
298
299
1
2
3
4
5
6
A57
N97
la Lauzade
Rouvède
Gonfaron
Repenti
les Sigues
l'Aubréguière
la Haute Verrerie
la Basse Verrerie
D558
D74
les Plaines
35
la Moure
Plan-de-la-Tour
les Ricards
Vallaury
Val d'Esquières
les Issambres
le Couloubrier
D74
la Nartelle
Pointe des Sardinaux
le Préconil
Préconil
Coriolan
D75
Fort Freinet
la Garde-Freinet
Ste-Maxime
Sémaphore
la Croisette
Gonfaron
32
le Village des Tortues
les Mayons
les Vernades
Beauvallon
9
Golfe de St-Tropez
N.-D. des Anges
17
la Court
19
N.-D. de Queste
les Mûres
Citadelle
Val de Gilly
Châtel
St-Pons-les Mûres
St-Tropez
la Moutte
32
779
la Sauvette
Valescure
83
D E S
M A U
Grimaud
Port Grimaud
Cogolin Plage
St-Maur
la Bouillabaisse
Ste-Anne
les Salins
D14
Cogolin
les Crottes
N98
Moulin
Pinet
Val de Rian
la Verne
Capelude
le Rayol
Pampelonne
les Bonnaux
Chartreuse de la Verne
Gassin
Collobrières
les Guiols
Ramatuelle
le Portanier
la Môle
la Croix-Valmer
Cap Camarat
St-Guillaume
Col de Babaou
M A S S I F D E S M A U R E S
les Campaux
la Môle
Moulins de Paillas
Camarat
la Ricarde
Col de Collebasse
l'Escalet
FORÊT DOMANIALE DES MAURES
29
Parc Nautique Niagara
les Pradels
l'Eau Blanche
Vergeron
St-Michel
D41
527
la Bastide Blanche
Valcros
Col du Canadel
Nécropole Nationale
Cavalaire-sur-Mer
Cap Taillat ou Cap Cartaya
Châtel
Pierre d'Avenon
Rayol-Canadel-sur-Mer
le Rayol
Cap Lardier
Jard. d'Oiseaux Tropicaux
N.-D. de Constance
37
Saint-Honoré
Bormes-les-Mimosas
Aigue Belle
Pramousquier
la Fossette
Cavalière
la Verrerie
D559
le Pin
St-Clair
CORNICHE DES MAURES
N98
la Londe-les-Maures
le Lavandou
le Pellegrin
les Bormettes
Léoube
la Favière
Port de Miramar
Brégançon
Cap de Bormes
Cabasson
Domaine de Cap Bénat
Châtel
Cap Bénat
Fort de Brégançon
ÎLES D'HYÈRES
Île du Levant
Île de Port Cros
Pointe de Port Man
le Grand Avis
Île de Bagaud
Héliopolis
Port Cros
Port Man
Plage Notre-Dame
Fort du Moulin
Vallon de la Solitude
ÎLE DE PORQUEROLLES
PARC NATIONAL DE PORT-CROS
Fort Ste-Agathe

283
Sunharette
Restoue
-en-Barétous
Ahusquy
D117
Licharre-Lichar
Laguinge-Restoue
Monton
Ancienne Abbaye
Isso
Arette
Lacarry-Arhan-Charritte-de-Haut
D247
Etchebar
Athérey
Egurbide Borde
D632
Cousturé
St-Sauveur
D759
Haux
Barlanès
Licq-Athérey
D132
D341
D241
Gorges de Lourdios
Urhéborda
Doronde
les Chalets d'Irati
D26
la Mouline
Haute Soule
D19
Mendihart
Forêt d'Iraty
D18
D113
Espondaburu
Issarbe
64
D341
Larrau
D19
D26
Ste-Engrâce (la Caserne)
D632
D441
Irati
Pic d'Orhy
2017
Gorges d'Holzarté et d'Holhadubi
Calla
Ste-Engrâce
D113
Gorges de Kakouetta
Gorges d'Ehujarré
Arette la Pierre St-Martin
Sierra de Abodi
NA2011
Pic Lakhoura
1877
Gouffre Lépineux
Pic d'Anie
2504
Refugio Belagua
C137
NA2102
Anduna
Izalzu
NA140
Ochagavía
NA140
NA1370
Uztárroz
Ezcároz
NA2000
Oronz
Belabarce
Reserva Nacional de los Valles
Zuriza
Isaba
Esparza
Ibilcieta
Sarriés
Esca
Veral
Urzainqui
Salazar
Igal
Izal
NA137
Refugio de Oza
Güesa
Roncal
Vidángoz
Argible
1203
HU210
Sierra de
Gallués
Iciz
Garde
Uscarrés
NA176
Valle del Roncal
A176
Ustés
NA178
Ansó
Siresa
Fago
Hecho
Navascués
Esca
NA214
Burgui
Urdués
Alto de Borreguil
1420
Santa Lucia
Aragüés del Puerto
Castillo-Nuevo
Jasa
Lorbés
Salvatierra de Esca
HU212
Leyre
A176
Majones
Huértalo
Sinués
A137
A1602
Sigüés
Villarreal de la Canal
A B C D E
1 2 3 4 5 6

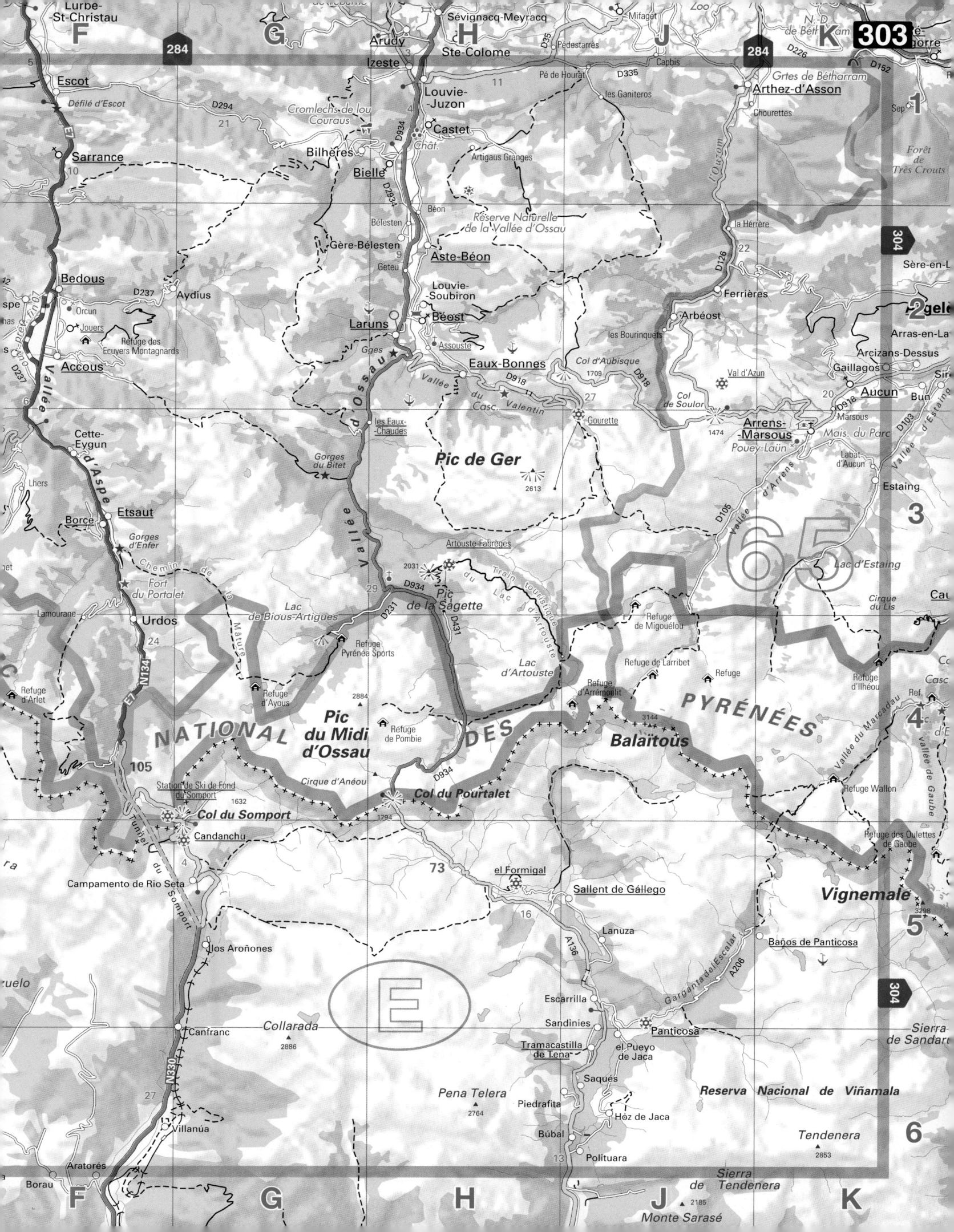

F
G
H
J
K
284
Lurbe-St-Christau
Sévignacq-Meyracq
Mifaget
Arudy
Ste-Colome
Pédestarres
Izeste
Capbis
Grtes de Bétharram
Escot
Défilé d'Escot
Louvie-Juzon
Pé de Hourat
D335
les Ganiteros
Arthez-d'Asson
Chourettes
Cromlechs de lou Couraus
D294
Castet
Sarrance
Bilhères
Bielle
Artigaus Granges
Forêt de Très Crouts
Réserve Naturelle de la Vallée d'Ossau
Béon
Bélesten
la Hérrère
Gère-Bélesten
Aste-Béon
Geteu
Bedous
D237
Aydius
Louvie-Soubiron
Ferrières
Orcun
Arbéost
Jouers
Laruns
Béost
Refuge des Ecuyers Montagnards
Assouste
les Bourinquets
Arras-en-La
Accous
Eaux-Bonnes
Col d'Aubisque
Arcizans-Dessus
Gaillagos
Val d'Azun
Vallée d'Aspe
Vallée d'Ossau
Vallée du Casc. Valentin
Gourette
Col de Soulor
Aucun
Arrens-Marsous
Mais. du Parc
Pouey-Laün
Marsous
Cette-Eygun
les Eaux-Chaudes
Gorges du Bitet
Pic de Ger
2613
Labat d'Aucun
Estaing
Lhers
Vallée d'Arrens
Borce
Etsaut
Gorges d'Enfer
Artouste-Fabrèges
Chemin de la Mâture
Fort du Portalet
Lac d'Estaing
65
Train touristique du Lac d'Artouste
Pic de la Sagette
Cirque du Lis
Lamourane
Lac de Bious-Artigues
Urdos
Refuge de Migouélou
Refuge Pyrénéa Sports
Lac d'Artouste
Refuge de Larribet
Refuge
Refuge d'Ilhéou
Refuge d'Arlet
Refuge d'Ayous
Refuge d'Arrémoulit
2884
Pic du Midi d'Ossau
Refuge de Pombie
PARC NATIONAL DES PYRÉNÉES
Balaïtous
3144
Vallée du Marcadau
Refuge Wallon
Cirque d'Anéou
Col du Pourtalet
Station de Ski de Fond du Somport
1632
Col du Somport
1794
Candanchu
Refuge des Oulettes de Gaube
Campamento de Rio Seta
el Formigal
Sallent de Gállego
Vignemale
3298
Tunnel du Somport
Lanuza
Baños de Panticosa
los Aroñones
Garganta del Escalar
E
Escarrilla
Sandinies
Panticosa
Canfranc
Collarada
2886
Tramacastilla de Tena
el Pueyo de Jaca
Sierra de Sandaru
Saqués
Pena Telera
2764
Piedrafita
Reserva Nacional de Viñamala
Hóz de Jaca
Villanúa
Búbal
Tendenera
2853
Polituara
Aratorés
Borau
Sierra de Tendenera
Monte Sarasé
2185
304

LOURDES
Bartrès
Poueyferré
Pic de Pibeste
Agos-Vidalos
Argelès-Gazost
Beaucens
Pierrefitte-Nestalas
Soulom
Cauterets
Luz-St-Sauveur
Barèges
Col du Tourmalet
Pic du Midi de Bigorre
Observatoire
Lac Bleu
le Taoulet
la Mongie
Bagnères-de-Bigorre
Pouzac
Campan
Beaudéan
Gerde
Asté
Vallée de Campan
Ste-Marie-de-Campan
Payolle
Station de Payolle
Cascade du Garet
Réserve Naturelle du Néouvielle
Pic de Néouvielle
L. d'Orédon
Pic Long
Pics d'Estaragne
L. de Cap de Long
Gèdre
Héas
Gavarnie
Cirque de Gavarnie
Pic du Marboré
Pics de la Cascade
Grande Cascade
Cirque de Troumouse
Cirque d'Estaubé
Chaos de Coumély
Piau Engaly
Aragnouet
Tunnel d'Aragnouet-Bielsa
Pic d'Arriouère
Sierra de Sandaruelo
Reserva Nacional de Los Circos
Monte
Parzán
Espierba
OCCIDENTALES
OR R E
65
Pont d'Espagne
Lac de Gaube
Vallée de Lutour
Vallée de Gaube
Vallée d'Ossoue
Vallée de St-Savin
Station du Hautacam
Station de Luz Ardiden
Lézignan
Escoubès-Pouts
Loucrup
Montgaillard
Mauvezin
Capvern
285
303
A
B
C
D
E
1
2
3
4
5
6

A
B
C
D
E
1
2
3
4
5
6
287
305
Landorthe
-de-St-Martory
Pyrénéenne
les Assivets
Défilé de l'Escalère
Lestelle-de-St-Martory
Pile du Pont
Mazères-sur-Salat
Furne
Cérizols
Ste-Croix-Volvestre
Lahitère
E80
St-Médard
Ollivès
Savarthès
N117
Labarthe-Inard
D88A
D69J
Beauchalot
Montsaunès
Estancarbon
la Garonne
Chap. Ste-Matrone
Sarradas
Cassagne
Celbèze-en-Commingès
Hauruc
la Rouaoude
Grtes de Marsoulas
Hitte
Escoulis
Marsoulas
Salies-du-Salat
Fabas
Maharage
Bardau
Tourtouse
Naudot
Berreté
Mérigon
Le Hillet
Rouère
Artigues
Figarol
Mane
Betchat
Belloc
Montaut
Bédeille
Bagert
Touille
Pointis-Inard
Cap Mourens
Montespan
Ganties
Léoudary
Bout du Village
la Monge
His
Barjac
Lasserre
Mauvezin-de-Ste-Croix
la Bâtisse
Montardit
Contrazy
la Houmassère
Rouède
Montgaillard-de-Salies
la Bastide-du-Salat
l'Arbas
la Crouzette
Bouinéous
Couret
Soueich
Castagnède
les Baudis
Estadens
Lacave
Mercenac
Taurignan-Castet
Castelbiague
Lamot
Pujos
l'Arrigau
Bonrepaux
Tes Gabats
Lara
Bardies
Mauvezin-de-Prat
Taurignan-Vieux
Mouchous
Cériros
Chein-Dessus
Montastruc-de-Salies (Lannes)
Saleich
Prat-Bonrepaux
Caumont
le Salat
Gajan
Montesquieu-Avantès
le Volp
Bourch
Loubersenac
Noustens
Saleich Vieille
Francazal
Gèle
Lorp-Sentaraille
Montjoie-en-Couserans
Audinac
Audinac-les-Bains
Aspet
Ribereuille
Urau
Raoux
Couillas
Bataille
Barat
Courille
Salège
Montgauch
Murailles Gallo-Rom.
St-Lizier
Lescure
Arbas
Cazavet
Cazaux
Bareille
Baliar
Milhas
Fougaron
Gouffre de la Henne-Morte
Forêt Domaniale de l'Estelas
Montégut-en-Couserans
Lédar
St-Girons
Anc. Abb. de Combelongue
Millastre
l'Auech
le Mourtis
Herran
Razecueillé
Balagué
la Plaine d'Eycheil
Eycheil
Moulis
Aubert
Encourtiech (le Coch)
D13B
Testerouge
Agert
Parrat
Aubague
Henne Morte
Col de Portet d'Aspet
1069
Forêt Dom. de Bellongue-Nord
Pouech
Pile Romaine
Lutenac
Rivèrenert
Balaguères (Alas)
Arrout
Engomer
Rames
Lacourt
Buzan
St-Jean-du-Castillonnais
Villeneuve
Loutrein
Astien
Erp
Portet-d'Aspet
Galey
Illartein
Aucazein
Audressein
Cescau
la Traverse
Portillon
St-Lary
Orgibet
Argein
Ger de Boutx
Autrech
Anos
Augirein
la Bellongue
Sor
Castillon-en-Couserans
Araux
Segalas
Boussan
Forêt Dom. de Bellongue-Sud
Salsein
Soulan (St-Pierre)
Alos
Espou
le Couéu
les Loubères
Aulignac
Ardichen
Villeneuve
Castet d'Alos
F. Dom. de St-Lary
les Bordes-sur-Lez
Villargein
Aret
St-Sernin
Uchentein
Bethmale
Irazein
Arrien-en-Bethmale
Ayet
Soueix-Rogalle
la Soumère
Rogalle
Antras
Balacet
Vic d'Oust
Cap de Gauch
2148
Sentein
Ayer
Vallée de Bethmale
Sentenac-d'Oust
Oust
Labach
Bonac-Irazein
Vallée du Biros
Biac
Forêt Dom. de Bethmale
Seix
Vallée
Esbints
Aunac
Arrous
Miramont
le Lez
Luentein
Estoéou
Refuge Jacques Husson
Eylie
Forêt Dom. Granges des Echarts de Bonac
Couflens de Betmajou
Chât. de la Garde
Chât. de Minabat
Réserve Domaniale du Mont Valier
Estours
Pont de la Taule
Saburdac
Joan
Forêt Dom. du Biros
Forêt Dom. de Bordes
Pic de Pomebrunet
2569
Forêt Dom. de Seix
Vallée d'Ustou
le Trein
Refuge des Estagnous
Mont Valier
2838
Bielle
Ustou (St-Lizier)
Pic de Barlonguère
Mont du Petit Valier
2736
Faup
Angouls
Couflens
2802
2677
Pic de la Pale de la Clauère
les Cuns d'Aula
Stillom
Mair de Diu de Montgarri
Tuc de Berbégué
2477
Pic de Soubirou
Pic de Montaud
2496
Salau
2277
le Salat
Montcorbau
Vilac
Bagergue
Unha
Pic de Bassibié
2547
Cap de Ruhos
2618
2661
Vielha (Viella)
Gessa
Vaquèira-Beret
2868
Pic de Montareing
2662
Pic de Ma
Casarilh
Garòs
Salardú
Vaquèira
Mont Rouch
Alòs de Isil
Betren
Escunhau
Arties
Vielha e Mijaran
Sierra de Pilas
Tuca
Isil
Quanca
Noarre
E
Val d'Aran
COUSERANS

F
G
H
J
K
288
312
308
1
2
3
4
5
6
Daumazan-sur-Arize
Campagne-sur-Arize
Bayle
Castéras
Bézac
St-Michel
Pamiers
Escosse
Lanoux
Madière
Monesple
Pailhès
Sabarat
les Bordes-sur-Arize
Montagnes
Dolmen de Bidot
le Mas-d'Azil
Grotte du Mas d'Azil
le Pas du Roc
Gabre
Montégut-Plantaurel
St-Victor-Rouzaud
St-Jean-du-Falga
St-Bauzeil (le Prieu)
Benagues
Bouffilou
la Tour-du-Crieu
St-Amadou
Vals
Verniolle
les Pujols
Rieucros
Ludiès
le Carlaret
les Issards
Coussa
Arvigna
Artix
Rieux-de-Pelleport
Varilhes
St-Félix-de-Rieutord
Ségura
Vira
Calzan
Dalou
Crampagna
Loubens
Cazaux
Aigues-Juntes (le Fourné)
Plan d'Eau de Mondély
Allières
Rieubach
Maury
Pelissère
Suzan
Unjat
Lasfites
Brouzenac
Ordas
Châl. de St-Barthélemy
Montseron
Durban-sur-Arize
Ségalas
Castelnau-Durban
Rimont
la Bastide-de-Sérou
Cadarcet
Baulou
Loubières
St-Jean-de-Verges
Gudas (Cazals)
Malléon
Ventenac (St-Martin)
Montels
Larbont
Nescus
Alzen
Rivière Sout. de Labouiche
St-Martin-de-Caralp
Cos
Vernajoul
FOIX
Arabaux
Esplas-de-Sérou
Montagagne
Sentenac-de-Sérou
Serres-sur-Arget
Burret
Bénac
St-Pierre-de-Rivière
Pradières (Minjou)
L'Herm
Carla-de-Roquefort
Roquefort-les-Cascades
Ganac
Brassac
le Bosc (la Cabirole)
Ferrières-sur-Ariège
Montgaillard
Soula
Leychert
Forêt Dom. du Consulat de Foix
Col de Péguère
Tr Lafont
Prayols
St-Paul-de-Jarrat
Celles
Freychenet
Boussenac (Espres)
Col des Caugnous
Col de Port
Biert
Massat
Montoulieu
Saurat
Tour de Montorgueil
Forêt Dom. de Saurat
09
Bédeilhac-et-Aynat
Grotte de Bédeilhac
Arignac
Mercus-Garrabet
Base de Loisirs
Bompas
Arnave
le Port
Surba
Rabat-les-Trois-Seigneurs
Tarascon-sur-Ariège
Quié
Gourbit
Cazenave-Serres-et-Allens
Pic des Trois Seigneurs
Pic de Pioulou
Pic de Peyroutet
N.-D. de Sabart
Ussat
Grotte de Lombrives
Génat
Grotte de Niaux
Grotte de la Vache
Alliat
Niaux
Ornolac-Ussat-les-Bains
Pic du Han
Garbet
Aulus-les-Bains
Roc de Querquéou
Lapège
Miglos
Larnat
Bouan
Sinsat
Senconac
Caychax
Capoulet-et-Junac
Illier-et-Laramade
Suc-et-Sentenac
Verdun
les Cabannes
Aulos
Appy
Château-Verdun
Larcat
Albiès
Vèbre
Vicdessos
Orus
Lercoul
Bouiche de Gestiès
Gestiès
Auzat
Sem
Siguer
Aston
Lassur
Luzenac
Casc. de Fouillet
Casc. d'Ars
Goulier
Pic Rouge de Bassiès
Forêt Dom. du Montcalm
Pic du Midi de Siguer
Pic de Turguilla
Pointe des Trois Comtes
Forêt Dom. de Goulier-Auzat
Plateau de Beille
Pic de Brougat
Pic du Montcalm
Pic de l'Aspre
Pic du Pas du Bouc
Pic des Redouneilles
Campalou

A
B
C
D
E
1
2
3
4
5
6
Lapenne
Plavilla
la Courtète
Gramazie
Cailhau
Villarzel-du-Razès
St-Félix-de-Tournegat
Ste-Foi
St-Gaudéric
Hounoux
Mazerolles-du-Razès
Cambieure
Brugairolles
Malviès
Montgradail
Belvèze-du-Razès
St-Martin-de-Villereglan
Escueillens-et-St-Just-de-Bélengard
Bellegarde-du-Razès
Routier
Vals
Manses
Malegoude
Seignalens
Alaigne
Lauraguel
Teilhet
Châtt. de Terride
Cazals-des-Baylès
Lignairolles
la Penne
Rieucros
Mirepoix
Gaja-et-Villedieu
Coutens
Besset
Moulin-Neuf
Donazac
Roumengoux
Gueytes-et-Labastide
Monthaut
Pauligne
Viviès
Tourtrol
Caudeval
Loupia
la Bastide-de-Bousignac
Tréziers
Peyrefitte-du-Razès
Pomy
Malras
Lagarde
Châtt. Féodal
Villelongue-d'Aude
Ajac
la Digne-d'Aval
St-Julien-de-Gras-Capou
Corbières
Courtauly
la Bezole
la Digne-d'Amont
St-Quentin-la-Tour
Castelreng
Magrie
Dun
Camon
St-Benoît
Tourreilles
Limbrassac
Troye-d'Ariège
Belloc
St-Couat-du-Razès
Aigues-Vives
Sonnac-sur-l'Hers
Bourigeole
Roquetaillade
Tabre
Chalabre
Lieurac
Pradettes
Régat
Léran
Montbel
Bouriège
Esclagne
Montjardin
Conilhac-de-la-Montagne
Sautel
Laroque-d'Olmes
Festes-et-St-André
la Serpent
Ilhat
la Bastide-sur-l'Hers
le Peyrat
Villefort
Antugnac
Dreuilhe
Raissac
Ste-Colombe-sur-l'Hers
Rivel
Rouvenac
Espéraza
Roquefixade
Péreille
Lavelanet
Lesparrou
St-Jean-de-Paracol
Nalzen
St-Jean-d'Aigues-Vives
Puivert
Campagne-sur-Aude
l'Aiguillon
Notre-Dame du Val d'Amour
Villeneuve-d'Olmes
Bénaix
Bélesta
Nébias
Montferrier
Sce de Fontestorbes
Forêt de Bélesta
Brenac
Fougax-et-Barrineuf
Montségur
F. Dom. de Coume Frède-Picaussel
Quillan
Ginoles
Coudons
Belvianes-et-Cavirac
Sce de l'Esquieille
Plateau de Sault
Belvis
Pas de l'Ours
Les Monts d'Olmes
Pic de St-Barthélemy
Gorges de la Frau
Roquefeuil
Belfort-sur-Rebenty
Quirbajou
Joucou
Espezel
Marsa
Montagne de Tabe
Comus
Belcaire
Galinagues
Cailla
Carrière de Talc
Niort-de-Sault
Mazuby
Rodome
Artigues
Camurac
Aunat
Bessède-de-Sault
le Clat
Prades
Montaillou
Mérial
Forêt Domaniale du Rebenty
Gorges de St-Georges
Gorges du Rebenty
Défilé d'Adouxes
Réserve Naturelle
Lordat
Vernaux
Caussou
la Fajolle
Fontanès-de-Sault
Garanou
Bestiac
Unac
Refuge du Chioula
Pic de Serembarre
Campagna-de-Sault
Gorges de l'Aude
Tignac
Col du Chioula
Signal de Chioula
Escouloubre
Vaychis
Col du Pradel
le Bousquet
Ignaux
Sorgeat
Mijanès
Rouze
Châtt. d'Usson
Roquefort-de-Sault
Savignac-les-Ormeaux
Ax-les-Thermes
Ascou
Ascou-Pailhères
Mijanès-Donezan
le Puch
Bains de Carcanières
Orgeix
Artigues
le Pla
Carcanières
Orlu
le Mas
Ax-Bonascre le Saquet
Quérigut
Vallée d'Orlu
F. Dom. des Arès
Campalou
Plateau
11
09

F
G
H
J
K
290
Prei
Leuc
Rouffiac-d'Aude
Cornèze
Verzeille
Mas-des-Cours
Pradelles-en-Val
Réquy
Roc de l'Aigle
Montlaur
Camplong-d'Aude
Fabrezan
Villefloure
Fajac-en-Val
Pomas
Ladern-sur-Lauquet
Molières-sur-l'Alberte
Arquettes-en-Val
Serviès-en-Val
Ribaute
Anc. Abb.
St-Hilaire
le Lauquet
Abb. de Rieunette
Villar-en-Val
Villemagne
Lagrasse
Tournissan
les Vals
Métairie
Forêt Dom. de Castillou
Villetritouls
Taurize
Rieux-en-Val
Anc. Abb. des Bénédictins
St-Lauren-de-la-Cabre
Greffeil
Gardie
Labastide-en-Val
Villebazy
Caunettes-en-Val
Division de Crausse-Rabassié
Mayronnes
St-Pierre-des-Champs
Talairan
310
Villar-St-Anselme
Barthès
Clermont-sur-Lauquet
Plateau de Lacamp
St-Polycarpe
Belcastel-et-Buc
Forêt Dom. de Lacamp
St-Martin-des-Puits
Jonquières
Vendémies
Arce
Caunette-sur-Lauquet
Tréviac-Bas
Lairière
Villardebelle
Châţ. de Durfort
Gorges de Terminet
Missègre
la Pouzanque
Vignevieille
Termes
Villerouge-Termenès
Alet-les-Bains
Cathédrale N.-D.
Montjoi
Châţ. de Termes
Terroles
Bouisse
Salza
Félines-Termenès
Fenouillères
Véraza
Valmigère
Gorges de l'Orbieu
Luc-sur-Aude
Lanet
Mouthoumet
Davejean
St-Pancrasse
le Jouncas
Châţ. des Ducs de Joyeuse
Peyrolles
Laroque-de-Fa
Palairac
Cassaignes
Arques
Albières
Pont d'Orbieu
Couiza
Serres
la Grave
Coustaussa
Forêt Domaniale du Rialsesse
le Pech Ferme
Châţ.
Auriac
Dolmen la Table des Morts
Dernacueillette
Maisons
Rennes-le-Château
Forêt Dom. de l'Orme Mort
Massac
Rennes-les-Bains
Lauzadel
Montgaillard
Fourtou
Gorges
Granès
Sougraigne
C O R B I È R E S
Tuchan
le Bézu
la Vialasse
Rouffiac-des-Corbières
Bugarach
Soulatgé
St-Just-et-le-Bézu
Châţ. de Peyrepertuse
Padern
Pech de Bugarach
Cubières-sur-Cinoble
Duilhac-sous-Peyrepertuse
le Verdouble
St-Louis-et-Parahou
Camps-sur-l'Agly
Cucugnan
Col de St-Louis
Gorges de Galamus
Ermitage St-Antoine de Galamus
Grau de Maury
Châţ. de Quéribus
Mas d'en Janeill
Prugnanes
St-Paul-de-Fenouillet
Lapradelle
Caudiès-de-Fenouillèdes
Maury
Puilaurens
N.-D. de Laval
Lesquerde
Mas Amiel
Gorges de St-Jaume
Fenouillet
Clue de la Fou
la Borde Vieille
Forêt Domaniale de Malo-Bac Estable
les Bordes
Fosse
St-Martin
Estagel
le Caunil
Salvezines
les Cabanes
F E N O U I L L È D E S
St-Arnac
Latour-de-France
Vira
le Vivier
Felluns
Pont
Lansac
Rasiguères
Planèzes
Gincla
Ansignan
l'Agly
Colombe-r-Guette
Montfort-sur-Boulzane
Prats-de-Sournia
Trilla
Cuxous
Montner
Caramany
Cassagnes
Rabouillet
Sournia
Pézilla-de-Conflent
Caladroy
Chap.
la Desix
Belvédère de Força Réal
Bélesta
Pic Dourmidou
Campoussy
Trévillach
Corneilla-la-Rivière
la Crabayrisse
314
Montalba-le-Château
Tarerach
Néfiach
Millas
St-Feliu-d'Amont
la Coûme
N116

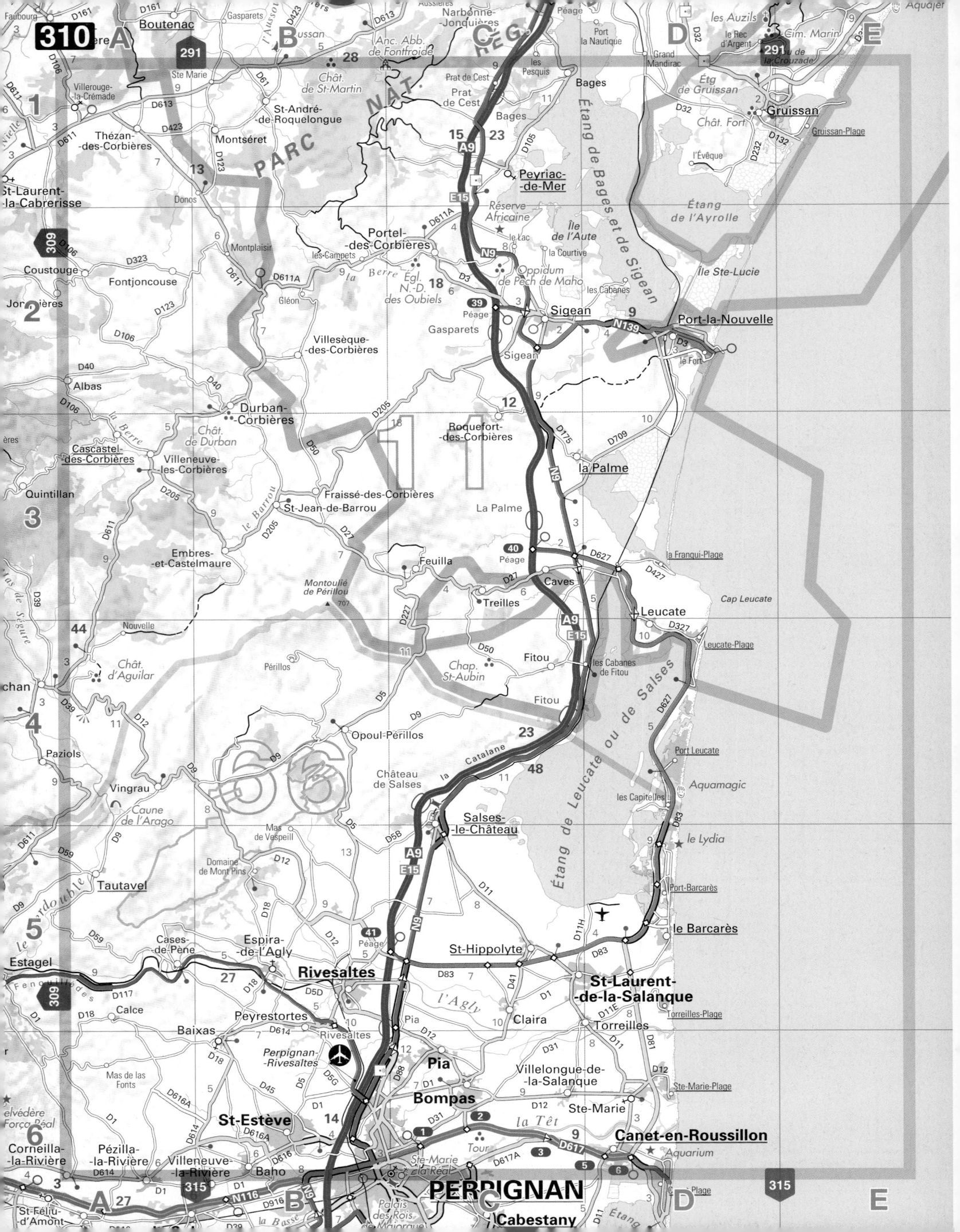

Boutenac
Gasparets
Narbonne-Jonquières
Anc. Abb. de Fontfroide
Port la Nautique
les Auzils
Cim. Marin
Grand Mandirac
Ste Marie
Villerouge-la-Crémade
Châtt. de St-Martin
Prat de Cest
les Pesquis
Bages
Étg de Gruissan
Gruissan
St-André-de-Roquelongue
Thézan-des-Corbières
Montséret
PARC NAT. RÉG.
Peyriac-de-Mer
Châtt. Fort
Gruissan-Plage
l'Évêque
St-Laurent-la-Cabrerisse
Donos
Réserve Africaine
Étang de Bages et de Sigean
Étang de l'Ayrolle
Portel-des-Corbières
le Lac
Île de l'Aute
la Courtive
Montplaisir
les Campets
Coustouge
Fontjoncouse
Égl. N.-D. des Oubiels
Oppidum de Pech de Maho
les Cabanes
Île Ste-Lucie
Gléon
Sigean
Port-la-Nouvelle
Gasparets
Villesèque-des-Corbières
Le Fort
Albas
Durban-Corbières
Roquefort-des-Corbières
Châtt. de Durban
Cascastel-des-Corbières
Villeneuve-les-Corbières
la Palme
Quintillan
Fraissé-des-Corbières
St-Jean-de-Barrou
La Palme
Embres-et-Castelmaure
Feuilla
la Franqui-Plage
Caves
Montoulié de Périllou 707
Treilles
Leucate
Cap Leucate
Nouvelle
Leucate-Plage
Châtt. d'Aguilar
Chap. St-Aubin
Fitou
Périllos
les Cabanes de Fitou
Étang de Leucate ou de Salses
Paziols
Opoul-Périllos
Port Leucate
Château de Salses
la Catalane
Aquamagic
Vingrau
Caune de l'Arago
les Capitelles
Salses-le-Château
le Lydia
Mas de Vespeill
Domaine de Mont Pins
Tautavel
Port-Barcarès
le Barcarès
Cases-de-Pène
Espira-de-l'Agly
St-Hippolyte
Estagel
Rivesaltes
St-Laurent-de-la-Salanque
Fenouillèdes
Calce
l'Agly
Peyrestortes
Claira
Torreilles
Torreilles-Plage
Baixas
Rivesaltes
Perpignan-Rivesaltes
Pia
Mas de las Fonts
Villelongue-de-la-Salanque
Ste-Marie-Plage
Bompas
St-Estève
Ste-Marie
Corneilla-la-Rivière
Pézilla-la-Rivière
Villeneuve-la-Rivière
Baho
la Têt
Canet-en-Roussillon
Aquarium
Tour
Ste-Marie la Réal
PERPIGNAN
Palais des Rois de Majorque
Cabestany
St-Féliu-d'Amont
Plage
Étang
Agde
A9 E15 N9 N139 N116 D617
291 309 315
11 66

A
B
C
D
E
1
2
3
4
5
6
REGIONALE DELL' ARGENTERA
ALTA VALLE PESIO E TANARO
Sottana
Limone Piemonte
Monte Vecchio
Monte Jurin
Cima della Fascia
Cima delle Saline
Pallanfrè
Monte Aiera
Monte Garbella
Riserva Naturale
Bec Matlas
San Giovanni
Monte delle Carsene
Colle de la Boaire
Limonetto
Tunnel de Tende
Col de Tende
Monte Colombo
Cima Plisser
Punta Savina
Monte Carbone
Monte del Frisson
Cima di Pertega
Carnino Superiore
Cima della Vagliotta
Cima del Lausetto
Asta Sottana
Réserve de Chasse de Valdieri
Oriol
Rifugio Morelli
Cima Sud Argentera
Cima della Valletta
la Madre Dio
Cima del Baus
Punta Ciamberline
Cima di Fremamorta
Cima di Brocan
Cima Ghilié
Rifugio Ellena Soria
Punta della Siula
Cima del Sabbione
Cima della Scandeiera
Valle d'Upega
Upega
Réserve de Chasse du Mercantour
Refuge de la Cougourde
Cime du Gélas
Mt. Clapier
Refuge de Valmasque
Val Castérino
Vallon de Casterino
Viévola
Granges de Pont Riche
le Boréon
Refuge Saladin
Casc.
Refuge de Nice
Vallée des Merveilles
St-Sauveur
Tende
Morignole
Refuge de la Madone de Fenestre
les Clos
Vall. de la Madone de Fenestre
Gravures Rupestres
St-Dalmas-de-Tende
la Brigue
N.-D. des Fontaines
Bens
St-Martin-Vésubie
Refuge des Merveilles
Venanson
Berthemont-les-Bains
St-Grat
Granile
Bergue Supérieur
Bergue Inférieur
Verdeggia
Realdo
la Vésubie
Libaret
Grange du Colonel
06
Monte Gerbonte
Roquebillière Vieux
Belvédère
Roquebillière
Fontan
Grange de Praï
Maurion
Forêt de Cairos
Rifugio Allavena
les Granges de la Brasque
Authion
l'Authion
Saorge
Anc. Couvent des Franciscains
la Lagouna
la Madone de Poggio
la Bollène-Vésubie
Quinson
Col de Turini
Forêt de Turini
la Maglia
Gorges de Saorge
Carmo Binelli
Lantosque
le Pra d'Alart
Bois Noir
la Giandola
Buggio
Pélasque
Camari
Breil-sur-Roya
Pigna
St-Colomban
Loda
Moulinet
Agandon
C. de Brouis
Monte Gouta
Castel-Vittorio
le Figaret
Pierre Plate
T. d'Orient
Peïra Cava
le Suquet
Monte Alto
Monte Vetta
St-Jean la Rivière
Utelle
Piène Haute
Libre
Monte Colombin
Baiardo
Mont Grazian
le Piaon
Gorges du Piaon
Rochetta-Nervina
Monte Morgi
Monte Calvaira
Belv. du Saut des Français
Berrins
Fanghetto
Olivetta-San-Michele
Monte Abellio
Isolabona
Apricale
Duranus
l'Engarvin
Lucéram
Sospel
Pont
Olivetta
Airole
Perinaldo
Chap. St-Grat
Col de Braus
Monte Rebuffao
Dolceaqua
Coaraze
Vallée du Bévéra
Collabassa
Trucco
Levens
les Traverses
le Pontet
St-Laurent
Mont-Razet
Château
le Plantier
Touët-de-l'Escarène
C. de Castillon
Torri
Monte Baraccone
Soldano
Bendejun
Gerps
Berre-les-Alpes
l'Escarène
Castillon
San Pancrazio
Bevera
San Biagio della Cima
Ste-Claire
la Part
Gorges du Paillon
Gazouil
San Antonio
Camporosso
Vallebona
Laval
Sclos de Contes
Gaudissart
Monti
Seglia
San Lorenzo
Vallecrosia Alta
Scalza
Contes
Ste-Agnès
Péage
Castellar
Latte
Vestige
Sasso di Bordighera
la Croix de Fer
la Vernéa
le Colombier
Châteauneuf-Villevieille
Blausasc
Peille
Ventimiglia
Vallecrosia
Plan d'Arriou
l'Annonciade
Castagniers
la Grave de Peille
Mortola
Jardin
Bordighera
Tourrette-Levens
Gorbio
Capo Mortola
Peillon
Aspremont
la Bégude
MENTON
Capo Sant'Ampeglio
Mont Chauve d'Aspremont
Ste-Thècle
St-Martin de Peille
Carnoles
Koaland
St-André
Cantaron
Scoperta
Roquebrune-Cap-Martin
Laghet
Beausoleil
Drap
la Turbie
Monte-Carlo
Cap Martin
Notre-Dame

312
A
B
C
D
E
1
2
3
4
5
6
307
306
Aulus-les-Bains
Guzet-Neige
Fouillet
Pic de Girantes
Suc-et-Sentenac
Illier-et-Laramade
Capoulet-et-Junac
Miglos
Bouan
Sinsat
Aulos
Verdun
Caychax
Appy
Château-Verdun
Les Cabannes
Larcat
Albiès
Vèbre
Urs
Lassur
Aston
Orus
Arconac
Laramade
Norgeat
Vicdessos
Lercoul
Bouiche de Gestiès
Gestiès
Refuge de Bassiès
Saleix
Auzat
Sem
F. Dom. de Sem
Siguer
Casc. de Fouillet
Pic de Freychet
Casc. d'Ars
Pic des Planes
Pic du Far
Olbier
Goulier
Pic de la Bède
Pic de Mont Rouge
Cirque de Cagateille
Pic de Séron
Pic Rouge de Bassiès
Forêt Dom. du Montcalm
Artiès
Goulier-Endron
Sarradeil
Pic du Col Taillat
Sarrat des Auzels
Luzenac
Perles
Pic de Puntussan
Bouychet
Pic du Midi de Siguer
Pic de Turguilla
Pic de Couillac
Pointe des Trois Comtes
Ourre
Marc
l'Artigue
Forêt Dom. de Goulier-Auzat
Cayanes-d'en-Bas
la Calbe
Pic de Baljésou
Plateau de Beille
Refuge de l'Étang du Pinet
Orris de Pujol
Carafa
Pic de Bèze
Prat Moll
Pic de Brougat
Pic des Redouneilles
09
Pic du Montcalm
Pic de l'Aspre
Pic du Pas du Bouc
Pic du Port de Sullo
Pic d'Estats
Pic de Malcaras
Pic de Bourbonne
Pic de l'Étang Blaou
Pic de Tristagne
Pic de Thoumasset
Pic de Canalbonne
Pic de l'Étang Fourcat
E
Pic du Port
Pic de Bagnels
Pointe de Peyreguils
Pic de Cabayrou
Refugio de Val Ferrera
Pic du Sal
Pic de la Coume de Seignac
Pic de Mil-Menut
Pic de la Coume d'Enfer
Pic Nègre de Joclar
Cap de la Coste Grande
el Serrat
Pic de Serrère
Pic de Cataverdis
Pic des Langounelles
Pic de la Portaneille
Pic de Médécourbe
Pic des Bareytes
AND
la Força d'Àreu
Àreu
VALLS D'ANDORRA
Refugio de Coma Pedrosa
Llorts
Ransol
Pic de Cabanette
Norís
Arinsal
San Joan de Caselles
Soldeu
Canillo
Ercs
Ordino
Prats
Meritxell
Port d'Envalira
Ainet de Besan
Alins
Pal
les Bons
la Massana
Cortals d'Encamps
Péage
Refuge
Sispony
Anyos
Encamp
Gau-Roig
Tunnel d'Envalira
Pas de la Casa
Cirque dels Pessons
Pic Negre d'Envalira
Pics de Font-Nègre
Ascarat
Anhaux
Uhart-Cize
St-Jean-le-Vieux
Chap. St-Blaise
St-Jean-Pied-de-Port
Bussunarits-Sarrasquette
Lasse
Olhoborotéguia
Caro
Base de Loisirs
Alciette
Hosta
Aincille
Bascassan
Ahaxe-Alciette-Bascassan
Pic de Camp Colomer
St-Michel
Mendive
Banca
Lecumberry
Chocoa
Béhorléguy
64
Source de la Bidouze
Carabara
Dolmen de Chuberaï
Arnéguy
Estérençuby
Luzaide (Valcarlos)
Ondarolle
Bassaburua
Font. d'Ahusquy
l'Esterenguibel
Refugio de Cap del Rec
Maneixhandy
Lles
Ottarrenia
Viliella
Coborriu de la Llosa
St-Sauveur
Aranser
Sce de la Nive
Borde
Lles de Cerdanya
Ardòvol
Músser
la Serra
Travesseres
Les Chalets d'Irati
Bellver
Forêt d'Iraty
Orreaga (Roncesvalles)
Malesa
Segre
Bar
Martinet
Beixec
Nas
Auritzberri (Espinal)
Auritz (Burguete)
Irati
Pic d'Orhy
Villec

Camurac
Prades
Montaillou
Mérial
Mazuby
Rodome
Bessède-de-Sault
Gorges de St-Georges
Forêt Domaniale du Rébenty
Défilé d'Adoux
la Fajolle
Réserve Naturelle
Fontanès-de-Sault
Caussou
Bestiac
Unac
Corniches
Refuge du Chioula
Pic de Serembarre
Gorges du Rébenty
Campagna-de-Sault
Tignac
Col du Chioula
Signal de Chioula
Vaychis
Ignaux
Sorgeat
Escouloubre
le Bousquet
Roquefort-de-Sault
Col du Pradel
Mijanès
Rouze
Châ. d'Usson
Ax-les-Thermes
Ascou
Ascou-Pailhères
Mijanès-Donezan
Bains de Carcanières
le Puch
Artigues
le Pla
Carcanières
Orgeix
Orlu
Vallée d'Orlu
Ax-Bonascre le Saquet
Petches
Quérigut
la Moulinasse
Plateau du Saquet
Tute de l'Ours
F. Dom. des Ares
Mérens-les-Vals
Église
Étang de Naguille
Pic dels Recantous
Pic de la Tribuna
Puig del Pla de Bernat
Station de Puyvalador
Puyvalador
Madrès
Coll de Terrers
Puig de Terrers
Fontrabiouse
Barraques de la Jaça de la Llosa
Pic de l'Esquine d'Ase
Forêt Dom. de Mérens
Ref. de Beys
Puig de la Portella Gran
Refuge de Camporells
Esposolla
Réal
Col de Sansa
Pic d'Étang Faury
Puig de la Cometa d'Espagne
F. Dom. de Camporells
Formiguères
Vilanova
CAPCIR
Casc. des Bésines
Sansa
Puig del Pam
l'Hospitalet-près-l'Andorre
Puig Pedros
Estany de Lanòs
Puig de Coma d'Or
Mont Llaret
Matemale
Railleu
Puig Carlit
Col de Puymorens
el Tossal Colomer
Lac des Bouillouses
Roc d'Auda
les Angles
Caudiès-de-Conflent
Ayguatébia-Talau
Lloumet
Oreilla
Puig de Font-Viva
Tunnel de Puymorens
Puig Oriental de Coll Roig
Chalet Refuge des Bouillouses
Porté-Puymorens
Pic de Font Freda
Péage
el Castell
Puig Occidental de Coll Roig
F. Dom. de la Calma
Belv. 2000
Forêt Dom. de Barrès
Défilé de la Faou
el Punxo
Porta
66
la Llagonne
Canaveilles
Thuès-entre-Valls
F. Com. de Bolquère
les Cortals
Pont Séjourné
Pic de Peiraforca
Carol
Courbassil
Pyrénées 2000
les Airelles
Ermitage
l'Ermitage
Mont-Louis
Sauto
Fontpédrouse
Gorges de
Superbolquère
Mas Vilalta
Égat
Bolquère
Chaos de Targasonne
Font-Romeu-Odeillo-Via
la Cabanasse
Pont Gisclard
Prats-Balaguer
Targassonne
les Escaldes
Dolmen
Dorres
Four Solaire
St-Pierre-dels-Forcats
Planès
Pic de la Costa L
Bena
Brangoli
Angoustrine-Villeneuve-des-Escaldes
Signal de la Perche
Quers
Riutès
Latour-de-Carol
Santa Maria
Estavar
Bajanda
Eyne
Eyne 2600
Station de St-Pierre-dels-Forcats
PARC NATUREL RÉGIONAL DE
St-Fructueux
Iravals
Yraval
Enveitg
Ur
Llívia
Gorguja
Saillagouse
Llo
Guils de Cerdanya
Meranges
Puigcerdà
Caldégues
Onzès
Err
Réserve Naturelle de la Vallée d'Eyne
Bourg-Madame
Ste-Léocadie
Pic du Géant
Éller
Bolvir
Gréixer
Ger
Nahuja
Age
Osséja
Cotzé
Ordèn
Cortàs
Talltorta
Vilallobent
Palau-de-Cerdagne
Station d'Err-Puigmal
Olopte
All
Queixans
el Puig
Núria
Puigmal de Ségre
Escadarcs
Sanavastre
Urtx
el Vilar d'Urtx
Valcebollère
Isovol
Puigmal d'Err
Alp
Prats
Das
Urús
la Molina
Riu
Bor
Super Molina
Caralps
Dorria

A
B
C
D
E
309
FENOUILLÈDES
Puilaurens
N.-D. de Laval
Fenouillet
Fosse
St-Martin
St-Arnac
Latour-de-France
Salvezines
Gincla
le Vivier
Vira
Felluns
Ansignan
Lansac
Rasiguères
Planèzes
Ste-Colombe-sur-Guette
Montfort-sur-Boulzane
Prats-de-Sournia
Pézilla-de-Conflent
Trilla
Caramany
Cassagnes
Montner
Counozouls
Rabouillet
Sournia
313
Pic Dourmidou
Campoussy
Trévillach
Bélesta
Tarerach
Montalba-le-Château
Néfiach
Millas
Mosset
Ille-sur-Têt
Molitg-les-Bains
Arboussols
Marcevol
Rodès
Corbère-les-Cabanes
Corbère
Campôme
Eus
Marquixanes
Vinça
Bouleternère
St-Michel-de-Llotes
Urbanya
Catllar
Rigarda
Camélas
Nohèdes
Prades
Los Masos (Llonat)
Joch
Ria-Sirach
Codalet
Espira-de-Conflent
Finestret
Casefabre
Conat
St-Michel de Cuxa
Estoher
CONFLENT
Villefranche-de-Conflent
Clara
Glorianes
Caixas
Taurinya
Boule-d'Amont
Jujols
Serdinya
Corneilla-de-Conflent
Baillestavy
Oreilla
Olette
Fillols
Fuilla (Veinat del Mig)
Vernet-les-Bains
la Bastide
Prunet-et-Belpuig
Calmeilles
Souanyas
Valmanya
St-Marsal
Nyer
Escaro
Sahorre
Casteil
Taillet
Taulis
PIC DU CANIGOU
Puig Sec
66
Py
PYRÉNÉES CATALANES
Montbolo
Amélie-les-Palalda
Mantet
Corsavy
Arles-sur-Tech
Montferrer
HAUT VALLESPIR
Valter
Prats-de-Mollo-la-Preste
le Tech
Serralongue
St-Laurent-de-Cerdans
Setcasas
Espinavell
Col d'Ares
Coustouges
Lamanère
Mont Nègre
Molló
Tregura de Dalt
Vilallonga de Ter
Freixenet de Dalt

F
G
H
J
K
1
2
3
4
5
6
Cases-de-Pène
Espira-de-l'Agly
Rivesaltes
St-Hippolyte
le Barcarès
St-Laurent-de-la-Salanque
Torreilles-Plage
Calce
Peyrestortes
Baixas
Perpignan-Rivesaltes
Claira
Torreilles
Pia
Villelongue-de-la-Salanque
Ste-Marie-Plage
Bompas
Ste-Marie
Mas de las Fonts
St-Estève
la Têt
Canet-en-Roussillon
Aquarium
Pézilla-la-Rivière
Villeneuve-la-Rivière
Baho
Tour
Ste-Marie la Réal
PERPIGNAN
Canet-Plage
Palais des Rois de Majorque
Cabestany
Étang de Canet
St-Féliu-d'Avall
le Soler
Toulouges
St-Nazaire
Péage
Pavillons
Saleilles
Canohès
Villeneuve-de-la-Raho
Alénya
Thuir
Caves
Nyls
Pollestres
Théza
St-Cyprien-Plage
Ponteilla
Chap. St-Julien
Corneilla-del-Vercol
Llupia
Canterrane
St-Cyprien
Colombe-Commanderie
Terrats
Trouillas
Mas Sabole
Montescot
Latour-Bas-Elne
Parc Aquatique
ROUSSILLON
Bages
Elne
Villemolaque
Mas Riols
le Tech
la Galsérane
St-Jean-Lasseille
Réserve Naturelle du Mas Larrieu
Fourques
Passa
Monestir del Camp
Ortaffa
Banyuls-dels-Aspres
Chap.
Taxo d'Amont
Taxo d'Aval
Palau-del-Vidre
Tresserre
Brouilla
Tordères
Argelès Plage
Llauro
St-Génis-des-Fontaines
St-André
Argelès-sur-Mer
la Valmagne
la Catalane
le Racou
Collioure
Villelongue-dels-Monts
Tanger (Maroc) (en saison) 36h00
Vivès
Sorède
Cap Gros
Port-Vendres
le Boulou
Laroque-des-Albères
Dolm. de Cova de l'Alarb
Chât. des Templiers
St-Jean-Pla-de-Corts
Bains-du-Boulou
Montesquieu-des-Albères
la Vallée Heureuse
la Vall
Cap Béar
Vieux Pont du Diable
St-Martin de Fenollar
Chap. N.-D. de Vilar
Notre-Dame de la Consolation
Cosprons
Valbonne
Cap Oullestrell
Forêt Dom. des Albères
Céret
Maureillas-las-Illas
les Cluses
Mas Anglade
Rés. Nat. de la Forêt de Massane
Banyuls-sur-Mer
Col de l'Ouillat
L'Albère
Tour Madeloc
Aquarium Laboratoire Arago
Cap du Troc
Cap l'Abeille
Pic Neulos
Mas Parer
Puig del Mas
Cap Rederis
les Hauts de Céret
le Perthus
Col du Perthus
St-Martin-de-l'Albère
Mas de les Abelles
Réserve Naturelle de Cerbère-Banyuls
Riunoguès
Fort de Bellegarde
Cerbère
MASSIF DES ALBÈRES
la Selve
Stèle des Évadés
Col des Balistres
Port Bou
las Illas
la Junquera
Mas Soulanels
Cantallops
Molinàs
Colera
la Vajol
Vilartolí
Espolla
Agullana
l'Estrada
Maçanet de Cabrenys
Capmany
San Clemente Sasebas
Rabós
Vilamaniscle
Darnius
Llansá
Setcases
Masarach
Mollet de Peralada
Embalse de la Buadella
Garriguella
Vilarnadal
Viure
San Lorenzo
Masterio de San Pedro de Roda
A9
E15
N9
N114
N116
N11
N260
D617
D618
D612

A · B · C · D · E

des Veaux Marins

Calvi

N197 · D81

318

A

1

N.-D. de la Serra

Petra Maio

D151

San Ra

Capu di a Conca

725

Calvi-Ste-Catherine

Prigugio

15

D81

8

Moncale

Punta di Cantaleli

Tarazone

D151

Capo Cavallo

Sémaphore

295

la Figare

D81B

34

801

Monte Cintu

Suare

Torre Truccia

D51

Truccia

Torre Mozza

D251

318

Capu di a Mursetta

Pieve

Chaos Bocca R

2

l'Argentella

813

Amacu

Forêt Domania

Capu di l'Argentella

16

Frassigna

Punta di Ciuttone

16

Bocca Bassa

D81

Forêt Comun du Filosorma

Golfe de Galéria

Tour Maraghiu

2B

D351B

Prezzuna

Tour

4

FILOSOR

PARC

Punta Muvrareccia

Galéria

3

Chiorna

Punta Bianca

407

Calca

839

12

Manso

Punta Validori

Capu Tondu

D351

Barghiana

Punta Palazzu

Forêt Domaniale du Fango

3

Tour

Capu Licchia

Col de Palmarella

Forêt de Tetti

D351C

Mont Estremo

Tour

639

408

Forêt du Perticatu

Isola di Gargalu

Réserve

30

Naturelle

Girolata

de Scandola

Tour

Golfe de Girolata

43

Bocca a Croce

269

Curzu

Punta Muchillina

Osani

Pinetu

de P

Cap Seninu

Vetriccia

Partinello

Serriera

Punta a Scopa

262

13

4

Bussaglia

D81

Forêt Dom. d'Ai

GOLFE DE PORTO

Porto Marina

Porto

Pont Génois

Casc.

Tour

D124

Ota

Évisa

Custarella

22

D84

Passerelle de Pinello

D84

Cris

e Calanche

11

Gorges de Spelunca

Marignana

Tour de Turghiu

D824

Piana

11

Capu Rossu

322

2A

Monte Ravu

D81

5

727

Capu Ricciu

Capu di Calazzu

29

D70

18

1052

1131

Capu di Radi

Balogna

320

42

D481

806

l'Arignala

D56A

Vico

Revinda

Nesa

Tour

755

Appriciani

904

Punta di a Cuma

Punta d'Orchinu

Punta di Crulia

Capu a a Cuma

D56

Lozzi

Parapoghiu

Arbor

D81

D181

D70

12

D56

(Mercola

6

Tour d'Omigna

Marchese

D181

Coggia (Cruciate)

Cérasa

Coggia Maio

Cargèse

Égl. Grecque

Cathédrale Sant' Appiano

Figure d'Appriciani

Vedolaccia

Punta di Cargèse

13

320

Grotte de Molendinu

Sagon

Esigna

Tour de Sagone

D56

Punta di Trio

A · B · C · D · E

CAP CORSE

A   B   C   D   E

Tour ★
Île de la Giraglia
Tour d'Agnello
Réserve Naturelle
des Îles Finocchiarola

Tour
Tollare
Capo Grosso
Barcaggio
247
10
Cima
di a Campana
Tour
Santa Maria

Moulin
Mattéi
Capo Bianco

D153 D253

Granaggiolo
Col de la Serra
365
Ersa (Botticella)
35
Macinaggio
Port de Centuri
Orche
Tour
D80 6
Île de Capense
Tour
Centuri (Camera)
Rogliano
(Bettolacce)
Morsiglia
(Baragogna)
Pecorile
Tomino Tour
(Stopione)
Marine de Meria
Mucchieta
D35
Pastina
Meria
D80 9
12

Col
de Santa Lucia

Pino
5 381
D532
Luri
(Piazza)
17
Campu
D80
Punta di Stintinu
D33 6
Tour
de Sénèque
D180 6
D32
D180 6
Santa Severa
5
Minerviu
Barrettali
(Chiesa)
Cagnano
(Ortale)
D132
Porticciolo
4
6
D33
Monte
Alticcione
1139
7
Tour de l'Osse
Marine de Giottani
2
Conchigliu
Bergerie
du Liou
Pietracorbara
(Oreta)
6
Tour
Marinca
D33 7
D32
D232
Marine
de Pietracorbara
Canari
(Pieve)
Tour de Castellare
Punta
di Canelle
39
Cima di e Follicie
1322
Sisco
(Chioso)
Crosciano
4
Anc. Couv.
Santa Catalina
Canelle
6
Ogliastro
8
Marine de Sisco
Albo
Barrigioni
29
Tour de Sacro
Olcani
(Lainosa)
7
Monte Stello
1307
Mausoleo
5
Tour
7
Brando
(Erbalunga)
Tour
Santa Maria
di e Nevi
Tour
4
Nonza
Olmeta-di-Capocorso
(Piazza)
Poretto
Lavasina
Couvent
D433
D54
Santa-Maria-di-Lota
(Figarella)
Miomo Tour
Tour
Negru
Monte Foscu
1102
D31
5
Grigione
3
D80
6
Castagnetu
San-Martino-di-Lota
(Pietranera)
Farinole
(Bracolaccia)
Toga
Tour
Punta
Vecchiaia
Ville-di-Pietrabugno
(Guaitella)
D31
2
Tour de Toga
8
GOLFE DE ST-FLORENT
Punta di Mignola
Punta di Curza
Patrimonio
(Santa Maria)
Pigno
961
D64
8
BASTIA
Alga Putrica
Saleccia
6
Menhir
Cardo
Citadelle
Cima d'Ortella
416
le Liscu
Punta
Mortella
Tour
Domaine
de Fonaverte
D81
3
Col
de Teghime
536
D264
Montesoro
Lupino
4
l'Acciolu
Terricie
Bergerie
Citad.
Anc. Cath.
du Nebbio
Barbaggio
(Piazze)
D81
21
Cim. All.
DÉSERT DES AGRIATES
2B
Dolmen
St-Florent
Casta
D238
Lumio
D81
Furiani
D364
Club
de la Marana
Ifana
6
Bocca
di Vezzu
16
D81
l'Aliso
Chap.
San Quilico
D38
Poggio-
d'Oletta
Chap.
Santa Maria
Biguglia
Ogliastro
Corto
Morello
D81
7
Monte Filetto
842
D262
21
D62
Oletta
955
Cime
du Zuccarello
Casatorra
Réserve Natu
de l'Étc
de Bi
Monte Négru
304
11
Monte
Ambrica
1063
l'Ilusone
Olmeta-
di-Tuda
D62
8
D62
3
le Bevinco
Défilé de Lancone
Pineto
Santo-Pietro-
di-Tenda
Égli.San-Pietro
Vallecalle
D5
319
21
Île San
Damiano
San-Gavino-
di-Tenda
Rapale
D162
San Michele
835
Monte a Torricella

319

A   B   C   D   E

Marseille 11h30
Nice 3h45
Savona (Italie) 6h00
Toulon (en saison) 5h45
Nice 5h30
Savona (Italie) (en saison) 3h15
Punta di l'Acciolu
DÉSERT
Phare de la Pietra
L'Île-Rousse
Tour de Saleccia
Lozari
N197
Monticello
Corbara
Algajola
Citadelle
Santa-Reparata-di-Balagna
Couvent de Corbara
Sant'Antonino
Belgodère
Palasca
Toccone
Pigna
Aregno
Lumio
Lavatoggio
Cateri
Avapessa
Calvi
Citadelle
la Revellata
Grotte des Veaux Marins
Speloncato
Ville-di-Paraso
Occhiatana
Costa
Anc. Couvent de Tuani
Nessa
Muro
Feliceto
Montegrosso (Lunghignano)
San Raineru
Montemaggiore
Zilia
Cassano
BALAGNE
N.-D. de la Serra
Petra Maio
Capu di a Conca
Punta di Cantaleli
Calvi-Ste-Catherine
Prigugio
Anc. Couvent d'Alzi Pratu
Santa Restituta
Moncale
Calenzana
Cavallo
Sémaphore
Monte Cintu
Torre Truccia
Truccia
Torre Mozza
Tarazone
Suare
la Figarella
Refuge de l'Ortu di u Piobbu
Capu a u Dente
Monte Grosso
Pioggiola
Olmi-Cappella
Mausoléo
Vallica
Castifao
Couvent San Francesco
San Parteo
Forêt Domaniale de Tartagine-Melaja
2B
Monte Padru
Asco
Gorges de l'Asco
Pont Génois
Aiguilles de Popolasca
Cima di a Statoja
Forêt Communale d'Asco
Chaos de Bocca Rezza
Monte Corona
Capu Ladroncellu
Cirque de Bonifatu
Forêt Domaniale de Bonifatu
Frassignà
Refuge de Carrozzu
Giunte
l'Argentella
Capu di l'Argentella
Pieve
Amacu
Bocca Bassa
Tour Maraghiu
Galéria
Tour
Prezzuna
Forêt Comm. du Filosorma
a Muvrella
Haut-Asco
Capu Biancu
Capu a u Perdatu
PARC NATUREL
MONTE CINTO
FILOSORMA
Chiorna
Manso
Barghiana
Capu Tondu
Calca
Forêt de Tetti
Forêt Domaniale du Fango
Forêt du Perticatu
Mont Estremo
Punta Minuta
Capu Larghia
Capu Falu
Refuge Tighiettu
Refuge de l'Erco
Scala di Santa Regina
Corscia
NIOLO
Lozzi
Poggio di Lozzi
Calacuccia
Barrage
Capu Tafunatu
Paglia Orba
Calasima
Albertacce
Casamaccioli
Refuge Ciuttulu di i Mori
Refuge de Puscaghia
Cascade de Radule
Col de Vergio
Castellu di Vergio
Col de Palmarella
Bocca a Croce
Curzu
Osani
Partinello
Vetriccia
Pinetu
Serriera
Bussaglia
2A
Capu di u Facciatu
Forêt Dom. de Valdu-Niellu
Gorges du Tavignano
Refuge de la Sega
Forêt Dom. du Tavignano
F. Comm. de Corte
Punta Artica
Capu a u Tozzu
Forêt Dom. d'Aitone
317
320
316

BASTIA
Citadelle
Genova (Italie, en saison) 4h30
Toulon (en saison) 8h30
Marseille 12h00
Nice 4h45
Savona (Italie) 8h00
Livorno (Italie) 7h00
AGRIATES
Santa Maria
Pigno
Cardo
Menhir
Barbaggio (Piazze)
Col de Teghime
Lupino
Montesoro
Cim. All.
St-Florent
Citad.
Anc. Cath. du Nebbio
Domaine Lanaverte
Dolmen
Casta
Lumio
Chap. San Quilico
Furiani
Club de la Marana
Poggio-d'Oletta
Chap. Santa Maria
Étang de Biguglia
Biguglia
Oletta
Cime du Zuccarello
Réserve Naturelle de l'Étang de Biguglia
Casatorra
Monte Filetto
Olmeta-di-Tuda
l'Aliso
l'Ilusone
Pineto
NEBBIO
Monte Ambrica
Santo-Pietro-di-Tenda
Égl. San Pietro
Vallecalle
Défilé de Lancone
Île San Damiano
le Bevinco
Ortale
Cima a Muzelli
San-Gavino-di-Tenda
Rapale
San Michele
Purettone
Chapelle Santa Margarita
Menhir
Monte a Torricella
Urtaca
Sorio
Pieve
Chap. San Cesaro
Murato
Rutali
la Marana
Monte Astu
Rivinco
Lama
Cima di Tattoni
Borgo
Bastia-Poretta
Pineto
Bocca di Tenda
Lucciana
Vignale
San Perteo
la Canonica
Cité Antique
Pietralba
Pedanu
Monte Reghia di Pozzo
Scolca
Volpajola
Casamozza
le Golo
Camp du Cap Sud
Bigorno
Lento
Campitello
Barchetta
Prunelli-di-Casacconi
CASINCA
Olmo
Vescovato
Canavaggia
Monte Tevisi
Costa Roda
Campile
Venzolasca
Querciolo
Marina di Sorbo
Sorbo-Ocagnano
Loreto-di-Casinca
Pont Génois
Ponte Novu
Bisinchi
San Thomaso
Crocicchia
Penta-Acquatella
Monte
Monte Sant'Angelo
Penta-di-Casinca
Égl. St-Pancrace
Castellare-di-Casinca
Tour
San Pellegrino
Ponte Leccia
Valle-di-Rostino
Grate
Castello-di-Rostino (Baranciasche)
Ortiporio
Ferlaggia
Silvareccio
Porri
Santa Maria di Riscamone
CASTAGNICCIA
Piano
Casabianca
Casalta
Giocatojo
Taglio-Isolaccio
Piedigriggio
Morosaglia
Poggio-Marinaccio
Égl. Santa Maria
Stoppia Nova
Quercitello
San-Gavino-d'Ampugnani (Poggio)
Figareto
Pero-Casevecchie
Gavignano (Olmi)
Castineta
Ficaja
Scata
Pruno
Forêt Domaniale de Pineta
la Casaluna
La Porta
Talasani
Chap. San Petru d'Accia
Croce
San-Damiano
Prato-di-Giovellina
San Pantaleo
Poggio
Polveroso
Poggio-Mezzana
Velone-Orneto
Aiti
Saliceto
Monte San Petrone
Nocario
Piazzole
Santa-Lucia-di-Moriani (San Nicolao)
Verdese
San-Giovanni-di-Moriani (Reggetto)
Francardo
Campana
Couvent d'Orezza
Monacia-d'Orezza (Teglia)
Venzolasca
Moriani-Plage
San-Lorenzo
Sces Minérales d'Orezza
Lano
San Quilico
Piedicroce
Rapaggio
Parata
Monte Olmelli
San-Nicolao
Santa Maria
Pie-d'Orezza
Menhir
Stazzona
Valle-d'Orezza (Tramica)
Vanga di l'Oru
Chapelle San Michele
Omessa
Erone
Piedipartino
Cambia
Carcheto-Brustico
San Giorgio
Santa-Maria-Poggio
Santa-Reparata-di-Moriani (Forci)
Santa Cristina
Rusio
Carpineto
Felce (Piova)
Soveria
Carticasi
Tarrano (Ortia)
Cervione
Valle-di-Campoloro (Mucchietu)
Piobetta
Punta de Caldane
la Madonna
Tralonca
Pietricaggio
Valle-d'Alesani
Prunete
Monte Cecu
Santa-Lucia-di-Mercurio
Perelli
Piazzali
San-Giuliano (Favalello)
Bustanico
Anc. Couvent d'Alesani
Ortale
Sant'Andréa-di-Cotone (Chigliacci)
Église de Santa Marione
Sermano
Novale
Barrage de l'Alesani
Alando
Rocher de Muteri
Corte
Castellare-di-Mercurio
San Nicolao
Alzi
Mazzola
Pietra-di-Verde
Chiatra
Tour
Citadelle
Belv.
Favalello
Sant'Andréa-di-Bozio (Rebbia)
Pianello
Canale-di-Verde
Phare d'Alistro
la Restonica
Botro
Égl. et Baptistère de San Giovanni
Féo
Matra
Moïta
Campi
Bravona
Monte Sant' Appia u
Erbajolo
Zuani
Zalana
Linguizzetta
Tour d'Alistro
Poggio-di-Venaco
Chap. San Martino
Tox
Ampriani
Casanova
Riventosa
Focicchia
Piedicorte-di-Gaggio
Pietraserena
Tallone
Santo-Pietro-
Amadiu

A
B
C
D
E
1
2
3
4
5
6
318
316
322
Porto
Porto Marina
Ota
Pont Génois
Évisa
Forêt Dom. d'Aïtone
Castellu di Vergio
Capu a u Tozzu
Punta Artica
Forêt Comm. de Corte Campotile
Cimatella
Capu a Chiostru
Bergerie de Grottelle
Monte Rotondo
Passerelle de Pinello
Cristinacce
Gorges de Spelunca
Marignana
Col de Sevi
RÉGIONAL
Refuge de Manganu
Lac de Mélo
Capu a i Sorbi
Piana
Renno (Poggio)
Cascade
Monte Sant'Eliseo
Refuge de Petra Piana
Chimiglia
Letia
St-Roch
St-Martin
Soccia
Orto
Poggiolo
u Fiume Grossu
Guagno-les-Bains
Capu Sorru
Capu Ricciu
Capu di Calazzu
Balogna
Chigliani
Guagno
Punta di Monte Ghiuvanni
Refuge de l'Onda
Revinda
Capu di Radi
l'Arignala
Vico
Murzo
Punta di Sirenese
Forêt Domaniale de Libio
Punta di Crulia
Nesa
Couvent de St-François
Punta di Curiccia
Punta Riccinosa
Mont Tretorre
Pastricciola
Chiusa
Guarchetta
Capu a a Cuma
Punta di a Cuma
Punta di a Spusata
Appriciani
Parapoghiu
Muna
Monte Cervellu
Ghigliazza
Rezza (Nucicchie)
de Pastricciola
Lozzi
Arbori (Mercolaccia)
Rosazia
Salice
u Cruzini
Rochers
Azzana
Piane
COL DE VIZ
Coggia (Cruciate)
Cerasa
Coggia Maio
Figure d'Appriciani
Cathédrale Sant'Appiano
Grotte de Molendinu
Sagone
Tour de Sagone
Vedolaccia
Lopigna
Sant'Eliseo
Busso
Vignale
Esigna
Punta di Trio
Arro
Ambiegna
Boco
Cruica
Statue Menhir
Tavera
GOLFE
DE
SAGONE
Casaglione
Punta Sant'Eliseo
Vero
Église San-Giovanni
Tour de Capigliolo
Tiuccia
u Castellu
LA CIRNACA
Sari-d'Orcino
Suaricchio
Ucciani
Golfe di a Liscia
Cannelle
Tavaco
Fiascu
Carbuccia
Sant'Andréa-d'Orcino
Sarrola-Carcopino
Tour d'Ancone
GRAVONA
Calcatoggio
Valle-di-Mezzana (Poggiale)
2A
Appietto
Peri
Cascade d'Aziana
Pevani
San Petru
Piscia Rossa
Erbaido
Cuttoli-Corticchiato (Casarimacciu)
Gorges du Prunelli
Résidences du Golfe de Lava
Pichio
Afa
Pedi Morella
Tolla
Tour Pelusella
Urcheja
Pont de Zipitoli
Golfu di Lava
Alata
Tuscia
Scamata
Ocana
Bge de Tolla
Capo di Feno
Poggio
Villanova
Château de la Punta
Bottacina
PRUNELLI
Tour
Pagliaggioli
Punta Pozzo di Borgo
Mezzavia
la Gravona
Arghiaccia
Gigliu
Vignola
Radicale
Castelluccio
Bastelicaccia (Suaralta)
Eccica-Suarella
Eccica
Anse de Minaccia
Chap. Impériale
Aspretto
Cauro
Forêt Domaniale de Santa-Maria-Siché
Quasquara
Frasseto
Capigliolo
Citadelle
Pisciatello
Mutuleju
Monte Salario
AJACCIO
Ajaccio-Campo dell'Oro
Tour de Capitello
Source Minérale d'Altaccia
Campo
Santa-Maria-Siché
Scudo
Chap. des Grecs
Marina Viva
Siché
Ampaza
Tour
Pointe de la Parata
Porticcio
Tour
Monte Rosso
Grosseto-Prugna
Cardo-Torgia
Azilone-Ampaza
Îles Sanguinaires
Nice 7h00
GOLFE D'AJACCIO
Albitreccia
Forciolo
Tour Castelluccio
Toulon 7h00
Molini
a Masina
Zigliara
ORNANO
Marseille 12h00
Isolella
Bisinao
Urbalacone
Tour
Cruciata
Guargualé
les Bains de Taccana
Monument
Pietrosella
Presqu'Île de l'Isolella
le Ruppione
Cognocoli-Monticchi
Ponte Vecchiu
Marato
Menhir u Cantonu
Pila-Canale
Sant'Amanza
Moca-C
Croce

2B
Venaco
Santo-Pietro-di-Venaco
Riventosa
Pietraserena
Piedicorte-di-Gaggio
Altiani
Focicchia
Tallone
Giuncaggio
Pancheraccia
Pianiccia
Marine de Bravone
Tour de Bravona
le Tavignano
Gorges
Pont Génois
Chap. San Giovanni
Noceta
Rospigliani
Pont du Vecchio
Forêt Communale de Venaco
Fortin de Pasciolo
Vivario
Muracciole
Santa Maria
Vezzani
Antisanti
San Lorenzo
Pietroso
Casaperta
Frassiccia
Riva Bella
Tour de Diane
Étang de Diane
Forêt Domaniale de Rospa-Sorba
Canaglia
Tattone
Saparelle
Nivischio
Casevecchie
Letto Majo
Rottani
Campo al Quarcio
Caterragio
Col de Sorba
Agnatello
Teppa
Aghione
Ancien Fort Génois
Aléria
Site Archéologique
Vizzavona
Ancien Fort
F. Dom. de Vizzavona
Rosse
Agheri
le Tagnone
Casabianda
Étang del Sale
La Foce
Ghisoni
Défilé e Strette
Défilé de l'Inzecca
Pinzalone
Samuleto
Pénitencier de Casabianda
Réservoir d'Alzitone
St-Antoine
Refuge de Capannella
Lugo-di-Nazza
Aristone
Étang d'Urbino
Ghisonaccia Gare
Forêt Domaniale de Marmano
Forêt Communale de Ghisoni
Monte Renoso
Poggio-di-Nazza
Forêt Domaniale de Pietra-Piana
Ajola
FIUMORBO
Valcaccia
Chapelle San Giovanni
Ghisonaccia
Col de Verde
Prunelli-di-Fiumorbo
Tour de Vignale
Abbazia
Isolaccio-di-Fiumorbo
Refuge de Prati
Morta
Marina du Caprone
Station du Val d'Ese
Pietrapola
Serra-di-Fiumorbo
Casamozza
San-Gavino-di-Fiumorbo
Chapelle Santa Maria
Ania
Pedi Quarciu
Château de Coasina
Vix
Forêt Dom. de Punta-Niella
Scrivano
Palneca
Étang de Palu
Refuge de Vizziluga
Ciamannacce
Ventiseri
Tasso
Sampolo
Vangone
Cité de l'Air
Refuge d'Usciolu
Chisa
Giovicacce
Cozzano
Travo
le Travo
Lustinchellu
u Vergaju
Solaro
Zicavo
Bains de Guitera
Ordioni
Ref. des Bergeries de Bassetta
Monte Malo
Forêt Domaniale de Tova
Petra di Lama
Solenzara
la Solenzara
Ref. de Matalza
Monte Incudine
Punta di Tintennaja
Togna
Refuge d'Asinao
Sari-Solenzara
la Penna
Plateau du Coscione
Forêt Dom. du Coscione
Tramuta
Fozzaninco
Bucchinera
Aiguilles de Bavella
Cannella
Col de la Vaccia
CORSE
Village de Bavella
Refuge de Paliri
COL DE BAVELLA
Favone
Cantoli
N193
N200
N198
D343
D344
D69
D43
D14
D16
D45
D244
D745
319
323
F
G
H
J
K
1
2
3
4
5
6

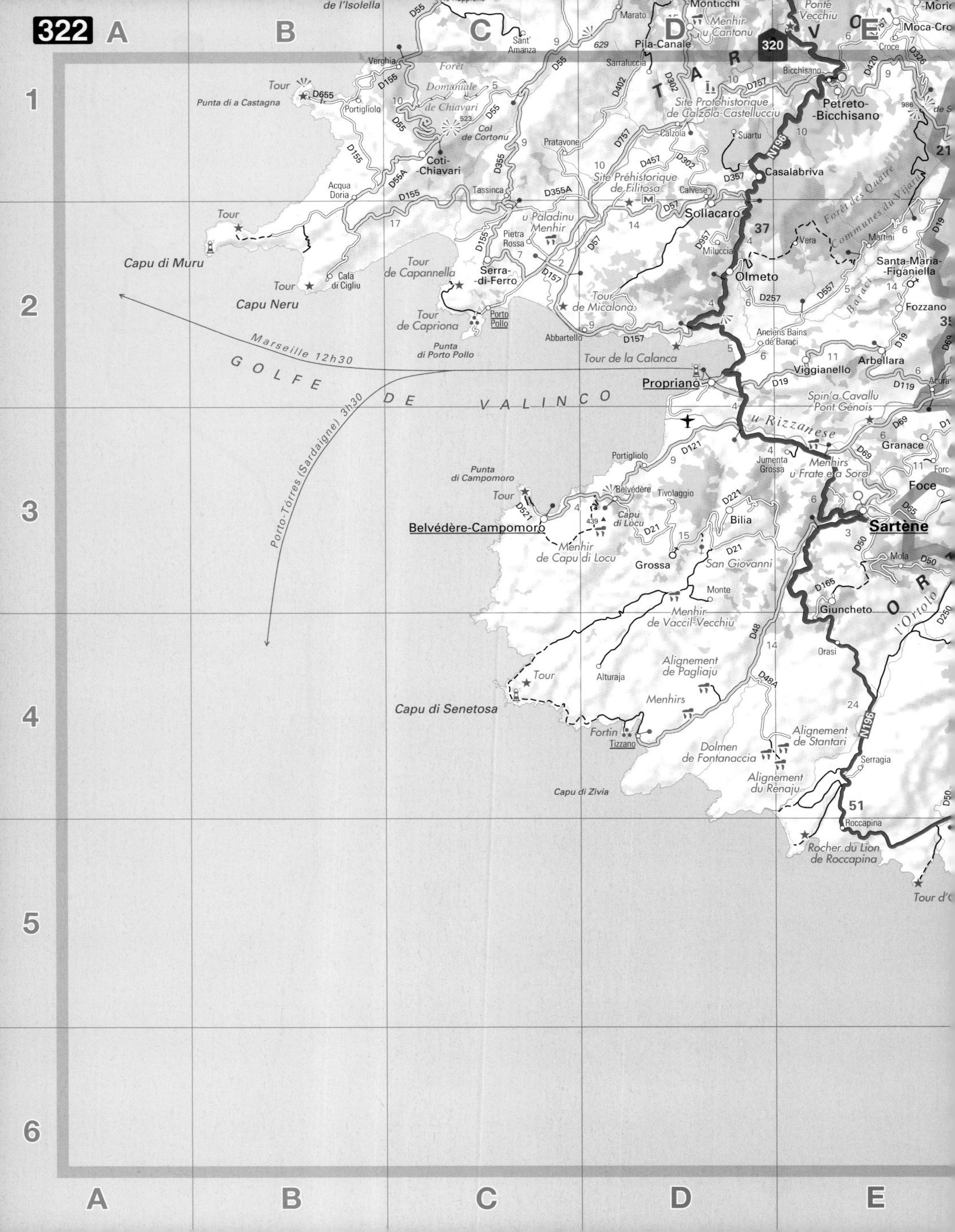

A   B   C   D   E

de l'Isolella

Monticchi

Ponte Vecchiu

-Moric

Menhir u Cantonu

Moca-Cro

320

Croce

D326

1

Verghia

Tour

Punta di a Castagna

D655

Portigliolo

Col de Cortonu

Forêt Domaniale de Chiavari

D155

Sant' Amanza

523

Marato

9   629

Pila-Canale

D55

Sarraluccia

Calzola

Suartu

D402

Site Protohistorique de Calzola-Castelucciu

Bicchisano

D757

NV196

10

Petreto-Bicchisano

986

de S

D420

21

Coti-Chiavari

D55A

D155

Acqua Doria

D155

D155

Tassinca

D355

D355A

Pratavone

9

10

D757

D457   D302

Site Préhistorique de Filitosa

M

D302

Calvese

Casalabriva

D357

D51

Sollacaro

37

Vera

Communes du Vijariu

Forêt des Quatre

Santa-Maria-Figaniella

2

Capu di Muru

Tour

Capu Neru

Tour

Cala di Ciglu

Tour de Capannella

Serra-di-Ferro

Pietra Rossa

u Paladinu Menhir

7

D155

2

D57

D157

Tour de Capriona

Porto Pollo

Punta di Porto Pollo

Abbartello

9

Tour de Micalona

14

D157

D957

Miluccia

Olmeto

D557

4

D257

Ancien Bains de Baraci

6

Tour de la Calanca

Propriano

Marseille 12h30

GOLFE DE VALINCO

Martini

14

Fozzano

35

D19

Arbellara

11

Viggianello

D19

D119

Acora

6

Spin'a Cavallu Pont Génois

u Rizzanese

D19

4

3

Porto-Tórres (Sardaigne) 3h30

Punta di Campomoro

Tour

Belvédère-Campomoro

D521

4

439

Belvédère

Menhir de Capu di Locu

Portigliolo

Tivolaggio

Capu di Locu

D21

9   D121

D221

Grossa

San Giovanni

Bilia

15

Jumenta Grossa

Menhirs u Frate e a Sora

D69

D69

Granace

11

Foce

Forc

6

D65

Sartène

3

Mola

D50

D50

4

Capu di Senetosa

Tour

Fortin

Tizzano

Monte

Menhir de Vaccil-Vecchiu

Alturaja

Alignement de Pagliaju

Menhirs

Dolmen de Fontanaccia

Alignement du Renaju

Capu di Zivia

D48

14

D48A

Orasi

Alignement de Stantari

N196

24

Serragia

Giuncheto

D165

l'Ortolo

D250

51

Roccapina

Rocher du Lion de Roccapina

D50

Tour d'O

5

6

A   B   C   D   E

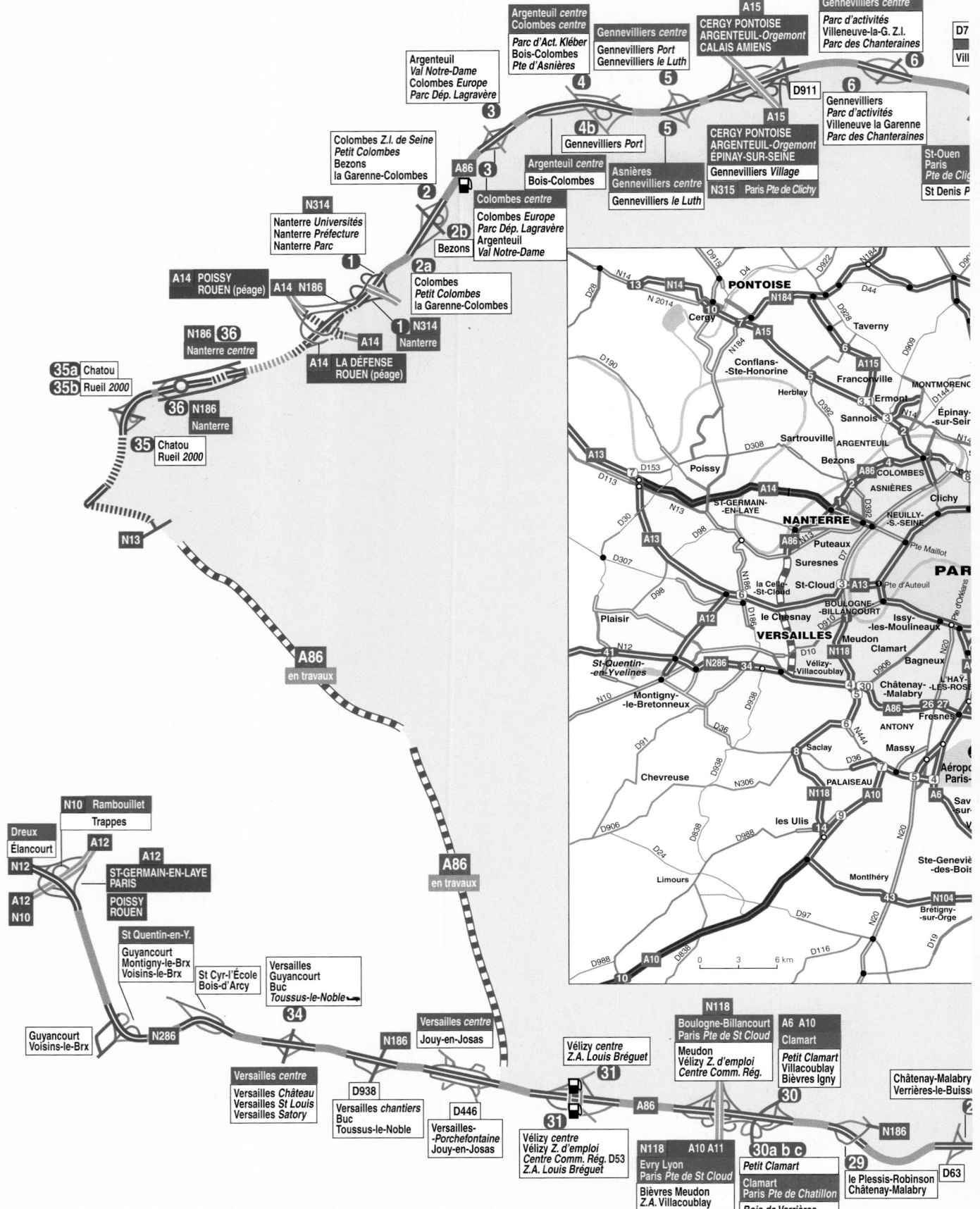

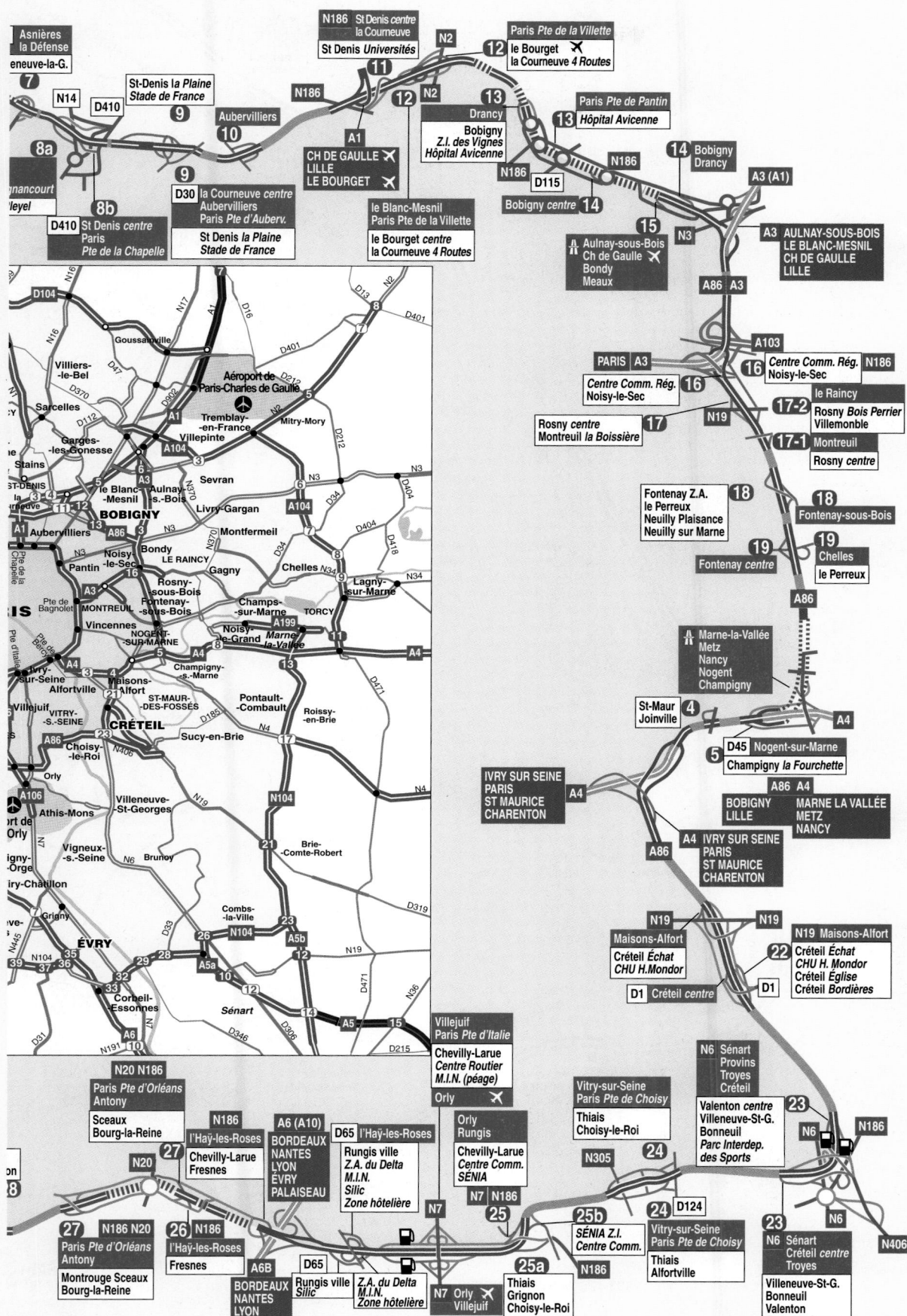

Labels around the map (exits and destinations):

7 — Asnières / la Défense / eneuve-la-G.

N14 D410

8a — gnancourt / leyel

8b — D410 St Denis centre / Paris Pte de la Chapelle

9 — St-Denis la Plaine / Stade de France

9 — D30 la Courneuve centre / Aubervilliers / Paris Pte d'Auberv. / St Denis la Plaine / Stade de France

10 — Aubervilliers

11 — N186 St Denis centre / la Courneuve / St Denis Universités

N186

12 — N2 / A1 CH DE GAULLE / LILLE / LE BOURGET

12 — Paris Pte de la Villette / le Bourget / la Courneuve 4 Routes

13 — N2 Drancy / Bobigny / Z.I. des Vignes / Hôpital Avicenne

13 — Paris Pte de Pantin / Hôpital Avicenne

le Blanc-Mesnil / Paris Pte de la Villette / le Bourget centre / la Courneuve 4 Routes

14 — N186 D115 Bobigny centre

14 — Bobigny / Drancy

15 — Aulnay-sous-Bois / Ch de Gaulle / Bondy / Meaux

N186 N3

A3 (A1)

A3 AULNAY-SOUS-BOIS / LE BLANC-MESNIL / CH DE GAULLE / LILLE

A86 A3

A103

16 — PARIS A3 / Centre Comm. Rég. / Noisy-le-Sec

16 — Centre Comm. Rég. / Noisy-le-Sec

16 — N186 Centre Comm. Rég. / Noisy-le-Sec

17 — N19 Rosny centre / Montreuil la Boissière

17-2 — le Raincy / Rosny Bois Perrier / Villemonble

17-1 — Montreuil / Rosny centre

18 — Fontenay Z.A. / le Perreux / Neuilly Plaisance / Neuilly sur Marne

18 — Fontenay-sous-Bois

19 — Fontenay centre

19 — Chelles / le Perreux

A86

Marne-la-Vallée / Metz / Nancy / Nogent / Champigny

4 — St-Maur / Joinville

A4

5 — D45 Nogent-sur-Marne / Champigny la Fourchette

A86 A4

BOBIGNY / LILLE

MARNE LA VALLÉE / METZ / NANCY

A4 IVRY SUR SEINE / PARIS / ST MAURICE / CHARENTON

IVRY SUR SEINE / PARIS / ST MAURICE / CHARENTON A4

A86

N19 Maisons-Alfort / Créteil Échat / CHU H.Mondor

N19

22 — N19 Maisons-Alfort / Créteil Échat / CHU H.Mondor / Créteil Église / Créteil Bordières

D1 Créteil centre D1

23 — N6 Sénart / Provins / Troyes / Créteil

Valenton centre / Villeneuve-St-G. / Bonneuil / Parc Interdep. des Sports

N6 N186

24 — Vitry-sur-Seine / Paris Pte de Choisy / Thiais / Choisy-le-Roi

N305

25 — Villejuif / Paris Pte d'Italie / Chevilly-Larue / Centre Routier / M.I.N. (péage) / Orly

25 — Orly / Rungis / Chevilly-Larue / Centre Comm. / SÉNIA

N7 N186

25b — SÉNIA Z.I. / Centre Comm.

24 — D124 Vitry-sur-Seine / Paris Pte de Choisy / Thiais / Alfortville

23 — N6 Sénart / Créteil centre / Troyes / Villeneuve-St-G. / Bonneuil / Valenton / Parc des Sports

N6 N406

25a — Thiais / Grignon / Choisy-le-Roi

N7 Orly / Villejuif

N186

26 — N186 l'Haÿ-les-Roses / Fresnes

26 — N186 l'Haÿ-les-Roses / Chevilly-Larue / Fresnes

27 — N20 N186 Paris Pte d'Orléans / Antony / Sceaux / Bourg-la-Reine

27 — N186 N20 Paris Pte d'Orléans / Antony / Montrouge Sceaux / Bourg-la-Reine

N20

A6 (A10) BORDEAUX / NANTES / LYON / ÉVRY / PALAISEAU

D65 l'Haÿ-les-Roses / Rungis ville / Z.A. du Delta / M.I.N. / Silic / Zone hôtelière

A6B BORDEAUX / NANTES / LYON

D65 Rungis ville / Silic / Z.A. du Delta / M.I.N. / Zone hôtelière

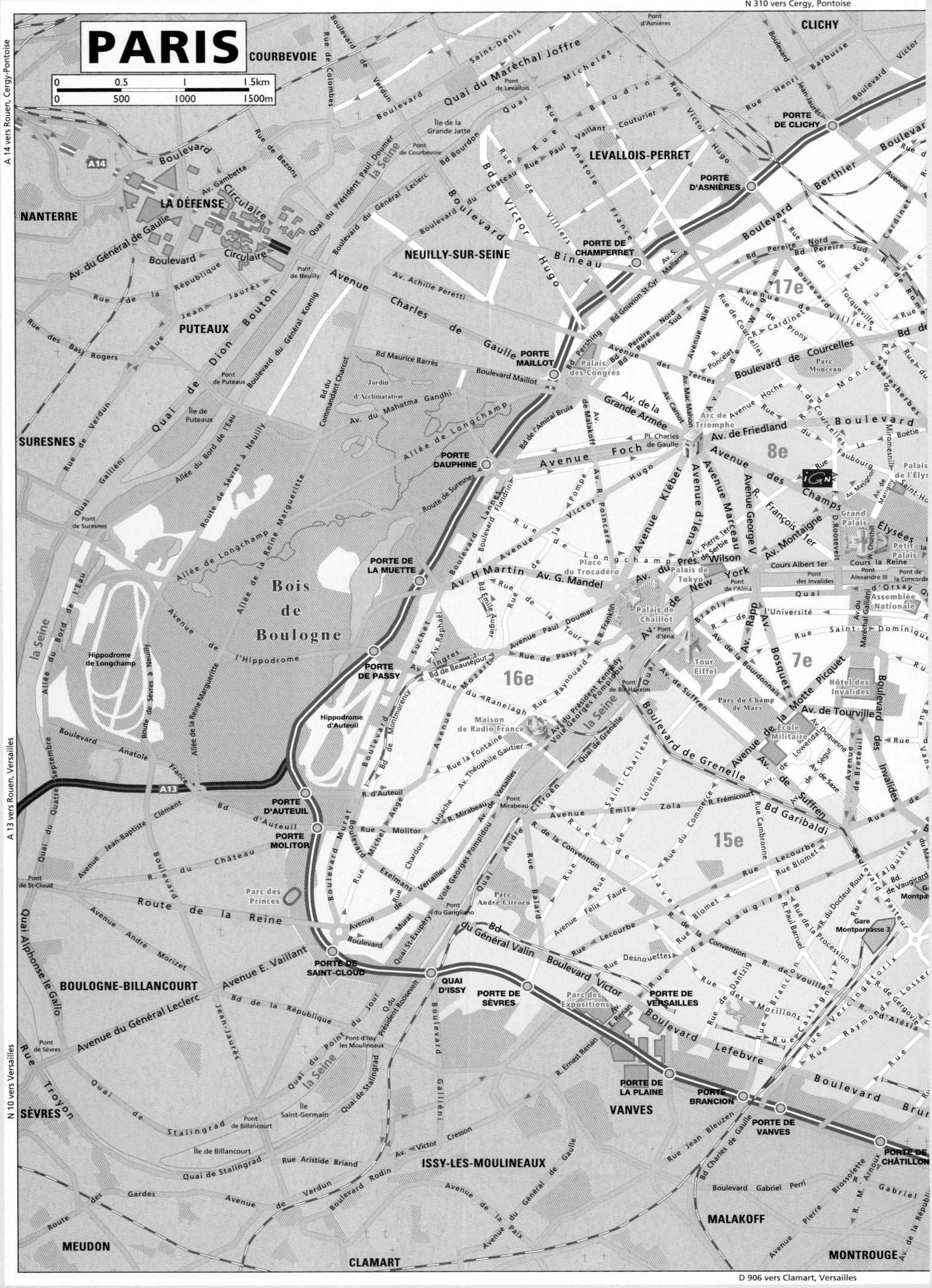
PARIS
N 310 vers Cergy, Pontoise
A 14 vers Rouen, Cergy-Pontoise
A 13 vers Rouen, Versailles
N 10 vers Versailles
D 906 vers Clamart, Versailles
COURBEVOIE
CLICHY
LEVALLOIS-PERRET
LA DÉFENSE
NANTERRE
NEUILLY-SUR-SEINE
PUTEAUX
SURESNES
Bois de Boulogne
16e
17e
8e
7e
15e
BOULOGNE-BILLANCOURT
SÈVRES
VANVES
ISSY-LES-MOULINEAUX
MALAKOFF
MEUDON
CLAMART
MONTROUGE
PORTE DE CLICHY
PORTE D'ASNIÈRES
PORTE DE CHAMPERRET
PORTE MAILLOT
PORTE DAUPHINE
PORTE DE LA MUETTE
PORTE DE PASSY
PORTE D'AUTEUIL
PORTE MOLITOR
PORTE DE SAINT-CLOUD
QUAI D'ISSY
PORTE DE SÈVRES
PORTE DE VERSAILLES
PORTE DE LA PLAINE
PORTE BRANCION
PORTE DE VANVES
PORTE DE CHÂTILLON
Hippodrome de Longchamp
Hippodrome d'Auteuil
Parc des Princes
Palais des Congrès
Arc de Triomphe
Palais de Chaillot
Tour Eiffel
Parc du Champ de Mars
École Militaire
Hôtel des Invalides
Grand Palais
Petit Palais
Assemblée Nationale
Maison de Radio France
Parc André Citroën
Parc des Expositions
Gare Montparnasse 3
Parc Monceau
Jardin d'Acclimatation
la Seine
Île de la Grande Jatte
Île de Puteaux
Île Saint-Germain
Île de Billancourt
A13
A14
0 0.5 1 1.5km
0 500 1000 1500m

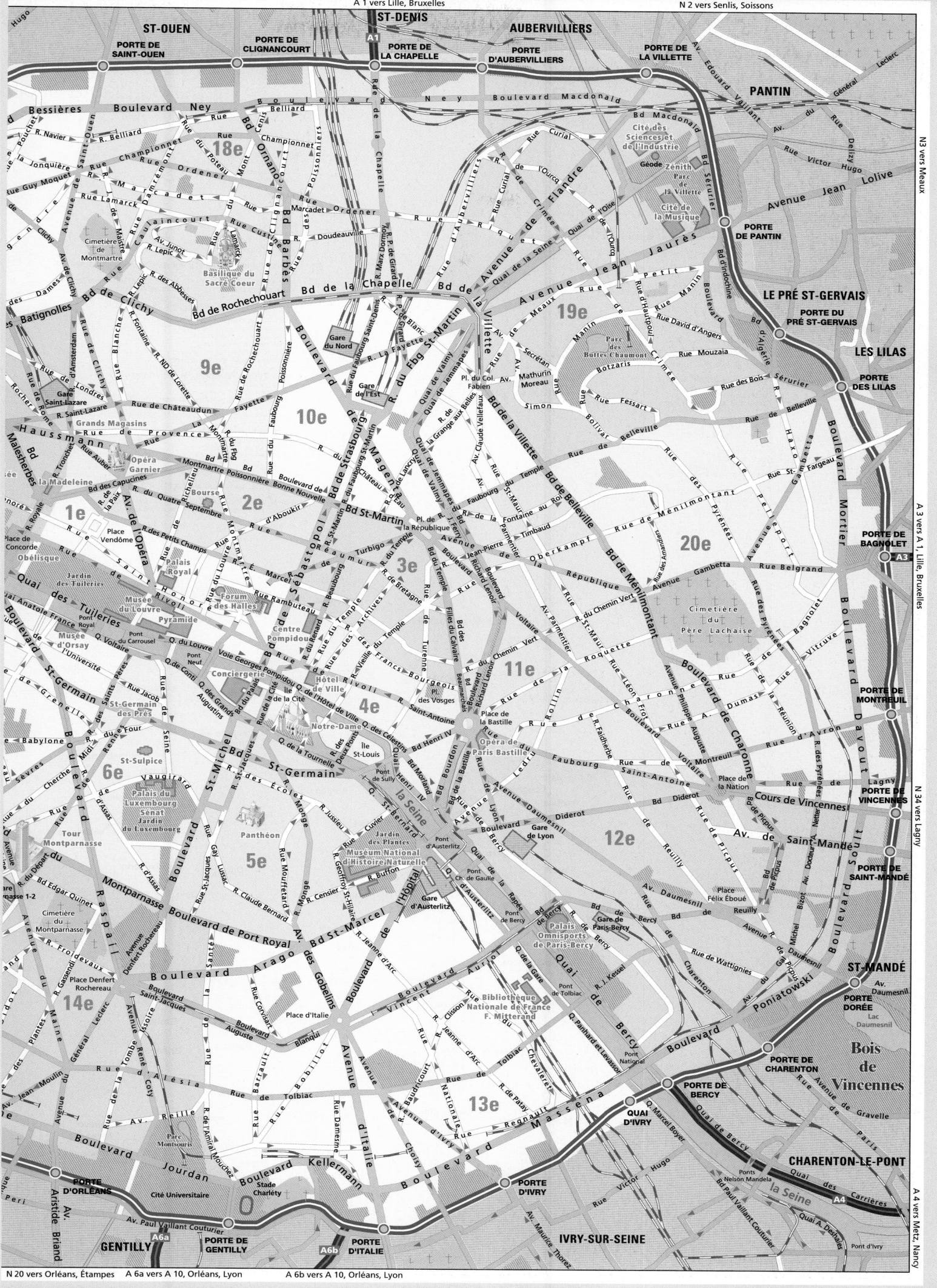

A 1 vers Lille, Bruxelles
N 2 vers Senlis, Soissons
N3 vers Meaux
A 3 vers A 1, Lille, Bruxelles
N 34 vers Lagny
A 4 vers Metz, Nancy
N 20 vers Orléans, Étampes
A 6a vers A 10, Orléans, Lyon
A 6b vers A 10, Orléans, Lyon
ST-OUEN
ST-DENIS
AUBERVILLIERS
PANTIN
LE PRÉ ST-GERVAIS
LES LILAS
ST-MANDÉ
CHARENTON-LE-PONT
IVRY-SUR-SEINE
GENTILLY
PORTE DE SAINT-OUEN
PORTE DE CLIGNANCOURT
PORTE DE LA CHAPELLE
PORTE D'AUBERVILLIERS
PORTE DE LA VILLETTE
PORTE DE PANTIN
PORTE DU PRÉ ST-GERVAIS
PORTE DES LILAS
PORTE DE BAGNOLET
PORTE DE MONTREUIL
PORTE DE VINCENNES
PORTE DE SAINT-MANDÉ
PORTE DORÉE
PORTE DE CHARENTON
PORTE DE BERCY
QUAI D'IVRY
PORTE D'IVRY
PORTE D'ITALIE
PORTE DE GENTILLY
PORTE D'ORLÉANS
18e
19e
9e
10e
2e
1e
3e
20e
11e
4e
6e
5e
12e
14e
13e
Boulevard Ney
Boulevard Macdonald
Bd de Clichy
Bd de Rochechouart
Bd de la Chapelle
Avenue Jean Jaurès
Avenue de Flandre
Bd de la Villette
Bd de Belleville
Bd de Ménilmontant
Boulevard de Charonne
Boulevard Mortier
Boulevard Davout
Boulevard Soult
Boulevard Poniatowski
Boulevard Masséna
Boulevard Kellermann
Boulevard Jourdan
Boulevard de Sébastopol
Boulevard de Magenta
Bd de Strasbourg
Bd St-Martin
Bd St-Germain
Bd St-Michel
Boulevard du Montparnasse
Boulevard de Port Royal
Bd St-Marcel
Boulevard Arago
Boulevard Raspail
Boulevard Haussmann
Bd Malesherbes
Avenue de l'Opéra
Quai des Tuileries
Rue de Rivoli
Rue Saint-Antoine
Rue du Faubourg Saint-Antoine
Cours de Vincennes
Avenue Daumesnil
Rue de Charenton
Quai de Bercy
Avenue des Gobelins
Avenue d'Italie
Rue de Tolbiac
Cimetière de Montmartre
Basilique du Sacré Coeur
Cité des Sciences et de l'Industrie
Géode
Zénith
Parc de la Villette
Cité de la Musique
Parc des Buttes Chaumont
Gare du Nord
Gare de l'Est
Gare Saint-Lazare
Grands Magasins
Opéra Garnier
la Madeleine
Bourse
Place Vendôme
Place de Concorde
Obélisque
Jardin des Tuileries
Palais Royal
Musée du Louvre
Pyramide
Forum des Halles
Centre Pompidou
Musée d'Orsay
Conciergerie
Hôtel de Ville
Notre-Dame
Île de la Cité
Île St-Louis
Pl. des Vosges
Place de la Bastille
Opéra de Paris Bastille
Pl. de la République
Cimetière du Père Lachaise
Place de la Nation
St-Germain des Prés
St-Sulpice
Palais du Luxembourg Sénat
Jardin du Luxembourg
Tour Montparnasse
Cimetière du Montparnasse
Panthéon
Jardin des Plantes
Muséum National d'Histoire Naturelle
Gare d'Austerlitz
Gare de Lyon
Place Félix Éboué
Gare de Paris-Bercy
Palais Omnisports de Paris-Bercy
Bibliothèque Nationale de France F. Mitterand
Place d'Italie
Place Denfert Rochereau
Parc Montsouris
Cité Universitaire
Stade Charléty
Bois de Vincennes
Lac Daumesnil
la Seine

Légende de plans de ville   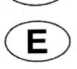 Key to town plans
Legenda stadsplattegronden   Leyenda plano de ciudad
Legende: Stadtpläne   Legenda cianta di città

Autoroute, section à péage
Autosnelweg met tol
Autobahn, gebührenpflichtiger Abschnitt
Motorway, toll section
Autopista de peaje
Autostrada, tratto a pedaggio

Autoroute, section libre, voie à caractère autoroutier
Autosnelweg of hoofdroute met gescheiden rijbanen
Autobahn, gebührenfreier Abschnitt, Schnellverkehrsstraße
Motorway, toll-free section, dual carriageway with motorway characteristics
Autopista libre, autovía
Autostrada, tratto senza pedaggio, strada con carretteriche autostradali

Échangeur : complet (1), partiel (2), numéro
Knooppunt: volledig (1), gedeeltelijk (2), nummer
Vollanschlußstelle (1), beschränkte Anschlußstelle (2), Nummer
Junction : complete (1), restricted (2), number
Acceso: completo (1), parcial (2), número
Svincolo: completo (1) parziale (2), numero

Barrière de péage (1), aire de service (2)
Tolstation (1), tankstation (2)
Mautstelle (1), Tankstelle (2)
Toll gate (1), service area (2)
Punto de peaje (1), àrea de servicio (2)
Barriera di pedaggio (1), area di servizio (2)

Route appartenant au réseau vert
Verbindingsweg tussen grote steden (groene borden)
Verbindungsstraße zwischen wichtigen Städten (grüne Verkehrsschilder)
Connecting road between main towns (green road sign)
Carretera verde (comunicación entre dos ciudades importantes)
Collegamento stradale tra città principali (cartelli stradali verdi)

Autre route de liaison principale
Hoofdweg
Fernverkehrsstraße
Other main road
Otra carretera principal
Strada di grande comunicazione

Route de liaison régionale
Regionale verbindingsweg
Regionale Verbindungsstraße
Regional connecting road
Carretera regional
Strada di collegamento regionale

Autre route
Andere weg
Sonstige Straße
Other road
Otra carretera
Altra strada

Tunnel routier
Wegtunnel
Straßentunnel
Road tunnel
Túnel
Galleria stradale

Bâtiment administratif (1), église, chapelle (2), hôpital (3)
Administratief gebouw (1), kerk, kapel (2), ziekenhuis (3)
Verwaltungsgebäude (1), Kirche, Kapelle (2), Krankenhaus (3)
Administrative building (1), church, chapel (2), hospital (3)
Edificio administrative (1), iglesia, capilla (2), hospital (3)
Edificio pubblico (1), chiesa, cappella (2) ospedale (3)

Limite de commune, de canton
Gemeente-, provinciegrens
Gemeindegrenze, Kreisgrenze
Commune, canton boundary
Límite de municipio, límite de cantón
Confine di comune, confine di cantone

Limite d'arrondissement, de département
Arrondissements-, departementsgrens
Bezirksgrenze, Departementsgrenze
Arrondissement, département boundary
Límite de arrondissement, límite de departamento
Confine di arrondissement, confine di dipartimento

Limite de région, d'État
Gewest-, staatsgrens
Regionsgrenze, Staatsgrenze
Region, international boundary
Límite de región, límite de nación
Confine di regione, confine di stato

Zone bâtie, superficie > 8 ha (1), < 8 ha (2), zone industrielle (3)
Bebouwde kom, groter dan 8 ha (1), kleiner dan 8 ha (2), industriegebied (3)
Geschlossene Bebauung, über 8 ha (1), unter 8 ha (2), industriegebiet (3)
Built-up area, more than 8 ha (1), less than 8 ha (2), industrial park (3)
Zona edificada: más de 8 ha (1), menos de 8 ha (2), polígono industrial (3)
Area edificata, più di 8 ha (1), meno di 8 ha (2), zona industriale (3)

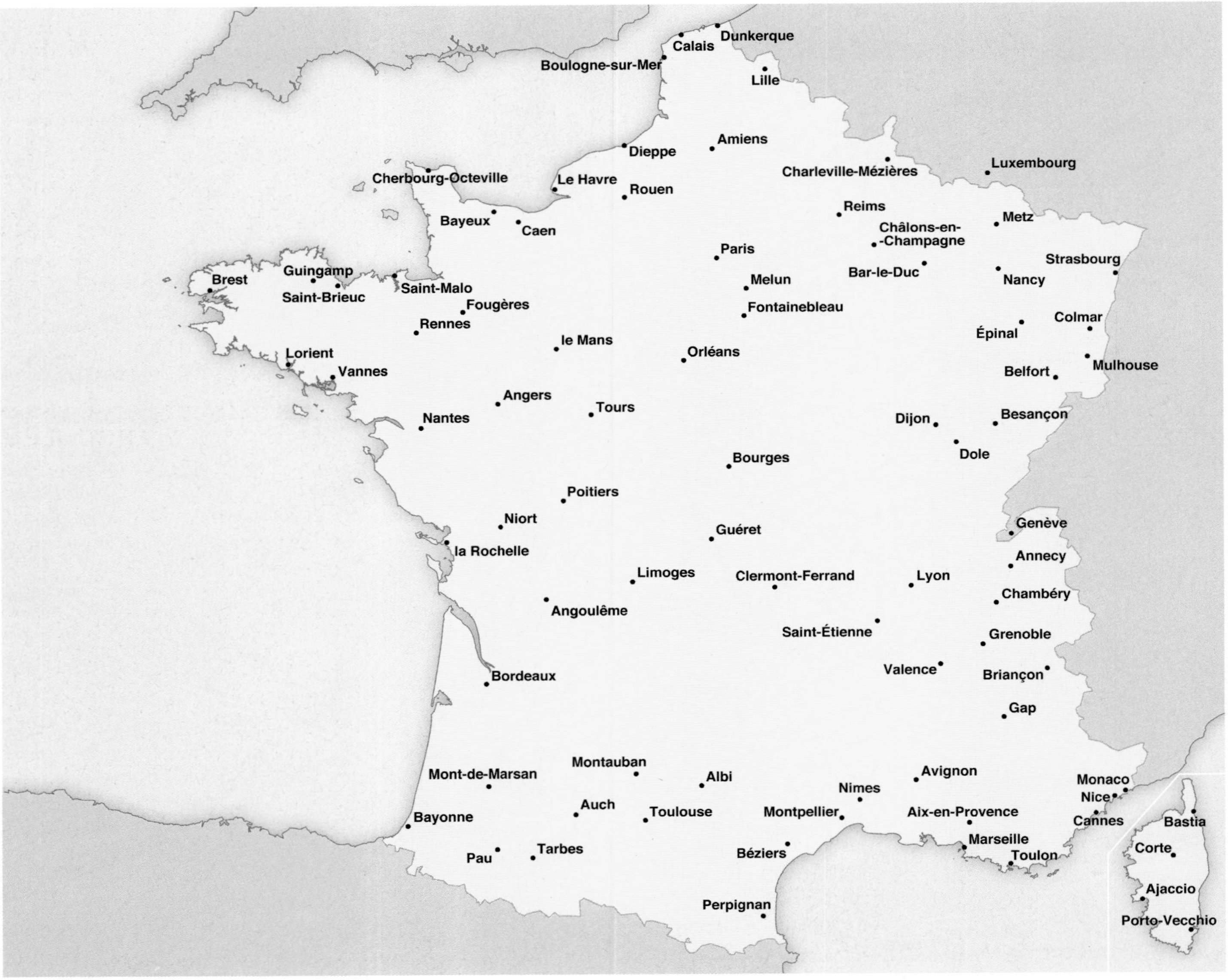

328

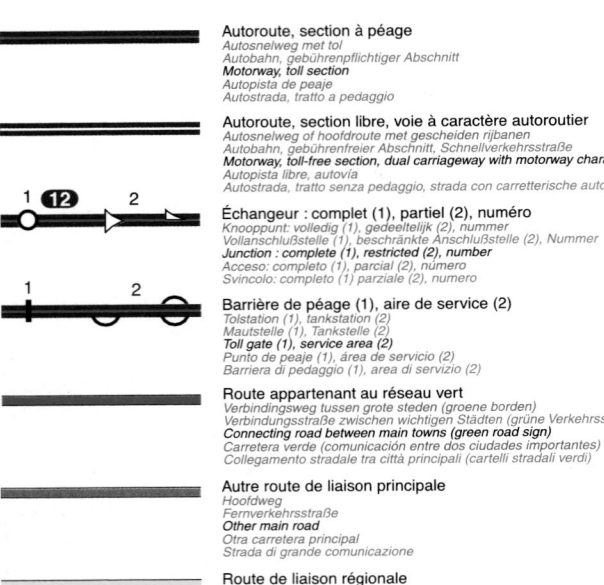

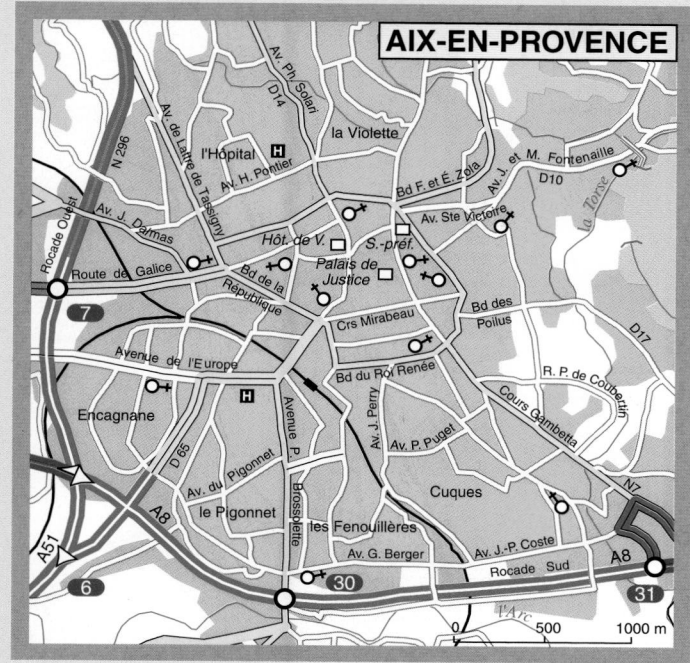
AIX-EN-PROVENCE
la Violette
l'Hôpital
Hôt. de V.
S.-préf.
Palais de Justice
Crs Mirabeau
Encagnane
Cuques
le Pigonnet
les Fenouillères
Rocade Sud
0 500 1000 m

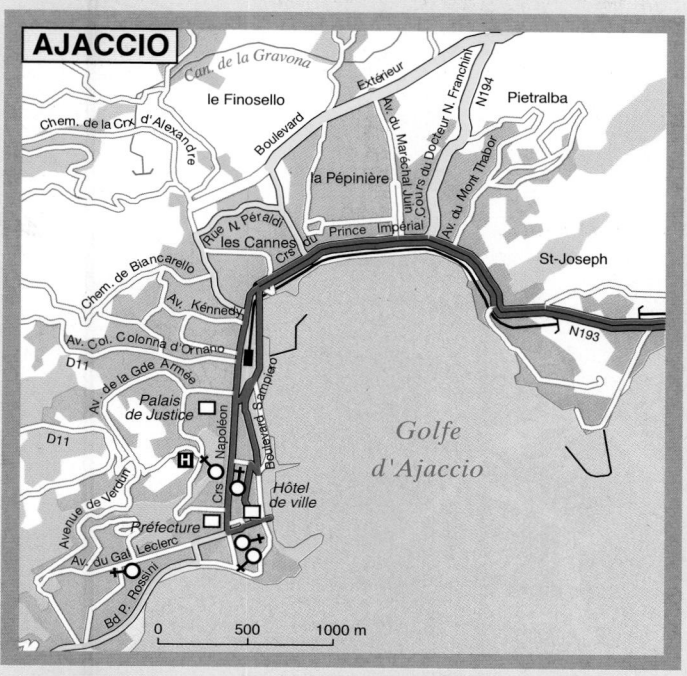
AJACCIO
le Finosello
Pietralba
la Pépinière
les Cannes
St-Joseph
Palais de Justice
Hôtel de ville
Préfecture
Golfe d'Ajaccio
0 500 1000 m

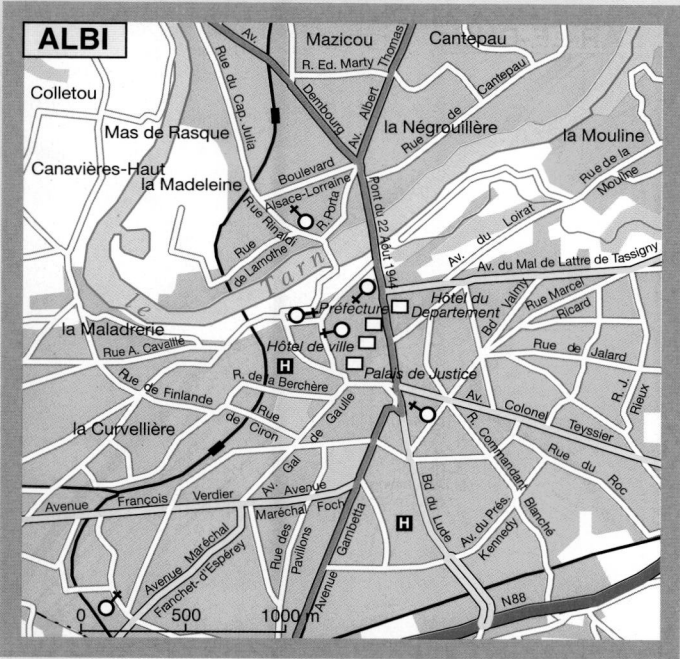
ALBI
Mazicou
Cantepau
Colletou
Mas de Rasque
Canavières-Haut
la Madeleine
la Négrouillère
la Mouline
la Maladrerie
Préfecture
Hôtel du Département
Hôtel de ville
Palais de Justice
la Curvellière
0 500 1000 m

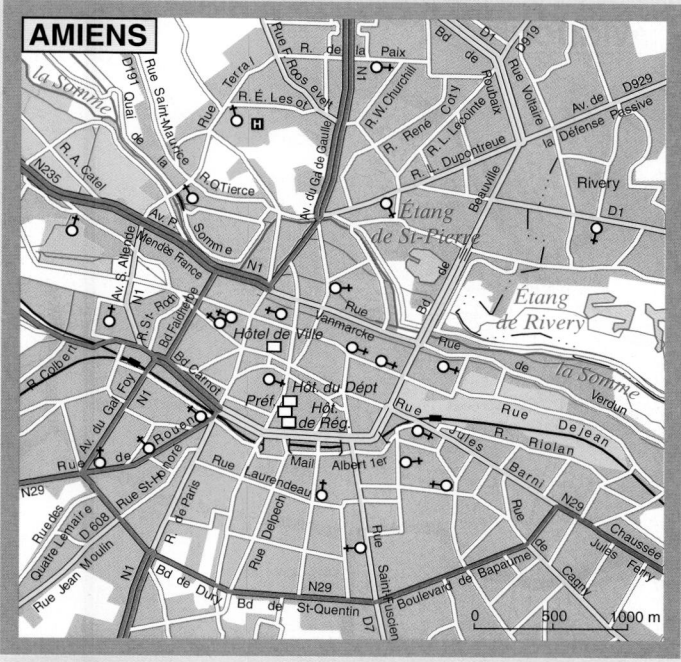
AMIENS
Étang de St-Pierre
Étang de Rivery
Rivery
Hôtel de Ville
Hôt. du Dépt
Préf.
Hôt. de Rég.
la Somme
0 500 1000 m

ANGERS
Monplaisir
la Croix Blanche
St-Jacques
les Banchais
Hôtel de Ville
Palais de Justice
Préfecture
Lafayette
Beauval
la Roseraie
la Maine
0 500 1000 m

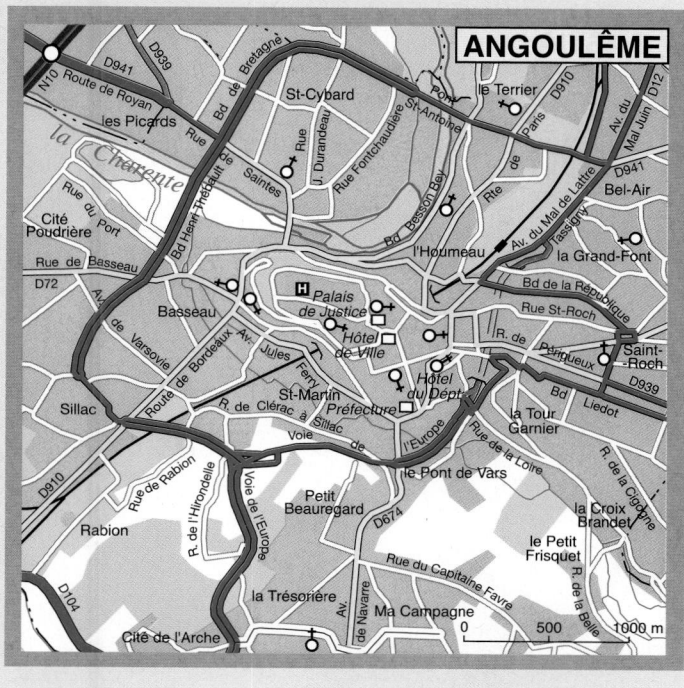
ANGOULÊME
St-Cybard
le Terrier
les Picards
la Charente
Cité Poudrière
Bel-Air
l'Houmeau
la Grand-Font
Basseau
Palais de Justice
Hôtel de Ville
Hôtel du Dépt
Préfecture
St-Martin
Saint-Roch
Sillac
la Tour Garnier
le Pont de Vars
Petit Beauregard
Rabion
la Croix Brandet
le Petit Frisquet
la Trésorière
Ma Campagne
Cité de l'Arche
0 500 1000 m

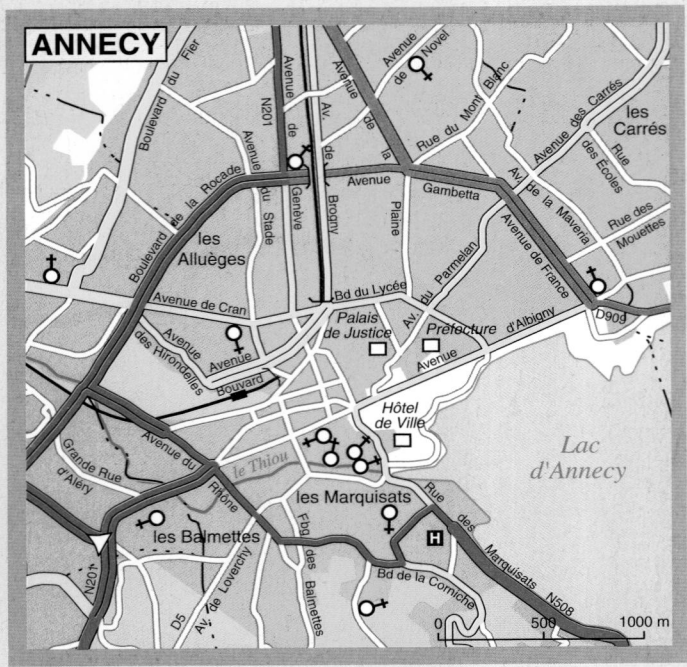
ANNECY
les Carrés
les Alluèges
Palais de Justice
Préfecture
Hôtel de Ville
Lac d'Annecy
le Thiou
les Marquisats
les Balmettes
Avenue de Genève
Avenue de Brogny
Avenue de Novel
Rue du Mont Blanc
Avenue des Carrés
Avenue Gambetta
Avenue de France
Av. de la Maveria
Av. du Parmelan
Avenue d'Albigny
Boulevard du Fier
Boulevard de la Rocade
Avenue du Stade
Avenue de Cran
Bd du Lycée
Avenue des Hirondelles
Grande Rue d'Aléry
Avenue du Rhône
Av. de Loverchy
Fbg des Balmettes
Bd de la Corniche
Rue des Marquisats
N201
N508
D909
D5
0
500
1000 m

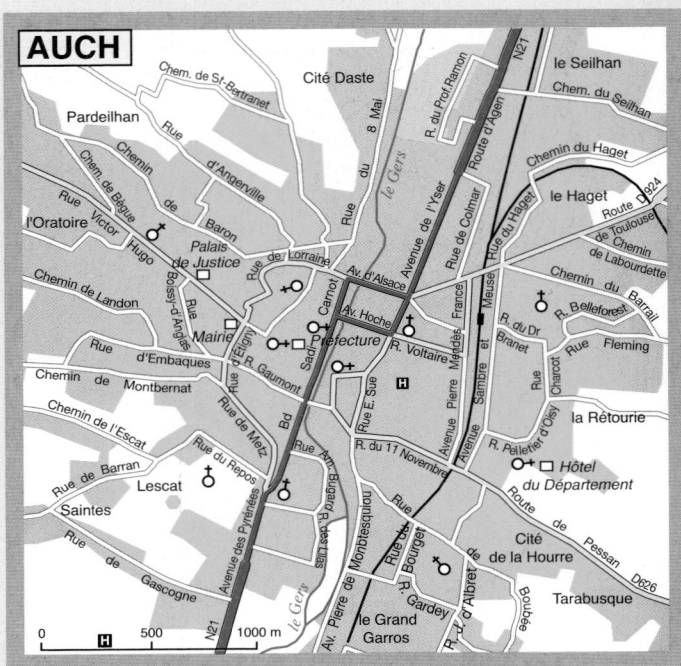
AUCH
Cité Daste
le Seilhan
Chem. du Seilhan
Pardeilhan
Chemin du Haget
le Haget
l'Oratoire
Palais de Justice
Mairie
Préfecture
le Gers
Avenue de l'Yser
Route d'Agen
Rue de Colmar
Rue du 8 Mai
Chemin de Landon
Rue d'Embaques
Chemin de Montbernat
Chemin de l'Escat
Rue de Barran
Lescat
Saintes
Rue de Gascogne
Rue de Lorraine
Av. d'Alsace
Av. Hoche
R. Voltaire
Rue de Metz
Rue du Repos
la Rétourie
R. du 11 Novembre
Hôtel du Département
Cité de la Hourre
Route de Pessan
Tarabusque
le Grand Garros
Av. Pierre de Montesquiou
Avenue des Pyrénées
R. Gardey
N21
D924
D626
0
500
1000 m

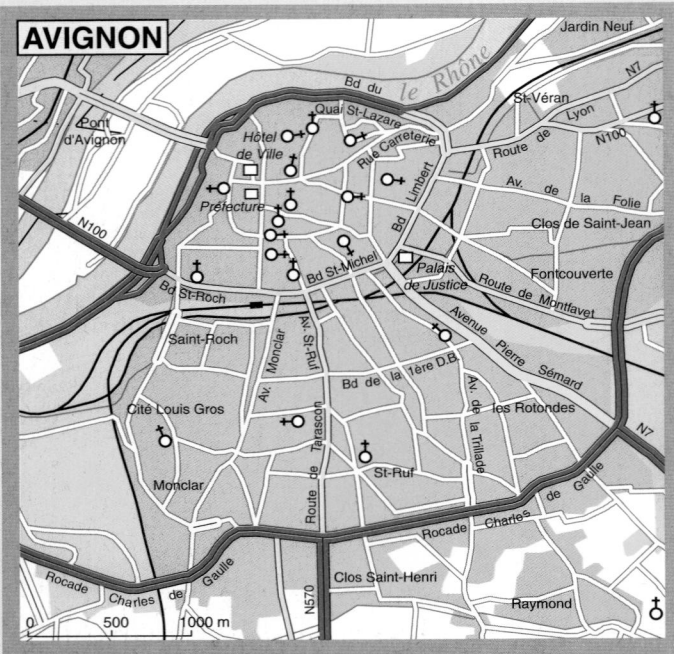
AVIGNON
Jardin Neuf
le Rhône
Pont d'Avignon
Hôtel de Ville
Préfecture
Quai St-Lazare
Rue Carreterie
St-Véran
Route de Lyon
Av. de la Folie
Clos de Saint-Jean
Fontcouverte
Palais de Justice
Route de Montfavet
Bd St-Michel
Bd St-Roch
Saint-Roch
Avenue Pierre Sémard
Bd de la 1ère D.B.
les Rotondes
Cité Louis Gros
Monclar
St-Ruf
Route de Tarascon
Av. de la Trillade
Rocade Charles de Gaulle
Clos Saint-Henri
Raymond
N100
N7
N570
0
500
1000 m

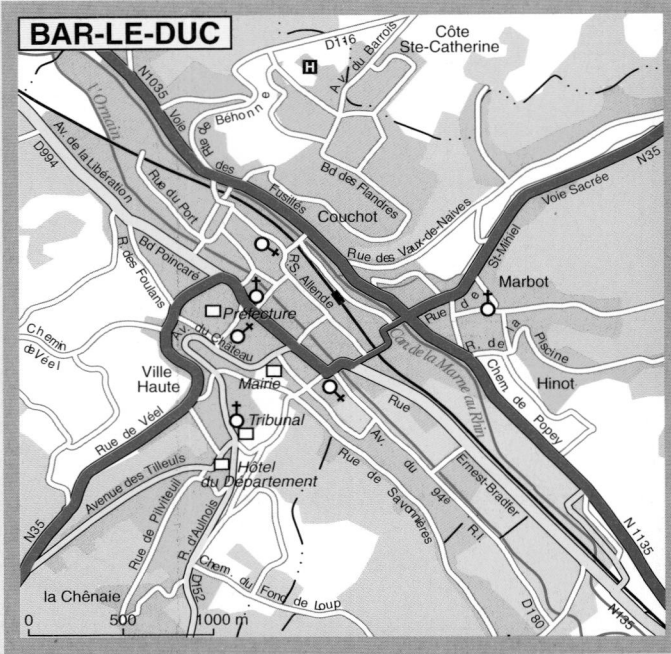
BAR-LE-DUC
Côte Ste-Catherine
l'Ornain
Couchot
Bd des Flandres
Rue des Vaux-de-Naives
Voie Sacrée
Marbot
Préfecture
Ville Haute
Mairie
Tribunal
Hôtel du Département
Canal de la Marne au Rhin
Hinot
la Chênaie
Av. de la Libération
Rue du Port
Bd Poincaré
Rue de Véel
Avenue des Tilleuls
Rue Ernest-Bradfer
Chem. du Fond de Loup
N35
N1035
N1135
D994
D116
D180
D152
0
500
1000 m

BASTIA
Ruisseau de Toga
l'Annonciade
Toga
le Fango
Bd du Fango
Préfecture
Hôtel de Ville
Cardo
Gradiccia
Palais de Justice
Fort Lacroix
la Citadelle
Monserato
D 80
D 81
N 193
0
500
1000 m

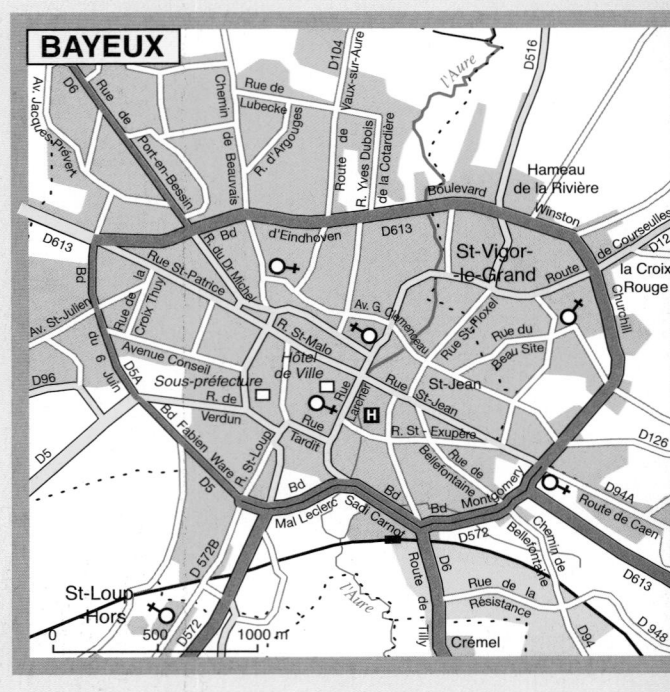
BAYEUX
Av. Jacques Prévert
Rue de Port-en-Bessin
Chemin de Beauvais
Rue de Lubecke
R. d'Argouges
Route de Vaux-sur-Aure
l'Aure
Hameau de la Rivière
Boulevard Winston Churchill
St-Vigor-le-Grand
la Croix Rouge
Bd d'Eindhoven
Rue St-Patrice
Av. G. Clemenceau
R. St-Malo
Avenue Conseil
Sous-préfecture
Hôtel de Ville
St-Jean
Bd Fabien Ware
Bd Sadi Carnot
Mal Leclerc
Rue de la Résistance
St-Loup Hors
Crémel
Route de Caen
Route de Tilly
D613
D516
D104
D126
D94A
D572
D572B
D5
D6
D96
D948
0
500
1000 m

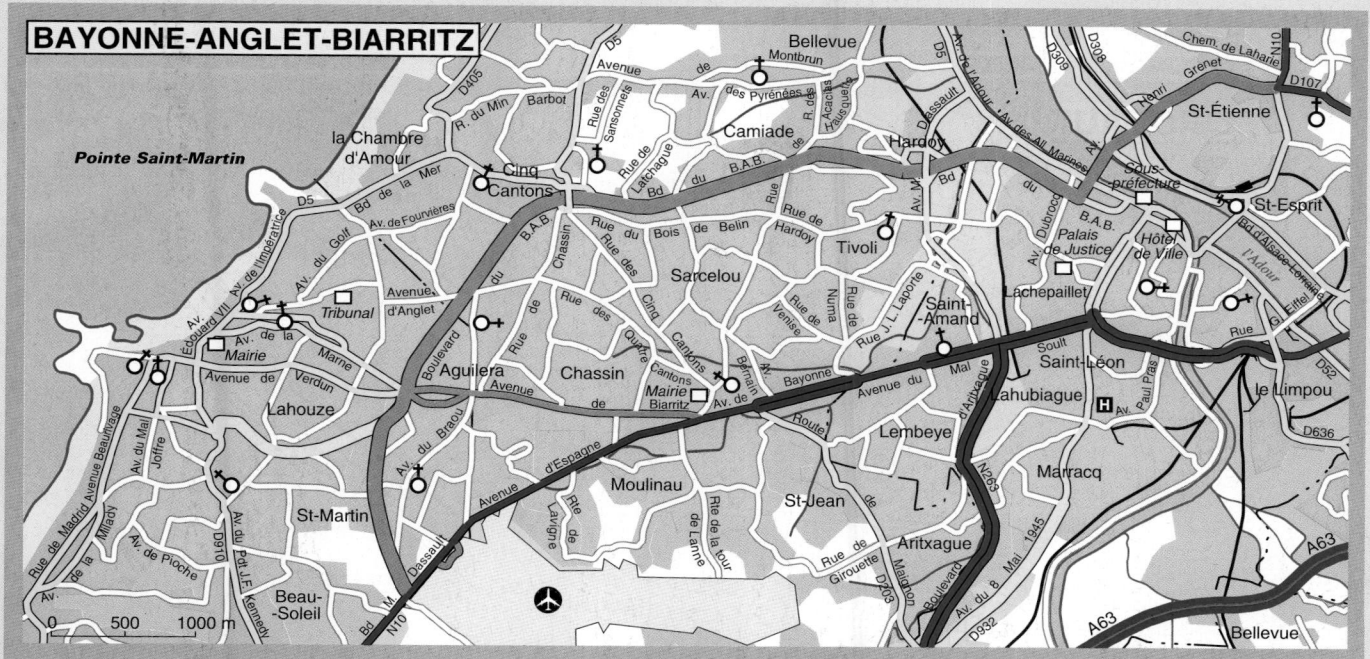

BAYONNE-ANGLET-BIARRITZ

Pointe Saint-Martin

la Chambre d'Amour

Bellevue
Montbrun
Av. des Pyrénées
Camiade
St-Étienne
Hardoy
Sous-préfecture
St-Esprit
Cinq Cantons
Sarcelou
Tivoli
Palais de Justice
Hôtel de Ville
Lachepaillet
Tribunal
Saint-Amand
Av. de la Mairie
Aguilera
Chassin
Mairie Biarritz
Saint-Léon
le Limpou
Lahouze
Zahubiague
St-Martin
Moulinau
St-Jean
Lembeye
Marracq
Beau-Soleil
Aritxague
Bellevue

0   500   1000 m

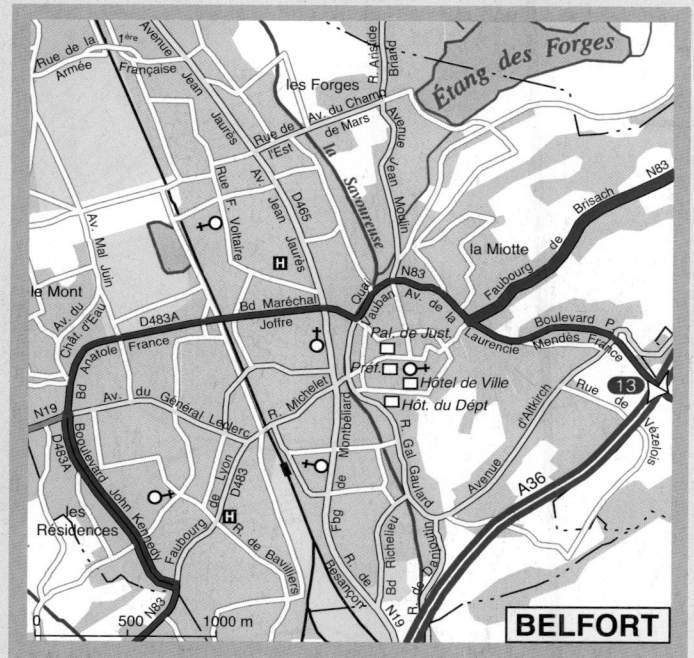

Étang des Forges
Rue de la 1ère Avenue Française Jean
Rue de l'Armée
les Forges
Av. du Champ de Mars
Avenue Jean Moulin
Brisach
la Miotte
le Mont
Av. du Chât. d'Eau
Bd Maréchal Joffre
Faubourg de
Boulevard P.
Anatole France
Pal. de Just.
Préf.
Hôtel de Ville
Mendès France
Hôt. du Dépt
R. Michelet
Rue d'Altkirch
les Résidences
A36

0   500   1000 m

BELFORT

BESANÇON

la Viotte
la Vaite
Bd W. Churchill
Belfort
les Chaprais
Rue de Vesoul
la Paix
Avenue de Montrapon
R. Voirin
Brégille
Battant
Hôtel de Ville
Palais de Justice
Préfecture
Hôtel de Région
Hôtel du Département
le Doubs
R. du Gal Brûard

0   500   1000 m

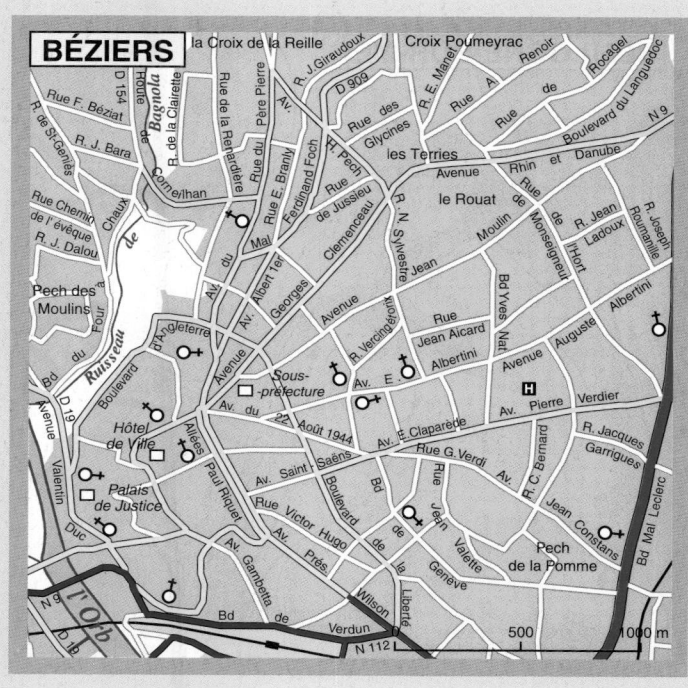

BÉZIERS

la Croix de la Reille
Croix Poumeyrac
les Terries
le Rouat
Pech des Moulins
Sous-préfecture
Hôtel de Ville
Palais de Justice
Pech de la Pomme

0   500   1000 m

BORDEAUX

BOULOGNE-SUR-MER
Avenue Percier et Fontaine
Chemin Vert
Rue P. et M. Curie
R. A. Briand
Beaurepaire
Rue de Beaurepaire
Rue de la Paix
Saint-Pierre
Rue d'Ambleteuse
Boulevard Sainte-Beuve
D 940
Rue du Camp de Droite
Bd Gambetta
Quai Amiral Huguet
Bassin Loubet
Darse Sarraz-Bournet
Quai de l'Europe
Rue du Petit port
Capecure
S-Préf.
Hôtel de Ville
Palais de Justice
Rue Faidherbe
Grande Rue
Rue Nationale
Bd Daunou
Bd Eurvin
Rue É. Branly
Boulevard Sarraz-Bournet
Bd A. Huguet
J. Jaurès
Viaduc J. Jaurès
Boulevard Chanzy
Boulevard Diderot
R. d'Isly
Henriville
la Madeleine
Av. d'Arras
Bd A. Huguet
Rue Carnot
Montesquieu
J. J. Rousseau
Av. John Kennedy
Cité Ostrohove
D 236
D 940
N 1
0 500 1000 m

BRIANÇON
Avenue professeur Forgue
N 91
Route de Grenoble
N 94
Baldenberger
le Chabas
Av. du Dauphiné
Chem. de la Tour
R. du Gen. Barbot
Avenue du Lautaret
Av. de la Libération
la Guisane
Sainte-Catherine
Rue Roger Froger
Av. Du 159e RIA
Avenue de la République
Sous-préfecture
Palais de Justice
Mairie
la Durance
la Seine
Rue Chemin Vieux
R. Alphand
Petsche
Av. M.
Route de Provence
les Queyrelles
Rue Pasteur
N 902
Avenue du Col de l'Izoard
Av. du Gen. de Gaulle
Av. Jean Moulin
Gonnet
Av. Gen. Bemond
Route de Puy Saint-Pierre
Route de Gap
Rochas Garnier
N 94
Chemin de Font Christiane
Font Christiane
les Toulouzanes
D 902
0 500 1000 m

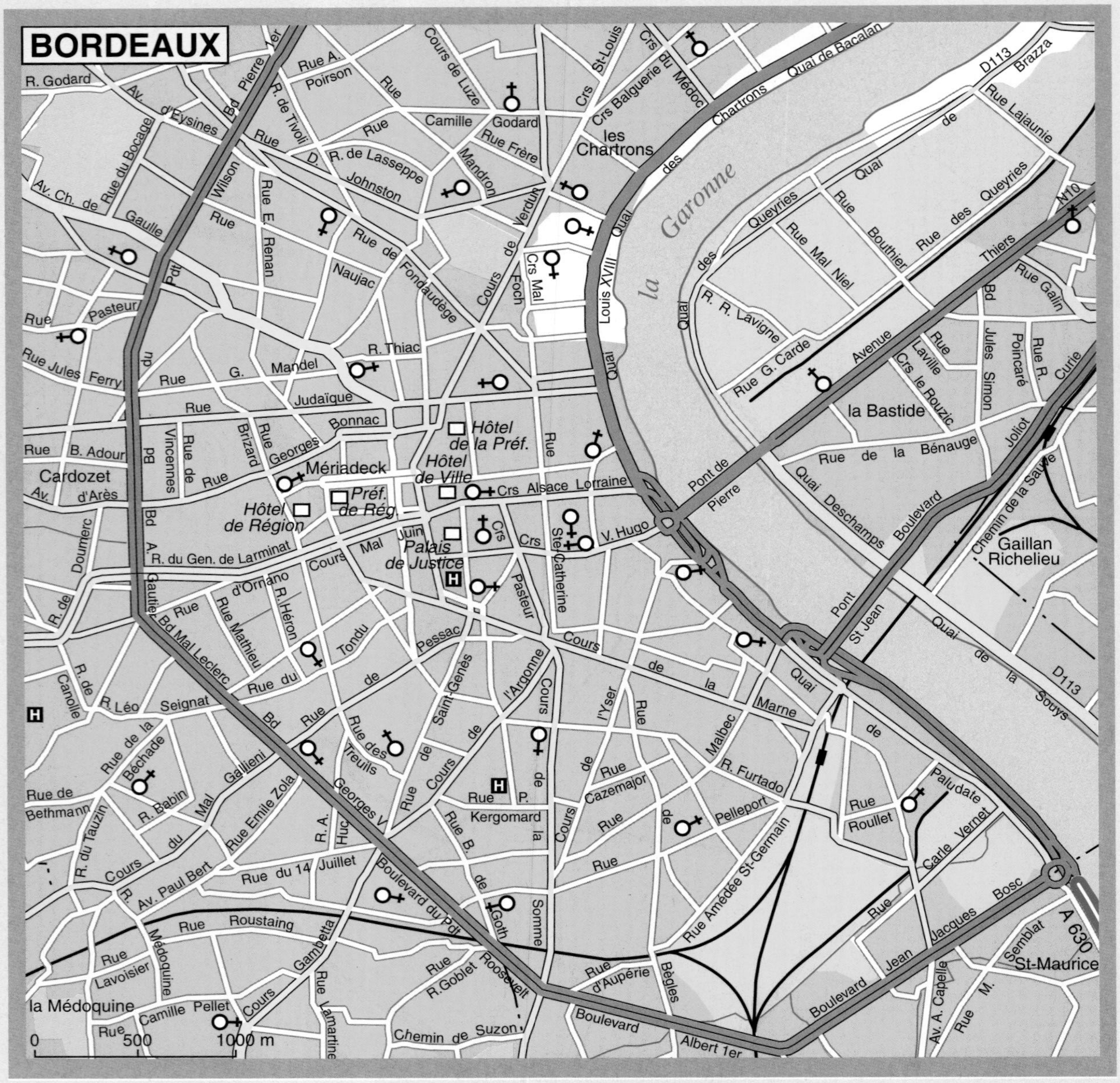

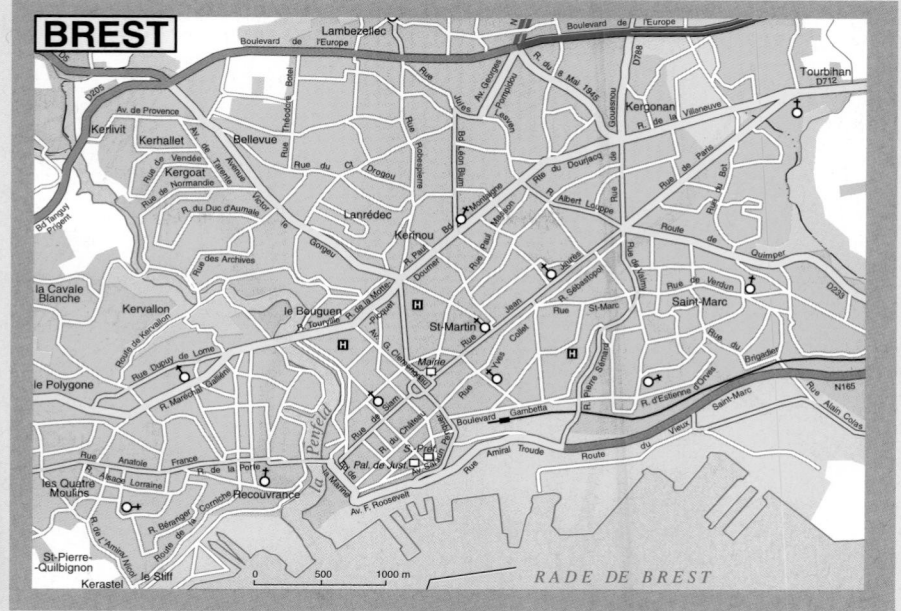
BREST
Lambezellec
Boulevard de l'Europe
Tourbihan
Kergonan
Kerlivit
Kerhallet
Bellevue
Kergoat
Lanrédec
Kerinou
la Cavale Blanche
Kervallon
le Bouguen
St-Martin
Saint-Marc
le Polygone
Mairie
Pal. de Just.
Recouvrance
les Quatre Moulins
St-Pierre-Quilbignon
Kerastel
le Stiff
Route de Quimper
Boulevard Gambetta
Rue Amiral Troude
Route du Vieux Saint-Marc
Av. F. Roosevelt
Rue Anatole France
la Penfeld
0 500 1000 m
RADE DE BREST

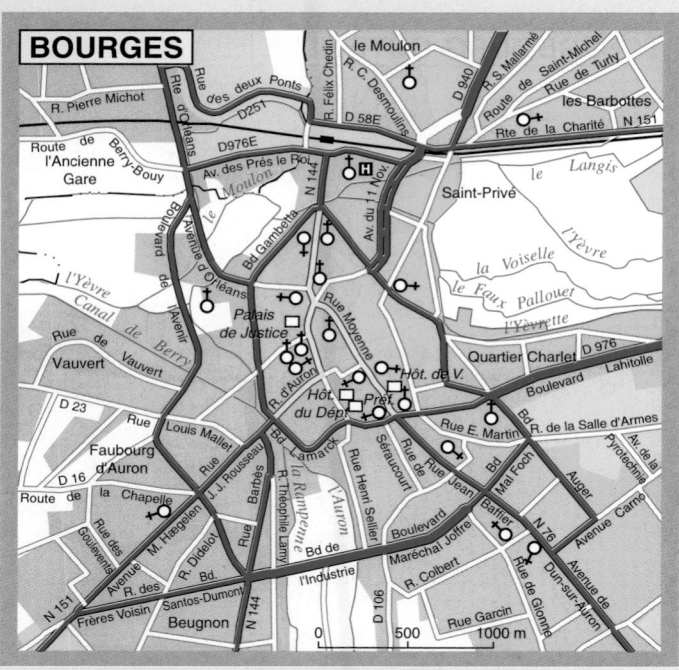
BOURGES
le Moulon
les Barbottes
Rte de la Charité
R. Pierre Michot
Route de Berry-Bouy
l'Ancienne Gare
Av. des Prés le Roi
Saint-Privé
le Langis
la Voiselle
l'Yèvre
le Moulon
le Faux Palloue
l'Yévrette
Canal de Berry
Palais de Justice
Hôt. de V.
Hôt. du Dépt
Préf.
Quartier Charlet
Vauvert
Rue de Vauvert
Faubourg d'Auron
Route de la Chapelle
Boulevard Lahitolle
Rue E. Martin
R. de la Salle d'Armes
la Rampenne
l'Auron
Bd de l'Industrie
Boulevard Maréchal Joffre
R. Colbert
Rue Garcin
Rue de Gionne
Dun-sur-Auron
Avenue de
Beugnon
R. des Frères Voisin
Santos-Dumont
N 144
N 151
N 76
D 106
0 500 1000 m

CAEN
la Folie
le Bois
Hérouville-St-Clair
le Val
la Folie-Couvrechef
Pierre Heuzé
le Chemin Vert
R. d'Hérouville
St-Gilles
Avenue G. Clemenceau
St-Jean Eudes
Authie
Hôtel de Région
Pal. de Just.
Hôtel du Dépt
la Haie Vigné
Hôtel de Ville
Préfecture
St-Jean
St-Ouen
Av. de Tourville
Cours Caffarelli
Cours Montalivet
Rue d'Auge
les Charmettes
Vaucelles
Boulevard Maréchal Lyautey
Bas de Venoix
la Grâce de Dieu
l'Orne
la Noë
N814
0 500 1000 m

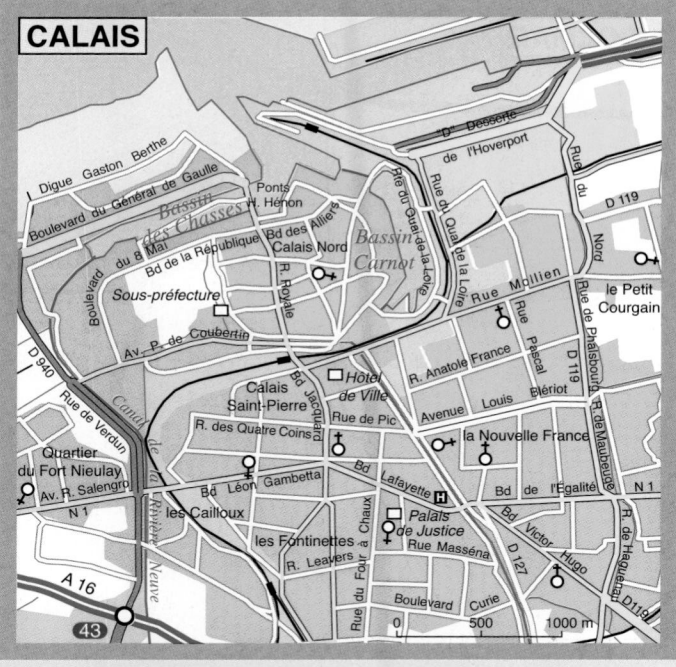
CALAIS
Digue Gaston Berthe
Boulevard du Général de Gaulle
Bassin des Chasses
Bassin Carnot
Calais Nord
Bd de la République
Sous-préfecture
Av. P. de Coubertin
Rue Mollien
le Petit Courgain
Hôtel de Ville
Calais Saint-Pierre
R. Anatole France
Avenue Louis Blériot
la Nouvelle France
Quartier du Fort Nieulay
les Cailloux
Bd Léon Gambetta
Bd Lafayette
Palais de Justice
Rue Masséna
les Fontinettes
Boulevard Curie
Bd Victor Hugo
Canal de la Rivière Neuve
A 16
N 1
D 940
D 119
D 127
0 500 1000 m

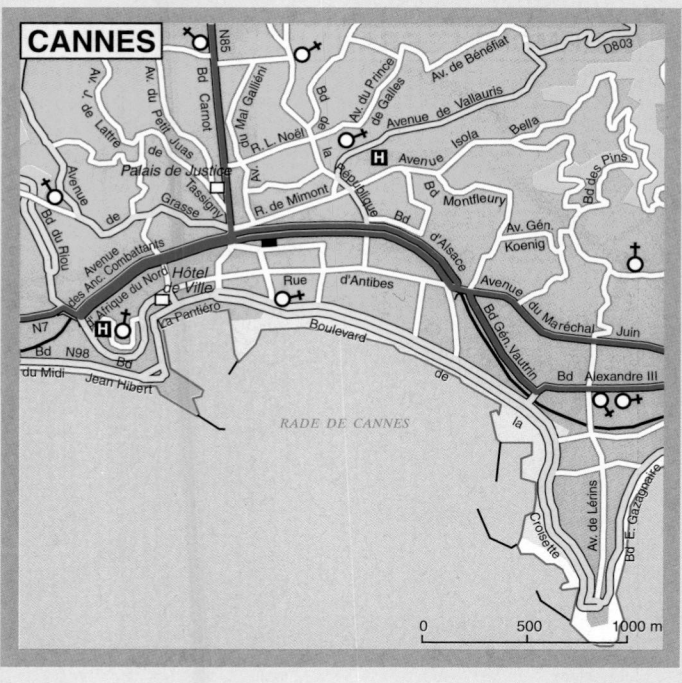
CANNES
Bd Carnot
Av. du Prince de Galles
Av. de Bénéfiat
Avenue de Vallauris
Avenue Isola Bella
Palais de Justice
Avenue de Grasse
R. de Mimont
Bd de la République
Bd d'Alsace
Bd Montfleury
Av. Gén. Koenig
Rue d'Antibes
Hôtel de Ville
La Pantiéro
Boulevard de la Croisette
Avenue du Maréchal Juin
Bd Alexandre III
Bd du Midi Jean Hibert
RADE DE CANNES
Av. de Lérins
0 500 1000 m

CHÂLONS-EN-CHAMPAGNE
Av. Ampère
Av. du 106eme R.I.
Rue La voie
Av. du Général Sarrail
Chem. de Bouy
R. du Cdt. Derrien
Fbg St-Jacques
Faubourg St-Antoine
R. C. Jacquiert
N 44
Rue du Camp d'Attila
Av. du Gal Patton
Avenue de Ste - Menehould
N 3
Av. de Valmy
Cité St-Pierre
Palais de Justice
Av. de Metz
Bd L. Blum
Hôtel de Ville
la Marne
Rue Jaures
Préfecture
St-Memmie
Hôtel du Département
Allées
P. Doumer
Avenue Jacques Simon
R. du Gd Mail
D 3
Hôtel de Région
Voltaire
Ch. de Gaulle
Allées A. Karr
Av. du Gal
Vieilles postes
Rue des
N 77
R. d'Alsace
Allées de Forets
Avenue du Président Roosevelt
D 1
0
500
1000 m

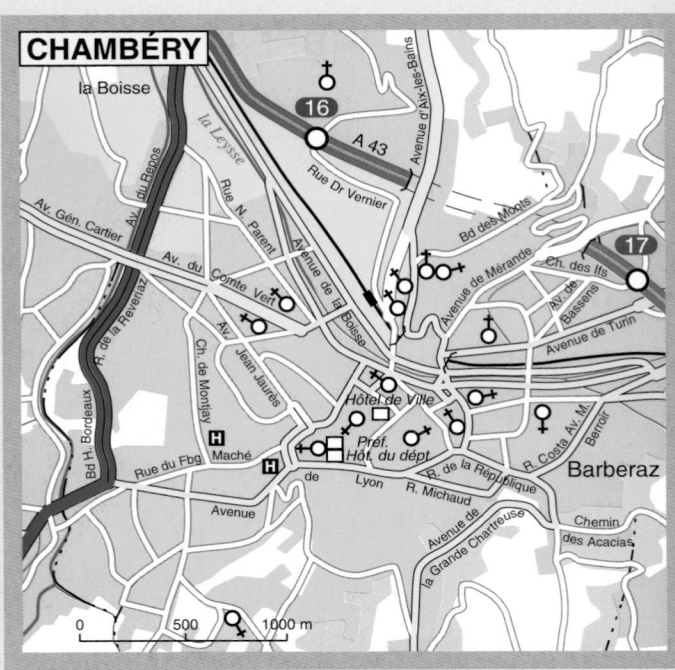
CHAMBÉRY
la Boisse
16
A 43
la Leysse
Avenue d'Aix-les-Bains
Rue Dr Vernier
Av. du Repos
Rue N. Parent
Av. Gén. Cartier
Bd des Monts
17
Av. du Comte Vert
Avenue de la Boisse
Avenue de Mérande
Ch. des Ifs
R. de la Reveriaz
Av. de Bassens
Av. Jean Jaurès
Ch. de Montjay
Avenue de Turin
Bd H. Bordeaux
Hôtel de Ville
Préf.
Hôt. du dépt
R. Costa Av. M. Berroir
Barberaz
Maché
Rue du Fbg
Avenue de Lyon
R. de la République
R. Michaud
Avenue de la Grande Chartreuse
Chemin des Acacias
0
500
1000 m

CHARLEVILLE-MÉZIÈRES
R. de Castrice
Montcy- -Notre-Dame
Avenue Charles Boutet
Quai Jean Charcot
Rue Forest
N 43
Avenue de Montjoly
Bd Gambetta
Av. Forest
Av. J. Jaurès
Briand
Cours A.
Charles de Gaulle
Avenue de l'Industrie
la Meuse
Rue du Bois-en-Val
Route de St-Laurent
Chemin du Mémorial
Av. d'Arches
Palais de Justice
Faubourg St-Julien
Av. Louis Tirman
Préfecture
Rue des Tambours
Rue de Berthaucourt
D 979
12
Av. de St-Julien
Hôtel de Ville
la Citadelle
le Theux
Av. des Martyrs
Quai de l'Esplanade
de la Résistance
Rue du Theux
Rue Ambroise Croizat
D 5
Faubourg de Pierre
la Meuse
D 3
Route de Prix
R. St-Louis
11
Av. du Pdt V. Auriol
Av. Carnot
N 2051
R. Anatole France
les Granges Moulues
R. du B. Fortant
R. V. Hugo
Mohon
N 2043
les Ronces
0
500
1000 m

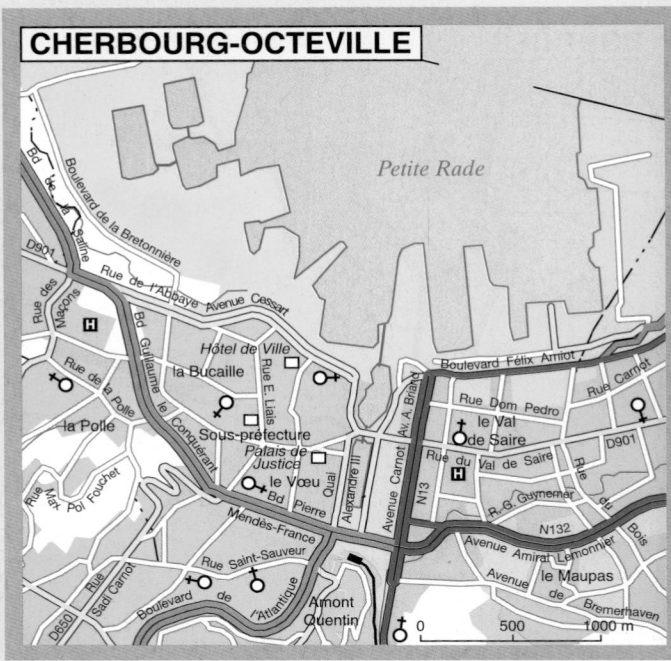
CHERBOURG-OCTEVILLE
Petite Rade
Bd de la Saline
Boulevard de la Bretonnière
D901
Rue de l'Abbaye
Avenue Cessart
Rue des Maçons
Bd Guillaume le Conquérant
Hôtel de Ville
la Bucaille
Rue E. Liais
Boulevard Félix Amiot
Rue de la Polle
la Polle
Rue Dom Pedro
Rue Carnot
le Val de Saire
Rue du Val de Saire
D901
Sous-préfecture
Palais de Justice
le Vœu
Bd Pierre Mendès-France
Quai Alexandre III
Avenue Carnot
Av. A. Briand
N13
R. G. Guynemer
Rue du Bois
Rue Max Pol Fouchet
N132
Avenue Amiral Lemonnier
Rue Saint-Sauveur
le Maupas
Avenue de Bremerhaven
Rue Sadi Carnot
Boulevard de l'Atlantique
Amont Quentin
D650
0
500
1000 m

CLERMONT-FERRAND
Catarou
D 69
Bd Gordon Bennett
Champfleuri
Rue Clos Four
Av. Barbier Daubrée
les Carmes
Av. de la République
Fontgiève
Bd Lavoisier
R. St-Alyre
R. de Blanzat
Bd J.B. Dumas
N 9
Rue du Ressort
Avenue R. Niel
Rue Auger
Rue H. Barbusse
R. Fontgiève
R. Montlosier
Avenue E. Michelin
Bd Berthelot
Tribunal
Hôtel de Ville
N 89
Av. d'Italie
Av. de l'Union Soviétique
R. Guynemer
R. Menat
R. G. Péri
Anatole France
Herbet
D 5
R. Blatin
Hôt. du Dépt
Av. Carnot
la Pradelle
Av. Julien
Préfecture
Bd Lafayette
Sablon
Rue de la Cartoucherie
Rue de la Pradelle
Av. Pasteur
R. Gilbert
Bd Pasteur
Bd Mitterrand
Crs
Rue Jean Jaurès
A. Briand
Rue des Salins
Av. Marx Dormoy
Av. de Jaurès
Cote Blatin
Rue Clovis Hugues
l'Oradou
Rue de l'Oradou
Avenue Léon Blum
Neuf Soleil
Bd Lafayette
Rue des Chambrettes
N 389
R. de Bellevue
R. André Theuriet
la Libération
D 69
la Raye Dieu
Rue des Liondards
R. Berteaux
Bd P. Pochet-Lagaye
N 9
les Ormeaux
St-Jacques
N 89
D 771
0
500
1000 m

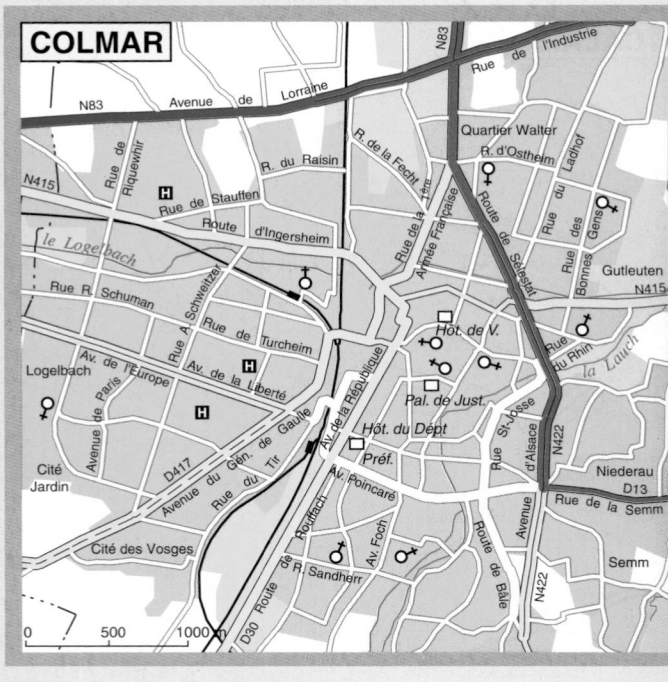
COLMAR
N83
Rue de l'Industrie
N83
Avenue de Lorraine
Quartier Walter
R. d'Ostheim
Rue du Ladhof
R. de la Fecht
Rue de Riquewihr
R. du Raisin
N415
Rue de Stauffen
Route d'Ingersheim
Rue de la 1ère Armée Française
Route de Sélestat
Rue des Bonnes Gens
Gutleuten
N415
le Logelbach
Rue R. Schuman
Rue A. Schweitzer
Rue de Turckheim
Hôt. de V.
Rue du Rhin
la Lauch
Logelbach
Av. de l'Europe
Av. de la Liberté
Av. de la République
Pal. de Just.
Avenue de Paris
Hôt. du Dépt
Rue St-Josse
Préf.
Avenue d'Alsace
N422
Niederau
D13
D417
Avenue du Gén. de Gaulle
Rue du Tir
Av. Poincaré
Rue de la Semm
Cité Jardin
Route de Rouffach
Av. Foch
R. Sandherr
Route de Bâle
Cité des Vosges
D30
N422
Semm
0
500
1000 m

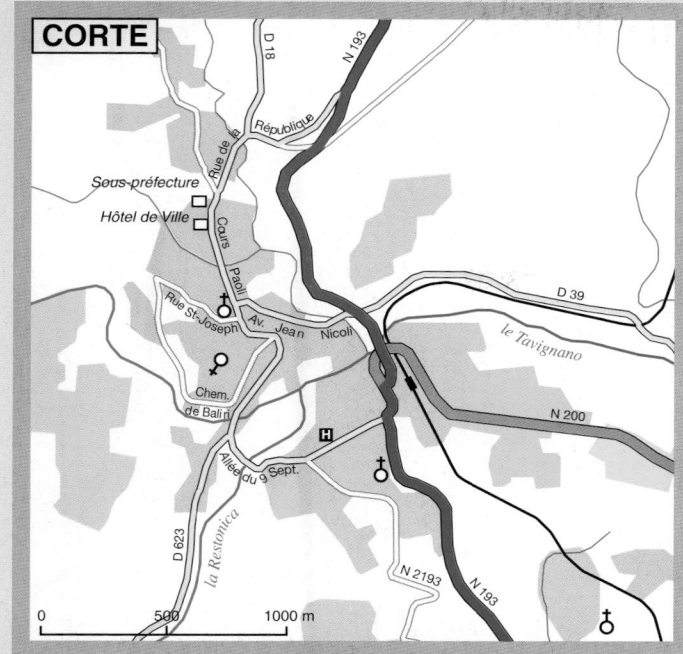

CORTE

Sous-préfecture
Hôtel de Ville
Rue de la République
Cours Paoli
Rue St-Joseph
Av. Jean Nicoli
Chem. de Balin
Allée du 9 Sept.
le Tavignano
D 18
N 193
D 39
D 623
la Restonica
N 2193
N 193
N 200

0   500   1000 m

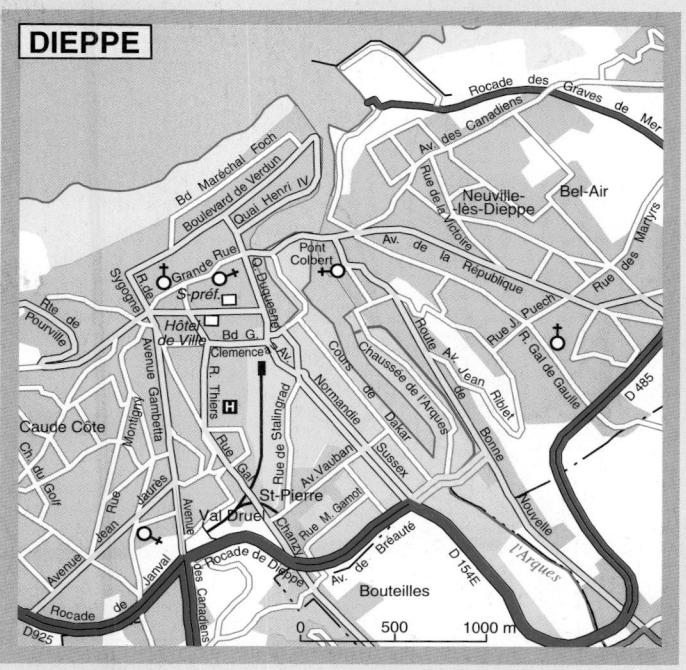

DIEPPE

Rocade des Graves de Mer
Av. des Canadiens
Bd Maréchal Foch
Boulevard de Verdun
Quai Henri IV
Neuville-lès-Dieppe
Bel-Air
Rue de la République
Av. des Martyrs
Rue des Martyrs
Pont Colbert
Av. de la Victoire
Syggogna
Grande Rue
R. de
Q. Duquesne
S.-préf.
Rue J. Puech
R. Ga de Gaulle
Rue de
Pourville
Hôtel de Ville
Bd G.
Clémenceau
R. Thiers
Cours de
Chaussée de l'Arques
Route Av. Jean Ribiot
Bonne
D 485
Caude Côte
Ch. du Golf
Rue Jean
Jaurès
Rue
Av. Vauban
Avenue
Gambetta
Rue de Stalingrad
Normandie
Sussex
St-Pierre
Rue M. Genot
Nouvelle
l'Arques
Val Druel
Rue de Janval
Rocade de Dieppe
Av. de Bréauté
Bouteilles
D 154E
Rocade des Canadiens
D 925

0   500   1000 m

335

DIJON

Bd Pascal
D28
les Génois
Rue de Dijon
Bd des Allobroges
R. D107A
Avenue du Drapeau
la Maladière
Av. Champollion
Av. des Martyrs de la Résistance
Bd F. Pompon
Rue A. Legros
D 107
Montchapet
Gal Faucornet
Av. A. Briand
Rue Léon Mauris
Clémenceau
Avenue Victor Hugo
N71
Rue de l'Egalité
Devosge
Hôtel de Région
Av. R. Poincaré
Av. Mal Lyautey
D70
les Perrières
des Marmuzots
Préfecture
Bd Thiers
Rue de Gray
R. A. Joanne
Bd Paul Doumer
Bd Jeanne d'Arc
N5
Hôtel de Ville
Tribunal
Bd Carnot
Rue Voltaire
Bd de Strasbourg
D107
Av. Albert 1er
Rue Pasteur
Mirande
Quai P. Galliot
Rue de Mirande
Fbg St-Pierre
Bd Gabriel
D108G
R. du Transvaal
Rue C. Dumont
Bd de l'Université
les Bourroches
Avenue Jean Jaurès
N74
Rue du Castel
Rue de Longvic
Bd Mansart
D996
Rue Chevreuil
N5
les Péjoces

0   500   1000 m

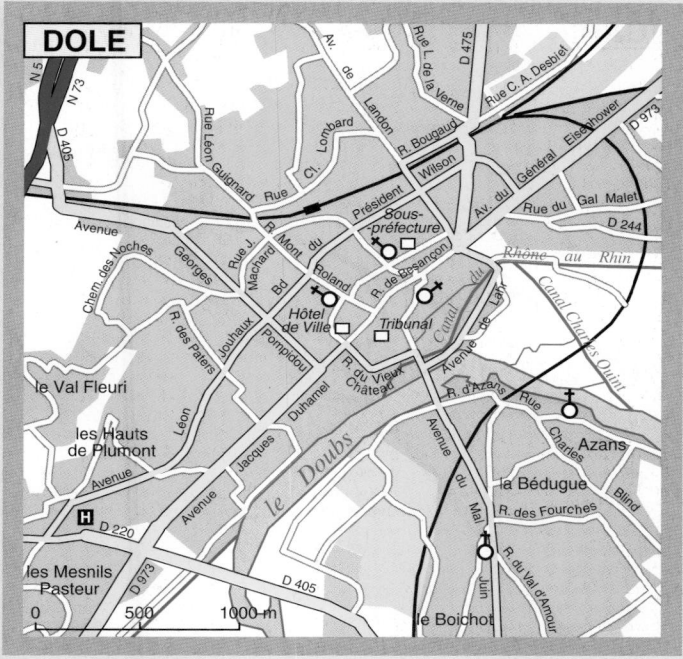

DOLE

N5
N73
Rue de la Verne
Rue C. A. Desbief
Rue L. Landon
Rue du
D 475
D 405
Rue Léon Guignard
Rue Ct. Lombard
R. Bougaud
Président Wilson
Av. du Général Eisenhower
D 373
Avenue
Rue J.
Rue Mont
R. Machard
Sous-préfecture
R. de Besançon
Av. du
Rue du Gal Malet
D 244
Chem. des Roches
Georges
Bd
Roland
Hôtel de Ville
Canal du
Rhône au Rhin
le Val Fleuri
R. des Paters
Jouhaux
Pompidou
R. du Vieux Château
Tribunal
Avenue de Lahr
Canal Charles Quint
les Hauts de Plumont
Léon
Duhamel
R. d'Azans
Rue
Azans
Avenue
Jacques
le Doubs
Avenue du Mal
Charles
la Bédugue
Blind
les Mesnils Pasteur
R. des Fourches
D 220
D 973
D 405
Rue du Val d'Amour
Juin
le Boichot

0   500   1000 m

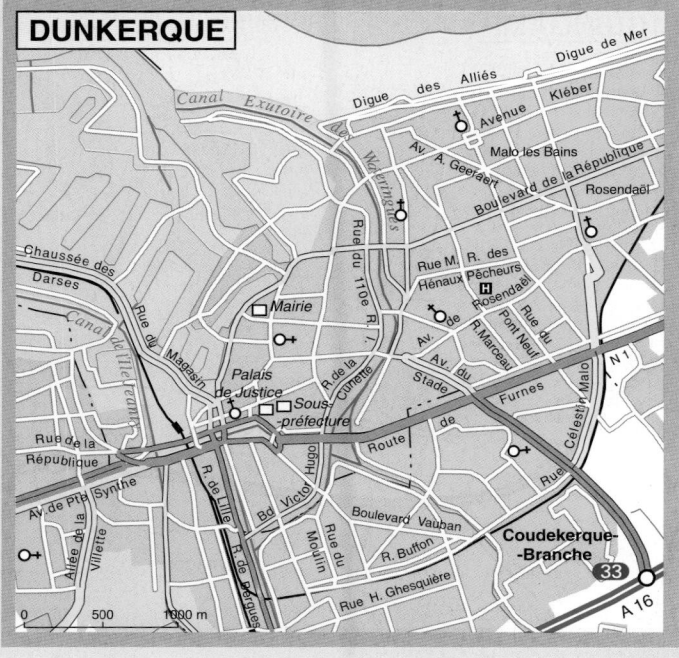

DUNKERQUE

Digue de Mer
Digue des Alliés
Canal Exutoire des
Digue des Alliés
Avenue Kléber
Av. A. Geeraert
Malo les Bains
Wateringues
Boulevard de la République
Rosendaël
Rue du 110e R.I.
Rue M. Hénaux
R. des Pêcheurs
Rosendaël
Chaussée des Darses
Canal de Bergues
Mairie
Rue du Magasin Général
Rue de la Cunette
Pont Neuf
Rue Marceau
Av. du Stade
Av. du
N1
Palais de Justice
Rue de Lille
Route de Furnes
Sous-préfecture
Rue de la République
R. du Moulin
Bd Victor Hugo
Boulevard Vauban
R. Buffon
Rue H. Ghesquière
Av. de PIt Synthe
Allée de la Villette
Coudekerque-Branche
33
A 16

0   500   1000 m

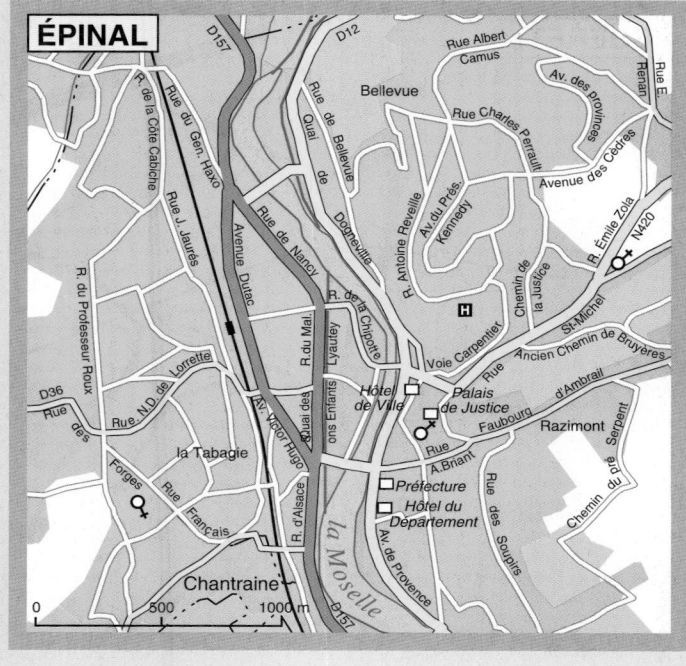

ÉPINAL

D157
D12
Rue Albert Camus
Bellevue
Av. des Provinces
Rue E.
R. de la Côte Cabiche
Quai de Bellevue
Rue Charles Perrault
Rue Renan
Rue du Gén. Haxo
Rue J. Jaurès
R. Antoine Reveille
R. du Prés. Kennedy
Avenue des Cèdres
R. Émile Zola
N420
Avenue Dutac
Chemin de la Justice
R. de la Chipotte
Voie Carpentie
St-Michel
Ancien Chemin de Bruyères
R. du Professeur Roux
Rue du Mal. Lyautey
R. du Mal.
d'Ambrail
D36
Rue N.D. de Lorette
Quai Mal
Avenue Victor Hugo
Hôtel de Ville
Palais de Justice
Faubourg
Razimont
Rue
la Tabagie
Forges
R. A. Briant
Rue Français
Rue des
Chemin du pré Serpent
Préfecture
Hôtel du Département
Chantraine
la Moselle
Chemin des Soupirs

0   500   1000 m

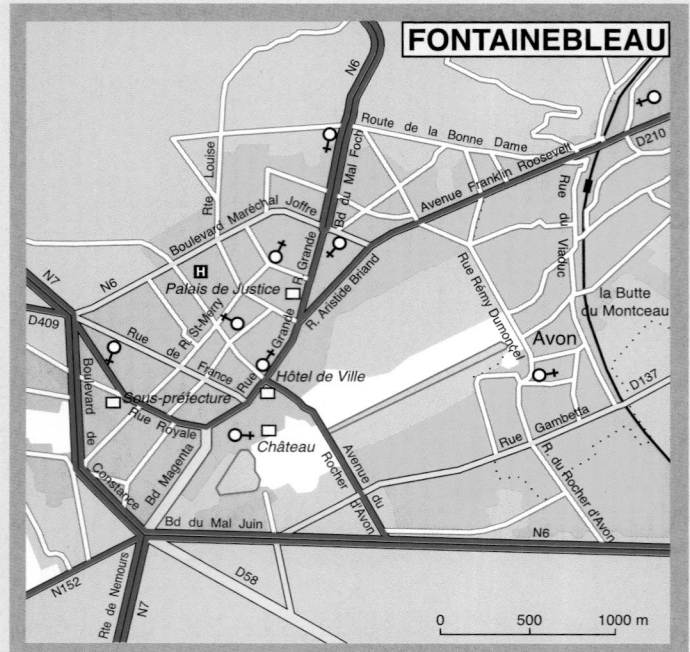

FONTAINEBLEAU

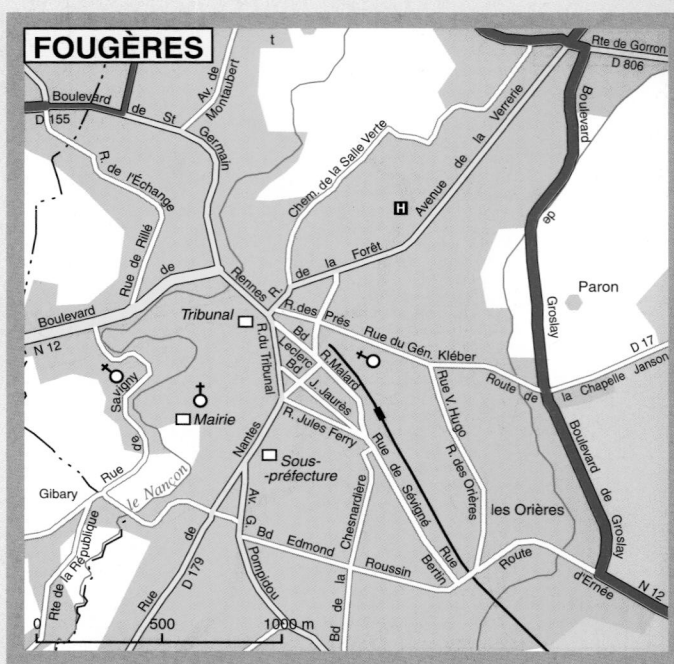

FOUGÈRES

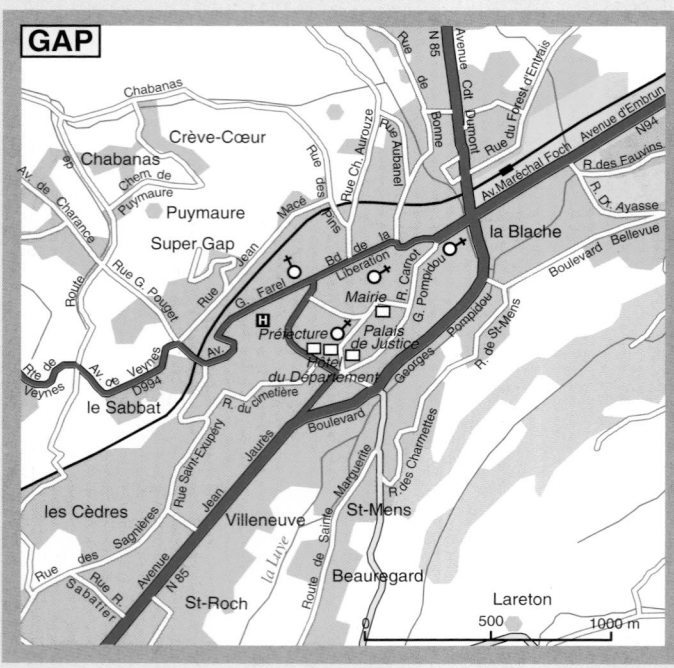

GAP

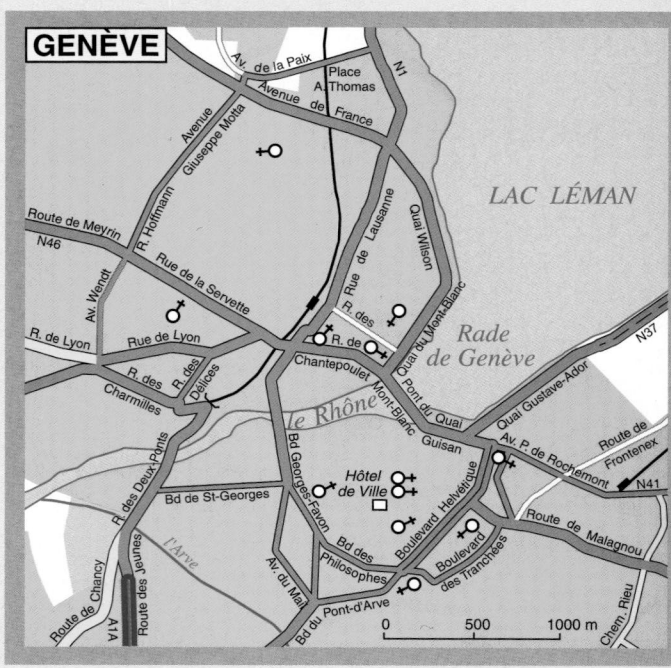

GENÈVE

GUÉRET

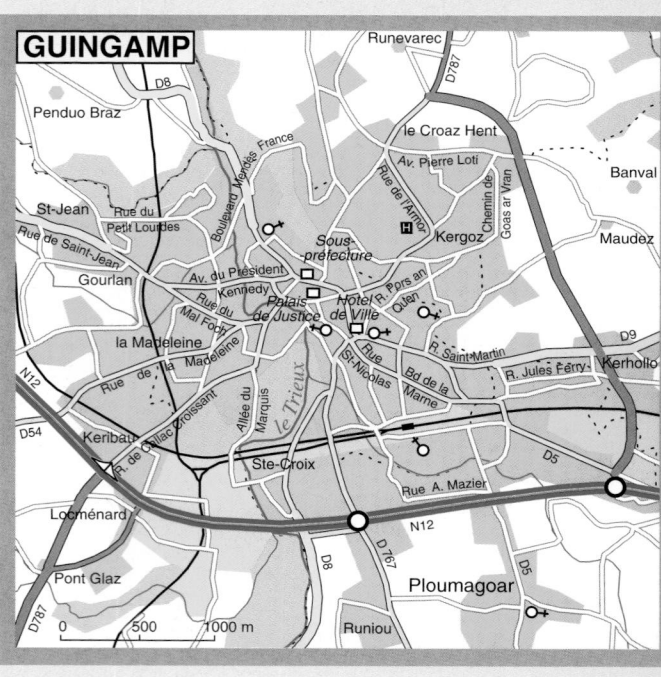

GUINGAMP

GRENOBLE

St-Laurent
A480
A48
Rue Félix
Esdangon
Bd Mal Leclerc
Rue Félix
2
Cours Berriat
Palais
de Justice
Préfecture
N2087
Av. Gabriel Péri
Av. A. Croizat
Hôtel
du Dépt
Mairie
3
Bd Joseph Vallier
Bd Maréchal Foch
la Croix
Rouge
les Eaux
Claires
la Capuche
la Bajatière
le Drac
Av. Rhin et Danube
Cité
Rue des Alliés
Avenue
des Jeux Olympiques
Cité
Teisseire
4
Paul Mistral
Grenoble-Sud
les Maisons
Neuves
4
A480
Ville Neuve
5
Av. E. Esmonin
Av. du Général de Gaulle
0   les Granges   500
1000 m
8
5

LE HAVRE

Bléville
la Mare Rouge
Forêt
de Montgeon
la Mare au Clerc
Sanvic
Rue du 329 ème
Rue Félix Faure
Hôtel
de Ville
S. préf.
Pal. de just.
Av. Foch
Bd de Strasbourg
Bd W. Churchill
N 15
Quai Georges V
Quai Colbert
l'Eure
Bd Amiral Mouchez
Avenue Lucien Corbeaux
Avenue C. Colomb
R. Cuvier
0   500   1000 m

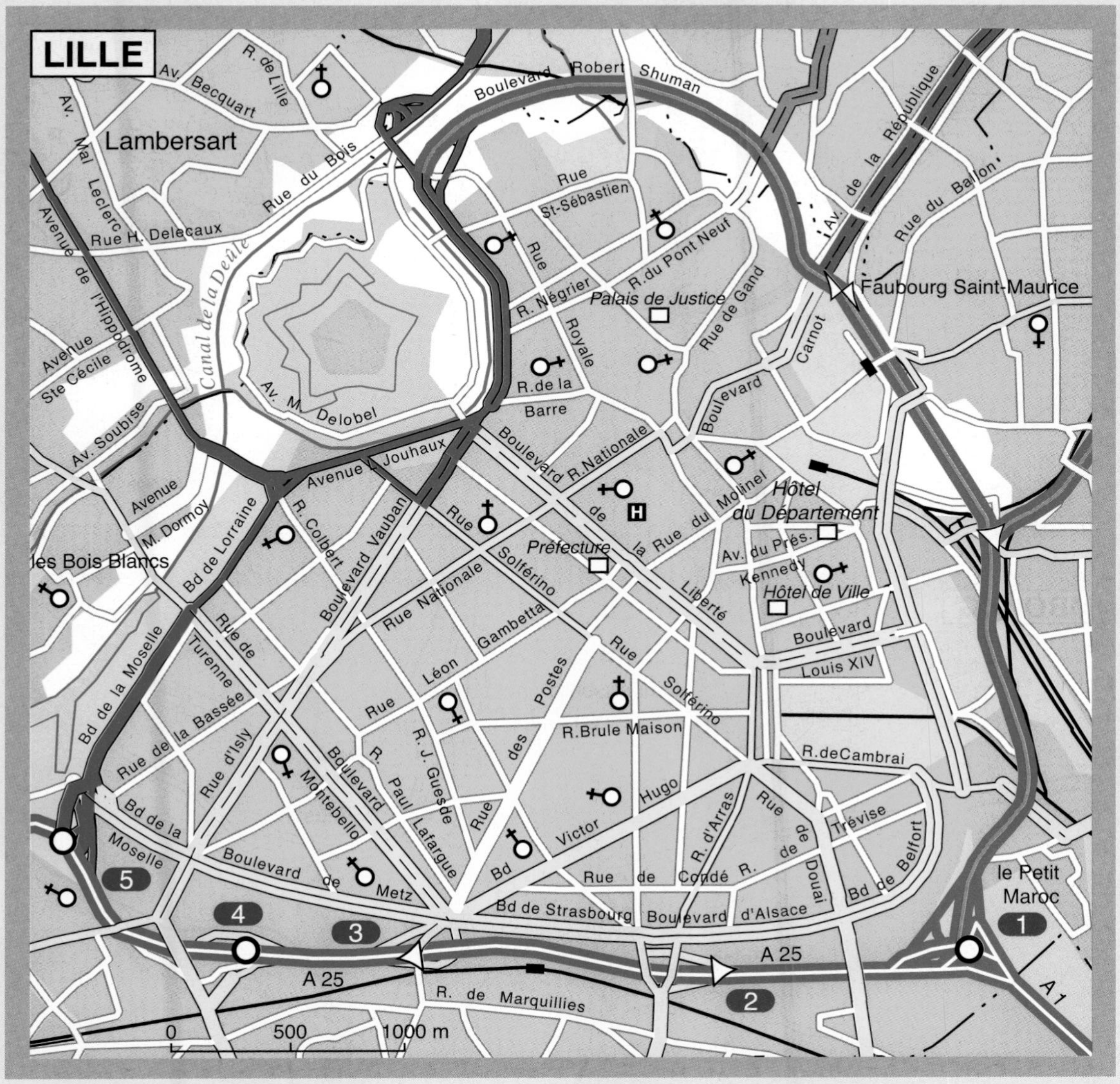

LILLE

Av. Becquart
R. de Lille
Boulevard Robert Shuman
Lambersart
Rue du Bois
Rue
St-Sébastien
R. du Pont Neuf
Faubourg Saint-Maurice
Av. de la République
Rue du Ballon
Canal de la Deûle
R. Négrier
Palais de Justice
Rue de Gand
Royale
Av. de l'Hippodrome
Ste Cécile
R. de la
Barre
Boulevard
Carnot
Av. Soubise
Av. M. Delobel
Avenue L. Jouhaux
Boulevard R. Nationale
Avenue
M. Dormoy
R. Colbert
Bd de Lorraine
Boulevard Vauban
Prefecture
de
la Rue du Molinet
H
Hôtel
du Département
Av. du Prés.
Kennedy
Hôtel de Ville
les Bois Blancs
Rue
Solférino
Boulevard
Louis XIV
Boulevard
Bd de la Moselle
Rue de la Bassée
Rue d'Isly
Turenne
Rue de
Rue Nationale
Gambetta
Léon
Rue
des
postes
Rue
Solférino
R. de Cambrai
Moselle
R. J. Guesde
R. Brule Maison
Boulevard
Montebello
R. Paul Lafargue
Victor
Hugo
R. d'Arras
Rue de Douai
Rue de Trévise
Bd de Belfort
le Petit
Maroc
1
Bd de la
Boulevard
de Metz
Bd
Rue de Condé
R.
Bd de Strasbourg
Boulevard d'Alsace
5
4
3
A 25
2
A 25
A 1
0   500   1000 m
R. de Marquilliés

LIMOGES
N147
Bd du Vigenal
N520
Rue Général Leclerc
A20
32
D218
le Puy Reyjeau
Rue de Saint-Gence
Rue des Tuillières
R. Victor Thuillat
Av. de Louyat
Rue de la Brégère
Briand
Corgnac
Rue de Bellac
Av. Émile Labussière
Rue du Chinchauvaud
Aristide
N520
Rue la Borie
Avenue Montjovis
Av. Tarrade
Avenue
R. Th. Bac
Boulevard de Vanteaux
Av. Albert Thomas
Rue des Ruchoux
R. F. Chénieux
Avenue Garibaldi
Av. de Locarno
33
R. Meissonier
Rue Armand Dutreix
R. d'Antony
Préfecture
Hôt. du Dépt
Av. des Bénédictins
N520
34
R. du Puy Las Rodas
Perrin
Rue François
Rue L. C. Ranson
Palais de Justice
Hôtel de Région
Av. de Sablard
Av. du Mal de Lattre de Tassigny
N141
D979
Rue d'Isle
Hôtel de Ville
Vanteaux
Bd Bel Air
Marie Curie
Av. E. Ruben
Av. Baudin
Quai St-Martial
Rue de Toulouse
R. de Feytiat
Rue Pierre et Marie Curie
Quai S. Allende
Rue de Ste-Anne
Naugeat
R. Ch. Legendre
N21
la Vienne
Av. Pompidou
R. de Nexon
Romanet
Saint-Lazare
0
500
1000 m

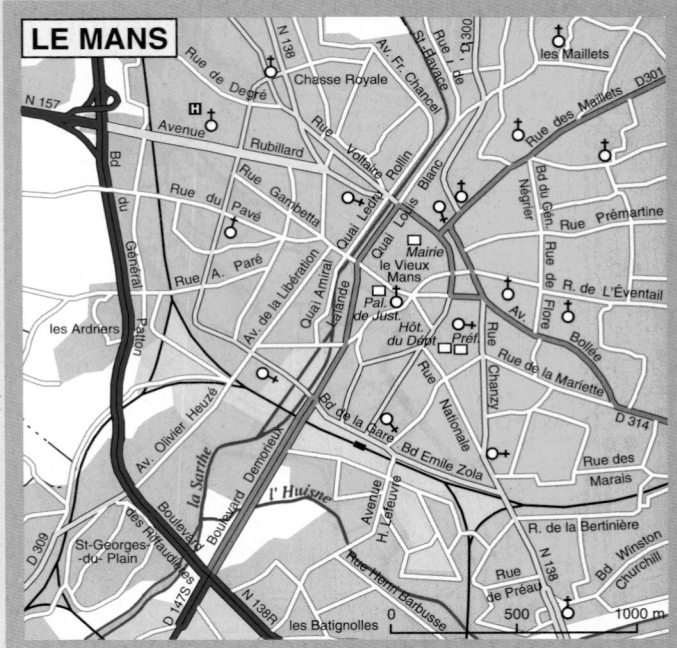
LE MANS
N 138
St-Pavace
Rue de la Chasse Royale
Av. Fr. Chancel
D 300
les Maillets
Rue de Degré
N 157
Avenue Rubillard
Rue Voltaire
Rollin
Rue des Maillets
D301
Bd du Général Patton
Rue du Pavé
Rue Gambetta
Quai Ledru
Louis Blanc
Rue Prémartine
Bd du Gén. Négrier
Rue A. Paré
Quai Amiral Lalande
Av. de la Libération
Mairie
le Vieux Mans
Rue de Flore
R. de L'Éventail
Pal. de Just.
Av. Bollée
les Ardriers
Hôt. du Dépt
Préf.
Rue de la Mariette
Rue Nationale
Rue Chanzy
D 314
Av. Olivier Heuzé
Bd de la Gare
Bd Emile Zola
Rue des Marais
la Sarthe
Boulevard Demorieux
l' Huisne
Avenue H. Lefeuvre
D 309
St-Georges-du-Plain
Boulevard des Riffaudières
R. de la Bertinière
Rue de Préau
N 138
Bd Winston Churchill
D 147S
N 138R
Rue Henri Barbusse
les Batignolles
0
500
1000 m

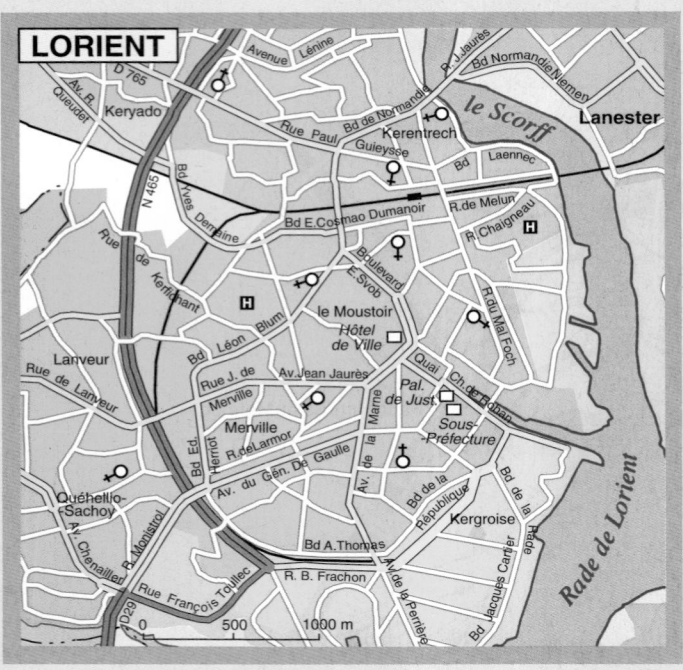
LORIENT
Avenue Lénine
R. J. Jaurès
Bd Normandie-Niemen
D 765
Av. R. Queuder
Keryado
Bd de Normandie
le Scorff
Lanester
Rue Paul Guieysse
Kerentrech
Bd Laennec
N 165
Bd Yves Demaine
Bd E.Cosmao Dumanoir
R.de Melun
R. Chaigneau
Rue de Kerlichant
Boulevard E. Svob
le Moustoir
R.du Mal Foch
Hôtel de Ville
Lanveur
Bd Léon Blum
Rue de Lanveur
Rue J. de Merville
Av.Jean Jaurès
Quai
Ch. de Rohan
Pal. de Just.
Merville
R.deLarmor
Sous-Préfecture
Bd Ed. Herriot
Av. de la Marne
Av. du Gén. De Gaulle
Bd de la République
Bd de la Rade
Quéhello-Sachoy
Av. Chenailler
R. Monistrol
Kergroise
Bd A.Thomas
Rade de Lorient
R. B. Frachon
Rue François Toullec
Av. de la Perrière
Bd Jacques Cartier
D29
0
500
1000 m

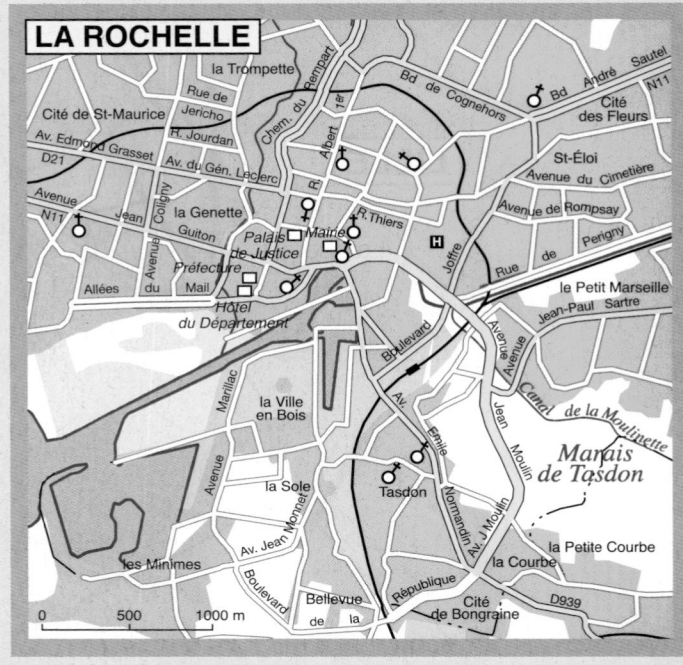
LA ROCHELLE
la Trompette
Bd André Sautel
N11
Rue de Jericho
Chem. du Rempart
Bd de Cognehors
Cité des Fleurs
Cité de St-Maurice
R. Jourdan
Av. Edmond Grasset
Av. du Gén. Leclerc
St-Éloi
D21
Avenue du Cimetière
Avenue Jean Coligny
la Genette
Guiton
R. Thiers
Avenue de Rompsay
N11
Palais de Justice
Mairie
Rue de Perigny
Allées du Mail
Préfecture
Jeffre
le Petit Marseille
Hôtel du Département
Avenue Jean-Paul Sartre
Boulevard
Marillac
Avenue
la Ville en Bois
Canal de la Moulinette
Av. Émile Normandin
Jean Moulin
Marais de Tasdon
la Sole
Tasdon
Av. J Moulin
la Petite Courbe
les Minimes
Av. Jean Monnet
la Courbe
Boulevard de la République
Bellevue
Cité de Bongraine
D939
0
500
1000 m

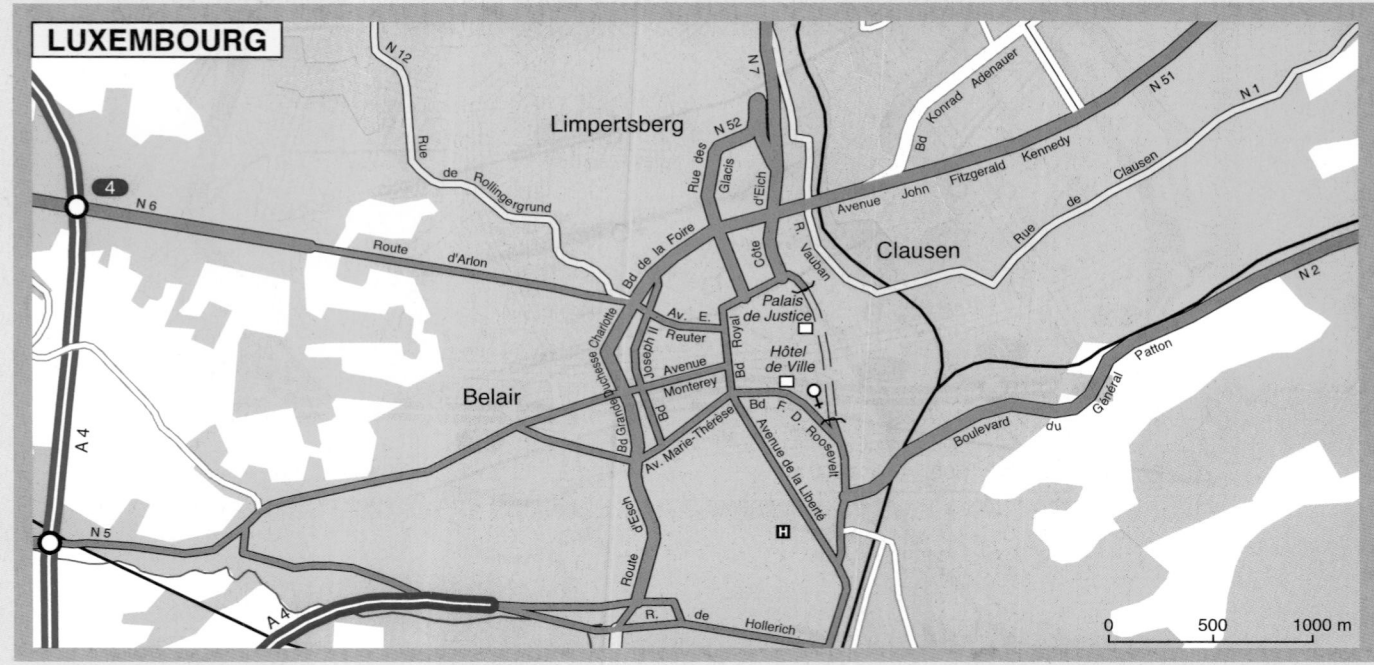
LUXEMBOURG
N 12
N 7
Bd Konrad Adenauer
N 51
N 1
Limpertsberg
N 52
Rue de Rollingergrund
Rue des Glacis
Côte d'Eich
Avenue John Fitzgerald Kennedy
Rue de Clausen
4
N 6
R. Vauban
Route d'Arlon
Bd de la Foire
Côte
Clausen
N 2
Av. E. Reuter
Palais de Justice
Bd Royal
Joseph II
Avenue Monterey
Hôtel de Ville
Patton
Belair
Bd Grande-Duchesse Charlotte
Bd F. D. Roosevelt
Boulevard du Général
A 4
Av. Marie-Thérèse
Avenue de la Liberté
N 5
Route d'Esch
A 4
R. de Hollerich
0
500
1000 m

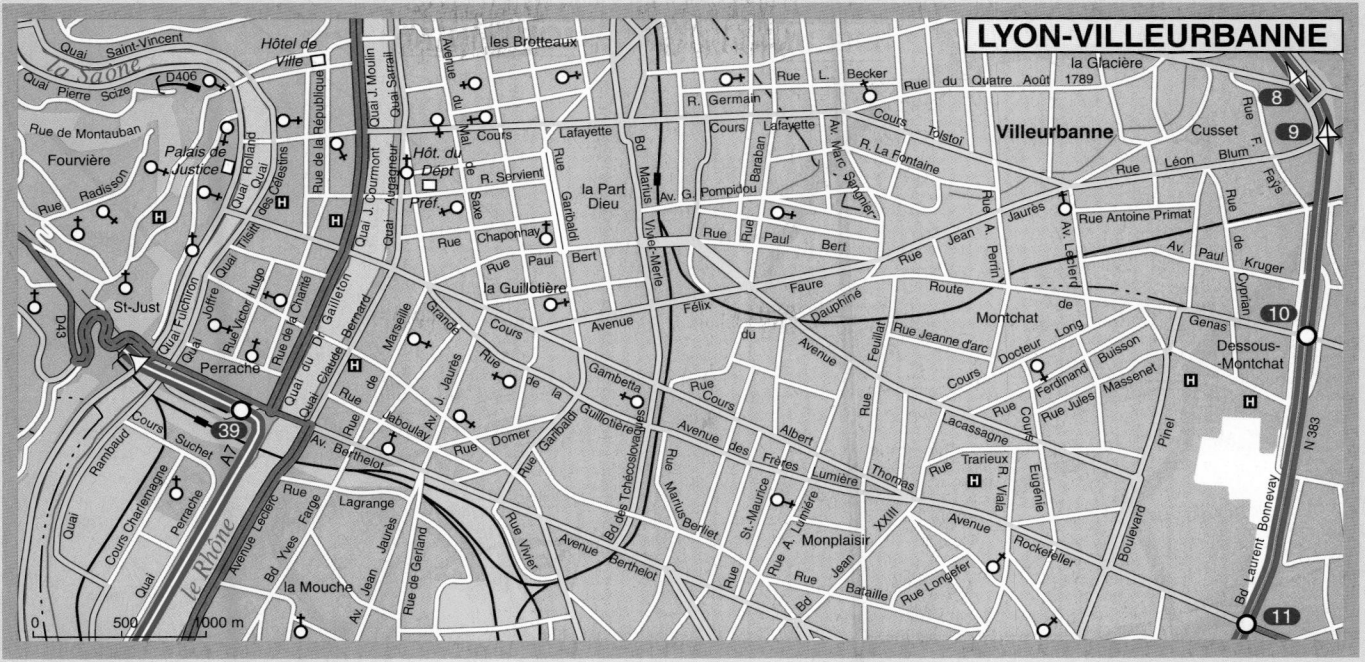

LYON-VILLEURBANNE

la Saône
Quai Saint-Vincent
Quai Pierre Scize
Hôtel de Ville
D406
Rue de Montauban
Fourvière
Palais de Justice
Rue Radisson
St-Just
D43
Perrache
Quai Tilsitt
Quai Gailleton
Quai du Dr. Gailleton
A7
Rambaud
Cours Charlemagne
Quai Perrache
Quai
le Rhône
la Mouche
Avenue Leclerc
Bd. Yves Farge
Rue de Gerland
Cours Suchet
39
les Brotteaux
Avenue du Mal. de Lattre
Cours
Lafayette
Cours
R. Germain
Rue de la République
Hôt. du Dépt
R. Servient
Préf.
Rue Chaponnay
la Part Dieu
Bd. Marius Vivier-Merle
Rue Garibaldi
Rue
Rue Paul Bert
la Guillotière
Grandel
Rue de Marseille
Cours Gambetta
Av. Berthelot
Rue J. Jaurès
Jaboulay
Rue Domer
Rue
Bd. des Tchécoslovaques
Avenue Berthelot
Lagrange
Av. Jean Jaurès
Rue du Vivier
Rue Marius Berliet
les Brotteaux
Avenue
Lafayette
Cours
Cours
Tolstoi
Villeurbanne
Rue L. Becker
Rue du Quatre Août 1789
la Glacière
Av. G. Pompidou
Rue Paul Bert
Faure
Félix
Route
Dauphiné
Avenue des Frères Lumière
St-Maurice
Av. A. Lumière
Rue
Monplaisir
Avenue
Berthelot
Rue Jean Bataille
Bd.
Rue Longefer
R. La Fontaine
Av. Marc Sangnier
Jean A. Perrin
Rue Jeanne d'arc
Docteur Long
Montchat
Cours
Lacassagne
Rue Ferdinand Buisson
Rue Jules Masset
Rue Trarieux
R. Viala
Eugénie
XXIII
Avenue
Rockefeller
Rue L. Becker
Av. Lépine
Rue Jaurès
Rue Antoine Primat
Rue Léon Blum
Cusset
Rue F. Fays
Av. Paul Kruger
Rue Cyprian
Genas
Dessous-Montchat
Pinel
Bd. Laurent Bonnevay
N 383
8
9
10
11
0   500   1000 m

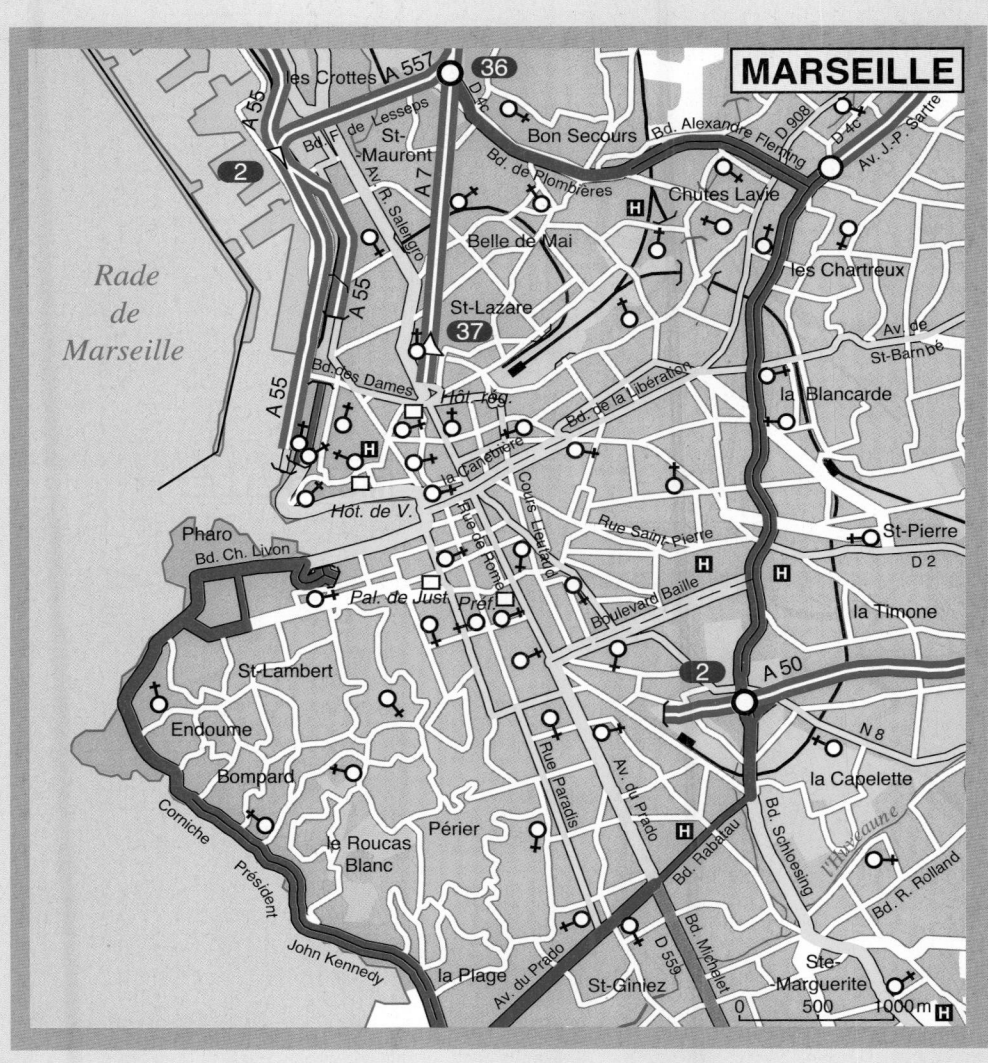

MARSEILLE

les Crottes
A 557
A 55
Bd. F. de Lesseps
St-Mauront
Av. R. Salengro
A 7
Bd. de Plombières
Bon Secours
Bd. Alexandre Fleming
D 908
D 4c
Av. J.-P. Sartre
Chutes Lavie
Belle de Mai
St-Lazare
les Chartreux
Av. de St-Barnbé
Rade
de
Marseille
A 55
Bd. des Dames
Hôt. rég.
la Canebière
Hôt. de V.
Bd. de la Libération
la Blancarde
St-Pierre
D 2
Pharo
Bd. Ch. Livon
Pal. de Just.
Préf.
Cours Lieutaud
Rue de Rome
Rue Saint Pierre
Boulevard Baille
la Timone
St-Lambert
Endoume
Bompard
Corniche
Rue Paradis
Av. du Prado
2
A 50
N 8
la Capelette
Rue Rolland
Bd. Schloesing
Bd. Rabatau
Bd. R. Rolland
l'Huveaune
Président
le Roucas Blanc
Périer
John Kennedy
la Plage
Av. du Prado
St-Giniez
Bd. Michelet
D 559
Ste-Marguerite
36
2
37
0   500   1000 m

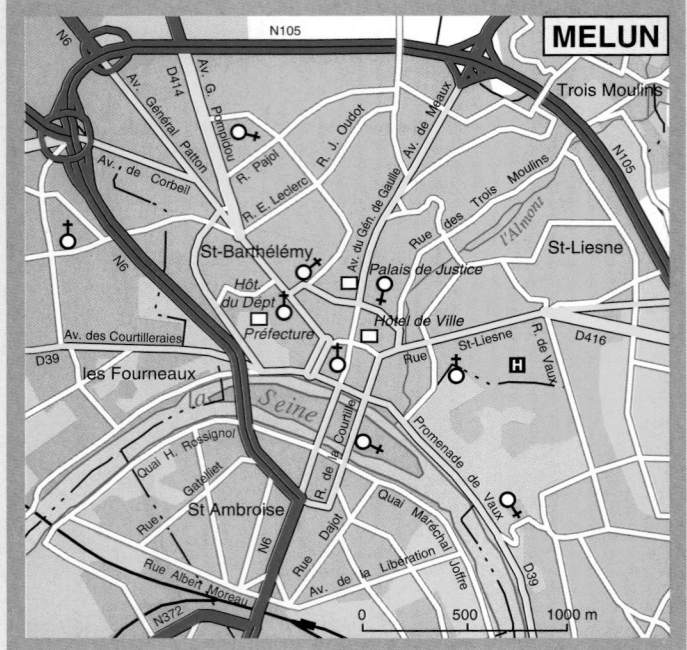
MELUN
N105
N6
D414
Av. Général Patton
Av. G. Pompidou
R. Pajol
R. J. Oudot
Av. du Gén. de Gaulle
Av. de Meaux
Trois Moulins
N105
Av. de Corbeil
R. E. Leclerc
Rue des Trois Moulins
l'Almont
St-Liesne
St-Barthélémy
Palais de Justice
Hôt. du Dépt
Préfecture
Hôtel de Ville
Av. des Courtilleraies
D39
les Fourneaux
Rue St-Liesne
R. de Vaux
D416
la Seine
Quai H. Rossignol
R. Gatelliet
R. de la Courtille
Promenade de Vaux
St Ambroise
Rue
Rue Dajot
Quai Maréchal Joffre
Av. de la Libération
Rue Albert Moreau
N372
N6
D39
0
500
1000 m

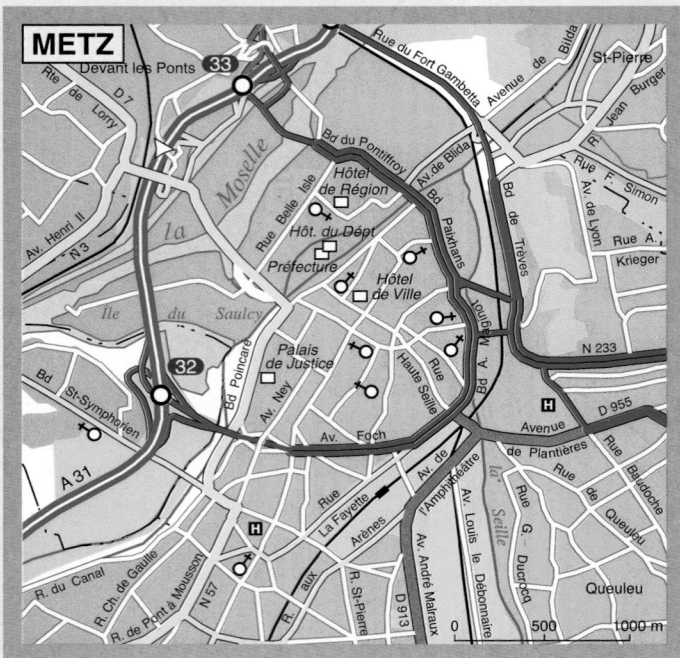
METZ
Devant les Ponts
33
Rte de Lorry
D 7
Rue du Fort Gambetta
Avenue de Blida
St-Pierre
R. Jean Burger
Bd du Pontiffroy
Av. de Blida
Hôtel de Région
Hôt. du Dépt
Préfecture
Hôtel de Ville
la Moselle
Rue Belle Isle
Bd Paixhans
Bd de Trèves
Rue F. Simon
Av. de Lyon
Rue A. Krieger
Av. Henri II
N 3
Ile du Saulcy
Palais de Justice
Bd Poincaré
Av. Ney
Haute Seille
N 233
32
Bd St-Symphorien
Av. Foch
Avenue de Plantières
D 955
Rue Baudoche
Rue de Queuleu
A 31
Rue La Fayette
Arènes
Av. de l'Amphithéâtre
Av. Louis le Débonnaire
la Seille
Rue G. Ducrocq
R. du Canal
R. Ch. de Gaulle
R. de Pont à Mousson
N 57
R. St-Pierre
D 913
Av. André Malraux
Queuleu
0
500
1000 m

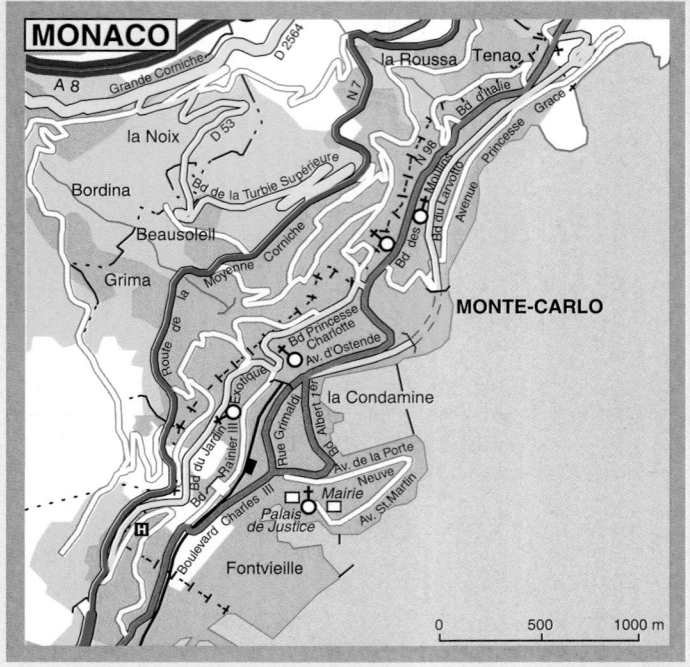
MONACO
D 2564
la Roussa
Tenao
A 8
Grande Corniche
N7
Bd d'Italie
la Noix
D 53
Avenue Princesse Grace
Bordina
Bd de la Turbie Supérieure
N 98
Bd des Moulins
Bd du Larvotto
Beausoleil
Moyenne Corniche
Grima
MONTE-CARLO
Route de la
Bd Princesse Charlotte
Av. d'Ostende
la Condamine
Bd du Jardin Exotique
Bd Rainier III
Rue Grimaldi
Bd Albert 1er
Av. de la Porte Neuve
Mairie
Palais de Justice
Av. St-Martin
Boulevard Charles III
Fontvieille
0
500
1000 m

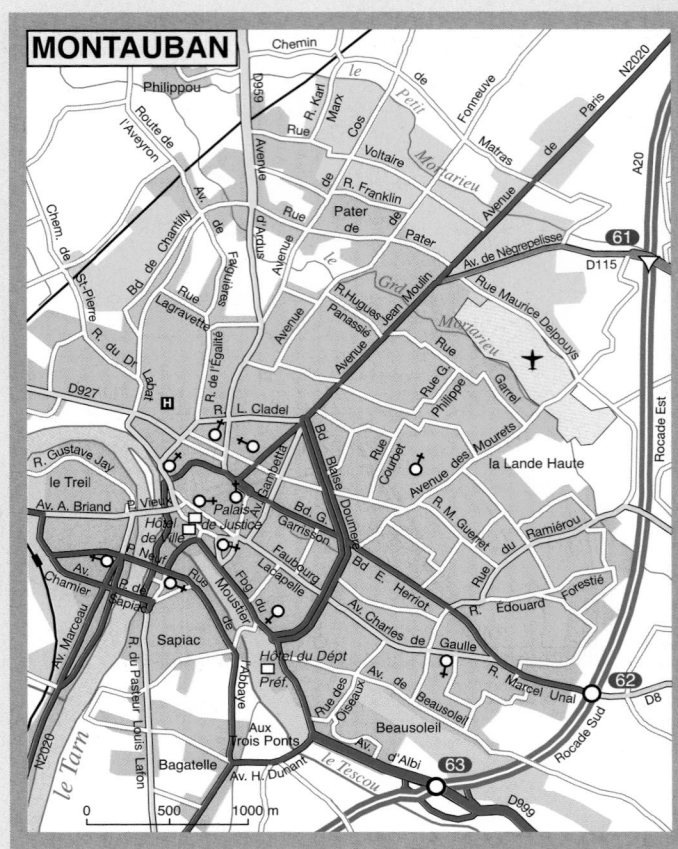
MONTAUBAN
Chemin de Fonneuve
Philippou
D959
R. Karl Marx
le Petit Mortarieu
Route de l'Aveyron
Rue Cos
Voltaire
Matras
N2020
A20
Avenue de Paris
R. Franklin
Av. de Chartilly
Faquières
d'Ardus
Rue Pater
Chem. de St-Pierre
Bd de Chartilly
61
Av. de Nègrepelisse
D115
Rue Maurice Delpouys
Rue Lagravette
R. Huguet Panassié
Jean Moulin
le Mortarieu
R. du Dr Labat
R. de l'Égalité
Avenue
Rue Garrel
Rue G. Philippe
D927
R. L. Cladel
Rocade Est
R. Gustave Jay
le Treil
Av. A. Briand
P. Vieux
Hôtel de Ville
Palais de Justice
Av. Gambetta
Bd G. Garrisson
Bd Blaise Doumerc
Rue Courbet
Avenue des Mourets
la Lande Haute
Av. Chamier
P. Neuf
R. de Sapiac
Rue Moustier
Fbg du Lapacelle
Faubourg Lacapelle
Bd E. Herriot
R. M. Guerret
Rue du Ramiérou
R. Edouard Forestié
Sapiac
Av. Charles de Gaulle
Av. Marceau
R. du Pasteur Louis Lafon
Hôtel du Dépt
Préf.
R. de l'Abbaye
Av. de Beausoleil
R. Marcel Unal
62
D8
Rue des Oiseaux
Beausoleil
Rocade Sud
Aux Trois Ponts
Av. d'Albi
Bagatelle
Av. H. Dunant
le Tescou
63
le Tarn
N2020
D999
0
500
1000 m

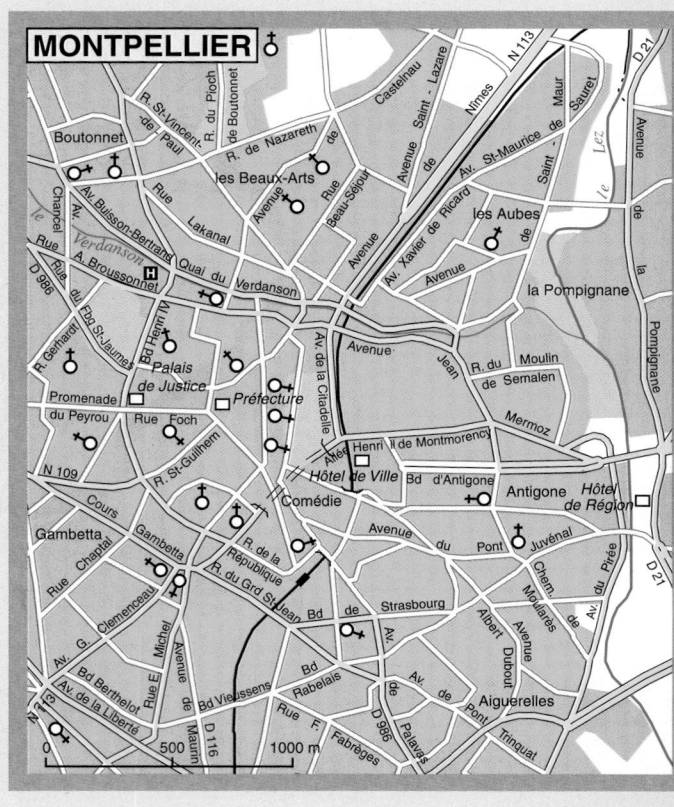
MONTPELLIER
N 113
D 21
R. St-Vincent-de-Paul
R. du Pioch
R. de Boutonnet
Castelnau
Rue Saint-Lazare
Nîmes
Av. St-Maurice de Sauret
Saint-Maur
Avenue de la Pompignane
Boutonnet
R. de Nazareth
les Beaux-Arts
Rue de Beau-Séjour
Avenue de
Chancel
Av. Buisson-Bertrand
Rue Lakanal
le Lez
les Aubes
Rue Verdanson
A. Broussonnet
Quai du Verdanson
Av. Xavier de Ricard
Avenue de
D 986
la Pompignane
R. du Fbg St-Jaumes
Bd Henri IV
Av. de la Citadelle
Avenue Jean
R. du Moulin de Semalen
R. Gerhardt
Palais de Justice
Préfecture
Mermoz
Promenade du Peyrou
Rue Foch
Allée Henri II de Montmorency
N 109
R. St-Guilhem
Hôtel de Ville
Bd d'Antigone
Antigone
Hôtel de Région
Cours Gambetta
Comédie
Avenue du Pont Juvénal
Gambetta
R. de la République
Chem. Moulares
Av. du Pirée
Rue Chaptal
R. du Grd St-Jean
D 21
Av. G. Clemenceau
Bd de Strasbourg
Av. Albert Dubout
Avenue de
Bd Berthelot
Av. de la Liberté
Rue E. Michel
Avenue de Maurin
Bd Vieussens
Bd Rabelais
D 116
Rue F. Fabrèges
D 986
Av. de Palavas
Av. de Pont Trinquat
Aiguerelles
N 113
0
500
1000 m

MONT-DE-MARSAN
Sablière
Nonères
la Douze
Av. de Sabres
Av. Henri Farbos
Rue du Péglé
St-Jean-d'Août
Mendès-France
Avenue du Colonel K.W. Rozanoff
Avenue de Nonères
Palais de Justice
Préfecture
Av. du Maréchal Foch
Boulevard Saint-Médard
D932
Av. P. de Coubertin
Avenue Cronstadt
Hôtel du Département
Hôtel de Ville
Chemin de Thore
R. Fontainebleau
Quai Silguy
le Midou
la Midouze
Avenue Éloi Ducom
D1
R. de la Croix Blanche
Boulevard d'Alingsås
Av. des Martyrs de la Résistance
Bd de la République
Av. Clemenceau
G.R.P. Lisse
Bd de Majourau
Dagas
Lamoustey
Bd Brémontier
Av. du 34e Régiment d'Infanterie
Av. du Président John Fitzgerald Kennedy
Avenue du Houga
D30
Avenue de Saint Sever
D933S
Biarnès
Rue des Saules
le Pouy
Bd de l'Aquitaine
D824
0
500
1000 m

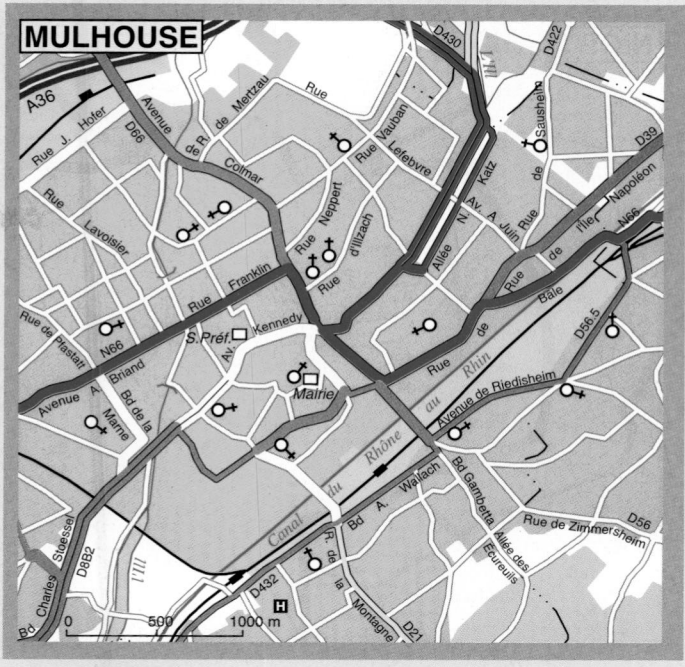
MULHOUSE
A36
D430
D422
l'Ill
Rue J. Hofer
D66
Avenue de R. de Mertzau
Colmar
Rue Vauban
Rue Lefebvre
Rue de Sausheim
D39
Rue Lavoisier
Rue Neppert
Rue d'Illzach
Allée N. Katz
Av. A. Juin
Rue de l'Ile Napoléon
N66
Rue Franklin
Rue de Bâle
Rue de Pfastatt
N66
S.Préf.
Av. Kennedy
Mairie
Avenue A. Briand
Bd de la Marne
Rue du Rhin
Avenue de Riedisheim
D56.5
Canal du Rhône au Rhin
Bd A. Wallach
Bd Gambetta
Allée des Écureuils
Rue de Zimmersheim
D56
Bd Charles Stoessel
D8B2
D432
R. de la Montagne
D21
0
500
1000 m

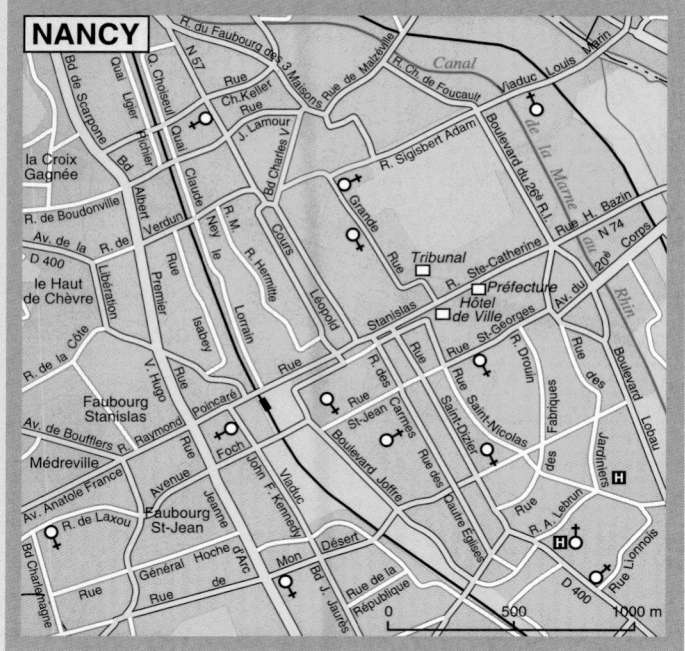
NANCY
R. du Faubourg des 3 Maisons
Rue de Malzéville
R. Ch. de Foucault
Canal
Viaduc Louis Marin
N 57
Bd de Scarpone
Quai Ligier Richier
Q. Choiseul
Rue Ch.Keller
Rue J. Lamour
R. Sigisbert Adam
Boulevard du 26e R.I.
la Croix Gagnée
Bd Charles V
Grande Rue
de la Marne au Rhin
R. de Boudonville
Av. de la Libération
R. de Verdun
Albert
Quai Claude le Lorrain
R.M. Ney
R. Hermite
Cours Léopold
Tribunal
R. Ste-Catherine
Rue H. Bazin
N 74
Av. du 20e Corps
D 400
le Haut de Chèvre
Rue Premier
Préfecture
Hôtel de Ville
Rue Stanislas
Rue St-Georges
R. de la Côte
V. Hugo
Rue Isabey
Rue des Carmes
R. Drouin
Rue des Fabriques
Boulevard Lobau
Faubourg Stanislas
Poincaré
Rue St-Jean
Rue Saint-Nicolas
Rue Saint-Dizier
Av. de Boufflers
R. Raymond
Foch
Boulevard Joffre
Rue des Quatre Églises
Jardiniers
Médreville
Av. Anatole France
Avenue
John F. Kennedy
Viaduc
R. de Laxou
Faubourg St-Jean
R. A. Lebrun
Bd Charlemagne
Rue Général Hoche
Rue de Mon Désert
Jeanne d'Arc
Bd J. Jaurès
Rue de la République
D 400
Rue Lionnois
0
500
1000 m

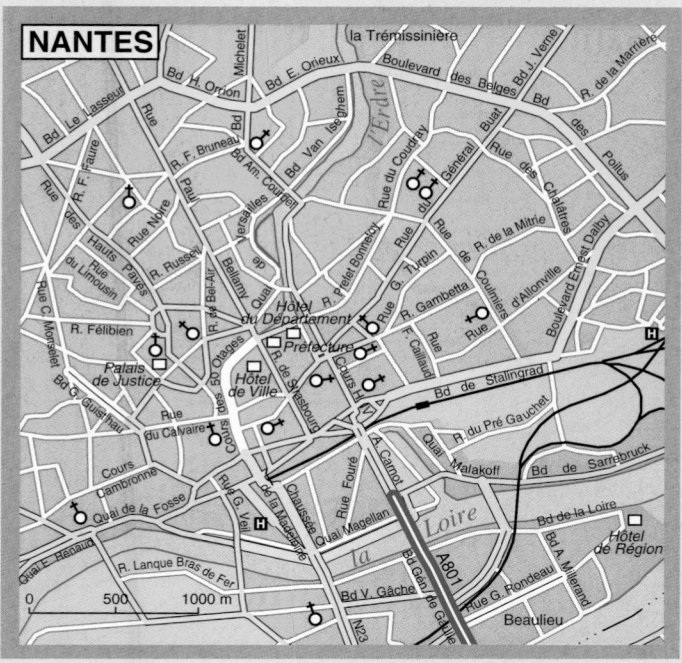
NANTES
la Trémissinière
Michelet
Bd H. Orrion
Bd E. Orieux
Boulevard des Belges
Bd J. Verne
R. de la Marrière
Bd Le Lasseur
Rue des Pollus
R. F. Bruneau
Bd Am. Courbet
Bd Van Iseghem
l'Erdre
Rue du Coudray
Rue du Général Buat
Rue des Chalâtres
R. F. Faure
Rue Noire
Paul Bellamy
Versailles
Rue des Hauts Pavés
Rue du Limousin
R. Russeil
Rue G. Turpin
R. de la Mitrie
Rue Coulmiers
Boulevard Ernest Dalby
R. Préfet Bonnefoy
R. Gambetta
Rue d'Allonville
R. Félibien
Hôtel du Département
Préfecture
Palais de Justice
Hôtel de Ville
R. de Strasbourg
Cours des 50 Otages
Rue C. Monselet
Bd G. Guisthau
Rue du Calvaire
Bd de Stalingrad
R. du Pré Gauchet
Quai Malakoff
Bd de Sarrebruck
Cours Cambronne
Quai de la Fosse
Rue G. Veil
Chaussée de la Madeleine
Rue Fouré
A. Carnot
Quai Magellan
la Loire
Bd de la Loire
Hôtel de Région
Bd A. Millerand
Quai E. Renaud
R. Lanque Bras de Fer
Bd V. Gâche
Bd Gén. de Gaulle
A801
N23
R. G. Rondeau
Beaulieu
0
500
1000 m

NICE
St-André
55
Route de l'Ariane
54
A 8
Cap de Croix
Grande Corniche
le Ray
Pasteur
Cimiez
St-Sylvestre
St-Maurice
St-Roch
St-Barthélemy
Avenue Pessicart
le Piol
St-Étienne
Carabacel
Riquier
Rue Barla
St-Philippe
Bd Victor Hugo
Palais de Justice
Préfecture
Hôtel de Ville
Quai des États-Unis
Rue de France
Promenade des Anglais
BAIE DES ANGES
N 98
N 7
0
500
1000 m

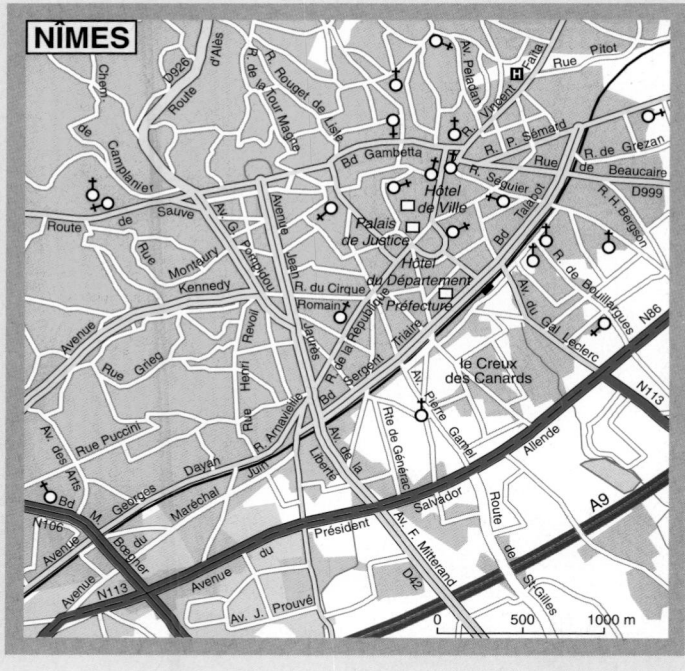
NÎMES
D926
Route d'Alès
R. Rouget de Lisle
R. de la Tour Magne
Av. Peladan
Rue Pitot
R. P. Sémard
R. de Grezan
Bd Gambetta
Rue de Beaucaire
D999
R. Séguier
Hôtel de Ville
R. H. Bergson
Route de Sauve
Palais de Justice
Hôtel du Département
Préfecture
Kennedy
R. du Cirque Romain
R. de Bouillargues
Av. du Gal Leclerc
N86
Rue Grieg
Rue Henri Revoil
le Creux des Canards
N113
Rue Puccini
Rue Dayan
Av. Jean Jaurès
Av. de la Liberté
Rte de Générac
Av. Pierre Gamel
Allende
A9
N106
Avenue du Maréchal Juin
Président Salvador
Route de St-Gilles
Av. F. Mitterand
D42
Avenue M. Boegner
N113
Av. J. Prouvé
0
500
1000 m

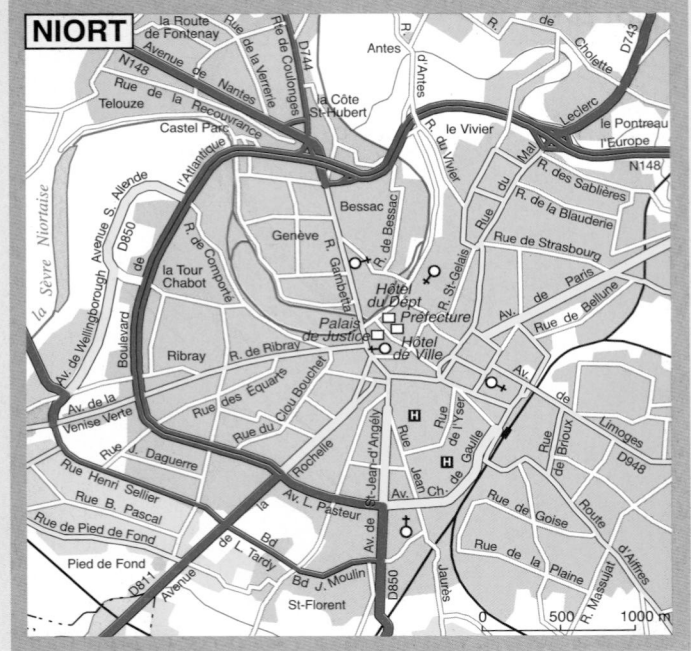
NIORT
la Route de Fontenay
Rue de la Verrerie
Rte de Coulonges
D744
D743
Antes
R. de Cholette
R. d'Antes
Avenue de Nantes
N148
Rue de la Recouvrance
Telouze
la Côte St-Hubert
Castel Parc
le Vivier
R. du Vivier
Leclerc
le Pontreau
l'Europe
Rue S. Allende
la Sèvre Niortaise
R. des Sablières
R. de la Blauderie
Bessac
R. de Bessac
Geneve
Rue de Strasbourg
la Tour Chabot
R. de Comporté
D850
Av. de Wellingborough
Boulevard
R. Gambetta
Hôtel du Dépt
Préfecture
Palais de Justice
Hôtel de Ville
Av. de Paris
Rue de Belfune
Ribray
R. de Ribray
Av. de la Venise Verte
Rue des Équarts
Rue du Clou Bouchet
Rue J. Daguerre
Rue de l'Yser
Rue Jean Ch. de Gaulle
Av. de Limoges
D948
Rue Henri Sellier
Rue B. Pascal
Rue de Pied de Fond
Pied de Fond
Rochelle
Av. L. Pasteur
Av. de St-Jean-d'Angély
Rue de Goise
Route d'Aiffres
Rue de la Plaine
R. Massujat
Bd de L. Tardy
Bd J. Moulin
D811
St-Florent
Jaurès
0 500 1000 m

ORLÉANS
les Chaises
Rue du Faubourg Bannier
N20
Rue M. Berthelot
la Barrière St-Marc
R. de la Barrière
R. Croix Baudu
Rue des murlins
Bd Lamartine
Fbg St-Vincent
R. des Droits de l'Homme
Beineuf
R. de l'Argonne
Cité de l'Argonne
N157
Fbg Bannier
Faubourg St-Vincent
Boulevard
Marie Stuart
R. d'Ambert
Rue du Fbg St-Jean
Faubourg St-Jean
Hôtel du Département
Palais de Justice
St-Marc
St-Loup
N152
Hôtel de Ville
Faubourg Bourgogne
Rue du Fbg de Bourgogne
Rue du Fbg Madeleine
R. Royale
Préfecture
N152
Quai St-Laurent
Quai du Roi
la Loire
R. des Htes Levées
Avenue Roger Secrétain
Av. Dauphine
St-Mesmin
St-Jean-le-Blanc
Rue du Général de Gaulle
Levée de la Rosette
le Pont de Bois
la Saussaye
D951
Route de
la Croix St-Marceau
Clos Rosé
Clos du Pavé
0 500 1000 m

PAU
Avenue de Lons
N417
Crs L. Bérard
N1134
R. St-Exupéry
Av. du Loup
Av. de Montardon
R. du Mohédan
Fouchet
Beziou
Avenue Jean Mermoz
N134
Bd Tourasse
Saintonges
Sarrailh
Avenue Lalanne
Rue Gensemin
Bd Recteur
Avenue de Saragosse
Av. Dufau
Rue du Château d'Este
Avenue Bezou
Crs Lyautey
Av. Honoré Baradat
Av. de Buros
Lalanne
Rue des Marinières
Boulevard d'Alsace-Lorraine
Av. du Baron Séguier
Résistance
R. Carnot
R. J. Réveil
Castetnau
N117
Av. G. Phoebus
Cours Camou
Palais de Justice
R. E. Guichenne
R. H. Faisans
R. Bonado
Av. du Béarn
Av. du 18e Rég. d'Infanterie
Liège
Hôtel du Département
Préfecture
Hôtel de Ville
Rue d'Etigny
Rue A. Rousille
Av. J. Biray
Bd des Pyrénées
Av. E. Ginot
D802
Col. Gloxin
Juillet
Av. G. Lacoste
Av. Léon Heid
R. G. Clemenceau
D937
Jurançon
Rue E. Daure
Le Gave de Pau
D235
Av. de l'Yser
D801
Bizanos
0 500 1000 m

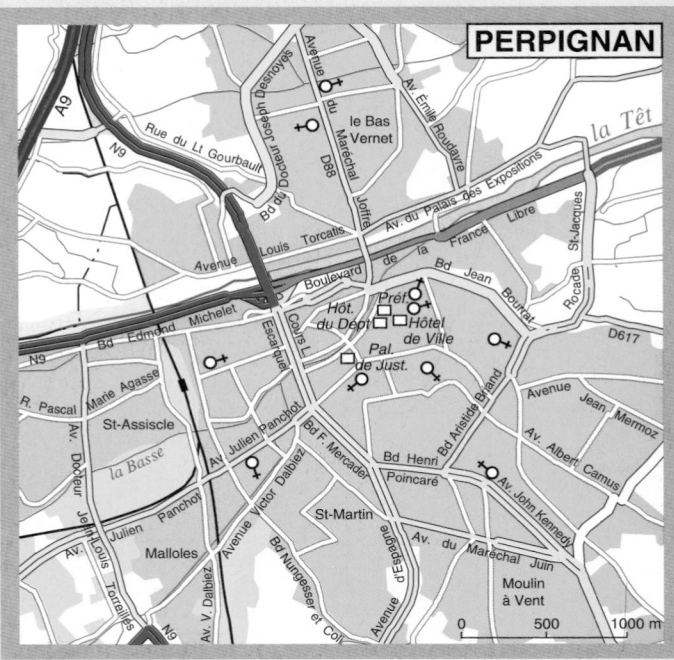
PERPIGNAN
A9
N9
Avenue du Maréchal Joffre
Av. Émile Roudayre
Rue du Lt Gourbault
Bd du Docteur Joseph Desnoyes
le Bas Vernet
D88
la Têt
Av. du Palais des Expositions
Avenue Louis Torcatis
Bd de la France Libre
Av. St-Jacques
Boulevard Jean Bourrat
Rocade
Bd Edmond Michelet
Hôt. du Dépt
Préf.
Hôtel de Ville
D617
Escarguel
Cours L.
Pal. de Just.
R. Pascal Marie Agasse
St-Assiscle
Avenue Jean Mermoz
Bd Aristide Briand
Av. Albert Camus
la Basse
Av. Julien Panchot
Bd F. Mercader
Bd Henri Poincaré
Av. John Kennedy
Av. Docteur Jean-Louis Torreilles
St-Martin
Av. du Maréchal Juin
Malloles
Avenue Victor Dalbiez
Bd Nungesser et Coli
Avenue d'Espagne
Moulin à Vent
Av. V. Dalbiez
0 500 1000 m

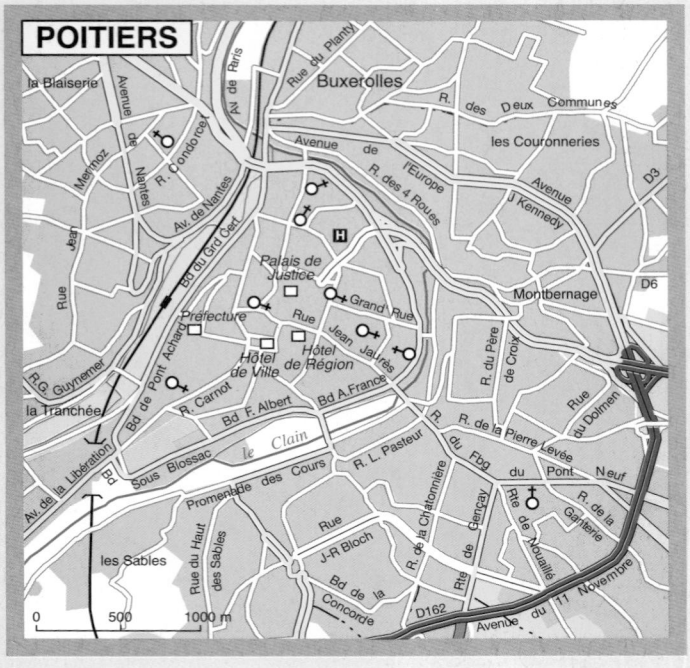
POITIERS
la Blaiserie
Avenue de Nantes
Rue du Planty
Av. de Paris
Buxerolles
R. Condorcet
R. des Deux Communes
Mermoz
Avenue de l'Europe
les Couronneries
R. des 4 Roues
Avenue J Kennedy
D3
Rue Jean Jaurès
Bd du Grd Cerf
Palais de Justice
Grand' Rue
Montbernage
D6
Préfecture
Hôtel de Ville
Hôtel de Région
R. du Père de Croix
R.G. Guynemer
Bd de Pont Achard
R. Carnot
Bd F. Albert
Bd A. France
Rue du Dolmen
la Tranchée
le Clain
R. L. Pasteur
R. de la Pierre Levée
R. du Fbg du Pont Neuf
Bd Sous Biossac
Av. de la Libération
Promenade des Cours
R. de la Chatonnière
Rte de Gençay
Rte de Nouaillé
R. de la Gaillerie
Rue J-R Bloch
les Sables
Rue du Haut des Sables
Bd de la Concorde
D162
Avenue du 11 Novembre
0 500 1000 m

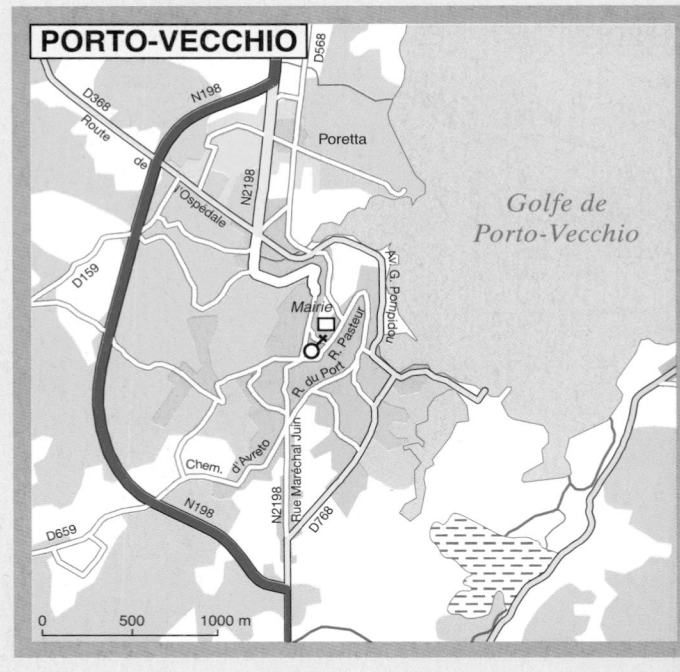
PORTO-VECCHIO
D368
Route de l'Ospedale
N198
D568
Poretta
N2198
Golfe de Porto-Vecchio
Av. G. Pompidou
D159
Mairie
R. Pasteur
R. du Port
Chem. d'Avreto
Rue Maréchal Juin
D768
N198
N2198
D659
0 500 1000 m

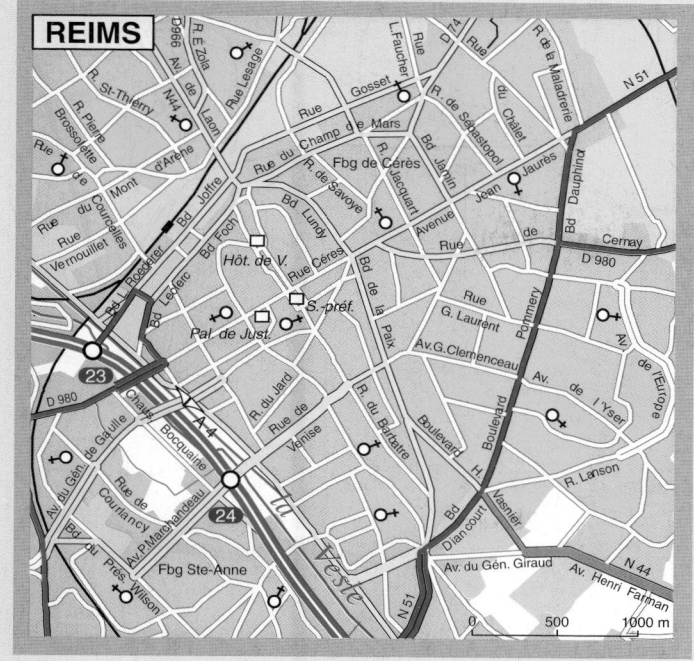
REIMS
R. St-Thierry
R. Pierre Brossolette
Rue de Courcelles
Rue Vernouillet
Mont d'Arène
Bd Joffre
Bd Foch
Bd Leclerc
Bd L. Roederer
Hôt. de V.
Rue Cérès
S.-préf.
Pal. de Just.
Rue du Champ de Mars
Fbg de Cérès
R. de Savoye
Bd Lundy
R. Jacquart
Rue Gosset
L. Fauchet
R. de Sébastopol
Rue du Châtel
R. de la Maladrerie
Bd Dauphinot
Jean Jaurès
Avenue de Laon
N 51
Cernay
D 980
Rue G. Laurent
Av. G. Clemenceau
Pommery
Av. de l'Europe
Av. de l'Yser
Bd de la Paix
R. du Jard
Rue de Venise
R. du Barbâtre
Boulevard Vasnier
Bd Diancourt
R. Lanson
Av. du Gén. Giraud
Av. Henri Farman
N 44
Chaussée Bocquaine
A 4
la Vesle
Av. du Gén. de Gaulle
Rue de Courlancy
Av. P. Marchandeau
Bd du Prés. Wilson
Fbg Ste-Anne
23
24
0
500
1000 m

RENNES
N 137
Beauregard
Préfecture
Avenue Charles Tillon
Villejean
Bd d'Armorique
Canal d'Ille et Rance
St-Martin
Maurepas
Patton
Av. Gén.
Av. de Rochester
N 12
Bd Volney
Rue de Fougères
Rue de Verdun
Bd de Lattre de Tassigny
Rue de St-Malo
R. St-Martin
Rue d'Antrain
Sévigné-Fougères
Bd de Guéhenno
Boulevard de la Duchesse Anne
Bd de Metz
Sévigné
N 157
Rue de Brest
Boulevard de Chézy
Palais de Justice
Hôtel de Région
Hôtel de Ville
Rue de Paris
Av. Aristide Briand
Avenue Sergent Maginot
la Vilaine
Rue Guilloux
Av. du Mail
Quai de la Prévalaye
N 12
N24
Bd de la Liberté
Rue Saint-Hélier
Bd Solférino
Bd de Beaumont
Bd du colombier
Voltaire
Bd de Guines
Bd J. Cartier
Sainte-Thérèse Quineleu
D 463
D 163
0
500
1000 m

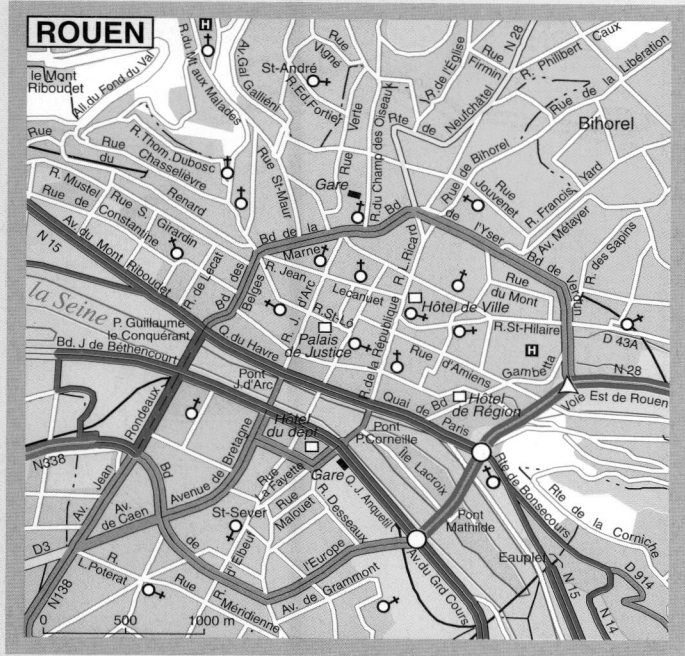
ROUEN
le Mont Riboudet
R. du Fond du Val
R. du Mt aux Malades
Av. Gal Gallieni
St-André
R. Ed. Fortier
Rue Vigne
Rue Verte
R. du Champ des Oiseaux
Rte de Neufchâtel
R. de l'Église
Rue Firmin
R. Philibert Caux
Rue de la Libération
Bihorel
R. Thom. Dubosc
Rue du Chasselièvre
R. Mustel
Rue de Constantine
Rue Renard
Rue S. Girardin
Rue St-Maur
Gare
Rue de Bihorel
Rue Jouvenet
R. Francis Yard
Av. Métayer
R. des Sapins
N 15
Av. du Mont Riboudet
la Seine
P. Guillaume le Conquérant
Bd. J. de Béthencourt
R. de Lecat
Bd des Belges
R. Jean. J. d'Arc
Lecanuet
R.St-Lô
Marne
Palais de Justice
Hôtel de Ville
R. de la République
Rue du Mont
R.St-Hilaire
Rue d'Amiens
Gambetta
Bd de l'Yser
D 43A
N 28
Q. du Havre
Pont J. d'Arc
Quai de Paris
Hôtel de Région
Voie Est de Rouen
Hôtel du dépt
Pont P. Corneille
Rue Lacroix
Rte de Bonsecours
Rte de la Corniche
Rue Rondeaux
N338
Av. Jean
Av. de Caen
Avenue de Bretagne
Rue La Fayette
Gare
Q. J. Anquetil
R. Desseaux
St-Sever
Rue Malouet
Pont Mathilde
Eauplet
N 15
D 914
D3
N138
R. L. Poterat
Rue Méridienne
Av. de Grammont
Av. du Grd Cours
N 14
0
500
1000 m

SAINT-ÉTIENNE
le Marais
15
Méons
Rue St-Simon
Chavassieux
Montaud
R. Bergson
Bd Thiers
Bd J. Janin
le Soleil
R. de la Talaudière
A72
Bd Faurial
le Monteil
Rue É. Zola
R. Palluat de Besset
Crêt de Roch
Préf.
Hôt. de Ville
Rue de la Montat
R. des Alliés
Monthieu
Bd Mal Franchet d'Espérey
Michon
Pal. de Just.
St-François
R. de la Richelandière
Louis Nadaud
la Dame Blanche
Villebœuf
20
Rue E. Deschanel
Rue de la Convention
Bd de la Palle
R. du 11 Novembre
R. A. Durafour
N 88
la Marandinière
Rue de Boussingault
Av. de Rochetaillée
21
Rue Virgile
le Portail Rouge
Montmartre
le Devey
la Cotonne
Florent Evrard
D201
R. Duval
R. Buffon
le Mont
la Béraudière
R. G. Péri
23
0
500
1000 m

SAINT-BRIEUC
le Légué
St-Jouan
Rue T. Ribot
Rue du Légué
Bd Harel de la Noë
Bd de la Mer
St-Michel
R. de la Corderie
Bd Sévigné
N 12
Ginglin
la Ville Hellio
Préfecture
Palais de Justice
Hôtel de Ville
le Gouëdic
Rue Bagot
Bd Laënnec
R. de Brest
R. du 71ème
Rég. d'Infant.
Av. Corneille
R. de Quintin
Bd Charner
Bd Carnot
Bd W. Rousseau
Rue A. France
Rue Luzel
Bd Jules Ferry
Bd Hoche
Rue de Trégueux
Rue Paul Bert
Rue Henri Becquerel
le Carpont
D 45
D 700
Douvenant
les Villes Moisans
Rue des Villes Moisans
D 712
Rue Marcel Proust
D 700
D 27
D 1
Tréfois
St-Rivily
Trégueux
0
500
1000 m

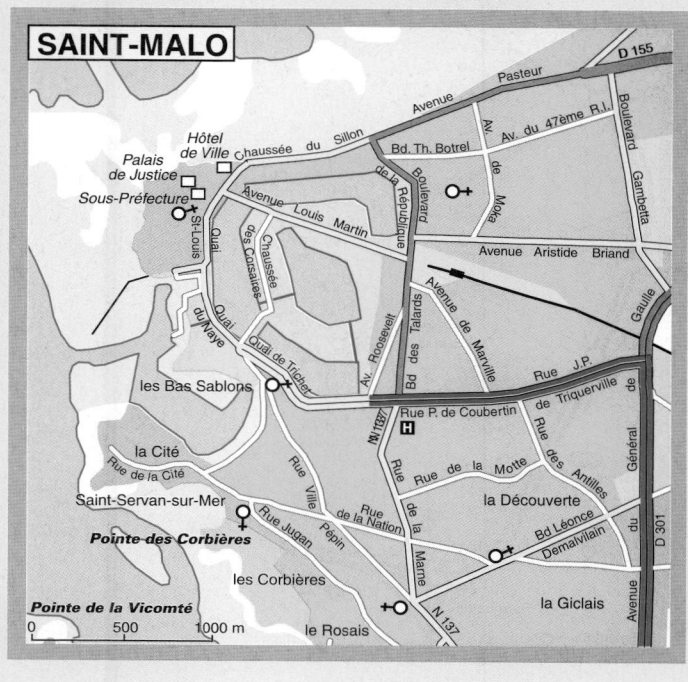
SAINT-MALO
D 155
Avenue Pasteur
Hôtel de Ville
Palais de Justice
Sous-Préfecture
Chaussée du Sillon
Bd. Th. Botrel
Av. du 47ème R.I.
Boulevard Gambetta
Av. de Moka
Boulevard de la République
Avenue Louis Martin
St-Louis
Quai
Chaussée des Corsaires
Avenue Aristide Briand
Avenue de Marville
Gaulle
Quai du Naye
Quai de Trichet
Av. Roosevelt
Bd des Talards
Rue J.P. de Triquerville
les Bas Sablons
N 137
Rue P. de Coubertin
Général
la Cité
Rue de la Cité
Rue Ville Pépin
Rue de la Motte
Rue des Antilles
Rue de la Marne
Saint-Servan-sur-Mer
Rue Jugan
Rue de la Nation
la Découverte
Bd Léonce Demalvilain
Avenue du
D 301
Pointe des Corbières
les Corbières
la Giclais
Pointe de la Vicomté
le Rosais
N 137
0
500
1000 m

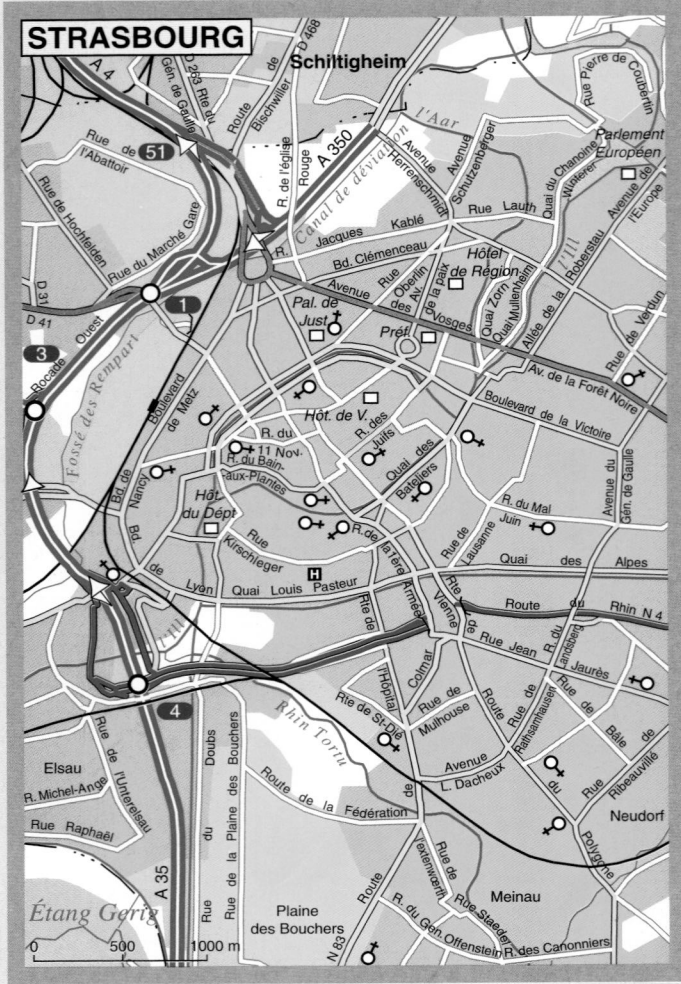
STRASBOURG
Schiltigheim
A 4
A 350
Parlement Européen
Canal de dérivation
l'Ill
Hôtel de Région
Pal. de Just.
Préf.
Hôt. de V.
Hôt. du Dépt
Av. de la Forêt Noire
Boulevard de la Victoire
Quai des Alpes
Quai Louis Pasteur
Route du Rhin N 4
Rue Jean Jaurès
Fossé des Remparts
Rhin Tortu
Route de la Fédération
Elsau
Neudorf
Meinau
Plaine des Bouchers
Étang Gerig
Rue R. Michel-Ange
Rue Raphaël
Rue de l'Unterelsau
Rue de la Plaine des Bouchers
A 35
N 83
R. du Gén. Offenstein
R. des Canonniers
0
500
1000 m

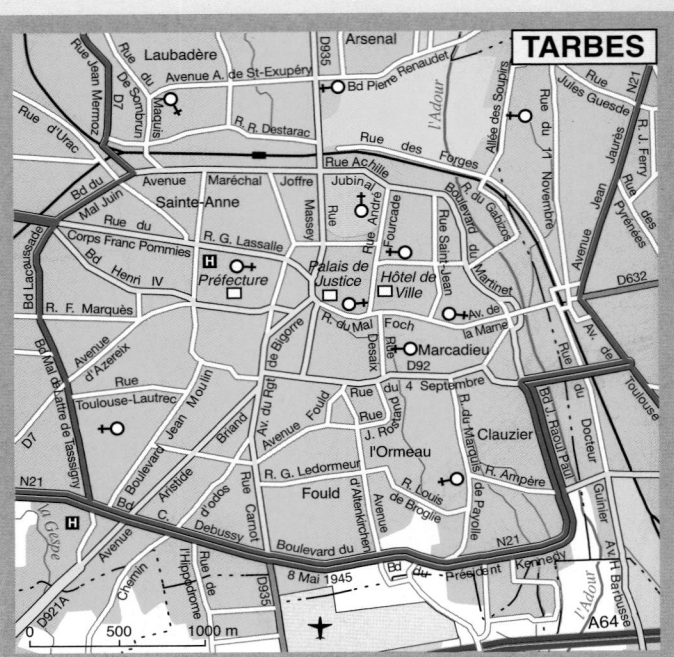
TOULOUSE
St-Michel du-Touch
les Sept Deniers
les Minimes
Hôtel du Département
Bd des Minimes
Arnaud Bernard
Bd de l'Embouchure
Bd de la Marquette
Canal de Brienne
les Ponts Jumeaux
les Amidonniers
Casselardit
la Garonne
Mairie
R. de Metz
Préfecture
Av. de Grande-Bretagne
Bourrassol
Av. de Lombez
Faubourg Saint-Cyprien
Palais de Justice
Route de Saint-Simon
Bosc
Fontaine l'Estang
la Croix de Pierre
Av. de Muret
Hôtel de Région
St-Michel
le Busca
St-Roch
Cité Universitaire
Empalot
Sauzelong
Rangueil
le Mirail
la Pointe
Reynerie
la Fourguette
Bellefontaine
Avenue d'Empalot
Rte de Narbonne
A620
A64
N20
N113
N124
N88
D2
D4
D4d
D15
D23
0
500
1000 m

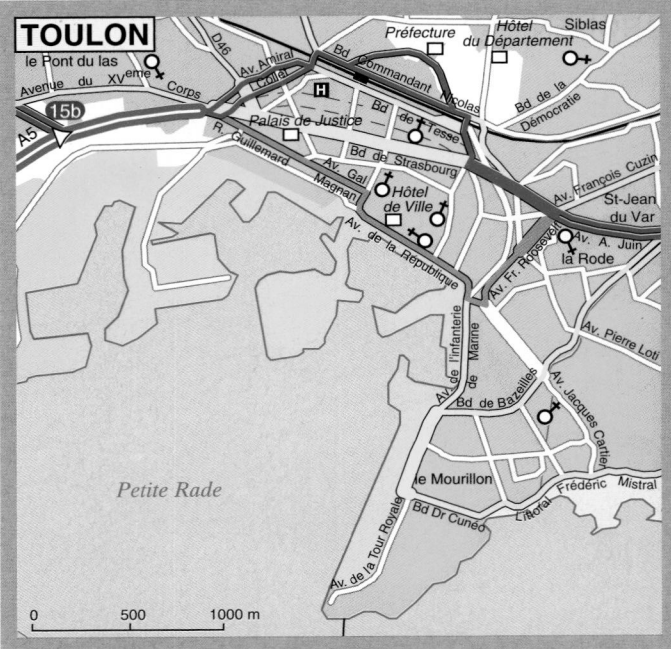
TARBES
Laubadère
Arsenal
Avenue A. de St-Exupéry
Bd Pierre Renaudet
R. Destarac
Rue des Forges
Rue Achille Jubinal
Avenue Maréchal Joffre
Sainte-Anne
Rue du Corps Franc Pommiès
R. G. Lassalle
Préfecture
Palais de Justice
Hôtel de Ville
R. F. Marquès
Marcadieu
Rue du 4 Septembre
Rue Toulouse-Lautrec
Boulevard Jean Moulin
Clauzier
R. Ampère
l'Ormeau
Fould
R. G. Ledormeur
Boulevard du 8 Mai 1945
Bd du Président Kennedy
l'Adour
A64
N21
D632
D7
D92
D935
0
500
1000 m

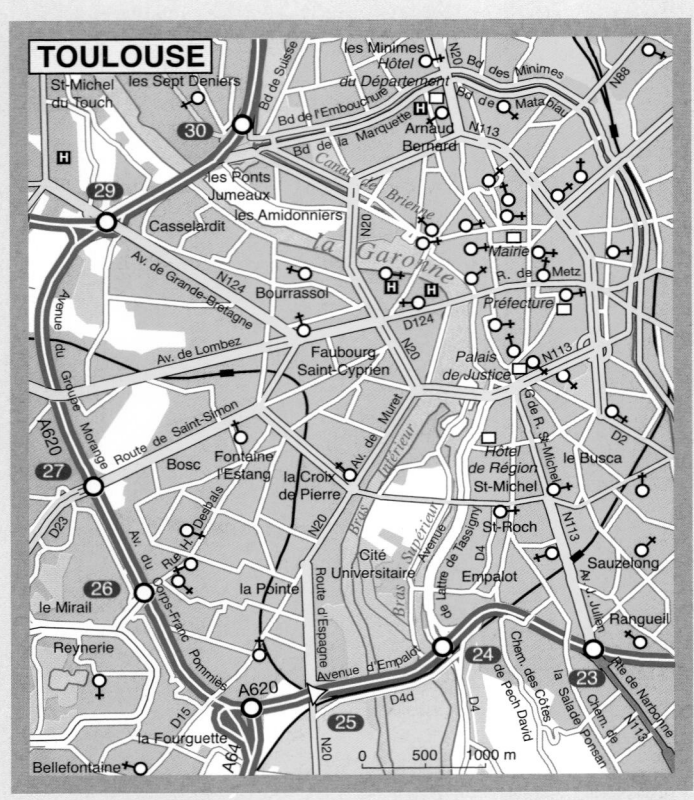
TOULON
le Pont du las
Avenue du XVème Corps
Préfecture
Hôtel du Département
Siblas
Bd Commandant Nicolas
Palais de Justice
Bd de Strasbourg
Hôtel de Ville
Av. de la République
Av. François Cuzin
St-Jean du Var
Av. A. Juin
la Rode
Av. Pierre Loti
Av. Jacques Cartier
Bd de Bazeilles
le Mourillon
Littoral Frédéric Mistral
Petite Rade
Av. de la Tour Royale
Bd Dr Cuneo
A5
15b
0
500
1000 m

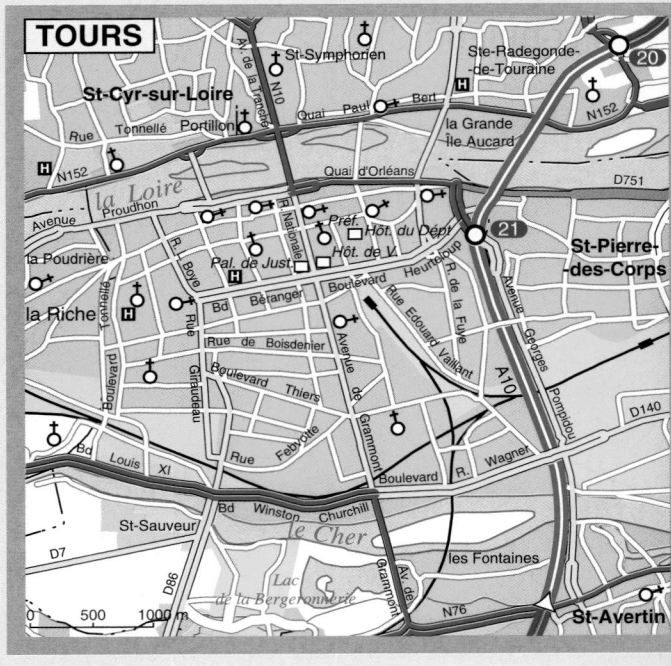
TOURS
St-Symphorien
Ste-Radegonde-de-Touraine
St-Cyr-sur-Loire
Quai Paul Bert
la Grande Île Aucard
Quai d'Orléans
la Loire
la Poudrière
Préf.
Hôt. du Dépt
Hôt. de V.
Pal. de Just.
St-Pierre-des-Corps
la Riche
Rue de Boisdenier
Boulevard Thiers
Avenue de Grammont
Rue Febvotte
Bd Louis XI
Bd Winston Churchill
St-Sauveur
le Cher
Lac de la Bergeronnerie
les Fontaines
St-Avertin
A10
N10
N152
N76
D751
D140
D7
D86
0
500
1000 m

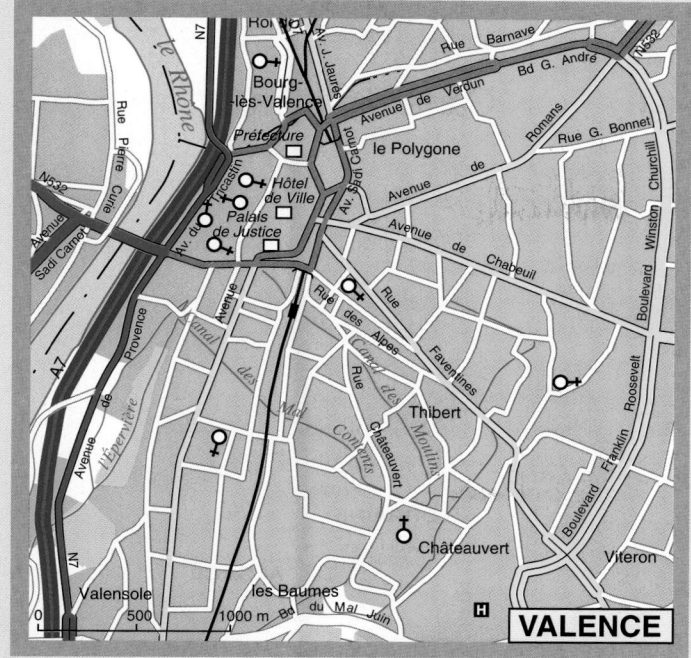
VALENCE
Bourg-lès-Valence
Préfecture
Hôtel de Ville
Palais de Justice
le Polygone
Thibert
Châteauvert
Viteron
Valensole
les Baumes
le Rhône
Avenue de Verdun
Avenue de Chabeuil
Avenue de Romans
Rue Barnave
Bd G. André
Rue G. Bonnet
Boulevard Churchill
Boulevard Winston
Boulevard Roosevelt
Boulevard Franklin
Rue Faventines
Rue des Alpes
Rue Châteauvert
Canal des Moulins
Canal de l'Épervière
Avenue de Provence
Rue Pierre Curie
Avenue Sadi Carnot
Av. Sadi Carnot
Av. J. Jaurès
Bd du Mal Juin
0
500
1000 m

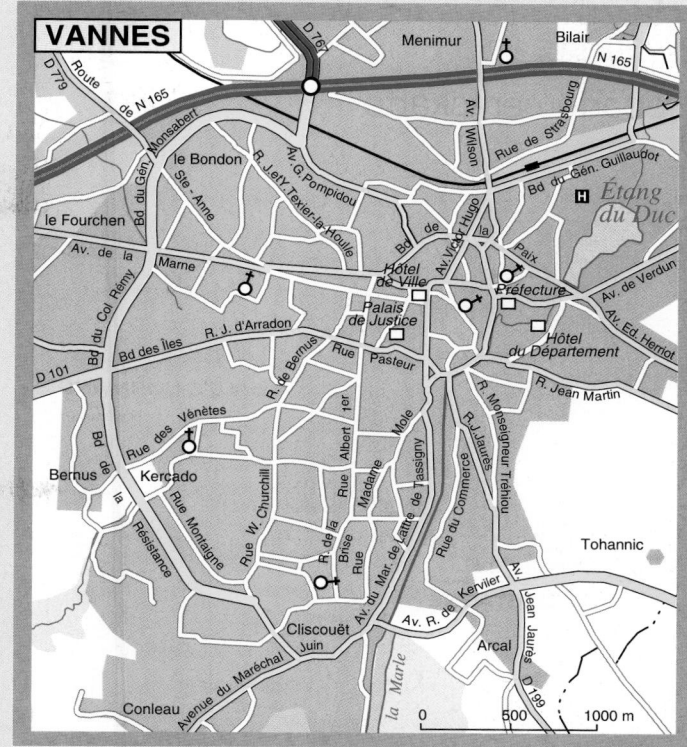
VANNES
Menimur
Bilair
N 165
D 767
D 779
Route de N 165
le Bondon
le Fourchen
Bd du Gén. Monsabert
Ste-Anne
R. J. et Y. Texier-la-Houle
Av. G. Pompidou
Av. Wilson
Rue de Strasbourg
Bd du Gén. Guillaudot
Étang du Duc
Bd de la Paix
Av. Victor Hugo
Av. de la Marne
Bd du Col Rémy
Hôtel de Ville
Palais de Justice
Préfecture
Hôtel du Département
Av. de Verdun
Av. Ed. Herriot
R. J. d'Arradon
Bd des Îles
D 101
Rue Pasteur
R. de Bernus
R. Jean Martin
Rue des Vénètes
Bernus
Kercado
Bd de la Résistance
Rue Montaigne
Rue W. Churchill
Rue Albert 1er
Rue Madame Mole
R. de la Brise
Av. du Mar. de Lattre de Tassigny
Rue du Commerce
R. J. Jaurès
R. Monseigneur Tréhiou
Tohannic
Av. R. de Kerviler
Av. Jean Jaurès
Arcal
D 199
Cliscouët
Avenue du Maréchal Juin
Conleau
la Marle
0
500
1000 m

France administrative 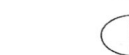 Département map

Overzicht departementen (NL)   (E) Mapa departamental

Departementskarte (D)   (I) Carta dipartimentale

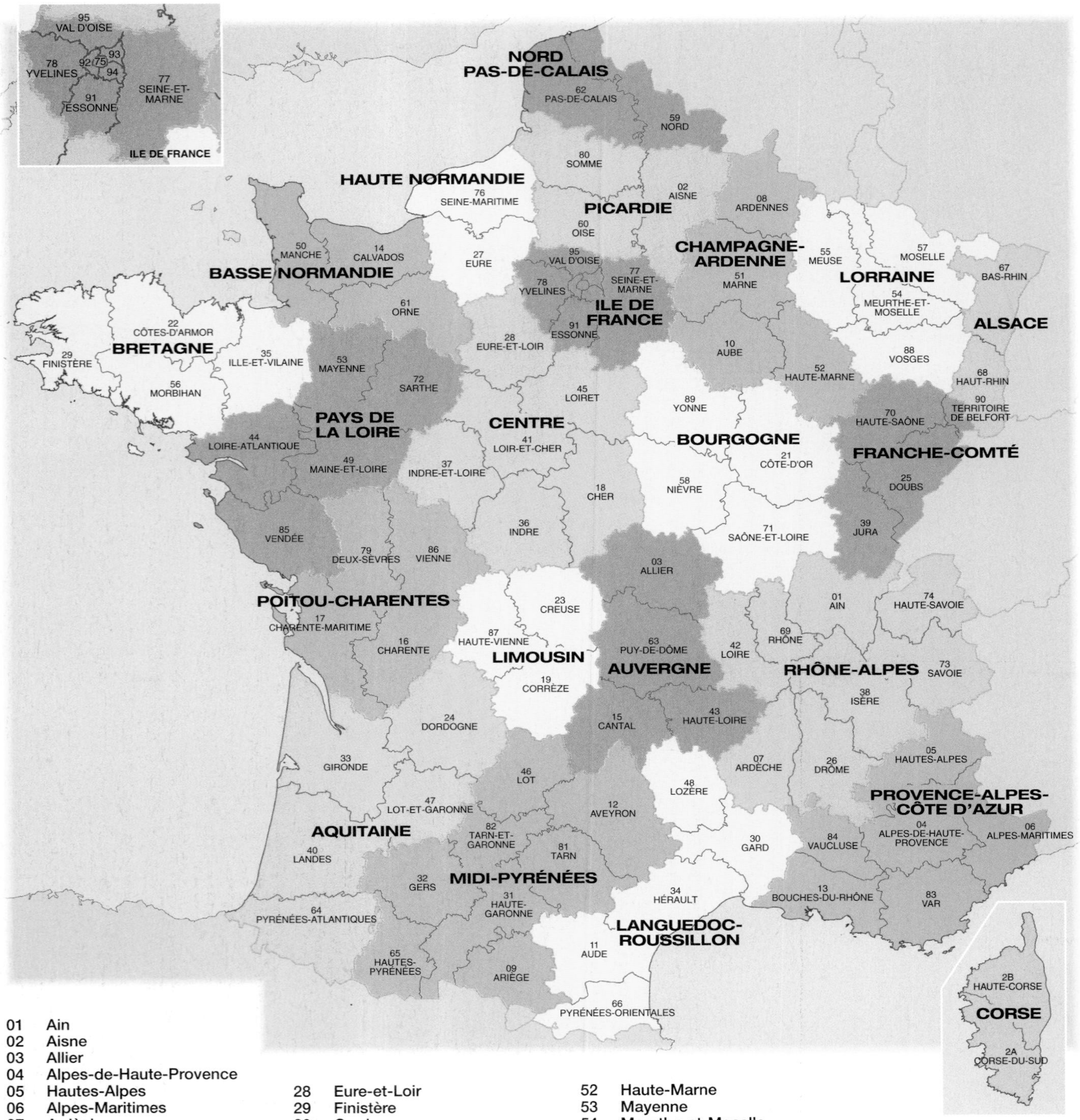

346

ILE DE FRANCE
95 VAL D'OISE
78 YVELINES 92 75 93
94
91 ESSONNE 77 SEINE-ET-MARNE

NORD PAS-DE-CALAIS
62 PAS-DE-CALAIS
59 NORD
80 SOMME
02 AISNE
08 ARDENNES

HAUTE NORMANDIE
76 SEINE-MARITIME
PICARDIE
60 OISE
27 EURE

CHAMPAGNE-ARDENNE
51 MARNE
55 MEUSE
57 MOSELLE
67 BAS-RHIN

LORRAINE
54 MEURTHE-ET-MOSELLE

ALSACE

50 MANCHE 14 CALVADOS
BASSE NORMANDIE
61 ORNE
95 VAL D'OISE
78 YVELINES
77 SEINE-ET-MARNE
91 ESSONNE
ILE DE FRANCE
10 AUBE
88 VOSGES
68 HAUT-RHIN
90 TERRITOIRE DE BELFORT

22 CÔTES-D'ARMOR
BRETAGNE
29 FINISTÈRE
35 ILLE-ET-VILAINE
53 MAYENNE
72 SARTHE
28 EURE-ET-LOIR
52 HAUTE-MARNE
70 HAUTE-SAÔNE

56 MORBIHAN
PAYS DE LA LOIRE
44 LOIRE-ATLANTIQUE
49 MAINE-ET-LOIRE
45 LOIRET
CENTRE
41 LOIR-ET-CHER
37 INDRE-ET-LOIRE
89 YONNE
BOURGOGNE
21 CÔTE-D'OR
58 NIÈVRE
FRANCHE-COMTÉ
25 DOUBS
39 JURA

85 VENDÉE
79 DEUX-SÈVRES
86 VIENNE
18 CHER
36 INDRE
71 SAÔNE-ET-LOIRE

POITOU-CHARENTES
17 CHARENTE-MARITIME
87 HAUTE-VIENNE
23 CREUSE
03 ALLIER
01 AIN
74 HAUTE-SAVOIE

16 CHARENTE
LIMOUSIN
63 PUY-DE-DÔME
42 LOIRE
69 RHÔNE
73 SAVOIE
RHÔNE-ALPES

19 CORRÈZE
AUVERGNE
15 CANTAL
43 HAUTE-LOIRE
38 ISÈRE

24 DORDOGNE
07 ARDÈCHE
26 DRÔME
05 HAUTES-ALPES

33 GIRONDE
46 LOT
48 LOZÈRE
84 VAUCLUSE
04 ALPES-DE-HAUTE-PROVENCE
06 ALPES-MARITIMES
PROVENCE-ALPES-CÔTE D'AZUR

47 LOT-ET-GARONNE
12 AVEYRON
30 GARD

AQUITAINE
82 TARN-ET-GARONNE
81 TARN
13 BOUCHES-DU-RHÔNE
83 VAR

40 LANDES
32 GERS
MIDI-PYRÉNÉES
31 HAUTE-GARONNE
34 HÉRAULT

64 PYRÉNÉES-ATLANTIQUES
LANGUEDOC-ROUSSILLON

65 HAUTES-PYRÉNÉES
09 ARIÈGE
11 AUDE
66 PYRÉNÉES-ORIENTALES

2B HAUTE-CORSE
CORSE
2A CORSE-DU-SUD

01	Ain	28	Eure-et-Loir	52	Haute-Marne
02	Aisne	29	Finistère	53	Mayenne
03	Allier	30	Gard	54	Meurthe-et-Moselle
04	Alpes-de-Haute-Provence	31	Haute-Garonne	55	Meuse
05	Hautes-Alpes	32	Gers	56	Morbihan
06	Alpes-Maritimes	33	Gironde	57	Moselle
07	Ardèche	34	Hérault	58	Nièvre
08	Ardennes	35	Ille-et-Vilaine	59	Nord
09	Ariège	36	Indre	60	Oise
10	Aube	37	Indre-et-Loire	61	Orne
11	Aude	38	Isère	62	Pas-de-Calais
12	Aveyron	39	Jura	63	Puy-de-Dôme
13	Bouches-du-Rhône	40	Landes	64	Pyrénées-Atlantiques
14	Calvados	41	Loir-et-Cher	65	Hautes-Pyrénées
15	Cantal	42	Loire	66	Pyrénées-Orientales
16	Charente	43	Haute-Loire	67	Bas-Rhin
17	Charente-Maritime	44	Loire-Atlantique	68	Haut-Rhin
18	Cher	45	Loiret	69	Rhône
19	Corrèze	46	Lot	70	Haute-Saône
2A	Corse-du-Sud	47	Lot-et-Garonne	71	Saône-et-Loire
2B	Haute-Corse	48	Lozère	72	Sarthe
21	Côte-d'Or	49	Maine-et-Loire	73	Savoie
22	Côtes d'Armor	50	Manche	74	Haute-Savoie
23	Creuse	51	Marne	75	Paris
24	Dordogne				
25	Doubs				
26	Drôme				
27	Eure				

76	Seine-Maritime
77	Seine-et-Marne
78	Yvelines
79	Deux-Sèvres
80	Somme
81	Tarn
82	Tarn-et-Garonne
83	Var
84	Vaucluse
85	Vendée
86	Vienne
87	Haute-Vienne
88	Vosges
89	Yonne
90	Territoire de Belfort
91	Essonne
92	Hauts-de-Seine
93	Seine-Saint-Denis
94	Val-de-Marne
95	Val-d'Oise

Aast – Amnéville

347

A

Aast (64) 285 F4
Abainville (55) 92 E1
Abancourt (59) 11 J3
Abancourt (60) 17 F4
Abaucourt (54) 66 B2
Abaucourt-Hautecourt (55) 43 K4
Abbans-Dessous (25) 156 A1
Abbans-Dessus (25) 156 A2
Abbaretz (44) 103 H5
Abbécourt (02) 19 J6
Abbecourt (60) 37 H3
Abbenans (25) 138 E2
Abbeville (80) 9 G5
Abbéville-la-Rivière (91) 86 C4
Abbéville-lès-Conflans (54) 44 C4
Abbeville-Saint-Lucien (60) 37 H1
Abbévillers (25) 139 J3
Abeilhan (34) 292 B2
Abelcourt (70) 118 C5
Abère (64) 285 F3
l'Abergement-Clémenciat (01) 188 D3
l'Abergement-de-Cuisery (71) 172 A3
l'Abergement-de-Varey (01) 189 J4
Abergement-la-Ronce (39) 155 F2
Abergement-le-Grand (39) 155 J4
Abergement-le-Petit (39) 155 J4
Abergement-lès-Thésy (39) 156 B4
l'Abergement-
-Sainte-Colombe (71) 172 A1
Abidos (64) 284 A3
Abilly (37) 146 A4
Abitain (64) 283 G2
Abjat-sur-Bandiat (24) 198 A4
Ablain-Saint-Nazaire (62) 10 E1
Ablaincourt-Pressoir (80) 19 F2
Ablainzevelle (62) 10 E4
Ablancourt (51) 62 E4
Ableiges (95) 37 G6
les Ableuvenettes (88) 94 B5
Ablis (78) 85 K2
Ablon (14) 34 A2
Ablon-sur-Seine (94) 59 F5
Aboën (42) 204 D6
Aboncourt (54) 93 J3
Aboncourt (57) 45 G3
Aboncourt-Gesincourt (70) 117 K5
Aboncourt-sur-Seille (57) 66 C3
Abondance (74) 175 H6
Abondant (28) 57 F4
Abos (64) 284 B3
Abreschviller (57) 67 K5
Abrest (03) 185 J4
les Abrets (38) 207 J4
Abriès (05) 227 D2
Abscon (59) 12 B2
l'Absie (79) 161 G2
Abzac (16) 180 B3
Abzac (33) 212 B5
Accolans (25) 138 E2
Accolay (89) 133 H1
Accons (07) 239 H1
Accous (64) 303 F2
Achain (57) 66 E2
Achen (57) 68 E3
Achenheim (67) 70 E3
Achères (18) 131 F6
Achères (78) 58 C2
Achères-la-Forêt (77) 87 G4
Achery (02) 20 B4
Acheux-en-Amiénois (80) 10 C5
Acheux-en-Vimeu (80) 8 E5
Acheville (62) 11 F1
Achey (70) 137 F2
Achicourt (62) 10 E3
Achiet-le-Grand (62) 10 E5
Achiet-le-Petit (62) 10 E5
Achun (58) 151 J2
Achy (60) 17 H6
Acigné (35) 79 H4
Aclou (27) 34 E5
Acon (27) 56 C4
Acq (62) 10 D2
Acqueville (14) 53 J2
Acqueville (50) 28 B2
Acquigny (27) 35 J5
Acquin-Westbécourt (62) 5 F3
Acy (02) 39 K3
Acy-en-Multien (60) 39 F6
Acy-Romance (08) 41 H1
Adaincourt (57) 66 C1
Adainville (78) 57 H5
Adam-lès-Passavant (25) 138 D5
Adam-lès-Vercel (25) 157 F1
Adamswiller (67) 68 E5
Adast (65) 304 A2
Adé (65) 285 G6
Adelange (57) 45 K6
Adelans-et-le-
-Val-de-Bithaine (70) 118 D5
Adervielle-Pouchergues (65) 305 F4
Adilly (79) 161 J2
Adinfer (62) 10 E4
Adissan (34) 292 C1
les Adjots (16) 179 G4
Adon (45) 111 J6
les Adrets (38) 224 D2
les Adrets-de-l'Estérel (83) 280 C6
Adriers (86) 180 C2
Afa (2A) 320 C4
Affieux (19) 200 A5
Affléville (54) 44 B3
Affoux (69) 205 G1
Affracourt (54) 94 A2
Affringues (62) 4 E3
Agassac (31) 287 F3
Agde (34) 292 C4
Agel (34) 291 G4
Agen (47) 248 B4
Agen-d'Aveyron (12) 252 C3
Agencourt (21) 154 B2
Agenville (80) 9 J4
Agenvillers (80) 9 H4
les Ageux (60) 38 B3
Ageville (52) 116 D1
Agey (21) 135 H6
Aghione (2B) 321 J2
Agincourt (54) 66 B4
Agmé (47) 247 J1
Agnac (47) 231 G4
Agnat (43) 219 H2
Agneaux (50) 31 H3
Agnetz (60) 37 K3
Agnez-lès-Duisans (62) 10 D2
Agnicourt-et-Séchelles (02) 21 G4
Agnières (62) 10 D2
Agnières-en-Dévoluy (05) 242 C3
Agnin (38) 222 B1
Agnos (64) 284 A6
Agny (62) 10 E3
Agon-Coutainville (50) 30 C4
Agonac (24) 214 A2
Agonès (34) 274 A2
Agonges (03) 168 C3
Agos-Vidalos (65) 304 B2
Agris (16) 197 F2
Agudelle (17) 211 J1
Aguessac (12) 253 G5
Aguilcourt (02) 40 E2
Aguts (81) 289 G1
Agy (14) 32 A4
Ahaxe-Alciette-Bascassan (64) 282 E6
Ahetze (64) 282 A2
Ahéville (88) 94 B4
Ahuillé (53) 104 D2
Ahun (23) 183 F4
Ahuy (21) 136 A4
Aibes (59) 13 J3
Aibre (25) 139 G2
Aïcirits-Camou-Suhast (64) 283 G3
Aiffres (79) 178 A1
Aigaliers (30) 255 K6
l'Aigle (61) 55 J4
Aiglemont (08) 22 D3
Aiglepierre (39) 155 K4
Aigleville (27) 57 F1
Aiglun (04) 259 H6
Aiglun (06) 280 D2
Aignan (32) 266 C5
Aignay-le-Duc (21) 135 H1
Aigne (34) 291 F4
Aigné (72) 106 D2
Aignerville (14) 29 K6
Aignes (31) 288 D4
Aignes-et-Puypéroux (16) 196 D6
Aigneville (80) 8 E6
Aigny (51) 62 C1
Aigonnay (79) 161 K6
Aigre (16) 178 E6
Aigrefeuille (31) 288 D1
Aigrefeuille-d'Aunis (17) 177 F3
Aigrefeuille-sur-Maine (44) 141 K2
Aigremont (30) 274 E2
Aigremont (52) 117 G2
Aigremont (78) 58 B3
Aigremont (89) 113 K6
Aiguebelette-le-Lac (73) 208 A4
Aiguebelle (73) 209 F4
Aigueblanche (73) 209 H4
Aiguefonde (81) 290 A2
Aigueperse (63) 185 G5
Aigueperse (69) 187 J1
Aigues-Juntes (09) 307 G2
Aigues-Mortes (30) 294 A3
Aigues-Vives (09) 308 B2
Aigues-Vives (11) 290 D5
Aigues-Vives (30) 275 F4
Aigues-Vives (34) 291 G4
Aiguèze (30) 256 B3
Aiguilhe (43) 220 C5
Aiguilles (05) 227 C2
l'Aiguillon (09) 308 B3
Aiguillon (47) 247 J3
l'Aiguillon-sur-Mer (85) 159 J6
l'Aiguillon-sur-Vie (85) 158 E1
Aiguines (83) 279 G3
Aigurande (36) 165 K5
Ailhon (07) 239 G5
Aillant-sur-Milleron (45) 112 A5
Aillant-sur-Tholon (89) 112 E4
Aillas (33) 246 E1
Ailleux (42) 204 B1
Aillevans (70) 138 D1
Ailleville (10) 91 G5
Aillevillers-et-Lyaumont (70) 118 C3
Aillianville (52) 92 E4
Aillières-Beauvoir (72) 83 F3
Aillon-le-Jeune (73) 208 D3
Aillon-le-Vieux (73) 208 D3
Ailloncourt (70) 118 D5
Ailly (27) 35 K5
Ailly-le-Haut-Clocher (80) 9 H5
Ailly-sur-Noye (80) 18 B4
Ailly-sur-Somme (80) 17 K1
Aimargues (30) 275 F5
Aime (73) 209 J4
Ainay-le-Château (03) 167 J2
Ainay-le-Vieil (18) 167 G2
Aincille (64) 282 E6
Aincourt (95) 57 K1
Aincreville (55) 43 F2
Aingeray (54) 65 J4
Aingeville (88) 93 G5
Aingoulaincourt (52) 92 C2
Ainharp (64) 283 H4
Ainhice-Mongelos (64) 282 E5
Ainhoa (64) 282 B3
Ainvelle (70) 118 B4
Ainvelle (88) 117 H2
Airaines (80) 17 H1
Airan (14) 33 G6
Aire (08) 41 G1
Aire-sur-la-Lys (62) 5 H4
Aire-sur-l'Adour (40) 265 K5
Airel (50) 31 H2
les Aires (34) 291 J1
Airion (60) 38 A2
Airon-Notre-Dame (62) 8 E1
Airon-Saint-Vaast (62) 8 E1
Airoux (11) 289 G4
Airvault (79) 144 C6
Aiserey (21) 154 D1
Aisey-et-Richecourt (70) 117 J3
Aisey-sur-Seine (21) 115 F6
Aisonville-et-Bernoville (02) 20 C1
Aïssey (25) 138 D5
Aisy-sous-Thil (21) 134 D4
Aisy-sur-Armançon (89) 134 C1
Aiti (2B) 319 G4
Aiton (73) 208 E4
Aix (19) 201 G4
Aix (59) 7 F6
les Aix-d'Angillon (18) 149 J1
Aix-en-Diois (26) 241 H3
Aix-en-Ergny (62) 4 E5
Aix-en-Issart (62) 4 D6
Aix-en-Othe (10) 89 H5
Aix-en-Provence (13) 296 D1
Aix-la-Fayette (63) 203 H5
Aix-les-Bains (73) 208 B2
Aix-Noulette (62) 10 E1
Aixe-sur-Vienne (87) 198 D2
Aizac (07) 239 G4
Aizanville (52) 115 J1
Aize (36) 147 K2
Aizecourt-le-Bas (80) 19 H1
Aizecourt-le-Haut (80) 19 H1
Aizelles (02) 40 D1
Aizenay (85) 141 H6
Aizier (27) 34 D2
Aizy-Jouy (02) 40 A2
Ajac (11) 308 E2
Ajaccio (2A) 320 B5
Ajain (23) 182 E2
Ajat (24) 214 D4
Ajoncourt (57) 66 B3
Ajou (27) 55 K2
Ajoux (07) 239 J3
Alaigne (11) 308 D1
Alaincourt (02) 20 A3
Alaincourt (70) 118 A3
Alaincourt-la-Côte (57) 66 C2
Alairac (11) 290 A6
Alan (31) 287 G5
Alando (2B) 319 G6
Alata (2A) 320 B4
Alba-la-Romaine (07) 239 K6
Alban (81) 271 H3
Albaret-le-Comtal (48) 236 E2
Albaret-Sainte-Marie (48) 237 F2
Albas (11) 310 A2
Albas (46) 249 H1
Albé (67) 70 B6
Albefeuille-Lagarde (82) 249 J6
l'Albenc (38) 223 H3
Albens (73) 208 B1
Albepierre-Bredons (15) 218 B5
l'Albère (66) 315 G5
Albert (80) 10 D6
Albertacce (2B) 318 D6
Albertville (73) 209 G2
Albestroff (57) 68 B5
Albi (81) 270 E2
Albiac (31) 289 F1
Albiac (46) 234 B3
Albias (82) 250 A6
Albières (11) 309 H3
Albiès (09) 307 K5
Albiez-le-Jeune (73) 225 G2
Albiez-Montrond (73) 225 G2
Albignac (19) 216 A4
Albigny-sur-Saône (69) 188 C6
Albine (81) 290 D2
Albitreccia (2A) 320 D6
Albon (26) 222 B3
Albon-d'Ardèche (07) 239 H2
Alboussière (07) 222 A6
les Albres (12) 234 E6
Albussac (19) 216 B4
Alby-sur-Chéran (74) 208 C1
Alçay-Alçabéhéty-
-Sunharette (64) 283 H6
Aldudes (64) 282 B6
Alembon (62) 2 D4
Alençon (61) 82 D3
Alénya (66) 315 H3
Aléria (2B) 321 K2
Alès (30) 255 G5
Alet-les-Bains (11) 309 F2
Alette (62) 4 C5
Aleu (09) 306 E4
Alex (74) 191 G5
Alexain (53) 80 E5
Aleyrac (26) 240 D6
Alfortville (94) 59 F4
Algajola (2B) 318 C2
Algans (81) 270 B6
Algolsheim (68) 96 E5
Algrange (57) 27 F4
Alièze (39) 173 G3
Alignan-du-Vent (34) 292 B2
Alincourt (08) 41 H2
Alincthun (62) 4 C3
Alise-Sainte-Reine (21) 135 F3
Alissas (07) 239 K4
Alix (69) 188 A6
Alixan (26) 222 D6
Alizay (27) 35 J3
Allain (54) 93 J1
Allaines (80) 19 G1
Allaines-Mervilliers (28) 85 K6
Allainville (28) 56 E5
Allainville (78) 86 A3
Allaire (56) 102 B4
Allamont (54) 44 B5
Allamps (54) 93 H1
Allan (26) 240 B6
Allanche (15) 218 C3
Alland'Huy-et-Sausseuil (08) 22 B6
Allarmont (88) 95 J1
Allas-Bocage (17) 211 J1
Allas-Champagne (17) 195 K5
Allas-les-Mines (24) 232 D2
Allassac (19) 215 H3
Allauch (13) 296 D3
Allègre (43) 220 A3
Allègre-les-Fumades (30) 255 J4
Alleins (13) 277 F5
Allemagne-en-Provence (04) 278 D3
Allemanche-Launay-et-
-Soyer (51) 89 H1
Allemans (24) 213 G2
Allemans-du-Dropt (47) 231 F5
Allemant (02) 39 K1
Allemant (51) 61 J4
Allemond (38) 224 D4
Allenay (80) 8 D5
Allenc (48) 238 A6
Allenjoie (25) 139 J2
Allennes-les-Marais (59) 6 C5
Allenwiller (67) 70 B2
Allerey (21) 153 G1
Allerey-sur-Saône (71) 154 B5
Allériot (71) 154 B6
Allery (80) 17 H1
Alles-sur-Dordogne (24) 232 B2
les Alleuds (49) 125 H5
les Alleuds (79) 178 E3
les Alleux (08) 42 B1
Alleuze (15) 236 E1
Allevard (38) 208 D6
Allèves (74) 208 D1
Allex (26) 240 C3
Alleyrac (43) 238 D1
Alleyras (43) 238 A1
Alleyrat (19) 200 E4
Alleyrat (23) 183 F5
Allez-et-Cazeneuve (47) 248 B2
Alliancelles (51) 63 J4
Alliat (09) 307 J5
Allibaudières (10) 90 B1
Allichamps (52) 91 J1
Allier (65) 285 H6
Allières (09) 307 F2
les Alliés (25) 157 F4
Alligny-Cosne (58) 132 B4
Alligny-en-Morvan (58) 152 D1
Allineuc (22) 77 F3
Allinges (74) 175 F5
Allogny (18) 149 F1
Allondans (25) 139 G2
Allondaz (73) 209 F2
Allondrelle-la-Malmaison (54) 26 B2
Allonne (60) 37 H2
Allonne (79) 161 J3
Allonnes (28) 85 H4
Allonnes (49) 126 C6
Allonnes (72) 106 D3
Allons (04) 260 C6
Allons (47) 246 E4
Allonville (80) 18 B1
Allonzier-la-Caille (74) 191 F4
Allos (04) 260 C3
Allouagne (62) 5 J5
Alloue (16) 179 K4
Allouis (18) 149 F2
Allouville-Bellefosse (76) 15 F5
les Allues (73) 209 H5
les Alluets-le-Roi (78) 58 A3
Alluy (58) 151 J3
Alluyes (28) 85 F5
Ally (15) 217 G4
Ally (43) 219 G4
Almayrac (81) 251 H6
Almenêches (61) 54 D5
Almont-les-Junies (12) 235 G5
Alos (09) 306 D3
Alos (81) 270 B1
Alos-Sibas-Abense (64) 283 H6
Aloxe-Corton (21) 154 A3
Alpuech (12) 236 B3
Alquines (62) 4 E3
Alrance (12) 252 C5
Alsting (57) 68 C2
Altagène (2A) 323 F2
Alteckendorf (67) 69 J6
Altenach (68) 97 A4
Altenheim (67) 70 C1
Althen-des-Paluds (84) 276 C1
Altiani (2B) 321 G1
Altier (48) 254 E1
Altillac (19) 216 B6
Altkirch (68) 97 B4
Altorf (67) 70 D4
Altrippe (57) 68 B4
Altviller (57) 68 A3
Altwiller (67) 68 C5
Aluze (71) 153 J5
Alvignac (46) 234 A2
Alvimare (76) 15 F5
Alzen (09) 307 G3
Alzi (2B) 319 G6
Alzing (57) 45 J3
Alzon (30) 273 H2
Alzonne (11) 289 K5
Amage (70) 118 E4
Amagne (08) 22 B6
Amagney (25) 138 B5
Amailloux (79) 161 J1
Amance (10) 91 F4
Amance (54) 66 B4
Amance (70) 118 A4
Amancey (25) 156 C3
Amancy (74) 191 H3
Amange (39) 155 H1
Amanlis (35) 79 H5
Amanty (55) 93 F1
Amanvillers (57) 44 D4
Amanzé (71) 170 D6
Amarens (81) 270 B1
Amathay-Vésigneux (25) 156 D3
Amayé-sur-Orne (14) 32 D6
Amayé-sur-Seulles (14) 32 B6
Amazy (58) 133 G5
Ambacourt (88) 94 A3
Ambarès-et-Lagrave (33) 229 J1
Ambax (31) 287 G3
Ambazac (87) 181 J5
Ambel (38) 242 D2
Ambenay (27) 55 K3
Ambérac (16) 196 D1
Ambérieu-en-Bugey (01) 189 H5
Ambérieux (69) 188 B5
Ambérieux-en-Dombes (01) 188 D5
Ambernac (16) 180 A5
Amberre (86) 162 D1
Ambert (63) 203 K5
Ambès (33) 211 H5
Ambeyrac (12) 251 F1
Ambialet (81) 271 G2
Ambiegna (2A) 320 C3
Ambierle (42) 186 D3
Ambiévillers (70) 118 B2
Ambillou (37) 127 G4
Ambillou-Château (49) 125 J6
Ambilly (74) 191 G2
Amblainville (60) 37 H5
Amblans-et-Velotte (70) 118 D6
Ambleny (02) 39 H3
Ambléon (01) 207 J2
Ambleteuse (62) 2 A4
Ambleville (16) 196 A4
Ambleville (95) 36 D5
Amblie (14) 32 D3
Amblimont (08) 23 G5
Ambloy (41) 108 B6
Ambly-Fleury (08) 41 K1
Ambly-sur-Meuse (55) 64 D1
Amboise (37) 128 B4
Ambon (56) 121 H1
Ambonil (26) 240 C2
Ambonnay (51) 41 G6
Ambonville (52) 91 K4
Ambrault (36) 166 B1
Ambres (81) 270 A5
Ambricourt (62) 5 F6
Ambrief (02) 39 K3
Ambrières (51) 63 H6
Ambrières-les-Vallées (53) 81 G3
Ambrines (62) 10 C2
Ambronay (01) 189 H4
Ambrugeat (19) 200 D5
Ambrumesnil (76) 15 J2
Ambrus (47) 247 H4
Ambutrix (01) 189 H5
Amécourt (27) 36 D3
Amel-sur-l'Étang (55) 44 A3
Amelécourt (57) 66 D3
Amélie-les-Bains-Palalda (66) 314 E5
Amendeuix-Oneix (64) 283 F3
Amenoncourt (54) 67 G5
Amenucourt (95) 36 D6
Ames (62) 5 H5
Amettes (62) 5 H5
Ameugny (71) 171 H4
Ameuvelle (88) 117 J3
Amfreville (14) 33 F4
Amfreville (50) 28 E5
Amfreville-la-Campagne (27) 35 G5
Amfreville-la-Mi-Voie (76) 35 J2
Amfreville-les-Champs (27) 35 K3
Amfreville-les-Champs (76) 15 H4
Amfreville-sous-les-Monts (27) 35 K3
Amfreville-sur-Iton (27) 35 J5
Amfroipret (59) 13 F3
Amiens (80) 18 B2
Amifontaine (02) 40 E1
Amigny (50) 31 G3
Amigny-Rouy (02) 20 A5
Amillis (77) 60 B5
Amilly (28) 85 F3
Amilly (45) 111 J3
Amions (42) 186 E6
Amirat (06) 280 C2
Ammerschwihr (68) 96 B3
Ammerzwiller (68) 97 A3
Amné (72) 106 B2
Amnéville (57) 44 E3

Amoncourt (70) 118 A5
Amondans (25) 156 C2
Amont-et-Effreney (70) 118 E3
Amorots-Succos (64) 283 F3
Amou (40) 264 E6
Ampilly-le-Sec (21) 115 F5
Ampilly-les-Bordes (21) 135 G1
Amplepuis (69) 187 H5
Amplier (62) 10 B4
Ampoigné (53) 104 E5
Amponville (77) 87 G5
Ampriani (2B) 319 H6
Ampuis (69) 206 A5
Ampus (83) 279 H5
Amuré (79) 177 J1
Amy (60) 19 F5
Anais (16) 196 E2
Anais (17) 177 F2
Anan (31) 287 F4
Ance (64) 283 K6
Anceaumeville (76) 15 K6
Anceins (61) 55 H3
Ancelle (05) 243 F4
Ancemont (55) 43 H6
Ancenis (44) 124 A4
Ancerville (55) 63 K6
Ancerville (57) 45 H6
Ancerviller (54) 95 G1
Ancey (21) 135 J5
Anchamps (08) 22 C1
Anché (37) 145 G2
Anché (86) 162 E6
Anchenoncourt-et-Chazel (70) 118 A4
Ancienville (02) 39 H5
Ancier (70) 137 G3
Ancinnes (72) 82 E4
Ancizan (65) 305 F4
les Ancizes-Comps (63) 184 C6
Ancône (26) 240 B5
Ancourt (76) 16 A2
Ancourteville-sur-Héricourt (76) 15 F4
Ancretiéville-Saint-Victor (76) 15 J5
Ancretteville-sur-Mer (76) 14 E3
Ancteville (50) 30 D3
Anctoville (14) 32 B6
Anctoville-sur-Boscq (50) 51 J1
Ancy (69) 205 H1
Ancy-le-Franc (89) 114 C5
Ancy-le-Libre (89) 114 B5
Ancy-sur-Moselle (57) 44 E6
Andainville (80) 17 G2
Andance (07) 222 B3
Andancette (26) 222 B3
Andard (49) 125 H3
Andé (27) 35 K4
Andechy (80) 18 E4
Andel (22) 49 J6
Andelain (02) 20 A5
Andelaroche (03) 186 B2
Andelarre (70) 138 A1
Andelarrot (70) 138 A1
Andelat (15) 218 D5
Andelnans (90) 139 H1
Andelot-Blancheville (52) 92 C5
Andelot-en-Montagne (39) 156 B5
Andelot-Morval (39) 172 E5
Andelu (78) 57 K3
les Andelys (27) 36 B4
Andernay (55) 63 J4
Andernos-les-Bains (33) 228 C3
Anderny (54) 26 E4
Andert-et-Condon (01) 207 J1
Andeville (60) 37 H4
Andigné (49) 104 E6
Andillac (81) 270 B1
Andilly (17) 176 E1
Andilly (54) 65 H4
Andilly (74) 190 E3
Andilly (95) 58 E2
Andilly-en-Bassigny (52) 116 E3
Andiran (47) 247 H6
Andlau (67) 70 C6
Andoins (64) 284 E4
Andolsheim (68) 96 C4
Andon (06) 280 B3
Andonville (45) 86 B5
Andornay (70) 119 F6
Andouillé (53) 80 E6
Andouillé-Neuville (35) 79 H2
Andouque (81) 271 F1
Andrein (64) 283 H3
Andres (62) 2 D3
Andrest (65) 285 H4
Andrésy (78) 58 B2
Andrezé (49) 142 E1
Andrezel (77) 87 J1
Andrézieux-Bouthéon (42) 205 F5
Andryes (89) 133 F3
Anduze (30) 255 F6
Anères (65) 305 G1
Anet (28) 57 F3
Anetz (44) 124 B4
Angaïs (64) 284 E5
Angé (41) 128 D5
Angeac-Champagne (16) 195 K4
Angeac-Charente (16) 196 B3
Angecourt (08) 23 F5
Angeduc (16) 196 C5
Angely (89) 134 A2
Angeot (90) 119 K5
Angers (49) 125 G3
Angerville (14) 33 H4
Angerville (91) 86 B5
Angerville-Bailleul (76) 14 D4
Angerville-la-Campagne (27) 56 D2
Angerville-la-Martel (76) 14 E3
Angerville-l'Orcher (76) 14 C5
Angervilliers (91) 86 B1
Angeville (82) 268 C1
Angevillers (57) 27 F4
Angey (50) 51 J2
Angicourt (60) 38 B3
Angiens (76) 15 G3
Angirey (70) 137 H3
Angivillers (60) 38 B1
Anglade (33) 211 G3
Anglards-de-Saint-Flour (15) 218 E6
Anglards-de-Salers (15) 217 H3
Anglars (46) 234 C3
Anglars-Juillac (46) 249 H1
Anglars-Nozac (46) 233 H3
Anglars-Saint-Félix (12) 251 H2
Anglefort (01) 190 C5
Anglemont (88) 95 F3
Angles (04) 279 K1
les Angles (30) 276 B2
les Angles (65) 304 B1
les Angles (66) 313 J3
Anglès (81) 290 D1
Angles (85) 159 H5
les Angles-sur-Corrèze (19) 216 B2
Angles-sur-l'Anglin (86) 164 A2
Anglesqueville-la-Bras-Long (76) 15 G3
Anglesqueville-l'Esneval (76) 14 B5
Anglet (64) 282 B1
Angliers (17) 177 F2
Angliers (86) 144 E4
Anglure (51) 89 J1
Anglure-sous-Dun (71) 187 H2
Angluzelles-et-Courcelles (51) 61 J6
Angoisse (24) 198 D6
Angomont (54) 95 H1
Angos (65) 285 J5
Angoulême (16) 196 E3
Angoulins (17) 176 D3
Angoumé (40) 264 A5
Angous (64) 283 J4
Angoustrine-Villeneuve-
-des-Escaldes (66) 313 G5
Angoville (14) 53 J2
Angoville-au-Plain (50) 29 G6
Angoville-sur-Ay (50) 30 D1
Angres (62) 10 E1
Angresse (40) 262 C5
Angrie (49) 124 C2
Anguerny (14) 32 E4
Anguilcourt-le-Sart (02) 20 B4
Angy (60) 37 K3
Anhaux (64) 282 D5
Anhiers (59) 11 J1
Aniane (34) 273 J5
Aniche (59) 11 K2
Anisy (14) 32 E4
Anizy-le-Château (02) 39 K1
Anjeux (70) 118 B3
Anjou (38) 222 C1
Anjouin (36) 148 B1
Anjoutey (90) 119 J5
Anla (65) 305 H2
Anlezy (58) 151 H4
Anlhiac (24) 214 E2
Annay (58) 132 A3
Annay (62) 6 C6
Annay-la-Côte (89) 133 K3
Annay-sur-Serein (89) 113 K6
Annebault (14) 33 J4
Annecy (74) 191 F5
Annecy-le-Vieux (74) 191 F5
Annelles (08) 41 J2
Annemasse (74) 191 G2
Annéot (89) 133 K3
Annepont (17) 177 J6
Annequin (62) 6 B6
Annesse-et-Beaulieu (24) 213 J4
Annet-sur-Marne (77) 59 H3
Anneux (59) 11 J4
Anneville-Ambourville (76) 35 F1
Anneville-en-Saire (50) 29 F2
Annéville-la-Prairie (52) 92 A6
Anneville-sur-Mer (50) 30 C3
Anneville-sur-Scie (76) 15 K3
Anneyron (26) 222 C2
Annezay (17) 177 H4
Annezin (62) 5 K5
Annœullin (59) 6 C5
Annoire (39) 154 E4
Annois (02) 19 J4
Annoisin-Chatelans (38) 207 F2
Annoix (18) 149 H4
Annonay (07) 222 A3
Annonville (52) 92 C3
Annot (04) 280 A1
Annouville-Vilmesnil (76) 14 D4
Annoux (89) 134 B2
Annoville (50) 30 D5
Anor (59) 13 J6
Anos (64) 284 D3
Anost (71) 152 D3
Anould (88) 95 J5
Anoux (54) 44 C3
Anoye (64) 285 F3
Anquetierville (76) 15 F6
Anrosey (52) 117 G4
Ansac-sur-Vienne (16) 180 B5
Ansacq (60) 37 K3
Ansan (32) 267 K5
Ansauville (54) 65 H3
Ansauvillers (60) 18 B6
Anse (69) 188 B5
Anserville (60) 37 J4
Ansignan (66) 309 H5
Ansost (65) 285 H2
Ansouis (84) 277 J4
Anstaing (59) 7 F4
Antagnac (47) 247 F2
Anterrieux (15) 236 D2
Anteuil (25) 139 F4
Antezant-la-Chapelle (17) 178 A5
Anthé (47) 249 F2
Anthelupt (54) 66 C6
Anthenay (51) 40 C5
Antheny (08) 21 K2
Antheuil (21) 153 K1
Antheuil-Portes (60) 38 D1
Anthien (58) 133 H5
Anthon (38) 206 E1
Anthy-sur-Léman (74) 174 E5
Antibes (06) 281 F5
Antichan (65) 305 H2
Antichan-de-Frontignes (31) 305 J3
Antignac (15) 217 J2
Antignac (31) 305 H4
Antigny (85) 160 E2
Antigny (86) 164 A4
Antigny-la-Ville (21) 153 H2
Antilly (57) 45 F4
Antilly (60) 39 F5
Antin (65) 285 K4
Antisanti (2B) 321 H2
Antist (65) 304 D1
Antogny-le-Tillac (37) 145 J4
Antoigné (49) 144 C2
Antoigny (61) 81 J1
Antoingt (63) 202 E5
Antonaves (05) 258 E3
Antonne-et-Trigonant (24) 214 B3
Antony (92) 58 E5
Antraigues-sur-Volane (07) 239 H4
Antrain (35) 51 J5
Antran (86) 145 J5
Antras (09) 306 B4
Antras (32) 267 G5
Antrenas (48) 237 G5
Antugnac (11) 308 E3
Antully (71) 153 G5
Anvéville (76) 15 G4
Anville (16) 196 B1
Anvin (62) 5 G6
Any-Martin-Rieux (02) 21 J2
Anzat-le-Luguet (63) 218 D2
Anzeling (57) 45 H3
Anzême (23) 182 D2
Anzex (47) 247 G3
Anzin (59) 12 D1
Anzin-Saint-Aubin (62) 10 E2
Anzy-le-Duc (71) 186 E1
Aoste (38) 207 J4
Aougny (51) 40 C5
Aouste (08) 21 K3
Aouste-sur-Sye (26) 240 E3
Aouze (88) 93 H3
Apach (57) 27 J3
Apchat (63) 218 E1
Apchon (15) 218 A3
Apinac (42) 220 D1
Appelle (81) 289 H1
Appenai-sous-Bellême (61) 83 H4
Appenans (25) 139 F3
Appenwihr (68) 96 D4
Appeville (50) 29 F6
Appeville-Annebault (27) 34 D3
Appietto (2A) 320 B4
Appilly (60) 19 J6
Appoigny (89) 113 F4
Apprieu (38) 207 H6
Appy (09) 307 K5
Apremont (01) 190 A2
Apremont (08) 42 E4
Apremont (60) 38 B5
Apremont (70) 137 F4
Apremont (73) 208 C5
Apremont (85) 141 G6
Apremont-la-Forêt (55) 65 F3
Apremont-sur-Allier (18) 150 D5
Aprey (52) 116 C5
Apt (84) 277 H2
Arabaux (09) 307 J3
Arâches-la-Frasse (74) 192 A3
Aragnouet (65) 304 D5
Aragon (11) 290 A4
Aramits (64) 283 K6
Aramon (30) 276 A2
Aranc (01) 189 K4
Arancou (64) 283 F2
Arandas (01) 189 J6
Arandon (38) 207 G2
Araujuzon (64) 283 J3
Araules (43) 221 F5
Araux (64) 283 J3
Arbanats (33) 229 J4
Arbas (31) 306 B2
Arbecey (70) 117 J5
Arbellara (2A) 322 E2
Arbent (01) 173 H6
Arbéost (65) 303 J2
Arbérats-Sillègue (64) 283 G3
Arbignieu (01) 207 J2
Arbigny (01) 172 A4
Arbigny-sous-Varennes (52) 117 F4
Arbin (73) 208 D5
Arbis (33) 230 A4
Arblade-le-Bas (32) 266 A5
Arblade-le-Haut (32) 266 B4
Arbois (39) 155 K4
Arbon (31) 305 K2
Arbonne (64) 282 A2
Arbonne-la-Forêt (77) 87 G3
Arboras (34) 273 H5
Arbori (2A) 320 C2
Arbot (52) 115 K4
Arbouans (25) 139 H2
Arboucave (40) 265 H6
Arbouet-Sussaute (64) 283 G3
Arbourse (58) 132 D6
Arboussols (66) 314 C2
l'Arbresle (69) 205 J1
Arbrissel (35) 103 K1
Arbus (64) 284 B3
Arbusigny (74) 191 G3
Arc-en-Barrois (52) 115 K3
Arc-et-Senans (25) 155 K3
Arc-lès-Gray (70) 137 F3
Arc-sous-Cicon (25) 157 F2
Arc-sous-Montenot (25) 156 B4
Arc-sur-Tille (21) 136 C5
Arcachon (33) 228 B4
Arçais (79) 177 J1
Arcambal (46) 250 A1
Arcangues (64) 282 B2
Arçay (18) 149 G4
Arçay (86) 144 D4
Arceau (21) 136 C4
Arcenant (21) 154 A2
Arcens (07) 239 G1
Arces (17) 194 E4
Arces-Dilo (89) 113 G1
Arcey (21) 135 J6
Arcey (25) 139 F2
Archail (04) 259 K5
Archamps (74) 191 F2
Archelange (39) 155 G1
Arches (15) 217 G2
Arches (88) 94 E6
Archettes (88) 94 E6
Archiac (17) 195 K5
Archignac (24) 215 G6
Archignat (03) 167 F6
Archigny (86) 163 J2
Archingeay (17) 177 H5
Archon (02) 21 H4
Arcinges (42) 187 H3
Arcins (33) 211 F5
Arcis-le-Ponsart (51) 40 C4
Arcis-sur-Aube (10) 90 B2
Arcizac-Adour (65) 285 H6
Arcizac-ez-Angles (65) 304 B1
Arcizans-Avant (65) 304 A2
Arcizans-Dessus (65) 303 K3
Arcomps (18) 167 F2
Arçon (25) 157 F4
Arcon (42) 186 D5
Arconcey (21) 153 G1
Arçonnay (72) 82 D3
Arconsat (63) 186 B6
Arconville (10) 91 H6
les Arcs (83) 298 D1
Arcueil (94) 58 E4
Arcy-Sainte-Restitue (02) 39 K4
Arcy-sur-Cure (89) 133 H2
Ardelles (28) 84 D2
Ardelu (28) 86 A4
Ardenais (18) 167 F2
Ardenay-sur-Mérize (72) 107 G3
Ardengost (65) 305 F3
Ardentes (36) 165 K1
Ardes (63) 218 E1
Ardeuil-et-Montfauxelles (08) 42 B4
Ardiège (31) 305 J1
les Ardillats (69) 187 K2
Ardilleux (79) 178 E3
Ardillières (17) 177 F4
Ardin (79) 161 G4
Ardizas (32) 268 C5
Ardoix (07) 222 A3
Ardon (39) 156 A6
Ardon (45) 109 K5
Ardouval (76) 16 B4
Ardres (62) 2 D4
Aregno (2B) 318 C2
Areines (41) 108 C5
Aren (64) 283 K4
Arengosse (40) 264 E1
Arenthon (74) 191 H3
Arès (33) 228 B2
Aresches (39) 156 A4
Aressy (64) 284 D4
Arette (64) 302 E1
Arfeuille-Châtain (23) 183 J4
Arfeuilles (03) 186 B3
Arfons (81) 289 K3
Argagnon (64) 283 K2
Arganchy (14) 32 A4
Argançon (10) 91 F5
Argancy (57) 45 F4
Argein (09) 306 C3
Argelès-Bagnères (65) 304 D1
Argelès-Gazost (65) 304 A2
Argelès-sur-Mer (66) 315 J4
Argeliers (11) 291 G4
Argelliers (34) 273 K5
Argelos (40) 265 F6
Argelos (64) 284 D2
Argelouse (40) 245 J2
Argences (14) 33 G5
Argens-Minervois (11) 291 F5
Argent-sur-Sauldre (18) 131 F2
Argentan (61) 54 C4
Argentat (19) 216 C5
Argentenay (89) 114 B5
Argenteuil (95) 58 D2
Argenteuil-sur-Armançon (89) 114 B6
l'Argentière-la-Bessée (05) 243 K2
Argentières (77) 59 K6
Argentine (73) 209 F5
Argenton (47) 247 G2
Argenton-Château (79) 143 J4
Argenton-l'Église (79) 144 A3
Argenton-Notre-Dame (53) 105 G5
Argenton-sur-Creuse (36) 165 G3
Argentré (53) 105 G1
Argentré-du-Plessis (35) 104 B1
Argenvières (18) 150 C2
Argenvilliers (28) 84 B5
Argers (51) 42 D6
Arget (64) 284 B1
Argiésans (90) 139 H1
Argillières (70) 117 G6
Argilliers (30) 275 J1
Argilly (21) 154 C3
Argis (01) 189 J5
Argiusta-Moriccio (2A) 320 E6
Argœuves (80) 18 A1
Argol (29) 74 B2
Argonay (74) 191 F5
Argouges (50) 51 K5
Argoules (80) 9 G2
Argueil (76) 16 D6
Arguel (25) 137 K6
Arguel (80) 17 G2
Arguenos (31) 305 K3
Argut-Dessous (31) 305 J4
Argy (36) 147 H4
Arhansus (64) 283 F4
Aries-Espénan (65) 286 C4
Arifat (81) 271 F4
Arignac (09) 307 J4
Arinthod (39) 173 G5
Arith (73) 208 D2
Arjuzanx (40) 245 G6
Arlanc (63) 220 A1
Arlay (39) 155 H6
Arlebosc (07) 221 K5
Arlempdes (43) 238 C2
Arles (13) 275 K5
Arles-sur-Tech (66) 314 E5
Arlet (43) 219 H4
Arleuf (58) 152 C3
Arleux (59) 11 H3
Arleux-en-Gohelle (62) 11 F2
Arlos (31) 305 J4
Armaillé (49) 104 B6
Armancourt (60) 38 D3
Armancourt (80) 18 E5
Armaucourt (54) 66 B3
Armbouts-Cappel (59) 3 H2
Armeau (89) 112 D2
Armendarits (64) 282 E4
Armenteule (65) 305 F5
Armentières (59) 6 C3
Armentières-en-Brie (77) 60 A2
Armentières-sur-Avre (27) 56 A5
Armentières-sur-Ourcq (02) 39 K5
Armentieux (32) 285 H1
Armes (58) 133 G4
Armillac (47) 231 G6
Armissan (11) 291 J6
Armix (01) 190 A6
Armous-et-Cau (32) 285 J1
Armoy (74) 175 F5
Arnac (15) 217 F5
Arnac-la-Poste (87) 181 J2
Arnac-Pompadour (19) 215 G1
Arnac-sur-Dourdou (12) 272 C5
Arnage (72) 106 D3
Arnancourt (52) 91 J4
Arnas (69) 188 B4
Arnaud-Guilhem (31) 287 G6
Arnave (09) 307 J4
Arnaville (54) 65 J1
Arnay-le-Duc (21) 153 G2
Arnay-sous-Vitteaux (21) 135 F4
Arnayon (26) 241 G6
Arné (65) 286 C6
Arnéguy (64) 282 D6
Arnèke (59) 3 H4
Arnicourt (08) 21 K6
Arnières-sur-Iton (27) 56 C2
Arnos (64) 284 B2
Arnouville-lès-Gonesse (95) 59 F2
Arnouville-lès-Mantes (78) 57 J3
Aroffe (88) 93 J3
Aromas (39) 189 J1
Aron (53) 81 G4
Aroue-Ithorots-Olhaïby (64) 283 H4
Aroz (70) 137 K1
Arpaillargues-et-Aureillac (30) 275 G1
Arpajon (91) 86 D1
Arpajon-sur-Cère (15) 235 H1
Arpavon (26) 257 J2
Arpenans (70) 138 D1
Arpheuilles (18) 167 G1
Arpheuilles (36) 147 F5
Arpheuilles-Saint-Priest (03) 184 B2
Arphy (30) 273 J1
Arquenay (53) 105 G2
Arques (11) 309 G3
Arques (12) 252 D3
les Arques (46) 233 F5
Arques (62) 5 G3
Arques-la-Bataille (76) 16 A2
Arquettes-en-Val (11) 309 H1
Arquèves (80) 10 C5
Arquian (58) 132 A3
Arracourt (54) 66 D4
Arradon (56) 100 E5
Arraincourt (57) 66 D1
Arrancourt (91) 86 C4
Arrancy (02) 40 C1
Arrancy-sur-Crusne (55) 26 C4
Arrans (21) 114 D6

Arras (62) 10 E2
Arras-en-Lavedan (65) 304 A2
Arras-sur-Rhône (07) 222 B4
Arrast-Larrebieu (64) 283 H4
Arraute-Charritte (64) 283 F2
Arraye-et-Han (54) 66 B3
Arrayou-Lahitte (65) 304 C1
Arre (30) 273 J2
Arreau (65) 305 F3
Arrelles (10) 114 C2
Arrembécourt (10) 91 F1
Arrènes (23) 182 A4
Arrens-Marsous (65) 303 K3
Arrentès-de-Corcieux (88) 95 H5
Arrentières (10) 91 H5
Arrest (80) 8 E5
Arreux (08) 22 C2
Arriance (57) 45 J6
Arricau-Bordes (64) 285 F2
Arrien (64) 285 F4
Arrien-en-Bethmale (09) 306 C4
Arrigas (30) 273 H1
Arrigny (51) 63 G6
Arro (2A) 320 C3
Arrodets (65) 304 E2
Arrodets-ez-Angles (65) 304 C1
Arromanches-les-Bains (14) 32 C3
Arronnes (03) 186 A4
Arronville (95) 37 H5
Arros-de-Nay (64) 284 D5
Arrosès (64) 285 F1
Arrou (28) 108 C1
Arrouède (32) 286 C3
Arrout (09) 306 C3
Arry (57) 65 K1
Arry (80) 9 F3
Ars (16) 195 J3
Ars (23) 183 F5
Ars-en-Ré (17) 158 B5
Ars-Laquenexy (57) 45 G5
Ars-les-Favets (63) 184 C2
Ars-sur-Formans (01) 188 C5
Ars-sur-Moselle (57) 44 E6
Arsac (33) 211 G5
Arsac-en-Velay (43) 220 C6
Arsague (40) 264 D6
Arsans (70) 137 G4
Arsonval (10) 91 G5
Arsure-Arsurette (39) 174 B1
les Arsures (39) 155 K4
Arsy (60) 38 C2
Art-sur-Meurthe (54) 66 B5
Artagnan (65) 285 H3
Artaise-le-Vivier (08) 22 E6
Artaix (71) 186 E2
Artalens-Souin (65) 304 B2
Artannes-sur-Indre (37) 127 H6
Artannes-sur-Thouet (49) 144 C1
Artas (38) 206 E5
Artassenx (40) 265 H3
Artemare (01) 190 B6
Artemps (02) 19 J3
Artenay (45) 110 A2
Arthaz-Pont-Notre-Dame (74) 191 G2
Arthel (58) 151 G1
Arthémonay (26) 222 D4
Arthenac (17) 195 K5
Arthenas (39) 173 F3
Arthès (81) 270 E2
Arthez-d'Armagnac (40) 265 K2
Arthez-d'Asson (64) 303 J1
Arthez-de-Béarn (64) 284 A2
Arthezé (72) 106 B5
Arthies (95) 36 E6
Arthon (36) 165 J2
Arthon-en-Retz (44) 122 D5
Arthonnay (89) 114 C3
Arthun (42) 204 C2
Artigat (09) 307 G1
Artignosc-sur-Verdon (83) 278 E4
Artigue (31) 305 H4
Artigueloutan (64) 284 E4
Artiguelouve (64) 284 B4
Artiguemy (65) 285 K6
Artigues (09) 313 J2
Artigues (11) 308 E5
Artigues (65) 304 B1
Artigues (83) 278 C6
les Artigues-de-Lussac (33) 212 B6
Artigues-près-Bordeaux (33) 229 J2
Artins (41) 107 J6
Artix (09) 307 H2
Artix (64) 284 B3
Artolsheim (67) 96 E2
Artonges (02) 61 F2
Artonne (63) 185 F5
Artres (59) 12 D2
Artzenheim (68) 96 D3
Arudy (64) 284 C6
Arue (40) 246 B6
Arvert (17) 194 B2
Arveyres (33) 230 A1
Arvieu (12) 252 C5
Arvieux (05) 227 B2
Arvigna (09) 307 K2
Arvillard (73) 208 D5
Arville (41) 108 B2
Arville (77) 87 G6
Arvillers (80) 18 E4
Arx (40) 247 F5
Arzacq-Arraziguet (64) 284 C1
Arzal (56) 121 J2
Arzano (29) 99 K3
Arzay (38) 206 E6
Arzembouy (58) 151 F1
Arzenc-d'Apcher (48) 236 E2
Arzenc-de-Randon (48) 237 K4
Arzens (11) 289 K6
Arzillières-Neuville (51) 63 F6
Arzon (56) 120 E1
Arzviller (57) 67 K4
Asasp-Arros (64) 284 A6
Ascain (64) 282 A3
Ascarat (64) 282 D5
Aschbach (67) 25 C2
Aschères-le-Marché (45) 110 B1
Asco (2B) 318 E4
Ascou (09) 313 G2
Ascoux (45) 110 D1
Ascros (06) 280 E1
Asfeld (08) 41 F1
Aslonnes (86) 163 F5
Asnan (58) 133 G6
Asnans-Beauvoisin (39) 155 F4
Asnelles (14) 32 C3
Asnières (27) 34 B5
Asnières-en-Bessin (14) 29 J6
Asnières-en-Montagne (21) 114 D6
Asnières-en-Poitou (79) 178 C3
Asnières-la-Giraud (17) 177 K6
Asnières-lès-Dijon (21) 136 A4
Asnières-sous-Bois (89) 133 G3
Asnières-sur-Blour (86) 180 C3
Asnières-sur-Nouère (16) 196 D2
Asnières-sur-Oise (95) 37 K6
Asnières-sur-Saône (01) 171 K5
Asnières-sur-Seine (92) 58 D3
Asnières-sur-Vègre (72) 105 K4
Asnois (58) 133 G4
Asnois (86) 179 J3
Aspach (57) 67 H5
Aspach (68) 97 B4
Aspach-le-Bas (68) 97 A2
Aspach-le-Haut (68) 97 A2
Aspères (30) 274 D4
Asperjoc (07) 239 H4
Aspet (31) 306 A2
Aspin-Aure (65) 305 F3
Aspin-en-Lavedan (65) 304 B1
Aspiran (34) 292 C1
Aspremont (05) 242 B6
Aspremont (06) 281 G3
les Aspres (61) 55 H5
Aspres-lès-Corps (05) 242 D2
Aspres-sur-Buëch (05) 242 B6
Aspret-Sarrat (31) 305 K1
Asprières (12) 234 E6
Asque (65) 304 E2
Asques (33) 211 J6
Asques (82) 268 B1
Asquins (89) 133 H3
Assac (81) 271 H2
Assainvillers (80) 18 D5
Assais-les-Jumeaux (79) 144 C6
Assas (34) 274 C5
Assat (64) 284 D5
Assay (37) 145 G3
Assé-le-Bérenger (53) 81 K6
Assé-le-Boisne (72) 82 C4
Assé-le-Riboul (72) 82 D6
Assenay (10) 90 A6
Assencières (10) 90 C4
Assenoncourt (57) 67 G3
Assérac (44) 121 J3
Assevent (59) 13 H2
Assevillers (80) 19 F2
Assier (46) 234 C4
Assieu (38) 206 B6
Assignan (34) 291 G3
Assigny (18) 131 J4
Assigny (76) 8 B6
les Assions (07) 255 H2
Assis-sur-Serre (02) 20 C4
Asson (64) 284 E6
Asswiller (67) 69 F5
Astaffort (47) 248 B6
Astaillac (19) 234 B1
Asté (65) 304 D2
Aste-Béon (64) 303 H2
Astet (07) 238 E4
Astillé (53) 104 E3
Astis (64) 284 D2
Aston (09) 307 J5
Astugue (65) 304 C1
Athée (21) 136 D6
Athée (53) 104 D4
Athée-sur-Cher (37) 128 A5
Athesans-Étroitefontaine (70) 138 E1
Athie (21) 134 C2
Athie (89) 134 A3
Athienville (54) 66 D4
Athies (62) 11 F2
Athies (80) 19 H2
Athies-sous-Laon (02) 20 D6
Athis (51) 62 B1
Athis-de-l'Orne (61) 53 H4
Athis-Mons (91) 58 E5
Athos-Aspis (64) 283 G2
Athose (25) 156 E2
Attainville (95) 58 E1
Attancourt (52) 91 J1
les Attaques (62) 2 D3
Attenschwiller (68) 97 D4
Attiches (59) 6 D5
Attichy (60) 39 F2
Attignat (01) 189 F1
Attignat-Oncin (73) 208 A5
Attignéville (88) 93 H3
Attigny (08) 42 A1
Attigny (88) 117 K1
Attilloncourt (57) 66 C3
Attilly (02) 19 J2
Attin (62) 4 C6
Atton (54) 65 K2
Attray (45) 110 C1
Attricourt (70) 136 D3
Atur (24) 214 A4
Aubagnan (40) 265 G5
Aubagne (13) 296 E4
Aubaine (21) 153 J2
Aubais (30) 274 E4
Aubarède (65) 285 K4
Aubas (24) 215 F5
Aubazat (43) 219 H4
Aubazines (19) 215 K4
Aube (57) 45 G6
Aube (61) 55 H5
Aubéguimont (76) 17 F3
Aubenas (07) 239 H5
Aubenas-les-Alpes (04) 278 A2
Aubenasson (26) 241 F4
Aubencheul-au-Bac (59) 11 J3
Aubencheul-aux-Bois (02) 12 B6
Aubenton (02) 21 J2
Aubepierre-Ozouer-le-Repos (77) 59 K6
Aubepierre-sur-Aube (52) 115 K3
l'Aubépin (39) 172 E5
Auberchicourt (59) 11 J2
Aubercourt (80) 18 D3
Aubergenville (78) 57 K2
Aubérive (51) 41 J5
Auberive (52) 116 A5
Auberives-en-Royans (38) 223 G5
Auberives-sur-Varèze (38) 206 A6
Aubermesnil-aux-Érables (76) 16 E3
Aubermesnil-Beaumais (76) 16 A2
Aubers (59) 6 B4
Aubertin (64) 284 B4
Auberville (14) 33 H3
Auberville-la-Campagne (76) 15 F6
Auberville-la-Manuel (76) 15 F2
Auberville-la-Renault (76) 14 D4
Aubervilliers (93) 58 E3
Aubeterre (10) 90 B3
Aubeterre-sur-Dronne (16) 212 E2
Aubeville (16) 196 C5
Aubevoye (27) 36 A5
Aubiac (33) 246 C1
Aubiac (47) 248 B5
Aubiat (63) 185 G5
Aubie-et-Espessas (33) 211 J5
Aubière (63) 202 D2
Aubiet (32) 268 A6
Aubignan (84) 257 G5
Aubignas (07) 239 K5
Aubigné (35) 79 G2
Aubigné (79) 178 D4
Aubigné-Racan (72) 106 E6
Aubigné-sur-Layon (49) 143 J1
Aubignosc (04) 259 G5
Aubigny (03) 168 C2
Aubigny (14) 54 A2
Aubigny (79) 162 A1
Aubigny (80) 18 C2
Aubigny (85) 159 H2
Aubigny-au-Bac (59) 11 J3
Aubigny-aux-Kaisnes (02) 19 J3
Aubigny-en-Artois (62) 10 D2
Aubigny-en-Laonnois (02) 40 C1
Aubigny-en-Plaine (21) 154 D2
Aubigny-la-Ronce (21) 153 J4
Aubigny-les-Pothées (08) 22 A3
Aubigny-lès-Sombernon (21) 135 G5
Aubigny-sur-Nère (18) 131 F3
Aubilly (51) 40 D5
Aubin (12) 235 F6
Aubin (64) 284 C2
Aubin-Saint-Vaast (62) 9 H1
Aubinges (18) 149 J1
Auboncourt-Vauzelles (08) 22 B6
Aubonne (25) 156 E2
Aubord (30) 275 G4
Auboué (54) 44 D4
Aubous (64) 266 A6
Aubres (26) 257 H2
Aubréville (55) 43 F5
Aubrives (08) 24 C2
Aubrometz (62) 9 K2
Aubry-du-Hainaut (59) 12 C2
Aubry-en-Exmes (61) 54 D4
Aubry-le-Panthou (61) 54 E3
Aubure (68) 96 A2
Aubussargues (30) 275 G1
Aubusson (23) 183 G5
Aubusson (61) 53 H4
Aubusson-d'Auvergne (63) 203 J2
Aubvillers (80) 18 C4
Auby (59) 11 H1
Aucaleuc (22) 50 C5
Aucamville (31) 269 G5
Aucamville (82) 268 E4
Aucazein (09) 306 B3
Aucelon (26) 241 H4
Aucey-la-Plaine (50) 51 J5
Auch (32) 267 H6
Auchel (62) 5 J6
Auchonvillers (80) 10 D5
Auchy-au-Bois (62) 5 H5
Auchy-la-Montagne (60) 17 K6
Auchy-lès-Hesdin (62) 9 J1
Auchy-les-Mines (62) 6 B5
Auchy-lez-Orchies (59) 7 F6
Aucun (65) 303 K2
Audaux (64) 283 J3
Audelange (39) 155 H2
Audeloncourt (52) 116 E1
Audembert (62) 2 B3
Audenge (33) 228 C4
Auderville (50) 28 A1
Audes (03) 167 G5
Audeux (25) 137 J6
Audeville (45) 86 D5
Audierne (29) 73 C3
Audignicourt (02) 39 G1
Audignies (59) 13 F3
Audignon (40) 265 F4
Audigny (02) 20 D2
Audincourt (25) 139 H2
Audincthun (62) 5 F5
Audinghen (62) 2 A4
Audon (40) 264 D3
Audouville-la-Hubert (50) 29 G5
Audrehem (62) 2 E4
Audressein (09) 306 C3
Audresselles (62) 2 A4
Audrieu (14) 32 C4
Audrix (24) 232 C2
Audruicq (62) 2 E3
Audun-le-Roman (54) 26 E4
Audun-le-Tiche (57) 26 E3
Auenheim (67) 25 C4
Auffargis (78) 58 A5
Auffay (76) 15 K4
Aufferville (77) 87 G6
Auffreville-Brasseuil (78) 57 J2
Auflance (08) 23 J5
Auga (64) 284 C2
Augan (56) 78 A6
Auge (08) 21 J2
Auge (23) 183 H2
Augé (79) 161 J5
Auge-Saint-Médard (16) 196 B1
Augea (39) 172 E3
Auger-Saint-Vincent (60) 38 D5
Augerans (39) 155 H3
Augères (23) 182 C4
Augerolles (63) 203 J3
Augers-en-Brie (77) 60 E6
Augerville-la-Rivière (45) 87 F5
Augicourt (70) 117 J5
Augignac (24) 197 K4
Augirein (09) 306 B3
Augisey (39) 173 F3
Augnat (63) 219 F1
Augnax (32) 267 K5
Augne (87) 199 K2
Augny (57) 44 E6
Auguaise (61) 55 H5
Augy (02) 40 A3
Augy (89) 113 G6
Augy-sur-Aubois (18) 167 K1
Aujac (17) 195 J1
Aujac (30) 255 G2
Aujan-Mournède (32) 286 C3
Aujargues (30) 274 E4
Aujeurres (52) 116 B5
Aujols (46) 250 B2
Aulan (26) 258 A4
Aulas (30) 273 J1
Aulhat-Saint-Privat (63) 203 F4
Aullène (2A) 323 F1
Aulnat (63) 202 E2
Aulnay (10) 90 E2
Aulnay (17) 178 B4
Aulnay (86) 144 E5
Aulnay-la-Rivière (45) 86 E6
Aulnay-l'Aître (51) 63 F4
Aulnay-sous-Bois (93) 59 F2
Aulnay-sur-Iton (27) 56 C2
Aulnay-sur-Marne (51) 62 B1
Aulnay-sur-Mauldre (78) 57 K2
les Aulneaux (72) 83 F3
Aulnois (88) 93 H5
Aulnois-en-Perthois (55) 64 A6
Aulnois-sous-Laon (02) 20 D5
Aulnois-sur-Seille (57) 66 B2
Aulnoy (77) 60 B4
Aulnoy-lez-Valenciennes (59) 12 D2
Aulnoy-sur-Aube (52) 116 A4
Aulnoye-Aymeries (59) 13 G4
Aulon (23) 182 B4
Aulon (31) 287 F6
Aulon (65) 304 E4
Aulos (09) 307 J5
Ault (80) 8 C5
Aulus-les-Bains (09) 307 F5
Aulx-lès-Cromary (70) 138 A4
Aumagne (17) 178 A6
Aumale (76) 17 F3
Aumâtre (80) 17 F1
Aumelas (34) 273 J6
Auménancourt (51) 41 F2
Aumerval (62) 5 H6
Aumes (34) 292 C2
Aumessas (30) 273 H1
Aumetz (57) 26 E3
Aumeville-Lestre (50) 29 F3
Aumont (39) 155 J4
Aumont (80) 17 H2
Aumont-Aubrac (48) 237 G4
Aumont-en-Halatte (60) 38 B4
Aumontzey (88) 95 G5
Aumur (39) 155 F3
Aunac (16) 179 H6
Aunat (11) 308 D5
Aunay-en-Bazois (58) 151 K2
Aunay-les-Bois (61) 83 F1
Aunay-sous-Auneau (28) 85 K3
Aunay-sous-Crécy (28) 56 E6
Aunay-sur-Odon (14) 53 G1
Auneau (28) 85 J3
Auneuil (60) 37 G3
Aunou-le-Faucon (61) 54 C5
Aunou-sur-Orne (61) 54 E6
Auppegard (76) 15 K3
Aups (83) 279 G5
Auquainville (14) 54 E1
Auquemesnil (76) 16 C1
Auradé (32) 287 H1
Auradou (47) 248 D3
Auragne (31) 288 C3
Auray (56) 100 D5
Aure (08) 42 A4
Aurec-sur-Loire (43) 221 F1
Aureil (87) 199 G2
Aureilhan (40) 244 C4
Aureilhan (65) 285 H5
Aureille (13) 276 D5
Aurel (26) 241 G4
Aurel (84) 258 A5
Aurelle-Verlac (12) 253 F1
Aurensan (32) 265 K6
Aurensan (65) 285 H4
Aureville (31) 288 C2
Auriac (11) 309 H3
Auriac (19) 216 E3
Auriac (64) 284 D2
Auriac-du-Périgord (24) 214 E5
Auriac-Lagast (12) 252 B5
Auriac-l'Église (15) 218 E3
Auriac-sur-Dropt (47) 231 F4
Auriac-sur-Vendinelle (31) 289 F2
Auriat (23) 199 J1
Auribail (31) 288 B4
Auribeau (84) 277 J3
Auribeau-sur-Siagne (06) 280 D5
Aurice (40) 265 F3
Auriébat (65) 285 H2
Aurières (63) 202 B3
Aurignac (31) 287 F5
Aurillac (15) 235 H1
Aurimont (32) 287 F1
Aurin (31) 288 E1
Auriol (13) 297 F3
Auriolles (33) 230 D3
Aurions-Idernes (64) 285 F1
Auris (38) 224 E5
Aurons (13) 277 F5
Auros (33) 230 B6
Aurouër (03) 168 E2
Auroux (48) 238 A3
Aussac (81) 270 D3
Aussac-Vadalle (16) 196 E1
Ausseing (31) 287 H6
Aussevielle (64) 284 B3
Aussillon (81) 290 B2
Aussois (73) 226 A2
Ausson (31) 305 H1
Aussonce (08) 41 H3
Aussonne (31) 269 F5
Aussos (32) 286 D3
Aussurucq (64) 283 G6
Autainville (41) 109 F4
Autechaux (25) 138 D4
Autechaux-Roide (25) 139 H4
les Autels (02) 21 J3
les Autels-Saint-Bazile (14) 54 D2
les Autels-Villevillon (28) 84 B6
Auterive (31) 288 C4
Auterive (32) 286 D1
Auterive (82) 268 C3
Auterrive (64) 283 G2
Autet (70) 137 G2
Auteuil (60) 37 H3
Auteuil (78) 57 K4
Autevielle-Saint-Martin-
-Bideren (64) 283 G3
Authe (08) 42 D1
Autheuil (28) 108 E3
Autheuil (61) 83 J1
Autheuil-Authouillet (27) 35 K6
Autheuil-en-Valois (60) 39 G5
Autheux (80) 9 K4
Authevernes (27) 36 D5
Authezat (63) 202 E4
Authie (14) 32 D4
Authie (80) 10 C5
Authieule (80) 10 B4
les Authieux (27) 56 E3
les Authieux-du-Puits (61) 55 F5
les Authieux-Papion (14) 33 J6
Authieux-Ratiéville (76) 16 A5
les Authieux-sur-Calonne (14) 34 A3
les Authieux-sur-le-Port-
-Saint-Ouen (76) 35 J3
Authiou (58) 132 E6
Authoison (70) 138 B3
Authon (04) 259 H3
Authon (41) 128 A1
Authon-du-Perche (28) 84 A6
Authon-Ébéon (17) 195 J1
Authon-la-Plaine (91) 86 A3
Authou (27) 34 E4
Authuille (80) 10 D6
Authume (39) 155 G2
Authumes (71) 154 E5
Autichamp (26) 240 D4
Autignac (34) 291 K2
Autigny (76) 15 H3
Autigny-la-Tour (88) 93 G3
Autigny-le-Grand (52) 92 A2
Autigny-le-Petit (52) 92 A2
Autingues (62) 2 D4
Autoire (46) 234 B2
Autoreille (70) 137 H4
Autouillet (78) 57 K3
Autrac (43) 218 E2
Autrans (38) 223 J3
Autrèche (37) 128 B3
Autrechêne (90) 139 J1

Autrêches (60) 39 G2
Autrecourt-et-Pourron (08) 23 G5
Autrécourt-sur-Aire (55) 64 A1
Autremencourt (02) 20 E4
Autrepierre (54) 67 G5
Autreppes (02) 21 F2
Autretot (76) 15 G5
Autreville (02) 19 K6
Autreville (88) 93 H2
Autréville-Saint-Lambert (55) 23 G6
Autreville-sur-la-Renne (52) 115 K1
Autreville-sur-Moselle (54) 65 K3
Autrey (54) 94 A1
Autrey (88) 95 F4
Autrey-le-Vay (70) 138 D2
Autrey-lès-Cerre (70) 138 C1
Autrey-lès-Gray (70) 136 E3
Autricourt (21) 115 G2
Autruche (08) 42 D1
Autruy-sur-Juine (45) 86 C5
Autry (08) 42 C4
Autry-Issards (03) 168 C4
Autry-le-Châtel (45) 131 G2
Autun (71) 153 F4
Auty (82) 250 A5
Auvare (06) 261 F6
Auve (51) 63 G1
Auvernaux (91) 87 F2
Auvers (43) 219 H6
Auvers (50) 31 F1
Auvers-le-Hamon (72) 105 J3
Auvers-Saint-Georges (91) 86 D2
Auvers-sous-Montfaucon (72) 106 B2
Auvers-sur-Oise (95) 58 C1
Auverse (49) 126 C3
Auvet-et-la-Chapelotte (70) 137 F3
Auvillar (82) 248 E6
Auvillars (14) 33 J5
Auvillars-sur-Saône (21) 154 C3
Auvillers-les-Forges (08) 21 K2
Auvilliers (76) 16 E3
Auvilliers-en-Gâtinais (45) 111 F3
Aux-Aussat (32) 285 K2
Aux Marais (60) 37 G2
Auxais (50) 31 F2
Auxange (39) 155 J1
Auxant (21) 153 J2
Auxelles-Bas (90) 119 G5
Auxelles-Haut (90) 119 G5
Auxerre (89) 113 G5
Auxey-Duresses (21) 153 K4
Auxi-le-Château (62) 9 J3
Auxon (10) 113 K1
Auxon (70) 118 B6
Auxon-Dessous (25) 137 K5
Auxon-Dessus (25) 137 K5
Auxonne (21) 155 F1
Auxy (45) 111 F1
Auxy (71) 153 G4
Auzainvilliers (88) 93 H5
Auzances (23) 183 K5
Auzas (31) 287 F6
Auzat (09) 307 H5
Auzat-la-Combelle (63) 203 F6
Auzay (85) 160 D4
Auzebosc (76) 15 G5
Auzelles (63) 203 H4
Auzers (15) 217 H3
Auzet (04) 259 K2
Auzeville-Tolosane (31) 288 C1
Auzielle (31) 288 D1
Auzits (12) 251 J1
Auzon (43) 219 G1
Auzouer-en-Touraine (37) 128 A3
Auzouville-Auberbosc (76) 14 E5
Auzouville-l'Esneval (76) 15 H5
Auzouville-sur-Ry (76) 35 K2
Auzouville-sur-Saâne (76) 15 J4
Availles-en-Châtellerault (86) 163 H1
Availles-Limouzine (86) 180 B3
Availles-sur-Seiche (35) 104 A3
Availles-Thouarsais (79) 144 C5
Avajan (65) 305 F4
Avallon (89) 133 K3
les Avanchers-Valmorel (73) 209 G5
Avançon (05) 243 F5
Avançon (08) 41 H1
Avanne-Aveney (25) 137 K6
Avant-lès-Marcilly (10) 89 G3
Avant-lès-Ramerupt (10) 90 C3
Avanton (86) 162 E2
Avapessa (2B) 318 C3
Avaray (41) 109 G6
Avaux (08) 41 F1
Aveize (69) 205 H3
Aveizieux (42) 205 G4
Avelanges (21) 136 A2
Avelesges (80) 17 H2
Avelin (59) 6 E5
Aveluy (80) 10 D6
Avenas (69) 188 A2
Avenay (14) 32 D6
Avenay-Val-d'Or (51) 41 F6
Avène (34) 272 D4
les Avenières (38) 207 H3
Avensac (32) 268 B3
Avensan (33) 211 F5
Aventignan (65) 305 H1
Averan (65) 285 G6
Averdoingt (62) 10 B2
Averdon (41) 128 E1
Avermes (03) 168 E3
Avernes (95) 37 F6
Avernes-Saint-Gourgon (61) 55 F2
Avernes-sous-Exmes (61) 54 E4
Avéron-Bergelle (32) 266 C4
Averton (53) 82 A4
Avesnelles (59) 13 H5
Avesnes (62) 4 E5
Avesnes-Chaussoy (80) 17 G2
Avesnes-en-Bray (76) 36 D1
Avesnes-en-Saosnois (72) 83 F5
Avesnes-en-Val (76) 16 C1
Avesnes-le-Comte (62) 10 C3
Avesnes-le-Sec (59) 12 B3
Avesnes-les-Aubert (59) 12 C4
Avesnes-lès-Bapaume (62) 11 F5
Avesnes-sur-Helpe (59) 13 G5
Avessac (44) 102 D4
Avessé (72) 105 K3
Aveux (65) 305 H2
Avezac-Prat-Lahitte (65) 305 F1
Avezan (32) 268 A3
Avèze (30) 273 J2
Avèze (63) 201 J4
Avezé (72) 83 J5
Aviernoz (74) 191 G4
Avignon (84) 276 B2
Avignon-lès-Saint-Claude (39) 173 K5
Avignonet (38) 224 A6
Avignonet-Lauragais (31) 289 F4
Avillers (54) 44 B3
Avillers (88) 94 B4
Avillers-Sainte-Croix (55) 44 A6
Avilley (25) 138 C3
Avilly-Saint-Léonard (60) 38 B5
Avion (62) 11 F1
Avioth (55) 23 K5
Aviré (49) 104 E6
Avirey-Lingey (10) 114 D2
Aviron (27) 56 D1
Avize (51) 62 A2
Avocourt (55) 43 F4
Avoine (37) 145 F1
Avoine (61) 54 B5
Avoise (72) 106 A4
Avolsheim (67) 70 D3
Avon (77) 87 H3
Avon (79) 162 C6
Avon-la-Pèze (10) 89 G3
Avon-les-Roches (37) 145 H2
Avondance (62) 5 F6
Avord (18) 149 K3
Avosnes (21) 135 G5
Avot (21) 136 A1
Avoudrey (25) 157 F1
Avrainville (54) 65 J4
Avrainville (88) 94 B3
Avrainville (91) 86 D1
Avranches (50) 51 K3
Avranville (88) 92 E3
Avrechy (60) 38 A2
Avrée (58) 152 B6
Avremesnil (76) 15 J2
Avressieux (73) 207 K4
Avreuil (10) 114 A2
Avricourt (54) 67 G5
Avricourt (57) 67 G5
Avricourt (60) 19 G5
Avrieux (73) 226 A2
Avrigney-Virey (70) 137 H5
Avrigny (60) 38 B3
Avril (54) 44 D3
Avril-sur-Loire (58) 151 F6
Avrillé (49) 125 G3
Avrillé (85) 159 H4
Avrillé-les-Ponceaux (37) 126 E4
Avrilly (03) 170 B6
Avrilly (27) 56 D2
Avrilly (61) 81 G1
Avroult (62) 5 F4
Avy (17) 195 H4
Awoingt (59) 12 B4
Ax-les-Thermes (09) 313 F2
Axat (11) 308 E5
Axiat (09) 307 K5
Ay (51) 62 A1
Ay-sur-Moselle (57) 45 F3
Ayat-sur-Sioule (63) 184 D4
Aydat (63) 202 C3
Aydie (64) 285 F1
Aydius (64) 303 F2
Aydoilles (88) 94 E5
Ayen (19) 215 G3
Ayencourt (80) 18 D5
Ayette (62) 10 E4
Ayguatébia-Talau (66) 313 K3
Ayguemorte-les-Graves (33) 229 H3
Ayguesvives (31) 288 D3
Ayguetinte (32) 267 G3
Ayherre (64) 282 D2
Ayn (73) 207 K4
Aynac (46) 234 B3
les Aynans (70) 138 D1
Ayrens (15) 217 G6
Ayron (86) 162 C2
Ayros-Arbouix (65) 304 B2
Ayse (74) 191 J3
Ayssènes (12) 252 D6
Aytré (17) 176 D3
les Ayvelles (08) 22 D4
Ayzac-Ost (65) 304 A2
Ayzieu (32) 266 B3
Azannes-et-Soumazannes (55) 43 J3
Azas (31) 269 K5
Azat-Châtenet (23) 182 C4
Azat-le-Ris (87) 181 F1
Azay-le-Brûlé (79) 161 J5
Azay-le-Ferron (36) 146 D6
Azay-le-Rideau (37) 127 G6
Azay-sur-Cher (37) 128 A5
Azay-sur-Indre (37) 146 C1
Azay-sur-Thouet (79) 161 J2
Azé (41) 108 B4
Azé (53) 105 F4
Azé (71) 171 J5
Azelot (54) 66 B6
Azerables (23) 165 G6
Azerailles (54) 95 F1
Azerat (24) 214 E4
Azérat (43) 219 H1
Azereix (65) 285 G5
Azet (65) 305 F5
Azeville (50) 29 F4
Azillanet (34) 291 F4
Azille (11) 290 E5
Azilone-Ampaza (2A) 320 E6
Azincourt (62) 5 F6
Azolette (69) 187 J2
Azoudange (57) 67 G4
Azur (40) 262 C3
Azy (18) 149 K1
Azy-le-Vif (58) 168 D1
Azy-sur-Marne (02) 60 E2
Azzana (2A) 320 D3

B

Baâlon (55) 43 G1
Baâlons (08) 22 C5
Babeau-Bouldoux (34) 291 G3
Babœuf (60) 19 J6
Baby (77) 88 D3
Baccarat (54) 95 F2
Baccon (45) 109 H4
Bach (46) 250 C3
Bachant (59) 13 G3
Bachas (31) 287 G5
la Bachellerie (24) 214 E4
Bachivillers (60) 37 F4
Bachos (31) 305 H4
Bachy (59) 7 F5
Bacilly (50) 51 J3
Baconnes (51) 41 H5
la Baconnière (53) 80 D6
Bacouël (60) 18 B5
Bacouel-sur-Selle (80) 18 A3
Bacourt (57) 66 C2
Bacquepuis (27) 35 H6
Bacqueville (27) 36 A3
Bacqueville-en-Caux (76) 15 J3
Badailhac (15) 235 K1
Badaroux (48) 237 J6
Badecon-le-Pin (36) 165 H4
Badefols-d'Ans (24) 215 F3
Badefols-sur-Dordogne (24) 232 B2
Baden (56) 100 E5
Badens (11) 290 C5
Badevel (25) 139 J2
Badinières (38) 207 F5
Badménil-aux-Bois (88) 94 E4
Badonviller (54) 95 H1
Badonvilliers-Gérauvilliers (55) 93 F1
Baerendorf (67) 67 J2
Baerenthal (57) 69 H4
la Baffe (88) 94 E5
Baffie (63) 204 A6
Bagard (30) 255 G6
Bagas (33) 230 C5
Bagat-en-Quercy (46) 249 H2
Bâgé-la-Ville (01) 172 A6
Bâgé-le-Châtel (01) 172 A6
Bagert (09) 306 D1
Bages (11) 310 C1
Bages (66) 315 G3
Bagiry (31) 305 J3
Bagnac-sur-Célé (46) 234 E4
Bagneaux (89) 89 G5
Bagneaux-sur-Loing (77) 87 H5
Bagnères-de-Bigorre (65) 304 D1
Bagnères-de-Luchon (31) 305 H5
Bagneux (02) 39 J2
Bagneux (03) 168 D2
Bagneux (36) 148 A1
Bagneux (51) 89 J1
Bagneux (54) 93 H1
Bagneux (92) 58 E4
Bagneux-la-Fosse (10) 114 D3
Bagnizeau (17) 178 B6
Bagnoles (11) 290 C5
Bagnoles-de-l'Orne (61) 81 J1
Bagnolet (93) 59 F3
Bagnols (63) 201 J5
Bagnols (69) 188 A6
Bagnols-en-Forêt (83) 280 B6
Bagnols-les-Bains (48) 238 A6
Bagnols-sur-Cèze (30) 256 C5
Bagnot (21) 154 C3
Baguer-Morvan (35) 51 F5
Baguer-Pican (35) 51 G4
Baho (66) 315 G2
Bahus-Soubiran (40) 265 J5
Baigneaux (28) 109 K1
Baigneaux (33) 230 B3
Baigneaux (41) 108 E5
Baignes (70) 138 A1
Baignes-Sainte-Radegonde (16) 212 B1
Baigneux-les-Juifs (21) 135 G2
Baignolet (28) 85 H6
Baigts (40) 264 D5
Baigts-de-Béarn (64) 283 J1
Baillargues (34) 274 D5
Baillé (35) 79 K1
Bailleau-Armenonville (28) 85 H2
Bailleau-le-Pin (28) 84 E4
Bailleau-l'Évêque (28) 85 F2
Baillestavy (66) 314 D4
Baillet-en-France (95) 58 E1
Bailleul (59) 6 B3
Bailleul (61) 54 C4
le Bailleul (72) 106 A5
Bailleul (80) 9 G6
Bailleul-aux-Cornailles (62) 10 B2
Bailleul-la-Vallée (27) 34 B5
Bailleul-le-Soc (60) 38 B2
Bailleul-lès-Pernes (62) 5 H6
Bailleul-Neuville (76) 16 C3
Bailleul-Sir-Berthoult (62) 11 F2
Bailleul-sur-Thérain (60) 37 J2
Bailleulmont (62) 10 D4
Bailleulval (62) 10 D3
Bailleval (60) 38 A3
Baillolet (76) 16 D3
Baillou (41) 108 A3
Bailly (60) 39 F1
Bailly (78) 58 C4
Bailly-aux-Forges (52) 91 J2
Bailly-en-Rivière (76) 16 C2
Bailly-le-Franc (10) 91 G2
Bailly-Romainvilliers (77) 59 J4
Bain-de-Bretagne (35) 103 F2
Baincthun (62) 4 B3
Bainghen (62) 4 D2
Bains (43) 220 B6
Bains-les-Bains (88) 118 B2
Bains-sur-Oust (35) 102 C3
Bainville-aux-Miroirs (54) 94 B2
Bainville-aux-Saules (88) 94 A5
Bainville-sur-Madon (54) 65 K6
Bairols (06) 261 J6
Bais (35) 79 K5
Bais (53) 81 J5
Baisieux (59) 7 F4
Baissey (52) 116 C5
Baives (59) 13 K5
Baix (07) 240 B3
Baixas (66) 310 B6
Baizieux (80) 10 C6
le Baizil (51) 61 H2
Bajamont (47) 248 C4
Bajonnette (32) 267 K4
Bajus (62) 10 C1
Balacet (09) 306 B4
Baladou (46) 233 J1
Balagny-sur-Thérain (60) 37 K4
Balaguères (09) 306 C3
Balaguier-d'Olt (12) 234 C6
Balaguier-sur-Rance (12) 271 J3
Balaiseaux (39) 155 G4
Balaives-et-Butz (08) 22 D4
Balan (01) 206 D1
Balan (08) 23 F4
Balanod (39) 172 E4
Balansun (64) 283 K1
Balanzac (17) 194 E2
Balaruc-le-Vieux (34) 293 F2
Balaruc-les-Bains (34) 292 E3
Balâtre (80) 19 G4
Balazé (35) 80 B6
Balazuc (07) 239 H6
Balbigny (42) 204 E1
Balbins (38) 206 E6
Balbronn (67) 70 C3
Baldenheim (67) 96 D2
Baldersheim (68) 97 C2
la Baleine (50) 52 A2
Baleix (64) 285 F3
Balesmes-sur-Marne (52) 116 D4
Balesta (31) 286 C5
Baleyssagues (47) 230 E4
Balgau (68) 96 E6
Balham (08) 41 G1
Balignac (82) 268 B2
Balignicourt (10) 90 E2
Bâlines (27) 56 B5
Balinghem (62) 2 D3
Baliracq-Maumusson (64) 284 E1
Baliros (64) 284 D5
Balizac (33) 229 J6
Ballainvilliers (91) 58 E6
Ballaison (74) 174 E6
Ballan-Miré (37) 127 H5
Ballancourt-sur-Essonne (91) 86 E2
Ballans (17) 196 A1
Ballay (08) 42 B2
Balledent (87) 181 G3
Ballée (53) 105 J3
Balleray (58) 151 F3
Balleroy (14) 31 K2
Ballersdorf (68) 97 A4
Balléville (88) 93 H4
Ballon (17) 177 F4
Ballon (72) 82 E6
Ballons (26) 258 C3
Ballore (71) 170 E4
Ballots (53) 104 C3
Balloy (77) 88 C3
Balma (31) 269 H6
la Balme (73) 207 K2
la Balme-de-Sillingy (74) 190 E5
la Balme-de-Thuy (74) 191 G5
la Balme-d'Épy (39) 172 E5
la Balme-les-Grottes (38) 189 H6
Balnot-la-Grange (10) 114 C3
Balnot-sur-Laignes (10) 114 D2
Balogna (2A) 320 B2
Balot (21) 114 E5
Balsac (12) 252 A2
Balschwiller (68) 97 A3
Balsièges (48) 254 A1
Baltzenheim (68) 96 E3
Balzac (16) 196 D3
Bambecque (59) 3 J3
Bambiderstroff (57) 45 J5
Ban-de-Laveline (88) 95 K4
Ban-de-Sapt (88) 95 J3
le Ban-Saint-Martin (57) 44 E5
Ban-sur-Meurthe-Clefcy (88) 95 J5
Banassac (48) 253 H2
Banca (64) 282 C6
Bancigny (02) 21 G3
Bancourt (62) 11 F5
Bandol (83) 300 A4
Baneins (01) 188 D3
Baneuil (24) 231 K2
Bangor (56) 120 B4
Banios (65) 304 E2
Banize (23) 182 E6
Bannalec (29) 99 G2
Bannans (25) 156 E4
Bannay (18) 131 K5
Bannay (51) 61 H3
Bannay (57) 45 H5
Banne (07) 255 H2
Bannegon (18) 149 K6
Bannes (46) 234 C3
Bannes (51) 61 K4
Bannes (52) 116 D3
Bannes (53) 105 J3
Banneville-la-Campagne (14) 33 F5
Banneville-sur-Ajon (14) 32 C6
Bannières (81) 270 A6
Bannoncourt (55) 64 E2
Bannost-Villegagnon (77) 60 C6
Banogne-Recouvrance (08) 21 H6
Banon (04) 258 C6
Banos (40) 265 F4
Bans (39) 155 H3
Bansat (63) 203 F6
Bantanges (71) 172 B3
Banteux (59) 11 J5
Banthelu (95) 36 E6
Bantheville (55) 42 E2
Bantigny (59) 11 J3
Bantouzelle (59) 11 J5
Bantzenheim (68) 97 D1
Banvillars (90) 139 H1
Banville (14) 32 D3
Banvou (61) 53 H5
Banyuls-dels-Aspres (66) 315 G4
Banyuls-sur-Mer (66) 315 K5
Baon (89) 114 B4
Baons-le-Comte (76) 15 G5
Bapaume (62) 11 F5
Bar (19) 216 B2
Bar-le-Duc (55) 64 B4
Bar-lès-Buzancy (08) 42 D2
Bar-sur-Aube (10) 91 G5
le Bar-sur-Loup (06) 280 E4
Bar-sur-Seine (10) 114 D1
Baracé (49) 125 J1
Baraigne (11) 289 F4
Baraize (36) 165 H4
Baralle (62) 11 H4
Baraqueville (12) 252 A4
Barastre (62) 11 G5
Baratier (05) 243 J5
Barbachen (65) 285 J2
Barbaggio (2B) 319 H1
Barbaira (11) 290 C6
Barbaise (08) 22 C4
Barbas (54) 67 G6
Barbaste (47) 247 J5
Barbâtre (85) 140 C3
Barbazan (31) 305 J2
Barbazan-Debat (65) 285 H5
Barbazan-Dessus (65) 285 J6
Barbechat (44) 123 K3
la Barben (13) 277 F5
Barbentane (13) 276 A2
Barberaz (73) 208 B4
Barberey-Saint-Sulpice (10) 90 A4
Barberier (03) 185 G2
Barbery (14) 53 K1
Barbery (60) 38 C5
Barbeville (14) 32 A3
Barbey (77) 88 B4
Barbey-Seroux (88) 95 H6
Barbezières (16) 178 D6
Barbezieux-Saint-Hilaire (16) 196 B5
Barbières (26) 222 E6
Barbirey-sur-Ouche (21) 135 H6
Barbizon (77) 87 G3
Barbonne-Fayel (51) 61 H6
Barbonville (54) 66 C6
le Barboux (25) 157 J1
Barbuise (10) 89 G1
Barby (08) 21 K6
Barby (73) 208 C4
Barc (27) 35 F6
le Barcarès (66) 310 D5
Barcelonne (26) 240 E1
Barcelonne-du-Gers (32) 265 K5
Barcelonnette (04) 260 D1
Barchain (57) 67 H4
Barcillonnette (05) 259 F1
Barcugnan (32) 286 B3
Barcus (64) 283 J5
Barcy (77) 59 K1
Bard (42) 204 C4
Bard-le-Régulier (21) 153 F2
Bard-lès-Époisses (21) 134 C3
Bard-lès-Pesmes (70) 137 G5
la Barde (17) 212 C4
Bardenac (16) 212 D2
Bardigues (82) 268 B1
le Bardon (45) 109 H5

Bardos (64) . . . 282 E1
Bardou (24) . . . 231 K3
Bardouville (76) . . . 35 G2
Barèges (65) . . . 304 C3
Bareilles (65) . . . 305 G4
Barembach (67) . . . 70 A5
Baren (31) . . . 305 H4
Barentin (76) . . . 15 J6
Barenton (50) . . . 52 E6
Barenton-Bugny (02) . . . 20 D5
Barenton-Cel (02) . . . 20 D5
Barenton-sur-Serre (02) . . . 20 D5
Barésia-sur-l'Ain (39) . . . 173 H3
Barfleur (50) . . . 29 G2
Bargème (83) . . . 279 K4
Bargemon (83) . . . 279 K5
Barges (21) . . . 154 C1
Barges (43) . . . 238 C2
Barges (70) . . . 117 H4
Bargny (60) . . . 39 F5
Barie (33) . . . 230 B3
les Barils (27) . . . 56 A5
Barinque (64) . . . 284 E3
Barisey-au-Plain (54) . . . 93 H1
Barisey-la-Côte (54) . . . 93 H1
Barisis (02) . . . 20 A6
Barizey (71) . . . 153 J6
Barjac (09) . . . 306 D2
Barjac (30) . . . 255 K3
Barjac (48) . . . 253 K1
Barjols (83) . . . 278 E6
Barjon (21) . . . 135 K1
Barjouville (28) . . . 85 G3
Barles (04) . . . 259 K3
Barlest (65) . . . 285 F6
Barleux (80) . . . 19 G2
Barlieu (18) . . . 131 H3
Barlin (62) . . . 5 K4
Barly (62) . . . 10 C3
Barly (80) . . . 10 A4
Barmainville (28) . . . 86 B5
Barnas (07) . . . 239 F4
Barnave (26) . . . 241 H4
Barnay (71) . . . 153 F2
Barneville-Carteret (50) . . . 28 B5
Barneville-la-Bertran (14) . . . 33 K2
Barneville-sur-Seine (27) . . . 35 F2
la Baroche-sous-Lucé (61) . . . 81 G1
les Baroches (54) . . . 44 C4
Baromesnil (76) . . . 8 C6
Baron (30) . . . 255 J6
Baron (33) . . . 229 K2
Baron (60) . . . 38 D5
Baron (71) . . . 170 D4
Baron-sur-Odon (14) . . . 32 D5
Baronville (57) . . . 66 E1
Barou-en-Auge (14) . . . 54 C2
Baroville (10) . . . 91 G6
le Barp (33) . . . 229 F5
Barquet (27) . . . 56 A1
Barr (67) . . . 70 C5
Barrais-Bussolles (03) . . . 186 B1
Barran (32) . . . 267 G6
Barrancoueu (65) . . . 305 F3
Barras (04) . . . 259 H5
Barraute-Camu (64) . . . 283 H3
Barraux (38) . . . 208 C5
la Barre (39) . . . 155 J1
la Barre (70) . . . 138 B4
Barre (81) . . . 272 B4
la Barre-de-Monts (85) . . . 140 C4
la Barre-de-Semilly (50) . . . 31 H3
Barre-des-Cévennes (48) . . . 254 C4
la Barre-en-Ouche (27) . . . 55 J2
Barrême (04) . . . 279 H1
Barret (16) . . . 196 A5
Barret-de-Lioure (26) . . . 258 B4
Barret-sur-Méouge (05) . . . 258 D3
Barretaine (39) . . . 155 J5
Barrettali (2B) . . . 317 C3
Barriac-les-Bosquets (15) . . . 217 F4
Barro (16) . . . 179 G5
Barrou (37) . . . 146 A5
le Barroux (84) . . . 257 H5
Barry (65) . . . 285 G6
Barry-d'Islemade (82) . . . 249 H6
Bars (24) . . . 214 D5
Bars (32) . . . 285 K1
Barsac (26) . . . 241 G3
Barsac (33) . . . 229 K5
Barst (57) . . . 68 B3
Bart (25) . . . 139 H2
Bartenheim (68) . . . 97 D4
Barthe (65) . . . 286 B4
la Barthe-de-Neste (65) . . . 305 F1
Bartherans (25) . . . 156 B3
les Barthes (82) . . . 249 H6
Bartrès (65) . . . 285 G6
Barville (27) . . . 34 C5
Barville (61) . . . 83 F2
Barville (88) . . . 93 G3
Barville-en-Gâtinais (45) . . . 111 F1
Barzan (17) . . . 194 E5
Barzun (64) . . . 285 F5
Barzy-en-Thiérache (02) . . . 13 F6
Barzy-sur-Marne (02) . . . 40 A6
Bas-en-Basset (43) . . . 220 E2
Bas-et-Lezat (63) . . . 185 H4
Bas-Lieu (59) . . . 13 G4
Bas-Mauco (40) . . . 265 G3
Bascons (40) . . . 265 H3
Bascous (32) . . . 266 D4
Baslieux (54) . . . 26 D3
Baslieux-lès-Fismes (51) . . . 40 C3
Baslieux-sous-Châtillon (51) . . . 40 D6
Basly (14) . . . 32 D3

Bassac (16) . . . 196 B3
Bassan (34) . . . 292 A3
Bassanne (33) . . . 230 C5
Basse-Goulaine (44) . . . 123 H4
Basse-Ham (57) . . . 27 H4
Basse-Rentgen (57) . . . 27 G3
Basse-sur-le-Rupt (88) . . . 119 G2
la Basse-Vaivre (70) . . . 117 K3
la Bassée (59) . . . 6 B5
Bassemberg (67) . . . 70 B6
Basseneville (14) . . . 33 G4
Bassens (33) . . . 229 H1
Bassens (73) . . . 208 B4
Bassercles (40) . . . 284 A1
Basses (86) . . . 144 E3
Basseux (62) . . . 10 D3
Bassevelle (77) . . . 60 D2
Bassignac (15) . . . 217 H2
Bassignac-le-Bas (19) . . . 216 B6
Bassignac-le-Haut (19) . . . 216 E3
Bassigney (70) . . . 118 B4
Bassillac (24) . . . 214 B3
Bassillon-Vauzé (64) . . . 285 G2
Bassing (57) . . . 67 G2
Bassoles-Aulers (02) . . . 39 J1
Bassoncourt (52) . . . 117 F1
Bassou (89) . . . 113 F4
Bassoues (32) . . . 266 E6
Bassu (51) . . . 63 G3
Bassuet (51) . . . 63 G4
Bassurels (48) . . . 254 C5
Bassussarry (64) . . . 282 B2
Bassy (74) . . . 190 C4
Bastanès (64) . . . 283 J3
Bastelica (2A) . . . 320 E4
Bastelicaccia (2A) . . . 320 C5
Bastennes (40) . . . 264 D5
Bastia (2B) . . . 317 E5
la Bastide (66) . . . 314 D4
la Bastide (83) . . . 280 A4
la Bastide-Clairence (64) . . . 282 D2
la Bastide-de-Besplas (09) . . . 288 A6
la Bastide-de-Bousignac (09) . . . 308 B2
la Bastide-de-Lordat (09) . . . 288 E6
la Bastide-de-Sérou (09) . . . 307 G2
la Bastide-d'Engras (30) . . . 256 B6
la Bastide-des-Jourdans (84) . . . 277 K3
la Bastide-du-Salat (09) . . . 306 C2
la Bastide-l'Évêque (12) . . . 251 G3
la Bastide-Pradines (12) . . . 272 D1
la Bastide-Puylaurent (48) . . . 238 C5
la Bastide-Solages (12) . . . 271 F2
la Bastide-sur-l'Hers (09) . . . 308 B3
la Bastidonne (84) . . . 277 K4
le Bastit (46) . . . 233 K4
Basville (23) . . . 201 G1
la Bataille (79) . . . 178 D3
Bathelémont-lès-Bauzemont (54) . . . 66 D5
Bathernay (26) . . . 222 D3
la Bâthie (73) . . . 209 G3
la Bâtie-des-Fonds (26) . . . 242 A6
la Bâtie-Divisin (38) . . . 207 J5
la Bâtie-Montgascon (38) . . . 207 H4
la Bâtie-Montsaléon (05) . . . 258 D1
la Bâtie-Neuve (05) . . . 243 F5
la Bâtie-Rolland (26) . . . 240 C5
la Bâtie-Vieille (05) . . . 243 F5
les Bâties (70) . . . 137 J2
Batilly (54) . . . 44 D4
Batilly (61) . . . 54 A5
Batilly-en-Gâtinais (45) . . . 110 D2
Batilly-en-Puisaye (45) . . . 131 K2
Bats (40) . . . 265 H5
Batsère (65) . . . 304 E1
Battenans-les-Mines (25) . . . 138 C4
Battenans-Varin (25) . . . 139 G5
Battenheim (68) . . . 97 C1
Battexey (88) . . . 94 A3
Battigny (54) . . . 93 J2
Battrans (70) . . . 137 G4
Batz-sur-Mer (44) . . . 121 H5
Batzendorf (67) . . . 69 K6
Baubigny (21) . . . 153 J4
Baubigny (50) . . . 28 B5
la Bauche (73) . . . 208 A5
Baud (56) . . . 100 D2
Baudement (51) . . . 89 H1
Baudemont (71) . . . 187 H1
Baudignan (40) . . . 247 F6
Baudignécourt (55) . . . 92 D1
Baudinard-sur-Verdon (83) . . . 279 F4
Baudoncourt (70) . . . 118 C5
Baudonvilliers (55) . . . 63 K5
Baudre (50) . . . 31 H3
Baudrecourt (52) . . . 91 K3
Baudrecourt (57) . . . 66 C1
Baudreix (64) . . . 284 E5
Baudrémont (55) . . . 64 D3
Baudres (36) . . . 147 J3
Baudreville (28) . . . 86 A4
Baudreville (50) . . . 28 C6
Baudricourt (88) . . . 93 K4
Baudrières (71) . . . 172 B2
Bauduen (83) . . . 279 F4
Baugé (49) . . . 126 B2
Baugy (18) . . . 149 K3
Baugy (60) . . . 38 D2
Baugy (71) . . . 186 E1
Baulay (70) . . . 117 K5
Baule (45) . . . 109 H5
la Baule-Escoublac (44) . . . 121 J5
Baulme-la-Roche (21) . . . 135 J3
Baulne (91) . . . 86 E2
Baulne-en-Brie (02) . . . 61 G2
Baulny (55) . . . 42 E4
Baulon (35) . . . 78 D6

Baulou (09) . . . 307 H2
la Baume (73) . . . 175 G6
la Baume-Cornillane (26) . . . 240 D2
la Baume-de-Transit (26) . . . 256 C2
la Baume-d'Hostun (26) . . . 223 F5
Baume-les-Dames (25) . . . 138 D4
Baume-les-Messieurs (39) . . . 173 H1
Bauné (49) . . . 125 J3
Baupte (50) . . . 31 F1
Bauquay (14) . . . 53 G1
Baurech (33) . . . 229 J3
la Baussaine (35) . . . 78 E1
Bauvin (59) . . . 6 C5
les Baux-de-Breteuil (27) . . . 56 A3
les Baux-de-Provence (13) . . . 276 B4
les Baux-Sainte-Croix (27) . . . 56 C2
Bauzemont (54) . . . 66 D5
Bauzy (41) . . . 129 H3
Bavans (25) . . . 139 G2
Bavay (59) . . . 13 F2
Bavelincourt (80) . . . 18 C1
Bavent (14) . . . 33 F4
Baverans (39) . . . 155 H2
Bavilliers (90) . . . 139 H1
Bavinchove (59) . . . 3 J4
Bavincourt (62) . . . 10 D3
Bax (31) . . . 288 A5
Bay (70) . . . 137 H5
Bay-sur-Aube (52) . . . 116 A5
Bayac (24) . . . 232 A3
Bayard-sur-Marne (52) . . . 92 A1
Bayas (33) . . . 212 B5
Baye (29) . . . 99 H3
Baye (51) . . . 61 H1
Bayecourt (88) . . . 94 D4
Bayel (10) . . . 91 H6
Bayencourt (80) . . . 10 D5
Bayenghem-lès-Éperlecques (62) . . . 3 H1
Bayenghem-lès-Seninghem (62) . . . 5 F3
Bayers (16) . . . 179 G6
Bayet (03) . . . 185 H2
Bayeux (14) . . . 32 B3
Bayon (54) . . . 94 C2
Bayon-sur-Gironde (33) . . . 211 H5
Bayonne (64) . . . 282 B1
Bayons (04) . . . 259 H2
Bayonville (08) . . . 42 E2
Bayonville-sur-Mad (54) . . . 65 J1
Bayonvillers (80) . . . 18 D2
Bazac (16) . . . 212 D3
Bazaiges (36) . . . 165 G4
Bazailles (54) . . . 26 D1
Bazainville (78) . . . 57 J4
Bazancourt (51) . . . 41 G3
Bazancourt (60) . . . 17 F6
Bazarnes (89) . . . 133 H1
Bazas (33) . . . 246 D1
Bazauges (17) . . . 178 D6
Bazegney (88) . . . 94 B4
Bazeilles (08) . . . 23 F4
Bazeilles-sur-Othain (55) . . . 23 K6
Bazelat (23) . . . 165 G6
Bazemont (78) . . . 58 A2
Bazens (47) . . . 247 K4
Bazentin (80) . . . 10 E6
Bazenville (14) . . . 32 C3
Bazet (65) . . . 285 H4
la Bazeuge (87) . . . 181 F2
Bazian (32) . . . 267 F5
Bazicourt (60) . . . 38 C3
Baziège (31) . . . 288 D2
Bazien (88) . . . 95 F2
Bazillac (65) . . . 285 H3
Bazincourt-sur-Epte (27) . . . 36 E3
Bazincourt-sur-Saulx (55) . . . 64 A5
Bazinghen (62) . . . 2 B4
Bazinval (76) . . . 16 E1
la Bazoche-Gouet (28) . . . 108 B1
Bazoches (58) . . . 133 J5
Bazoches-au-Houlme (61) . . . 54 A4
Bazoches-en-Dunois (28) . . . 109 H1
Bazoches-lès-Bray (77) . . . 88 D3
Bazoches-les-Gallerandes (45) . . . 110 B1
Bazoches-les-Hautes (28) . . . 109 K1
Bazoches-sur-Guyonne (78) . . . 57 K4
Bazoches-sur-Hoëne (61) . . . 83 G1
Bazoches-sur-le-Betz (45) . . . 112 A1
Bazoches-sur-Vesles (02) . . . 40 B3
la Bazoge (50) . . . 52 C5
la Bazoge (72) . . . 106 D1
la Bazoge-Montpinçon (53) . . . 81 G4
Bazoges-en-Paillers (85) . . . 142 C4
Bazoges-en-Pareds (85) . . . 160 D2
Bazoilles-et-Ménil (88) . . . 94 A4
Bazoilles-sur-Meuse (88) . . . 93 F4
Bazolles (58) . . . 151 J2
Bazoncourt (57) . . . 45 G6
la Bazoque (14) . . . 31 K3
la Bazoque (61) . . . 53 G4
Bazoques (27) . . . 34 C5
Bazordan (65) . . . 286 C5
la Bazouge-de-Chemeré (53) . . . 105 H2
la Bazouge-des-Alleux (53) . . . 81 G6
la Bazouge-du-Désert (35) . . . 80 C2
Bazouges (53) . . . 105 G2
Bazouges-la-Pérouse (35) . . . 51 H6
Bazouges-sur-le-Loir (72) . . . 106 A6
Bazuel (59) . . . 12 D5
Bazugues (32) . . . 286 A2
Bazus (31) . . . 269 H5
Bazus-Aure (65) . . . 305 F4
Bazus-Neste (65) . . . 305 F2
le Béage (07) . . . 238 E2
Béalcourt (80) . . . 9 K4
Béalencourt (62) . . . 9 J1
Béard (58) . . . 151 F5

Beaubec-la-Rosière (76) . . . 16 D5
Beaubery (71) . . . 170 E5
Beaubray (27) . . . 56 B3
Beaucaire (30) . . . 275 K3
Beaucaire (32) . . . 267 F3
Beaucamps-le-Jeune (80) . . . 17 G3
Beaucamps-le-Vieux (80) . . . 17 G3
Beaucamps-Ligny (59) . . . 6 C4
Beaucé (35) . . . 80 B4
Beaucens (65) . . . 304 B2
le Beaucet (84) . . . 276 E1
Beauchalot (31) . . . 306 A1
Beauchamp (95) . . . 58 D1
Beauchamps (50) . . . 51 K1
Beauchamps (80) . . . 8 D6
Beauchamps-sur-Huillard (45) . . . 111 F3
Beauchastel (07) . . . 240 B2
Beauche (28) . . . 56 B5
Beauchemin (52) . . . 116 C3
Beauchêne (41) . . . 108 B3
Beauchêne (61) . . . 53 F5
Beauchery-Saint-Martin (77) . . . 88 E1
Beauclair (55) . . . 43 F1
Beaucoudray (50) . . . 31 G5
Beaucourt (90) . . . 139 J2
Beaucourt-en-Santerre (80) . . . 18 D3
Beaucourt-sur-l'Ancre (80) . . . 10 E5
Beaucourt-sur-l'Hallue (80) . . . 18 C1
Beaucouzé (49) . . . 125 F3
Beaucroissant (38) . . . 223 H1
Beaudéan (65) . . . 304 D2
Beaudéduit (60) . . . 17 J5
Beaudignies (59) . . . 12 D3
Beaudricourt (62) . . . 10 B3
Beaufai (61) . . . 55 H5
Beaufay (72) . . . 83 F6
Beauficel (50) . . . 52 D4
Beauficel-en-Lyons (27) . . . 36 B2
Beaufin (38) . . . 242 D2
Beaufort (31) . . . 287 J2
Beaufort (34) . . . 291 F4
Beaufort (38) . . . 222 E1
Beaufort (39) . . . 173 F3
Beaufort (59) . . . 13 H3
Beaufort (73) . . . 209 H2
Beaufort-Blavincourt (62) . . . 10 C3
Beaufort-en-Argonne (55) . . . 43 F1
Beaufort-en-Santerre (80) . . . 18 E3
Beaufort-en-Vallée (49) . . . 125 K4
Beaufort-sur-Gervanne (26) . . . 240 E3
Beaufou (85) . . . 141 J5
Beaufour-Druval (14) . . . 33 H4
Beaufremont (88) . . . 93 G5
Beaugas (47) . . . 231 J6
Beaugeay (17) . . . 176 E6
Beaugency (45) . . . 109 H5
Beaugies-sous-Bois (60) . . . 19 J5
Beaujeu (04) . . . 260 A4
Beaujeu (69) . . . 188 A3
Beaujeu-Saint-Vallier-
-Pierrejux-et-Quitteur (70) . . . 137 G3
Beaulandais (61) . . . 81 H1
Beaulencourt (62) . . . 11 F5
Beaulieu (07) . . . 255 J2
Beaulieu (14) . . . 52 E2
Beaulieu (15) . . . 201 H6
Beaulieu (21) . . . 115 H6
Beaulieu (34) . . . 274 D5
Beaulieu (36) . . . 164 E6
Beaulieu (38) . . . 223 H3
Beaulieu (43) . . . 220 C4
Beaulieu (58) . . . 133 F6
Beaulieu (61) . . . 55 K5
Beaulieu (63) . . . 203 F6
Beaulieu-en-Argonne (55) . . . 63 K1
Beaulieu-les-Fontaines (60) . . . 19 G5
Beaulieu-lès-Loches (37) . . . 146 D2
Beaulieu-sous-la-Roche (85) . . . 159 G1
Beaulieu-sous-Parthenay (79) . . . 161 K3
Beaulieu-sur-Dordogne (19) . . . 216 B6
Beaulieu-sur-Layon (49) . . . 125 G6
Beaulieu-sur-Loire (45) . . . 131 J3
Beaulieu-sur-Mer (06) . . . 281 H4
Beaulieu-sur-Oudon (53) . . . 104 C2
Beaulieu-sur-Sonnette (16) . . . 179 J6
Beaulon (03) . . . 169 H3
Beaumais (14) . . . 54 B3
Beaumarchés (32) . . . 266 C6
Beaumat (46) . . . 233 J4
la Beaume (05) . . . 242 A5
Beauménil (88) . . . 95 G5
Beaumerie-Saint-Martin (62) . . . 4 C6
Beaumes-de-Venise (84) . . . 257 G5
Beaumesnil (14) . . . 52 D2
Beaumesnil (27) . . . 55 K1
Beaumettes (84) . . . 277 F3
Beaumetz (80) . . . 9 J4
Beaumetz-lès-Aire (62) . . . 5 G5
Beaumetz-lès-Cambrai (62) . . . 11 G5
Beaumetz-lès-Loges (62) . . . 10 D3
Beaumont (07) . . . 239 F6
Beaumont (19) . . . 216 B1
Beaumont (32) . . . 266 E2
Beaumont (43) . . . 219 G2
Beaumont (54) . . . 65 G3
Beaumont (63) . . . 202 D2
Beaumont (74) . . . 191 F3
Beaumont (86) . . . 163 G1
Beaumont (89) . . . 113 G4
Beaumont-de-Lomagne (82) . . . 268 C3
Beaumont-de-Pertuis (84) . . . 278 A4
Beaumont-du-Gâtinais (77) . . . 111 H1
Beaumont-du-Lac (87) . . . 200 B2
Beaumont-du-Périgord (24) . . . 232 A3
Beaumont-du-Ventoux (84) . . . 257 H4

Beaumont-en-Argonne (08) . . . 23 G6
Beaumont-en-Auge (14) . . . 33 J4
Beaumont-en-Beine (02) . . . 19 J4
Beaumont-en-Cambrésis (59) . . . 12 C5
Beaumont-en-Diois (26) . . . 241 J5
Beaumont-en-Verdunois (55) . . . 43 H4
Beaumont-en-Véron (37) . . . 145 F1
Beaumont-Hague (50) . . . 28 B2
Beaumont-Hamel (80) . . . 10 D5
Beaumont-la-Ferrière (58) . . . 150 E1
Beaumont-la-Ronce (37) . . . 127 J2
Beaumont-le-Hareng (76) . . . 16 B5
Beaumont-le-Roger (27) . . . 34 E5
Beaumont-les-Autels (28) . . . 84 B5
Beaumont-les-Nonains (60) . . . 37 G3
Beaumont-lès-Randan (63) . . . 185 J5
Beaumont-lès-Valence (26) . . . 240 D2
Beaumont-Monteux (26) . . . 222 C5
Beaumont-Pied-de-Bœuf (53) . . . 105 H3
Beaumont-Pied-de-Bœuf (72) . . . 107 F5
Beaumont-Sardolles (58) . . . 151 G5
Beaumont-sur-Dême (72) . . . 107 H6
Beaumont-sur-Grosne (71) . . . 171 K2
Beaumont-sur-Lèze (31) . . . 288 B3
Beaumont-sur-Oise (95) . . . 37 J5
Beaumont-sur-Sarthe (72) . . . 82 D5
Beaumont-sur-Vesle (51) . . . 41 G5
Beaumont-sur-Vingeanne (21) . . . 136 D3
Beaumont-Village (37) . . . 147 F1
Beaumontel (27) . . . 34 E4
Beaumotte-Aubertans (70) . . . 138 B3
Beaumotte-lès-Pin (70) . . . 137 H3
Beaunay (51) . . . 61 J3
Beaune (21) . . . 154 A3
Beaune-d'Allier (03) . . . 184 D1
Beaune-la-Rolande (45) . . . 111 F2
Beaune-sur-Arzon (43) . . . 220 B2
Beaunotte (21) . . . 135 H1
Beaupont (01) . . . 172 D5
Beaupouyet (24) . . . 213 H5
Beaupréau (49) . . . 142 D1
Beaupuy (31) . . . 269 H6
Beaupuy (32) . . . 268 C6
Beaupuy (47) . . . 230 E6
Beaupuy (82) . . . 268 D3
Beauquesne (80) . . . 10 B5
Beaurain (59) . . . 12 D4
Beaurains (62) . . . 11 F3
Beaurains-lès-Noyon (60) . . . 19 H5
Beaurainville (62) . . . 9 G1
Beaurecueil (13) . . . 296 E1
Beauregard (01) . . . 188 B5
Beauregard (46) . . . 250 D3
Beauregard-Baret (26) . . . 222 E5
Beauregard-de-Terrasson (24) . . . 215 F4
Beauregard-et-Bassac (24) . . . 213 K6
Beauregard-l'Évêque (63) . . . 203 F1
Beauregard-Vendon (63) . . . 185 F5
Beaurepaire (38) . . . 222 D1
Beaurepaire (60) . . . 38 B4
Beaurepaire (76) . . . 14 B4
Beaurepaire (85) . . . 142 C4
Beaurepaire-en-Bresse (71) . . . 172 E2
Beaurepaire-sur-Sambre (59) . . . 13 F5
Beaurevoir (02) . . . 12 B6
Beaurières (26) . . . 241 K5
Beaurieux (02) . . . 40 C2
Beaurieux (59) . . . 13 J4
Beauronne (24) . . . 213 G5
Beausemblant (26) . . . 222 B3
Beausite (55) . . . 64 B2
Beausoleil (06) . . . 281 J3
Beaussac (24) . . . 197 H5
Beaussais (79) . . . 178 D1
Beaussault (76) . . . 16 E4
Beausse (49) . . . 124 C5
le Beausset (83) . . . 300 A3
Beauteville (31) . . . 288 E4
Beautheil (77) . . . 60 B5
Beautiran (33) . . . 229 J3
Beautor (02) . . . 20 A5
Beautot (76) . . . 15 K5
Beauvain (61) . . . 53 K6
Beauvais (60) . . . 37 G2
Beauvais-sur-Matha (17) . . . 178 C6
Beauvais-sur-Tescou (81) . . . 269 J2
Beauval (80) . . . 10 A5
Beauval-en-Caux (76) . . . 15 J4
Beauvallon (26) . . . 240 C2
Beauvau (49) . . . 125 K2
Beauvène (07) . . . 239 J2
Beauvernois (71) . . . 155 G5
Beauvezer (04) . . . 260 C4
Beauville (31) . . . 289 F2
Beauville (47) . . . 248 E3
Beauvilliers (28) . . . 85 H5
Beauvilliers (41) . . . 108 E5
Beauvilliers (89) . . . 134 A4
Beauvoir (50) . . . 51 J4
Beauvoir (60) . . . 18 B5
Beauvoir (77) . . . 59 K6
Beauvoir (89) . . . 112 E5
Beauvoir-de-Marc (38) . . . 206 D5
Beauvoir-en-Lyons (76) . . . 36 C1
Beauvoir-en-Royans (38) . . . 223 G4
Beauvoir-sur-Mer (85) . . . 140 D4
Beauvoir-sur-Niort (79) . . . 178 A2
Beauvoir-Wavans (62) . . . 9 K3
Beauvois (62) . . . 9 K2
Beauvois-en-Cambrésis (59) . . . 12 C4
Beauvois-en-Vermandois (02) . . . 19 J2
Beaux (43) . . . 220 E3
Beauzac (43) . . . 220 E3
Beauzelle (31) . . . 269 G5

Beauziac (47) 247 F3
Bébing (57) 67 J4
Beblenheim (68) 96 B3
Bec-de-Mortagne (76) 14 D4
le Bec-Hellouin (27) 34 E4
le Bec-Thomas (27) 35 G4
Beccas (32) 285 J2
Béceleuf (79) 161 G4
Béchamps (54) 44 B4
Bécherel (35) 78 D2
Bécheresse (16) 196 D5
Béchy (57) 66 C1
Bécon-les-Granits (49) 124 E3
Bécordel-Bécourt (80) 10 E6
Bécourt (62) 4 D4
Becquigny (02) 12 C6
Becquigny (80) 18 D4
Bédarieux (34) 272 E6
Bédarrides (84) 257 F6
Beddes (18) 166 D3
Bédéchan (32) 287 F1
Bédée (35) 78 D3
Bédeilhac-et-Aynat (09) 307 H4
Bédeille (09) 306 D1
Bédeille (64) 285 F3
Bedenac (17) 212 A3
Bédoin (84) 257 J5
Bédouès (48) 254 C3
Bedous (64) 303 F2
Béduer (46) 234 C5
Beffes (18) 150 C3
Beffia (39) 173 G3
Beffu-et-le-Morthomme (08) 42 D2
Bégaar (40) 264 D3
Bégadan (33) 210 E1
Béganne (56) 102 A5
Bégard (22) 48 B4
Bègles (33) 229 H2
Begnécourt (88) 94 A5
Bégole (65) 286 A6
Bégrolles-en-Mauges (49) 142 E1
la Bégude-de-Mazenc (26) 240 D6
Bègues (03) 185 F3
Béguey (33) 229 K4
Béguios (64) 283 F3
Béhagnies (62) 11 F4
Béhasque-Lapiste (64) 283 G3
Béhen (80) 9 F5
Béhencourt (80) 18 C1
Béhéricourt (60) 19 H6
Behonne (55) 64 B4
Béhorléguy (64) 283 F6
Béhoust (78) 57 J4
Behren-lès-Forbach (57) 68 C2
Béhuard (49) 125 F4
Beignon (56) 78 B6
Beillé (72) 107 G1
Beine (89) 113 H5
Beine-Nauroy (51) 41 G4
Beinheim (67) 25 D3
Beire-le-Châtel (21) 136 C4
Beire-le-Fort (21) 136 C6
Beissat (23) 201 F2
Bélâbre (36) 164 D4
Belan-sur-Ource (21) 115 G3
Bélarga (34) 292 D1
Bélaye (46) 249 H1
Belberaud (31) 288 D2
Belbèse (82) 268 D2
Belbeuf (76) 35 J2
Belbèze-de-Lauragais (31) 288 D3
Belbèze-en-Comminges (31) 306 C1
Belcaire (11) 308 C5
Belcastel (12) 251 J2
Belcastel (81) 270 A6
Belcastel-et-Buc (11) 309 G2
Belcodène (13) 296 E2
Bélesta (09) 308 B4
Bélesta (66) 314 D2
Bélesta-en-Lauragais (31) 289 F3
Beleymas (24) 213 J6
Belfahy (70) 119 G4
Belfays (25) 139 J5
Belflou (11) 289 F4
Belfonds (61) 54 D6
Belfort (90) 119 H6
Belfort-du-Quercy (46) 250 B4
Belfort-sur-Rebenty (11) 308 D5
Belgeard (53) 81 G5
Belgentier (83) 297 J4
Belgodère (2B) 318 D2
Belhade (40) 245 J2
Belhomert-Guéhouville (28) 84 C2
le Bélieu (25) 157 H1
Béligneux (01) 189 F6
Belin-Béliet (33) 228 E6
Bélis (40) 246 A6
Bellac (87) 181 F3
Bellaffaire (04) 259 J1
Bellaing (59) 12 C2
Bellancourt (80) 9 G5
Bellange (57) 66 E2
Bellavilliers (61) 83 G3
le Bellay-en-Vexin (95) 37 F5
Belle-Église (60) 37 J5
Belle-et-Houllefort (62) 4 C3
Belle-Isle-en-Terre (22) 48 A5
Belleau (02) 39 J6
Belleau (54) 66 A3
Bellebat (33) 230 A3
Bellebrune (62) 4 C3
Bellechassagne (19) 200 E4
Bellechaume (89) 113 G2
Bellecombe (39) 173 K6
Bellecombe-en-Bauges (73) 208 D2
Bellecombe-Tarendol (26) 257 K2
Bellefond (21) 136 A4
Bellefond (33) 230 B3
Bellefonds (86) 163 H2
Bellefontaine (39) 174 B3
Bellefontaine (50) 52 D5
Bellefontaine (88) 118 D2
Bellefontaine (95) 38 A6
Bellefosse (67) 70 A6
Bellegarde (30) 275 J4
Bellegarde (32) 286 D3
Bellegarde (45) 111 F3
Bellegarde (81) 271 F2
Bellegarde-du-Razès (11) 308 D1
Bellegarde-en-Diois (26) 241 H5
Bellegarde-en-Forez (42) 205 F3
Bellegarde-en-Marche (23) 183 H5
Bellegarde-Poussieu (38) 222 C1
Bellegarde-Sainte-Marie (31) 268 D5
Bellegarde-sur-Valserine (01) 190 C3
Belleherbe (25) 139 G5
Bellemagny (68) 119 K5
Bellême (61) 83 H4
Bellenaves (03) 185 F2
Bellencombre (76) 16 B4
Belleneuve (21) 136 C5
Bellenglise (02) 19 K1
Bellengreville (14) 33 F5
Bellengreville (76) 16 B2
Bellenod-sur-Seine (21) 115 G6
Bellenot-sous-Pouilly (21) 135 F6
Bellentre (73) 209 K3
Belleray (55) 43 H5
Bellerive-sur-Allier (03) 185 J3
Belleroche (42) 187 J3
Belles-Forêts (57) 67 H3
Belleserre (81) 289 J2
Bellesserre (31) 268 D4
Belleu (02) 39 J3
Belleuse (80) 17 K4
Bellevaux (74) 191 K1
Bellevesvre (71) 155 F5
Belleville (54) 65 K3
Belleville (69) 188 B3
Belleville (79) 177 K3
Belleville-en-Caux (76) 15 J4
Belleville-et-Châtillon-
-sur-Bar (08) 42 C1
Belleville-sur-Loire (18) 131 K3
Belleville-sur-Mer (76) 16 A1
Belleville-sur-Meuse (55) 43 H5
Belleville-sur-Vie (85) 141 K6
Bellevue-la-Montagne (43) 220 B3
Belley (01) 207 K2
Belleydoux (01) 190 B1
Bellicourt (02) 19 K1
la Bellière (61) 54 C6
la Bellière (76) 16 E5
Bellignat (01) 190 A1
Belligné (44) 124 C3
Bellignies (59) 13 F2
la Belliole (89) 112 B1
Belloc (09) 308 B2
Belloc-Saint-Clamens (32) 286 B2
Bellocq (64) 283 H1
Bellon (16) 212 E2
Bellonne (62) 11 H2
Bellot (77) 60 D3
Bellou (14) 54 E2
Bellou-en-Houlme (61) 53 J5
Bellou-le-Trichard (61) 83 H5
Bellou-sur-Huisne (61) 83 K3
Belloy (60) 18 E6
Belloy-en-France (95) 37 K6
Belloy-en-Santerre (80) 19 F2
Belloy-Saint-Léonard (80) 17 H2
Belloy-sur-Somme (80) 17 K1
Belluire (17) 195 G4
Belmesnil (76) 15 K3
Belmont (25) 138 D6
Belmont (32) 266 E5
Belmont (38) 207 G5
Belmont (39) 155 H3
Belmont (52) 117 F6
Belmont (67) 70 A5
Belmont (70) 118 E4
Belmont-Bretenoux (46) 234 C2
Belmont-d'Azergues (69) 188 B6
Belmont-de-la-Loire (42) 187 H3
Belmont-lès-Darney (88) 117 K1
Belmont-Luthézieu (01) 190 A6
Belmont-Sainte-Foi (46) 250 C3
Belmont-sur-Buttant (88) 95 G5
Belmont-sur-Rance (12) 272 A4
Belmont-sur-Vair (88) 93 J5
Belmont-Tramonet (73) 207 K4
Belmontet (46) 249 G2
Belonchamp (70) 119 F5
Belpech (11) 288 E6
Belrain (55) 64 C3
Belrupt (88) 118 A1
Belrupt-en-Verdunois (55) 43 J5
Bélus (40) 264 A6
Belval (08) 22 C3
Belval (50) 30 E4
Belval (88) 95 J2
Belval-Bois-des-Dames (08) 42 E1
Belval-en-Argonne (51) 63 K2
Belval-sous-Châtillon (51) 40 D6
Belvédère (06) 311 A3
Belvédère-Campomoro (2A) 322 C3
Belverne (70) 119 F6
Belvès (24) 232 D3
Belvès-de-Castillon (33) 230 C1
Belvèze (82) 249 G3
Belvèze-du-Razès (11) 308 D1
Belvézet (30) 255 K6
Belvezet (48) 238 B6
Belvianes-et-Cavirac (11) 308 E4
Belvis (11) 308 D4
Belvoir (25) 139 F5
Belz (56) 100 B5
Bémécourt (27) 56 A3
Bénac (09) 307 H3
Bénac (65) 285 G6
Benagues (09) 307 J1
Benais (37) 126 D6
Bénaix (09) 308 B4
Bénaménil (54) 67 F6
Bénarville (76) 14 E4
Benassay (86) 162 C3
la Benâte (17) 177 J4
Benay (02) 20 A3
Benayes (19) 199 H5
Bendejun (06) 281 G2
Bendorf (68) 97 C6
Bénéjacq (64) 284 E5
Benerville-sur-Mer (14) 33 H3
Bénesse-lès-Dax (40) 264 B5
Bénesse-Maremne (40) 262 C5
Benest (16) 179 K4
Bénestroff (57) 68 A5
Bénesville (76) 15 H3
Benet (85) 161 F5
Beneuvre (21) 115 K6
Bénévent-et-Charbillac (05) 242 E3
Bénévent-l'Abbaye (23) 182 B3
Beney-en-Woëvre (55) 65 G1
Benfeld (67) 70 E6
Bengy-sur-Craon (18) 150 A4
Bénifontaine (62) 6 B6
Béning-lès-Saint-Avold (57) 68 B2
la Bénisson-Dieu (42) 186 E3
Bénivay-Ollon (26) 257 J3
Bennecourt (78) 57 H1
Bennetot (76) 14 E4
Benney (54) 94 B1
Bennwihr (68) 96 B3
Bénodet (29) 98 C3
Benoisey (21) 134 E2
Benoîtville (50) 28 B3
Benon (17) 177 G2
Bénonces (01) 207 G1
Bénouville (14) 33 F4
Bénouville (76) 14 C4
Benque (31) 287 G5
Benqué (65) 304 E1
Benque-Dessous-et-Dessus (31) 305 H5
Benquet (40) 265 G3
Bentayou-Sérée (64) 285 G3
Bény (01) 172 D6
le Bény-Bocage (14) 52 E2
Bény-sur-Mer (14) 32 D3
Béon (01) 190 B6
Béon (89) 112 D3
Béost (64) 303 H2
Bérat (31) 287 J3
Béraut (32) 267 G2
Berbérust-Lias (65) 304 B2
Berbezit (43) 219 K2
Berbiguières (24) 232 D2
Bercenay-en-Othe (10) 89 K6
Bercenay-le-Hayer (10) 89 G4
Berche (25) 139 G3
Berchères-les-Pierres (28) 85 G4
Berchères-Saint-Germain (28) 85 G2
Berchères-sur-Vesgre (28) 57 G4
Berck (62) 8 E1
Bercloux (17) 195 H1
Berd'Huis (61) 83 K4
Berdoues (32) 286 B2
Bérelles (59) 13 J3
Bérengeville-la-Campagne (27) 35 H6
Berentzwiller (68) 97 C4
Bérénx (64) 283 H1
Béréziat (01) 172 B6
Berfay (72) 107 K3
Berg (67) 68 E5
Berg-sur-Moselle (57) 27 H3
Berganty (46) 250 C1
Bergbieten (67) 70 C3
Bergerac (24) 231 H2
Bergères (10) 91 G6
Bergères-lès-Vertus (51) 62 A3
Bergères-sous-Montmirail (51) 61 G3
Bergesserin (71) 171 G5
Bergheim (68) 96 C2
Bergholtz (68) 96 B6
Bergholtzzell (68) 96 B6
Bergicourt (80) 17 J4
Bergnicourt (08) 41 H2
Bergonne (63) 202 E5
Bergouey (40) 264 E5
Bergouey-Viellenave (64) 283 F2
Bergueneuse (62) 5 G6
Bergues (59) 3 H2
Bergues-sur-Sambre (02) 12 E6
Berhet (22) 48 B3
Bérig-Vintrange (57) 68 A4
Bérigny (50) 31 J3
Berjou (61) 53 H3
Berlaimont (59) 13 F4
Berlancourt (02) 20 E3
Berlancourt (60) 19 H5
Berlats (81) 271 J5
Berlencourt-le-Cauroy (62) 10 B3
Berles-au-Bois (62) 10 D4
Berles-Monchel (62) 10 C2
la Berlière (08) 23 F6
Berling (57) 69 F6
Berlise (02) 21 H5
Berlou (34) 291 H2
Bermerain (59) 12 D3
Berméricourt (51) 40 E3
Bermeries (59) 13 F3
Bermering (57) 68 A5
Bermesnil (80) 17 F2
Bermicourt (62) 9 K1
Bermont (90) 139 H1
Bermonville (76) 15 F5
Bernac (16) 179 G4
Bernac (81) 270 C2
Bernac-Debat (65) 285 H6
Bernac-Dessus (65) 285 H6
Bernadets (64) 284 D3
Bernadets-Debat (65) 286 A3
Bernadets-Dessus (65) 285 K5
le Bernard (85) 159 H4
la Bernardière (85) 142 B2
Bernardswiller (67) 70 C5
Bernardvillé (67) 70 C6
Bernâtre (80) 9 J4
Bernaville (80) 9 K5
Bernay (27) 34 D6
Bernay (72) 106 B1
Bernay-en-Ponthieu (80) 9 F3
Bernay-Saint-Martin (17) 177 J4
Bernay-Vilbert (77) 60 A6
Berné (56) 99 K2
Bernécourt (54) 65 H3
Bernède (32) 265 K5
la Bernerie-en-Retz (44) 140 D2
Bernes (80) 19 J2
Bernes-sur-Oise (95) 37 J5
Bernesq (14) 31 J1
Berneuil (16) 212 C1
Berneuil (17) 195 G3
Berneuil (80) 9 K5
Berneuil (87) 181 F4
Berneuil-en-Bray (60) 37 G3
Berneuil-sur-Aisne (60) 39 F2
Berneval-le-Grand (76) 16 A1
Berneville (62) 10 D3
Bernex (74) 175 H5
Bernienville (27) 35 H6
Bernières (76) 14 E5
Bernières-d'Ailly (14) 54 B2
Bernières-le-Patry (14) 53 F3
Bernières-sur-Mer (14) 32 D3
Bernières-sur-Seine (27) 36 A4
Bernieulles (62) 4 C5
Bernin (38) 224 C2
Bernis (30) 275 G4
Bernolsheim (67) 25 A4
Bernon (10) 114 A3
Bernos-Beaulac (33) 246 C2
Bernot (02) 20 C2
Bernouil (89) 113 K4
Bernouville (27) 36 D4
Bernwiller (68) 97 B3
Berny-en-Santerre (80) 19 F2
Berny-Rivière (02) 39 G2
Bérou-la-Mulotière (28) 56 C5
Berrac (32) 267 H1
Berre-les-Alpes (06) 281 H2
Berre-l'Étang (13) 296 A2
Berriac (11) 290 B5
Berrias-et-Casteljau (07) 255 H2
Berric (56) 101 H5
Berrie (86) 144 C3
Berrien (29) 75 G1
Berrieux (02) 40 D1
Berrogain-Laruns (64) 283 H4
Berru (51) 41 G4
Berrwiller (68) 97 B1
Berry-au-Bac (02) 40 D2
Berry-Bouy (18) 149 F2
le Bersac (05) 258 D1
Bersac-sur-Rivalier (87) 181 J4
Bersaillin (39) 155 H5
Bersée (59) 6 E6
Bersillies (59) 13 H2
Berson (33) 211 H4
Berstett (67) 70 E2
Berstheim (67) 69 K6
Bert (03) 186 B1
Bertangles (80) 18 B1
Bertaucourt-Epourdon (02) 20 B5
Berteaucourt-les-Dames (80) 9 K6
Berteaucourt-lès-Thennes (80) 18 C3
Bertheauville (76) 15 F3
Berthecourt (60) 37 J3
Berthegon (86) 145 F5
Berthelange (25) 155 K1
Berthelming (57) 67 J3
Berthen (59) 6 A2
Berthenay (37) 127 G5
Berthenicourt (02) 20 B3
Berthenonville (27) 36 D5
la Berthenoux (36) 166 C2
Berthez (33) 230 B6
Bertholène (12) 252 D2
Berthouville (27) 34 D5
Bertignat (63) 203 K4
Bertignolles (10) 115 F1
Bertincourt (62) 11 G5
Bertoncourt (08) 22 A6
Bertrambois (54) 67 J5
Bertrancourt (80) 10 C5
Bertrange (57) 45 F3
Bertre (81) 270 C6
Bertren (65) 305 J2
Bertreville (76) 15 F3
Bertreville-Saint-Ouen (76) 15 K3
Bertric-Burée (24) 213 G2
Bertrichamps (54) 95 G2
Bertricourt (02) 40 E2
Bertrimont (76) 15 J5
Bertrimoutier (88) 95 J4
Bertry (59) 12 C5
Béru (89) 113 K5
Béruges (86) 162 D3
Bérulle (10) 89 G6
Bérus (72) 82 C3
Berville (76) 15 H4
Berville (95) 37 G5
Berville-en-Roumois (27) 35 F3
Berville-la-Campagne (27) 56 B1
Berville-sur-Mer (27) 34 B2
Berville-sur-Seine (76) 35 G1
Berviller-en-Moselle (57) 45 K3
Berzé-la-Ville (71) 171 H6
Berzé-le-Châtel (71) 171 H5
Berzème (07) 239 K4
Berzieux (51) 42 C5
Berzy-le-Sec (02) 39 J3
la Besace (08) 23 F6
Besain (39) 155 K6
Besançon (25) 138 A6
Bésayes (26) 222 E6
Bescat (64) 284 C6
Bésignan (26) 257 K3
Bésingrand (64) 284 B3
Beslon (50) 52 B3
Besmé (02) 19 J6
Besmont (02) 21 H2
Besnans (70) 138 C3
Besné (44) 122 B1
Besneville (50) 28 C6
Besny-et-Loizy (02) 20 C5
Bessac (16) 196 C6
Bessais-le-Fromental (18) 167 J1
Bessamorel (43) 220 E4
Bessan (34) 292 C4
Bessancourt (95) 58 D1
Bessans (73) 226 D1
Bessas (07) 255 J3
le Bessat (42) 221 J1
Bessay (85) 160 A3
Bessay-sur-Allier (03) 168 E5
Besse (15) 217 G5
Bessé (16) 179 F5
Besse (24) 232 E4
Besse (38) 225 F4
Besse-et-Saint-Anastaise (63) 202 B5
Bessé-sur-Braye (72) 107 K5
Besse-sur-Issole (83) 298 A3
Bessède-de-Sault (11) 308 D5
Bessèges (30) 255 H3
Bessenay (69) 205 H2
Bessens (82) 268 E3
Besset (09) 308 A1
Bessey (42) 222 A1
Bessey-en-Chaume (21) 153 K2
Bessey-la-Cour (21) 153 J2
Bessey-lès-Cîteaux (21) 154 D1
la Besseyre-Saint-Mary (43) 219 H6
Bessières (31) 269 J4
Bessines (79) 161 G6
Bessines-sur-Gartempe (87) 181 J3
Bessins (38) 223 F3
Besson (03) 168 D5
Bessoncourt (90) 119 J6
Bessonies (46) 234 E3
les Bessons (48) 237 F3
Bessuéjouls (12) 236 A6
Bessy (10) 90 A1
Bessy-sur-Cure (89) 133 H2
Bestiac (09) 308 A5
Bétaille (46) 234 A1
Betaucourt (70) 117 J4
Betbèze (65) 286 C4
Betbezer-d'Armagnac (40) 266 A1
Betcave-Aguin (32) 286 E2
Betchat (09) 306 C1
Bétête (23) 166 C6
Béthancourt-en-Valois (60) 38 E4
Béthancourt-en-Vaux (02) 19 J5
Bethelainville (55) 43 G5
Béthemont-la-Forêt (95) 58 D1
Béthencourt (59) 12 C4
Béthencourt-sur-Mer (80) 8 D5
Béthencourt-sur-Somme (80) 19 G3
Bétheniville (51) 41 J3
Bétheny (51) 41 F4
Béthincourt (55) 43 G4
Béthines (86) 164 B4
Béthisy-Saint-Martin (60) 38 D4
Béthisy-Saint-Pierre (60) 38 D4
Bethmale (09) 306 C4
Bethon (51) 61 G6
Béthon (72) 82 D4
Bethoncourt (25) 139 H2
Béthonsart (62) 10 C1
Béthonvilliers (28) 84 B6
Bethonvilliers (90) 119 J6
Béthune (62) 6 A5
Bétignicourt (10) 90 E3
Beton-Bazoches (77) 60 D5
Betoncourt-lès-Brotte (70) 118 C5
Betoncourt-Saint-Pancras (70) 118 B3
Betoncourt-sur-Mance (70) 117 H4
Bétous (32) 266 C5
Betplan (32) 285 J3
Betpouey (65) 304 C4
Betpouy (65) 286 B4
Bétracq (64) 285 G1
Betschdorf (67) 25 B3
Bettainvillers (54) 44 C3
Bettancourt-la-Ferrée (52) 63 K6
Bettancourt-la-Longue (51) 63 J3
Bettange (57) 45 H3
Bettant (01) 189 H5
Bettborn (57) 67 J3
Bettegney-Saint-Brice (88) 94 C4

Bettelainville (57) 45 G4
Bettembos (80) 17 G3
Bettencourt-Rivière (80) 9 H6
Bettencourt-Saint-Ouen (80) 9 J6
Bettendorf (68) 97 B4
Bettes (65) 304 D1
Betteville (76) 15 G6
Bettignies (59) 13 H2
Betting-lès-Saint-Avold (57) 68 B2
Bettlach (68) 97 D5
Betton (35) 79 G3
Betton-Bettonet (73) 208 E4
Bettoncourt (88) 94 A3
Bettrechies (59) 13 F2
Bettviller (57) 69 F3
Bettwiller (67) 67 K2
Betz (60) 39 F5
Betz-le-Château (37) 146 C4
Beugin (62) 10 C1
Beugnâtre (62) 11 F5
Beugneux (02) 39 K4
Beugnies (59) 13 H4
le Beugnon (79) 161 G3
Beugnon (89) 113 J2
Beugny (62) 11 G5
Beuil (06) 261 G5
le Beulay (88) 95 K3
Beulotte-Saint-Laurent (70) 119 F3
Beure (25) 137 K6
Beurey (10) 90 E6
Beurey-Bauguay (21) 134 E6
Beurey-sur-Saulx (55) 63 K4
Beurières (63) 204 A6
Beurizot (21) 135 F5
Beurlay (17) 177 G6
Beurville (52) 91 H4
Beussent (62) 4 C5
Beuste (64) 284 E5
Beutal (25) 139 F3
Beutin (62) 4 B6
Beuvardes (02) 40 A5
Beuveille (54) 26 C3
Beuvezin (54) 93 J3
Beuvillers (14) 33 K5
Beuvillers (54) 26 E4
Beuvrages (59) 12 D1
Beuvraignes (80) 19 F5
Beuvrequen (62) 2 B4
Beuvrigny (50) 31 J5
Beuvron (58) 133 F5
Beuvron-en-Auge (14) 33 H5
Beuvry (62) 6 A5
Beuvry-la-Forêt (59) 7 F6
Beux (57) 66 B1
Beuxes (86) 145 F2
Beuzec-Cap-Sizun (29) 73 C2
Beuzeville (27) 34 B3
Beuzeville-au-Plain (50) 29 F5
Beuzeville-la-Bastille (50) 29 F6
Beuzeville-la-Grenier (76) 14 D5
Beuzeville-la-Guérard (76) 15 F4
Beuzevillette (76) 14 E6
Bévenais (38) 207 G6
Beveuge (70) 138 E2
Béville-le-Comte (28) 85 J3
Bévillers (59) 12 C4
Bevons (04) 259 F4
Bévy (21) 154 A1
Bey (01) 188 C2
Bey (71) 154 B6
Bey-sur-Seille (54) 66 C3
Beychac-et-Caillau (33) 229 K1
Beylongue (40) 264 D2
Beynac (87) 198 E2
Beynac-et-Cazenac (24) 232 E2
Beynat (19) 216 A4
Beynes (04) 259 J6
Beynes (78) 58 A3
Beynost (01) 206 C1
Beyrède-Jumet (65) 305 F3
Beyren-lès-Sierck (57) 27 H3
Beyrie-en-Béarn (64) 284 C3
Beyrie-sur-Joyeuse (64) 283 F4
Beyries (40) 265 F6
Beyssac (19) 215 H1
Beyssenac (19) 215 G1
le Bez (81) 271 H6
Bez-et-Esparon (30) 273 J2
Bézac (09) 288 D6
Bezalles (77) 60 D6
Bézancourt (76) 36 C2
Bezange-la-Grande (54) 66 D4
Bezange-la-Petite (57) 66 E4
Bezannes (51) 40 E4
Bézaudun-les-Alpes (06) 280 E2
Bézaudun-sur-Bîne (26) 241 F5
Bezaumont (54) 65 K3
Bèze (21) 136 C3
Bézenac (24) 232 E2
Bézenet (03) 184 C1
Bézéril (32) 287 F1
Béziers (34) 292 A4
Bezinghem (62) 4 C4
Bezins-Garraux (31) 305 J3
la Bezole (11) 308 D2
Bezolles (32) 267 F3
Bezons (95) 58 D3
Bezonvaux (55) 43 J4
Bezouce (30) 275 J3
Bézouotte (21) 136 D4
Bézu-la-Forêt (27) 36 C2
Bézu-le-Guéry (02) 60 C1
Bézu-Saint-Éloi (27) 36 D4
Bézu-Saint-Germain (02) 39 K6
Bézues-Bajon (32) 286 D3
Biache-Saint-Vaast (62) 11 G2
Biaches (80) 19 G1
Bians-les-Usiers (25) 156 E3
Biard (86) 162 E3
Biarne (39) 155 G1
Biarre (80) 19 G4
Biarritz (64) 282 A1
Biarrotte (40) 262 D6
Biars-sur-Cère (46) 234 B1
Bias (40) 244 C4
Bias (47) 248 C2
Biaudos (40) 262 C6
Bibiche (57) 27 K4
Biblisheim (67) 25 A3
Bibost (69) 205 H1
Bichancourt (02) 19 K6
Biches (58) 151 J4
Bickenholtz (57) 67 K3
Bicqueley (54) 65 H6
Bidache (64) 283 F1
Bidarray (64) 282 C4
Bidart (64) 282 A2
Bidestroff (57) 67 G2
Biding (57) 68 B3
Bidon (07) 256 B2
Bidos (64) 284 A5
Biécourt (88) 93 J4
Biederthal (68) 97 D6
Bief (25) 139 H4
Bief-des-Maisons (39) 174 B1
Bief-du-Fourg (39) 156 C5
Biefmorin (39) 155 H4
Biefvillers-lès-Bapaume (62) 11 F5
Bielle (64) 303 H1
Biencourt (80) 17 F1
Biencourt-sur-Orge (55) 92 C1
Bienville (60) 38 E2
Bienville-la-Petite (54) 66 D5
Bienvillers-au-Bois (62) 10 D4
Biermes (08) 41 J1
Biermont (60) 18 E6
Bierné (53) 105 G5
Bierne (59) 3 H2
Bierre-lès-Semur (21) 134 D4
Bierry-les-Belles-Fontaines (89) 134 C2
Biert (09) 307 F4
Bierville (76) 16 B6
Biesheim (68) 96 E4
Biesles (52) 116 C1
Bietlenheim (67) 25 A5
Bieujac (33) 230 B6
Bieuxy (02) 39 H2
Bieuzy (56) 100 D1
Biéville (50) 31 K4
Biéville-Beuville (14) 32 E4
Biéville-Quétiéville (14) 33 H6
Bièvres (02) 40 C1
Bièvres (08) 23 J6
Bièvres (91) 58 D5
Biffontaine (88) 95 G5
Biganos (33) 228 D4
Bignac (16) 196 D2
Bignan (56) 101 F2
Bignay (17) 177 J5
la Bigne (14) 53 F1
Bignicourt (08) 41 J2
Bignicourt-sur-Marne (51) 63 F5
Bignicourt-sur-Saulx (51) 63 H4
le Bignon (44) 141 J2
le Bignon-du-Maine (53) 105 G3
le Bignon-Mirabeau (45) 111 K1
Bignoux (86) 163 G3
Bigorno (2B) 319 G3
la Bigottière (53) 80 E5
Biguglia (2B) 319 H2
Bihorel (76) 35 J2
Bihucourt (62) 11 F5
Bilhères (64) 303 G1
Bilia (2A) 322 D3
Bilieu (38) 207 H5
Billac (19) 234 B1
Billancelles (28) 84 D2
Billancourt (80) 19 G4
les Billanges (87) 181 K5
les Billaux (33) 212 A6
Billé (35) 80 A4
Billecul (39) 156 C6
Billère (64) 284 C4
Billey (21) 155 F1
Billezois (03) 186 A2
Billiat (01) 190 C3
Billième (73) 208 A2
Billière (31) 305 H5
Billiers (56) 121 H2
Billio (56) 101 G2
Billom (63) 203 F3
Billy (03) 185 J2
Billy (14) 33 F6
Billy (41) 129 G6
Billy-Berclau (62) 6 C5
Billy-Chevannes (58) 151 G4
Billy-le-Grand (51) 41 H6
Billy-lès-Chanceaux (21) 135 H2
Billy-Montigny (62) 11 G1
Billy-sous-Mangiennes (55) 43 K3
Billy-sur-Aisne (02) 39 K3
Billy-sur-Oisy (58) 132 E3
Billy-sur-Ourcq (02) 39 J5
Biltzheim (68) 96 C5
Bilwisheim (67) 70 E1
Bimont (62) 4 D5
Binarville (51) 42 D4
Binas (41) 109 G4
Bindernheim (67) 96 E1
Binges (21) 136 C5
Binic (22) 49 F5
Bining (57) 69 F3
Biniville (50) 28 E5
Binos (31) 305 H3
Binson-et-Orquigny (51) 40 D6
Bio (46) 234 B3
Biol (38) 207 G5
la Biolle (73) 208 B1
Biollet (63) 184 B5
Bion (50) 52 D6
Bioncourt (57) 66 C3
Bionville (54) 95 J1
Bionville-sur-Nied (57) 45 H5
Biot (06) 281 F5
le Biot (74) 175 G6
Bioule (82) 250 B6
Bioussac (16) 179 H4
Biozat (03) 185 H4
Birac (16) 196 C4
Birac (33) 246 D1
Birac-sur-Trec (47) 247 H1
Biran (32) 267 G5
Biras (24) 213 K2
Biriatou (64) 263 A2
Birieux (01) 188 E5
Birkenwald (67) 70 B2
Biron (17) 195 H4
Biron (24) 232 B5
Biron (64) 283 K2
Biscarrosse (40) 244 D1
Bischheim (67) 25 A6
Bischholtz (67) 69 J5
Bischoffsheim (67) 70 D4
Bischwihr (68) 96 C4
Bischwiller (67) 25 B4
Bisel (68) 97 B5
Bisinchi (2B) 319 H3
Bislée (55) 64 E3
Bissert (67) 68 D5
Bisseuil (51) 62 A1
Bissey-la-Côte (21) 115 H3
Bissey-la-Pierre (21) 114 E4
Bissey-sous-Cruchaud (71) 171 H1
Bissezeele (59) 3 H3
Bissières (14) 33 G6
Bissy-la-Mâconnaise (71) 171 J4
Bissy-sous-Uxelles (71) 171 H3
Bissy-sur-Fley (71) 171 G2
Bisten-en-Lorraine (57) 45 J4
Bistroff (57) 68 A4
Bitche (57) 69 G3
Bitry (58) 132 B3
Bitry (60) 39 G2
Bitschhoffen (67) 69 J5
Bitschwiller-lès-Thann (68) 119 K4
Bivès (32) 268 A3
Biviers (38) 224 B2
Biville (50) 28 B2
Biville-la-Baignarde (76) 15 K4
Biville-la-Rivière (76) 15 J3
Biville-sur-Mer (76) 16 B1
Bivilliers (61) 83 J1
Bizanet (11) 291 G6
Bizanos (64) 284 D4
Bize (52) 117 F4
Bize (65) 305 G2
Bize-Minervois (11) 291 G4
Bizeneuille (03) 167 J5
Biziat (01) 188 D2
Bizonnes (38) 207 G5
le Bizot (25) 157 H1
les Bizots (71) 170 E1
Bizou (61) 83 K2
Bizous (65) 305 G1
Blacé (69) 188 A4
Blacourt (60) 36 E2
Blacqueville (76) 15 H6
Blacy (51) 63 F5
Blacy (89) 134 A2
Blaesheim (67) 70 E4
Blagnac (31) 269 G6
Blagny (08) 23 H5
Blagny-sur-Vingeanne (21) 136 D4
Blaignac (33) 230 C6
Blaignan (33) 210 E1
Blain (44) 102 E6
Blaincourt-lès-Précy (60) 37 K5
Blaincourt-sur-Aube (10) 90 E3
Blainville-Crevon (76) 35 K1
Blainville-sur-l'Eau (54) 66 C6
Blainville-sur-Mer (50) 30 C4
Blainville-sur-Orne (14) 32 E4
Blairville (62) 10 E3
Blaise-sous-Arzillières (51) 63 F5
Blaison-Gohier (49) 125 J4
Blaisy (52) 91 K6
Blaisy-Bas (21) 135 H5
Blaisy-Haut (21) 135 H5
Blajan (31) 286 D5
Blamont (25) 139 H4
Blâmont (54) 67 G6
Blan (81) 289 H2
le Blanc (36) 164 C3
le Blanc-Mesnil (93) 59 F2
Blancafort (18) 131 G3
Blancey (21) 134 E5
Blancfossé (60) 17 K5
Blanche-Église (57) 67 F3
Blanchefosse-et-Bay (08) 21 J3
Blancherupt (67) 70 A5
Blandainville (28) 84 E4
Blandas (30) 273 J2
Blandin (38) 207 G5
Blandouet (53) 105 J2
Blandy (77) 87 J1
Blandy (91) 86 D4
Blangerval-Blangermont (62) 9 K2
Blangy-le-Château (14) 34 A4
Blangy-sous-Poix (80) 17 J3
Blangy-sur-Bresle (76) 16 E1
Blangy-sur-Ternoise (62) 9 K1
Blangy-Tronville (80) 18 C2
Blannay (89) 133 J3
Blanot (21) 152 E1
Blanot (71) 171 J4
Blanquefort (32) 268 A5
Blanquefort (33) 229 G1
Blanquefort-sur-Briolance (47) 232 C5
Blanzac (43) 220 B4
Blanzac (87) 181 F3
Blanzac-lès-Matha (17) 178 B6
Blanzac-Porcheresse (16) 196 C5
Blanzaguet-Saint-Cybard (16) 197 F6
Blanzat (63) 202 D1
Blanzay (86) 179 H2
Blanzay-sur-Boutonne (17) 178 A4
Blanzée (55) 43 K5
Blanzy (71) 170 E2
Blanzy-la-Salonnaise (08) 41 G1
Blanzy-lès-Fismes (02) 40 B3
Blargies (60) 17 F5
Blarians (25) 138 B4
Blaringhem (59) 5 H3
Blars (46) 234 A6
Blaru (78) 57 G1
Blasimon (33) 230 C3
Blaslay (86) 162 E1
Blassac (43) 219 H4
Blaudeix (23) 183 F2
Blausasc (06) 281 H2
Blauvac (84) 257 J6
Blauzac (30) 275 G2
Blavignac (48) 237 G2
Blavozy (43) 220 D5
Blay (14) 31 K1
Blaye (33) 211 G4
Blaye-les-Mines (81) 270 D1
Blaymont (47) 248 E3
Blaziert (32) 267 G2
Blécourt (52) 92 A3
Blécourt (59) 11 J3
Bleigny-le-Carreau (89) 113 H5
Blémerey (54) 67 F6
Blémerey (88) 93 K3
Blendecques (62) 5 G3
Bléneau (89) 132 A1
Blennes (77) 88 B5
Blénod-lès-Pont-à-Mousson (54) 65 K2
Blénod-lès-Toul (54) 65 H6
Bléquin (62) 4 E4
Blérancourt (02) 39 G1
Bléré (37) 128 B5
Bléruais (35) 78 C4
Blésignac (33) 230 A3
Blesle (43) 218 E2
Blesme (51) 63 H5
Blesmes (02) 60 E1
Blessac (23) 183 F5
Blessey (21) 135 G3
Blessonville (52) 115 K2
Blessy (62) 5 H4
Blet (18) 149 K5
Bletterans (39) 173 F1
Bleurville (88) 117 J1
Bleury (28) 85 J2
Blevaincourt (88) 93 G6
Blèves (72) 83 F2
le Bleymard (48) 254 D1
Blicourt (60) 17 J6
Blienschwiller (67) 70 C6
Blies-Ebersing (57) 68 E2
Blies-Guersviller (57) 68 D2
Bliesbruck (57) 68 E2
Blieux (04) 279 H2
Blignicourt (10) 91 F2
Bligny (10) 91 G6
Bligny (51) 40 D5
Bligny-le-Sec (21) 135 H4
Bligny-lès-Beaune (21) 154 A4
Bligny-sur-Ouche (21) 153 J2
Blincourt (60) 38 C3
Blingel (62) 9 K1
Blis-et-Born (24) 214 C4
Blismes (58) 152 A2
Blodelsheim (68) 96 E6
Blois (41) 128 E2
Blois-sur-Seille (39) 155 J6
Blomac (11) 290 D6
Blomard (03) 184 E1
Blombay (08) 22 A2
Blond (87) 180 E4
Blondefontaine (70) 117 J4
Blonville-sur-Mer (14) 33 H3
Blosseville (76) 15 G2
Blosville (50) 29 F6
Blot-l'Église (63) 184 E4
Blotzheim (68) 97 D4
Blou (49) 126 B5
Blousson-Sérian (32) 285 J2
la Bloutière (50) 52 B2
Bloye (74) 190 D6
Bluffy (74) 191 G6
Blumeray (52) 91 J3
Blussangeaux (25) 139 F3
Blussans (25) 139 F3
Blye (39) 173 H2
Blyes (01) 189 G6
le Bô (14) 53 J2
Bobigny (93) 59 F3
Bobital (22) 50 C6
le Bocasse (76) 15 K5
Bocé (49) 126 B3
Bocognano (2A) 320 E3
Bocquegney (88) 94 C5
Bocquencé (61) 55 G3
le Bodéo (22) 76 E2
Bodilis (29) 46 D5
Boé (47) 248 B5
Boëcé (61) 83 G2
Boëge (74) 191 H1
Boeil-Bezing (64) 284 E5
Boën (42) 204 C2
Bœrsch (67) 70 C4
Boeschepe (59) 6 A2
Boëseghem (59) 5 J4
Bœsenbiesen (67) 96 E2
Boësse (79) 143 J4
Boëssé-le-Sec (72) 107 H1
Boësses (45) 111 F1
Bœurs-en-Othe (89) 113 H1
Boffles (62) 9 K3
Boffres (07) 240 A1
Bogève (74) 191 J2
Bogny-sur-Meuse (08) 22 D2
Bogy (07) 222 B2
Bohain-en-Vermandois (02) 12 C6
Bohal (56) 101 J4
la Bohalle (49) 125 J4
Bohars (29) 72 D4
Bohas-Meyriat-Rignat (01) 189 H3
Boigneville (91) 86 E4
Boigny-sur-Bionne (45) 110 B4
Boinville-en-Mantois (78) 57 J2
Boinville-en-Woëvre (55) 44 A4
Boinville-le-Gaillard (78) 86 A2
Boinvilliers (78) 57 H3
Boiry-Becquerelle (62) 11 F4
Boiry-Notre-Dame (62) 11 G3
Boiry-Saint-Martin (62) 10 E4
Boiry-Sainte-Rictrude (62) 10 E4
Bois (17) 195 G5
le Bois (73) 209 H5
Bois-Anzeray (27) 55 J2
Bois-Arnault (27) 55 K4
Bois-Bernard (62) 11 G1
Bois-Colombes (92) 58 D3
Bois-d'Amont (39) 174 C3
Bois-d'Arcy (78) 58 B4
Bois-d'Arcy (89) 133 H3
Bois-de-Céné (85) 141 F4
Bois-de-Champ (88) 95 G4
Bois-de-Gand (39) 155 G5
Bois-de-la-Pierre (31) 287 J4
Bois-d'Ennebourg (76) 35 K2
le Bois-d'Oingt (69) 188 A6
Bois-Grenier (59) 6 C4
Bois-Guilbert (76) 16 C6
Bois-Guillaume (76) 35 H1
le Bois-Hellain (27) 34 B4
Bois-Héroult (76) 16 C6
Bois-Herpin (91) 86 D4
Bois-Himont (76) 15 G6
Bois-Jérôme-Saint-Ouen (27) 36 C6
Bois-le-Roi (27) 57 F3
Bois-le-Roi (77) 87 H2
Bois-lès-Pargny (02) 20 D4
Bois-l'Évêque (76) 35 K2
Bois-Normand-près-Lyre (27) 55 J3
le Bois-Plage-en-Ré (17) 158 C5
le Bois-Robert (76) 16 A2
Bois-Sainte-Marie (71) 170 E6
Boisbergues (80) 9 K4
Boisbreteau (16) 212 B2
Boiscommun (45) 110 E2
Boisdinghem (62) 5 F3
Boisdon (77) 60 C5
Boisemont (27) 36 B4
Boisemont (95) 58 B1
Boisgasson (28) 108 D2
Boisgervilly (35) 78 C3
Boisjean (62) 9 F1
le Boisle (80) 9 H3
Boisleux-au-Mont (62) 10 E4
Boisleux-Saint-Marc (62) 11 F4
Boismé (79) 143 J6
Boismont (54) 26 C4
Boismont (80) 8 E4
Boismorand (45) 111 H5
Boisney (27) 34 D5
Boisredon (17) 211 H2
Boisroger (50) 30 D3
Boissay (76) 36 A1
la Boisse (01) 206 C1
Boisse (24) 231 K4
Boisse-Penchot (12) 235 F5
Boisseau (41) 108 E5
Boisseaux (45) 86 B5
Boissède (31) 287 F3
Boissei-la-Lande (61) 54 D5
Boisserolles (79) 178 A3
Boisseron (34) 274 E4
Boisset (15) 235 F3
Boisset (34) 290 E3
Boisset (43) 220 D2
Boisset-et-Gaujac (30) 255 G6
Boisset-lès-Montrond (42) 204 E4
Boisset-les-Prévanches (27) 56 E2
Boisset-Saint-Priest (42) 204 D5
Boissets (78) 57 H3
Boissettes (77) 87 G2
Boisseuil (87) 199 F2
Boisseuilh (24) 215 F2
Boissey (01) 172 A5
Boissey (14) 54 D1
Boissey-le-Châtel (27) 34 E4
Boissezon (81) 290 B1
Boissia (39) 173 H3
la Boissière (14) 33 J5
la Boissière (27) 57 F2
la Boissière (34) 273 K5

la Boissière (39) 173 G5
la Boissière (53) 104 C5
la Boissière-d'Ans (24) 214 D3
la Boissière-de-Montaigu (85) 142 B4
la Boissière-des-Landes (85) 159 H3
la Boissière-du-Doré (44) 124 A6
la Boissière-École (78) 57 H6
la Boissière-en-Gâtine (79) 161 J3
la Boissière-sur-Èvre (49) 124 B5
Boissières (30) 275 F4
Boissières (46) 233 H6
Boissise-la-Bertrand (77) 87 G2
Boissise-le-Roi (77) 87 G2
Boissy-aux-Cailles (77) 87 F4
Boissy-en-Drouais (28) 56 E5
Boissy-Fresnoy (60) 38 E5
Boissy-la-Rivière (91) 86 C4
Boissy-l'Aillerie (95) 37 G6
Boissy-Lamberville (27) 34 D5
Boissy-le-Bois (60) 37 F4
Boissy-le-Châtel (77) 60 C4
Boissy-le-Cutté (91) 86 D3
Boissy-le-Repos (51) 61 G3
Boissy-le-Sec (91) 86 C2
Boissy-lès-Perche (28) 56 A5
Boissy-Maugis (61) 83 J3
Boissy-Mauvoisin (78) 57 H2
Boissy-Saint-Léger (94) 59 G5
Boissy-sans-Avoir (78) 57 K4
Boissy-sous-Saint-Yon (91) 86 D1
Boistrudan (35) 79 J6
Boisville-la-Saint-Père (28) 85 J4
Boisyvon (50) 52 C3
Boitron (61) 82 E1
Boitron (77) 60 D3
Bolandoz (25) 156 C3
Bolazec (29) 47 J6
Bolbec (76) 14 E6
Bollène (84) 256 D3
la Bollène-Vésubie (06) 311 A3
Bolleville (50) 30 D1
Bolleville (76) 14 E5
Bollezeele (59) 3 H3
Bollwiller (68) 97 B1
Bologne (52) 92 B5
Bolozon (01) 189 J2
Bolquère (66) 313 J4
Bolsenheim (67) 70 E5
Bombon (77) 87 K1
Bommes (33) 229 K5
Bommiers (36) 148 C6
Bompas (09) 307 J4
Bompas (66) 315 H1
Bomy (62) 5 G5
Bon-Encontre (47) 248 C5
Bona (58) 151 G3
Bonac-Irazein (09) 306 B4
Bonas (32) 267 G4
Bonboillon (70) 137 G5
Boncé (28) 85 G5
Bonchamp-lès-Laval (53) 105 F1
Boncourt (02) 21 G5
Boncourt (27) 56 E1
Boncourt (28) 57 G3
Boncourt (54) 44 C5
Boncourt-le-Bois (21) 154 B2
Boncourt-sur-Meuse (55) 64 E4
Bondaroy (45) 86 D6
Bondeval (25) 139 H3
Bondigoux (31) 269 H3
les Bondons (48) 254 C2
Bondoufle (91) 86 E1
Bondues (59) 6 E3
Bondy (93) 59 F3
Bongheat (63) 203 G3
le Bonhomme (68) 95 K5
Bonifacio (2A) 323 G6
Bonlier (60) 37 H1
Bonlieu (39) 173 K2
Bonlieu-sur-Roubion (26) 240 C5
Bonloc (64) 282 D3
Bonnac (09) 288 D6
Bonnac (15) 218 E3
Bonnac-la-Côte (87) 181 H6
Bonnal (25) 138 D2
Bonnard (89) 113 F4
Bonnat (23) 182 D1
Bonnaud (39) 172 E2
Bonnay (25) 138 A5
Bonnay (71) 171 H3
Bonnay (80) 18 C1
Bonne (74) 191 H2
Bonnebosq (14) 33 J4
Bonnecourt (52) 116 E3
Bonnée (45) 110 E5
Bonnefamille (38) 206 D4
Bonnefoi (61) 55 H6
Bonnefond (19) 200 C5
Bonnefont (65) 286 A5
Bonnefontaine (39) 173 H1
Bonnegarde (40) 264 E6
Bonneil (02) 60 D1
Bonnelles (78) 86 B1
Bonnemain (35) 51 F5
Bonnemaison (14) 53 H1
Bonnemazon (65) 304 E1
Bonnencontre (21) 154 D2
Bonnes (16) 212 E3
Bonnes (86) 163 H3
Bonnesvalyn (02) 39 J6
Bonnet (55) 92 D1
Bonnétable (72) 83 G6
Bonnétage (25) 139 G6
Bonnetan (33) 229 J2
Bonneuil (16) 196 B4
Bonneuil (36) 164 D6
Bonneuil-en-France (95) 59 F2
Bonneuil-en-Valois (60) 39 F4
Bonneuil-les-Eaux (60) 18 A5
Bonneuil-Matours (86) 163 H2
Bonneuil-sur-Marne (94) 59 F4
Bonneval (28) 85 F6
Bonneval (43) 220 A2
Bonneval (73) 209 G4
Bonneval-sur-Arc (73) 193 D6
Bonnevaux (25) 156 D5
Bonnevaux (30) 255 G2
Bonnevaux (74) 175 H6
Bonnevaux-le-Prieuré (25) 156 D1
Bonneveau (41) 107 K5
Bonnevent-Velloreille (70) 137 J4
Bonneville (16) 196 C1
la Bonneville (50) 28 E5
Bonneville (74) 191 H3
Bonneville (80) 10 A5
Bonneville-Aptot (27) 34 E4
Bonneville-et-Saint-Avit-
-de-Fumadières (24) 230 D1
Bonneville-la-Louvet (14) 34 A4
la Bonneville-sur-Iton (27) 56 C2
Bonneville-sur-Touques (14) 33 J3
Bonnières (60) 37 F1
Bonnières (62) 10 A3
Bonnières-sur-Seine (78) 57 H1
Bonnieux (84) 277 G3
Bonningues-lès-Ardres (62) 2 E4
Bonningues-lès-Calais (62) 2 C3
Bonnœil (14) 53 J2
Bonnœuvre (44) 124 A2
Bonnut (64) 283 J1
Bonny-sur-Loire (45) 131 K2
Bono (56) 100 D5
Bonrepos (65) 286 A5
Bonrepos-Riquet (31) 269 J5
Bonrepos-sur-Aussonnelle (31) 287 J1
Bons-en-Chablais (74) 191 H1
Bons-Tassilly (14) 54 A2
Bonsecours (76) 35 J2
Bonsmoulins (61) 55 H6
Bonson (06) 281 F2
Bonson (42) 204 E5
Bonvillard (73) 209 F3
Bonvillaret (73) 209 F4
Bonviller (54) 66 D5
Bonvillers (60) 18 B6
Bonvillet (88) 117 K1
Bony (02) 11 J6
Bonzac (33) 212 A5
Bonzée (55) 43 K6
Boô-Silhen (65) 304 B2
Boofzheim (67) 71 D4
Boos (40) 264 B2
Boos (76) 35 J2
Bootzheim (67) 96 E2
Boqueho (22) 48 E6
Bor-et-Bar (12) 251 G5
Boran-sur-Oise (60) 37 K5
Borce (64) 303 F3
Bord-Saint-Georges (23) 183 H2
Bordeaux (33) 229 H2
Bordeaux-en-Gâtinais (45) 111 G1
Bordeaux-Saint-Clair (76) 14 C4
Bordères (64) 284 E5
Bordères-et-Lamensans (40) 265 J4
Bordères-Louron (65) 305 F4
Bordères-sur-l'Échez (65) 285 H5
les Bordes (36) 148 C4
les Bordes (45) 111 F5
Bordes (64) 284 D5
Bordes (65) 285 J5
les Bordes (71) 154 C5
les Bordes (89) 112 E1
les Bordes-Aumont (10) 90 B6
Bordes-de-Rivière (31) 305 J1
les Bordes-sur-Arize (09) 307 F1
les Bordes-sur-Lez (09) 306 C4
Bordezac (30) 255 G3
Bords (17) 177 G6
Borée (07) 239 F1
Boresse-et-Martron (17) 212 C2
Borest (60) 38 C5
Borey (70) 138 D1
Borgo (2B) 319 H2
Bormes-les-Mimosas (83) 301 G3
le Born (31) 269 H3
le Born (48) 237 J6
Bornambusc (76) 14 C5
Bornay (39) 173 G2
Borne (07) 238 D5
Borne (43) 220 B5
Bornel (60) 37 J5
Boron (90) 139 K1
Borre (59) 5 K3
Borrèze (24) 233 G1
Bors (Canton de Baignes-
-Sainte-Radegonde) (16) 212 B2
Bors (Canton de Montmoreau-
-Saint-Cybard) (16) 212 E1
Bort-les-Orgues (19) 217 J1
Bort-l'Étang (63) 203 G2
Borville (54) 94 C2
le Bosc (09) 307 G3
le Bosc (34) 273 G5
Bosc-Bénard-Commin (27) 35 F3
Bosc-Bénard-Crescy (27) 35 F3
Bosc-Bérenger (76) 16 B5
Bosc-Bordel (76) 16 C6
Bosc-Edeline (76) 16 C6
Bosc-Guérard-Saint-Adrien (76) 15 K6
Bosc-Hyons (76) 36 D2
Bosc-le-Hard (76) 16 A5
Bosc-Mesnil (76) 16 C5
le Bosc-Renoult (61) 55 F2
Bosc-Renoult-en-Ouche (27) 55 K2
Bosc-Renoult-en-Roumois (27) 34 E3
le Bosc-Roger-en-Roumois (27) 35 G4
Bosc-Roger-sur-Buchy (76) 16 C6
Boscamnant (17) 212 C3
Bosdarros (64) 284 D5
Bosgouet (27) 35 F3
Bosguérard-de-Marcouville (27) 35 F4
Bosjean (71) 155 F6
Bosmie-l'Aiguille (87) 198 E2
Bosmont-sur-Serre (02) 21 F4
Bosmoreau-les-Mines (23) 182 C5
Bosnormand (27) 35 G4
Bosquel (80) 18 A4
Bosquentin (27) 36 C2
Bosrobert (27) 34 E4
Bosroger (23) 183 G5
Bossancourt (10) 91 F5
Bossay-sur-Claise (37) 146 C6
la Bosse (25) 157 H1
la Bosse (72) 83 H6
la Bosse-de-Bretagne (35) 103 G1
Bossée (37) 146 A2
Bossendorf (67) 69 J6
Bosset (24) 213 G6
Bosseval-et-Briancourt (08) 22 E3
Bossey (74) 191 F2
Bossieu (38) 206 D6
Bossugan (33) 230 C3
Bossus-lès-Rumigny (08) 21 J2
Bost (03) 185 K3
Bostens (40) 265 J1
Bosville (76) 15 G3
Botans (90) 139 H1
Botmeur (29) 75 F1
Botsorhel (29) 47 H5
les Bottereaux (27) 55 J3
Botz-en-Mauges (49) 124 C5
Bou (45) 110 B4
Bouafle (78) 58 A2
Bouafles (27) 36 A5
Bouan (09) 307 J5
Bouaye (44) 123 F5
Boubers-lès-Hesmond (62) 4 D6
Boubers-sur-Canche (62) 9 K3
Boubiers (60) 37 F5
Bouc-Bel-Air (13) 296 C2
Boucagnères (32) 286 D1
Boucau (64) 282 B1
Boucé (03) 185 K1
Boucé (61) 54 B6
le Bouchage (16) 179 J4
le Bouchage (38) 207 H3
Bouchain (59) 12 B3
Bouchamps-lès-Craon (53) 104 C4
le Bouchaud (03) 186 D1
Bouchavesnes-Bergen (80) 19 G1
Bouchemaine (49) 125 G4
Boucheporn (57) 45 K5
Bouchet (26) 256 E3
le Bouchet (74) 209 F1
le Bouchet-Saint-Nicolas (43) 238 B1
Bouchevilliers (27) 36 D2
Bouchoir (80) 18 E4
Bouchon (80) 9 H6
le Bouchon-sur-Saulx (55) 64 B6
les Bouchoux (39) 173 J6
Bouchy-Saint-Genest (51) 61 F6
Boucieu-le-Roi (07) 222 A5
Bouclans (25) 138 C6
Boucoiran-et-Nozières (30) 275 F1
Bouconville (08) 42 C4
Bouconville-sur-Madt (55) 65 G3
Bouconville-Vauclair (02) 40 C1
Bouconvillers (60) 37 F5
Boucq (54) 65 G4
Boudes (63) 202 E6
Boudeville (76) 15 H4
Boudou (82) 249 F6
Boudrac (31) 286 C6
Boudreville (21) 115 J3
Boudy-de-Beauregard (47) 231 K6
Boué (02) 12 E6
Bouée (44) 122 D2
Boueilh-Boueilho-Lasque (64) 284 D1
Bouelles (76) 16 D4
Bouër (72) 107 J2
Bouère (53) 105 H4
Bouessay (53) 105 J4
Bouesse (36) 165 J3
Bouëx (16) 197 F4
la Bouëxière (35) 79 J3
Bouffémont (95) 58 E1
Boufféré (85) 142 A4
Bouffignereux (02) 40 D3
Boufflers (80) 9 H3
Bouffry (41) 108 C3
Bougainville (80) 17 J2
Bougarber (64) 284 C3
Bougé-Chambalud (38) 222 C1
Bouges-le-Château (36) 147 K3
Bougey (70) 117 J5
Bougival (78) 58 C3
Bouglainval (28) 85 G1
Bougligny (77) 87 H6
Bouglon (47) 247 G2
Bougneau (17) 195 H4
Bougnon (70) 118 A6
Bougon (79) 162 B6
Bougue (40) 265 H2
Bouguenais (44) 123 G4
Bougy (14) 32 C5
Bougy-lez-Neuville (45) 110 B2
Bouhans (71) 154 E6
Bouhans-et-Feurg (70) 136 E3
Bouhans-lès-Lure (70) 118 D6
Bouhans-lès-Montbozon (70) 138 C3
Bouhet (17) 177 G2
Bouhey (21) 153 J1
Bouhy (58) 132 C3
Bouilh-Devant (65) 285 K4
Bouilh-Péreuilh (65) 285 J4
Bouilhonnac (11) 290 C5
Bouillac (12) 234 E6
Bouillac (24) 232 C3
Bouillac (82) 268 D3
la Bouilladisse (13) 296 E3
Bouillancourt-en-Séry (80) 16 E1
Bouillancourt-la-Bataille (80) 18 D4
Bouillancy (60) 38 E6
Bouilland (21) 153 K2
Bouillargues (30) 275 H4
la Bouille (76) 35 G3
Bouillé-Courdault (85) 161 F5
Bouillé-Loretz (79) 144 A2
Bouillé-Ménard (49) 104 C5
Bouillé-Saint-Paul (79) 144 A3
la Bouillie (22) 49 K5
le Bouillon (61) 82 D1
Bouillon (64) 284 B1
Bouillonville (54) 65 H2
Bouilly (10) 90 A6
Bouilly (51) 40 D5
Bouilly-en-Gâtinais (45) 110 D2
Bouin (79) 178 E3
Bouin (85) 140 D3
Bouin-Plumoison (62) 9 H1
Bouisse (11) 309 H3
Bouix (21) 114 E4
Boujailles (25) 156 C4
Boujan-sur-Libron (34) 292 A3
Boulages (10) 89 K1
Boulaincourt (88) 93 K3
Boulancourt (77) 87 F5
Boulange (57) 26 E4
Boulaur (32) 286 E1
le Boulay (37) 128 A2
Boulay-les-Barres (45) 109 K3
Boulay-les-Ifs (53) 82 B3
le Boulay-Morin (27) 35 J6
Boulay-Moselle (57) 45 J4
la Boulaye (71) 170 C1
Boulazac (24) 214 B4
Boulbon (13) 276 A3
Boulc (26) 241 K4
Boule-d'Amont (66) 314 D3
Bouleternère (66) 314 D2
Bouleurs (77) 59 K3
Bouleuse (51) 40 D4
Bouliac (33) 229 H2
Boulieu-lès-Annonay (07) 221 K2
Bouligneux (01) 188 E4
Bouligney (70) 118 B3
Bouligny (55) 44 B3
Boulin (65) 285 J5
Boullarre (60) 39 F6
le Boullay-les-Deux-Églises (28) 56 E6
Boullay-les-Troux (91) 58 B6
le Boullay-Mivoye (28) 57 F6
le Boullay-Thierry (28) 57 F6
Boulleret (18) 131 K4
Boulleville (27) 34 B3
Bouloc (31) 269 G4
Bouloc (82) 249 G3
Boulogne (85) 142 A6
Boulogne-Billancourt (92) 58 D4
Boulogne-la-Grasse (60) 18 E5
Boulogne-sur-Gesse (31) 286 D4
Boulogne-sur-Helpe (59) 13 G5
Boulogne-sur-Mer (62) 4 A3
Bouloire (72) 107 H3
Boulon (14) 32 D6
Boulot (70) 137 K4
le Boulou (66) 315 G4
Boult (70) 137 K4
Boult-aux-Bois (08) 42 C2
Boult-sur-Suippe (51) 41 G2
le Boulvé (46) 249 G2
Boulzicourt (08) 22 D4
Boumourt (64) 284 B2
Bouniagues (24) 231 J3
le Boupère (85) 142 E6
Bouquehault (62) 2 D4
Bouquelon (27) 34 C2
Bouquemaison (80) 10 B4
Bouquemont (55) 64 D1
Bouquet (30) 255 J5
Bouquetot (27) 35 F3
Bouqueval (95) 59 F1
Bouranton (10) 90 B4
Bouray-sur-Juine (91) 86 E2
Bourbach-le-Bas (68) 119 K4
Bourbach-le-Haut (68) 119 K4
Bourberain (21) 136 C3
Bourbévelle (70) 117 J3
Bourbon-Lancy (71) 169 J3
Bourbon-l'Archambault (03) 168 B3
Bourbonne-les-Bains (52) 117 G3
la Bourboule (63) 201 K4
Bourbourg (59) 3 F2
Bourbriac (22) 48 C6
Bourcefranc-le-Chapus (17) 176 D6
Bourcia (39) 172 E6
Bourcq (08) 42 A2
Bourdainville (76) 15 J4
Bourdalat (40) 265 K3
Bourdeau (73) 208 A2
Bourdeaux (26) 241 F5
Bourdeilles (24) 213 J2
le Bourdeix (24) 197 J4
Bourdelles (33) 230 C6
Bourdenay (10) 89 G4
le Bourdet (79) 177 J1
Bourdettes (64) 284 D5
Bourdic (30) 275 G1
la Bourdinière-Saint-Loup (28) 85 F4
Bourdon (80) 9 J6
Bourdonnay (57) 67 F4
Bourdonné (78) 57 H5
Bourdons-sur-Rognon (52) 92 D6
Bourecq (62) 5 J5
Bouresches (02) 60 D1
Bouresse (86) 163 H6
Bouret-sur-Canche (62) 10 A3
Boureuilles (55) 42 E4
Bourg (33) 211 H5
le Bourg (46) 234 C4
Bourg (52) 116 C5
Bourg-Achard (27) 35 F3
Bourg-Archambault (86) 164 B6
Bourg-Argental (42) 221 J2
Bourg-Beaudouin (27) 35 K2
Bourg-Blanc (29) 72 D3
Bourg-Bruche (67) 95 K3
Bourg-Charente (16) 196 A3
Bourg-de-Bigorre (65) 304 E1
Bourg-de-Péage (26) 222 D5
Bourg-de-Sirod (39) 174 A1
Bourg-de-Thizy (69) 187 H4
Bourg-de-Visa (82) 249 F4
Bourg-des-Comptes (35) 79 F6
Bourg-des-Maisons (24) 213 H2
le Bourg-d'Hem (23) 182 C1
le Bourg-d'Iré (49) 104 C6
le Bourg-d'Oisans (38) 224 D4
Bourg-d'Oueil (31) 305 G4
Bourg-du-Bost (24) 213 F2
le Bourg-Dun (76) 15 H2
Bourg-en-Bresse (01) 189 G2
Bourg-et-Comin (02) 40 B2
Bourg-Fidèle (08) 22 B2
Bourg-la-Reine (92) 58 E4
Bourg-Lastic (63) 201 H4
Bourg-le-Comte (71) 186 E1
Bourg-le-Roi (72) 82 D4
Bourg-lès-Valence (26) 222 C6
Bourg-l'Évêque (49) 104 C5
Bourg-Madame (66) 313 G5
Bourg-Saint-Andéol (07) 256 C2
Bourg-Saint-Bernard (31) 269 K6
Bourg-Saint-Christophe (01) 189 F6
le Bourg-Saint-Léonard (61) 54 D4
Bourg-Saint-Maurice (73) 209 K3
Bourg-Sainte-Marie (52) 93 F6
Bourg-sous-Châtelet (90) 119 J5
Bourgaltroff (57) 67 F2
Bourganeuf (23) 182 C5
Bourgbarré (35) 79 G6
Bourgeauville (14) 33 J4
Bourges (18) 149 G3
le Bourget (93) 59 F2
le Bourget-du-Lac (73) 208 B3
Bourget-en-Huile (73) 208 E5
Bourgheim (67) 70 D5
Bourghelles (59) 7 F5
Bourgnac (24) 213 H6
Bourgneuf (17) 176 E2
Bourgneuf (73) 208 E4
Bourgneuf-en-Mauges (49) 124 D5
Bourgneuf-en-Retz (44) 140 E2
le Bourgneuf-la-Forêt (53) 80 D6
Bourgogne (51) 41 F3
Bourgoin-Jallieu (38) 207 F4
Bourgon (53) 80 C6
la Bourgonce (88) 95 G3
Bourgougnague (47) 231 H5
Bourgtheroulde-Infreville (27) 35 F3
Bourguébus (14) 32 E5
Bourgueil (37) 126 D6
Bourguenolles (50) 52 A3
le Bourguet (83) 279 J3
Bourguignon (25) 139 H3
Bourguignon-lès-Conflans (70) 118 B4
Bourguignon-lès-la-Charité (70) 137 K2
Bourguignon-lès-Morey (70) 117 G6
Bourguignon-sous-Coucy (02) 19 J6
Bourguignon-
-sous-Montbavin (02) 20 C6
Bourguignons (10) 114 D1
Bourgvilain (71) 171 H6
Bourideys (33) 246 A2
Bouriège (11) 308 E3
Bourigeole (11) 308 D3
Bourisp (65) 305 F4
Bourlens (47) 249 F2
Bourlon (62) 11 H4
Bourmont (52) 93 F5
Bournainville-Faverolles (27) 34 C6
Bournan (37) 146 A3
Bournand (86) 144 E2
Bournazel (12) 251 J1
Bournazel (81) 251 F6
Bourneau (85) 160 D3
Bournel (47) 231 K5
Bourneville (27) 34 D2
Bournezeau (85) 160 A2
Bourniquel (24) 232 A2
Bournois (25) 138 E2
Bournoncle-Saint-Pierre (43) 219 G2
Bournonville (62) 4 D3
Bournos (64) 284 C2
Bourogne (90) 139 J1
Bourran (47) 247 K3
Bourré (41) 128 D5
Bourréac (65) 304 B1
Bourret (82) 268 E2
Bourriot-Bergonce (40) 246 C5

Bourron-Marlotte (77) 87 H4
Bourrou (24) 213 J5
Bourrouillan (32) 266 B3
Bours (62) 5 H6
Bours (65) 285 H4
Boursault (51) 61 J1
Boursay (41) 108 B2
Bourscheid (57) 67 K3
Bourseul (22) 50 B5
Bourseville (80) 8 D5
Boursières (70) 137 K1
Boursies (59) 11 H4
Boursin (62) 2 C5
Boursonne (60) 39 F5
Bourth (27) 56 A4
Bourthes (62) 4 D4
Bourville (76) 15 H3
Boury-en-Vexin (60) 36 D4
Bousbach (57) 68 C2
Bousbecque (59) 6 E2
le Bouscat (33) 229 G1
Bousies (59) 12 E4
Bousignies (59) 12 B1
Bousignies-sur-Roc (59) 13 K3
le Bousquet (11) 308 E6
le Bousquet-d'Orb (34) 272 E5
Boussac (12) 251 K4
Boussac (23) 166 D6
la Boussac (35) 51 G5
Boussac (46) 234 C5
Boussac-Bourg (23) 166 D6
Boussais (79) 144 B6
Boussan (31) 287 F5
Boussay (37) 146 C6
Boussay (44) 142 B3
Bousse (57) 45 F3
Bousse (72) 106 B5
Bousselange (21) 154 E3
Boussenac (09) 307 F4
Boussenois (21) 136 C1
Boussens (31) 287 G6
Bousseraucourt (70) 117 J2
Boussès (47) 247 G5
Bousseviller (57) 69 H2
Boussey (21) 135 F5
Boussicourt (80) 18 D4
Boussières (25) 156 A1
Boussières-en-Cambrésis (59) 12 B4
Boussières-sur-Sambre (59) 13 G3
Boussois (59) 13 H2
Boussy (74) 190 E6
Boussy-Saint-Antoine (91) 59 G5
Boust (57) 27 G3
Boustroff (57) 45 K6
Bout-du-Pont-de-Larn (81) 290 B2
Boutancourt (08) 22 D4
Boutavent (60) 17 F5
la Bouteille (02) 21 G2
Bouteilles-Saint-Sébastien (24) 213 G1
Boutenac (11) 291 F6
Boutenac-Touvent (17) 194 E5
Boutencourt (60) 36 E3
Boutervilliers (91) 86 B3
Bouteville (16) 196 B4
Boutiers-Saint-Trojan (16) 195 K2
Boutigny (77) 59 K3
Boutigny-Prouais (28) 57 H5
Boutigny-sur-Essonne (91) 86 E3
Bouttencourt (80) 16 E1
Boutteville (50) 29 G5
Boutx (31) 305 J3
Bouvaincourt-sur-Bresle (80) 8 D6
Bouvancourt (51) 40 D3
Bouvante (26) 223 G6
Bouvelinghem (62) 4 E3
Bouvellemont (08) 22 C5
Bouverans (25) 156 D5
Bouvesse-Quirieu (38) 207 G1
Bouvières (26) 241 F6
Bouvignies (59) 11 K1
Bouvigny-Boyeffles (62) 10 D1
Bouville (28) 85 F5
Bouville (76) 15 H6
Bouville (91) 86 D3
Bouvincourt-en-Vermandois (80) 19 H2
Bouvines (59) 7 F5
Bouvresse (60) 17 F5
Bouvron (44) 122 E1
Bouvron (54) 65 H4
Boux-sous-Salmaise (21) 135 G3
Bouxières-aux-Bois (88) 94 C4
Bouxières-aux-Chênes (54) 66 B4
Bouxières-aux-Dames (54) 66 A4
Bouxières-sous-Froidmont (54) 65 K1
Bouxurulles (88) 94 B3
Bouxwiller (67) 69 H6
Bouxwiller (68) 97 C5
Bouy (51) 41 J6
Bouy-Luxembourg (10) 90 C3
Bouy-sur-Orvin (10) 89 F3
Bouyon (06) 281 F2
le Bouyssou (46) 234 C4
Bouzais (18) 167 G2
Bouzancourt (52) 91 K4
Bouzanville (54) 94 A3
Bouze-lès-Beaune (21) 153 K3
Bouzel (63) 203 F2
Bouzemont (88) 94 B4
Bouzeron (71) 153 K5
Bouzic (24) 233 F4
Bouziès (46) 250 C1
Bouzigues (34) 292 E2
Bouzillé (49) 124 B5
Bouzin (31) 287 F6
Bouzincourt (80) 10 D6
Bouzon-Gellenave (32) 266 C5
Bouzonville (57) 45 J3
Bouzonville-aux-Bois (45) 110 D1
Bouzy (51) 41 G6
Bouzy-la-Forêt (45) 110 E5
Bovée-sur-Barboure (55) 64 E6
Bovel (35) 78 D6
Bovelles (80) 17 K2
Boves (80) 18 B2
Boviolles (55) 64 D6
Boyaval (62) 5 G6
Boyelles (62) 11 F4
Boyer (42) 187 G3
Boyer (71) 171 K3
Boyeux-Saint-Jérôme (01) 189 J4
Boynes (45) 110 E1
Boz (01) 171 K5
Bozas (07) 221 K5
Bozel (73) 209 J5
Bozouls (12) 252 D1
Brabant-en-Argonne (55) 43 F5
Brabant-le-Roi (55) 63 K3
Brabant-sur-Meuse (55) 43 H3
Brach (33) 210 D5
Brachay (52) 91 K3
Braches (80) 18 C4
Brachy (76) 15 J3
Bracieux (41) 129 G3
Bracon (39) 156 A4
Bracquemont (76) 16 A1
Bracquetuit (76) 16 A5
Bradiancourt (76) 16 C5
Braffais (50) 52 A4
Bragassargues (30) 274 D2
Bragayrac (31) 287 H2
Brageac (15) 217 G3
Bragelogne-Beauvoir (10) 114 C3
Bragny-sur-Saône (71) 154 C4
Braillans (25) 138 A5
Brailly-Cornehotte (80) 9 H3
Brain (21) 135 F3
Brain-sur-Allonnes (49) 126 C5
Brain-sur-l'Authion (49) 125 H4
Brain-sur-Longuenée (49) 124 E2
Brainans (39) 155 H5
Braine (02) 40 A3
Brains (44) 123 F4
Brains-sur-Gée (72) 106 C2
Brains-sur-les-Marches (53) 104 A3
Brainville (50) 30 D3
Brainville (54) 44 B5
Brainville-sur-Meuse (52) 93 F6
Braisnes (60) 38 D1
Braize (03) 167 H2
Bralleville (54) 94 B3
Bram (11) 289 J5
Bramans (73) 226 B2
Brametot (76) 15 H3
Bramevaque (65) 305 H3
Bran (17) 212 A1
Branceilles (19) 216 A6
Branches (89) 113 F4
Brancourt-en-Laonnois (02) 39 K1
Brancourt-le-Grand (02) 20 A1
Brandérion (56) 100 B3
Brandeville (55) 43 G2
Brandivy (56) 100 D3
Brando (2B) 317 E4
Brandon (71) 171 G6
Brandonnet (12) 251 G2
Brandonvillers (51) 91 F1
Branges (71) 172 C2
Brangues (38) 207 H2
Brannay (89) 88 B5
Branne (25) 138 E4
Branne (33) 230 B2
Brannens (33) 230 B6
Branoux-les-Taillades (30) 255 F4
Brans (39) 137 F6
Bransat (03) 185 G1
Branscourt (51) 40 D4
Bransles (77) 111 K1
Brantes (84) 257 K4
Brantigny (88) 94 B3
Brantôme (24) 213 K1
Branville (14) 33 H4
Branville-Hague (50) 28 B2
Braquis (55) 44 A5
Bras (83) 297 J1
Bras-d'Asse (04) 278 E1
Bras-sur-Meuse (55) 43 H4
Brasc (12) 271 J2
Brasles (02) 60 E1
Braslou (37) 145 H4
Brasparts (29) 74 E2
Brassac (09) 307 H3
Brassac (81) 271 H6
Brassac (82) 249 F4
Brassac-les-Mines (63) 219 G1
Brassempouy (40) 264 E5
Brasseuse (60) 38 C4
Brassy (58) 133 K6
Brassy (80) 17 J4
Bratte (54) 66 A3
Braud-et-Saint-Louis (33) 211 G2
Brauvilliers (55) 92 B1
Braux (04) 260 D6
Braux (10) 90 E2
Braux (21) 134 E4
Braux-le-Châtel (52) 115 K1
Braux-Saint-Remy (51) 63 H1
Braux-Sainte-Cohière (51) 42 C6
Brax (31) 268 E6
Brax (47) 248 A4
Bray (27) 35 F6
Bray (71) 171 J4
Bray-Dunes (59) 3 J1
Bray-en-Val (45) 110 E5
Bray-et-Lû (95) 36 D6
Bray-lès-Mareuil (80) 9 G6
Bray-Saint-Christophe (02) 19 J3
Bray-sur-Seine (77) 88 C3
Bray-sur-Somme (80) 18 E1
Braye (02) 39 J2
Braye-en-Laonnois (02) 40 B2
Braye-en-Thiérache (02) 21 G3
Braye-sous-Faye (37) 145 G4
Braye-sur-Maulne (37) 126 E2
Brazey-en-Morvan (21) 152 E1
Brazey-en-Plaine (21) 154 D2
Bréal-sous-Montfort (35) 78 E5
Bréal-sous-Vitré (35) 104 C1
Bréançon (95) 37 G6
Bréau (77) 87 K1
Bréau-et-Salagosse (30) 273 J1
Bréauté (76) 14 D5
Bréban (51) 90 D1
Brebières (62) 11 H2
Brebotte (90) 139 J1
Brécé (35) 79 J4
Brecé (53) 80 E3
Brécey (50) 52 B4
Brech (56) 100 D4
Brechainville (88) 92 E3
Bréchamps (28) 57 G6
Bréchaumont (68) 119 K6
Brèches (37) 127 F2
Breconchaux (25) 138 C4
Brectouville (50) 31 H4
Brécy (02) 39 K5
Brécy (18) 149 J2
Brécy-Brières (08) 42 C3
la Brède (33) 229 H4
Brée (53) 81 H6
la Brée-les-Bains (17) 176 B4
Bréel (61) 53 J4
Brégnier-Cordon (01) 207 J3
Brégy (60) 38 E6
Bréhain (57) 66 D2
Bréhain-la-Ville (54) 26 E3
Bréhal (50) 30 D6
Bréhan (56) 77 G6
Bréhand (22) 77 H2
Bréhémont (37) 127 F6
Bréhéville (55) 43 H2
Breidenbach (57) 69 G2
Breil (49) 126 D3
le Breil-sur-Mérize (72) 107 G2
Breil-sur-Roya (06) 311 C4
la Breille-les-Pins (49) 126 C5
Breilly (80) 17 K1
Breistroff-la-Grande (57) 27 H3
Breitenau (67) 96 B1
Breitenbach (67) 70 B6
Breitenbach-Haut-Rhin (68) 119 K1
Brélès (29) 72 B3
Brélidy (22) 48 C4
Brem-sur-Mer (85) 158 E2
Bréménil (54) 95 H1
Brêmes (62) 2 D4
Brémoncourt (54) 94 C1
Bremondans (25) 138 D6
Brémontier-Merval (76) 36 C1
Brémoy (14) 53 F1
Brémur-et-Vaurois (21) 115 G6
Bren (26) 222 C4
Brenac (11) 308 E4
Brenas (34) 273 F6
Brenat (63) 203 F5
Brénaz (01) 190 B5
Brenelle (02) 40 A3
Brengues (46) 234 B5
Brennes (52) 116 C5
Brennilis (29) 75 F1
Brénod (01) 190 A4
Brenon (83) 279 K3
Brenouille (60) 38 B4
Brenoux (48) 254 B1
Brens (01) 207 K2
Brens (81) 270 B3
Brenthonne (74) 174 E6
Breny (02) 39 J6
la Bréole (04) 243 G6
Brères (25) 156 A2
Bréry (39) 155 H6
Bresdon (17) 178 D6
les Bréseux (25) 139 H5
Bresilley (70) 137 G6
Bresle (80) 18 D1
Bresles (60) 37 J2
Bresnay (03) 168 D5
Bresolettes (61) 55 J6
la Bresse (88) 119 H2
Bresse-sur-Grosne (71) 171 J3
Bressey-sur-Tille (21) 136 C5
Bressieux (38) 223 G1
Bressolles (01) 189 F6
Bressolles (03) 168 E4
Bressols (82) 269 F2
Bresson (38) 224 B4
Bressuire (79) 143 J5
Brest (29) 72 D4
Brestot (27) 34 E3
Bretagne (36) 147 K4
Bretagne (90) 139 K1
Bretagne-d'Armagnac (32) 266 D2
Bretagne-de-Marsan (40) 265 H3
Bretagnolles (27) 57 F2
Breteau (45) 131 K1
Breteil (35) 78 E4
Bretenière (21) 136 B6
la Bretenière (25) 138 C4
la Bretenière (39) 155 J2
Bretenières (39) 155 H4
Bretenoux (46) 234 B1
Breteuil (27) 56 B4
Breteuil (60) 18 A5
Brethel (61) 55 H5
Brethenay (52) 92 B6
le Brethon (03) 167 J3
Bretigney (25) 139 F2
Bretigney-Notre-Dame (25) 138 C5
Bretignolles (79) 143 H5
Bretignolles-sur-Mer (85) 158 D2
Bretigny (21) 136 B4
Brétigny (27) 34 E4
Brétigny (60) 19 J6
Brétigny-sur-Orge (91) 86 E1
Bretoncelles (61) 84 A3
la Bretonnière-la-Claye (85) 159 K4
Bretonvillers (25) 139 F6
Brette (26) 241 G5
Brette-les-Pins (72) 107 F4
Bretten (68) 119 K5
Brettes (16) 179 F5
Bretteville (50) 28 D2
Bretteville-du-Grand-Caux (76) 14 D4
Bretteville-le-Rabet (14) 54 A1
Bretteville-l'Orgueilleuse (14) 32 C4
Bretteville-Saint-Laurent (76) 15 H3
Bretteville-sur-Ay (50) 30 C1
Bretteville-sur-Dives (14) 54 C1
Bretteville-sur-Laize (14) 53 K1
Bretteville-sur-Odon (14) 32 D5
Brettnach (57) 45 J3
Bretx (31) 268 E5
Breuches (70) 118 C4
Breuchotte (70) 118 D4
Breugnon (58) 133 F4
le Breuil (03) 186 B2
le Breuil (51) 61 G2
Breuil (51) 40 C3
le Breuil (69) 188 A6
le Breuil (71) 153 G6
Breuil (80) 19 G4
Breuil-Barret (85) 161 F2
le Breuil-Bernard (79) 161 G1
Breuil-Bois-Robert (78) 57 J2
le Breuil-en-Auge (14) 33 K4
le Breuil-en-Bessin (14) 31 K2
Breuil-la-Réorte (17) 177 H3
Breuil-le-Sec (60) 38 A3
Breuil-le-Vert (60) 38 A3
Breuil-Magné (17) 177 F4
le Breuil-sous-Argenton (79) 143 K3
le Breuil-sur-Couze (63) 203 F6
Breuilaufa (87) 181 F4
Breuilh (24) 214 A5
Breuillet (17) 194 C2
Breuillet (91) 86 C1
Breuilpont (27) 57 F2
Breurey-lès-Faverney (70) 118 A5
Breuschwickersheim (67) 70 E3
Breuvannes-en-Bassigny (52) 117 F1
Breuvery-sur-Coole (51) 62 D3
Breuville (50) 28 C3
Breux (55) 23 K5
Breux-Jouy (91) 86 C1
Breux-sur-Avre (27) 56 C4
Brévainville (41) 108 E3
Bréval (78) 57 G2
Brévands (50) 29 G6
Brevans (39) 155 G2
le Brévedent (14) 34 A4
Brèves (58) 133 G4
les Bréviaires (78) 57 K5
Bréviandes (10) 90 B5
la Brévière (14) 54 E2
Bréville (16) 196 A1
Bréville-les-Monts (14) 33 F4
Bréville-sur-Mer (50) 30 D6
Brévillers (62) 9 H2
Brévillers (80) 10 B4
Brevilliers (70) 139 H1
Brévilly (08) 23 G4
Brévonnes (10) 90 D4
Bréxent-Enocq (62) 4 B5
Brey-et-Maison-du-Bois (25) 156 E6
Brézé (49) 144 C1
Bréziers (05) 259 J1
Brézilhac (11) 289 J6
Brézins (38) 223 G1
Brézolles (28) 56 C5
Brezons (15) 218 B6
Briançon (05) 225 K6
Briançonnet (06) 280 B2
Brianny (21) 134 E4
Briant (71) 187 F1
Briantes (36) 166 B4
Briare (45) 131 J2
Briarres-sur-Essonne (45) 87 F6
Brias (62) 10 B1
Briastre (59) 12 C4
Briatexte (81) 270 B4
Briaucourt (52) 92 B5
Briaucourt (70) 118 B4
Bricon (52) 115 K1
Briconville (28) 85 F2
Bricquebec (50) 28 C4
Bricquebosq (50) 28 C3
Bricqueville (14) 31 J1
Bricqueville-la-Blouette (50) 30 D4
Bricqueville-sur-Mer (50) 30 D6
Bricy (45) 109 J3
Brides-les-Bains (73) 209 H5
la Bridoire (73) 207 K4
Bridoré (37) 146 D3
Brie (02) 20 B5
Brie (09) 288 C6
Brie (16) 197 F2
Brie (35) 79 H6
Brie (79) 144 D4
Brie (80) 19 G2
Brie-Comte-Robert (77) 59 G6
Brié-et-Angonnes (38) 224 B4
Brie-sous-Archiac (17) 195 K5
Brie-sous-Barbezieux (16) 196 C6
Brie-sous-Chalais (16) 212 D2
Brie-sous-Matha (17) 196 A1
Brie-sous-Mortagne (17) 195 F5
Briec (29) 74 E4
Briel-sur-Barse (10) 90 D6
Brielles (35) 104 B2
Brienne (71) 172 B3
Brienne-la-Vieille (10) 91 F3
Brienne-le-Château (10) 91 F3
Brienne-sur-Aisne (08) 41 F2
Briennon (42) 187 F3
Brienon-sur-Armançon (89) 113 G3
Brières-les-Scellés (91) 86 C3
Brieuil-sur-Chizé (79) 178 B3
Brieulles-sur-Bar (08) 42 C1
Brieulles-sur-Meuse (55) 43 F3
Brieux (61) 54 B3
Briey (54) 44 C4
Briffons (63) 201 J3
Brignac (34) 273 H6
Brignac (56) 77 K5
Brignac-la-Plaine (19) 215 G4
Brignais (69) 205 K3
Brignancourt (95) 37 F6
Brigné (49) 125 J6
Brignemont (31) 268 C4
Brignogan-Plage (29) 46 B3
Brignoles (83) 297 K2
Brignon (30) 275 F1
le Brignon (43) 238 C1
la Brigue (06) 311 D2
Brigueil-le-Chantre (86) 164 C6
Brigueuil (16) 180 D5
Briis-sous-Forges (91) 58 C6
Brillac (16) 180 C4
la Brillanne (04) 278 C2
Brillecourt (10) 90 D2
Brillevast (50) 28 E2
Brillon (59) 12 B1
Brillon-en-Barrois (55) 64 A5
Brimeux (62) 9 G1
Brimont (51) 41 F3
Brin-sur-Seille (54) 66 C4
Brinay (18) 148 E2
Brinay (58) 151 K4
Brinckheim (68) 97 D4
Brindas (69) 205 K2
Bringolo (22) 48 E5
Brinon-sur-Beuvron (58) 133 F6
Brinon-sur-Sauldre (18) 130 D2
Briod (39) 173 G2
Briollay (49) 125 H2
Brion (01) 189 K2
Brion (36) 148 A4
Brion (38) 223 G2
Brion (48) 236 E3
Brion (49) 126 A4
Brion (71) 152 E5
Brion (86) 163 G6
Brion (89) 113 F3
Brion-près-Thouet (79) 144 B3
Brion-sur-Ource (21) 115 G3
la Brionne (23) 182 C3
Brionne (27) 34 E5
Briord (01) 207 G1
Briosne-lès-Sables (72) 83 F6
Briot (60) 17 H5
Briou (41) 109 G5
Brioude (43) 219 H2
Brioux-sur-Boutonne (79) 178 C3
Briouze (61) 53 J5
Briquemesnil-Floxicourt (80) 17 J2
Briquenay (08) 42 D2
Briscous (64) 282 D2
Brison-Saint-Innocent (73) 208 B2
Brissac (34) 274 A3
Brissac-Quincé (49) 125 H5
Brissarthe (49) 105 H6
Brissay-Choigny (02) 20 A4
Brissy-Hamégicourt (02) 20 B4
Brive-la-Gaillarde (19) 215 J4
Brives (36) 148 C6
Brives-Charensac (43) 220 C5
Brives-sur-Charente (17) 195 H3
Brivezac (19) 216 B6
Brix (50) 28 D3
Brixey-aux-Chanoines (55) 93 G2
Brizambourg (17) 195 H1
Brizay (37) 145 H2
Brizeaux (55) 63 K1
Brizon (74) 191 J3
le Broc (06) 281 F2
Broc (49) 126 D2
le Broc (63) 202 E5
Brocas (40) 245 K6
Brochon (21) 135 K6
Brocourt (80) 17 G2
Brocourt-en-Argonne (55) 43 F5
Broglie (27) 55 H1
Brognard (25) 139 H2
Brognon (08) 21 K1
Brognon (21) 136 B4
Broin (21) 154 D2
Broindon (21) 154 C1
Broissia (39) 173 F6
Brombos (60) 17 H5
Bromeilles (45) 87 F6
Brommat (12) 236 A2

Bromont-Lamothe (63) 202 A1
Bron (69) 206 B2
Bronvaux (57) 44 E4
Broons (22) 78 B1
la Broque (67) 70 A5
Broquiers (60) 17 G5
Broquiès (12) 271 K1
Brossac (16) 212 C1
Brossainc (07) 222 A2
Brossay (49) 144 B1
la Brosse-Montceaux (77) 88 B4
Brosses (89) 133 H3
Brosville (27) 35 H6
Brotte-lès-Luxeuil (70) 118 C5
Brotte-lès-Ray (70) 137 G1
Brou (28) 84 D6
Brou-sur-Chantereine (77) 59 H3
Brouains (50) 52 D5
Broualan (35) 51 G5
Brouay (14) 32 C4
Brouchaud (24) 214 D3
Brouchy (80) 19 J4
Brouck (57) 45 J5
Brouckerque (59) 3 G2
Brouderdorff (57) 67 K4
Broué (28) 57 G5
Brouennes (55) 23 J6
le Brouilh-Monbert (32) 267 F5
Brouilla (66) 315 G3
Brouillet (51) 40 C4
Brouqueyran (33) 230 B6
la Brousse (17) 178 B6
Brousse (23) 183 J5
Brousse (63) 203 G4
Brousse (81) 270 D5
Brousse-le-Château (12) 271 J1
Brousses-et-Villaret (11) 290 A4
Brousseval (52) 91 K2
Broussey-en-Blois (55) 64 E6
Broussey-Raulecourt (55) 65 F3
Broussy-le-Grand (51) 61 J4
Broussy-le-Petit (51) 61 J4
Broût-Vernet (03) 185 H2
Brouvelieures (88) 95 G4
Brouville (54) 95 G1
Brouviller (57) 67 K3
Brouy (91) 86 D4
Brouzet-lès-Alès (30) 255 J5
Brouzet-lès-Quissac (30) 274 D3
les Brouzils (85) 142 A4
Broxeele (59) 3 G4
Broye (71) 153 F5
Broye-Aubigney-Montseugny (70) 137 F5
Broye-les-Loups-et-Verfontaine (70) 136 E3
Broyes (51) 61 H5
Broyes (60) 18 C5
Broze (81) 270 B2
Brû (88) 95 F3
Bruailles (71) 172 D3
Bruay-la-Buissière (62) 5 K6
Bruay-sur-l'Escaut (59) 12 D1
Bruc-sur-Aff (35) 102 C2
Brucamps (80) 9 J5
Bruch (47) 247 K4
Brucheville (50) 29 G6
Brucourt (14) 33 G4
Brue-Auriac (83) 297 J1
Bruebach (68) 97 C3
Brueil-en-Vexin (78) 57 K1
Bruère-Allichamps (18) 167 F1
la Bruère-sur-Loir (72) 127 F1
la Bruffière (85) 142 B3
Brugairolles (11) 308 E1
le Brugeron (63) 203 K3
Bruges (33) 229 G1
Bruges-Capbis-Mifaget (64) 284 D6
Brugheas (03) 185 H4
Brugnac (47) 247 K1
Brugnens (32) 267 K3
Brugny-Vaudancourt (51) 61 J1
la Bruguière (30) 256 A5
Bruguières (31) 269 G5
Bruille-lez-Marchiennes (59) 11 K2
Bruille-Saint-Amand (59) 7 H6
Bruis (05) 241 J6
Brûlain (79) 178 B2
les Brulais (35) 102 C1
Brulange (57) 66 D1
la Brûlatte (53) 104 D1
Bruley (54) 65 H5
Brullemail (61) 55 F6
Brullioles (69) 205 H2
Brûlon (72) 105 K3
Brumath (67) 25 A5
Brumetz (02) 39 H6
Brunehamel (02) 21 J3
Brunelles (28) 84 A4
les Brunels (11) 289 H3
Brunembert (62) 4 D3
Brunémont (59) 11 J3
Brunet (04) 278 E2
Bruniquel (82) 250 C6
Brunoy (91) 59 F5
Brunstatt (68) 97 C3
Brunville (76) 16 B1
Brunvillers-la-Motte (60) 18 C6
Brusque (12) 272 C4
le Brusquet (04) 259 K4
Brussey (70) 137 H5
Brussieu (69) 205 H2
Brusson (51) 63 G4
Brusvily (22) 50 C6
Brutelles (80) 8 D4
Bruville (54) 44 C5
Brux (86) 179 G2
la Bruyère (70) 118 E4
Bruyères (88) 95 F5
Bruyères-et-Montbérault (02) 40 B1
Bruyères-le-Châtel (91) 86 D1
Bruyères-sur-Fère (02) 39 K5
Bruyères-sur-Oise (95) 37 K5
Bruys (02) 40 A4
Bruz (35) 79 F5
Bry (59) 12 E2
Bry-sur-Marne (94) 59 G4
Bû (28) 57 G4
le Bû-sur-Rouvres (14) 54 B1
Buais (50) 80 D1
Buanes (40) 265 H4
Bubertré (61) 83 H1
Bubry (56) 100 C1
Buc (78) 58 C4
Buc (90) 139 H1
Bucamps (60) 37 K1
Bucéels (14) 32 B4
Bucey-en-Othe (10) 89 J5
Bucey-lès-Gy (70) 137 J4
Bucey-lès-Traves (70) 137 K1
Buchelay (78) 57 J2
Buchères (10) 90 B5
Buchy (57) 66 B1
Buchy (76) 16 C6
Bucilly (02) 21 H2
Bucquoy (62) 10 E4
Bucy-le-Long (02) 39 K2
Bucy-le-Roi (45) 110 A2
Bucy-lès-Cerny (02) 20 C6
Bucy-lès-Pierrepont (02) 21 F5
Bucy-Saint-Liphard (45) 109 J3
Budelière (23) 183 K2
Buding (57) 27 J4
Budling (57) 27 J4
Budos (33) 229 J6
Bué (18) 131 J6
Bueil (27) 57 G2
Bueil-en-Touraine (37) 127 H1
Buellas (01) 189 F2
Buethwiller (68) 97 A3
Buffard (25) 155 K3
Buffières (71) 171 G5
Buffignécourt (70) 117 K4
Buffon (21) 134 D1
Bugarach (11) 309 G4
Bugard (65) 286 A5
Bugeat (19) 200 B4
Bugnein (64) 283 J3
Bugnicourt (59) 11 J3
Bugnières (52) 116 A3
Bugny (25) 157 F3
le Bugue (24) 232 C1
Buhl (67) 25 C2
Buhl (68) 96 A6
Buhl-Lorraine (57) 67 J4
Buhy (95) 36 D5
Buicourt (60) 17 G6
Buigny-l'Abbé (80) 9 H5
Buigny-lès-Gamaches (80) 8 D6
Buigny-Saint-Maclou (80) 9 G4
Buire (02) 21 G2
Buire-au-Bois (62) 9 K3
Buire-Courcelles (80) 19 H1
Buire-le-Sec (62) 9 G1
Buire-sur-l'Ancre (80) 18 D1
Buironfosse (02) 20 E1
le Buis (87) 181 G4
Buis-les-Baronnies (26) 257 J3
Buis-sur-Damville (27) 56 D4
Buissard (05) 243 F4
la Buisse (38) 223 K1
la Buissière (38) 208 C6
le Buisson (48) 237 F5
le Buisson (51) 63 H4
Buisson (84) 257 G3
le Buisson-de-Cadouin (24) 232 C2
Buissoncourt (54) 66 C5
Buissy (62) 11 H4
Bujaleuf (87) 199 J2
Bulan (65) 304 E2
Bulat-Pestivien (22) 76 B1
Bulcy (58) 150 C1
Buléon (56) 101 G2
Bulgnéville (88) 93 H5
Bulhon (63) 185 J6
Bullainville (28) 85 G6
Bulle (25) 156 D4
Bullecourt (62) 11 G4
Bulles (60) 37 K2
Bulligny (54) 65 H6
Bullion (78) 58 B6
Bullou (28) 84 E5
Bully (42) 186 E6
Bully (69) 205 J1
Bully (76) 16 C4
Bully-les-Mines (62) 10 E1
Bulson (08) 23 F5
Bult (88) 94 E4
Bun (65) 304 A2
Buncey (21) 115 F5
Buneville (62) 10 B2
Buno-Bonnevaux (91) 86 E4
Bunus (64) 283 F5
Bunzac (16) 197 G3
Buoux (84) 277 H3
Burbach (67) 68 E5
la Burbanche (01) 189 K6
Burbure (62) 5 J5
Burcin (38) 207 G6
Burcy (14) 53 F3
Burcy (77) 87 G5
Burdignes (42) 221 J2
Burdignin (74) 191 J1
Bure (55) 92 C2
Buré (61) 83 G2
Bure-les-Templiers (21) 115 J6
Burelles (02) 21 F3
Bures (54) 66 E4
Bures (61) 83 G1
Bures-en-Bray (76) 16 C3
Bures-les-Monts (14) 52 D2
Bures-sur-Yvette (91) 58 C5
le Buret (53) 105 H3
Burey (27) 56 B2
Burey-en-Vaux (55) 93 F1
Burey-la-Côte (55) 93 G2
Burg (65) 286 A6
Burgalays (31) 305 J4
Burgaronne (64) 283 H2
le Burgaud (31) 268 D4
Burgille (25) 137 H5
Burgnac (87) 198 E2
Burgy (71) 171 K4
Burie (17) 195 J2
Buriville (54) 95 F1
Burlats (81) 271 F6
Burlioncourt (57) 66 E2
Burnand (71) 171 H3
Burnevillers (25) 139 K4
Burnhaupt-le-Bas (68) 97 A3
Burnhaupt-le-Haut (68) 97 A3
Buros (64) 284 D3
Burosse-Mendousse (64) 284 E1
Burret (09) 307 H3
Bursard (61) 82 E1
Burthecourt-aux-Chênes (54) 66 B6
Burtoncourt (57) 45 H4
Bury (60) 37 K3
Burzet (07) 239 F3
Burzy (71) 171 G3
Bus (62) 11 G5
Bus-la-Mésière (80) 18 E5
Bus-lès-Artois (80) 10 C5
Bus-Saint-Rémy (27) 36 C5
Buschwiller (68) 97 E4
Busigny (59) 12 C6
Busloup (41) 108 C4
Busnes (62) 5 J5
Busque (81) 270 C4
Bussac (24) 213 K2
Bussac-Forêt (17) 211 K3
Bussac-sur-Charente (17) 195 G1
Bussang (88) 119 H3
le Busseau (79) 161 G3
Busseaut (21) 115 G6
Busséol (63) 202 E3
Busserolles (24) 197 J3
Busserotte-et-Montenaille (21) 135 K1
Busset (03) 185 K4
Bussiares (02) 39 H6
la Bussière (45) 111 J6
la Bussière (86) 163 K3
Bussière-Badil (24) 197 J3
Bussière-Boffy (87) 180 D4
Bussière-Dunoise (23) 182 C2
Bussière-Galant (87) 198 C4
Bussière-Nouvelle (23) 183 J5
Bussière-Poitevine (87) 180 D2
Bussière-Saint-Georges (23) 166 C6
la Bussière-sur-Ouche (21) 153 J1
Bussières (21) 135 K1
Bussières (42) 205 F1
Bussières (63) 184 A4
Bussières (70) 137 K5
Bussières (71) 171 H6
Bussières (77) 60 C3
Bussières (89) 134 B4
Bussières-et-Pruns (63) 185 G5
Busson (52) 92 D4
Bussu (80) 19 H1
Bussunarits-Sarrasquette (64) 282 E5
Bussus-Bussuel (80) 9 H5
Bussy (18) 149 J5
Bussy (60) 19 H5
Bussy-Albieux (42) 204 C2
Bussy-en-Othe (89) 113 F2
Bussy-la-Pesle (21) 135 H5
Bussy-la-Pesle (58) 133 F6
Bussy-le-Château (51) 42 A6
Bussy-le-Grand (21) 135 F2
Bussy-le-Repos (51) 63 H3
Bussy-le-Repos (89) 112 D2
Bussy-lès-Daours (80) 18 C2
Bussy-lès-Poix (80) 17 J3
Bussy-Lettrée (51) 62 C4
Bussy-Saint-Georges (77) 59 H4
Bussy-Saint-Martin (77) 59 H3
Bust (67) 69 F6
Bustanico (2B) 319 G5
Bustince-Iriberry (64) 282 E5
Buswiller (67) 69 J6
Busy (25) 156 B1
Buthiers (70) 138 A4
Buthiers (77) 87 F5
Butot (76) 15 K5
Butot-Vénesville (76) 15 F3
Butry-sur-Oise (95) 37 J6
Butteaux (89) 113 J3
Butten (67) 69 F4
Buverchy (80) 19 H4
Buvilly (39) 155 J5
la Buxerette (36) 165 K4
Buxerolles (21) 115 K5
Buxerolles (86) 163 F3
Buxeuil (10) 114 E2
Buxeuil (36) 147 K2
Buxeuil (86) 145 K4
Buxières-d'Aillac (36) 165 J3
Buxières-lès-Clefmont (52) 116 E1
Buxières-les-Mines (03) 168 A5
Buxières-lès-Villiers (52) 116 A1
Buxières-sous-les-Côtes (55) 65 F2
Buxières-sous-Montaigut (63) 184 D2
Buxières-sur-Arce (10) 114 E1
Buxy (71) 171 H1
Buysscheure (59) 3 H4
Buzan (09) 306 B3
Buzançais (36) 147 H5
Buzancy (02) 39 J3
Buzancy (08) 42 D2
Buzeins (12) 253 F2
Buzet-sur-Baïse (47) 247 J4
Buzet-sur-Tarn (31) 269 J4
Buziet (64) 284 B6
Buzignargues (34) 274 D4
Buzon (65) 285 J2
Buzy (64) 284 C6
Buzy-Darmont (55) 44 A5
By (25) 156 A3
Byans-sur-Doubs (25) 156 A2

C

Cabanac (65) 285 K4
Cabanac-Cazaux (31) 305 K2
Cabanac-et-Villagrains (33) 229 H5
Cabanac-Séguenville (31) 268 C4
la Cabanasse (66) 313 J4
Cabanès (12) 251 J5
Cabanès (81) 270 C5
le Cabanial (31) 289 G2
les Cabannes (09) 307 K5
Cabannes (13) 276 C3
les Cabannes (81) 251 F6
Cabara (33) 230 B2
Cabariot (17) 177 G5
Cabas-Loumassès (32) 286 D4
Cabasse (83) 298 B2
Cabestany (66) 315 H2
Cabidos (64) 284 C1
Cabourg (14) 33 G3
Cabrerets (46) 250 C1
Cabrerolles (34) 291 K1
Cabrespine (11) 290 C4
Cabrières (30) 275 H2
Cabrières (34) 292 B1
Cabrières-d'Aigues (84) 277 J3
Cabrières-d'Avignon (84) 276 E2
Cabriès (13) 296 C2
Cabris (06) 280 C4
Cachan (94) 58 E4
Cachen (40) 246 A6
Cachy (80) 18 C2
Cadalen (81) 270 C3
Cadarcet (09) 307 H2
Cadarsac (33) 230 A2
Cadaujac (33) 229 H3
Cadéac (65) 305 F4
Cadeilhan (32) 267 K3
Cadeilhan-Trachère (65) 304 E4
Cadeillan (32) 287 F3
Cademène (25) 156 B2
Caden (56) 102 A4
Cadenet (84) 277 H4
Caderousse (84) 256 D5
la Cadière-d'Azur (83) 300 A3
la Cadière-et-Cambo (30) 274 B2
Cadillac (33) 229 K4
Cadillac-en-Fronsadais (33) 211 K6
Cadillon (64) 285 F1
Cadix (81) 271 H2
Cadolive (13) 296 E3
Cadours (31) 268 C5
Cadrieu (46) 250 E1
Caen (14) 32 E5
Caëstre (59) 5 K2
Caffiers (62) 2 C4
Cagnac-les-Mines (81) 270 E2
Cagnano (2B) 317 D3
Cagnes-sur-Mer (06) 281 F4
Cagnicourt (62) 11 G4
Cagnoncles (59) 12 B4
Cagnotte (40) 264 B6
Cagny (14) 33 F5
Cagny (80) 18 B2
Cahagnes (14) 32 A6
Cahagnolles (14) 32 A5
Cahaignes (27) 36 C5
Cahan (61) 53 J3
Caharet (65) 286 A6
Cahon (80) 9 F5
Cahors (46) 249 K1
Cahus (46) 234 C1
Cahuzac (11) 289 F6
Cahuzac (47) 231 J4
Cahuzac (81) 289 J2
Cahuzac-sur-Adour (32) 266 B6
Cahuzac-sur-Vère (81) 270 B2
Caignac (31) 288 E4
le Cailar (30) 275 F5
Cailhau (11) 289 J6
Cailhavel (11) 289 J6
Cailla (11) 308 E5
Caillac (46) 249 J1
Caillavet (32) 267 F5
Caille (06) 280 B3
la Caillère-Saint-Hilaire (85) 160 D2
Cailleville (76) 15 G2
Caillouël-Crépigny (02) 19 J5
Caillouet-Orgeville (27) 56 E1
Cailloux-sur-Fontaines (69) 188 D6
Cailly (76) 16 B6
Cailly-sur-Eure (27) 35 J6
la Caine (14) 53 H1
Cairanne (84) 257 F4
le Caire (04) 259 G2
Cairon (14) 32 D4
Caisnes (60) 39 G1
Caissargues (30) 275 G4
Caix (80) 18 E3
Caixas (66) 314 E3
Caixon (65) 285 H3
Cajarc (46) 250 E1
Calacuccia (2B) 318 E5
Calais (62) 2 C2
Calamane (46) 233 G6
Calan (56) 100 A2
Calanhel (22) 47 K6
Calavanté (65) 285 J5
Calcatoggio (2A) 320 B4
Calce (66) 310 A5
Calenzana (2B) 318 C3
Calès (24) 232 B2
Calès (46) 233 J3
Calignac (47) 247 K5
Caligny (61) 53 G4
Callac (22) 75 K1
Callas (83) 279 K5
Callen (40) 246 A3
Callengeville (76) 16 D3
Calleville (27) 34 E5
Calleville-les-Deux-Églises (76) 15 J4
Callian (32) 266 E6
Callian (83) 280 B5
Calmeilles (66) 314 E4
Calmels-et-le-Viala (12) 272 A2
la Calmette (30) 275 F2
Calmont (12) 252 B4
Calmont (31) 288 D5
Calmoutier (70) 118 C6
Caloire (42) 204 E6
Calonges (47) 247 H2
Calonne-Ricouart (62) 5 J6
Calonne-sur-la-Lys (62) 5 K4
Calorguen (22) 50 D6
la Calotterie (62) 4 B6
Caluire-et-Cuire (69) 206 A1
Calvi (2B) 318 B3
Calviac (46) 234 D1
Calviac-en-Périgord (24) 233 G2
Calvignac (46) 250 D1
Calvinet (15) 235 G4
Calvisson (30) 275 F4
Calzan (09) 307 K2
Camalès (65) 285 H3
Camarade (09) 307 F1
Camarès (12) 272 B4
Camaret-sur-Aigues (84) 257 F5
Camaret-sur-Mer (29) 72 C6
Camarsac (33) 229 K2
Cambayrac (46) 249 J2
la Cambe (14) 29 J6
Cambernard (31) 287 J2
Cambernon (50) 30 E3
Cambes (33) 229 J3
Cambes (46) 234 C5
Cambes (47) 231 F5
Cambes-en-Plaine (14) 32 E4
Cambia (2B) 319 G5
Cambiac (31) 289 F2
Cambieure (11) 308 D1
Camblain-Châtelain (62) 5 J6
Camblain-l'Abbé (62) 10 D1
Camblanes-et-Meynac (33) 229 H3
Cambligneul (62) 10 D1
Cambo-les-Bains (64) 282 C3
Cambon (81) 270 E2
Cambon-et-Salvergues (34) 272 B6
Cambon-lès-Lavaur (81) 289 G1
Camboulazet (12) 252 A4
Camboulit (46) 234 C5
Cambounès (81) 290 C1
Cambounet-sur-le-Sor (81) 289 J1
le Cambout (22) 77 H6
Cambrai (59) 11 J4
Cambremer (14) 33 J5
Cambrin (62) 6 B5
Cambron (80) 9 F5
Cambronne-lès-Clermont (60) 38 A3
Cambronne-lès-Ribécourt (60) 38 E1
Camburat (46) 234 D5
Came (64) 283 F2
Camélas (66) 314 E3
Camelin (02) 39 G1
Camembert (61) 54 E3
Cametours (50) 31 F4
Camiac-et-Saint-Denis (33) 230 A2
Camiers (62) 4 A5
Camiran (33) 230 C5
Camjac (12) 251 K5
Camlez (22) 48 B2
les Cammazes (81) 289 J3
Camoël (56) 121 J2
Camon (09) 308 C2
Camon (80) 18 B2
Camors (56) 100 D3
Camou-Cihigue (64) 283 H6
Camous (65) 305 F3
Campagna-de-Sault (11) 308 D5
Campagnac (12) 253 G2
Campagnac (81) 270 B1
Campagnac-lès-Quercy (24) 232 E4
Campagnan (34) 292 D1
Campagne (24) 232 C1
Campagne (34) 274 D4
Campagne (40) 265 F3
Campagne (60) 19 G5
Campagne-d'Armagnac (32) 266 C3

Campagne-lès-Boulonnais (62) ... 4 E4
Campagne-lès-Guines (62) ... 2 D4
Campagne-lès-Hesdin (62) ... 9 G1
Campagne-lès-Wardrecques (62) .. 5 H3
Campagne-sur-Arize (09) ... 307 H5
Campagne-sur-Aude (11) ... 308 E3
Campagnolles (14) ... 52 D2
Campan (65) ... 304 D2
Campana (2B) ... 319 H6
Campandré-Valcongrain (14) ... 53 H1
Camparan (65) ... 305 H4
Campbon (44) ... 122 D1
Campeaux (14) ... 31 J5
Campeaux (60) ... 17 F5
Campel (35) ... 78 D6
Campénéac (56) ... 78 A6
Campestre-et-Luc (30) ... 273 K2
Campet-et-Lamolère (40) ... 265 F2
Camphin-en-Carembault (59) ... 6 E4
Camphin-en-Pévèle (59) ... 7 F4
Campi (2B) ... 319 J6
Campigneulles-les-Grandes (62) .. 9 F1
Campigneulles-les-Petites (62) 4 B6
Campigny (14) ... 32 H4
Campigny (27) ... 34 C3
Campile (2B) ... 319 H5
Campistrous (65) ... 286 A6
Campitello (2B) ... 319 G3
Camplong (34) ... 272 E5
Camplong-d'Aude (11) ... 309 K1
Campneuseville (76) ... 17 F2
Campo (2A) ... 320 E5
Campôme (66) ... 314 B2
Campouriez (12) ... 235 K4
Campoussy (66) ... 314 C2
Campremy (60) ... 18 B6
Camprond (50) ... 31 F3
Camps-en-Amiénois (80) ... 17 H2
Camps-la-Source (83) ... 297 K2
Camps-Saint-Mathurin-
  -Léobazel (19) ... 216 D6
Camps-sur-l'Agly (11) ... 309 G4
Camps-sur-l'Isle (33) ... 212 C5
Campsas (82) ... 269 F3
Campsegret (24) ... 231 J1
Campuac (12) ... 235 K6
Campugnan (33) ... 211 H3
Campuzan (65) ... 286 B6
Camurac (11) ... 308 B5
Canale-di-Verde (2B) ... 319 J6
Canals (82) ... 269 F3
Canaples (80) ... 9 K5
Canappeville (27) ... 35 H5
Canapville (14) ... 33 J3
Canapville (61) ... 55 F2
Canari (2B) ... 317 C3
Canaules-et-Argentières (30) ... 274 D1
Canavaggia (2B) ... 319 G3
Canaveilles (66) ... 314 A4
Cancale (35) ... 51 F3
Canchy (14) ... 29 J6
Canchy (80) ... 9 G4
Cancon (47) ... 231 K6
Candas (80) ... 10 A5
Candé (49) ... 124 C2
Candé-sur-Beuvron (41) ... 128 E3
Candes-Saint-Martin (37) ... 144 E1
Candillargues (34) ... 274 D6
Candor (60) ... 19 G5
Candresse (40) ... 264 B4
Canehan (76) ... 16 C1
Canéjan (33) ... 229 G3
Canens (31) ... 288 A5
Canenx-et-Réaut (40) ... 265 H1
Canet (11) ... 291 G6
Canet (34) ... 273 H6
Canet-de-Salars (12) ... 252 D4
Canet-en-Roussillon (66) ... 315 H2
Canettemont (62) ... 10 B3
Cangey (37) ... 128 C4
Caniac-du-Causse (46) ... 233 K5
Canihuel (22) ... 76 C3
Canilhac (48) ... 253 H2
Canisy (50) ... 31 G4
Canlers (62) ... 5 F3
Canly (60) ... 38 C2
Cannectancourt (60) ... 19 G6
Cannelle (2A) ... 320 C3
Cannes (06) ... 280 E6
Cannes-Écluse (77) ... 88 A4
Cannes-et-Clairan (30) ... 274 E2
Cannessières (80) ... 17 F1
le Cannet (06) ... 280 E5
Cannet (32) ... 266 B6
le Cannet-des-Maures (83) ... 298 C2
Canny-sur-Matz (60) ... 19 F5
Canny-sur-Thérain (60) ... 17 F5
Canohès (66) ... 315 G2
la Canourgue (48) ... 253 H2
Canouville (76) ... 15 F3
Cantaing-sur-Escaut (59) ... 11 J4
Cantaous (65) ... 305 G1
Cantaron (06) ... 281 H3
Canté (09) ... 288 C5
Canteleu (76) ... 35 H2
Canteleux (62) ... 10 A4
Canteloup (14) ... 33 G5
Canteloup (50) ... 29 F2
Cantenac (33) ... 211 G5
Cantenay-Épinard (49) ... 125 G2
Cantiers (27) ... 36 C4
Cantigny (80) ... 18 C5
Cantillac (24) ... 213 K1
Cantin (59) ... 11 H2
Cantoin (12) ... 236 B2
Cantois (33) ... 230 A4

Canville-la-Rocque (50) ... 28 C6
Canville-les-Deux-Églises (76) .. 15 H3
Cany-Barville (76) ... 15 F3
Caorches-Saint-Nicolas (27) ... 34 C6
Caouënnec-Lanvézéac (22) ... 48 A3
Caours (80) ... 9 G5
Cap-d'Ail (06) ... 281 J3
Capbreton (40) ... 262 B5
Capdenac (46) ... 234 D5
Capdenac-Gare (12) ... 234 E6
Capdrot (24) ... 232 C4
la Capelle (02) ... 21 F1
Capelle (59) ... 12 D3
la Capelle-Balaguier (12) ... 251 F2
la Capelle-Bleys (12) ... 251 H3
la Capelle-Bonance (12) ... 253 F1
la Capelle-et-Masmolène (30) .. 256 B6
Capelle-Fermont (62) ... 10 D2
la Capelle-lès-Boulogne (62) 4 B3
Capelle-les-Grands (27) ... 55 G1
Capelle-lès-Hesdin (62) ... 9 H2
Capendu (11) ... 290 D6
Capens (31) ... 287 K4
Capestang (34) ... 291 J4
Capian (33) ... 229 K3
Capinghem (59) ... 6 D4
Caplong (33) ... 230 E3
Capoulet-et-Junac (09) ... 307 J5
Cappel (57) ... 68 B3
Cappelle-Brouck (59) ... 3 G3
Cappelle-en-Pévèle (59) ... 6 E5
Cappelle-la-Grande (59) ... 3 H2
Cappy (80) ... 19 F1
Captieux (33) ... 246 C3
Capvern (65) ... 305 H2
Caragoudes (31) ... 288 E2
Caraman (31) ... 289 F1
Caramany (66) ... 314 D1
Carantec (29) ... 47 J3
Carantilly (50) ... 31 F4
Carayac (46) ... 234 C6
Carbay (49) ... 104 A5
Carbes (81) ... 270 E6
Carbini (2A) ... 323 G2
Carbon-Blanc (33) ... 229 H1
Carbonne (31) ... 287 K4
Carbuccia (2A) ... 320 C5
Carcagny (14) ... 32 C4
Carcanières (09) ... 313 J2
Carcans (33) ... 210 C4
Carcarès-Sainte-Croix (40) ... 264 D3
Carcassonne (11) ... 290 B6
Carcen-Ponson (40) ... 264 D2
Carcès (83) ... 298 A1
Carcheto-Brustico (2B) ... 319 H5
Cardaillac (46) ... 234 D4
Cardan (33) ... 229 K4
Cardeilhac (31) ... 286 D5
Cardesse (64) ... 284 D4
Cardet (30) ... 274 D1
Cardo-Torgia (2A) ... 320 E6
Cardonnette (80) ... 18 B1
le Cardonnois (80) ... 18 C5
Cardonville (14) ... 29 H6
Cardroc (35) ... 78 C2
Carelles (53) ... 80 D3
Carency (62) ... 10 E1
Carennac (46) ... 234 A1
Carentan (50) ... 31 G1
Carentoir (56) ... 102 B2
Cargèse (2A) ... 316 C6
Cargiaca (2A) ... 323 F2
Carhaix-Plouguer (29) ... 75 J2
Carignan (08) ... 23 H5
Carignan-de-Bordeaux (33) ... 229 J2
Carisey (89) ... 113 J4
Carla-Bayle (09) ... 288 B6
Carla-de-Roquefort (09) ... 308 A3
le Carlaret (09) ... 307 K1
Carlat (15) ... 235 J2
Carlencas-et-Levas (34) ... 273 F6
Carlepont (60) ... 39 F1
Carling (57) ... 68 A2
Carlipa (11) ... 289 J4
Carlucet (46) ... 233 K4
Carlus (81) ... 270 D3
Carlux (24) ... 233 G2
Carly (62) ... 4 B4
Carmaux (81) ... 270 E1
Carnac (56) ... 100 C5
Carnac-Rouffiac (46) ... 249 H2
Carnas (30) ... 274 D3
la Carneille (61) ... 53 J4
Carnet (50) ... 51 K5
Carnetin (77) ... 59 F2
Carneville (50) ... 28 E2
Carnières (59) ... 12 B4
Carnin (59) ... 6 D5
Carnoët (22) ... 75 J1
Carnoules (83) ... 298 B3
Carnoux-en-Provence (13) ... 296 E4
Carnoy (80) ... 19 F1
Caro (56) ... 101 K3
Caro (64) ... 282 E6
Carolles (50) ... 51 H2
Caromb (84) ... 257 H5
Carpentras (84) ... 257 G6
Carpineto (2B) ... 319 H5
Carpiquet (14) ... 32 D5
Carquebut (50) ... 29 F6
Carquefou (44) ... 123 H3
Carqueiranne (83) ... 300 D4
Carrépuis (80) ... 19 F4
Carrère (64) ... 284 E2
Carresse-Cassaber (64) ... 283 G2
Carrières-sous-Poissy (78) ... 58 B2

Carrières-sur-Seine (78) ... 58 D3
Carros (06) ... 281 H2
Carrouges (61) ... 82 B1
Carry-le-Rouet (13) ... 296 A4
Cars (33) ... 211 G4
les Cars (87) ... 198 D3
Carsac-Aillac (24) ... 233 F2
Carsac-de-Gurson (24) ... 212 E6
Carsan (30) ... 256 C4
Carsix (27) ... 34 D5
Carspach (68) ... 97 B4
Cartelègue (33) ... 211 H3
Carticasi (2B) ... 319 G5
Cartignies (59) ... 13 G5
Cartigny (80) ... 19 H2
Cartigny-l'Épinay (14) ... 31 J2
Carves (24) ... 232 D3
Carville (14) ... 52 E2
Carville-la-Folletière (76) ... 15 H4
Carville-Pot-de-Fer (76) ... 15 G4
Carvin (62) ... 6 D6
Casabianca (2B) ... 319 H4
Casaglione (2A) ... 320 C3
Casalabriva (2A) ... 322 D1
Casalta (2B) ... 319 H4
Casamaccioli (2B) ... 318 D4
Casanova (2B) ... 319 F6
Cascastel-des-Corbières (11) ... 310 A3
Casefabre (66) ... 314 E3
Caseneuve (84) ... 277 J2
Cases-de-Pène (66) ... 310 A5
Casevecchie (2B) ... 321 H2
Cassagnabère-Tournas (31) ... 286 E5
Cassagnas (48) ... 254 D4
la Cassagne (24) ... 215 G5
Cassagne (31) ... 306 C1
Cassagnes (46) ... 232 E6
Cassagnes (66) ... 309 J6
Cassagnes-Bégonhès (12) ... 252 B5
Cassagnoles (30) ... 274 E1
Cassagnoles (34) ... 290 E3
la Cassaigne (11) ... 289 H6
Cassaigne (32) ... 267 F2
Cassaignes (11) ... 309 F3
Cassaniouze (15) ... 235 H4
Cassel (59) ... 3 J4
Cassen (40) ... 264 D4
Casseneuil (47) ... 248 B1
les Cassés (11) ... 289 G3
Casseuil (33) ... 230 B5
Cassignas (47) ... 248 C1
Cassis (13) ... 296 E5
Casson (44) ... 123 G2
Cassuéjouls (12) ... 236 B4
Cast (29) ... 74 D4
Castagnac (31) ... 288 A5
Castagnède (31) ... 306 B2
Castagnède (64) ... 283 G2
Castagniers (06) ... 281 G3
Castaignos-Souslens (40) ... 265 F6
Castandet (40) ... 265 J3
Castanet (12) ... 251 J4
Castanet (81) ... 270 C2
Castanet (82) ... 251 F4
Castanet-le-Haut (34) ... 272 C5
Castanet-Tolosan (31) ... 288 C2
Castans (11) ... 290 C3
Casteide-Cami (64) ... 284 D2
Casteide-Candau (64) ... 284 B1
Casteide-Doat (64) ... 285 G3
Casteil (66) ... 314 B4
Castel-Sarrazin (40) ... 264 D6
Castelbajac (65) ... 305 H1
Castelbiague (31) ... 306 B2
Castelculier (47) ... 248 C5
Castelferrus (82) ... 268 D1
Castelfranc (46) ... 249 H1
Castelgaillard (31) ... 287 G4
Castelginest (31) ... 269 G5
Casteljaloux (47) ... 247 G3
Castella (47) ... 248 C3
Castellane (04) ... 279 J2
Castellar (06) ... 281 J2
le Castellard-Melan (04) ... 259 H4
Castellare-di-Casinca (2B) ... 319 J3
Castellare-di-Mercurio (2B) ... 319 G6
le Castellet (04) ... 278 D1
le Castellet (83) ... 300 A4
Castellet (84) ... 277 J3
Castellet-lès-Sausses (04) ... 260 E6
Castello-di-Rostino (2B) ... 319 G4
Castelmary (12) ... 251 J5
Castelmaurou (31) ... 269 H5
Castelmayran (82) ... 268 C1
Castelmoron-d'Albret (33) ... 230 C4
Castelmoron-sur-Lot (47) ... 248 A2
Castelnau-Barbarens (32) ... 286 E1
Castelnau-Chalosse (40) ... 264 D5
Castelnau-d'Anglès (32) ... 266 E6
Castelnau-d'Arbieu (32) ... 267 K3
Castelnau-d'Aude (11) ... 290 A6
Castelnau-d'Auzan (32) ... 266 D2
Castelnau-de-Brassac (81) ... 271 H6
Castelnau-de-Guers (34) ... 292 C6
Castelnau-de-Lévis (81) ... 270 D2
Castelnau-de-Mandailles (12) ... 236 D6
Castelnau-de-Médoc (33) ... 211 F6
Castelnau-de-Montmiral (81) ... 270 A2
Castelnau-d'Estrétefonds (31) ... 269 F4
Castelnau-Durban (09) ... 307 F2
Castelnau-le-Lez (34) ... 274 C6
Castelnau-Magnoac (65) ... 286 C4
Castelnau-Montratier (46) ... 249 J4
Castelnau-Pégayrols (12) ... 253 F5
Castelnau-Picampeau (31) ... 287 H4
Castelnau-Rivière-Basse (65) ... 266 B6

Castelnau-sur-Gupie (47) ... 230 E5
Castelnau-sur-l'Auvignon (32) ... 267 G1
Castelnau-Tursan (40) ... 265 H5
Castelnau-Valence (30) ... 275 F1
Castelnaud-de-Gratecambe (47) .. 248 A1
Castelnaud-la-Chapelle (24) ... 232 E2
Castelnaudary (11) ... 289 H4
Castelnavet (32) ... 266 D5
Castelner (40) ... 284 B1
Castelnou (66) ... 314 E3
Castelreng (11) ... 308 E2
Castels (24) ... 232 D2
Castelsagrat (82) ... 248 E3
Castelsarrasin (82) ... 268 D1
Castelvieilh (65) ... 285 J4
Castelviel (33) ... 230 B4
le Castéra (31) ... 268 C5
Castéra-Bouzet (82) ... 268 B1
Castéra-Lanusse (65) ... 285 K6
Castéra-Lectourois (32) ... 267 J1
Castéra-Lou (65) ... 285 J3
Castéra-Loubix (64) ... 285 G3
Castéra-Verduzan (32) ... 267 G4
Castéra-Vignoles (31) ... 286 E5
Castéras (09) ... 307 G1
Casterets (65) ... 286 C4
Castéron (32) ... 268 B3
Castet (64) ... 303 H1
Castet-Arrouy (32) ... 267 K1
Castetbon (64) ... 283 J3
Castétis (64) ... 283 K3
Castetnau-Camblong (64) ... 283 J3
Castetner (64) ... 283 J2
Castetpugon (64) ... 284 E1
Castets (40) ... 264 A2
Castets-en-Dorthe (33) ... 230 B5
Castex (09) ... 288 A6
Castex (32) ... 286 A3
Castex-d'Armagnac (32) ... 266 A3
Casties-Labrande (31) ... 287 H4
Castifao (2B) ... 318 E3
Castiglione (2B) ... 319 F4
Castillon (06) ... 281 J2
Castillon (14) ... 32 A4
Castillon (65) ... 304 D1
Castillon (Canton d'Arthez-
  -de-Béarn) (64) ... 284 B2
Castillon (Canton
  de Lembeye) (64) ... 285 F2
Castillon-de-Castets (33) ... 230 B6
Castillon-de-Larboust (31) ... 305 H6
Castillon-de-Saint-Martory (31) ... 287 F6
Castillon-Debats (32) ... 266 E4
Castillon-du-Gard (30) ... 275 J1
Castillon-en-Auge (14) ... 54 D1
Castillon-en-Couserans (09) ... 306 C3
Castillon-la-Bataille (33) ... 230 C2
Castillon-Massas (32) ... 267 H5
Castillon-Savès (32) ... 287 H1
Castillonnès (47) ... 231 J4
Castilly (14) ... 31 J1
Castin (32) ... 267 H5
Castineta (2B) ... 319 G4
Castirla (2B) ... 319 F5
Castres (02) ... 19 K3
Castres (81) ... 271 F6
Castres-Gironde (33) ... 229 J4
Castries (34) ... 274 D5
le Cateau-Cambrésis (59) ... 12 D5
le Catelet (02) ... 11 K6
le Catelier (76) ... 16 A3
Catenay (76) ... 36 A1
Catenoy (60) ... 38 B3
Cateri (2B) ... 318 C3
Cathervielle (31) ... 305 G6
Catheux (60) ... 17 K5
Catigny (60) ... 19 G5
Catillon-Fumechon (60) ... 37 K1
Catillon-sur-Sambre (59) ... 12 D5
Catllar (66) ... 314 C3
Catonvielle (32) ... 268 B5
Cattenières (59) ... 12 B4
Cattenom (57) ... 27 H3
Catteville (50) ... 28 D6
Catus (46) ... 233 G6
Catz (50) ... 31 G1
Caubeyres (47) ... 247 H4
Caubiac (31) ... 268 B5
Caubios-Loos (64) ... 284 C2
Caubon-Saint-Sauveur (47) ... 230 E4
Caubous (31) ... 305 G1
Caubous (65) ... 286 B5
Caucalières (81) ... 290 A2
la Cauchie (62) ... 10 D4
Cauchy-à-la-Tour (62) ... 5 J6
Caucourt (62) ... 10 D1
Caudan (56) ... 100 A3
Caudebec-en-Caux (76) ... 15 G6
Caudebec-lès-Elbeuf (76) ... 35 H4
Caudebronde (11) ... 290 A3
Caudecoste (47) ... 248 C5
Caudeval (11) ... 308 C1
Caudiès-de-Conflent (66) ... 313 K3
Caudiès-de-Fenouillèdes (66) ... 309 G5
Caudrot (33) ... 230 B5
Caudry (59) ... 12 C5
Cauffry (60) ... 38 A3
Caugé (27) ... 57 F2
Caujac (31) ... 288 C4
Caulaincourt (02) ... 19 J2
Caulières (80) ... 17 H3
Caullery (59) ... 12 B5
Caulnes (22) ... 78 B2
Caumont (02) ... 19 J5
Caumont (09) ... 306 D2

Caumont (27) ... 35 G3
Caumont (32) ... 266 B5
Caumont (33) ... 230 C4
Caumont (62) ... 9 H3
Caumont (82) ... 268 C1
Caumont-l'Éventé (14) ... 32 A6
Caumont-sur-Durance (84) ... 276 C2
Caumont-sur-Garonne (47) ... 247 H1
Caumont-sur-Orne (14) ... 53 H2
Cauna (40) ... 265 F4
Caunay (79) ... 179 F2
Cauneille (40) ... 264 B6
Caunes-Minervois (11) ... 290 D4
la Caunette (34) ... 291 F4
Caunette-sur-Lauquet (11) ... 309 G2
Caunettes-en-Val (11) ... 309 J2
Caupenne (40) ... 264 E5
Caupenne-d'Armagnac (32) ... 266 B4
la Caure (51) ... 61 H3
Caurel (22) ... 76 D4
Caurel (51) ... 41 G3
Cauro (2A) ... 320 D5
Cauroir (59) ... 12 B4
Cauroy (08) ... 41 K3
Cauroy-lès-Hermonville (51) ... 40 E3
le Causé (82) ... 268 C4
Cause-de-Clérans (24) ... 231 K2
Caussade (82) ... 250 B5
Caussade-Rivière (65) ... 285 H1
Causse-Bégon (30) ... 253 K6
Causse-de-la-Selle (34) ... 273 K4
Causse-et-Diège (12) ... 234 D6
Caussens (32) ... 267 G2
Causses-et-Veyran (34) ... 291 J2
Caussiniojouls (34) ... 291 K1
Caussols (06) ... 280 D3
Caussou (09) ... 308 A3
Cauterets (65) ... 304 A3
Cauverville-en-Roumois (27) ... 34 D3
Cauvicourt (14) ... 54 A1
Cauvignac (33) ... 246 E1
Cauvigny (60) ... 37 J3
Cauville (14) ... 53 H2
Cauville-sur-Mer (76) ... 14 A5
Caux (34) ... 292 B2
Caux-et-Sauzens (11) ... 290 A5
Cauzac (47) ... 248 D3
Cavagnac (46) ... 215 K6
Cavaillon (84) ... 276 D3
Cavalaire-sur-Mer (83) ... 301 J3
la Cavalerie (12) ... 272 E1
Cavan (22) ... 48 B3
Cavanac (11) ... 290 B6
Cavarc (47) ... 231 K4
Caveirac (30) ... 275 F2
Caves (11) ... 310 C3
Cavignac (33) ... 211 K4
Cavigny (50) ... 31 H2
Cavillargues (30) ... 256 B5
Cavillon (80) ... 17 J1
Cavron-Saint-Martin (62) ... 9 H1
Caychax (09) ... 307 K5
Cayeux-en-Santerre (80) ... 18 D3
Cayeux-sur-Mer (80) ... 8 D4
le Caylar (34) ... 273 G3
Caylus (82) ... 250 D4
Cayrac (82) ... 250 A6
Cayres (43) ... 238 E1
Cayriech (82) ... 250 B4
le Cayrol (12) ... 236 B5
Cayrols (15) ... 235 F2
Cazac (31) ... 287 G4
Cazalis (33) ... 246 B2
Cazalis (40) ... 265 F5
Cazalrenoux (11) ... 289 G6
Cazals (46) ... 233 F5
Cazals (82) ... 250 C5
Cazals-des-Baylès (09) ... 308 C1
Cazaril-Laspènes (31) ... 305 H5
Cazaril-Tambourès (31) ... 286 C6
Cazarilh (65) ... 305 H3
Cazats (33) ... 246 D1
Cazaubon (32) ... 266 B2
Cazaugitat (33) ... 230 D3
Cazaunous (31) ... 305 K2
Cazaux (09) ... 307 H2
Cazaux-d'Anglès (32) ... 266 E5
Cazaux-Debat (65) ... 305 F4
Cazaux-Fréchet-Anéran-
  -Camors (65) ... 305 F4
Cazaux-Layrisse (31) ... 305 H4
Cazaux-Savès (32) ... 287 G1
Cazaux-Villecomtal (32) ... 285 J2
Cazavet (09) ... 306 C2
Cazeaux-de-Larboust (31) ... 305 H5
Cazedarnes (34) ... 291 J2
Cazenave-Serres-et-Allens (09) ... 307 J4
Cazeneuve (32) ... 266 D2
Cazeneuve-Montaut (31) ... 287 F6
Cazères (31) ... 287 H5
Cazères-sur-l'Adour (40) ... 265 J4
Cazes-Mondenard (82) ... 249 H4
Cazevieille (34) ... 274 A4
Cazideroque (47) ... 248 E2
Cazilhac (11) ... 290 B6
Cazilhac (34) ... 274 A2
Cazillac (46) ... 215 K6
Cazoulès (24) ... 233 H1
Cazouls-d'Hérault (34) ... 292 C2
Cazouls-lès-Béziers (34) ... 291 J3
Ceaucé (61) ... 81 G2
Ceaulmont (36) ... 165 H4
Céaux (50) ... 51 K3
Céaux-d'Allègre (43) ... 220 A4
Ceaux-en-Couhé (86) ... 162 E6
Ceaux-en-Loudun (86) ... 145 F3

Cébazan (34) 291 H3
Cébazat (63) 202 D1
Ceffonds (52) 91 H2
Ceignes (01) 189 J3
Ceilhes-et-Rocozels (34) 272 E4
Ceillac (05) 227 B3
Ceilloux (63) 203 H3
Ceintrey (54) 94 A1
la Celette (18) 167 G2
la Celle (03) 184 C2
la Celle (18) 167 F1
Cellé (41) 107 K5
la Celle (63) 201 H1
la Celle (83) 297 K2
la Celle-Condé (18) 148 E6
la Celle-Dunoise (23) 182 C1
la Celle-en-Morvan (71) 152 E3
la Celle-Guenand (37) 146 C4
la Celle-les-Bordes (78) 58 A6
Celle-Lévescault (86) 162 D5
la Celle-Saint-Avant (37) 145 K3
la Celle-Saint-Cloud (78) 58 C3
la Celle-Saint-Cyr (89) 112 D3
la Celle-sous-Chantemerle (51) 61 G6
la Celle-sous-Gouzon (23) 183 G2
la Celle-sous-Montmirail (02) 61 F3
la Celle-sur-Loire (58) 132 A4
la Celle-sur-Morin (77) 60 A4
la Celle-sur-Nièvre (58) 150 E1
Cellefrouin (16) 179 J6
Celles (09) 307 K3
Celles (15) 218 C4
Celles (17) 195 J4
Celles (24) 213 H2
Celles (34) 273 G6
Celles-en-Bassigny (52) 117 F3
Celles-lès-Condé (02) 61 F1
Celles-sur-Aisne (02) 40 A2
Celles-sur-Belle (79) 178 C1
Celles-sur-Durolle (63) 203 J1
Celles-sur-Ource (10) 114 E2
Celles-sur-Plaine (88) 95 H2
la Cellette (23) 166 B6
la Cellette (63) 184 B4
Cellettes (16) 179 G6
Cellettes (41) 129 F3
le Cellier (44) 123 J3
Cellier-du-Luc (07) 238 C4
Cellieu (42) 205 H5
Cellule (63) 185 F5
Celon (36) 165 G4
Celoux (15) 219 F4
Celsoy (52) 116 E4
Cély (77) 87 G3
Cemboing (70) 117 H4
Cempuis (60) 17 H5
Cénac (33) 229 J3
Cénac-et-Saint-Julien (24) 233 F3
Cenans (70) 138 B3
Cendras (30) 255 G5
le Cendre (63) 202 E3
Cendrecourt (70) 117 J4
Cendrey (25) 138 C4
Cendrieux (24) 214 B6
Cénevières (46) 250 D1
Cenne-Monestiés (11) 289 J4
Cenon (33) 229 H2
Cenon-sur-Vienne (86) 163 H1
Censeau (39) 156 C5
Censerey (21) 153 F1
Censy (89) 114 A6
les Cent-Acres (76) 16 A3
Centrès (12) 251 K5
Centuri (2B) 317 D2
Cenves (69) 188 A1
Cépet (31) 269 G4
Cépie (11) 309 F1
Cepoy (45) 111 J2
Céran (32) 267 J3
Cérans-Foulletourte (72) 106 C5
Cerbère (66) 315 K5
Cerbois (18) 148 D2
Cercié (69) 188 B3
Cercier (74) 190 E4
Cercles (24) 213 H1
Cercottes (45) 110 A3
Cercoux (17) 212 B4
le Cercueil (61) 82 C1
Cercy-la-Tour (58) 151 J5
Cerdon (01) 189 J3
Cerdon (45) 130 E2
Cère (40) 265 G1
Céré-la-Ronde (37) 128 D6
Cerelles (37) 127 J3
Cérences (50) 30 E6
Céreste (04) 277 K3
Céret (66) 315 F5
Cerfontaine (59) 13 H3
le Cergne (42) 187 H3
Cergy (95) 58 B1
Cérilly (03) 167 K3
Cérilly (21) 115 F4
Cérilly (89) 89 G6
Cerisé (61) 82 D3
Cerisières (52) 92 A4
Cerisiers (89) 113 F1
Cerisy (80) 18 E2
Cerisy-Belle-Étoile (61) 53 G4
Cerisy-Buleux (80) 17 F1
Cerisy-la-Forêt (50) 31 J2
Cerisy-la-Salle (50) 31 F4
Cerizay (79) 143 G6
Cérizols (09) 306 C1
Cerizy (02) 20 A3
la Cerlangue (76) 34 B1
Cernans (39) 156 B4
Cernay (14) 55 F1
Cernay (28) 84 E4
Cernay (68) 97 A2
Cernay (86) 145 G6
Cernay-en-Dormois (51) 42 C4
Cernay-la-Ville (78) 58 B6
Cernay-l'Église (25) 139 H5
Cernay-lès-Reims (51) 41 F4
Cerneux (77) 60 D5
Cernex (74) 190 E3
Cerniébaud (39) 156 C6
Cernion (08) 22 A3
Cernon (39) 173 H5
Cernon (51) 62 D3
Cernoy (60) 38 B2
Cernoy-en-Berry (45) 131 H3
Cernusson (49) 143 J1
Cerny (91) 86 E2
Cerny-en-Laonnois (02) 40 B2
Cerny-lès-Bucy (02) 20 C6
Céron (71) 186 D1
Cérons (33) 229 K4
Cerqueux (14) 55 F1
les Cerqueux (49) 143 H3
les Cerqueux-sous-
-Passavant (49) 143 J2
Cerre-lès-Noroy (70) 138 C1
Cers (34) 292 B4
Cersay (79) 143 K3
Cerseuil (02) 40 A3
Cersot (71) 171 H1
Certilleux (88) 93 G4
Certines (01) 189 G3
Cervens (74) 175 F6
Cervières (05) 227 B1
Cervières (42) 204 A1
Cerville (54) 66 B5
Cervione (2B) 319 J5
Cervon (58) 151 K1
Cerzat (43) 219 H4
Cesancey (39) 173 F2
Césarches (73) 209 G2
Césarville-Dossainville (45) 86 D5
Cescau (09) 306 C3
Cescau (64) 284 B3
Cesny-aux-Vignes-Ouézy (14) 33 G6
Cesny-Bois-Halbout (14) 53 J1
Cessac (33) 230 B3
Cessales (31) 288 E2
Cesse (55) 23 H6
Cessenon-sur-Orb (34) 291 J2
Cessens (73) 208 B1
Cesseras (34) 290 E4
Cesset (03) 185 G1
Cesseville (27) 35 G5
Cessey (25) 156 A2
Cessey-sur-Tille (21) 136 C6
Cessières (02) 20 C6
Cessieu (38) 207 G4
Cesson (77) 87 G1
Cesson-Sévigné (35) 79 G4
Cessoy-en-Montois (77) 88 C2
Cessy (01) 174 B6
Cessy-les-Bois (58) 132 C5
Cestas (33) 229 G3
Cestayrols (81) 270 C2
Ceton (61) 83 K5
Cette-Eygun (64) 303 F3
Cevins (73) 209 G3
Ceyras (34) 273 H6
Ceyrat (63) 202 D2
Ceyreste (13) 297 F5
Ceyroux (23) 182 B4
Ceyssac (43) 220 B5
Ceyssat (63) 202 B2
Ceyzériat (01) 189 H2
Ceyzérieu (01) 190 B6
Cézac (33) 211 J4
Cézac (46) 249 J3
Cezais (85) 160 D3
Cézan (32) 267 H3
Cezay (42) 204 C1
Cézens (15) 218 B6
Cézia (39) 173 G5
Cézy (89) 112 E3
Chabanais (16) 180 B6
la Chabanne (03) 186 C4
Chabestan (05) 242 B6
Chabeuil (26) 240 D1
Chablis (89) 113 J5
Châbons (38) 207 G6
Chabottes (05) 243 F4
Chabournay (86) 162 E1
Chabrac (16) 180 C6
Chabreloche (63) 186 B6
Chabrignac (19) 215 G2
Chabrillan (26) 240 D3
Chabris (36) 129 H6
Chacé (49) 144 C1
Chacenay (10) 115 F1
Chacrise (02) 39 K3
Chadeleuf (63) 202 E4
Chadenac (17) 195 J4
Chadenet (48) 237 K6
Chadrac (43) 220 C5
Chadron (43) 220 C6
Chadurie (16) 196 D5
le Chaffal (26) 241 F1
le Chaffaut-Saint-Jurson (04) 259 J6
Chaffois (25) 156 E4
Chagey (70) 139 G1
Chagnon (42) 205 H5
Chagny (08) 22 D6
Chagny (71) 153 K5
Chahaignes (72) 107 G6
Chahains (61) 82 B1
Chaignay (21) 136 A3
Chaignes (27) 57 G1
Chail (79) 178 E2
Chaillac (36) 164 E5
Chaillac-sur-Vienne (87) 180 D6
Chailland (53) 80 E5
Chaillé-les-Marais (85) 160 B5
Chaillé-sous-les-Ormeaux (85) 159 J3
Chailles (41) 128 E3
Chaillevette (17) 194 C2
Chaillevois (02) 40 A1
Chailley (89) 113 H2
Chaillon (55) 65 F2
Chailloué (61) 54 E6
Chailly-en-Bière (77) 87 G3
Chailly-en-Brie (77) 60 B4
Chailly-en-Gâtinais (45) 111 G3
Chailly-lès-Ennery (57) 45 F4
Chailly-sur-Armançon (21) 135 F6
Chainaz-les-Frasses (74) 208 C1
Chaînée-des-Coupis (39) 155 G4
Chaingy (45) 109 J4
Chaintré (71) 188 B1
Chaintreaux (77) 87 J6
Chaintrix-Bierges (51) 62 B3
la Chaise (10) 91 G4
la Chaise-Baudouin (50) 52 B4
la Chaise-Dieu (43) 220 A2
Chaise-Dieu-du-Theil (27) 55 K4
Chaix (85) 160 D5
la Chaize-Giraud (85) 158 E2
la Chaize-le-Vicomte (85) 159 K1
Chalabre (11) 308 C3
Chalagnac (24) 213 K5
Chalain-d'Uzore (42) 204 D3
Chalain-le-Comtal (42) 204 E3
Chalaines (55) 65 F6
Chalais (16) 212 D2
Chalais (36) 164 D4
Chalais (86) 144 E4
Chalamont (01) 189 F4
Chalampé (68) 97 E1
Chalancey (52) 116 B6
Chalancon (26) 241 H6
Chalandray (86) 162 B2
Chalandry (02) 20 D4
Chalandry-Elaire (08) 22 D4
le Chalange (61) 83 F1
le Chalard (87) 198 D5
Chalautre-la-Grande (77) 89 F2
Chalautre-la-Petite (77) 88 D2
Chalaux (58) 133 K5
Chaleins (01) 188 C4
Chaleix (24) 198 B5
Chalencon (07) 239 K1
les Chalesmes (39) 174 B1
Châlette-sur-Loing (45) 111 J3
Chalette-sur-Voire (10) 90 E3
Chaley (01) 189 K5
Chalèze (25) 138 A5
Chalezeule (25) 138 A5
Chaliers (15) 237 F1
Chalifert (77) 59 J3
Chaligny (54) 65 K6
Chalinargues (15) 218 C4
Chalindrey (52) 116 E5
Chalivoy-Milon (18) 149 K5
Challain-la-Potherie (49) 124 C1
Challans (85) 141 F5
Challement (58) 133 G5
Challerange (08) 42 B3
Challes (01) 189 J3
Challes (72) 107 G3
Challes-les-Eaux (73) 208 C4
Challet (28) 85 F1
Challex (01) 190 D2
Challignac (16) 196 B6
Challonges (74) 190 C4
Challuy (58) 150 D4
Chalmaison (77) 88 D2
Chalmazel (42) 204 B3
Chalmoux (71) 169 K3
Chalo-Saint-Mars (91) 86 B3
le Chalon (26) 222 E4
Chalon-sur-Saône (71) 154 A6
Chalonnes-sous-le-Lude (49) 126 D2
Chalonnes-sur-Loire (49) 124 E5
Châlons (38) 206 B6
Châlons-du-Maine (53) 81 G6
Châlons-en-Champagne (51) 62 D2
Châlons-sur-Vesle (51) 40 E4
Châlonvillars (70) 119 H6
Chalou-Moulineux (91) 86 B4
Chaltrait (51) 61 J2
Chalus (63) 202 E6
Châlus (87) 198 C3
Chalvignac (15) 217 F3
Chalvraines (52) 92 E5
Chamadelle (33) 212 C4
Chamagne (88) 94 B2
Chamagnieu (38) 206 E3
Chamalières (63) 202 D2
Chamalières-sur-Loire (43) 220 D3
Chamaloc (26) 241 H2
Chamant (60) 38 C5
Chamarande (91) 86 D2
Chamarandes-Choignes (52) 116 B1
Chamaret (26) 257 F2
la Chamba (42) 203 K2
Chambain (21) 115 K5
Chambeire (21) 136 C5
Chambellay (49) 105 F6
Chambéon (42) 204 E3
Chambérat (03) 167 F5
Chamberaud (23) 183 F4
Chamberet (19) 199 K4
Chambéria (39) 173 G4
Chambéry (73) 208 B4
Chambeugle (89) 112 B4
Chambezon (43) 219 F1
Chambilly (71) 186 E1
Chamblac (27) 55 H2
Chamblanc (21) 154 D3
Chamblay (39) 155 J3
Chambles (42) 204 E6
Chamblet (03) 184 B1
Chambley-Bussières (54) 44 C6
Chambly (60) 37 J5
Chambœuf (21) 135 K6
Chambœuf (42) 205 F4
Chambois (61) 54 D4
Chambolle-Musigny (21) 154 B1
le Chambon (07) 239 G2
Chambon (17) 177 G3
Chambon (18) 166 E1
Chambon (30) 255 G3
Chambon (37) 146 B6
le Chambon-Feugerolles (42) 221 G1
Chambon-la-Forêt (45) 110 E2
Chambon-le-Château (48) 237 K2
Chambon-Sainte-Croix (23) 165 K6
Chambon-sur-Cisse (41) 128 D2
Chambon-sur-Dolore (63) 203 J5
Chambon-sur-Lac (63) 202 B4
le Chambon-sur-Lignon (43) 221 G5
Chambon-sur-Voueize (23) 183 J2
Chambonas (07) 255 H2
Chambonchard (23) 184 A3
la Chambonie (42) 203 K2
Chamborand (23) 182 A3
Chambord (27) 55 J3
Chambord (41) 129 G2
Chamboret (87) 181 F5
Chamborigaud (30) 255 F3
Chambornay-lès-Bellevaux (70) 138 A4
Chambornay-lès-Pin (70) 137 J5
Chambors (60) 36 E4
Chambost-Allières (69) 187 K4
Chambost-Longessaigne (69) 205 G2
Chamboulive (19) 199 K6
Chambourcy (78) 58 B3
Chambourg-sur-Indre (37) 146 C1
Chambray (27) 35 K6
Chambray-lès-Tours (37) 127 J5
la Chambre (73) 209 F6
Chambrecy (51) 40 D5
les Chambres (50) 51 K2
Chambretaud (85) 142 D4
Chambrey (57) 66 D3
Chambroncourt (52) 92 D3
Chambry (02) 20 D6
Chambry (77) 59 K2
Chaméane (63) 203 G5
Chamelet (69) 187 K5
Chamery (51) 40 E5
Chamesey (25) 139 G6
Chamesol (25) 139 H4
Chamesson (21) 115 F5
Chameyrat (19) 216 A3
Chamigny (77) 60 C2
Chamilly (71) 153 J5
Chammes (53) 105 J1
Chamole (39) 155 J5
Chamonix-Mont-Blanc (74) 192 C5
Chamouillac (17) 211 J2
Chamouille (02) 40 B1
Chamouilley (52) 63 K6
Chamousset (73) 208 E4
Chamoux (89) 133 H4
Chamoux-sur-Gelon (73) 208 E4
Chamoy (10) 113 K1
le Champ-de-la-Pierre (61) 54 A6
Champ-d'Oiseau (21) 134 D2
Champ-Dolent (27) 56 C2
Champ-du-Boult (14) 52 D4
Champ-Haut (61) 55 F5
Champ-Laurent (73) 208 E4
Champ-le-Duc (88) 95 F5
le Champ-près-Froges (38) 224 C2
le Champ-Saint-Père (85) 159 J3
Champ-sur-Barse (10) 90 E5
Champ-sur-Drac (38) 224 A4
Champ-sur-Layon (49) 125 G6
Champagnac (15) 217 H1
Champagnac (17) 195 J6
Champagnac-de-Belair (24) 214 A1
Champagnac-la-Noaille (19) 216 D2
Champagnac-la-Prune (19) 216 C4
Champagnac-la-Rivière (87) 198 B3
Champagnac-le-Vieux (43) 219 J1
Champagnat (23) 183 H5
Champagnat (71) 172 E4
Champagnat-le-Jeune (63) 203 G6
Champagne (07) 222 B2
Champagne (17) 194 D1
Champagne (28) 57 H5
Champagné (72) 107 F2
Champagne-au-Mont-d'Or (69) 206 A1
Champagne-en-Valromey (01) 190 B5
Champagne-et-Fontaine (24) 197 F6
Champagné-le-Sec (86) 179 G2
Champagné-les-Marais (85) 160 A5
Champagne-Mouton (16) 179 J5
Champagné-Saint-Hilaire (86) 162 E6
Champagne-sur-Loue (39) 155 K3
Champagne-sur-Oise (95) 37 J6
Champagne-sur-Seine (77) 87 J3
Champagne-sur-Vingeanne (21) 136 D3
Champagne-Vigny (16) 196 C5
Champagneux (73) 207 J3
Champagney (25) 137 J6
Champagney (39) 137 F6
Champagney (70) 119 G5
Champagnier (38) 224 A4
Champagnole (39) 156 B6
Champagnolles (17) 195 G5
Champagny (21) 135 H3
Champagny-en-Vanoise (73) 209 K5
Champagny-sous-Uxelles (71) 171 J3
Champallement (58) 151 H1
Champanges (74) 175 G5
Champaubert (51) 61 H3
Champcella (05) 243 K3
Champcenest (77) 60 D6
Champcerie (61) 54 A4
Champcervon (50) 51 K2
Champcevinel (24) 214 A3
Champcevrais (89) 112 A6
Champcey (50) 51 J2
Champclause (43) 221 F5
Champcueil (91) 87 F2
Champdeniers-Saint-Denis (79) 161 H4
Champdeuil (77) 59 J6
Champdieu (42) 204 C3
Champdivers (39) 155 F3
Champdolent (17) 177 G5
Champdor (01) 190 A4
Champdôtre (21) 154 E1
Champdray (88) 95 G6
Champeau-en-Morvan (21) 134 B6
Champeaux (35) 79 K4
Champeaux (50) 51 J2
les Champeaux (61) 54 D3
Champeaux (77) 87 J1
Champeaux-et-la-Chapelle-
-Pommier (24) 197 J6
Champeaux-sur-Sarthe (61) 83 G1
Champeix (63) 202 D4
Champenard (27) 36 A6
la Champenoise (36) 148 A5
Champenoux (54) 66 C4
Champéon (53) 81 H3
Champétières (63) 203 K5
Champey (70) 139 G1
Champey-sur-Moselle (54) 65 K1
Champfleur (72) 82 D3
Champfleury (10) 62 A6
Champfleury (51) 41 F5
Champforgeuil (71) 154 A6
Champfrémont (53) 82 B3
Champfromier (01) 190 C2
Champgenéteux (53) 81 J4
Champguyon (51) 61 F4
Champhol (28) 85 G3
Champien (80) 19 G4
Champier (38) 207 F5
Champigné (49) 125 G1
Champignelles (89) 112 B5
Champigneul-Champagne (51) 62 B2
Champigneul-sur-Vence (08) 22 C4
Champigneulle (08) 42 D3
Champigneulles (54) 66 A4
Champigneulles-
-en-Bassigny (52) 93 F6
Champignol-lez-Mondeville (10) 115 G1
Champignolles (21) 153 H3
Champignolles (27) 55 K2
Champigny (51) 40 E4
Champigny (89) 88 C4
Champigny-en-Beauce (41) 108 E6
Champigny-la-Futelaye (27) 56 E3
Champigny-le-Sec (86) 162 D1
Champigny-lès-Langres (52) 116 D4
Champigny-sous-Varennes (52) 117 F4
Champigny-sur-Aube (10) 90 A1
Champigny-sur-Marne (94) 59 G4
Champigny-sur-Veude (37) 145 G3
Champillet (36) 166 C4
Champillon (51) 40 E6
Champis (07) 222 A6
Champlan (91) 58 D5
Champlat-et-Boujacourt (51) 40 D5
Champlay (89) 112 E3
Champlecy (71) 170 D4
Champlemy (58) 132 E6
Champlin (08) 21 K2
Champlin (58) 151 G1
Champlitte (70) 136 E1
Champlive (25) 138 C5
Champlost (89) 113 H2
Champmillon (16) 196 C3
Champmotteux (91) 86 E4
Champnétery (87) 199 J1
Champneuville (55) 43 H4
Champniers (16) 196 E2
Champniers (86) 179 J2
Champniers-et-Reilhac (24) 197 K3
Champoléon (05) 243 G3
Champoly (42) 204 A1
Champosoult (61) 54 E3
Champougny (55) 93 G1
Champoulet (45) 132 A1
Champoux (25) 138 B5
Champrenault (21) 135 G4
Champrepus (50) 52 A3
Champrond (72) 107 K2
Champrond-en-Gâtine (28) 84 C3
Champrond-en-Perchet (28) 84 A4
Champrougier (39) 155 G5
Champs (02) 19 K6
Champs (61) 83 H1
Champs (63) 185 F4
les Champs-de-Losque (50) 31 G2
les Champs-Géraux (22) 50 D6
Champs-Romain (24) 198 A5
Champs-sur-Marne (77) 59 G3
Champs-sur-Tarentaine-
-Marchal (15) 217 J1

Champs-sur-Yonne (89) 113 G6
Champsac (87) 198 C3
Champsanglard (23) 182 D1
Champsecret (61) 53 H6
Champseru (28) 85 H2
Champsevraine (52) 117 F5
Champtercier (04) 259 J5
Champteussé-sur-Baconne (49) . . . 125 F1
Champtocé-sur-Loire (49) 124 D4
Champtoceaux (49) 123 K2
Champtonnay (70) 137 G4
Champvallon (89) 112 E3
Champvans (39) 155 G2
Champvans (70) 137 F4
Champvans-les-Moulins (25) . . . 137 J6
Champvert (58) 151 H6
Champvoisy (51) 40 B6
Champvoux (58) 150 D2
Chamrousse (38) 224 C4
Chamvres (89) 112 E3
Chanac (48) 253 K1
Chanac-les-Mines (19) 216 B3
Chanaleilles (43) 237 J2
Chanas (38) 222 B2
Chanat-la-Mouteyre (63) 202 C1
Chanay (01) 190 C4
Chanaz (73) 208 A1
Chançay (37) 128 A4
Chancé (35) 79 J5
Chanceaux (21) 135 H3
Chanceaux-près-Loches (37) . . . 146 C2
Chanceaux-sur-Choisille (37) . . . 127 J3
Chancelade (24) 213 K3
Chancenay (52) 63 K5
Chancey (70) 137 G5
Chancia (39) 173 H6
Chandai (61) 55 K5
Chandolas (07) 255 J2
Chandon (42) 187 G3
Chanéac (07) 239 G1
Chaneins (01) 188 C3
Chânes (71) 188 B1
le Change (24) 214 C3
Changé (53) 104 E1
Change (71) 153 J4
Changé (72) 106 E3
Changey (52) 116 D3
Changis-sur-Marne (77) 60 A2
Changy (42) 186 D5
Changy (51) 63 G4
Changy (71) 170 D5
Chaniat (43) 219 J2
Chaniers (17) 195 H2
Channay (21) 114 D4
Channay-sur-Lathan (37) . . . 126 E3
Channes (10) 114 C3
Chanonat (63) 202 D3
Chanos-Curson (26) 222 C5
Chanousse (05) 258 C2
Chanoy (52) 116 C3
Chanoz-Châtenay (01) 188 E2
Chanteau (45) 110 B3
Chantecoq (45) 112 A2
Chantecorps (79) 162 A4
Chantéheux (54) 66 D4
Chanteix (19) 215 K2
Chantelle (03) 185 F2
Chanteloup (27) 56 C3
Chanteloup (35) 79 G6
Chanteloup (50) 30 D6
Chanteloup (79) 143 J6
Chanteloup-en-Brie (77) 59 J3
Chanteloup-les-Bois (49) . . . 143 G2
Chanteloup-les-Vignes (78) . . . 58 B2
Chantelouve (38) 224 D5
Chantemerle (51) 89 G1
Chantemerle-les-Blés (26) . . . 222 C4
Chantemerle-lès-Grignan (26) . . 256 E2
Chantemerle-sur-la-Soie (17) . . . 177 J5
Chantenay-Saint-Imbert (58) . . . 168 D1
Chantenay-Villedieu (72) . . . 106 A3
Chantepie (35) 79 G4
Chantérac (24) 213 H4
Chanteraine (55) 64 D5
Chanterelle (15) 218 B1
Chantes (70) 137 J1
Chantesse (38) 223 H2
Chanteuges (43) 219 J5
Chantillac (16) 212 A1
Chantilly (60) 38 A5
Chantonnay (85) 160 B1
Chantraine (88) 94 D5
Chantraines (52) 92 C5
Chantrans (25) 156 D2
Chantrigné (53) 81 G3
Chanu (61) 53 G5
Chanville (57) 45 H6
Chanzeaux (49) 125 F6
Chaon (41) 130 C2
Chaouilley (54) 93 K2
Chaource (10) 114 B2
Chaourse (02) 21 G4
Chapaize (71) 171 J3
Chapareillan (38) 208 C5
Chapdes-Beaufort (63) . . . 184 D6
Chapdeuil (24) 213 H1
Chapeau (03) 169 G4
Chapeiry (74) 190 E6
Chapelaine (51) 90 E1
la Chapelaude (03) 167 G5
la Chapelle (03) 186 A4
la Chapelle (08) 23 F3
la Chapelle (16) 196 D1
la Chapelle (73) 209 F6
la Chapelle-Achard (85) . . . 159 F2
la Chapelle-Agnon (63) . . . 203 J4

la Chapelle-Anthenaise (53) . . . 105 F1
la Chapelle-au-Mans (71) . . . 170 A3
la Chapelle-au-Moine (61) . . . 53 G5
la Chapelle-au-Riboul (53) . . . 81 J4
la Chapelle-Aubareil (24) . . . 215 F6
la Chapelle-aux-Bois (88) . . . 118 C1
la Chapelle-aux-Brocs (19) . . . 215 K4
la Chapelle-aux-Chasses (03) . . . 169 G2
la Chapelle-aux-Choux (72) . . . 126 E1
la Chapelle-aux-Filtzméens (35) . . 51 F6
la Chapelle-aux-Lys (85) . . . 161 F2
la Chapelle-aux-Naux (37) . . . 127 F5
la Chapelle-aux-Saints (19) . . . 216 A6
la Chapelle-Baloue (23) . . . 165 H6
la Chapelle-Basse-Mer (44) . . . 123 J3
la Chapelle-Bâton (79) . . . 161 J4
la Chapelle-Bâton (86) . . . 179 J2
la Chapelle-Bayvel (27) . . . 34 B4
la Chapelle-Bertin (43) . . . 219 K3
la Chapelle-Bertrand (79) . . . 162 A2
la Chapelle-Biche (61) . . . 53 G5
la Chapelle-Blanche (22) . . . 78 C2
la Chapelle-Blanche (73) . . . 208 D5
la Chapelle-Blanche-
    -Saint-Martin (37) . . . 146 B3
la Chapelle-Bouëxic (35) . . . 78 D6
la Chapelle-Caro (56) . . . 101 J3
la Chapelle-Cécelin (50) . . . 52 B3
la Chapelle-Chaussée (35) . . . 78 E2
la Chapelle-Craonnaise (53) . . . 104 D3
la Chapelle-d'Abondance (74) . . . 175 J6
la Chapelle-d'Alagnon (15) . . . 218 C5
la Chapelle-d'Aligné (72) . . . 105 K6
la Chapelle-d'Andaine (61) . . . 81 H1
la Chapelle-d'Angillon (18) . . . 131 F5
la Chapelle-d'Armentières (59) . . . 6 C3
la Chapelle-d'Aunainville (28) . . . 85 K3
la Chapelle-d'Aurec (43) . . . 221 F2
la Chapelle-de-Bragny (71) . . . 171 J2
la Chapelle-de-Brain (35) . . . 102 D3
la Chapelle-de-Guinchay (71) . . . 188 B2
la Chapelle-de-la-Tour (38) . . . 207 G4
la Chapelle-de-Mardore (69) . . . 187 H4
la Chapelle-de-Surieu (38) . . . 222 C1
Chapelle-des-Bois (25) . . . 174 B2
la Chapelle-des-Fougeretz (35) . . . 79 F3
la Chapelle-des-Marais (44) . . . 122 A1
la Chapelle-des-Pots (17) . . . 195 H2
la Chapelle-devant-Bruyères (88) . . 95 G5
Chapelle-d'Huin (25) . . . 156 D4
la Chapelle-du-Bard (38) . . . 208 D6
la Chapelle-du-Bois (72) . . . 83 H5
la Chapelle-du-Bois-
    -des-Faulx (27) . . . 35 J6
la Chapelle-du-Bourgay (76) . . . 16 A3
la Chapelle-du-Châtelard (01) . . . 188 E4
la Chapelle-du-Genêt (49) . . . 142 D1
la Chapelle-du-Lou (35) . . . 78 D3
la Chapelle-du-Mont-
    -de-France (71) . . . 171 G6
la Chapelle-du-Mont-
    -du-Chat (73) . . . 208 A2
la Chapelle-du-Noyer (28) . . . 108 E2
la Chapelle-en-Juger (50) . . . 31 G3
la Chapelle-en-Lafaye (42) . . . 204 C6
la Chapelle-en-Serval (60) . . . 38 B6
la Chapelle-en-Valgaudémar (05) . . 243 F2
la Chapelle-en-Vercors (26) . . . 223 H6
la Chapelle-en-Vexin (95) . . . 36 D5
la Chapelle-Enchérie (41) . . . 108 D5
la Chapelle-Engerbold (14) . . . 53 G3
la Chapelle-Erbrée (35) . . . 80 B6
la Chapelle-Faucher (24) . . . 214 A1
la Chapelle-Felcourt (51) . . . 63 G1
la Chapelle-Forainvilliers (28) . . . 57 G5
la Chapelle-Fortin (28) . . . 56 A6
la Chapelle-Gaceline (56) . . . 102 C2
la Chapelle-Gaudin (79) . . . 143 K6
la Chapelle-Gaugain (72) . . . 107 J5
la Chapelle-Gauthier (72) . . . 107 J5
la Chapelle-Gauthier (77) . . . 87 K2
la Chapelle-Geneste (43) . . . 219 K1
la Chapelle-Glain (44) . . . 124 A1
la Chapelle-Gonaguet (24) . . . 213 K3
la Chapelle-Grésignac (24) . . . 213 G1
Chapelle-Guillaume (28) . . . 108 A1
la Chapelle-Hareng (27) . . . 34 B6
la Chapelle-Haute-Grue (14) . . . 54 D2
la Chapelle-Hermier (85) . . . 159 F1
la Chapelle-Heulin (44) . . . 142 A1
la Chapelle-Hugon (18) . . . 150 C5
la Chapelle-Hullin (49) . . . 104 B5
la Chapelle-Huon (72) . . . 107 K4
la Chapelle-Iger (77) . . . 60 A6
la Chapelle-Janson (35) . . . 80 B3
la Chapelle-la-Reine (77) . . . 87 G4
la Chapelle-Lasson (51) . . . 61 J6
la Chapelle-Launay (44) . . . 122 C2
la Chapelle-Laurent (15) . . . 219 F4
la Chapelle-lès-Luxeuil (70) . . . 118 D5
la Chapelle-Marcousse (63) . . . 202 D6
la Chapelle-Montabourlet (24) . . . 213 H1
la Chapelle-Montbrandeix (87) . . . 198 B3
la Chapelle-Monthodon (02) . . . 61 G1
la Chapelle-Montligeon (61) . . . 83 J2
la Chapelle-Montlinard (18) . . . 150 C2
la Chapelle-Montmartin (41) . . . 129 J6
la Chapelle-Montmoreau (24) . . . 197 J6
la Chapelle-Montreuil (86) . . . 162 D4
la Chapelle-Moulière (86) . . . 163 H2
la Chapelle-Moutils (77) . . . 60 E4
la Chapelle-Naude (71) . . . 172 C1
la Chapelle-Neuve (22) . . . 48 A6
la Chapelle-Neuve (56) . . . 100 E2
la Chapelle-Onzerain (45) . . . 109 H2
la Chapelle-Orthemale (36) . . . 147 H6

la Chapelle-Palluau (85) . . . 141 H6
la Chapelle-Pouilloux (79) . . . 179 F3
la Chapelle-près-Sées (61) . . . 82 D1
la Chapelle-Rablais (77) . . . 88 A2
la Chapelle-Rainsouin (53) . . . 105 H1
la Chapelle-Rambaud (74) . . . 191 G3
la Chapelle-Réanville (27) . . . 36 A6
la Chapelle-Rousselin (49) . . . 124 E6
Chapelle-Royale (28) . . . 108 C1
la Chapelle-Saint-André (58) . . . 132 E5
la Chapelle-Saint-Aubert (35) . . . 79 K2
la Chapelle-Saint-Aubin (72) . . . 106 D2
la Chapelle-Saint-Étienne (79) . . . 161 G2
la Chapelle-Saint-Florent (49) . . . 124 B5
la Chapelle-Saint-Fray (72) . . . 106 D1
la Chapelle-Saint-Géraud (19) . . . 216 C5
la Chapelle-Saint-Jean (24) . . . 214 E3
la Chapelle-Saint-Laud (49) . . . 125 J1
la Chapelle-Saint-Laurent (79) . . . 161 H1
la Chapelle-Saint-Laurian (36) . . . 148 A3
la Chapelle-Saint-Luc (10) . . . 90 A4
la Chapelle-Saint-Martial (23) . . . 182 D5
la Chapelle-Saint-Martin (73) . . . 207 K3
la Chapelle-Saint-Martin-
    -en-Plaine (41) . . . 109 F6
la Chapelle-Saint-Maurice (74) . . . 208 D1
la Chapelle-Saint-Mesmin (45) . . . 109 K4
la Chapelle-Saint-Ouen (76) . . . 16 C6
la Chapelle-Saint-Quillain (70) . . . 137 H3
la Chapelle-Saint-Rémy (72) . . . 107 G1
la Chapelle-Saint-Sauveur (44) . . . 124 C3
la Chapelle-Saint-Sauveur (71) . . . 154 E5
la Chapelle-Saint-Sépulcre (45) . . . 111 K2
la Chapelle-Saint-Sulpice (77) . . . 88 C1
la Chapelle-Saint-Ursin (18) . . . 149 F3
la Chapelle-Souëf (61) . . . 83 H4
la Chapelle-sous-Brancion (71) . . . 171 J3
la Chapelle-sous-Dun (71) . . . 187 H1
la Chapelle-sous-Orbais (51) . . . 61 H3
la Chapelle-sous-Uchon (71) . . . 152 E6
Chapelle-Spinasse (19) . . . 216 D1
la Chapelle-sur-Aveyron (45) . . . 111 K4
la Chapelle-sur-Chézy (02) . . . 60 E2
la Chapelle-sur-Coise (69) . . . 205 H3
la Chapelle-sur-Dun (76) . . . 15 H2
la Chapelle-sur-Erdre (44) . . . 123 G3
la Chapelle-sur-Furieuse (39) . . . 156 A3
la Chapelle-sur-Loire (37) . . . 126 E6
la Chapelle-sur-Oreuse (89) . . . 88 D5
la Chapelle-sur-Oudon (49) . . . 104 E6
la Chapelle-sur-Usson (63) . . . 203 G6
la Chapelle-Taillefert (23) . . . 182 D4
la Chapelle-Thècle (71) . . . 172 C3
la Chapelle-Thémer (85) . . . 160 C3
la Chapelle-Thireuil (79) . . . 161 G3
la Chapelle-Thouarault (35) . . . 78 E4
la Chapelle-Urée (50) . . . 52 B5
Chapelle-Vallon (10) . . . 90 A3
la Chapelle-Vaupelteigne (89) . . . 113 H5
la Chapelle-Vendômoise (41) . . . 128 D1
la Chapelle-Vicomtesse (41) . . . 108 C3
la Chapelle-Viel (61) . . . 55 J5
la Chapelle-Villars (42) . . . 205 K5
Chapelle-Viviers (86) . . . 163 J4
Chapelle-Voland (39) . . . 155 F6
la Chapelle-Yvon (14) . . . 34 A6
les Chapelles (73) . . . 209 K3
les Chapelles-Bourbon (77) . . . 59 K5
Chapelon (45) . . . 111 G2
la Chapelotte (18) . . . 131 G5
Chapet (78) . . . 58 A2
Chapois (39) . . . 156 B5
Chaponnay (69) . . . 206 B3
Chaponost (69) . . . 205 K2
Chappes (03) . . . 168 A6
Chappes (08) . . . 21 J5
Chappes (10) . . . 90 C6
Chappes (63) . . . 202 E1
Chaptelat (87) . . . 181 H6
Chaptuzat (63) . . . 185 G4
Charancieu (38) . . . 207 J5
Charantonnay (38) . . . 206 D5
Charavines (38) . . . 207 H6
Charbogne (08) . . . 42 A1
Charbonnat (71) . . . 152 D6
Charbonnier-les-Mines (63) . . . 219 G1
Charbonnières (28) . . . 84 B6
Charbonnières (71) . . . 171 K5
Charbonnières-les-Bains (69) . . . 205 K2
Charbonnières-les-Sapins (25) . . . 156 D3
Charbonnières-les-Varennes (63) . . 184 E6
Charbonnières-les-Vieilles (63) . . . 184 E5
Charbuy (89) . . . 113 F5
la Charce (26) . . . 241 J6
Charcé-Saint-Ellier-
    -sur-Aubance (49) . . . 125 H5
Charcenne (70) . . . 137 H4
Charchigné (53) . . . 81 J3
Charchilla (39) . . . 173 H4
Charcier (39) . . . 173 J2
Chard (23) . . . 183 K6
Chardeny (08) . . . 42 A2
Chardogne (55) . . . 64 A3
Chardonnay (71) . . . 171 K4
Chareil-Cintrat (03) . . . 185 G1
Charency (21) . . . 135 G4
Charency (39) . . . 156 B6
Charency-Vezin (54) . . . 43 J1
Charens (26) . . . 241 J5
Charensat (63) . . . 184 A5
Charentay (69) . . . 188 B3
Charentenay (89) . . . 133 F1
Charentilly (37) . . . 127 H3
Charenton-du-Cher (18) . . . 167 H1
Charenton-le-Pont (94) . . . 59 F4
Charentonnay (18) . . . 150 B2

Charette (38) . . . 207 F1
Charette-Varennes (71) . . . 154 D4
Charey (54) . . . 65 H1
Charézier (39) . . . 173 H2
Chargé (37) . . . 128 B4
Chargey-lès-Gray (70) . . . 137 F3
Chargey-lès-Port (70) . . . 117 K5
Chariez (70) . . . 138 A1
Charigny (21) . . . 134 E4
la Charité-sur-Loire (58) . . . 150 C1
Charix (01) . . . 190 B2
Charlas (31) . . . 286 E5
Charleval (13) . . . 277 F4
Charleval (27) . . . 36 A3
Charleville (51) . . . 61 G4
Charleville-Mézières (08) . . . 22 D3
Charleville-sous-Bois (57) . . . 45 H4
Charlieu (42) . . . 187 F3
Charly (02) . . . 60 D2
Charly (18) . . . 150 A5
Charly (69) . . . 206 A3
Charly-Oradour (57) . . . 45 F4
Charmant (16) . . . 196 E5
Charmauvillers (25) . . . 139 J5
Charmé (16) . . . 179 F5
la Charme (39) . . . 155 H5
le Charme (45) . . . 112 A5
la Charmée (71) . . . 171 J1
Charmeil (03) . . . 185 J3
le Charmel (02) . . . 40 A6
Charmensac (15) . . . 218 E3
Charmentray (77) . . . 59 J2
Charmes (02) . . . 20 B5
Charmes (03) . . . 185 G4
Charmes (21) . . . 136 D4
Charmes (52) . . . 116 D3
Charmes (88) . . . 94 B3
Charmes-en-l'Angle (52) . . . 91 K3
Charmes-la-Côte (54) . . . 65 H6
Charmes-la-Grande (52) . . . 91 K3
Charmes-Saint-Valbert (70) . . . 117 G5
Charmes-sur-l'Herbasse (26) . . . 222 D4
Charmes-sur-Rhône (07) . . . 240 B5
Charmoille (25) . . . 139 G5
Charmoille (70) . . . 118 A6
Charmois (54) . . . 94 C1
Charmois (90) . . . 139 J1
Charmois-devant-Bruyères (88) . . 94 E5
Charmois-l'Orgueilleux (88) . . . 94 B6
Charmont (51) . . . 63 J2
Charmont (95) . . . 36 E6
Charmont-en-Beauce (45) . . . 86 C5
Charmont-sous-Barbuise (10) . . . 90 B3
les Charmontois (51) . . . 63 K2
Charmoy (10) . . . 89 G3
Charmoy (71) . . . 170 E1
Charmoy (89) . . . 113 G3
Charnas (07) . . . 222 A1
Charnat (63) . . . 185 J5
Charnay (25) . . . 156 B1
Charnay (69) . . . 188 B6
Charnay-lès-Chalon (71) . . . 154 C4
Charnay-lès-Mâcon (71) . . . 188 C1
Charnècles (38) . . . 223 J1
Charnizay (37) . . . 146 C5
Charnod (39) . . . 173 H6
Charnois (08) . . . 24 C2
Charnoz-sur-Ain (01) . . . 189 G6
Charny (21) . . . 134 E5
Charny (77) . . . 59 J2
Charny-le-Bachot (10) . . . 89 K1
Charny-sur-Meuse (55) . . . 43 H4
Charolles (71) . . . 170 D5
Charols (26) . . . 240 D5
Charonville (28) . . . 84 E5
Chârost (18) . . . 148 D4
Charpentry (55) . . . 42 E4
Charpey (26) . . . 222 E6
Charpont (28) . . . 57 F5
Charquemont (25) . . . 139 H6
Charrais (86) . . . 162 E2
Charraix (43) . . . 219 J6
Charras (16) . . . 197 G5
Charray (28) . . . 108 E3
Charre (64) . . . 283 H4
Charrecey (71) . . . 153 J5
Charrey-sur-Saône (21) . . . 154 D2
Charrey-sur-Seine (21) . . . 115 F3
Charritte-de-Bas (64) . . . 283 H4
Charron (17) . . . 160 B6
Charron (23) . . . 184 A4
Charroux (03) . . . 185 F3
Charroux (86) . . . 179 J3
Chars (95) . . . 37 F5
Charsonville (45) . . . 109 H4
Chartainvilliers (28) . . . 85 G2
Chartèves (02) . . . 40 A6
la Chartre-sur-le-Loir (72) . . . 107 H6
Chartrené (49) . . . 126 A3
Chartres (28) . . . 85 G3
Chartres-de-Bretagne (35) . . . 79 F5
Chartrettes (77) . . . 87 H2
Chartrier-Ferrière (19) . . . 215 H5
Chartronges (77) . . . 60 D5
Chartuzac (17) . . . 211 J1
Charvieu-Chavagneux (38) . . . 206 D2
Charvonnex (74) . . . 191 F4
Chas (63) . . . 203 F2
Chaserey (10) . . . 114 B3
Chasnais (85) . . . 159 K4
Chasnans (25) . . . 156 E2
Chasnay (58) . . . 150 E1
Chasné-sur-Illet (35) . . . 79 H2
Chaspinhac (43) . . . 220 C5

Chaspuzac (43) . . . 220 A5
la Chassagne (39) . . . 155 G5
Chassagne (63) . . . 202 D5
Chassagne-Montrachet (21) . . . 153 K4
Chassagne-Saint-Denis (25) . . . 156 C2
Chassagnes (43) . . . 219 J3
Chassagny (69) . . . 205 K4
Chassaignes (24) . . . 213 F3
Chassal (39) . . . 173 J5
Chassant (28) . . . 84 C5
Chassé (72) . . . 82 E3
Chasse-sur-Rhône (38) . . . 206 A4
Chasseguey (50) . . . 52 C5
Chasselas (71) . . . 188 B1
Chasselay (38) . . . 223 G2
Chasselay (69) . . . 188 C6
Chassemy (02) . . . 40 A2
Chassenard (03) . . . 170 B5
Chasseneuil (36) . . . 165 G2
Chasseneuil-du-Poitou (86) . . . 163 F2
Chasseneuil-sur-Bonnieure (16) . . . 197 H1
Chassenon (16) . . . 198 A1
Chasseradès (48) . . . 238 B6
Chassey (21) . . . 134 E3
Chassey-Beaupré (55) . . . 92 D2
Chassey-le-Camp (71) . . . 153 J5
Chassey-lès-Montbozon (70) . . . 138 C2
Chassey-lès-Scey (70) . . . 137 K1
Chassiecq (16) . . . 179 J5
Chassiers (07) . . . 239 G6
Chassieu (69) . . . 206 C2
Chassignelles (89) . . . 114 C5
Chassignieu (38) . . . 207 H5
Chassignolles (36) . . . 166 A4
Chassignolles (43) . . . 219 J1
Chassigny (52) . . . 116 D6
Chassigny-sous-Dun (71) . . . 187 H2
Chassillé (72) . . . 106 B2
Chassors (16) . . . 196 A3
Chassy (18) . . . 150 B3
Chassy (71) . . . 170 C3
Chassy (89) . . . 112 E4
le Chastang (19) . . . 216 A4
Chastanier (48) . . . 238 B4
Chasteaux (19) . . . 215 H5
Chastel (43) . . . 219 G5
Chastel-Arnaud (26) . . . 241 F4
Chastel-Nouvel (48) . . . 237 J6
Chastel-sur-Murat (15) . . . 218 B4
Chastellux-sur-Cure (89) . . . 133 K4
Chastreix (63) . . . 201 K5
la Châtaigneraie (85) . . . 160 E2
Chatain (86) . . . 179 J4
Châtaincourt (28) . . . 56 E5
Châtas (88) . . . 95 J3
Château (71) . . . 171 G5
Château-Arnoux-
    -Saint-Auban (04) . . . 259 G5
Château-Bernard (38) . . . 223 K6
Château-Bréhain (57) . . . 66 D2
Château-Chalon (39) . . . 155 J6
Château-Chervix (87) . . . 199 G4
Château-Chinon
    (Campagne) (58) . . . 152 B3
Château-Chinon (Ville) (58) . . . 152 B3
le Château-d'Almenêches (61) . . . 54 D5
le Château-d'Oléron (17) . . . 176 D6
le Château-des-Prés (39) . . . 173 K4
le Château-d'Olonne (85) . . . 158 E3
Château-du-Loir (72) . . . 107 G6
Château-Gaillard (01) . . . 189 K6
Château-Garnier (86) . . . 179 J1
Château-Gontier (53) . . . 105 F4
Château-Guibert (85) . . . 159 K3
Château-la-Vallière (37) . . . 127 F2
Château-l'Abbaye (59) . . . 7 H4
Château-Landon (77) . . . 111 H1
Château-Larcher (86) . . . 162 E5
Château-l'Évêque (24) . . . 214 A3
Château-l'Hermitage (72) . . . 106 D5
Château-Porcien (08) . . . 21 J6
Château-Renard (45) . . . 112 A3
Château-Renault (37) . . . 128 A2
Château-Rouge (57) . . . 45 J3
Château-Salins (57) . . . 66 D3
Château-sur-Allier (03) . . . 168 B1
Château-sur-Cher (63) . . . 184 A3
Château-sur-Epte (27) . . . 36 D5
Château-Thébaud (44) . . . 123 H5
Château-Thierry (02) . . . 60 E1
Château-Verdun (09) . . . 307 K5
Château-Ville-Vieille (05) . . . 227 B2
Château-Voué (57) . . . 66 E3
Châteaubernard (16) . . . 195 K3
Châteaubleau (77) . . . 88 B1
Châteaubourg (07) . . . 222 B6
Châteaubourg (35) . . . 79 J4
Châteaubriant (44) . . . 103 J3
Châteaudouble (26) . . . 240 E1
Châteaudouble (83) . . . 279 G5
Châteaudun (28) . . . 108 E2
Châteaufort (04) . . . 259 G3
Châteaufort (78) . . . 58 C5
Châteaugay (63) . . . 202 D1
Châteaugiron (35) . . . 79 H5
Châteaulin (29) . . . 74 D3
Châteaumeillant (18) . . . 166 D4
Châteauneuf (21) . . . 153 J1
Châteauneuf (42) . . . 205 J5
Châteauneuf (71) . . . 187 G2
Châteauneuf (73) . . . 208 E4
Châteauneuf (85) . . . 140 E4
Châteauneuf-de-Bordette (26) . . . 257 H2
Châteauneuf-de-Chabre (05) . . . 258 E3
Châteauneuf-de-Gadagne (84) . . . 276 C2
Châteauneuf-de-Galaure (26) . . . 222 C3

Combressol (19) 200 E6
Combret (12) 271 K3
Combreux (45) 110 E3
Combrimont (88) 95 K4
Combrit (29) 98 C2
Combronde (63) 185 F5
Combs-la-Ville (77) 59 G6
la Comelle (71) 152 D5
Comiac (46) 234 D1
Comigne (11) 290 D6
Comines (59) 6 D2
Commana (29) 46 E6
Commarin (21) 135 G6
Commeaux (61) 54 B4
Commelle (38) 206 E6
Commelle-Vernay (42) 187 F5
Commenailles (39) 155 G6
Commenchon (02) 19 J5
Commensacq (40) 245 G4
Commentry (03) 184 B1
Commeny (95) 37 F6
Commequiers (85) 141 F6
Commer (53) 81 G5
Commercy (55) 65 F4
Commerveil (72) 83 F4
Commes (14) 32 B3
Communailles-en-Montagne (39) 156 C6
Communay (69) 206 A4
Compains (63) 202 B6
Compainville (76) 16 E5
Compans (77) 59 H2
le Compas (23) 183 K5
Compertrix (51) 62 D2
Compeyre (12) 253 G5
Compiègne (60) 38 D2
Compigny (89) 88 D4
Compolibat (12) 251 H2
la Compôte (73) 208 D2
Comprégnac (12) 253 F6
Compreignac (87) 181 H5
Comps (26) 240 E5
Comps (30) 275 K3
Comps (33) 211 H5
Comps-la-Grand-Ville (12) 252 B4
Comps-sur-Artuby (83) 279 J4
la Comté (62) 10 C1
Comus (11) 308 B5
Conan (41) 108 E6
Conand (01) 189 J6
Conat (66) 314 B3
Conca (2A) 323 J1
Concarneau (29) 98 E3
Concevreux (02) 40 C2
Concèze (19) 215 G1
Conches-en-Ouche (27) 56 B2
Conches-sur-Gondoire (77) 59 H3
Conchez-de-Béarn (64) 285 F1
Conchil-le-Temple (62) 8 E2
Conchy-les-Pots (60) 18 E5
Conchy-sur-Canche (62) 9 K2
Concorès (46) 233 H4
Concoret (56) 78 B4
Concots (46) 250 C2
Concoules (30) 255 F2
Concourson-sur-Layon (49) 144 A1
Concremiers (36) 164 B3
Concressault (18) 131 G3
Concriers (41) 109 G6
Condac (16) 179 G4
Condal (71) 172 D4
Condamine (01) 189 K3
Condamine (39) 173 F2
la Condamine-Châtelard (04) 227 B6
Condat (15) 218 A2
Condat (46) 215 K6
Condat-en-Combraille (63) 201 H1
Condat-lès-Montboissier (63) 203 H5
Condat-sur-Ganaveix (19) 199 J6
Condat-sur-Trincou (24) 214 A1
Condat-sur-Vézère (24) 215 F4
Condat-sur-Vienne (87) 198 E2
Condé (36) 148 C5
Condé-en-Brie (02) 61 F1
Condé-Folie (80) 9 H6
Condé-lès-Autry (08) 42 C4
Condé-lès-Herpy (08) 21 J6
Condé-Northen (57) 45 H4
Condé-Sainte-Libiaire (77) 59 J3
Condé-sur-Aisne (02) 39 K2
Condé-sur-Huisne (61) 84 A4
Condé-sur-Ifs (14) 54 B1
Condé-sur-Iton (27) 56 B4
Condé-sur-l'Escaut (59) 7 J6
Condé-sur-Marne (51) 62 B1
Condé-sur-Noireau (14) 53 H3
Condé-sur-Risle (27) 34 D3
Condé-sur-Sarthe (61) 82 C3
Condé-sur-Seulles (14) 32 B4
Condé-sur-Suippe (02) 40 E2
Condé-sur-Vesgre (78) 57 H5
Condé-sur-Vire (50) 31 H4
Condeau (61) 84 A3
Condécourt (95) 58 A1
Condeissiat (01) 188 E2
Condéon (16) 196 B6
Condes (39) 173 G6
Condes (52) 92 B6
Condette (62) 4 B4
Condezaygues (47) 248 E1
Condillac (26) 240 B4
Condom (32) 267 F2
Condom-d'Aubrac (12) 236 C5
Condorcet (26) 257 J1
Condren (02) 19 K5
Condrieu (69) 206 A6
Conflandey (70) 117 K5
Conflans-en-Jarnisy (54) 44 C5
Conflans-Sainte-Honorine (78) 58 C2
Conflans-sur-Anille (72) 107 K3
Conflans-sur-Lanterne (70) 118 B4
Conflans-sur-Loing (45) 111 J3
Conflans-sur-Seine (51) 89 H1
Confolens (16) 180 B5
Confolent-Port-Dieu (19) 201 H5
Confort (01) 190 C2
Confort-Meilars (29) 74 A5
Confracourt (70) 117 J6
Confrançon (01) 188 E1
Congé-sur-Orne (72) 82 E6
Congénies (30) 274 E4
Congerville-Thionville (91) 86 B4
Congis-sur-Thérouanne (77) 60 A1
Congrier (53) 104 B4
Congy (51) 61 J3
Conie-Molitard (28) 109 F1
Conilhac-Corbières (11) 290 E6
Conilhac-de-la-Montagne (11) 308 E3
Conjux (73) 208 A1
Conlie (72) 106 C1
Conliège (39) 173 G2
Connac (12) 271 J1
Connangles (43) 219 K2
Connantray-Vaurefroy (51) 62 A5
Connantre (51) 61 K5
Connaux (30) 256 C6
Conne-de-Labarde (24) 231 J3
Connelles (27) 35 K4
Connerré (72) 107 G2
Connezac (24) 197 H5
Connigis (02) 61 F1
Conquereuil (44) 103 F4
Conques (12) 235 H5
Conques-sur-Orbiel (11) 290 B5
le Conquet (29) 72 A4
Conqueyrac (30) 274 C2
Cons-la-Grandville (54) 26 C3
Cons-Sainte-Colombe (74) 209 F1
Consac (17) 195 G6
Conségudes (06) 280 E2
Consenvoye (55) 43 G3
Consigny (52) 92 D6
Consolation-Maisonnettes (25) 157 H1
Contalmaison (80) 10 E6
Contamine-Sarzin (74) 190 D4
Contamine-sur-Arve (74) 191 H2
les Contamines-Montjoie (74) 192 B6
Contault (51) 63 H2
Contay (80) 10 C6
Conte (39) 156 B6
Contes (06) 281 H2
Contes (62) 9 H1
Contescourt (02) 19 K3
Contest (53) 81 G5
Conteville (14) 33 F6
Conteville (27) 34 B2
Conteville (60) 17 J5
Conteville (76) 16 E4
Conteville (80) 9 J4
Conteville-en-Ternois (62) 10 A1
Conteville-lès-Boulogne (62) 4 B3
Conthil (57) 66 E2
Contigné (49) 105 H6
Contigny (03) 168 E6
Contilly (72) 83 F3
Continvoir (37) 126 E4
Contoire (80) 18 D4
Contrazy (09) 306 E2
Contré (17) 178 C4
Contre (80) 17 J4
Contréglise (70) 117 K4
Contremoulins (76) 14 D4
Contres (18) 149 H5
Contres (41) 129 F4
Contreuve (08) 42 A3
Contrevoz (01) 207 J1
Contrexéville (88) 93 J5
Contrières (50) 30 E5
Contrisson (55) 63 J4
Conty (80) 17 K4
Contz-les-Bains (57) 27 J3
Conzieu (01) 207 J2
Coole (51) 62 D5
Coolus (51) 62 D2
la Copechagnière (85) 142 A5
Copponex (74) 190 E3
Coquainvilliers (14) 33 K5
Coquelles (62) 2 C3
la Coquille (24) 198 C5
Corancez (28) 85 G4
Corancy (58) 152 B2
Coray (29) 75 F5
Corbara (2B) 318 C2
Corbarieu (82) 269 G2
Corbas (69) 206 B3
Corbehem (62) 11 H2
Corbeil (51) 90 E1
Corbeil-Cerf (60) 37 H4
Corbeil-Essonnes (91) 87 F1
Corbeilles (45) 111 G2
Corbel (73) 208 A6
Corbelin (38) 207 H3
Corbenay (70) 118 C3
Corbeny (02) 40 D1
Corbère (66) 314 E2
Corbère-Abères (64) 285 F2
Corbère-les-Cabanes (66) 314 E2
Corberon (21) 154 B3
Corbès (30) 255 F6
Corbie (80) 18 C2
la Corbière (70) 118 E4
Corbières (04) 278 B4
Corbières (11) 308 C2
Corbigny (58) 133 H6
Corbon (14) 33 H5
Corbon (61) 83 J3
Corbonod (01) 190 C5
Corbreuse (91) 86 B2
Corcelle-Mieslot (25) 138 B4
Corcelles (01) 189 K4
Corcelles-en-Beaujolais (69) 188 B3
Corcelles-Ferrières (25) 137 H6
Corcelles-les-Arts (21) 153 K4
Corcelles-lès-Cîteaux (21) 154 C1
Corcelles-les-Monts (21) 135 K5
Corcieux (88) 95 H5
Corcondray (25) 137 J6
Corconne (30) 274 C3
Corcoué-sur-Logne (44) 141 H3
Corcy (02) 39 H4
Cordéac (38) 242 C2
Cordebugle (14) 34 B6
Cordelle (42) 186 E5
Cordemais (44) 122 D3
Cordes-sur-Ciel (81) 251 F6
Cordes-Tolosannes (82) 268 D1
Cordesse (71) 153 F3
Cordey (14) 54 A3
Cordon (74) 192 A5
Cordonnet (70) 137 K4
Coren (15) 218 E5
Corenc (38) 224 B3
Corent (63) 202 E3
Corfélix (51) 61 H4
Corgengoux (21) 154 B4
Corgnac-sur-l'Isle (24) 214 C1
Corgoloin (21) 154 B2
Corignac (17) 211 K2
Corlay (22) 76 D2
Corlier (01) 189 K4
Cormainville (28) 109 H1
Cormaranche-en-Bugey (01) 190 A5
Cormatin (71) 171 H3
Corme-Ecluse (17) 194 E3
Corme-Royal (17) 194 E2
Cormeilles (27) 34 B4
Cormeilles (60) 17 K5
Cormeilles-en-Parisis (95) 58 D2
Cormeilles-en-Vexin (95) 37 G6
Cormelles-le-Royal (14) 32 E5
Cormenon (41) 108 A3
Cormeray (41) 129 F3
Cormery (37) 127 K6
Cormes (72) 83 J6
Cormicy (51) 40 D3
le Cormier (27) 56 E2
Cormolain (14) 31 K3
Cormont (62) 4 C5
Cormontreuil (51) 41 F4
Cormoranche-sur-Saône (01) 188 C2
Cormost (10) 90 B6
Cormot-le-Grand (21) 153 J4
Cormoyeux (51) 40 E6
Cormoz (01) 172 D4
Corn (46) 234 C5
Cornac (46) 234 C1
Cornant (89) 112 C1
Cornas (07) 222 C6
Cornay (08) 42 D3
Corné (49) 125 J3
Cornebarrieu (31) 269 F6
Corneilhan (34) 291 K3
Corneilla-de-Conflent (66) 314 B4
Corneilla-del-Vercol (66) 315 H3
Corneilla-la-Rivière (66) 315 F2
Corneillan (32) 266 A5
Corneuil (27) 56 D3
Corneville-la-Fouquetière (27) 34 E6
Corneville-sur-Risle (27) 34 D3
Cornier (74) 191 G3
Cornil (19) 216 A3
Cornillac (26) 258 A1
Cornille (24) 214 B3
Cornillé (35) 79 K5
Cornillé-les-Caves (49) 125 J3
Cornillon (30) 256 B4
Cornillon-Confoux (13) 295 K3
Cornillon-en-Trièves (38) 242 A2
Cornillon-sur-l'Oule (26) 257 K1
Cornimont (88) 119 H2
Cornod (39) 173 G6
Cornot (70) 117 H6
la Cornuaille (49) 124 C3
Cornus (12) 272 E3
Cornusse (18) 149 K4
Corny (27) 36 B4
Corny-Machéroménil (08) 22 A6
Corny-sur-Moselle (57) 44 E6
Coron (49) 143 H2
Corpe (85) 160 A4
Corpeau (21) 153 K4
Corpoyer-la-Chapelle (21) 135 G2
Corps (38) 242 D2
Corps-Nuds (35) 79 G6
Corquilleroy (45) 111 H2
Corquoy (18) 149 F5
Corrano (2A) 321 F5
Corravillers (70) 119 F3
Corre (70) 117 K3
Corrençon-en-Vercors (38) 223 J5
Correns (83) 297 K1
Corrèze (19) 216 C1
Corribert (51) 61 H2
Corrobert (51) 61 G3
Corrombles (21) 134 C3
Corronsac (31) 288 C2
Corroy (51) 61 K5
Corsaint (21) 134 C3
Corsavy (66) 314 D5
Corscia (2B) 318 E5
Corsept (44) 122 C3
Corseul (22) 50 B5
Cortambert (71) 171 H4
Corte (2B) 319 F6
Cortevaix (71) 171 H4
Cortrat (45) 111 J4
les Corvées-les-Yys (28) 84 D4
Corveissiat (01) 189 J1
Corvol-d'Embernard (58) 132 E6
Corvol-l'Orgueilleux (58) 132 E4
Corzé (49) 125 J2
Cos (09) 307 H3
Cosges (39) 172 E1
Coslédaà-Lube-Boast (64) 284 E2
Cosmes (53) 104 D3
Cosnac (19) 215 J4
Cosne-Cours-sur-Loire (58) 132 A4
Cosne-d'Allier (03) 167 K5
Cosnes-et-Romain (54) 26 C2
Cosqueville (50) 28 E2
Cossaye (58) 169 F1
Cossé-d'Anjou (49) 143 G1
Cossé-en-Champagne (53) 105 J3
Cossé-le-Vivien (53) 104 D3
Cossesseville (14) 53 J3
Cosswiller (67) 70 C3
Costa (2B) 318 D2
Costaros (43) 238 C1
les Costes (05) 242 E3
les Costes-Gozon (12) 272 A1
la Côte (70) 119 F6
la Côte-d'Aime (73) 209 J4
la Côte-d'Arbroz (74) 192 A1
la Côte-en-Couzan (42) 204 A2
la Côte-Saint-André (38) 207 F6
le Coteau (42) 187 F4
Côtebrune (25) 138 C5
les Côtes-d'Arey (38) 206 B6
les Côtes-de-Corps (38) 242 C2
Coti-Chiavari (2A) 322 C1
Cotignac (83) 298 A1
Cottance (42) 205 F2
Cottenchy (80) 18 B3
Cottévrard (76) 16 B5
Cottun (14) 32 A3
la Couarde (79) 162 A6
la Couarde-sur-Mer (17) 158 C5
Couargues (18) 132 A6
Coubert (77) 59 H6
Coubeyrac (33) 230 D3
Coubisou (12) 236 A6
Coubjours (24) 215 F3
Coublanc (52) 116 E6
Coublanc (71) 187 G2
Coublevie (38) 223 K1
Coublucq (64) 284 D1
Coubon (43) 220 C6
Coubron (93) 59 G3
Couches (71) 153 H5
Couchey (21) 135 K6
la Coucourde (26) 240 B4
Coucouron (07) 238 D3
Coucy (08) 41 J1
Coucy-la-Ville (02) 20 A6
Coucy-le-Château-Auffrique (02) 39 J1
Coucy-lès-Eppes (02) 20 E6
Couddes (41) 129 F5
Coudehard (61) 54 D3
Coudekerque (59) 3 H2
Coudekerque-Branche (59) 3 H1
Coudes (63) 202 E4
Coudeville-sur-Mer (50) 30 D6
Coudons (11) 308 D4
Coudoux (13) 296 B1
Coudray (27) 36 B3
le Coudray (28) 85 G3
Coudray (45) 86 E5
Coudray (53) 105 F5
Coudray-au-Perche (28) 84 A5
le Coudray-Macouard (49) 144 C1
le Coudray-Montceaux (91) 87 F1
Coudray-Rabut (14) 33 K3
le Coudray-Saint-Germer (60) 36 E2
le Coudray-sur-Thelle (60) 37 H3
la Coudre (79) 143 J4
Coudreceau (28) 84 B4
Coudrecieux (72) 107 J3
Coudres (27) 56 E3
Coudroy (45) 111 F4
Coudun (60) 38 D2
Coudures (40) 265 G5
Coueilles (31) 287 F4
Couëron (44) 123 F4
Couesmes (37) 127 F2
Couesmes-Vaucé (53) 81 F2
Couffé (44) 123 K2
Couffoulens (11) 290 A6
Couffy (41) 129 F6
Couffy-sur-Sarsonne (19) 201 F3
Couflens (09) 306 E5
Coufouleux (81) 269 K4
Couhé (86) 179 G1
Couilly-Pont-aux-Dames (77) 59 K3
Couin (62) 10 C5
Couiza (11) 309 F3
Couladère (31) 287 H6
Coulaines (72) 106 E2
Coulandon (03) 168 D4
Coulangeron (89) 133 F1
Coulanges (03) 169 K4
Coulanges (41) 128 D3
Coulanges-la-Vineuse (89) 113 G6
Coulanges-lès-Nevers (58) 150 E4
Coulanges-sur-Yonne (89) 133 F3
Coulans-sur-Gée (72) 106 C2
Coulaures (24) 214 D2
Couleuvre (03) 168 A2
Coulevon (70) 118 B6
Coulgens (16) 197 F1
Coulimer (61) 83 G2
Coullemelle (80) 18 C5
Coullemont (62) 10 C4
Coullons (45) 131 F2
Coulmer (61) 55 F4
Coulmier-le-Sec (21) 115 F6
Coulmiers (45) 109 H4
Coulobres (34) 292 A2
Coulogne (62) 2 D3
Couloisy (60) 39 F2
Coulombiers (72) 82 D4
Coulombiers (86) 162 D4
Coulombs (14) 32 C4
Coulombs (28) 57 G6
Coulombs-en-Valois (77) 60 B1
Coulomby (62) 4 E3
Coulommes (77) 59 K3
Coulommes-et-Marqueny (08) 42 A2
Coulommes-la-Montagne (51) 40 E4
Coulommiers (77) 60 B4
Coulommiers-la-Tour (41) 108 D5
Coulon (79) 161 F6
Coulonces (14) 52 D3
Coulonces (61) 54 C3
la Coulonche (61) 53 J6
Coulongé (72) 106 D6
Coulonges (16) 196 D1
Coulonges (17) 195 J4
Coulonges (86) 164 D5
Coulonges-Cohan (02) 40 B5
Coulonges-les-Sablons (61) 84 A3
Coulonges-sur-l'Autize (79) 161 F4
Coulonges-sur-Sarthe (61) 83 G2
Coulonges-Thouarsais (79) 144 A4
Coulonvillers (80) 9 H4
Couloumé-Mondebat (32) 266 C6
Coulounieix-Chamiers (24) 214 A3
Coulours (89) 89 G6
Couloutre (58) 132 D4
Coulouvray-Boisbenâtre (50) 52 C4
Coulvain (14) 32 A6
Coulx (47) 248 A1
Coume (57) 45 J4
Counozouls (11) 313 K1
Coupelle-Neuve (62) 5 F6
Coupelle-Vieille (62) 5 F5
Coupesarte (14) 33 J6
Coupetz (51) 62 D4
Coupéville (51) 63 F2
Coupiac (12) 271 J2
Coupray (52) 115 K3
Coupru (02) 60 D1
Couptrain (53) 81 K2
Coupvray (77) 59 J3
Couquèques (33) 210 E1
Cour-Cheverny (41) 129 F3
Cour-et-Buis (38) 206 C6
Cour-l'Évêque (52) 115 K3
la Cour-Marigny (45) 111 G4
Cour-Saint-Maurice (25) 139 G5
Cour-sur-Loire (41) 129 F1
Courances (91) 87 F3
Courant (17) 177 J4
Courban (21) 115 H3
la Courbe (61) 54 A4
Courbehaye (28) 109 H1
Courbépine (27) 34 C6
Courbes (02) 20 B4
Courbesseaux (54) 66 C5
Courbette (39) 173 G3
Courbeveille (53) 104 D2
Courbevoie (92) 58 D3
Courbiac (47) 249 F2
Courbillac (16) 196 A2
Courboin (02) 61 F2
Courbouzon (39) 173 F2
Courbouzon (41) 109 G6
Courçais (03) 167 F5
Courçay (37) 128 A6
Courcebœufs (72) 106 E1
Courcelette (80) 10 E5
Courcelles (17) 178 A5
Courcelles (25) 156 B2
Courcelles (45) 110 E1
Courcelles (54) 93 K3
Courcelles (58) 132 E4
Courcelles (90) 97 A5
Courcelles-au-Bois (80) 10 D5
Courcelles-Chaussy (57) 45 H5
Courcelles-de-Touraine (37) 126 E3
Courcelles-en-Barrois (55) 64 D3
Courcelles-en-Bassée (77) 88 B3
Courcelles-en-Montagne (52) 116 C4
Courcelles-Epayelles (60) 18 D6
Courcelles-Frémoy (21) 134 C4
Courcelles-la-Forêt (72) 106 C5
Courcelles-le-Comte (62) 10 E4
Courcelles-lès-Gisors (60) 36 D4
Courcelles-lès-Lens (62) 11 H1
Courcelles-lès-Montbard (21) 134 E2
Courcelles-lès-Montbéliard (25) 139 H2
Courcelles-lès-Semur (21) 134 D4
Courcelles-Sapicourt (51) 40 D4
Courcelles-sous-Châtenois (88) 93 H4
Courcelles-sous-Moyencourt (80) 17 J3
Courcelles-sous-Thoix (80) 17 J4
Courcelles-sur-Aire (55) 64 B2
Courcelles-sur-Blaise (52) 91 J3
Courcelles-sur-Nied (57) 45 G6
Courcelles-sur-Seine (27) 36 A5
Courcelles-sur-Vesles (02) 40 B3
Courcelles-sur-Viosne (95) 37 G6

Courcelles-sur-Voire – Cuiserey

363

Courcelles-sur-Voire (10) 91 F2
Courcemain (51) 61 K6
Courcemont (72) 83 F6
Courcerac (17) 195 J1
Courcerault (61) 83 J3
Courceroy (10) 88 E3
Courchamp (77) 60 D6
Courchamps (02) 39 H6
Courchamps (49) 144 C1
Courchapon (25) 137 H6
Courchaton (70) 138 E2
Courchelettes (59) 11 H2
Courcité (53) 81 K4
Courcival (72) 83 F5
Courcôme (16) 179 G5
Courçon (17) 177 G1
Courcoué (37) 145 H3
Courcouronnes (91) 87 F1
Courcoury (17) 195 G2
Courcuire (70) 137 H5
Courcy (14) 54 C2
Courcy (50) 30 E4
Courcy (51) 40 E3
Courcy-aux-Loges (45) 110 D2
Courdemanche (27) 56 E4
Courdemanche (72) 107 H5
Courdemanges (51) 63 F5
Courdimanche (95) 58 B1
Courdimanche-sur-Essonne (91) 86 E3
Couret (31) 306 A2
Courgains (72) 82 E5
Courgeac (16) 212 E1
Courgenard (72) 83 K6
Courgenay (89) 89 F5
Courgent (78) 57 H3
Courgeon (61) 83 J2
Courgeoût (61) 83 G2
Courgis (89) 113 H5
Courgivaux (51) 61 F5
Courgoul (63) 202 C5
Courjeonnet (51) 61 J4
Courlac (16) 212 E2
Courlandon (51) 40 C3
Courlans (39) 173 F2
Courlaoux (39) 173 F2
Courlay (79) 143 H6
Courléon (49) 126 D4
Courlon (21) 136 A1
Courlon-sur-Yonne (89) 88 C4
Courmangoux (01) 172 E6
Courmas (51) 40 E5
Courmelles (02) 39 J3
Courmemin (41) 129 H4
Courménil (61) 54 E4
Courmes (06) 280 E3
Courmont (02) 40 B5
Courmont (70) 139 F1
Cournanel (11) 308 E2
la Courneuve (93) 58 E2
Courniou (34) 290 E2
Cournols (63) 202 C4
Cournon (56) 102 C3
Cournon-d'Auvergne (63) 202 E2
Cournonsec (34) 293 F1
Cournonterral (34) 293 F1
la Couronne (16) 196 D4
Courouvre (55) 64 C2
Courpalay (77) 60 A6
Courpiac (33) 230 B3
Courpière (63) 203 H2
Courpignac (17) 211 J1
Courquetaine (77) 59 J6
Courrensan (32) 266 E3
Courrières (62) 6 C6
Courris (81) 271 G2
Courry (30) 255 H3
Cours (46) 233 J6
Cours (47) 248 B3
le Cours (56) 101 J4
Cours (79) 161 H4
Cours-de-Monségur (33) 230 E4
Cours-de-Pile (24) 231 J2
Cours-la-Ville (69) 187 H3
Cours-les-Bains (33) 247 F2
Cours-les-Barres (18) 150 C3
Coursac (24) 213 K4
Coursan (11) 291 J5
Coursan-en-Othe (10) 113 J2
Coursegoules (06) 280 E3
Courset (62) 4 C4
Courseulles-sur-Mer (14) 32 D3
Courson (14) 52 C3
Courson-les-Carrières (89) 133 F2
Courson-Monteloup (91) 86 C1
Courtacon (77) 60 D5
Courtagnon (51) 40 E5
Courtalain (28) 108 D2
Courtaoult (10) 113 J2
Courtauly (11) 308 D2
Courtavon (68) 97 B6
Courtefontaine (25) 139 J4
Courtefontaine (39) 155 K1
Courteilles (27) 56 B5
Courteix (19) 201 F4
Courtelevant (90) 97 A5
Courtemanche (80) 18 D5
Courtemaux (45) 112 A2
Courtémont (51) 42 C5
Courtemont-Varennes (02) 40 A6
Courtempierre (45) 111 G1
Courtenay (38) 207 G2
Courtenay (45) 112 B2
Courtenot (10) 90 D6
Courteranges (10) 90 C5
Courteron (10) 114 E2
Courtes (01) 172 B4
Courtesoult-et-Gatey (70) 137 F1
Courtetain-et-Salans (25) 138 D5
la Courtète (11) 289 H6
Courteuil (60) 38 B5
Courthézon (84) 257 F6
Courthiézy (51) 61 G1
Courties (32) 285 J1
Courtieux (60) 39 G2
Courtillers (72) 105 K5
Courtils (50) 51 K3
la Courtine (23) 201 F3
Courtisols (51) 62 E2
Courtivron (21) 135 K2
Courtoin (89) 112 B1
Courtois-sur-Yonne (89) 88 D6
Courtomer (61) 55 F6
Courtomer (77) 59 K6
Courtonne-la-Meurdrac (14) 34 A6
Courtonne-
-les-Deux-Églises (14) 34 B6
Courtrizy-et-Fussigny (02) 40 C1
Courtry (77) 59 G3
Courvaudon (14) 53 H1
Courvières (25) 156 C5
Courville (51) 40 C4
Courville-sur-Eure (28) 84 E3
Courzieu (69) 205 H2
Cousance (39) 172 E3
Cousances-les-Forges (55) 64 A6
Cousances-lès-Triconville (55) 64 D4
Cousolre (59) 13 J3
Coussa (09) 307 K2
Coussac-Bonneval (87) 199 F5
Coussan (65) 285 J5
Coussay (86) 145 F6
Coussay-les-Bois (86) 146 A6
Coussegrey (10) 114 A3
Coussergues (12) 252 E2
Coussey (88) 93 G3
Coust (18) 167 H2
Coustaussa (11) 309 F3
Coustouge (11) 310 A2
Coustouges (66) 314 E6
Coutances (50) 30 E4
Coutansouze (03) 184 E2
Coutarnoux (89) 134 A2
Coutençon (77) 88 A2
Coutens (09) 308 A1
Couterne (61) 81 J2
Couternon (21) 136 B5
Couteuges (43) 219 J4
Coutevroult (77) 59 K3
Couthenans (70) 139 G1
Couthures-sur-Garonne (47) 230 D6
Coutiches (59) 7 F6
Coutières (79) 162 A4
Coutouvre (42) 187 G4
Coutras (33) 212 B5
Couture (16) 179 H6
la Couture (62) 6 A5
la Couture (85) 159 K3
la Couture-Boussey (27) 57 F3
Couture-d'Argenson (79) 178 D5
Couture-sur-Loir (41) 107 J6
Couturelle (62) 10 C4
Coutures (24) 213 H2
Coutures (33) 230 D4
Coutures (49) 125 J5
Coutures (82) 268 C2
Couvains (50) 31 J3
Couvains (61) 55 H3
la Couvertoirade (12) 273 G2
Couvertpuis (55) 92 C1
Couvignon (10) 91 G6
Couville (50) 28 C3
Couvonges (55) 63 K4
Couvrelles (02) 40 A3
Couvron-et-Aumencourt (02) 20 C5
Couvrot (51) 63 F4
Coux (07) 239 K3
Coux (17) 211 K2
Coux-et-Bigaroque (24) 232 C2
Couy (18) 150 A2
la Couyère (35) 103 H1
Couze-et-Saint-Front (24) 232 A2
Couzeix (87) 181 G6
Couziers (37) 144 E2
Couzon (03) 168 C2
Couzon-au-Mont-d'Or (69) 206 A1
Couzou (46) 233 K3
Cox (31) 268 C4
Coye-la-Forêt (60) 38 A6
Coyecques (62) 5 F4
Coyolles (02) 39 F4
Coyrière (39) 173 K6
Coyron (39) 173 H4
Coyviller (54) 66 B6
Cozes (17) 194 E4
Cozzano (2A) 321 F5
Crach (56) 100 D5
Crachier (38) 206 E4
Crain (89) 133 G3
Craincourt (57) 66 B2
Craintilleux (42) 204 E4
Crainvilliers (88) 93 H6
Cramaille (02) 39 K4
Cramans (39) 155 K3
Cramant (51) 61 K2
Cramchaban (17) 177 H2
Craménil (61) 53 J4
Cramoisy (60) 38 A4
Cramont (80) 9 J4
Crampagna (09) 307 J2
Cran-Gevrier (74) 191 F5
Crancey (10) 89 G2
Crançot (39) 173 H1
Crandelles (15) 235 G1
Crannes-en-Champagne (72) 106 B3
Crans (01) 189 G5
Crans (39) 174 A1
Cransac (12) 235 G6
Crantenoy (54) 94 B2
Cranves-Sales (74) 191 G2
Craon (53) 104 D4
Craon (86) 144 D6
Craonne (02) 40 C2
Craonnelle (02) 40 C2
Crapeaumesnil (60) 19 F5
Craponne (69) 205 K2
Craponne-sur-Arzon (43) 220 B2
Cras (38) 223 H2
Cras (46) 233 J6
Cras-sur-Reyssouze (01) 172 C6
Crastatt (67) 70 C2
Crastes (32) 267 K5
Crasville (27) 35 H5
Crasville (50) 29 F3
Crasville-la-Mallet (76) 15 G3
Crasville-la-Rocquefort (76) 15 H3
la Crau (83) 300 D4
Cravanche (90) 119 H6
Cravans (17) 195 F4
Cravant (45) 109 H5
Cravant (89) 133 H1
Cravant-les-Côteaux (37) 145 G2
Cravencères (32) 266 C4
Cravent (78) 57 G2
Crayssac (46) 233 G6
Craywick (59) 3 G2
Crazannes (17) 177 H6
Cré (72) 126 A1
Créances (50) 30 D2
Créancey (21) 135 G6
Crécey-sur-Tille (21) 136 B2
la Crèche (79) 161 J6
Crêches-sur-Saône (71) 188 C1
Créchets (65) 305 H2
Créchy (03) 185 J2
Crécy-au-Mont (02) 39 J1
Crécy-Couvé (28) 56 E6
Crécy-en-Ponthieu (80) 9 G3
Crécy-la-Chapelle (77) 59 K3
Crécy-sur-Serre (02) 20 D4
Crédin (56) 77 F6
Crégols (46) 250 C1
Crégy-lès-Meaux (77) 59 K2
Créhange (57) 45 J6
Créhen (22) 50 B4
Creil (60) 38 A4
Creissan (34) 291 H3
Creissels (12) 253 G6
Crémarest (62) 4 C3
Cremeaux (42) 186 D6
Crémery (80) 19 F4
Crémieu (38) 206 E2
Crempigny-Bonneguête (74) 190 D5
Cremps (46) 250 B2
Crenans (39) 173 H4
Creney-près-Troyes (10) 90 B4
Crennes-sur-Fraubée (53) 81 K3
Créon (33) 229 K3
Créon-d'Armagnac (40) 266 B1
Créot (71) 153 J5
Crépand (21) 134 D2
Crépey (54) 93 J1
Crépol (26) 222 E3
Crépon (14) 32 C3
Crépy (02) 20 C5
Crépy (62) 5 G6
Crépy-en-Valois (60) 38 E4
Créquy (62) 4 E6
le Crès (34) 274 C6
Cresancey (70) 137 G4
Crésantignes (10) 114 A1
les Cresnays (50) 52 C4
Crespian (30) 274 E3
Crespières (78) 58 A3
Crespin (12) 251 J5
Crespin (59) 12 E1
Crespin (81) 271 F1
Crespinet (81) 271 F2
Crespy-le-Neuf (10) 91 F3
Cressac-Saint-Genis (16) 196 C6
Cressanges (03) 168 C5
Cressat (23) 183 F3
la Cresse (12) 253 H5
Cressé (17) 178 C6
Cressensac (46) 215 J6
Cresserons (14) 32 E3
Cresseveuille (14) 33 H4
Cressia (39) 173 F3
Cressin-Rochefort (01) 207 K1
Cressonsacq (60) 38 B2
Cressy (76) 16 A4
Cressy-Omencourt (80) 19 G4
Cressy-sur-Somme (71) 169 K2
Crest (26) 240 D3
le Crest (63) 202 D3
Crest-Voland (73) 209 H1
Creste (63) 202 C5
le Crestet (07) 221 K5
Crestet (84) 257 H4
Crestot (27) 35 G5
Créteil (94) 59 F4
Cretteville (50) 28 E6
Creully (14) 32 C3
la Creuse (70) 118 C6
Creuse (80) 17 K3
le Creusot (71) 153 G6
Creutzwald (57) 68 A1
Creuzier-le-Neuf (03) 185 J3
Creuzier-le-Vieux (03) 185 J3
Crevans-et-la-Chapelle-
-lès-Granges (70) 139 F2
Crevant (36) 166 B4
Crevant-Laveine (63) 185 J6
Crévéchamps (54) 94 B1
Crèvecœur-en-Auge (14) 33 H6
Crèvecœur-en-Brie (77) 59 K5
Crèvecœur-le-Grand (60) 17 J5
Crèvecœur-le-Petit (60) 18 C6
Crèvecœur-sur-l'Escaut (59) 12 A5
Creveney (70) 118 C6
Crévic (54) 66 C5
Crévin (35) 79 G6
Crévoux (05) 243 K5
Creys-Mépieu (38) 207 H2
Creyssac (24) 213 J2
Creysse (24) 231 J2
Creysse (46) 233 K2
Creysseilles (07) 239 J3
Creyssensac-et-Pissot (24) 213 K5
Crézançay-sur-Cher (18) 149 G6
Crézancy (02) 61 F1
Crézancy-en-Sancerre (18) 131 J6
Crézières (79) 178 D3
Crézilles (54) 65 H6
Cricquebœuf (14) 33 J2
Cricqueville-en-Auge (14) 33 H4
Cricqueville-en-Bessin (14) 29 J6
Criel-sur-Mer (76) 8 B6
Crillon (60) 37 F1
Crillon-le-Brave (84) 257 H5
Crimolois (21) 136 B6
Crion (54) 66 D5
la Crique (76) 16 A4
Criquebeuf-en-Caux (76) 14 C4
Criquebeuf-la-Campagne (27) 35 G5
Criquebeuf-sur-Seine (27) 35 H3
Criquetot-le-Mauconduit (76) 14 E3
Criquetot-l'Esneval (76) 14 C5
Criquetot-sur-Longueville (76) 15 K3
Criquetot-sur-Ouville (76) 15 H4
Criquiers (76) 17 F5
Crisenoy (77) 87 J1
Crisolles (60) 19 H5
Crissay-sur-Manse (37) 145 J2
Crissé (72) 82 B6
Crissey (39) 155 G2
Crissey (71) 154 A6
Cristinacce (2A) 320 C1
Cristot (14) 32 C4
Criteuil-la-Magdeleine (16) 196 A5
Critot (76) 16 B5
Croce (2B) 319 H4
Crochte (59) 3 H3
Crocicchia (2B) 319 H4
Crocq (23) 201 G1
le Crocq (60) 17 K5
Crocy (14) 54 C3
Crœttwiller (67) 25 C2
Croignon (33) 229 K2
Croisances (43) 237 K1
Croisette (62) 10 A2
le Croisic (44) 121 H5
la Croisille (27) 56 B2
la Croisille-sur-Briance (87) 199 J4
Croisilles (14) 53 J1
Croisilles (28) 57 G5
Croisilles (61) 54 E4
Croisilles (62) 11 F4
Croismare (54) 66 E6
Croissanville (14) 33 G5
Croissy-Beaubourg (77) 59 H4
Croissy-sur-Celle (60) 17 K4
Croissy-sur-Seine (78) 58 C3
le Croisty (56) 76 A5
Croisy (18) 150 A5
Croisy-sur-Andelle (76) 36 A2
Croisy-sur-Eure (27) 57 F1
Croix (59) 6 E3
Croix (90) 139 J3
la Croix-aux-Bois (08) 42 C2
la Croix-aux-Mines (88) 95 J4
la Croix-Avranchin (50) 51 K4
la Croix-Blanche (47) 248 C3
Croix-Caluyau (59) 12 D4
Croix-Chapeau (17) 176 E3
la Croix-Comtesse (17) 177 K3
la Croix-de-la-Rochette (73) 208 D5
la Croix-du-Perche (28) 84 C5
la Croix-en-Brie (77) 88 B1
la Croix-en-Champagne (51) 42 B6
Croix-en-Ternois (62) 10 A1
la Croix-en-Touraine (37) 128 B5
Croix-Fonsommes (02) 20 B1
la Croix-Helléan (56) 101 J1
Croix-Mare (76) 15 H5
Croix-Moligneaux (80) 19 H3
la Croix-Saint-Leufroy (27) 35 K6
la Croix-sur-Gartempe (87) 180 E3
la Croix-sur-Ourcq (02) 39 J5
la Croix-sur-Roudoule (06) 261 F6
la Croix-Valmer (83) 301 J3
Croixanvec (56) 76 E5
Croixdalle (76) 16 C3
la Croixille (53) 80 C5
Croixrault (80) 17 H3
Croizet-sur-Gand (42) 187 G6
Crolles (38) 224 C2
Crollon (50) 51 K4
Cromac (87) 164 E6
Cromary (70) 138 A4
Cronat (71) 169 H1
Cronce (43) 219 G5
la Cropte (53) 105 H3
Cropus (76) 16 A4
Cros (30) 274 B1
le Cros (34) 273 G3
Cros (63) 201 J6
Cros-de-Géorand (07) 238 E3
Cros-de-Montvert (15) 216 E5
Cros-de-Ronesque (15) 235 K2
Crosey-le-Grand (25) 138 E4
Crosey-le-Petit (25) 138 E4
Crosmières (72) 106 A6
Crosne (91) 59 F5
Crossac (44) 122 B1
Crosses (18) 149 J4
Crosville-la-Vieille (27) 35 G5
Crosville-sur-Douve (50) 28 E5
Crosville-sur-Scie (76) 15 K3
Crotelles (37) 128 A3
Crotenay (39) 155 K6
Croth (27) 57 F3
le Crotoy (80) 8 E3
Crots (05) 243 J5
Crottes-en-Pithiverais (45) 110 B1
Crottet (01) 188 D1
le Crouais (35) 78 C3
Crouay (14) 32 A3
la Croupte (14) 55 F1
Crouseilles (64) 285 F1
Croutelle (86) 162 E4
les Croûtes (10) 113 J3
Croutoy (60) 39 F2
Crouttes (61) 54 D2
Crouttes-sur-Marne (02) 60 C2
Crouy (02) 39 J2
Crouy-en-Thelle (60) 37 K5
Crouy-Saint-Pierre (80) 17 J1
Crouy-sur-Cosson (41) 129 H1
Crouy-sur-Ourcq (77) 39 G6
le Crouzet (25) 174 B1
Crouzet-Migette (25) 156 B4
la Crouzille (63) 184 C3
Crouzilles (37) 145 H2
Crozant (23) 165 H6
Croze (23) 200 E1
Crozes-Hermitage (26) 222 B4
Crozet (01) 174 B6
le Crozet (42) 186 C3
les Crozets (39) 173 J4
Crozon (29) 72 D6
Crozon-sur-Vauvre (36) 166 A4
Cruas (07) 240 B4
Crucey-Villages (28) 56 C6
Crucheray (41) 108 C6
Cruéjouls (12) 252 E1
Cruet (73) 208 D4
Crugey (21) 153 J1
Crugny (51) 40 C4
Cruguel (56) 101 H2
Cruis (04) 258 E6
Crulai (61) 55 J5
Crupies (26) 241 F5
Crupilly (02) 20 E1
Cruscades (11) 291 G6
Cruseilles (74) 191 F4
Crusnes (54) 26 E3
Cruviers-Lascours (30) 275 F1
Crux-la-Ville (58) 151 H2
Cruzille (71) 171 J4
Cruzilles-lès-Mépillat (01) 188 D2
Cruzy (34) 291 H4
Cruzy-le-Châtel (89) 114 C4
Cry (89) 114 C6
Cubelles (43) 219 J6
Cubières (48) 254 D1
Cubières-sur-Cinoble (11) 309 H4
Cubiérettes (48) 254 D1
Cubjac (24) 214 C3
Cublac (19) 215 G4
Cublize (69) 187 H4
Cubnezais (33) 211 J5
Cubrial (25) 138 D2
Cubry (25) 138 D2
Cubry-lès-Faverney (70) 118 A4
Cubzac-les-Ponts (33) 211 J6
Cucharmoy (77) 88 C1
Cuchery (51) 40 D6
Cucq (62) 4 A6
Cucugnan (11) 309 J4
Cucuron (84) 277 H4
Cudos (33) 246 D2
Cudot (89) 112 C3
Cuébris (06) 280 E1
Cuélas (32) 286 B4
Cuers (83) 297 K4
Cuffies (02) 39 J2
Cuffy (18) 150 D4
Cugand (85) 142 B2
Cuges-les-Pins (13) 297 F4
Cugnaux (31) 288 A1
Cugney (70) 137 G4
Cugny (02) 19 J4
Cuguen (35) 51 G6
Cuguron (31) 305 H1
Cuhon (86) 162 C1
Cuignières (60) 38 A2
Cuigy-en-Bray (60) 36 E2
Cuillé (53) 104 B2
Cuinchy (62) 6 B5
Cuincy (59) 11 H1
le Cuing (31) 286 D6
Cuinzier (42) 187 G3
Cuirieux (02) 20 E4
Cuiry-Housse (02) 40 A4
Cuiry-lès-Chaudardes (02) 40 C2
Cuiry-lès-Iviers (02) 21 H3
Cuis (51) 61 K1
Cuise-la-Motte (60) 39 F2
Cuiseaux (71) 172 E4
Cuiserey (21) 136 D4

Cuisery (71) 172 A3
Cuisia (39) 172 E3
Cuissai (61) 82 C2
Cuissy-et-Geny (02) 40 C2
Cuisy (55) 43 F4
Cuisy (77) 59 J1
Cuisy-en-Almont (02) 39 H2
Culan (18) 166 E4
Culètre (21) 153 H2
Culey-le-Patry (14) 53 H2
Culhat (63) 203 F1
Culin (38) 206 E5
Culles-les-Roches (71) 171 H2
Cully (14) 32 C4
Culmont (52) 116 E4
Culoz (01) 190 C6
Cult (70) 137 H5
Cultures (48) 253 K1
Cumières (51) 40 E6
Cumières-le-Mort-Homme (55) . . 43 G4
Cumiès (11) 289 F4
Cumont (82) 268 B3
Cunac (81) 270 E2
Cuncy-lès-Varzy (58) 133 F5
Cunèges (24) 231 G3
Cunel (55) 43 F3
Cunelières (90) 119 J6
Cunfin (10) 115 G2
Cunlhat (63) 203 H4
Cuon (49) 126 B3
Cuperly (51) 41 J6
Cuq (47) 248 C6
Cuq (81) 270 D6
Cuq-Toulza (81) 289 G1
Cuqueron (64) 284 B4
Curac (16) 212 D2
Curan (12) 252 E5
Curbans (04) 259 G4
Curbigny (71) 187 H1
Curçay-sur-Dive (86) 144 C3
Curchy (80) 19 G3
Curciat-Dongalon (01) 172 C4
Curcy-sur-Orne (14) 53 H1
Curdin (71) 170 B3
Curel (04) 258 D4
Curel (52) 92 A2
Curemonte (19) 216 A6
Cures (72) 106 C1
Curgies (59) 12 D2
Curgy (71) 153 F4
Curienne (73) 208 C4
Curières (12) 236 C5
Curis-au-Mont-d'Or (69) 188 C6
Curley (21) 154 B1
Curlu (80) 19 F1
Curmont (52) 91 K5
Curnier (26) 257 J2
Cursan (33) 229 K2
Curtafond (01) 188 E1
Curtil-Saint-Seine (21) 135 K3
Curtil-sous-Buffières (71) 171 G5
Curtil-sous-Burnand (71) 171 H3
Curtil-Vergy (21) 154 A1
Curvalle (81) 271 H2
Curzay-sur-Vonne (86) 162 C4
Curzon (85) 159 J4
Cusance (25) 138 E5
Cuse-et-Adrisans (25) 138 D3
Cusey (52) 136 D1
Cussac (15) 218 C6
Cussac (87) 198 B3
Cussac-Fort-Médoc (33) 211 F4
Cussac-sur-Loire (43) 220 C6
Cussangy (10) 114 B2
Cussay (37) 146 B3
Cusset (03) 185 J3
Cussey-les-Forges (21) 136 A1
Cussey-sur-Lison (25) 156 B2
Cussey-sur-l'Ognon (25) 137 K5
Cussy (14) 32 A3
Cussy-en-Morvan (71) 152 D2
Cussy-la-Colonne (21) 153 J3
Cussy-le-Châtel (21) 153 H1
Cussy-les-Forges (89) 134 A3
Custines (54) 66 A3
Cusy (74) 208 C1
Cutry (02) 39 H3
Cutry (54) 26 C3
Cuts (60) 19 J6
Cutting (57) 67 G2
Cuttoli-Corticchiato (2A) 320 K6
Cuttura (39) 173 J5
Cuvat (74) 191 F4
Cuve (70) 118 B3
Cuvergnon (60) 39 F5
Cuverville (14) 33 F5
Cuverville (27) 36 A4
Cuverville (76) 14 C4
Cuverville-sur-Yères (76) 16 C1
Cuves (50) 52 C4
Cuves (52) 116 D1
Cuvier (39) 156 C5
Cuvillers (59) 11 J3
Cuvilly (60) 18 E6
Cuvry (57) 45 F6
Cuxac-Cabardès (11) 290 A3
Cuxac-d'Aude (11) 291 H5
Cuy (60) 19 G6
Cuy (89) 88 D5
Cuy-Saint-Fiacre (76) 36 D1
Cuzac (46) 234 E5
Cuzance (46) 233 J1
Cuzieu (01) 207 J1
Cuzieu (42) 205 F4
Cuzion (36) 165 H5
Cuzorn (47) 232 C6

Cuzy (71) 170 B1
Cys-la-Commune (02) 40 B2
Cysoing (59) 7 F5

D

Dabo (57) 70 A2
Dachstein (67) 70 D3
Dadonville (45) 110 D1
Daglan (24) 233 F3
Dagneux (01) 188 E6
Dagny (77) 60 C5
Dagny-Lambercy (02) 21 G3
Dagonville (55) 64 D4
la Daguenière (49) 125 H4
Dahlenheim (67) 70 D3
Daignac (33) 230 A2
Daigny (08) 23 F4
Daillancourt (52) 91 K4
Daillecourt (52) 116 E1
Dainville (62) 10 E3
Dainville-Bertheléville (55) . . . 92 E2
Daix (21) 136 A5
Dalem (57) 45 K3
Dalhain (57) 66 E2
Dalhunden (67) 25 C4
Dallet (63) 202 E2
Dallon (02) 19 K3
Dalou (09) 307 J2
Dalstein (57) 45 H3
Daluis (06) 260 E6
Damas-aux-Bois (88) 94 D3
Damas-et-Bettegney (88) 94 B5
Damazan (47) 247 H3
Dambach (67) 69 J4
Dambach-la-Ville (67) 96 C1
Dambelin (25) 139 G4
Dambenois (25) 139 H2
Dambenoît-lès-Colombe (70) . . 118 D5
Damblain (88) 117 F1
Damblainville (14) 54 B2
Dambron (28) 109 K1
Dame-Marie (27) 56 B4
Dame-Marie (61) 83 J4
Dame-Marie-les-Bois (37) . . . 128 B3
Damelevières (54) 66 C6
Daméraucourt (60) 17 H4
Damerey (71) 154 C5
Damery (51) 40 D6
Damery (80) 18 E4
Damgan (56) 121 H2
Damiatte (81) 270 C6
Damigny (61) 82 D3
Damloup (55) 43 J4
Dammard (02) 39 H5
Dammarie (28) 85 G4
Dammarie-en-Puisaye (45) . . . 131 K2
Dammarie-les-Lys (77) 87 H2
Dammarie-sur-Loing (45) 111 K5
Dammarie-sur-Saulx (55) 64 B6
Dammartin-en-Goële (77) 59 H1
Dammartin-en-Serve (78) 57 H3
Dammartin-les-Templiers (25) . 138 C5
Dammartin-Marpain (39) 137 F6
Dammartin-sur-Meuse (52) . . . 117 F2
Dammartin-sur-Tigeaux (77) . . 59 K4
Damousies (59) 13 H3
Damouzy (08) 22 E4
Damparis (39) 155 F2
Dampierre (10) 90 D1
Dampierre (14) 31 K4
Dampierre (39) 155 J1
Dampierre (52) 116 D3
Dampierre-au-Temple (51) 62 D1
Dampierre-en-Bray (76) 16 E6
Dampierre-en-Bresse (71) 154 D5
Dampierre-en-Burly (45) 111 G6
Dampierre-en-Crot (18) 131 G4
Dampierre-en-Graçay (18) 148 C2
Dampierre-en-Montagne (21) . . 135 F4
Dampierre-en-Yvelines (78) . . . 58 B5
Dampierre-et-Flée (21) 136 D3
Dampierre-le-Château (51) . . . 63 H1
Dampierre-les-Bois (25) 139 J2
Dampierre-les-Conflans (70) . . 118 B4
Dampierre-Saint-Nicolas (76) . 16 A2
Dampierre-sous-Bouhy (58) . . 132 C3
Dampierre-sous-Brou (28) 84 C6
Dampierre-sur-Avre (28) 56 D4
Dampierre-sur-Boutonne (17) . 178 A4
Dampierre-sur-le-Doubs (25) . . 139 G3
Dampierre-sur-Linotte (70) . . . 138 B2
Dampierre-sur-Moivre (51) . . . 63 F3
Dampierre-sur-Salon (70) 137 G2
Dampjoux (25) 139 G4
Dampleux (02) 39 G4
Dampmart (77) 59 J3
Dampniat (19) 215 K4
Damprichard (25) 139 J5
les Damps (27) 35 J3
Dampsmesnil (27) 36 C5
Dampvalley-lès-Colombe (70) . . 138 C1
Dampvalley-Saint-Pancras (70) . 118 B3
Dampvitoux (54) 65 H1
Damrémont (52) 117 F3
Damville (27) 56 C3
Damvillers (55) 43 H3
Damvix (85) 160 E6
Dancé (42) 186 E6
Dancé (61) 83 K4
Dancevoir (52) 115 G2
Dancourt (76) 16 E2
Dancourt-Popincourt (80) 18 E5

Dancy (28) 109 G1
Danestal (14) 33 H4
Dangé-Saint-Romain (86) 145 K4
Dangeau (28) 84 E6
Dangers (28) 85 F2
Dangeul (72) 82 E5
Dangolsheim (67) 70 C3
Dangu (27) 36 D4
Dangy (50) 31 G4
Danizy (02) 20 B5
Danjoutin (90) 139 H1
Danne-et-Quatre-Vents (57) . . 70 B1
Dannelbourg (57) 70 A1
Dannemarie (25) 139 J3
Dannemarie (68) 97 A4
Dannemarie (78) 57 H5
Dannemarie-sur-Crète (25) . . . 137 J6
Dannemoine (89) 113 K4
Dannemois (91) 87 F3
Dannes (62) 4 A4
Dannevoux (55) 43 G3
Danvou-la-Ferrière (14) 53 G2
Danzé (41) 108 C4
Daon (53) 105 F5
Daoulas (29) 74 C1
Daours (80) 18 C2
Darazac (19) 216 E4
Darbonnay (39) 155 H5
Darbres (07) 239 J4
Darcey (21) 135 F2
Dardenac (33) 230 A3
Dardez (27) 35 J4
Dardilly (69) 205 K1
Dareizé (69) 187 K6
Dargies (60) 17 H4
Dargnies (80) 8 D6
Dargoire (42) 205 J4
Darmannes (52) 92 B6
Darnac (87) 180 E2
Darnétal (76) 35 J2
Darnets (19) 200 D6
Darney (88) 117 K1
Darney-aux-Chênes (88) 93 H4
Darnieulles (88) 94 C5
Darois (21) 135 K4
Darvault (77) 87 J5
Darvoy (45) 110 C4
Dasle (25) 139 J2
Daubensand (67) 71 D4
Daubeuf-la-Campagne (27) . . . 35 H5
Daubeuf-près-Vatteville (27) . . 35 K4
Daubeuf-Serville (76) 14 E4
Daubèze (33) 230 B3
Dauendorf (67) 69 K6
Daumazan-sur-Arize (09) 288 A6
Daumeray (49) 105 J6
Dauphin (04) 278 B2
Dausse (47) 248 E2
Daux (31) 269 F5
Dauzat-sur-Vodable (63) 202 D6
Davayat (63) 185 F5
Davayé (71) 188 B1
Davéjean (11) 309 J3
Davenescourt (80) 18 D4
Davézieux (07) 222 A4
Davignac (19) 200 D6
Davrey (10) 113 K2
Davron (78) 58 A3
Dax (40) 264 B4
Deauville (14) 33 J3
Deaux (30) 255 H6
Débats-Rivière-d'Orpra (42) . . 204 B2
Decazeville (12) 235 F6
Dechy (59) 11 J2
Décines-Charpieu (69) 206 C2
Decize (58) 151 G6
Dégagnac (46) 233 G6
Degré (72) 106 C2
Dehault (72) 83 H6
Dehéries (59) 12 B5
Dehlingen (67) 68 E1
Deinvillers (88) 94 E2
Delain (70) 137 G2
Delettes (62) 5 G4
Delincourt (60) 36 E4
Delle (90) 139 K2
Delme (57) 66 C2
Delouze-Rosières (55) 92 E1
le Déluge (60) 37 H4
Delut (55) 43 J2
Deluz (25) 138 B5
Demandolx (04) 279 K2
Demange-aux-Eaux (55) 64 D6
Demangevelle (70) 117 K3
Demi-Quartier (74) 192 A5
la Demie (70) 138 B1
Demigny (71) 154 A4
Démouville (14) 33 F5
Dému (32) 266 D4
Démuin (80) 18 D3
Denain (59) 12 C2
Dénat (81) 270 E3
Denazé (53) 104 D4
Denée (49) 125 G4
Dénestanville (76) 15 K3
Deneuille-lès-Chantelle (03) . . 185 F2
Deneuille-les-Mines (03) 167 J6
Deneuvre (54) 95 F2
Denèvre (70) 137 G2
Dénezé-sous-Doué (49) 125 K6
Dénezé-sous-le-Lude (49) 126 D3
Denezières (39) 173 J2
Denguin (64) 284 B3
Denicé (69) 188 A5
Denier (62) 10 B3
Denipaire (88) 95 J3

Dennebrœucq (62) 5 F5
Denneville (50) 28 C6
Dennevy (71) 153 J5
Denney (90) 119 J6
Denonville (28) 85 K3
Denting (57) 45 J4
Déols (36) 147 K6
Derbamont (88) 94 B4
Dercé (86) 145 F4
Derchigny (76) 16 B1
Dercy (02) 20 D4
Dernacueillette (11) 309 J4
Dernancourt (80) 18 D1
Derval (44) 103 F4
Désaignes (07) 221 J6
Désandans (25) 139 G2
Descartes (37) 146 A4
le Deschaux (39) 155 G4
le Désert (14) 52 E2
Désertines (03) 167 H6
Désertines (53) 80 E2
les Déserts (73) 208 C3
Déservillers (25) 156 C3
Desges (43) 219 H6
Desingy (74) 190 D4
Desmonts (45) 87 F6
Desnes (39) 155 G6
Desseling (57) 67 G3
Dessenheim (68) 96 D5
Dessia (39) 173 F5
Destord (88) 95 F4
la Destrousse (13) 296 E3
Destry (57) 66 E1
Desvres (62) 4 C4
Détain-et-Bruant (21) 153 K1
Détrier (73) 208 D5
le Détroit (14) 53 K3
Dettey (71) 170 C1
Dettwiller (67) 70 C1
Deuil-la-Barre (95) 58 E2
Deuillet (02) 20 A5
Deûlémont (59) 6 C3
Deux-Chaises (03) 168 B6
Deux-Évailles (53) 81 H6
les Deux-Fays (39) 155 G5
Deux-Jumeaux (14) 29 J4
Deux-Verges (15) 236 D3
les Deux-Villes (08) 23 H4
Deuxville (54) 66 D5
Devay (58) 151 H6
Devecey (25) 137 K5
Devèze (65) 286 C5
Dévillac (47) 232 B5
Déville-lès-Rouen (76) 35 H1
Devise (80) 19 H2
Devrouze (71) 154 D6
Deycimont (88) 95 F5
Deyme (31) 288 C2
Deyvillers (88) 94 E5
le Dézert (50) 31 G2
Dezize-lès-Maranges (71) 153 J5
D'Huison-Longueville (91) 86 E3
Dhuisy (77) 60 C1
Dhuizel (02) 40 B3
Dhuizon (41) 129 H2
Diancey (21) 153 F1
Diane-Capelle (57) 67 H4
Diant (77) 88 A5
Diarville (54) 94 A3
Diconne (71) 154 C6
Dicy (89) 112 B3
Didenheim (68) 97 C3
Die (26) 241 H3
Diebling (57) 68 C3
Diebolsheim (67) 71 D5
Diedendorf (67) 67 J2
Dieffenbach-au-Val (67) 96 B1
Dieffenbach-lès-Wœrth (67) . . 25 D4
Dieffenthal (67) 96 C1
Diefmatten (68) 97 A3
Dième (69) 187 J5
Diemeringen (67) 68 E5
Diémoz (38) 206 D4
Diénay (21) 136 A3
Dienne (15) 218 B4
Dienné (86) 163 H5
Diennes-Aubigny (58) 151 J5
Dienville (10) 91 F4
Dieppe (76) 15 K1
Dieppe-sous-Douaumont (55) . 43 J4
Dierre (37) 128 B5
Dierrey-Saint-Julien (10) 89 J4
Dierrey-Saint-Pierre (10) 89 J4
Diesen (57) 45 K4
Dietwiller (68) 97 C3
Dieudonné (60) 37 J4
Dieue-sur-Meuse (55) 43 J6
Dieulefit (26) 240 E6
Dieulivol (33) 230 E4
Dieulouard (54) 65 K3
Dieupentale (82) 269 F3
Dieuze (57) 67 F3
Diéval (62) 10 C1
Diffembach-lès-Hellimer (57) . . 68 B4
Diges (89) 112 E6
Digna (39) 172 E4
Dignac (16) 197 F4
la Digne-d'Amont (11) 308 E2
la Digne-d'Aval (11) 308 E2
Digne-les-Bains (04) 259 J5
Dignonville (88) 94 D4
Digny (28) 84 D2
Digoin (71) 170 A4

Digosville (50) 28 D2
Digulleville (50) 28 A1
Dijon (21) 136 A5
Dimancheville (45) 87 F5
Dimbsthal (67) 70 B2
Dimechaux (59) 13 H4
Dimont (59) 13 H4
Dinan (22) 50 D5
Dinard (35) 50 D3
Dinéault (29) 74 C3
Dingé (35) 79 G1
Dingsheim (67) 70 D2
Dingy-en-Vuache (74) 190 D5
Dingy-Saint-Clair (74) 191 G5
Dinozé (88) 94 D6
Dinsac (87) 181 F2
Dinsheim-sur-Bruche (67) 70 C4
Dinteville (52) 115 H2
Dio-et-Valquières (34) 273 F5
Dionay (38) 223 F3
Dions (30) 275 G2
Diors (36) 148 B6
Diou (03) 169 J4
Diou (36) 148 D3
Dirac (16) 197 F4
Dirinon (29) 46 C6
Dirol (58) 133 H5
Dissangis (89) 134 A2
Dissay (86) 163 G2
Dissay-sous-Courcillon (72) . . 127 G1
Dissé-sous-Ballon (72) 83 F5
Dissé-sous-le-Lude (72) 126 D2
Distré (49) 144 C1
Distroff (57) 27 H4
Diusse (64) 285 F1
Divajeu (26) 240 D3
Dives (60) 19 G6
Dives-sur-Mer (14) 33 G3
Divion (62) 5 J6
Divonne-les-Bains (01) 174 C5
Dixmont (89) 112 E2
Dizimieu (38) 207 F2
Dizy (51) 40 E6
Dizy-le-Gros (02) 21 G5
Doazit (40) 265 F5
Doazon (64) 284 B2
Docelles (88) 95 F6
Dœuil-sur-le-Mignon (17) 177 K3
Dognen (64) 283 J4
Dogneville (88) 94 D5
Dohem (62) 5 F4
Dohis (02) 21 H3
Dohem (02) 21 H3
Doignies (59) 11 H5
Doingt (80) 19 G1
Doissat (24) 232 D4
Doissin (38) 207 G5
Doix (85) 160 D5
Doizieux (42) 205 J6
Dol-de-Bretagne (35) 51 F4
Dolaincourt (88) 93 H4
Dolancourt (10) 91 G5
Dolcourt (54) 93 J2
Dole (39) 155 G2
Dolignon (02) 21 H4
Dolleren (68) 119 J4
Dollon (72) 107 H2
Dollot (89) 88 B6
Dolmayrac (47) 248 B2
Dolo (22) 50 A6
Dolomieu (38) 207 H3
Dolus-d'Oléron (17) 176 C5
Dolus-le-Sec (37) 146 C2
Dolving (57) 67 J3
Dom-le-Mesnil (08) 22 E4
Domagné (35) 79 J5
Domaize (63) 203 H3
Domalain (35) 104 A2
Domancy (74) 192 A5
Domarin (38) 206 E4
Domart-en-Ponthieu (80) 9 J5
Domart-sur-la-Luce (80) 18 C3
Domats (89) 112 B1
Domazan (30) 275 K2
Dombasle-devant-Darney (88) . 93 K6
Dombasle-en-Argonne (55) . . . 43 G5
Dombasle-en-Xaintois (88) . . . 93 J4
Dombasle-sur-Meurthe (54) . . 66 C5
Domblain (52) 91 K2
Domblans (39) 155 H6
Dombras (55) 43 J2
Dombrot-le-Sec (88) 93 H6
Dombrot-sur-Vair (88) 93 H4
Domecy-sur-Cure (89) 133 J4
Domecy-sur-le-Vault (89) 133 J3
Doméliers (60) 17 K5
Domène (38) 224 B3
Domérat (03) 167 G6
Domesmont (80) 9 K5
Domessargues (30) 274 E1
Domessin (73) 207 K4
Domèvre-en-Haye (54) 65 J3
Domèvre-sous-Montfort (88) . . 93 K5
Domèvre-sur-Avière (88) 94 C5
Domèvre-sur-Durbion (88) . . . 94 D4
Domèvre-sur-Vezouze (54) . . . 67 G6
Domeyrat (43) 219 J3
Domeyrot (23) 183 G2
Domezain-Berraute (64) 283 G3
Domfaing (88) 95 G4
Domfessel (67) 68 E4
Domfront (61) 80 D5
Domfront (61) 53 G6
Domfront-en-Champagne (72) . 106 C1
Domgermain (54) 65 H5
la Dominelais (35) 103 F3
Dominois (80) 9 G2

Domjean (50) 31 H5
Domjevin (54) 67 F6
Domjulien (88) 93 J5
Domléger-Longvillers (80) 9 J4
Domloup (35) 79 H5
Dommarie-Eulmont (54) 93 K2
Dommarien (52) 116 D6
Dommartemont (54) 66 B4
Dommartin (01) 172 A6
Dommartin (25) 156 E4
Dommartin (58) 152 A3
Dommartin (69) 205 K1
Dommartin (80) 18 B3
Dommartin-aux-Bois (88) 94 B6
Dommartin-Dampierre (51) 42 C6
Dommartin-la-Chaussée (54) 65 H1
Dommartin-la-Montagne (55) 43 K6
Dommartin-le-Coq (10) 90 D2
Dommartin-le-Franc (52) 91 K3
Dommartin-le-Saint-Père (52) 91 J3
Dommartin-lès-Cuiseaux (71) 172 D4
Dommartin-lès-Remiremont (88) 119 F2
Dommartin-lès-Toul (54) 65 H5
Dommartin-lès-Vallois (88) 94 A6
Dommartin-Lettrée (51) 62 C4
Dommartin-sous-Amance (54) 66 B4
Dommartin-sous-Hans (51) 42 C5
Dommartin-sur-Vraine (88) 93 J4
Dommartin-Varimont (51) 63 H2
Dommary-Baroncourt (55) 44 A3
Domme (24) 233 F3
Dommery (08) 22 B4
Dommiers (02) 39 H3
Domnon-lès-Dieuze (57) 67 G2
Domont (95) 58 E1
Dompaire (88) 94 B5
Dompcevrin (55) 64 D2
Dompierre (60) 18 D6
Dompierre (61) 53 H6
Dompierre (88) 94 E4
Dompierre-aux-Bois (55) 64 E1
Dompierre-Becquincourt (80) 19 F2
Dompierre-du-Chemin (35) 80 B4
Dompierre-en-Morvan (21) 134 C4
Dompierre-les-Églises (87) 181 H2
Dompierre-les-Ormes (71) 171 F6
Dompierre-les-Tilleuls (25) 156 D5
Dompierre-sous-Sanvignes (71) 170 D2
Dompierre-sur-Authie (80) 9 H2
Dompierre-sur-Besbre (03) 169 H4
Dompierre-sur-Chalaronne (01) 188 D3
Dompierre-sur-Charente (17) 195 H2
Dompierre-sur-Helpe (59) 13 G4
Dompierre-sur-Héry (58) 133 G6
Dompierre-sur-Mer (17) 176 E2
Dompierre-sur-Mont (39) 173 G3
Dompierre-sur-Nièvre (58) 150 E1
Dompierre-sur-Veyle (01) 189 G4
Dompierre-sur-Yon (85) 141 K6
Dompnac (07) 238 E6
Domprel (25) 138 E6
Dompremy (51) 63 G5
Domprix (54) 44 B3
Domps (87) 199 K3
Domptail (88) 94 E2
Domptail-en-l'Air (54) 94 C1
Domptin (02) 60 D1
Domqueur (80) 9 J5
Domremy-la-Canne (55) 44 A3
Domrémy-la-Pucelle (88) 93 F2
Domremy-Landéville (52) 92 C3
Domsure (01) 172 D5
Domvallier (88) 93 K4
Domvast (80) 9 H4
Don (59) 6 C5
Donazac (11) 308 D1
Donchery (08) 22 E4
Doncières (88) 95 F2
Doncourt-aux-Templiers (55) 44 B6
Doncourt-lès-Conflans (54) 44 D5
Doncourt-lès-Longuyon (54) 26 C3
Doncourt-sur-Meuse (52) 93 F6
Dondas (47) 248 D4
Donges (44) 122 B2
Donjeux (52) 92 B3
Donjeux (57) 66 C2
le Donjon (03) 169 J6
Donnay (14) 53 J2
Donnazac (81) 270 C1
Donnelay (57) 67 F4
Donnemain-Saint-Mamès (28) 109 F1
Donnemarie-Dontilly (77) 88 C2
Donnement (10) 90 E2
Donnenheim (67) 70 E1
Donnery (45) 110 C4
Donneville (31) 288 C2
Donnezac (33) 211 J2
Dontreix (23) 184 A5
Dontrien (51) 41 J4
Donville-les-Bains (50) 30 C6
Donzac (33) 230 A4
Donzac (82) 248 D6
Donzacq (40) 264 D5
le Donzeil (23) 182 E5
Donzenac (19) 215 J3
Donzère (26) 256 D1
Donzy (58) 132 C5
Donzy-le-National (71) 171 G5
Donzy-le-Pertuis (71) 171 J5
Doranges (63) 219 K1
Dorans (90) 139 H1
Dorat (63) 185 K6
le Dorat (87) 181 F2
Dorceau (61) 83 K3
Dordives (45) 111 J1
Dore-l'Église (63) 220 A1
la Dorée (53) 80 D2
Dorengt (02) 20 D1
Dorlisheim (67) 70 D4
Dormans (51) 40 B6
Dormelles (77) 87 K4
la Dornac (24) 215 G5
Dornas (07) 239 G2
Dornecy (58) 133 G4
Dornes (58) 168 E2
Dornot (57) 44 E6
Dorres (66) 313 G5
Dortan (01) 173 H6
Dosches (10) 90 C4
Dosnon (10) 62 C6
Dossenheim-Kochersberg (67) 70 D2
Dossenheim-sur-Zinsel (67) 69 G6
Douadic (36) 164 C2
Douai (59) 11 H2
Douains (27) 57 F1
Douarnenez (29) 74 B4
Douaumont (55) 43 J4
Doubs (25) 157 F4
Doucelles (72) 82 D5
Douchapt (24) 213 H3
Douchy (02) 19 J3
Douchy (45) 112 B3
Douchy-lès-Ayette (62) 10 E4
Douchy-les-Mines (59) 12 C2
Doucier (39) 173 J2
Doucy-en-Bauges (73) 208 D2
Doudeauville (62) 4 C4
Doudeauville (76) 17 F6
Doudeauville-en-Vexin (27) 36 C3
Doudelainville (80) 9 F6
Doudeville (76) 15 G4
Doudrac (47) 231 K4
Doue (77) 60 C3
Doué-la-Fontaine (49) 144 A1
Douelle (46) 249 K1
le Douhet (17) 195 G1
Douillet (72) 82 B5
Douilly (80) 19 H3
Doulaincourt-Saucourt (52) 92 B4
Doulcon (55) 43 F2
Doulevant-le-Château (52) 91 J3
Doulevant-le-Petit (52) 91 K2
Doulezon (33) 230 D3
le Doulieu (59) 6 A3
Doullens (80) 10 B4
Doumely-Bégny (08) 21 K5
Doumy (64) 284 D2
Dounoux (88) 94 D6
Dourbies (30) 254 A6
Dourdain (35) 79 K3
Dourdan (91) 86 B2
Dourges (62) 11 G1
Dourgne (81) 289 J2
Douriez (62) 9 G2
Dourlers (59) 13 G4
le Dourn (81) 271 H1
Dournazac (87) 198 B4
Dournon (39) 156 B4
Dours (65) 285 J4
Doussard (74) 208 E1
Doussay (86) 145 F5
Douvaine (74) 174 D6
Douville (24) 213 J6
Douville-en-Auge (14) 33 H4
Douville-sur-Andelle (27) 35 K3
Douvrend (76) 16 C2
Douvres (01) 189 H4
Douvres-la-Délivrande (14) 32 E3
Douvrin (62) 6 B6
Doux (08) 41 J1
Doux (79) 162 C1
Douy (28) 108 E2
Douy-la-Ramée (77) 59 K1
Douzains (47) 231 J5
Douzat (16) 196 C2
la Douze (24) 214 B5
Douzens (11) 290 D6
Douzillac (24) 213 H5
Douzy (08) 23 G4
Doville (50) 28 D6
Doye (39) 156 C6
Doyet (03) 184 C1
Dozulé (14) 33 H4
Dracé (69) 188 B3
Draché (37) 145 K3
Drachenbronn-Birlenbach (67) 25 B2
Dracy (89) 112 D6
Dracy-le-Fort (71) 153 K6
Dracy-lès-Couches (71) 153 H5
Dracy-Saint-Loup (71) 153 F3
Dragey-Ronthon (50) 51 J2
Draguignan (83) 279 J6
Draillant (74) 175 F6
Drain (49) 124 A5
Draix (04) 260 A4
Draize (08) 21 K5
Drambon (21) 136 D5
Dramelay (39) 173 G5
Drancy (93) 59 F3
Drap (06) 281 H3
Dravegny (02) 40 B4
Draveil (91) 59 F6
Drée (21) 135 H5
Drefféac (44) 102 C6
Drémil-Lafage (31) 269 J6
le Drennec (29) 46 B4
Dreuil-lès-Amiens (80) 18 A2
Dreuilhe (09) 308 B3
Dreux (28) 57 F5
Drevant (18) 167 G2
Dricourt (08) 41 K2
Driencourt (80) 19 H1
Drincham (59) 3 G3
Drocourt (62) 11 G1
Drocourt (78) 57 J1
Droisy (27) 56 D4
Droisy (74) 190 D5
Droiturier (03) 186 B2
Droizy (02) 39 K4
Drom (01) 189 H2
Dromesnil (80) 17 G2
Drosay (76) 15 G3
Drosnay (51) 91 F1
Droué (41) 108 C2
Droue-sur-Drouette (28) 85 J1
Drouges (35) 104 A3
Drouilly (51) 62 E4
Droupt-Saint-Basle (10) 89 K2
Droupt-Sainte-Marie (10) 89 K2
Drouville (54) 66 C5
Drouvin-le-Marais (62) 6 A6
Droux (87) 181 G3
Droyes (52) 91 G2
Drubec (14) 33 J4
Drucat (80) 9 G4
Drucourt (27) 34 C6
Drudas (31) 268 D4
Druelle (12) 252 A3
Drugeac (15) 217 H4
Druillat (01) 189 H4
Drulhe (12) 251 G1
Drulingen (67) 67 K2
Drumettaz-Clarafond (73) 208 B3
Drusenheim (67) 25 C4
Druy-Parigny (58) 151 G5
Druye (37) 127 G5
Druyes-les-Belles-Fontaines (89) 132 E3
Dry (45) 109 J5
Duault (22) 75 K2
Ducey (50) 52 A6
Duclair (76) 35 F1
Ducy-Sainte-Marguerite (14) 32 C4
Duerne (69) 205 H3
Duesme (21) 135 G1
Duffort (32) 286 B4
Dugny (93) 59 F2
Dugny-sur-Meuse (55) 43 H5
Duhort-Bachen (40) 265 J4
Duilhac-sous-Peyrepertuse (11) 309 J4
Duingt (74) 191 G6
Duisans (62) 10 E2
Dullin (73) 207 K4
Dumes (40) 265 F5
Dun (09) 308 A2
Dun-le-Palestel (23) 182 B1
Dun-le-Poëlier (36) 148 A1
Dun-les-Places (58) 134 A6
Dun-sur-Auron (18) 149 J5
Dun-sur-Grandry (58) 152 A3
Dun-sur-Meuse (55) 43 F2
Duneau (72) 107 H2
Dunes (82) 248 D6
Dunet (36) 164 E5
Dung (25) 139 G2
Dunière-sur-Eyrieux (07) 240 A2
Dunières (43) 221 G3
Dunkerque (59) 3 H1
Duntzenheim (67) 70 D2
Duppigheim (67) 70 E4
Duran (32) 267 H5
Durance (47) 247 G5
Duranus (06) 281 G1
Duranville (27) 34 C5
Duras (47) 230 E4
Duravel (46) 232 D6
Durban (32) 286 C1
Durban-Corbières (11) 310 B2
Durban-sur-Arize (09) 307 F2
Durbans (46) 234 B4
Durcet (61) 53 J4
Durdat-Larequille (03) 184 B2
Dureil (72) 106 A4
Durenque (12) 252 C6
Durfort (09) 288 C5
Durfort (81) 289 J3
Durfort-et-Saint-Martin-
-de-Sossenac (30) 274 C1
Durfort-Lacapelette (82) 249 G5
Durlinsdorf (68) 97 B6
Durmenach (68) 97 C5
Durmignat (63) 184 D3
Durnes (25) 156 D2
Durningen (67) 70 D2
Durrenbach (67) 25 A3
Durrenentzen (68) 96 D4
Durstel (67) 68 E5
Durtal (49) 125 K1
Durtol (63) 202 D2
Dury (02) 19 J4
Dury (62) 11 G3
Dury (80) 18 A2
Dussac (24) 214 E1
Duttlenheim (67) 70 D4
Duvy (60) 38 E4
Duzey (55) 26 B4
Dyé (89) 113 J4
Dyo (71) 170 D6

E

Eancé (35) 104 A4
Eaubonne (95) 58 D2
Eaucourt-sur-Somme (80) 9 G5
Eaunes (31) 288 B3
Eaux-Bonnes (64) 303 H2
Eaux-Puiseaux (10) 113 K1
Eauze (32) 266 D3
Ébaty (21) 153 K4
Ebblinghem (59) 5 H3
Eberbach-Seltz (67) 25 D2
Ebersheim (67) 96 D1
Ebersmunster (67) 96 D1
Ébersviller (57) 45 H3
Éblange (57) 45 H4
Ébouleau (02) 21 F4
Ébréon (16) 179 F5
Ébreuil (03) 185 F3
l'Écaille (08) 41 G2
Écaillon (59) 11 J2
Écalles-Alix (76) 15 H5
Écaquelon (27) 34 E4
Écardenville-la-Campagne (27) 35 F6
Écardenville-sur-Eure (27) 35 K6
Écausseville (50) 29 F4
Écauville (27) 35 G6
Eccica-Suarella (2A) 320 D5
Eccles (59) 13 J3
Échalas (69) 205 K4
Échallat (16) 196 C2
Échallon (01) 190 B2
Échalot (21) 135 J2
Échalou (61) 53 H5
Échandelys (63) 203 H5
Échannay (21) 135 G6
Écharcon (91) 87 F1
Échassières (03) 184 D3
Échauffour (61) 55 G5
Échavanne (70) 119 G6
Échay (25) 156 B3
Échebrune (17) 195 J4
l'Échelle (08) 22 B3
l'Échelle-Saint-Aurin (80) 18 E4
les Échelles (73) 207 K6
Échemines (10) 89 J3
Échemiré (49) 126 A2
Échenans (25) 139 G2
Échenans-sous-
-Mont-Vaudois (70) 139 G1
Échenay (52) 92 C2
Échenevex (01) 174 B6
Échenon (21) 154 E2
Échenoz-la-Méline (70) 138 B1
Échenoz-le-Sec (70) 138 A2
Échevannes (21) 136 B2
Échevannes (25) 156 D2
Échevis (26) 223 H5
Échevronne (21) 154 A2
Échigey (21) 154 D1
Échillais (17) 177 F6
Échilleuses (45) 87 F6
Echinghen (62) 4 B3
Échiré (79) 161 H5
Échirolles (38) 224 A4
Échouboulains (77) 88 A3
Échourgnac (24) 213 F4
Eckartswiller (67) 70 B1
Eckbolsheim (67) 71 D1
Eckwersheim (67) 25 A5
Éclaibes (59) 13 G4
Éclaires (51) 63 K1
Éclance (10) 91 G4
Éclans-Nenon (39) 155 H2
Éclaron-Braucourt-
-Sainte-Livière (52) 91 J1
Eclassan (07) 222 B4
Écleux (39) 155 J3
Éclimeux (62) 9 K1
Eclose (38) 207 F5
Éclusier-Vaux (80) 19 F1
Écluzelles (28) 57 F5
Écly (08) 21 K6
Écoche (42) 187 H3
Écoivres (62) 10 A2
École (73) 208 E3
École-Valentin (25) 137 K5
Écollemont (51) 63 G6
Écommoy (72) 106 E5
Écoquenéauville (50) 29 F5
Écorcei (61) 55 H5
les Écorces (25) 139 H6
Écorches (61) 54 D3
Écordal (08) 22 C6
Écorpain (72) 107 J3
Écos (27) 36 C5
Écot (25) 139 G3
Ecot-la-Combe (52) 92 D5
Écotay-l'Olme (42) 204 C4
Écouché (61) 54 B5
Écouen (95) 58 E1
Écouflant (49) 125 G2
Écouis (27) 36 B3
Écourt-Saint-Quentin (62) 11 H3
Écoust-Saint-Mein (62) 11 G4
Écouviez (55) 26 A2
l'Écouvotte (25) 138 C4
Écoyeux (17) 195 H1
Ecquedecques (62) 5 J5
Ecques (62) 5 G4
Ecquetot (27) 35 H5
Ecquevilly (78) 58 A2
Écrainville (76) 14 C5
Écrammeville (14) 29 J6
les Écrennes (77) 87 K2
Écretteville-lès-Baons (76) 15 F5
Écretteville-sur-Mer (76) 14 E3
Écriennes (51) 63 G5
Écrille (39) 173 G4
Écromagny (70) 118 E4
Écrosnes (28) 85 J2
Écrouves (54) 65 H5
Ectot-l'Auber (76) 15 J5
Ectot-lès-Baons (76) 15 H5
Écueil (51) 40 E5
Écueillé (36) 147 G3
Écuélin (59) 13 G4
Écuelle (70) 137 F2
Écuelles (71) 154 C4
Écuelles (77) 87 J4
Écuillé (49) 125 G1
Écuires (62) 4 C6
Écuisses (71) 171 G1
Éculleville (50) 28 B1
Écully (69) 206 A2
Écuras (16) 197 J3
Écurat (17) 195 F1
Écurcey (25) 139 H3
Écurey-en-Verdunois (55) 43 H2
Écurie (62) 10 E2
Écury-le-Repos (51) 62 A4
Écury-sur-Coole (51) 62 D3
Écutigny (21) 153 J2
Écuvilly (60) 19 G5
Edern (29) 74 E4
Édon (16) 197 G5
les Éduts (17) 178 C5
Eecke (59) 3 K5
Effiat (63) 185 G4
Effincourt (52) 92 C2
Effry (02) 21 G1
Égat (66) 313 H4
Égleny (89) 112 E5
Égletons (19) 216 D1
Égligny (77) 88 B3
Eglingen (68) 97 A3
l'Église-aux-Bois (19) 200 A4
Église-Neuve-de-Vergt (24) 214 A5
Église-Neuve-d'Issac (24) 213 H6
Égliseneuve-d'Entraigues (63) 218 B1
Égliseneuve-des-Liards (63) 203 G4
Égliseneuve-près-Billom (63) 203 G3
les Églises-d'Argenteuil (17) 178 A5
Églisolles (63) 204 B6
les Églisottes-et-Chalaures (33) 212 C4
Égly (91) 86 D1
Égreville (77) 87 K6
Égriselles-le-Bocage (89) 112 C1
Égry (45) 111 F1
Éguelshardt (57) 69 H3
Eguenigue (90) 119 J6
l'Éguille (17) 194 C2
Éguilles (13) 277 H6
Éguilly (21) 135 F5
Éguilly-sous-Bois (10) 115 F1
Éguisheim (68) 96 B4
Éguzon-Chantôme (36) 165 H5
Éhuns (70) 118 C5
Eichhoffen (67) 70 C6
Eincheville (57) 66 E1
Einvaux (54) 94 C1
Einville-au-Jard (54) 66 D5
Eix (55) 43 J5
Élan (08) 22 D4
Élancourt (78) 58 B4
Elbach (68) 119 K6
Elbeuf (76) 35 H4
Elbeuf-en-Bray (76) 36 D1
Elbeuf-sur-Andelle (76) 36 A1
Élencourt (60) 17 H4
Élesmes (59) 13 H2
Életot (76) 14 D3
Éleu-dit-Leauwette (62) 11 F1
Élincourt (59) 12 B6
Élincourt-Sainte-Marguerite (60) 38 D1
Élise-Daucourt (51) 63 H1
Ellecourt (76) 17 F3
Elliant (29) 99 F1
Ellon (14) 32 B4
Elne (66) 315 H3
Elnes (62) 5 F3
Éloie (90) 119 H5
Éloise (74) 190 C3
Éloyes (88) 95 F6
Elsenheim (67) 96 D3
Elvange (57) 45 J6
Elven (56) 101 H4
Elzange (57) 27 H4
Émagny (25) 137 J5
Émalleville (27) 35 J6
Émancé (78) 85 J1
Émanville (27) 56 B1
Émanville (76) 15 J5
Emberménil (54) 67 F5
Embres-et-Castelmaure (11) 310 B3
Embreville (80) 8 D6
Embrun (05) 243 J5
Embry (62) 4 E6
Émerainville (77) 59 H4
Émerchicourt (59) 11 K2
Émeringes (69) 188 B2
Éméville (60) 39 F4
Émiéville (14) 33 F5
Emlingen (68) 97 B4
Emmerin (59) 6 D4
Émondeville (50) 29 F4
Empeaux (31) 287 J1
Empurany (07) 221 K5
Empuré (16) 179 F4
Empury (58) 133 J5
Encausse (32) 268 C5
Encausse-les-Thermes (31) 305 K2
Enchastrayes (04) 260 D1
Enchenberg (57) 69 G4
Encourtiech (09) 306 E3
Endoufielle (32) 287 H1
Énencourt-le-Sec (60) 37 F4
Énencourt-Léage (60) 36 E4
Enfonvelle (52) 117 H3

Engayrac (47) 248 E4
Engente (10) 91 H5
Engenville (45) 86 D5
Enghien-les-Bains (95) 58 E2
Engins (38) 223 K3
Englancourt (02) 20 E1
Englebelmer (80) 10 D5
Englefontaine (59) 12 E4
Englesqueville-en-Auge (14) 33 J3
Englesqueville-la-Percée (14) 29 J6
Englos (59) 6 D4
Engomer (09) 306 C3
Enguinegatte (62) 5 G4
Engwiller (67) 69 J5
Ennemain (80) 19 G2
Ennery (57) 45 F4
Ennery (95) 58 C1
Ennetières-en-Weppes (59) 6 C4
Ennevelin (59) 6 E5
Ennezat (63) 185 G6
Ennordres (18) 130 E4
Enquin-les-Mines (62) 5 G5
Enquin-sur-Baillons (62) 4 C5
Ens (65) 305 F5
Ensigné (79) 178 C3
Ensisheim (68) 97 C1
Ensuès-la-Redonne (13) 296 A3
Entrages (04) 259 K6
Entraigues (38) 242 D1
Entraigues (63) 185 G6
Entraigues-sur-la-Sorgue (84) 276 C1
Entrains-sur-Nohain (58) 132 D4
Entrammes (53) 105 F2
Entrange (57) 27 G3
Entraunes (06) 260 E4
Entraygues-sur-Truyère (12) 235 J5
Entre-deux-Eaux (88) 95 J4
Entre-deux-Guiers (38) 207 K6
Entre-deux-Monts (39) 174 A2
Entrecasteaux (83) 298 B1
Entrechaux (84) 257 H4
Entremont (74) 191 H4
Entremont-le-Vieux (73) 208 B5
Entrepierres (04) 259 G4
Entrevaux (04) 280 C1
Entrevennes (04) 278 D1
Entrevernes (74) 208 E1
Entzheim (67) 70 E4
Enval (63) 184 E6
Enveitg (66) 313 G5
Envermeu (76) 16 B2
Envronville (76) 15 F5
Éourres (05) 258 D4
Eoux (31) 287 F5
Épagne (10) 90 E3
Épagne-Épagnette (80) 9 G5
Épagny (02) 39 H1
Épagny (21) 136 A3
Épagny (74) 191 F5
Épaignes (27) 34 B4
Épaney (14) 54 B2
Épannes (79) 177 J2
Éparcy (02) 21 H2
les Éparges (55) 43 K6
Épargnes (17) 194 E4
les Éparres (38) 207 F4
Épaumesnil (80) 17 G2
Épaux-Bézu (02) 39 J6
Épeautrolles (28) 84 E4
Épécamps (80) 9 K5
Épégard (27) 35 F5
Épehy (80) 11 J6
Épeigné-les-Bois (37) 128 C6
Épeigné-sur-Dême (37) 127 H1
Épénancourt (80) 19 G3
Épenède (16) 180 A4
Épenouse (25) 138 D6
Épenoy (25) 157 F1
Épense (51) 63 H2
Épercieux-Saint-Paul (42) 204 E2
Éperlecques (62) 3 F4
Épernay (51) 61 K1
Épernay-sous-Gevrey (21) 154 C1
Épernon (28) 85 J1
Eperrais (61) 83 H3
Épersy (73) 208 B2
Épertully (71) 153 J4
Épervans (71) 171 K1
les Epesses (85) 142 E5
Épeugney (25) 156 B2
Epfig (67) 70 C6
Épiais (41) 108 E5
Épiais-lès-Louvres (95) 59 G1
Épiais-Rhus (95) 37 G6
Épieds (02) 39 K6
Épieds (27) 57 F2
Épieds (49) 144 D2
Épieds-en-Beauce (45) 109 H3
Épierre (73) 209 F5
Épiez-sur-Chiers (54) 26 A3
Épiez-sur-Meuse (55) 93 F1
Épinac (71) 153 H4
Épinal (88) 94 D5
Épinay (27) 55 J2
Épinay-Champlâtreux (95) 38 A6
l'Épinay-le-Comte (61) 80 E2
Épinay-sous-Sénart (91) 59 G5
Épinay-sur-Duclair (76) 15 H6
Épinay-sur-Odon (14) 32 B6
Épinay-sur-Orge (91) 58 E6
Épinay-sur-Seine (93) 58 E2
l'Épine (05) 258 C1
l'Épine (51) 62 E2
l'Épine (85) 140 B3
l'Épine-aux-Bois (02) 60 E3
Épineau-les-Voves (89) 113 F3
Épineu-le-Chevreuil (72) 106 B2
Épineuil (89) 114 A4
Épineuil-le-Fleuriel (18) 167 H4
Épineuse (60) 38 B2
Épineux-le-Seguin (53) 105 J3
Epiniac (35) 51 G5
Épinonville (55) 42 E3
Épinouze (26) 222 C2
Épinoy (62) 11 J3
Epiry (58) 151 K1
Épisy (77) 87 J4
Épizon (52) 92 C3
Éplessier (80) 17 H3
Éply (54) 66 A2
Époisses (21) 134 C3
Épône (78) 57 K2
Épothémont (10) 91 G3
Épouville (76) 14 B6
Époye (51) 41 H4
Eppe-Sauvage (59) 13 K5
Eppes (02) 20 E6
Eppeville (80) 19 H4
Epping (57) 69 F2
Épretot (76) 14 C6
Épreville (76) 14 D4
Épreville-en-Lieuvin (27) 34 C5
Épreville-en-Roumois (27) 34 E3
Épreville-près-le-Neubourg (27) 35 F5
Épron (14) 32 E4
Eps (62) 5 G6
Épuisay (41) 108 B4
Équancourt (80) 11 H6
Équemauville (14) 33 K2
Équennes-Éramecourt (80) 17 H4
Équeurdreville-Hainneville (50) 28 C2
Équevilley (70) 118 B5
Équevillon (39) 156 B6
Équihen-Plage (62) 4 A3
Équilly (50) 51 K1
Équirre (62) 5 G6
Éragny (95) 58 C1
Éragny-sur-Epte (60) 36 E3
Eraines (14) 54 B2
Éraville (16) 196 B4
Erbajolo (2B) 319 G6
Erbéviller-sur-Amezule (54) 66 C4
Erbray (44) 103 K4
Erbrée (35) 104 B1
Ercé (09) 307 F4
Ercé-en-Lamée (35) 103 H2
Ercé-près-Liffré (35) 79 H2
Erceville (45) 86 B5
Erches (80) 18 E4
Ercheu (80) 19 G4
Erchin (59) 11 J2
Erching (57) 69 F2
Erckartswiller (67) 69 G5
Ercourt (80) 9 F6
Ercuis (60) 37 K4
Erdeven (56) 100 B5
Éréac (22) 78 A2
Ergersheim (67) 70 D3
Ergnies (80) 9 J5
Ergny (62) 4 E5
Ergué-Gabéric (29) 74 D6
Érin (62) 9 K1
Éringes (21) 134 E2
Eringhem (59) 3 H3
Érize-la-Brûlée (55) 64 C3
Érize-la-Petite (55) 64 B2
Érize-Saint-Dizier (55) 64 C3
Erlon (02) 20 D4
Erloy (02) 20 E1
Ermenonville (60) 38 C6
Ermenonville-la-Grande (28) 85 F4
Ermenonville-la-Petite (28) 85 F5
Ermenouville (76) 15 G3
Ermont (95) 58 D2
Ernée (53) 80 D4
Ernemont-Boutavent (60) 17 G6
Ernemont-la-Villette (76) 36 D2
Ernemont-sur-Buchy (76) 16 C6
Ernes (14) 54 B1
Ernestviller (57) 68 C3
Erneville-aux-Bois (55) 64 D4
Ernolsheim-Bruche (67) 70 D3
Ernolsheim-lès-Saverne (67) 69 G6
Erny-Saint-Julien (62) 5 G5
Érôme (26) 222 B4
Érondelle (80) 9 G6
Érone (2B) 319 G5
Éroudeville (50) 28 E4
Erp (09) 306 E3
Erquery (60) 38 A2
Erquinghem-le-Sec (59) 6 C4
Erquinghem-Lys (59) 6 C3
Erquinvillers (60) 38 A2
Erquy (22) 49 K4
Err (66) 313 H5
Erre (59) 12 B2
Errevet (70) 119 G6
Errouville (54) 26 E3
Ersa (2B) 317 D2
Erstein (67) 70 E5
Erstroff (57) 68 B4
Ervauville (45) 112 A2
Ervillers (62) 11 F4
Ervy-le-Châtel (10) 113 K2
Esbareich (65) 305 H3
Esbarres (21) 154 D2
Esbly (77) 59 J3
Esboz-Brest (70) 118 D4
Escala (65) 305 F1
Escalans (40) 266 C1
l'Escale (04) 259 G5
Escales (11) 290 E5
Escalles (62) 2 B3
Escalquens (31) 288 D2
Escames (60) 17 G6
Escamps (46) 250 C2
Escamps (89) 113 F6
Escandolières (12) 251 J1
Escanecrabe (31) 286 E5
Escardes (51) 61 F5
l'Escarène (06) 281 H2
Escarmain (59) 12 D3
Escaro (66) 314 A4
Escassefort (47) 231 F6
Escatalens (82) 268 E1
Escaudain (59) 12 B2
Escaudes (33) 246 D3
Escaudœuvres (59) 12 A4
Escaunets (65) 285 F3
Escautpont (59) 12 D1
Escazeaux (82) 268 C3
Eschau (67) 71 D2
Eschbach (67) 25 A3
Eschbach-au-Val (68) 96 A4
Eschbourg (67) 69 F6
Eschentzwiller (68) 97 C3
Escherange (57) 27 F3
Esches (60) 37 H5
Eschwiller (67) 67 K2
Esclagne (09) 308 B3
Esclainvillers (80) 18 B4
Esclanèdes (48) 253 K1
Esclassan-Labastide (32) 286 C3
Esclauzels (46) 250 B2
Esclavelles (76) 16 C4
Esclavolles-Lurey (51) 89 G1
Escles (88) 94 B6
Escles-Saint-Pierre (60) 17 G4
Esclottes (47) 230 E4
Escobecques (59) 6 C4
Escœuilles (62) 4 D3
Escoire (24) 214 B3
Escolives-Sainte-Camille (89) 113 G6
Escombres-et-le-Chesnois (08) 23 G4
Escondeaux (65) 285 J4
Esconnets (65) 304 E1
Escorailles (15) 217 G4
Escornebœuf (32) 268 B6
Escorpain (28) 56 D5
Escos (64) 283 G2
Escosse (09) 307 H1
Escot (64) 303 F1
Escots (65) 304 E1
Escou (64) 284 B5
Escoubès (64) 284 E3
Escoubès-Pouts (65) 304 C1
Escoulis (31) 306 C1
Escouloubre (11) 313 J1
Escource (40) 244 E4
Escoussans (33) 230 A4
Escoussens (81) 289 K2
Escout (64) 284 B5
Escoutoux (63) 203 H1
Escoville (14) 33 F4
Escragnolles (06) 280 B4
Escrennes (45) 110 D1
Escrignelles (45) 111 J6
Escroux (81) 271 J4
Escueillens-et-Saint-Just-de-Bélengard (11) 308 C1
Escurès (64) 285 F2
Escurolles (03) 185 G3
Eslettes (76) 15 K6
Esley (88) 93 K6
Eslourenties-Daban (64) 285 F4
Esmans (77) 88 A4
Esmery-Hallon (80) 19 H4
Esmoulières (70) 119 F4
Esmoulins (70) 137 F4
Esnandes (17) 176 D1
Esnans (25) 138 C4
Esnes (59) 12 B5
Esnes-en-Argonne (55) 43 G4
Esnon (89) 113 G3
Esnouveaux (52) 92 D6
Espagnac (19) 216 C3
Espagnac-Sainte-Eulalie (46) 234 B5
Espalais (82) 248 E6
Espalem (43) 219 F2
Espalion (12) 236 B6
Espaly-Saint-Marcel (43) 220 C5
Espanès (31) 288 C2
Espaon (32) 287 F3
Esparron (05) 242 C6
Esparron (31) 287 F5
Esparron (83) 278 C6
Esparron-de-Verdon (04) 278 D4
Esparros (65) 305 F2
Esparsac (82) 268 B2
Espartignac (19) 215 K1
Espas (32) 266 C4
Espaubourg (60) 37 F2
Espèche (65) 304 E1
Espéchède (64) 284 E4
Espédaillac (46) 234 B5
Espelette (64) 282 B3
Espeluche (26) 240 B6
Espenel (26) 241 F4
Espérausses (81) 271 H5
Espéraza (11) 308 E3
Esperce (31) 288 B4
Espère (46) 233 G6
Espès-Undurein (64) 283 H4
Espeyrac (12) 235 J5
Espeyroux (46) 234 C3
Espezel (11) 308 C5
Espieilh (65) 304 E1
Espiens (47) 247 J5
Espiet (33) 230 A2
Espinas (82) 250 D5
Espinasse (15) 236 C2
Espinasse (63) 184 B4
Espinasse-Vozelle (03) 185 H3
Espinasses (05) 243 G6
Espinchal (63) 218 C1
Espins (14) 53 J1
Espira-de-Conflent (66) 314 C3
Espira-de-l'Agly (66) 310 B5
Espirat (63) 203 F2
Espiute (64) 283 H3
Esplantas (43) 237 J1
Esplas (09) 288 C6
Esplas-de-Sérou (09) 307 F3
Espoey (64) 285 F5
Espondeilhan (34) 292 A3
Esprels (70) 138 D2
Esquay-Notre-Dame (14) 32 D5
Esquay-sur-Seulles (14) 32 C3
Esquéhéries (02) 13 F6
Esquelbecq (59) 3 H3
Esquennoy (60) 18 A5
Esquerchin (59) 11 G1
Esquerdes (62) 5 F3
Esquibien (29) 73 C3
Esquièze-Sère (65) 304 B4
Esquiule (64) 283 K5
les Essards (16) 212 E3
les Essards (17) 195 F1
les Essards (37) 126 E5
les Essards-Taignevaux (39) 155 F4
Essarois (21) 115 H5
Essars (62) 6 A5
les Essarts (27) 56 B3
les Essarts (41) 107 J6
les Essarts (85) 142 B6
les Essarts-le-Roi (78) 58 A5
les Essarts-le-Vicomte (51) 61 F6
les Essarts-lès-Sézanne (51) 61 G5
Essay (61) 82 E1
Esse (16) 180 C4
Essé (35) 79 J6
Essegney (88) 94 C3
les Esseintes (33) 230 C5
Essert (90) 119 H6
Essert-Romand (74) 192 A1
Essertaux (80) 18 A4
Essertenne (71) 153 H6
Essertenne-et-Cecey (70) 136 E4
Essertines-en-Châtelneuf (42) 204 C4
Essertines-en-Donzy (42) 205 F2
Esserts-Blay (73) 209 G3
Esserval-Combe (39) 156 C6
Esserval-Tartre (39) 156 C5
Essey (21) 153 H1
Essey-et-Maizerais (54) 65 G2
Essey-la-Côte (54) 94 D2
Essey-lès-Nancy (54) 66 B4
Essia (39) 173 G3
Essigny-le-Grand (02) 19 K3
Essigny-le-Petit (02) 20 A2
Essises (02) 60 E2
Essômes-sur-Marne (02) 60 E1
Esson (14) 53 J2
Essoyes (10) 115 F2
Essuiles (60) 37 J1
les Estables (43) 238 E1
Estables (48) 237 J4
Establet (26) 241 J6
Estadens (31) 306 A2
Estagel (66) 309 K5
Estaing (12) 236 A6
Estaing (65) 303 K3
Estaires (59) 6 A4
Estal (46) 234 C1
Estampes (32) 285 K3
Estampures (65) 285 K3
Estancarbon (31) 305 K1
Estandeuil (63) 203 G3
Estang (32) 266 B3
Estarvielle (65) 305 F4
Estavar (66) 313 H5
Esteil (63) 203 G6
Esténos (31) 305 J3
Estensan (65) 305 F4
Estérençuby (64) 282 E6
Esternay (51) 61 F5
Esterre (65) 304 B4
Estevelles (62) 6 C6
Esteville (76) 16 B5
Estézargues (30) 275 K2
Estialescq (64) 284 B5
Estibeaux (40) 264 C6
Estigarde (40) 246 E6
Estillac (47) 248 B5
Estipouy (32) 286 A1
Estirac (65) 285 H2
Estissac (10) 89 J5
Estivals (19) 215 H6
Estivareilles (03) 167 H5
Estivareilles (42) 204 C6
Estivaux (19) 215 H2
Estoher (66) 314 C3
Estos (64) 284 A5
Estoublon (04) 279 F1
Estouches (91) 86 C5
Estourmel (59) 12 B4
Estouteville-Écalles (76) 16 B6
Estouy (45) 86 E6
Estrablin (38) 206 C5
Estramiac (32) 268 A3
Estrebay (08) 21 K2
Estrébœuf (80) 8 E4
l'Estréchure (30) 254 D6
Estrée (62) 4 C6
Estrée-Blanche (62) 5 H4
Estrée-Cauchy (62) 10 D1
Estrée-Wamin (62) 10 B3
Estréelles (62) 4 C6
Estrées (02) 19 K1
Estrées (59) 11 H2
Estrées-Deniécourt (80) 19 F2
Estrées-la-Campagne (14) 54 A1
Estrées-lès-Crécy (80) 9 H3
Estrées-Mons (80) 19 H2
Estrées-Saint-Denis (60) 38 C2
Estrées-sur-Noye (80) 18 B3
Estrennes (88) 93 K4
Estreux (59) 12 D2
Estrun (59) 12 B3
Estry (14) 53 F2
Esves-le-Moutier (37) 146 C3
Esvres (37) 127 K6
Eswars (59) 12 B3
Étable (73) 208 D5
Étables (07) 222 A4
Étables-sur-Mer (22) 49 F4
Étagnac (16) 180 C6
Étaimpuis (76) 16 A5
Étain (55) 44 A4
Étaing (62) 11 G3
Étainhus (76) 14 C6
Étais (21) 114 E6
Étais-la-Sauvin (89) 132 E3
Étalans (25) 156 E1
Étalante (21) 135 H1
Étalle (08) 22 A2
Étalleville (76) 15 H4
Étalon (80) 19 G3
Étalondes (76) 8 C6
Étampes (91) 86 C3
Étampes-sur-Marne (02) 60 E1
l'Étang-Bertrand (50) 28 D4
l'Étang-la-Ville (78) 58 C3
Étang-sur-Arroux (71) 152 E5
l'Étang-Vergy (21) 154 A1
les Étangs (57) 45 H5
Étaples (62) 4 B5
Étaule (89) 133 K3
Étaules (17) 194 B2
Étaules (21) 135 K4
Étauliers (33) 211 H3
Étaux (74) 191 G3
Étaves-et-Bocquiaux (02) 20 B1
Étavigny (60) 39 F6
Etcharry (64) 283 H3
Etchebar (64) 302 C1
Éteignières (08) 22 A2
Eteimbes (68) 119 K5
Étel (56) 100 B5
Ételfay (80) 18 D5
Étercy (74) 190 E5
Éternoz (25) 156 C3
Éterpigny (62) 11 G3
Éterpigny (80) 19 G2
Éterville (14) 32 D5
Étevaux (21) 136 D5
Eth (59) 12 E2
Étienville (50) 28 E5
Étigny (89) 112 D1
les Étilleux (28) 84 A5
Étinehem (80) 18 E1
Étiolles (91) 59 F6
Étival (39) 173 J4
Étival-Clairefontaine (88) 95 H3
Étival-lès-le-Mans (72) 106 D3
Étivey (89) 134 B1
Étobon (70) 119 G6
Étoges (51) 61 J3
l'Étoile (39) 173 F1
l'Étoile (80) 9 J6
Étoile-Saint-Cyrice (05) 258 C2
Étoile-sur-Rhône (26) 240 C2
Éton (55) 44 A3
Étormay (21) 135 F2
Étouars (24) 197 J4
Étourvy (10) 114 B3
Étoutteville (76) 15 G4
Étouvans (25) 139 G3
Étouvelles (02) 40 B1
Étouvy (14) 52 E2
Étouy (60) 37 K2
Étrabonne (25) 137 H6
Étrappe (25) 139 F3
l'Étrat (42) 205 G5
Étray (25) 156 E1
Étraye (55) 43 H3
Étréaupont (02) 21 F2
Étrechet (36) 165 K1
Étréchy (18) 149 K2
Étréchy (51) 61 K3
Étréchy (91) 86 D2
Étréham (14) 32 A3
Étreillers (02) 19 J3
Étréjust (80) 17 H2
Étrelles (35) 104 A1
Étrelles-et-la-Montbleuse (70) 137 J3
Étrelles-sur-Aube (10) 89 J1
Étrembières (74) 191 G2
Étrépagny (27) 36 C3
Étrepigney (39) 155 J2
Étrépigny (08) 22 D4
Étrépilly (02) 39 J6
Étrépilly (77) 59 K1
Étrepy (51) 63 H4
Étretat (76) 14 B4
Étreux (02) 12 E6
Étreval (54) 93 K2
Étréville (27) 34 D3
Étrez (01) 172 C6
Étriac (16) 196 C5

Étriché (49) 125 H1
Étricourt-Manancourt (80) 11 G6
Étrigny (71) 171 J3
Étrochey (21) 115 F4
Étrœungt (59) 13 G5
Étroussat (03) 185 G2
Étrun (62) 10 E2
Etsaut (64) 303 F3
Ettendorf (67) 69 J6
Etting (57) 68 E3
Étueffont (90) 119 J5
Étupes (25) 139 H2
Éturqueraye (27) 34 E3
Étusson (79) 143 J3
Étuz (70) 137 K4
Etzling (57) 68 C2
Eu (76) 8 C6
Euffigneix (52) 116 A1
Eugénie-les-Bains (40) 265 H5
Euilly-et-Lombut (08) 23 G5
Eulmont (54) 66 B4
Eup (31) 305 J3
Eurre (26) 240 D3
Eurville-Bienville (52) 91 K1
Eus (66) 314 C3
Euvezin (54) 65 H2
Euville (55) 65 F4
Euvy (51) 62 A5
Euzet (30) 255 J6
Évaillé (72) 107 J4
Évans (39) 155 K1
Évaux-et-Ménil (88) 94 C4
Évaux-les-Bains (23) 183 K3
Ève (60) 38 C6
Évecquemont (78) 58 A1
Évenos (83) 300 B3
Évergnicourt (02) 41 F2
Everly (77) 88 D3
Évette-Salbert (90) 119 H6
Éveux (69) 205 J1
Évian-les-Bains (74) 175 G5
Évigny (08) 22 C4
Évillers (25) 156 D3
Évin-Malmaison (62) 11 H1
Évires (74) 191 G4
Évisa (2A) 320 B1
Évosges (01) 189 K5
Évran (22) 50 D6
Évrange (57) 27 G2
Évrecy (14) 32 C6
Èvres (55) 64 A1
Évreux (27) 56 D1
Évricourt (60) 19 G6
Évriguet (56) 77 K6
Évron (53) 81 J6
Évry (89) 88 D5
Évry (91) 59 F6
Évry-Grégy-sur-Yerre (77) 59 H6
Excenevex (74) 174 E5
Excideuil (24) 214 D2
Exermont (08) 42 E3
Exideuil (16) 180 B6
Exincourt (25) 139 H2
Exireuil (79) 161 K5
Exmes (61) 54 E4
Exoudun (79) 162 B6
Expiremont (17) 211 K1
Eybens (38) 224 B3
Eybouleuf (87) 199 H2
Eyburie (19) 199 J6
Eycheil (09) 306 D3
Eydoche (38) 207 F6
Eygalayes (26) 258 C3
Eygalières (13) 276 D4
Eygaliers (26) 257 J4
Eygliers (05) 227 A3
Eygluy-Escoulin (26) 241 F2
Eyguians (05) 258 E2
Eyguières (13) 276 D5
Eygurande (19) 201 G3
Eygurande-et-Gardedeuil (24) 212 E5
Eyjeaux (87) 199 G2
Eyliac (24) 214 B4
Eymet (24) 231 G4
Eymeux (26) 223 F5
Eymouthiers (16) 197 H3
Eymoutiers (87) 199 K2
Eyne (66) 313 J5
Eynesse (33) 230 E2
Eyragues (13) 276 B3
Eyrans (33) 211 G3
Eyrein (19) 216 C2
Eyres-Moncube (40) 265 G4
Eyroles (26) 257 J1
Eysines (33) 229 G1
Eysson (25) 138 E6
Eysus (64) 284 A6
Eyvirat (24) 214 A2
Eywiller (67) 67 K2
Eyzahut (26) 240 D5
Eyzerac (24) 214 C1
les Eyzies-de-Tayac-Sireuil (24) 232 D1
Eyzin-Pinet (38) 206 C5
Ézanville (95) 58 E1
Èze (06) 281 H3
Ézy-sur-Eure (27) 57 F3

F

Fa (11) 308 E3
Fabas (09) 306 D1
Fabas (31) 287 G4
Fabas (82) 269 F3
Fabras (07) 239 G4
Fabrègues (34) 293 F1
Fabrezan (11) 309 K1
Faches-Thumesnil (59) 6 E4
Fâchin (58) 152 C4
la Fage-Montivernoux (48) 236 E3
la Fage-Saint-Julien (48) 237 F3
le Faget (31) 289 F1
Faget-Abbatial (32) 286 E2
Fagnières (51) 62 D2
Fagnon (08) 22 C4
Fahy-lès-Autrey (70) 136 E3
Failly (57) 45 F5
Faimbe (25) 139 F2
Fain-lès-Montbard (21) 134 E2
Fain-lès-Moutiers (21) 134 C2
Fains (27) 57 F2
Fains-la-Folie (28) 85 H6
Fains-Véel (55) 64 A4
Faissault (08) 22 B5
Fajac-en-Val (11) 309 H1
Fajac-la-Relenque (11) 288 E5
Fajoles (46) 233 H3
la Fajolle (11) 308 C5
Fajolles (82) 268 C2
Falaise (08) 42 B2
Falaise (14) 54 A3
la Falaise (78) 57 K2
Falck (57) 45 K4
Faleyras (33) 230 A3
Falga (31) 289 G2
le Falgoux (15) 217 K4
Falicon (06) 281 G3
Falkwiller (68) 97 A3
Fallencourt (76) 16 E2
Fallerans (25) 156 E1
Falleron (85) 141 G4
Falletans (39) 155 H2
Fallon (70) 138 E2
la Faloise (80) 18 B4
Fals (47) 248 C6
Falvy (80) 19 G3
Famars (59) 12 D2
Famechon (62) 10 C4
Famechon (80) 17 J3
Fameck (57) 44 E3
Familly (14) 55 F2
Fampoux (62) 11 F2
Fanjeaux (11) 289 H6
Fanlac (24) 214 E5
le Faou (29) 74 C2
le Faouët (22) 48 D3
le Faouët (56) 75 J6
Faramans (01) 189 F6
Faramans (38) 206 E6
Farbus (62) 11 F2
Farceaux (27) 36 B4
la Fare-en-Champsaur (05) 242 E4
la Fare-les-Oliviers (13) 296 A1
Farébersviller (57) 68 B3
Fareins (01) 188 B4
Faremoutiers (77) 60 A4
Farges (01) 190 D2
les Farges (24) 215 F4
Farges-Allichamps (18) 167 F1
Farges-en-Septaine (18) 149 J3
Farges-lès-Chalon (71) 154 A6
Farges-lès-Mâcon (71) 171 K4
Fargues (33) 229 K6
Fargues (40) 265 H4
Fargues (46) 249 H2
Fargues-Saint-Hilaire (33) 229 J2
Fargues-sur-Ourbise (47) 247 G4
Farincourt (52) 117 G6
Farinole (2B) 317 D5
la Farlède (83) 300 D3
Farnay (42) 205 J5
Farschviller (57) 68 C3
Fatines (72) 107 F2
Fatouville-Grestain (27) 34 A2
le Fau (15) 217 J5
Fau-de-Peyre (48) 237 F3
Fauch (81) 271 F3
Faucigny (74) 191 H2
Faucogney-et-la-Mer (70) 118 E4
Faucompierre (88) 95 F6
Faucon (84) 257 H3
Faucon-de-Barcelonnette (04) 260 D1
Faucon-du-Caire (04) 259 H1
Fauconcourt (88) 94 E3
Faucoucourt (02) 20 B6
Faudoas (82) 268 B3
le Fauga (31) 288 A3
Faugères (07) 255 H1
Faugères (34) 291 K1
Fauguernon (14) 34 A5
Fauguerolles (47) 247 H1
Fauillet (47) 247 J1
le Faulq (14) 34 A4
Faulquemont (57) 45 K6
Faulx (54) 66 A3
Faumont (59) 6 E6
Fauquembergues (62) 5 F4
la Faurie (05) 242 B5
Faurilles (24) 231 K4
Fauroux (82) 249 F4
Faussergues (81) 271 H1
la Faute-sur-Mer (85) 159 J6
Fauverney (21) 136 B6
Fauville (27) 56 D1
Fauville-en-Caux (76) 15 F5
Faux (08) 22 B6
Faux (24) 231 K3
Faux-Fresnay (51) 61 K6
Faux-la-Montagne (23) 200 B2
Faux-Mazuras (23) 182 C6
Faux-Vésigneul (51) 62 D4
Faux-Villecerf (10) 89 H4
Favalello (2B) 319 G6
Favars (19) 216 A3
Faveraye-Mâchelles (49) 125 G6
Faverdines (18) 167 G3
Faverelles (45) 132 A2
Faverges (74) 209 F1
Faverges-de-la-Tour (38) 207 H4
Faverney (70) 118 A5
Faverois (90) 139 K2
Faverolles (02) 39 H4
Faverolles (15) 236 E1
Faverolles (28) 57 H5
Faverolles (36) 147 H2
Faverolles (52) 116 B3
Faverolles (61) 53 K5
Faverolles (80) 18 D5
Faverolles-et-Coëmy (51) 40 D4
Faverolles-la-Campagne (27) 56 B1
Faverolles-lès-Lucey (21) 115 J4
Faverolles-sur-Cher (41) 128 D5
la Favière (39) 156 C6
Favières (28) 84 D2
Favières (54) 93 J2
Favières (77) 59 J5
Favières (80) 8 E3
Favresse (51) 63 G5
Favreuil (62) 11 F5
Favrieux (78) 57 H2
le Favril (27) 34 C5
le Favril (28) 84 D2
le Favril (59) 13 F5
Fay (61) 55 G6
le Fay (71) 172 E2
Fay (72) 106 C2
Fay (80) 19 F2
Fay-aux-Loges (45) 110 C4
Fay-de-Bretagne (44) 122 E1
Fay-en-Montagne (39) 155 J6
Fay-le-Clos (26) 222 C3
Fay-les-Étangs (60) 37 F4
Fay-lès-Marcilly (10) 89 G3
Fay-lès-Nemours (77) 87 H5
le Fay-Saint-Quentin (60) 37 J2
Fay-sur-Lignon (43) 221 F6
Faycelles (46) 234 D6
la Faye (16) 179 G4
Faye (41) 108 D5
Faye-d'Anjou (49) 125 G5
Faye-la-Vineuse (37) 145 G4
Faye-l'Abbesse (79) 143 K6
Faye-sur-Ardin (79) 161 G5
le Fayel (60) 38 C3
Fayence (83) 280 B5
Fayet (02) 19 K2
Fayet (12) 272 C4
Fayet-le-Château (63) 203 G3
Fayet-Ronaye (63) 203 H6
Fayl-Billot (52) 117 F5
Faymont (70) 139 F1
Faymoreau (85) 161 F3
Fays (52) 91 K2
Fays (88) 95 F5
Fays-la-Chapelle (10) 114 A1
Fayssac (81) 270 C2
Féas (64) 283 K6
Febvin-Palfart (62) 5 H5
Fécamp (76) 14 D3
Féchain (59) 11 J3
Fêche-l'Église (90) 139 J2
Fécocourt (54) 93 K3
Fédry (70) 137 J1
Fegersheim (67) 71 D2
Fégréac (44) 102 C5
Feigères (74) 190 E3
Feigneux (60) 38 E4
Feignies (59) 13 G2
Feillens (01) 171 K6
Feings (41) 128 E4
Feings (61) 83 J1
Feins (35) 79 G1
Feins-en-Gâtinais (45) 111 K6
Feissons-sur-Isère (73) 209 G4
Feissons-sur-Salins (73) 209 H5
le Fel (12) 235 J5
Fel (61) 54 D4
Felce (2B) 319 J5
Feldbach (68) 97 B5
Feldkirch (68) 97 B1
Feliceto (2B) 318 C3
Félines (07) 222 A2
Félines (43) 220 A2
Félines-Minervois (34) 290 D4
Félines-sur-Rimandoule (26) 240 E5
Félines-Termenès (11) 309 J3
Felleries (59) 13 H4
Fellering (68) 119 J3
Felletin (23) 183 G6
Felluns (66) 309 H5
Felon (90) 119 J5
Felzins (46) 234 E5
Fenain (59) 12 B2
Fénay (21) 136 A6
Fendeille (11) 289 G5
Fénery (79) 161 J2
Fénétrange (57) 67 J2
Feneu (49) 125 G2
Féneyrols (82) 250 D5
Féniers (23) 200 D2
Fenioux (17) 177 J6
Fenioux (79) 161 G3
Fenneviller (54) 95 H1
Fénols (81) 270 D3
le Fenouiller (85) 140 E6
Fenouillet (31) 269 G5
Fenouillet (66) 309 G5
Fenouillet-du-Razès (11) 289 H6
Fépin (08) 24 C3
Fercé (44) 103 J2
Fercé-sur-Sarthe (72) 106 B4
Ferdrupt (88) 119 G3
la Fère (02) 20 A5
Fère-Champenoise (51) 61 K5
Fère-en-Tardenois (02) 40 A5
Fèrebrianges (51) 61 J3
la Férée (08) 21 K3
Férel (56) 121 K2
Ferfay (62) 5 J5
Féricy (77) 87 J3
Férin (59) 11 H2
Fermanville (50) 28 E2
la Fermeté (58) 151 F4
Ferney-Voltaire (01) 191 F1
Fernoël (63) 201 G2
Férolles (45) 110 C5
Férolles-Attilly (77) 59 H5
Féron (59) 13 H5
Ferques (62) 2 C4
Ferrals-les-Corbières (11) 291 F6
Ferrals-les-Montagnes (34) 290 E3
Ferran (11) 289 J6
Ferrassières (26) 258 B5
le Ferré (35) 80 A2
Ferrensac (47) 231 K5
Ferrère (65) 305 H3
les Ferres (06) 280 E2
Ferrette (68) 97 C5
Ferreux-Quincey (10) 89 G3
la Ferrière (22) 77 H5
la Ferrière (37) 127 K1
la Ferrière (38) 224 E1
la Ferrière (85) 159 J1
la Ferrière-Airoux (86) 163 F6
la Ferrière-au-Doyen (61) 55 H6
la Ferrière-aux-Étangs (61) 53 H5
la Ferrière-Béchet (61) 82 D1
la Ferrière-Bochard (61) 82 C3
la Ferrière-de-Flée (49) 104 D6
la Ferrière-en-Parthenay (79) 162 B2
Ferrière-et-Lafolie (52) 92 A3
la Ferrière-Harang (14) 31 K5
Ferrière-la-Grande (59) 13 H3
Ferrière-la-Petite (59) 13 H3
Ferrière-Larçon (37) 146 C4
Ferrière-sur-Beaulieu (37) 146 D2
la Ferrière-sur-Risle (27) 55 K2
Ferrières (17) 177 G1
Ferrières (50) 80 D1
Ferrières (54) 66 B6
Ferrières (60) 18 D6
Ferrières (65) 303 J2
Ferrières (80) 17 K2
Ferrières (81) 271 H6
Ferrières-en-Bray (76) 36 D1
Ferrières-en-Brie (77) 59 H4
Ferrières-en-Gâtinais (45) 111 J2
Ferrières-Haut-Clocher (27) 56 B1
Ferrières-la-Verrerie (61) 55 F6
Ferrières-le-Lac (25) 139 J5
Ferrières-les-Bois (25) 137 H6
Ferrières-lès-Ray (70) 137 H2
Ferrières-lès-Scey (70) 117 K6
Ferrières-les-Verreries (34) 274 B3
Ferrières-Poussarou (34) 291 G2
Ferrières-Saint-Hilaire (27) 55 H1
Ferrières-Saint-Mary (15) 218 D4
Ferrières-sur-Ariège (09) 307 J3
Ferrières-sur-Sichon (03) 186 B4
Ferrussac (43) 219 H5
Fertans (25) 156 C2
la Ferté (39) 155 J4
la Ferté-Alais (91) 86 E2
la Ferté-Beauharnais (41) 129 K3
la Ferté-Bernard (72) 83 J6
la Ferté-Chevresis (02) 20 C4
la Ferté-Frênel (61) 55 H3
la Ferté-Gaucher (77) 60 D4
la Ferté-Hauterive (03) 168 E6
la Ferté-Imbault (41) 130 A5
la Ferté-Loupière (89) 112 D4
la Ferté-Macé (61) 53 J6
la Ferté-Milon (02) 39 G5
la Ferté-Saint-Aubin (45) 110 A6
la Ferté-Saint-Cyr (41) 129 H1
la Ferté-Saint-Samson (76) 16 D6
la Ferté-sous-Jouarre (77) 60 B2
la Ferté-sur-Chiers (08) 23 J5
la Ferté-Vidame (28) 56 B6
la Ferté-Villeneuil (28) 108 E3
Fertrève (58) 151 J4
Fervaches (50) 31 H5
Fervaques (14) 54 E1
Fescamps (80) 18 E5
Fesches-le-Châtel (25) 139 J2
Fesmy-le-Sart (02) 12 E6
Fesques (76) 16 D3
Fessanvilliers-Mattanvilliers (28) 56 C5
Fessenheim (68) 96 E6
Fessenheim-le-Bas (67) 70 D2
Fessevillers (25) 139 J5
les Fessey (70) 118 E4
Fessy (74) 174 E6
Festalemps (24) 213 F3
Festes-et-Saint-André (11) 308 E3
Festieux (02) 40 C1
Festigny (51) 61 H1
Festigny (89) 133 F2
Festubert (62) 6 B5
le Fête (21) 153 H1
Féternes (74) 175 G5
Fétigny (39) 173 G4
Feucherolles (78) 58 B3
Feuchy (62) 11 F3
Feugarolles (47) 247 J4
Feugères (50) 31 F3
Feuges (10) 90 B3
Feuguerolles (27) 35 H6
Feuguerolles-Bully (14) 32 D5
Feuilla (11) 310 C3
Feuillade (16) 197 H4
la Feuillade (24) 215 H4
la Feuillée (29) 75 F1
Feuillères (80) 19 F1
la Feuillie (50) 30 D2
la Feuillie (76) 36 B1
Feule (25) 139 G4
Feuquières (60) 17 G5
Feuquières-en-Vimeu (80) 8 E5
Feurs (42) 204 E2
Feusines (36) 166 C4
Feux (18) 150 B1
Fèves (57) 44 E4
Féy (57) 44 E6
Fey-en-Haye (54) 65 J2
Feyt (19) 201 H3
Feytiat (87) 199 F1
Feyzin (69) 206 B3
Fiac (81) 270 B5
Ficaja (2B) 319 H4
Ficheux (62) 10 E3
Fichous-Riumayou (64) 284 C2
le Fidelaire (27) 56 A2
le Fied (39) 155 J6
le Fief-Sauvin (49) 124 B6
Fieffes-Montrelet (80) 9 K5
Fiefs (62) 5 H6
Fiennes (62) 2 C4
Fienvillers (80) 9 K5
Fierville-Bray (14) 33 F6
Fierville-les-Mines (50) 28 C5
Fierville-les-Parcs (14) 33 K4
le Fieu (33) 212 C5
Fieulaine (02) 20 B2
Fieux (47) 247 K6
Figanières (83) 279 J6
Figari (2A) 323 G5
Figarol (31) 306 B1
Figeac (46) 234 D5
Fignévelle (88) 117 J2
Fignières (80) 18 D4
Filain (02) 40 A1
Filain (70) 138 B2
Fillé (72) 106 D4
Fillières (54) 26 D4
Fillièvres (62) 9 K2
Fillinges (74) 191 H2
Fillols (66) 314 B4
Filstroff (57) 45 J2
Fiménil (88) 95 F5
Finestret (66) 314 C3
Finhan (82) 268 E2
les Fins (25) 157 H2
Fins (80) 11 H6
Fiquefleur-Equainville (27) 34 A2
Firbeix (24) 198 C4
Firfol (14) 34 A5
Firmi (12) 235 G6
Firminy (42) 221 G1
Fislis (68) 97 C5
Fismes (51) 40 C3
Fitilieu (38) 207 H4
Fitou (11) 310 C4
Fitz-James (60) 38 A2
Fix-Saint-Geneys (43) 219 K4
Fixem (57) 27 H3
Fixin (21) 135 K6
Flacey (21) 136 B4
Flacey (28) 109 F1
Flacey-en-Bresse (71) 172 E3
la Flachère (38) 208 C6
Flachères (38) 207 F5
Flacourt (78) 57 H2
Flacy (89) 89 G5
Flagey (25) 156 C3
Flagey (52) 116 C5
Flagey-Echézeaux (21) 154 B1
Flagey-lès-Auxonne (21) 155 F1
Flagey-Rigney (25) 138 B3
Flagnac (12) 235 F5
Flagy (70) 118 B6
Flagy (71) 171 H4
Flagy (77) 87 K4
Flaignes-Havys (08) 22 A3
Flainval (54) 66 C5
Flamanville (50) 28 A3
Flamanville (76) 15 H5
Flamarens (32) 268 A1
la Flamengrie (02) 13 G6
la Flamengrie (59) 12 E2
Flamets-Frétils (76) 16 E4
Flammerans (21) 136 E6
Flammerécourt (52) 92 A3
Flancourt-Catelon (27) 34 E3
Flangebouche (25) 157 G1
Flassan (84) 257 J5
Flassans-sur-Issole (83) 298 B3
Flassigny (55) 43 J1
Flastroff (57) 45 J2
Flat (63) 203 F4
Flaucourt (80) 19 G2
Flaugeac (24) 231 H3
Flaugnac (46) 249 K4
Flaujac-Gare (46) 234 B4
Flaujac-Poujols (46) 250 A2
Flaujagues (33) 230 D2
Flaumont-Waudrechies (59) 13 H4
Flaux (30) 275 J1

Flavacourt (60) 36 E3
Flaviac (07) 240 A3
Flavignac (87) 198 D3
Flavignerot (21) 135 K6
Flavigny (18) 150 A4
Flavigny (51) 62 A2
Flavigny-le-Grand-et-
-Beaurain (02) 20 D2
Flavigny-sur-Moselle (54) 66 A6
Flavigny-sur-Ozerain (21) 135 F3
Flavin (12) 252 B3
Flavy-le-Martel (02) 19 K4
Flavy-le-Meldeux (60) 19 H4
Flaxieu (01) 207 K1
Flaxlanden (68) 97 C3
Flayat (23) 201 G2
Flayosc (83) 279 H6
Fléac (16) 196 D3
Fléac-sur-Seugne (17) 195 H5
la Flèche (72) 106 B6
Fléchin (62) 5 G5
Fléchy (60) 18 A5
Flée (21) 134 D4
Flée (72) 107 G6
Fleigneux (08) 23 F3
Fleisheim (57) 67 K3
le Fleix (24) 231 F2
Fleix (86) 163 K3
Fléré-la-Rivière (36) 146 E3
Flers (61) 53 H4
Flers (62) 10 A2
Flers (80) 11 F6
Flers-en-Escrebieux (59) 11 H1
Flers-sur-Noye (80) 18 A4
Flesquières (59) 11 H5
Flesselles (80) 10 A6
Flétrange (57) 45 J6
Flêtre (59) 6 A2
Fléty (58) 152 B6
Fleurac (16) 196 B2
Fleurac (24) 214 D6
Fleurance (32) 267 J3
Fleurat (23) 182 B2
Fleurbaix (62) 6 B4
Fleuré (61) 54 C5
Fleuré (86) 163 G4
Fleurey (25) 139 H5
Fleurey-lès-Faverney (70) 118 A5
Fleurey-lès-Lavoncourt (70) 117 H6
Fleurey-lès-Saint-Loup (70) 118 C3
Fleurey-sur-Ouche (21) 135 J5
Fleurie (69) 188 B2
Fleuriel (03) 185 G1
Fleurieu-sur-Saône (69) 188 C6
Fleurieux-sur-l'Arbresle (69) 205 J1
Fleurigné (35) 80 B4
Fleurines (60) 38 B4
Fleurville (71) 171 K5
Fleury (02) 39 G4
Fleury (11) 291 K5
Fleury (50) 52 A3
Fleury (57) 45 F6
Fleury (60) 37 F4
Fleury (62) 10 A1
Fleury (80) 17 K4
Fleury-devant-Douaumont (55) 43 J4
Fleury-en-Bière (77) 87 G3
Fleury-la-Forêt (27) 36 C2
Fleury-la-Montagne (71) 187 F2
Fleury-la-Rivière (51) 40 D6
Fleury-la-Vallée (89) 113 F4
Fleury-les-Aubrais (45) 110 A4
Fleury-Mérogis (91) 58 E6
Fleury-sur-Andelle (27) 36 A3
Fleury-sur-Loire (58) 151 F6
Fleury-sur-Orne (14) 32 E5
Fléville (08) 42 D3
Fléville-devant-Nancy (54) 66 A5
Fléville-Lixières (54) 44 B4
Flévy (57) 45 F4
Flexanville (78) 57 J3
Flexbourg (67) 70 C3
Fley (71) 171 H2
Fleys (89) 113 J5
Flez-Cuzy (58) 133 G5
Fligny (08) 21 J2
Flin (54) 95 F1
Flinès-lès-Mortagne (59) 7 H5
Flines-lez-Raches (59) 11 J1
Flins-Neuve-Église (78) 57 H3
Flins-sur-Seine (78) 58 A2
Flipou (27) 35 K3
Flirey (54) 65 H3
Flixecourt (80) 9 J6
Flize (08) 22 D4
la Flocellière (85) 142 E5
Flocourt (57) 66 C1
Flocques (76) 8 C6
Flogny-la-Chapelle (89) 113 J3
Floing (08) 23 F4
Floirac (17) 195 F5
Floirac (33) 229 H2
Floirac (46) 233 K1
Florac (48) 254 B3
Florange (57) 44 E3
Florémont (88) 94 B3
Florensac (34) 292 C3
Florent-en-Argonne (51) 42 D5
Florentia (39) 173 F5
Florentin (81) 270 D3
Florentin-la-Capelle (12) 235 K5
Floressas (46) 249 G1
Florimont (90) 139 K2
Florimont-Gaumier (24) 233 F4
Floringhem (62) 5 J6
la Flotte (17) 158 D5
Flottemanville (50) 28 E4
Flottemanville-Hague (50) 28 C2
Floudès (33) 230 C5
Floure (11) 290 C6
Flourens (31) 269 H6
Floursies (59) 13 H4
Floyon (59) 13 G6
Flumet (73) 191 K6
Fluquières (02) 19 J3
Fluy (80) 17 J2
Foameix-Ornel (55) 43 K4
Foce (2A) 322 E3
Focicchia (2B) 319 G6
Foëcy (18) 148 E2
le Fœil (22) 76 E1
Foisches (08) 24 C1
Foissac (12) 234 D6
Foissac (30) 255 K6
Foissiat (01) 172 C5
Foissy (21) 153 H2
Foissy-lès-Vézelay (89) 133 J4
Foissy-sur-Vanne (89) 89 F6
Foix (09) 307 J3
Folcarde (31) 289 F3
Folembray (02) 20 A6
Folgensbourg (68) 97 D5
le Folgoët (29) 46 B4
la Folie (14) 31 J1
Folies (80) 18 E3
Folkling (57) 68 C2
Follainville-Dennemont (78) 57 J1
Folles (87) 181 K3
la Folletière (76) 15 G6
la Folletière-Abenon (14) 55 G2
Folleville (27) 34 C5
Folleville (80) 18 B5
Folligny (50) 51 K1
Folschviller (57) 68 A3
Fomerey (88) 94 C5
Fomperron (79) 162 A4
Fonbeauzard (31) 269 G5
Foncegrive (21) 136 B1
Fonches-Fonchette (80) 19 F3
Foncine-le-Bas (39) 174 A2
Foncine-le-Haut (39) 174 B2
Foncquevillers (62) 10 D4
Fondamente (12) 272 E3
Fondettes (37) 127 H4
Fondremand (70) 137 K3
Fongrave (47) 248 A2
Fongueusemare (76) 14 C4
Fonroque (24) 231 H4
Fons (07) 239 G5
Fons (30) 275 F2
Fons (46) 234 C4
Fons-sur-Lussan (30) 255 K4
Fonsommes (02) 20 B2
Fonsorbes (31) 287 K1
Font-Romeu-Odeillo-Via (66) 313 H4
Fontain (25) 138 A6
Fontaine (10) 91 G5
Fontaine (38) 224 A3
Fontaine (90) 119 J6
Fontaine-au-Bois (59) 12 E4
Fontaine-au-Pire (59) 12 B5
Fontaine-Bellenger (27) 35 K5
Fontaine-Bonneleau (60) 17 K5
Fontaine-Chaalis (60) 38 C5
Fontaine-Chalendray (17) 178 D5
Fontaine-Couverte (53) 104 B3
Fontaine-de-Vaucluse (84) 276 E2
Fontaine-Denis-Nuisy (51) 61 H6
Fontaine-en-Bray (76) 16 C5
Fontaine-en-Dormois (51) 42 B4
Fontaine-Étoupefour (14) 32 D5
Fontaine-Fourches (77) 88 E3
Fontaine-Française (21) 136 D2
Fontaine-Guérin (49) 126 A3
Fontaine-Henry (14) 32 D3
Fontaine-Heudebourg (27) 35 J6
Fontaine-la-Gaillarde (89) 88 E6
Fontaine-la-Guyon (28) 84 E2
Fontaine-la-Louvet (27) 34 B5
Fontaine-la-Mallet (76) 14 B6
Fontaine-la-Rivière (91) 86 C4
Fontaine-la-Soret (27) 34 E5
Fontaine-l'Abbé (27) 34 E6
Fontaine-Lavaganne (60) 17 H6
Fontaine-le-Bourg (76) 16 A6
Fontaine-le-Comte (86) 162 E4
Fontaine-le-Dun (76) 15 H3
Fontaine-le-Pin (14) 53 K2
Fontaine-le-Port (77) 87 J2
Fontaine-le-Puits (73) 209 H5
Fontaine-le-Sec (80) 17 G1
Fontaine-les-Bassets (61) 54 C3
Fontaine-lès-Boulans (62) 5 G6
Fontaine-lès-Cappy (80) 19 F2
Fontaine-lès-Clercs (02) 19 K3
Fontaine-lès-Clerval (25) 138 E3
Fontaine-les-Coteaux (41) 107 K5
Fontaine-lès-Croisilles (62) 11 G3
Fontaine-lès-Dijon (21) 136 A5
Fontaine-les-Grès (10) 89 K3
Fontaine-lès-Hermans (62) 5 H5
Fontaine-lès-Luxeuil (70) 118 C4
Fontaine-les-Ribouts (28) 56 E6
Fontaine-lès-Vervins (02) 21 F2
Fontaine-l'Étalon (62) 9 J2
Fontaine-Mâcon (10) 89 F3
Fontaine-Milon (49) 125 K3
Fontaine-Notre-Dame (02) 20 B2
Fontaine-Notre-Dame (59) 11 J4
Fontaine-Raoul (41) 108 D3
Fontaine-Saint-Lucien (60) 37 H1
la Fontaine-Saint-Martin (72) 106 C5
Fontaine-Simon (28) 84 C2
Fontaine-sous-Jouy (27) 56 E1
Fontaine-sous-Montdidier (80) 18 D5
Fontaine-sous-Préaux (76) 35 J1
Fontaine-sur-Ay (51) 41 F6
Fontaine-sur-Maye (80) 9 H3
Fontaine-sur-Somme (80) 9 H6
Fontaine-Uterte (02) 20 A1
Fontainebleau (77) 87 H3
Fontainebrux (39) 172 E1
Fontaines (71) 153 K5
Fontaines (85) 160 D5
Fontaines (89) 132 D1
Fontaines-d'Ozillac (17) 211 K1
Fontaines-en-Duesmois (21) 135 F1
Fontaines-en-Sologne (41) 129 G3
Fontaines-les-Sèches (21) 114 D5
Fontaines-Saint-Clair (55) 43 G2
Fontaines-Saint-Martin (69) 206 A1
Fontaines-sur-Marne (52) 92 A1
Fontaines-sur-Saône (69) 206 A1
Fontains (77) 88 A2
Fontan (06) 311 D3
Fontanès (30) 274 E3
Fontanès (34) 274 C4
Fontanès (42) 205 G5
Fontanes (46) 250 A3
Fontanes (48) 238 B3
Fontanès-de-Sault (11) 308 D5
Fontanes-du-Causse (46) 233 K4
Fontanges (15) 217 J5
Fontangy (21) 134 D5
Fontanières (23) 183 K3
Fontanil-Cornillon (38) 223 K2
Fontannes (43) 219 H2
Fontans (48) 237 H3
Fontarèches (30) 256 A5
Fontclaireau (16) 179 G6
Fontcouverte (11) 290 E6
Fontcouverte (17) 195 G2
Fontcouverte-la-Toussuire (73) 225 G2
la Fontelaye (76) 15 J4
Fontenai-les-Louvets (61) 82 C2
Fontenai-sur-Orne (61) 54 B5
Fontenailles (77) 88 A1
Fontenailles (89) 133 F2
Fontenay (27) 36 C5
Fontenay (36) 148 A3
Fontenay (50) 52 C6
Fontenay (71) 170 E4
Fontenay (76) 14 B6
Fontenay (88) 94 E5
Fontenay-aux-Roses (92) 58 E4
Fontenay-de-Bossery (10) 89 F3
Fontenay-en-Parisis (95) 59 F1
Fontenay-le-Comte (85) 160 D4
Fontenay-le-Fleury (78) 58 B4
Fontenay-le-Marmion (14) 32 E6
Fontenay-le-Pesnel (14) 32 C5
Fontenay-le-Vicomte (91) 87 F2
Fontenay-lès-Briis (91) 58 C6
Fontenay-Mauvoisin (78) 57 H2
Fontenay-près-Chablis (89) 113 J4
Fontenay-près-Vézelay (89) 133 H4
Fontenay-Saint-Père (78) 57 J1
Fontenay-sous-Bois (94) 59 F3
Fontenay-sous-Fouronnes (89) 133 G2
Fontenay-sur-Conie (28) 85 H6
Fontenay-sur-Eure (28) 85 F3
Fontenay-sur-Loing (45) 111 J1
Fontenay-sur-Mer (50) 29 F4
Fontenay-sur-Vègre (72) 106 A4
Fontenay-Torcy (60) 17 F6
Fontenay-Trésigny (77) 59 K5
Fontenelle (02) 13 G6
Fontenelle (21) 136 D3
la Fontenelle (35) 51 J5
la Fontenelle (41) 108 C2
Fontenelle (90) 119 J6
Fontenelle-en-Brie (02) 61 F3
Fontenelle-Montby (25) 138 D3
les Fontenelles (25) 139 G6
Fontenermont (14) 52 C3
Fontenet (17) 178 A6
Fontenille (16) 179 G6
Fontenille-Saint-Martin-
-d'Entraigues (79) 178 D3
Fontenilles (31) 287 K1
Fontenois-la-Ville (70) 118 B3
Fontenois-lès-Montbozon (70) 138 C3
Fontenotte (25) 138 C4
Fontenouilles (89) 112 B4
Fontenoy (02) 39 H2
Fontenoy (89) 132 D1
Fontenoy-la-Joûte (54) 95 F2
Fontenoy-le-Château (88) 118 B2
Fontenoy-sur-Moselle (54) 65 J5
Fontenu (39) 173 J2
Fonteny (57) 66 D2
Fonters-du-Razès (11) 289 G5
Fontès (34) 292 B1
Fontet (33) 230 C5
Fontette (10) 115 G1
Fontevraud-l'Abbaye (49) 144 D1
Fontgombault (36) 164 B2
Fontguenand (36) 147 J1
Fontienne (04) 258 E6
Fontiers-Cabardès (11) 290 A4
Fontiès-d'Aude (11) 290 C6
Fontjoncouse (11) 310 A2
Fontoy (57) 27 F4
Fontpédrouse (66) 313 K4
Fontrabiouse (66) 313 J3
Fontrailles (65) 286 A4
Fontvannes (10) 89 J5
Fontvieille (13) 276 A4
Forbach (57) 68 C2
Forcalqueiret (83) 297 K3
Forcalquier (04) 278 B1
la Force (11) 289 J6
la Force (24) 231 G2
Forcé (53) 105 F2
Forcelles-Saint-Gorgon (54) 93 K2
Forcelles-sous-Gugney (54) 93 K3
Forceville (80) 10 C5
Forceville-en-Vimeu (80) 17 G1
Forcey (52) 92 D6
Forciolo (2A) 320 E6
la Forclaz (74) 175 G6
Forest-en-Cambrésis (59) 12 D4
Forest-l'Abbaye (80) 9 G4
la Forest-Landerneau (29) 46 B6
Forest-Montiers (80) 9 F3
Forest-Saint-Julien (05) 243 F4
Forest-sur-Marque (59) 7 F4
Foreste (02) 19 J3
la Forestière (51) 61 G6
la Forêt-Auvray (61) 53 K4
la Forêt-de-Tessé (16) 179 F4
la Forêt-du-Parc (27) 56 E3
la Forêt-du-Temple (23) 166 A5
la Forêt-Fouesnant (29) 98 E2
Forêt-la-Folie (27) 36 B4
la Forêt-le-Roi (91) 86 B2
la Forêt-Sainte-Croix (91) 86 D4
la Forêt-sur-Sèvre (79) 143 G6
Forfry (77) 59 K1
la Forge (88) 119 G1
Forges (17) 177 F3
Forgès (19) 216 C4
Forges (49) 144 B1
les Forges (56) 77 G6
Forges (61) 82 D2
Forges (77) 88 A3
les Forges (79) 162 B4
les Forges (88) 94 D5
Forges-la-Forêt (35) 103 K2
Forges-les-Bains (91) 58 C6
Forges-les-Eaux (76) 16 D5
Forges-sur-Meuse (55) 43 G4
Forgues (31) 287 H3
la Forie (63) 204 A4
Forléans (21) 134 C3
Formentin (14) 33 J5
Formerie (60) 17 F5
Formigny (14) 29 K6
Formiguères (66) 313 J3
Fornex (09) 287 K6
Fors (79) 178 A1
Forstfeld (67) 25 D3
Forstheim (67) 69 K5
Fort-du-Plasne (39) 174 A2
Fort-Louis (67) 25 D4
Fort-Mahon-Plage (80) 8 D2
Fort-Mardyck (59) 3 G1
Fort-Moville (27) 34 B3
Fortan (41) 108 A5
Fortel-en-Artois (62) 9 K3
la Forteresse (38) 223 H2
Fortschwihr (68) 96 D4
Fos (31) 305 K4
Fos (34) 292 A1
Fos-sur-Mer (13) 295 H5
le Fossat (09) 288 B6
Fossé (08) 42 E1
Fossé (41) 128 E2
Fosse (66) 309 G5
le Fossé (76) 16 E5
la Fosse-Corduan (10) 89 G3
la Fosse-de-Tigné (49) 143 K1
Fossemagne (24) 214 D4
Fossemanant (80) 17 K3
les Fosses (79) 178 B2
Fosses (95) 38 A6
Fossès-et-Baleyssac (33) 230 D5
Fosseuse (60) 37 H5
Fosseux (62) 10 D3
Fossieux (57) 66 B3
Fossoy (02) 61 F1
Foucarmont (76) 16 E2
Foucart (76) 15 F5
Foucarville (50) 29 G5
Foucaucourt-en-Santerre (80) 19 F2
Foucaucourt-Hors-Nesle (80) 17 F2
Foucaucourt-sur-Thabas (55) 64 A1
Fouchécourt (70) 117 K5
Fouchécourt (88) 117 H2
Foucherans (25) 156 C1
Foucherans (39) 155 G2
Fouchères (10) 90 C6
Fouchères (89) 88 C6
Fouchères-aux-Bois (55) 64 B6
Foucherolles (45) 112 A2
Fouchy (67) 96 B1
Foucrainville (27) 56 E2
Fouday (67) 70 A5
Fouencamps (80) 18 C3
Fouesnant (29) 98 D2
Foufflin-Ricametz (62) 10 B2
Foug (54) 65 G5
Fougaron (31) 306 B2
Fougax-et-Barrineuf (09) 308 B4
Fougeré (49) 126 A1
Fougeré (85) 159 K2
Fougères (35) 80 B3
Fougères-sur-Bièvre (41) 128 E4
les Fougerêts (56) 102 B3
Fougerolles (36) 166 A4
Fougerolles (70) 118 D3
Fougerolles-du-Plessis (53) 80 D2
Fougueyrolles (24) 230 E2
la Fouillade (12) 251 G4
Fouilleuse (60) 38 B2
Fouillouse (05) 242 D6
la Fouillouse (42) 205 F5
le Fouilloux (17) 212 C3
Fouilloy (60) 17 G4
Fouilloy (80) 18 C2
Fouju (77) 87 J1
Foulain (52) 116 B2
Foulangues (60) 37 K4
Foulayronnes (47) 248 B4
Foulbec (27) 34 B2
Foulcrey (57) 67 G5
Fouleix (24) 213 K6
Foulenay (39) 155 G5
Fouligny (57) 45 J5
Foulognes (14) 32 A5
Fouquebrune (16) 196 E5
Fouquenies (60) 37 G1
Fouquereuil (62) 5 K5
Fouquerolles (60) 37 J2
Fouquescourt (80) 19 F3
Fouqueure (16) 179 F6
Fouqueville (27) 35 G4
Fouquières-lès-Béthune (62) 5 K5
Fouquières-lès-Lens (62) 11 G1
Four (38) 206 E4
Fouras (17) 176 E4
Fourbanne (25) 138 C4
Fourcatier-et-
-Maison-Neuve (25) 156 E6
Fourcès (32) 266 E1
Fourchambault (58) 150 D4
Fourches (14) 54 B3
Fourcigny (80) 17 G3
Fourdrain (02) 20 B5
Fourdrinoy (80) 17 J2
Fourg (25) 155 K2
Fourges (27) 36 C6
les Fourgs (25) 157 F5
Fourilles (03) 185 G2
Fourmagnac (46) 234 D4
Fourmetot (27) 34 D2
Fourmies (59) 13 J6
Fournaudin (89) 113 G1
Fourneaux (42) 187 G5
Fourneaux (50) 31 H5
Fourneaux (73) 225 K3
Fourneaux-le-Val (14) 54 A3
Fournels (48) 236 E2
Fournès (30) 275 K2
Fournes-Cabardès (11) 290 B4
Fournes-en-Weppes (59) 6 C5
le Fournet (14) 33 J5
Fournet-Blancheroche (25) 139 H6
Fournets-Luisans (25) 157 G1
Fourneville (14) 33 K3
Fournival (60) 37 K1
Fournols (63) 203 J5
Fournoulès (15) 235 F4
Fouronnes (89) 133 G2
Fourques (30) 275 K5
Fourques (66) 315 F3
Fourques-sur-Garonne (47) 247 G1
Fourqueux (78) 58 B3
Fourquevaux (31) 288 D2
Fours (33) 211 G3
Fours (58) 151 K6
Fours-en-Vexin (27) 36 C5
Fourtou (11) 309 G4
Foussais-Payré (85) 161 F3
Foussemagne (90) 119 K6
le Fousseret (31) 287 H5
Foussignac (16) 196 B2
Fouvent-Saint-Andoche (70) 137 G1
Fouzilhon (34) 292 A2
Foville (57) 66 B2
Fox-Amphoux (83) 278 E6
la Foye-Monjault (79) 177 K2
Fozières (34) 273 G4
Fozzano (2A) 322 E2
Fragnes (71) 154 A6
Frahier-et-Chatebier (70) 119 G6
Fraignot-et-Vesvrotte (21) 135 K1
Fraillicourt (08) 21 J4
Fraimbois (54) 94 E1
Frain (88) 117 J1
Frais (90) 119 J6
Fraisans (39) 155 K1
Fraisnes-en-Saintois (54) 93 K3
Fraisse (24) 231 G1
Fraisse-Cabardès (11) 290 A4
Fraissé-des-Corbières (11) 310 B3
Fraisse-sur-Agout (34) 272 A6
Fraisses (42) 221 F1
Fraissines (81) 271 H2
Fraissinet-de-Fourques (48) 254 B4
Fraissinet-de-Lozère (48) 254 D2
Fraize (88) 95 J5
Fralignes (10) 90 D6
la Framboisière (28) 84 C1
Frambouhans (25) 139 H6
Framecourt (62) 10 A2
Framerville-Rainecourt (80) 18 E2
Framicourt (80) 17 F1
Framont (70) 137 F2
Frampas (52) 91 H2
Francalmont (70) 118 C4
Francaltroff (57) 68 B4
Francarville (31) 288 E1
Francastel (60) 17 K6
Françay (41) 128 C2
Francazal (31) 306 C2
Francescas (47) 247 K6
Francheleins (01) 188 C4
Franchesse (03) 168 B3
Francheval (08) 23 G4

Franchevelle (70) 118 D5
la Francheville (08) 22 D4
Francheville (21) 135 J3
Francheville (27) 56 A4
Francheville (39) 155 G5
Francheville (51) 63 F3
Francheville (54) 65 J4
Francheville (61) 54 B6
Francheville (69) 205 K2
Francières (60) 38 C2
Francières (80) 9 H5
Francillon (36) 147 J4
Francillon-sur-Roubion (26) 240 E5
Francilly-Selency (02) 19 K2
Francin (73) 208 C5
Franclens (74) 190 C4
François (79) 161 J6
Francon (31) 287 G5
Franconville (54) 94 D1
Franconville (95) 58 D2
Francoulès (46) 233 H6
Francourt (70) 137 H1
Francourville (28) 85 H3
Francs (33) 212 D6
Francueil (37) 128 C5
Franey (25) 137 H6
Frangy (74) 190 D4
Frangy-en-Bresse (71) 172 E1
Franken (68) 97 C4
Franleu (80) 8 E5
Franois (25) 137 J6
Franquevielle (31) 286 C6
Franqueville (02) 20 E3
Franqueville (27) 34 E5
Franqueville (80) 9 J5
Franqueville-Saint-Pierre (76) 35 J2
Frans (01) 188 C5
Fransart (80) 19 F3
Fransèches (23) 183 F5
Fransu (80) 9 J5
Fransures (80) 18 A4
Franvillers (80) 18 C1
Franxault (21) 154 E3
Frapelle (88) 95 K4
Fraquelfing (57) 67 J5
Fraroz (39) 156 C6
Frasnay-Reugny (58) 151 H4
Frasne (25) 156 D5
Frasne-le-Château (70) 137 J3
Frasne-les-Meulières (39) 155 G1
la Frasnée (39) 173 J3
le Frasnois (39) 173 K2
Frasnoy (59) 12 E3
Frasseto (2A) 320 E5
Frauenberg (57) 68 E2
Frausseilles (81) 270 B1
Fravaux (10) 91 G5
le Fraysse (81) 271 G3
Frayssinet (46) 233 H4
Frayssinet-le-Gélat (46) 232 E5
Frayssinhes (46) 234 C2
Frazé (28) 84 C5
Fréauville (76) 16 C3
Frebécourt (88) 93 F3
Frébuans (39) 173 F2
le Frêche (40) 265 K2
Fréchède (65) 285 K3
Fréchencourt (80) 18 C1
Fréchendets (65) 304 E1
le Fréchet (31) 287 G6
Fréchet-Aure (65) 305 F3
Fréchou (47) 247 J6
Fréchou-Fréchet (65) 285 J6
Frécourt (52) 116 E3
Frédéric-Fontaine (70) 119 F6
la Frédière (17) 177 J6
Frédille (36) 147 H4
Frégimont (47) 247 K3
Frégouville (32) 287 G1
Fréhel (22) 50 A3
Freigné (49) 124 B2
Freissinières (05) 243 J2
la Freissinouse (05) 242 D5
Freistroff (57) 45 H3
Freix-Anglards (15) 217 H6
Fréjairolles (81) 270 E3
Fréjeville (81) 270 E6
Fréjus (83) 299 G2
Fréland (68) 96 A3
Frelinghien (59) 6 C3
Frémainville (95) 58 A1
Frémécourt (95) 37 G6
Fréménil (54) 67 F6
Frémeréville-sous-les-Côtes (55) 65 F4
Frémery (57) 66 D2
Frémestroff (57) 68 B4
Frémicourt (62) 11 G5
Fremifontaine (88) 95 F4
Frémontiers (80) 17 J4
Frémonville (54) 67 H6
la Frénaye (76) 14 E6
Frencq (62) 4 B5
Frenelle-la-Grande (88) 93 K3
Frenelle-la-Petite (88) 93 K3
Frênes (61) 53 G4
Freneuse (76) 35 H3
Freneuse (78) 57 H1
Freneuse-sur-Risle (27) 34 D4
Freney (73) 225 K2
le Freney-d'Oisans (38) 224 E5
Fréniches (60) 19 H5
Frénois (21) 135 J3
Frénois (88) 94 A5
Frénouville (14) 33 F5
Frépillon (95) 58 D1
Fresles (76) 16 C4
la Fresnaie-Fayel (61) 54 E4
la Fresnais (35) 51 F4
Fresnay (10) 91 H4
Fresnay-en-Retz (44) 141 F3
Fresnay-le-Comte (28) 85 G5
Fresnay-le-Gilmert (28) 85 F2
Fresnay-le-Long (76) 15 K5
Fresnay-le-Samson (61) 54 E3
Fresnay-l'Évêque (28) 85 K5
Fresnay-sur-Sarthe (72) 82 C5
la Fresnaye-au-Sauvage (61) 54 A5
la Fresnaye-sur-Chédouet (72) 82 E3
le Fresne (27) 56 B2
le Fresne (51) 63 F2
le Fresne-Camilly (14) 32 D4
Fresne-Cauverville (27) 34 C5
Fresné-la-Mère (14) 54 B3
Fresne-l'Archevêque (27) 36 A4
Fresne-le-Plan (76) 35 K2
Fresne-Léguillon (60) 37 G4
Fresne-lès-Reims (51) 41 F3
le Fresne-Poret (50) 52 E5
Fresne-Saint-Mamès (70) 137 J2
le Fresne-sur-Loire (44) 124 D4
Fresneaux-Montchevreuil (60) 37 G4
Fresnes (02) 20 A6
Fresnes (21) 134 E2
Fresnes (41) 129 F4
Fresnes (89) 114 A6
Fresnes (94) 58 E5
Fresnes-au-Mont (55) 64 D2
Fresnes-en-Saulnois (57) 66 C3
Fresnes-en-Tardenois (02) 40 A5
Fresnes-en-Woëvre (55) 44 A6
Fresnes-lès-Montauban (62) 11 G2
Fresnes-Mazancourt (80) 19 G2
Fresnes-sur-Apance (52) 117 H3
Fresnes-sur-Escaut (59) 12 D1
Fresnes-sur-Marne (77) 59 J2
Fresnes-Tilloloy (80) 17 F1
Fresneville (80) 17 G2
Fresney (27) 56 E2
Fresney-le-Puceux (14) 32 E6
Fresney-le-Vieux (14) 53 J1
Fresnicourt-le-Dolmen (62) 10 D1
Fresnières (60) 19 F5
Fresnois-la-Montagne (54) 26 C3
Fresnoy (62) 9 J2
Fresnoy-Andainville (80) 17 G2
Fresnoy-au-Val (80) 17 J3
Fresnoy-en-Chaussée (80) 18 D3
Fresnoy-en-Gohelle (62) 11 F2
Fresnoy-en-Thelle (60) 37 J5
Fresnoy-Folny (76) 16 C2
Fresnoy-la-Rivière (60) 38 E4
Fresnoy-le-Château (10) 90 C6
Fresnoy-le-Grand (02) 20 B1
Fresnoy-le-Luat (60) 38 D5
Fresnoy-lès-Roye (80) 19 F4
Frespech (47) 248 D3
Fresquiennes (76) 15 J6
Fressac (30) 274 C1
Fressain (59) 11 J3
Fressancourt (02) 20 B5
Fresse (70) 119 F5
Fresse-sur-Moselle (88) 119 G3
Fresselines (23) 165 J6
Fressenneville (80) 8 D5
Fressies (59) 11 J3
Fressin (62) 4 E6
Fressines (79) 161 J6
le Frestoy-Vaux (60) 18 D6
Fresville (50) 29 F5
Fréterive (73) 208 E4
Fréteval (41) 108 D4
Fréthun (62) 2 C3
Fretigney-et-Velloreille (70) 137 K3
Frétigny (28) 84 B4
Fretin (59) 6 E5
Frétoy (77) 60 C5
Frétoy-le-Château (60) 19 H5
la Frette (38) 207 G6
la Frette (71) 172 B2
la Frette-sur-Seine (95) 58 D2
Frettecuisse (80) 17 G1
Frettemeule (80) 8 E6
Fretterans (71) 154 E4
le Fréty (08) 21 K4
Freulleville (76) 16 B3
Frévent (62) 10 A3
Fréville (76) 15 H6
Fréville (88) 93 F4
Fréville-du-Gâtinais (45) 111 F2
Frévillers (62) 10 C1
Frévin-Capelle (62) 10 D2
Freybouse (57) 68 B4
Freycenet-la-Cuche (43) 238 E1
Freycenet-la-Tour (43) 238 E1
Freychenet (09) 307 K4
Freyming-Merlebach (57) 68 B2
Freyssenet (07) 239 J4
Friaize (28) 84 D3
Friardel (14) 55 G1
Friaucourt (80) 8 D5
Friauville (54) 44 C5
Fribourg (57) 67 G3
Fricamps (80) 17 J3
Frichemesnil (76) 16 A5
Fricourt (80) 10 E6
Fridefont (15) 236 E1
Friedolsheim (67) 70 C2
Frières-Faillouël (02) 19 K4
Friesen (68) 97 A5
Friesenheim (67) 71 D4
Frignicourt (51) 63 F5
Frise (80) 19 F1
Friville-Escarbotin (80) 8 D5
Frizon (88) 94 C4
Froberville (76) 14 C4
Frocourt (60) 37 H3
Frœningen (68) 97 B3
Frœschwiller (67) 69 K4
Froges (38) 224 C2
Frohen-le-Grand (80) 9 K4
Frohen-le-Petit (80) 9 K4
Frohmuhl (67) 69 F5
Froideconche (70) 118 D4
Froidefontaine (90) 139 J1
Froidestrées (02) 21 F1
Froideterre (70) 118 E5
Froidevaux (25) 139 G5
Froideville (39) 155 G6
Froidfond (85) 141 G4
Froidmont-Cohartille (02) 20 D4
Froidos (55) 43 F6
Froissy (60) 18 A6
Frôlois (21) 135 G3
Frolois (54) 66 A6
Fromelennes (08) 24 D1
Fromelles (59) 6 C4
Fromental (87) 181 J3
Fromentières (51) 61 H3
Fromentières (53) 105 F4
Fromeréville-les-Vallons (55) 43 G5
Fromezey (55) 43 K4
Fromont (77) 87 F5
Fromy (08) 23 J5
Froncles (52) 92 B4
Fronsac (31) 305 J3
Fronsac (33) 230 A1
Frontenac (33) 230 B3
Frontenac (46) 234 C6
Frontenard (71) 154 D4
Frontenas (69) 188 A5
Frontenaud (71) 172 D3
Frontenay (39) 155 H6
Frontenay-Rohan-Rohan (79) 177 K1
Frontenex (73) 209 F3
Frontignan (34) 293 F2
Frontignan-de-Comminges (31) 305 J3
Frontignan-Savès (31) 287 G3
Fronton (31) 269 G3
Frontonas (38) 206 E3
Fronville (52) 92 B3
Frossay (44) 122 D3
Frotey-lès-Lure (70) 118 E6
Frotey-lès-Vesoul (70) 138 B1
Frouard (54) 66 A4
Frouville (95) 37 H5
Frouzins (31) 288 A2
Froville (54) 94 C2
Froyelles (80) 9 H3
Frozes (86) 162 D2
Frucourt (80) 9 G6
Frugerès-les-Mines (43) 219 G1
Fruges (62) 5 F5
Frugières-le-Pin (43) 219 J3
Fruncé (28) 84 D3
Fry (76) 16 D6
Fuans (25) 157 G1
Fublaines (77) 60 A2
le Fugeret (04) 260 D6
le Fuilet (49) 124 B5
Fuilla (66) 314 B4
Fuissé (71) 188 B1
Fuligny (10) 91 G4
Fulleren (68) 97 A4
Fultot (76) 15 G3
Fulvy (89) 114 C6
Fumay (08) 24 B3
Fumel (47) 249 F1
Fumichon (14) 34 B5
Furchhausen (67) 70 C1
Furdenheim (67) 70 D3
Furiani (2B) 319 H1
Furmeyer (05) 242 C5
Fussey (21) 154 A2
Fussy (18) 149 G2
Fustérouau (32) 266 C5
Fustignac (31) 287 G4
Futeau (55) 42 E6
Fuveau (13) 296 E2
Fyé (72) 82 D4

G

Gaas (40) 264 B5
Gabarnac (33) 230 A5
Gabarret (40) 266 C1
Gabaston (64) 284 E3
Gabat (64) 283 G3
Gabian (34) 292 A2
Gabillou (24) 214 D3
Gabre (09) 307 G1
Gabriac (12) 252 D1
Gabriac (48) 254 D5
Gabrias (48) 237 H6
Gacé (61) 55 F4
la Gacilly (56) 102 B2
Gâcogne (58) 152 B1
Gadancourt (95) 36 E6
Gadencourt (27) 57 F2
Gaël (35) 78 B4
Gageac-et-Rouillac (24) 231 G3
Gagnac-sur-Cère (46) 234 C1
Gagnac-sur-Garonne (31) 269 G5
Gagnières (30) 255 H3
Gagny (93) 59 G3
Gahard (35) 79 H2
Gailhan (30) 274 D3
Gaillac (81) 270 B3
Gaillac-d'Aveyron (12) 253 F3
Gaillac-Toulza (31) 288 C5
Gaillagos (65) 303 K2
Gaillan-en-Médoc (33) 210 D1
Gaillard (74) 191 F2
Gaillardbois-Cressenville (27) 36 A3
la Gaillarde (76) 15 H2
Gaillefontaine (76) 16 E5
Gaillères (40) 265 J2
Gaillon (27) 36 A5
Gaillon-sur-Montcient (78) 58 A1
Gainneville (76) 14 C6
Gaja-et-Villedieu (11) 308 E1
Gaja-la-Selve (11) 289 G6
Gajac (33) 246 E1
Gajan (09) 306 D2
Gajan (30) 275 F2
Gajoubert (87) 180 D3
Galametz (62) 9 J2
Galan (65) 286 B5
Galapian (47) 247 K3
Galargues (34) 274 D4
Galéria (2B) 318 A5
Galey (09) 306 B3
Galez (65) 286 B6
Galfingue (68) 97 B3
Galgan (12) 251 H1
Galgon (33) 212 A6
Galiax (32) 266 C6
Galié (31) 305 J2
Galinagues (11) 308 D5
Gallardon (28) 85 J2
Gallargues-le-Montueux (30) 274 E5
le Gallet (60) 17 K5
Galluis (78) 57 K4
Gamaches (80) 8 D6
Gamaches-en-Vexin (27) 36 C4
Gamarde-les-Bains (40) 264 D4
Gamarthe (64) 282 E5
Gambais (78) 57 J4
Gambaiseuil (78) 57 J5
Gambsheim (67) 25 B5
Gan (64) 284 C5
Ganac (09) 307 H3
Ganagobie (04) 259 F6
Gancourt-Saint-Etienne (76) 17 F6
Gandelain (61) 82 B2
Gandelu (02) 39 H6
Gandrange (57) 44 E3
Ganges (34) 274 A2
Gannat (03) 185 G4
Gannay-sur-Loire (03) 169 H1
Gannes (60) 18 C6
Gans (33) 246 D1
Ganties (31) 306 A1
Ganzeville (76) 14 D4
Gap (05) 242 E5
Gapennes (80) 9 H4
Gâprée (61) 55 F6
Garac (31) 268 D5
Garancières (78) 57 J4
Garancières-en-Beauce (28) 86 A3
Garancières-en-Drouais (28) 56 E5
Garanou (09) 307 K5
Garat (16) 197 F4
Garcelles-Secqueville (14) 32 E6
Garches (92) 58 D4
Garchizy (58) 150 D3
Garchy (58) 132 B6
Gardanne (13) 296 D2
la Garde (04) 279 K2
la Garde (38) 224 D4
la Garde (83) 300 D4
la Garde-Adhémar (26) 256 D2
la Garde-Freinet (83) 298 D3
Gardefort (18) 131 K6
Gardegan-et-Tourtirac (33) 230 C1
Gardères (65) 285 F4
Gardes-le-Pontaroux (16) 197 F5
Gardie (11) 309 F1
Gardonne (24) 231 G2
Gardouch (31) 288 E3
Garein (40) 245 J6
Garencières (27) 56 E2
la Garenne-Colombes (92) 58 D3
Garennes-sur-Eure (27) 57 F3
Garentreville (77) 87 G5
Garéoult (83) 297 K3
Garganvillar (82) 268 D2
Gargas (31) 269 H4
Gargas (84) 277 H2
Gargenville (78) 57 K2
Garges-lès-Gonesse (95) 59 F2
Gargilesse-Dampierre (36) 165 H4
Garidech (31) 269 H5
Gariès (82) 268 C4
Garigny (18) 150 B3
Garin (31) 305 G5
Garindein (64) 283 H5
Garlan (29) 47 G4
Garlède-Mondebat (64) 284 D1
Garlin (64) 284 E1
le Garn (30) 256 B3
la Garnache (85) 141 F4
Garnat-sur-Engièvre (03) 169 H3
Garnay (28) 57 F5
Garnerans (01) 188 C2
Garons (30) 275 H4
Garos (64) 284 C1
Garravet (32) 287 G3
Garrebourg (57) 70 A2
Garrevaques (81) 289 H2
Garrey (40) 264 C5
le Garric (81) 270 E1
Garrigues (34) 274 D4
Garrigues (81) 269 K5
Garrigues-Sainte-Eulalie (30) 275 G1
Garris (64) 283 F3
Garrosse (40) 245 F6
Gars (06) 280 C2
Gartempe (23) 182 C3
Gas (28) 85 J1
Gasny (27) 36 C6
Gasques (82) 248 E5
Gassin (83) 299 F4
le Gast (14) 52 C4
Gastes (40) 244 D2
Gastines (53) 104 B3
Gastins (77) 60 A6
Gasville-Oisème (28) 85 G3
Gatey (39) 155 G4
Gathemo (50) 52 D4
Gatteville-le-Phare (50) 29 G2
Gattières (06) 281 F3
Gatuzières (48) 254 B4
Gaubertin (45) 111 F1
la Gaubretière (85) 142 D4
Gauchin-Légal (62) 10 D1
Gauchin-Verloingt (62) 10 A1
Gauchy (02) 19 K3
Gauciel (27) 56 E1
la Gaudaine (28) 84 B5
la Gaude (06) 281 F3
Gaudechart (60) 17 H5
Gaudent (65) 305 H2
Gaudiempré (62) 10 C4
Gaudiès (09) 288 E6
Gaudonville (32) 268 A3
Gaudreville-la-Rivière (27) 56 C2
Gaugeac (24) 232 B4
Gaujac (30) 256 C6
Gaujac (32) 287 F2
Gaujac (47) 230 E6
Gaujacq (40) 264 E5
Gaujan (32) 286 E3
le Gault-Perche (41) 108 B1
le Gault-Saint-Denis (28) 85 G5
le Gault-Soigny (51) 61 G4
Gauré (31) 269 J6
Gauriac (33) 211 G5
Gauriaguet (33) 211 K5
Gaussan (65) 286 B5
Gausson (22) 77 G3
Gauville (61) 55 H4
Gauville (80) 17 G3
Gauville-la-Campagne (27) 56 C1
Gavarnie (65) 304 B5
Gavarret-sur-Aulouste (32) 267 J4
Gavaudun (47) 232 C6
Gavignano (2B) 319 G4
Gavisse (57) 27 H3
Gavray (50) 30 E6
le Gâvre (44) 103 F6
Gavrelle (62) 11 F2
Gâvres (56) 99 K5
Gavrus (14) 32 C5
Gayan (65) 285 H4
Gaye (51) 61 J5
Gayon (64) 285 F2
Gazaupouy (32) 267 G1
Gazave (65) 305 G2
Gazax-et-Baccarisse (32) 266 D6
Gazeran (78) 57 J6
Gazost (65) 304 B2
Geaune (40) 265 H5
Geay (17) 177 H6
Geay (79) 144 A5
Gèdre (65) 304 B5
Gée (49) 125 K3
Gée-Rivière (32) 266 A5
Geffosses (50) 30 D3
Géfosse-Fontenay (14) 29 H6
Gehée (36) 147 H3
Geishouse (68) 119 K3
Geispitzen (68) 97 D3
Geispolsheim (67) 70 E4
Geiswasser (68) 96 E5
Geiswiller (67) 69 H6
Gélacourt (54) 95 F1
Gélannes (10) 89 G2
Gélaucourt (54) 93 J2
Gellainville (28) 85 G3
Gellenoncourt (54) 66 C5
Gelles (63) 202 A2
Gellin (25) 156 E6
Gelos (64) 284 C4
Geloux (40) 265 F1
Gelucourt (57) 67 F4
Gelvécourt-et-Adompt (88) 94 A5
Gémages (61) 83 J5
Gemaingoutte (88) 95 K4
Gembrie (65) 305 H2
Gemeaux (21) 136 B3
Gémenos (13) 297 F4
Gémigny (45) 109 J3
Gémil (31) 269 J5
Gemmelaincourt (88) 93 J4
Gémonval (25) 139 F2
Gémonville (54) 93 H3
Gémozac (17) 195 F4
Genac (16) 196 C1
Genainville (95) 36 D6
Genas (69) 206 C2
Génat (09) 307 H5
Genay (21) 134 D3
Genay (69) 188 C6
Gençay (86) 163 F6
Gendreville (88) 93 G5
Gendrey (39) 137 G6
Gené (49) 124 E1

Génébrières (82) 269 H1
Genech (59) 7 F5
Génelard (71) 170 D3
Générac (30) 275 G4
Générac (33) 211 H3
Générargues (30) 255 F6
Générest (65) 305 H2
Generville (11) 289 G5
Geneslay (61) 81 H2
le Genest-Saint-Isle (53) 104 D1
Genestelle (07) 239 H4
Geneston (44) 141 J2
la Genête (71) 172 B3
la Genétouze (17) 212 C3
la Génétouze (85) 159 H1
Genêts (50) 51 J3
les Genettes (61) 55 H6
Geneuille (25) 137 K5
la Genevraie (61) 55 F5
la Genevraye (77) 87 J4
Genevreuille (70) 118 D6
Genevrey (70) 118 C5
Genevrières (52) 117 F6
la Genevroye (52) 92 A5
Geney (25) 139 F2
la Geneytouse (87) 199 H2
Génicourt (95) 37 G6
Génicourt-sur-Meuse (55) 43 J6
Genilac (42) 205 J5
Genillé (37) 146 E1
Génis (24) 214 E2
Génissac (33) 230 A2
Génissieux (26) 222 E4
Genlis (21) 136 C6
Gennes (25) 138 B6
Gennes (49) 125 K5
Gennes-Ivergny (62) 9 J3
Gennes-sur-Glaize (53) 105 G4
Gennes-sur-Seiche (35) 104 B2
Genneteil (49) 126 C2
Gennetines (03) 169 F3
Genneton (79) 143 K3
Genneville (14) 34 A2
Gennevilliers (92) 58 E2
Genod (39) 173 G6
Génolhac (30) 255 F3
Génos (31) 305 J2
Génos (65) 305 F5
Genouillac (16) 197 J1
Genouillac (23) 166 B6
Genouillé (17) 177 G4
Genouillé (86) 179 J3
Genouilleux (01) 188 C3
Genouilly (18) 148 B1
Genouilly (71) 171 G2
Gensac (33) 230 D2
Gensac (65) 285 H2
Gensac (82) 268 B2
Gensac-de-Boulogne (31) 286 C5
Gensac-la-Pallue (16) 196 A3
Gensac-sur-Garonne (31) 287 J5
Genté (16) 195 K3
Gentelles (80) 18 C2
Gentilly (94) 58 E4
Gentioux-Pigerolles (23) 200 C2
Genvry (60) 19 H5
Georfans (70) 138 E2
Géovreisset (01) 190 A1
Géovreissiat (01) 189 K2
Ger (50) 53 F5
Ger (64) 285 G5
Ger (65) 304 B1
Geraise (39) 156 B4
Gérardmer (88) 119 H1
Géraudot (10) 90 D4
Gerbaix (73) 207 K3
Gerbamont (88) 119 G2
Gerbécourt (57) 66 D3
Gerbécourt-et-Haplemont (54) 94 A2
Gerbépal (88) 95 H5
Gerberoy (60) 17 G6
Gerbéviller (54) 94 D1
Gercourt-et-Drillancourt (55) 43 G3
Gercy (02) 21 F3
Gerde (65) 304 D1
Gerderest (64) 285 F3
Gère-Bélesten (64) 303 H2
Gergny (02) 21 F1
Gergueil (21) 135 J6
Gergy (71) 154 B5
Gerland (21) 154 C2
Germ (65) 305 F5
Germagnat (01) 173 F6
Germagny (71) 171 G2
Germaine (02) 19 J3
Germaine (51) 41 F6
Germaines (52) 116 A5
Germainville (28) 57 G5
Germainvilliers (52) 117 F1
Germay (52) 92 D3
Germéfontaine (25) 138 E6
Germenay (58) 133 G6
Germignac (17) 195 K4
Germigney (39) 155 J3
Germigney (70) 137 F4
Germignonville (28) 85 J6
Germigny (51) 40 D4
Germigny (89) 113 J3
Germigny-des-Prés (45) 110 D5
Germigny-l'Évêque (77) 60 A2
Germigny-l'Exempt (18) 150 B5
Germigny-sous-Coulombs (77) 60 C1
Germigny-sur-Loire (58) 150 C3
Germinon (51) 62 B3
Germiny (54) 93 J1
Germisay (52) 92 D3
Germolles-sur-Grosne (71) 188 A1
Germond-Rouvre (79) 161 H4
Germondans (25) 138 B4
Germont (08) 42 D2
Germonville (54) 94 B3
Germs-sur-l'Oussouet (65) 304 C1
Gernelle (08) 22 E3
Gernicourt (02) 40 D2
Géronce (64) 283 K5
Gerponville (76) 14 E3
Gerrots (14) 33 H5
Gerstheim (67) 71 D3
Gertwiller (67) 70 C5
Geruge (39) 173 F2
Gervans (26) 222 B4
Gerville (76) 14 C4
Géry (55) 64 C4
Gerzat (63) 202 D1
Gesnes (53) 81 G6
Gesnes-en-Argonne (55) 42 E3
Gesnes-le-Gandelin (72) 82 C4
Gespunsart (08) 22 E2
Gestas (64) 283 H3
Gesté (49) 142 C1
Gestel (56) 99 K4
Gestiès (09) 307 H5
Gesvres (53) 82 B3
Gesvres-le-Chapitre (77) 59 K1
Gétigné (44) 142 B2
les Gets (74) 192 A2
Geu (65) 304 B2
Geudertheim (67) 25 A5
Géus-d'Arzacq (64) 284 B2
Geüs-d'Oloron (64) 283 K4
Gévezé (35) 79 F3
Gevigney-et-Mercey (70) 117 J5
Geville (55) 65 F4
Gevingey (39) 173 F2
Gevresin (25) 156 C3
Gevrey-Chambertin (21) 135 K6
Gevrolles (21) 115 H3
Gevry (39) 155 G3
Gex (01) 174 B6
Geyssans (26) 222 E4
Gez (65) 304 A2
Gez-ez-Angles (65) 304 C1
Gézaincourt (80) 10 A4
Gézier-et-Fontenelay (70) 137 J4
Gézoncourt (54) 65 J3
Ghisonaccia (2B) 321 J3
Ghisoni (2B) 321 G2
Ghissignies (59) 12 E3
Ghyvelde (59) 3 J1
Giat (63) 201 H2
Gibeaumeix (54) 65 G6
Gibel (31) 288 E4
Gibercourt (02) 19 K4
Giberville (14) 33 F5
Gibles (71) 170 E6
Gibourne (17) 178 B5
Gibret (40) 264 D5
le Gicq (17) 178 C5
Gidy (45) 109 K3
Giel-Courteilles (61) 54 A4
Gien (45) 131 H1
Gien-sur-Cure (58) 152 D2
Gières (38) 224 B3
la Giettaz (73) 191 J6
Giéville (50) 31 J4
Gièvres (41) 129 H6
Giey-sur-Aujon (52) 116 A3
Giez (74) 208 E1
Gif-sur-Yvette (91) 58 C5
Giffaumont-Champaubert (51) 91 H1
Gigean (34) 293 F2
Gignac (34) 273 J6
Gignac (46) 215 H6
Gignac (84) 277 J2
Gignac-la-Nerthe (13) 296 B3
Gignat (63) 202 E6
Gignéville (88) 117 J1
Gigney (88) 94 C5
Gigny (39) 173 F4
Gigny (89) 114 D5
Gigny-Bussy (51) 63 F6
Gigny-sur-Saône (71) 172 A2
Gigondas (84) 257 G5
Gigors (04) 259 H1
Gigors-et-Lozeron (26) 240 E2
Gigouzac (46) 233 H5
Gijounet (81) 271 J5
Gildwiller (68) 97 A3
Gilette (06) 281 F2
Gilhac-et-Bruzac (07) 240 A2
Gilhoc-sur-Ormèze (07) 222 A6
Gillancourt (52) 91 K6
Gillaumé (52) 92 C2
Gilles (28) 57 G3
Gilley (25) 157 G2
Gilley (52) 117 G6
Gillois (39) 174 A1
Gillonnay (38) 207 F6
Gilly-lès-Cîteaux (21) 154 B1
Gilly-sur-Isère (73) 209 F3
Gilly-sur-Loire (71) 169 J4
Gilocourt (60) 38 E4
Gimat (82) 268 B3
Gimbrède (32) 267 K1
Gimeaux (63) 185 F5
Gimécourt (55) 64 C3
Gimel-les-Cascades (19) 216 B2
Gimeux (16) 195 J3
la Gimond (42) 205 G4
Gimont (32) 268 B6
Gimouille (58) 150 D4
Ginai (61) 54 E5
Ginals (82) 250 E5
Ginasservis (83) 278 C5
Ginchy (80) 11 F6
Gincla (11) 309 F5
Gincrey (55) 43 K4
Gindou (46) 233 F5
Ginestas (11) 291 G5
Ginestet (24) 231 H1
Gingsheim (67) 70 D1
Ginoles (11) 308 E4
Ginouillac (46) 233 J4
Gintrac (46) 234 A2
Giocatojo (2B) 319 H4
Gionges (51) 61 K2
Giou-de-Mamou (15) 235 J1
Gioux (23) 200 D2
Gipcy (03) 168 B4
Girac (46) 234 B1
Girancourt (88) 94 C6
Giraumont (54) 44 C4
Giraumont (60) 38 D1
Girauvoisin (55) 65 F3
Gircourt-lès-Viéville (88) 94 B3
Girecourt-sur-Durbion (88) 94 E4
Girefontaine (70) 118 B3
Giremoutiers (77) 60 B4
Girgols (15) 217 H5
Giriviller (54) 94 D2
Girmont (88) 94 D4
Girmont-Val-d'Ajol (88) 118 E2
Girolles (45) 111 H2
Girolles (89) 133 J3
Giromagny (90) 119 H5
Giron (01) 190 B1
Gironcourt-sur-Vraine (88) 93 J4
Gironde-sur-Dropt (33) 230 C5
Girondelle (08) 22 A2
Gironville (77) 87 G6
Gironville-sur-Essonne (91) 86 E4
le Girouard (85) 159 G3
Giroussens (81) 270 A4
Giroux (36) 148 C3
Giry (58) 151 F1
Gisay-la-Coudre (27) 55 J2
Giscaro (32) 268 B6
Giscos (33) 246 D3
Gisors (27) 36 E4
Gissac (12) 272 C3
Gissey-le-Vieil (21) 135 F5
Gissey-sous-Flavigny (21) 135 G3
Gissey-sur-Ouche (21) 135 H6
Gisy-les-Nobles (89) 88 D5
Giuncaggio (2B) 321 H1
Giuncheto (2A) 322 E3
Givardon (18) 150 A6
Givarlais (03) 167 H5
Givenchy-en-Gohelle (62) 10 E1
Givenchy-le-Noble (62) 10 C2
Givenchy-lès-la-Bassée (62) 6 B5
Giverny (27) 36 B6
Giverville (27) 34 D5
Givet (08) 24 C1
Givonne (08) 23 F4
Givors (69) 206 A4
Givraines (45) 110 E1
Givrand (85) 158 D1
Givrauval (55) 64 C5
le Givre (85) 159 J4
Givrezac (17) 195 G4
Givron (08) 21 K5
Givry (08) 41 K1
Givry (71) 153 K6
Givry (89) 133 J3
Givry-en-Argonne (51) 63 J2
Givry-lès-Loisy (51) 61 K3
Givrycourt (57) 68 C5
Gizaucourt (51) 42 C6
Gizay (86) 163 F5
Gizeux (37) 126 D4
Gizia (39) 172 E3
Gizy (02) 20 E5
la Glacerie (50) 28 D3
Glageon (59) 13 J5
Glaignes (60) 38 E4
Glaine-Montaigut (63) 203 G2
Glaire (08) 23 F4
le Glaizil (05) 242 D3
Glamondans (25) 138 C5
Gland (02) 60 E1
Gland (89) 114 C5
Glandage (26) 241 K4
Glandon (87) 198 E6
Glanes (46) 234 C1
Glanges (87) 199 G3
Glannes (51) 63 F5
Glanon (21) 154 D3
Glanville (14) 33 J3
Glatens (82) 268 B3
Glatigny (50) 30 C1
Glatigny (57) 45 G5
Glatigny (60) 37 F1
Glay (25) 139 J3
Gleizé (69) 188 B5
Glénac (56) 102 B3
Glénat (15) 235 F1
Glénay (79) 144 B5
Glénic (23) 182 D2
Glennes (02) 40 C3
Glénouze (86) 144 D4
Glère (25) 139 K4
Glicourt (76) 16 B1
Glisolles (27) 56 C2
Glisy (80) 18 B2
Glomel (22) 76 A3
Glonville (54) 95 F1
Glorianes (66) 314 D3
Glos (14) 34 A6
Glos-la-Ferrière (61) 55 J3
Glos-sur-Risle (27) 34 E4
Gluiras (07) 239 J2
Glun (07) 222 B5
Glux-en-Glenne (58) 152 C4
Goas (82) 268 C4
la Godefroy (50) 52 A5
Godenvillers (60) 18 D6
Goderville (76) 14 D5
Godewaersvelde (59) 6 A2
Godisson (61) 54 E5
la Godivelle (63) 218 C1
Godoncourt (88) 117 J2
Gœrlingen (67) 67 J3
Gœrsdorf (67) 25 A2
Goès (64) 284 A5
Goetzenbruck (57) 69 G4
Gœulzin (59) 11 H2
Gogney (54) 67 G5
Gognies-Chaussée (59) 13 G2
la Gohannière (50) 52 A5
Gohory (28) 84 D6
Goin (57) 66 A1
Goincourt (60) 37 G2
Golancourt (60) 19 H4
Golbey (88) 94 D5
Goldbach-Altenbach (68) 119 K3
Golfech (82) 248 D5
Golinhac (12) 235 J5
Golleville (50) 28 D5
Gombergean (41) 128 C1
Gomelange (57) 45 H3
Gomené (22) 77 J4
Gomer (64) 284 E5
Gometz-la-Ville (91) 58 C6
Gometz-le-Châtel (91) 58 C6
Gomiécourt (62) 11 F4
Gommecourt (62) 10 D4
Gommecourt (78) 36 C6
Gommegnies (59) 12 E3
Gommenec'h (22) 48 D4
Gommersdorf (68) 97 A4
Gommerville (28) 86 A4
Gommerville (76) 14 D6
Gomméville (21) 115 F3
Gomont (08) 41 G1
Goncelin (38) 224 D1
Goncourt (52) 93 F5
Gond-Pontouvre (16) 196 E3
Gondecourt (59) 6 D5
Gondenans-les-Moulins (25) 138 D3
Gondenans-Montby (25) 138 E3
Gondeville (16) 196 B3
Gondrecourt-Aix (54) 44 B4
Gondrecourt-le-Château (55) 92 E1
Gondreville (45) 111 H2
Gondreville (54) 65 J5
Gondreville (60) 39 F5
Gondrexange (57) 67 H4
Gondrexon (54) 67 G5
Gondrin (32) 266 E3
les Gonds (17) 195 G2
Gonesse (95) 59 F2
Gonez (65) 285 J5
Gonfaron (83) 298 C3
Gonfreville (50) 30 E2
Gonfreville-Caillot (76) 14 D5
Gonfreville-l'Orcher (76) 33 K1
la Gonfrière (61) 55 G4
Gonnehem (62) 5 K5
Gonnelieu (59) 11 J5
Gonnetot (76) 15 H3
Gonneville (50) 28 E2
Gonneville-en-Auge (14) 33 F4
Gonneville-la-Mallet (76) 14 B5
Gonneville-sur-Honfleur (14) 33 K2
Gonneville-sur-Mer (14) 33 H3
Gonneville-sur-Scie (76) 15 K3
Gonsans (25) 138 C6
Gontaud-de-Nogaret (47) 247 J1
la Gonterie-Boulouneix (24) 213 K1
Gonzeville (76) 15 H3
Goos (40) 264 C4
Gorbio (06) 281 J2
Gorcy (54) 26 C2
Gordes (84) 277 F2
Gorenflos (80) 9 J5
Gorges (44) 142 A2
Gorges (50) 30 E1
Gorges (80) 9 K5
la Gorgue (59) 6 A4
Gorhey (88) 94 C5
Gornac (33) 230 B4
Gorniès (34) 273 K3
Gorre (87) 198 C2
Gorrevod (01) 172 A5
Gorron (53) 80 E3
Gorses (46) 234 D3
Gorze (57) 44 D6
Gosnay (62) 5 K6
Gosné (35) 79 J2
Gosselming (57) 67 J3
Gotein-Libarrenx (64) 283 H5
Gottenhouse (67) 70 B1
Gottesheim (67) 70 C1
Gouaix (77) 88 D2
Goualade (33) 246 D3
Gouarec (22) 76 C3
Gouaux (65) 305 F4
Gouaux-de-Larboust (31) 305 G5
Gouaux-de-Luchon (31) 305 H4
Gouberville (50) 29 F2
Gouchaupre (76) 16 B1
Goudargues (30) 256 A4
Goudelancourt-lès-Berrieux (02) 40 D1
Goudelancourt-lès-Pierrepont (02) 21 F5
Goudelin (22) 48 E5
Goudet (43) 238 C1
Goudex (31) 287 G3
Goudon (65) 285 K5
Goudourville (82) 248 E5
Gouesnach (29) 98 C2
la Gouesnière (35) 50 E4
Gouesnou (29) 46 A5
Gouex (86) 163 J6
Gouézec (29) 74 E4
Gougenheim (67) 70 D2
Gouhelans (25) 138 D3
Gouhenans (70) 138 E1
Gouillons (28) 85 K4
Gouise (03) 169 F5
Goujounac (46) 233 F5
la Goulafrière (27) 55 G2
Goulet (61) 54 B5
Goulien (29) 73 C3
Goulier (09) 307 H5
Goulles (19) 216 E5
les Goulles (21) 115 J4
Gouloux (58) 134 B6
Goult (84) 277 F3
Goulven (29) 46 C3
Goumois (25) 139 J5
Goupillières (14) 53 J1
Goupillières (27) 34 E6
Goupillières (76) 15 J6
Goupillières (78) 57 J3
Gouraincourt (55) 44 A3
le Gouray (22) 77 J3
Gourbera (40) 264 B3
Gourbesville (50) 28 E5
Gourbit (09) 307 H4
Gourchelles (60) 17 G4
Gourdan-Polignan (31) 305 H1
Gourdièges (15) 236 C1
Gourdon (06) 280 D4
Gourdon (07) 239 H3
Gourdon (46) 233 G3
Gourdon (71) 171 F2
Gourdon-Murat (19) 200 B5
Gourfaleur (50) 31 H4
Gourgançon (51) 62 A5
Gourgé (79) 162 A1
Gourgeon (70) 117 H6
Gourgue (65) 285 K6
Gourhel (56) 101 K2
Gourin (56) 75 H4
Gourlizon (29) 74 B5
Gournay (36) 165 J3
Gournay-en-Bray (76) 36 D1
Gournay-le-Guérin (27) 55 K5
Gournay-Loizé (79) 178 E3
Gournay-sur-Aronde (60) 38 C1
Gournay-sur-Marne (93) 59 G3
les Gours (16) 178 E5
Gours (33) 212 D6
Gourvieille (11) 289 F4
Gourville (16) 196 C1
Gourvillette (17) 178 C6
Goussaincourt (55) 93 G2
Goussainville (28) 57 H4
Goussainville (95) 59 F1
Goussancourt (02) 40 B5
Gousse (40) 264 C4
Goussonville (78) 57 J3
Goustranville (14) 33 G4
Gout-Rossignol (24) 197 G6
la Goutelle (63) 202 A1
Goutevernisse (31) 287 J5
Goutrens (12) 251 K1
Gouts (40) 264 D3
Gouttières (27) 55 K1
Gouttières (63) 184 C4
Goutz (32) 267 K4
Gouvernes (77) 59 H3
Gouves (62) 10 D2
Gouvets (50) 52 C2
Gouvieux (60) 38 A5
Gouville (27) 56 B3
Gouville-sur-Mer (50) 30 C3
Gouvix (14) 53 K1
Goux (32) 266 B6
Goux-lès-Dambelin (25) 139 G4
Goux-les-Usiers (25) 156 E3
Goux-sous-Landet (25) 156 B2
Gouy (02) 12 A6
Gouy (76) 35 J3
Gouy-en-Artois (62) 10 D3
Gouy-en-Ternois (62) 10 B2
Gouy-les-Groseillers (60) 18 A4
Gouy-Saint-André (62) 9 G2
Gouy-Servins (62) 10 D1
Gouy-sous-Bellonne (62) 11 H2
Gouzangrez (95) 37 F6
Gouzeaucourt (59) 11 J5
Gouzens (31) 287 J6
Gouzon (23) 183 G2
Goven (35) 78 E5
Goviller (54) 93 J1
Goxwiller (67) 70 D5
Goyencourt (80) 19 F4
Goyrans (31) 288 B2
Grabels (34) 274 B6
Graçay (18) 148 B2
Grâce-Uzel (22) 77 F3
Grâces (22) 48 C5
Gradignan (33) 229 G3
Graffigny-Chemin (52) 93 F6
Gragnague (31) 269 J5
Graignes (50) 31 G2
Grailhen (65) 305 F4

Graimbouville (76) 14 C6
Graincourt-lès-Havrincourt (62) 11 H4
Grainville (27) 36 A3
Grainville-la-Teinturière (76) 15 F4
Grainville-Langannerie (14) 54 A1
Grainville-sur-Odon (14) 32 C5
Grainville-sur-Ry (76) 35 K1
Grainville-Ymauville (76) 14 D5
le Grais (61) 53 K6
Graissac (12) 236 B3
Graissessac (34) 272 D5
Graix (42) 221 J1
Gramat (46) 234 A3
Gramazie (11) 308 D1
Grambois (84) 277 K4
Grammond (42) 205 G4
Grammont (70) 138 E2
Gramond (12) 251 K4
Gramont (82) 267 K2
Granace (2A) 322 E3
Grancey-le-Châteaau-Neuvelle (21) 136 A1
Grancey-sur-Ource (21) 115 F2
Grand (88) 92 E3
le Grand-Abergement (01) 190 B4
Grand-Auverné (44) 103 K5
le Grand-Bornand (74) 191 J5
le Grand-Bourg (23) 182 B3
Grand-Brassac (24) 213 H2
Grand-Camp (27) 55 H1
Grand-Camp (76) 15 F6
le Grand-Celland (50) 52 B5
Grand-Champ (56) 100 E4
Grand-Charmont (25) 139 H2
la Grand-Combe (30) 255 G4
Grand-Corent (01) 189 J2
Grand-Couronne (76) 35 H3
la Grand-Croix (42) 205 J5
Grand-Failly (54) 43 J2
Grand-Fayt (59) 13 F5
Grand-Fort-Philippe (59) 3 F2
Grand-Fougeray (35) 103 F3
Grand-Laviers (80) 9 F5
le Grand-Lemps (38) 207 G6
le Grand-Lucé (72) 107 G4
le Grand-Madieu (16) 179 K5
le Grand-Pressigny (37) 146 B5
le Grand-Quevilly (76) 35 H2
Grand-Rozoy (02) 39 K4
Grand-Rullecourt (62) 10 C3
le Grand-Serre (26) 222 E2
Grand-Vabre (12) 235 G5
Grand-Verly (02) 20 C1
le Grand-Village-Plage (17) 176 C6
Grandcamp-Maisy (14) 29 H5
Grandchain (27) 55 J1
Grandchamp (08) 22 A5
Grandchamp (52) 116 E6
Grandchamp (72) 82 E4
Grandchamp (78) 57 H5
Grandchamp (89) 112 C5
Grandchamp-le-Château (14) 33 J6
Grandchamps-des-Fontaines (44) 123 G2
Grand'Combe-Châteleu (25) 157 H2
Grand'Combe-des-Bois (25) 157 K1
Grandcourt (76) 16 D2
Grandcourt (80) 10 E5
la Grande-Fosse (88) 95 K3
la Grande-Motte (34) 293 J1
la Grande-Paroisse (77) 87 K4
la Grande-Résie (70) 137 F5
Grande-Rivière (39) 173 K3
Grande-Synthe (59) 3 G2
la Grande-Verrière (71) 152 D4
Grandecourt (70) 137 J1
les Grandes-Armoises (08) 22 E6
les Grandes-Chapelles (10) 90 A2
les Grandes-Loges (51) 41 H6
les Grandes-Ventes (76) 16 B3
Grandeyrolles (63) 202 D4
Grandfontaine (25) 137 J6
Grandfontaine (67) 95 K1
Grandfontaine-sur-Creuse (25) 138 E6
Grandfresnoy (60) 38 C3
Grandham (08) 42 C3
Grandjean (17) 177 J6
Grand'Landes (85) 141 H5
Grandlup-et-Fay (02) 20 E5
Grandpré (08) 42 D3
Grandpuits-Bailly-Carrois (77) 88 A1
Grandrieu (48) 237 K3
Grandrieux (02) 21 J4
Grandrif (63) 204 A5
Grandris (69) 187 J4
Grandrû (60) 19 J5
Grandrupt (88) 95 J3
Grandrupt-de-Bains (88) 118 B1
les Grands-Chézeaux (87) 165 F6
Grandsaigne (19) 200 B6
Grandval (63) 203 J4
Grandvals (48) 236 D3
Grandvaux (71) 170 D4
Grandvelle-et-le-Perrenot (70) 137 K2
Grandvillars (90) 139 J2
la Grandville (08) 22 D3
Grandville (10) 90 C1
Grandvillers (88) 95 F4
Grandvillers-aux-Bois (60) 38 C2
Grandvilliers (27) 56 C4
Grandvilliers (60) 17 H5
Grane (26) 240 C3
Granès (11) 309 F4
la Grange (25) 139 G5
Grange-de-Vaivre (39) 156 A3
Grangermont (45) 87 F6
les Granges (10) 114 A2
Granges (71) 171 H1
Granges-d'Ans (24) 214 E3
les Granges-Gontardes (26) 256 D1
Granges-la-Ville (70) 139 F1
Granges-le-Bourg (70) 139 F1
les Granges-le-Roi (91) 86 B2
Granges-les-Beaumont (26) 222 D5
Granges-Narboz (25) 156 E4
Granges-sur-Aube (51) 89 J1
Granges-sur-Baume (39) 173 G1
Granges-sur-Lot (47) 248 A2
Granges-sur-Vologne (88) 95 G6
les Grangettes (25) 156 E5
Grangues (14) 33 H4
Granier (73) 209 J3
Granieu (38) 207 J4
Grans (13) 276 E6
Granville (50) 51 H1
Granzay-Gript (79) 178 A2
Gras (07) 256 B1
les Gras (25) 157 G3
Grassac (16) 197 G4
Grasse (06) 280 D4
Grassendorf (67) 69 J6
Grateloup-Saint-Gayrand (47) 247 K2
Gratens (31) 287 J4
Gratentour (31) 269 G5
Gratibus (80) 18 D4
Gratot (50) 30 D4
Gratreuil (51) 42 B4
Grattepanche (80) 18 A3
le Gratteris (25) 156 C1
Grattery (70) 118 A6
le Grau-du-Roi (30) 293 K1
les Graulges (24) 197 G5
Graulhet (81) 270 C4
Grauves (51) 61 K2
Graval (76) 16 D4
la Grave (05) 225 G4
Gravelines (59) 3 F2
la Gravelle (53) 104 C1
Gravelotte (57) 44 D5
la Graverie (14) 52 E2
Graveron-Sémerville (27) 35 G6
Graves-Saint-Amant (16) 196 B3
Graveson (13) 276 B3
Gravières (07) 255 G2
Gravigny (27) 56 D1
Gravon (77) 88 B3
Gray (70) 137 F3
Gray-la-Ville (70) 137 F3
Grayan-et-l'Hôpital (33) 194 B5
Graye-et-Charnay (39) 173 F4
Graye-sur-Mer (14) 32 D3
Grayssas (47) 248 E5
Grazac (31) 288 C4
Grazac (43) 221 F3
Grazac (81) 269 J3
Grazay (53) 81 H4
Gréalou (46) 234 C6
Gréasque (13) 296 E2
Grébault-Mesnil (80) 9 F6
Grécourt (80) 19 H4
Gredisans (39) 155 G1
la Grée-Saint-Laurent (56) 101 J1
Gréez-sur-Roc (72) 107 K1
Greffeil (11) 309 G1
Grèges (76) 16 A1
Grémecey (57) 66 C3
Grémévillers (60) 17 H6
Gremilly (55) 43 J3
Grémonville (76) 15 H4
Grenade (31) 269 F4
Grenade-sur-l'Adour (40) 265 H4
Grenand-lès-Sombernon (21) 135 H6
Grenant (52) 116 E6
Grenay (38) 206 D3
Grenay (62) 6 B6
Grendelbruch (67) 70 B4
Greneville-en-Beauce (45) 86 C6
Grenier-Montgon (43) 219 F2
Gréning (57) 68 B4
Grenoble (38) 224 A3
Grenois (58) 133 F5
Grentheville (14) 32 E5
Grentzingen (68) 97 C5
Greny (76) 16 B1
Gréolières (06) 280 D3
Gréoux-les-Bains (04) 278 C4
Grépiac (31) 288 B3
le Grès (31) 268 D5
Grésigny-Sainte-Reine (21) 135 F2
Gresin (73) 207 K3
la Gresle (42) 187 H4
Gresse-en-Vercors (38) 241 K1
Gressey (78) 57 H4
Gresswiller (67) 70 C4
Gressy (77) 59 H2
Grésy-sur-Aix (73) 208 B2
Grésy-sur-Isère (73) 208 E3
Gretz-Armainvilliers (77) 59 J5
Greucourt (70) 137 J2
Greuville (76) 15 J3
Greux (88) 93 F2
la Grève-sur-Mignon (17) 177 H1
Gréville-Hague (50) 28 B2
Grévillers (62) 11 F5
Grevilly (71) 171 J4
Grez (60) 17 H5
le Grez (72) 82 A6
Grez-en-Bouère (53) 105 H4
Grez-Neuville (49) 125 F1
Grez-sur-Loing (77) 87 H4
Grézac (17) 194 E4
Grézels (46) 249 G1
Grèzes (24) 215 G5
Grèzes (43) 237 J1
Grèzes (46) 234 B5
Grèzes (48) 237 G6
Grézet-Cavagnan (47) 247 G2
Grézian (65) 305 F4
Grézieu-la-Varenne (69) 205 K2
Grézieu-le-Marché (69) 205 G3
Grézieux-le-Fromental (42) 204 D4
Grézillac (33) 230 A2
Grézillé (49) 125 J5
Grézolles (42) 204 B1
Gricourt (02) 19 K2
Grièges (01) 188 C1
Gries (67) 25 B4
Griesbach-au-Val (68) 96 A4
Griesheim-près-Molsheim (67) 70 D4
Griesheim-sur-Souffel (67) 70 E2
Grignan (26) 257 F1
Grigneuseville (76) 16 A5
Grignols (24) 213 J5
Grignols (33) 246 E2
Grignon (21) 134 E2
Grignon (73) 209 G3
Grignoncourt (88) 117 J3
Grigny (62) 9 J1
Grigny (69) 206 A4
Grigny (91) 58 E6
la Grigonnais (44) 103 F6
Grillon (84) 257 F2
Grilly (01) 174 B6
Grimaucourt-en-Woëvre (55) 43 K5
Grimaucourt-près-Sampigny (55) 64 D4
Grimaud (83) 298 E4
la Grimaudière (86) 144 D6
Grimault (89) 134 A1
Grimbosq (14) 32 D6
Grimesnil (50) 30 E5
Grimonviller (54) 93 K3
Grincourt-lès-Pas (62) 10 C4
Grindorff-Bizing (57) 45 J2
la Gripperie-Saint-Symphorien (17) 194 D1
Gripport (54) 94 B2
Griscourt (54) 65 J3
Griselles (21) 114 D4
Griselles (45) 111 J2
Grisolles (02) 39 J5
Grisolles (82) 269 F3
Grisy-les-Plâtres (95) 37 G6
Grisy-Suisnes (77) 59 H6
Grisy-sur-Seine (77) 88 D3
Grives (24) 232 D3
Grivesnes (80) 18 C4
Grivillers (80) 18 E5
Grivy-Loisy (08) 42 A2
Groffliers (62) 8 E1
la Groise (59) 12 E5
Groises (18) 150 A1
Groissiat (01) 190 A2
Groisy (74) 191 F4
Groix (56) 99 J6
Groléjac (24) 233 G2
Gron (18) 149 K2
Gron (89) 112 D1
Gronard (02) 21 F3
Gros-Chastang (19) 216 D3
Gros-Réderching (57) 68 E3
le Gros-Theil (27) 35 F4
Grosbliederstroff (57) 68 D2
Grosbois (25) 138 C4
Grosbois-en-Montagne (21) 135 G5
Grosbois-lès-Tichey (21) 154 E3
Grosbreuil (85) 159 F3
les Groseillers (79) 161 H4
Groslay (95) 58 E2
Groslée (01) 207 H2
Grosley-sur-Risle (27) 56 A1
Grosmagny (90) 119 H5
Grosne (90) 139 K1
Grospierres (07) 255 J2
Grosrouvre (78) 57 J4
Grosrouvres (54) 65 H3
Grossa (2A) 322 D3
Grosseto-Prugna (2A) 320 E6
Grossœuvre (27) 56 D2
Grossouvre (18) 150 C5
Grostenquin (57) 68 A4
Grosville (50) 28 B4
Grouches-Luchuel (80) 10 B4
Grougis (02) 20 C1
la Groutte (18) 167 G2
Grozon (39) 155 J5
Gruchet-le-Valasse (76) 14 E6
Gruchet-Saint-Siméon (76) 15 H3
Grues (85) 159 J5
Gruey-lès-Surance (88) 118 B1
Gruffy (74) 208 C1
Grugé-l'Hôpital (49) 104 C5
Grugies (02) 19 K3
Grugny (76) 15 K5
Gruissan (11) 310 D1
Grumesnil (76) 17 F5
Grun-Bordas (24) 213 K5
Grundviller (57) 68 C3
Gruny (80) 19 F4
Grury (71) 170 A2
Gruson (59) 7 F4
Grusse (39) 173 F3
Grussenheim (68) 96 D3
Grust (65) 304 B3
Gruyères (08) 22 C4
le Gua (17) 194 D2
le Gua (38) 223 K5
Guagno (2A) 320 D2
Guainville (28) 57 G3
Guarbecque (62) 5 J4
Guargualé (2A) 320 D6
Guchan (65) 305 F4
Guchen (65) 305 F4
Gudas (09) 307 K2
Gudmont-Villiers (52) 92 B4
le Gué-d'Alleré (17) 177 G2
le Gué-de-la-Chaîne (61) 83 H4
le Gué-de-Longroi (28) 85 J2
le Gué-de-Velluire (85) 160 C5
Gué-d'Hossus (08) 22 B1
Guebenhouse (57) 68 C3
Gueberschwihr (68) 96 B5
Guébestroff (57) 67 F3
Guéblange-lès-Dieuze (57) 67 F3
Guébling (57) 67 F2
Guebwiller (68) 96 B6
Guécélard (72) 106 D4
le Guédéniau (49) 126 B3
Guégon (56) 101 H2
Guéhébert (50) 30 E5
Guéhenno (56) 101 G2
Gueltas (56) 77 F5
Guémappe (62) 11 F3
Guémar (68) 96 C2
Guémené-Penfao (44) 102 E4
Guémené-sur-Scorff (56) 76 B5
Guemps (62) 2 E3
Guénange (57) 45 F3
Guengat (29) 74 C5
Guénin (56) 100 D2
Guenroc (22) 78 C1
Guenrouet (44) 102 D6
Guenviller (57) 68 B3
Guêprei (61) 54 C3
Guer (56) 102 B1
Guérande (44) 121 J4
Guérard (77) 60 A4
Guerbigny (80) 18 E4
la Guerche (37) 146 A5
la Guerche-de-Bretagne (35) 104 A3
la Guerche-sur-l'Aubois (18) 150 C4
Guercheville (77) 87 G5
Guerchy (89) 112 E4
Guéreins (01) 188 C3
Guéret (23) 182 D3
Guerfand (71) 154 C6
Guérigny (58) 150 E3
Guérin (47) 247 F2
la Guérinière (85) 140 B3
Guerlesquin (29) 47 J5
Guermange (57) 67 G3
Guermantes (77) 59 H3
Guern (56) 76 C6
Guernanville (27) 56 A3
Guernes (78) 57 H1
le Guerno (56) 121 J1
Guerny (27) 36 D5
Guéron (14) 32 B4
la Guéroulde (27) 56 A4
Guerpont (55) 64 B5
Guerquesalles (61) 54 E3
les Guerreaux (71) 170 A4
Guerstling (57) 45 J2
Guerting (57) 45 K4
Guerville (76) 16 D1
Guerville (78) 57 J2
Gueschart (80) 9 H3
Guesnain (59) 11 J2
Guesnes (86) 144 E5
Guessling-Hémering (57) 45 K6
Guéthary (64) 282 A2
Gueudecourt (80) 11 F5
Gueugnon (71) 170 B3
Gueures (76) 15 J2
Gueutteville (76) 15 J5
Gueutteville-les-Grès (76) 15 G2
Gueux (51) 40 E4
Guevenatten (68) 119 K5
Guewenheim (68) 119 K5
Gueytes-et-Labastide (11) 308 C2
Gugnécourt (88) 95 F4
Gugney (54) 93 K3
Gugney-aux-Aulx (88) 94 B4
Guibeville (91) 86 D1
Guichainville (27) 56 D2
Guiche (64) 282 E1
la Guiche (71) 171 F4
Guichen (35) 79 F6
Guiclan (29) 47 F5
Guidel (56) 99 J4
la Guierche (72) 106 E1
Guignecourt (60) 37 H1
Guignemicourt (80) 17 K2
Guignen (35) 102 E1
Guignes (77) 59 J6
Guigneville (45) 86 C6
Guigneville-sur-Essonne (91) 86 E2
Guignicourt (02) 40 E2
Guignicourt-sur-Vence (08) 22 C4
Guigny (62) 9 H2
Guilberville (50) 31 J5
Guiler-sur-Goyen (29) 74 A5
Guilers (29) 72 C4
Guilherand-Granges (07) 240 C1
Guillac (33) 230 A2
Guillac (56) 101 J2
Guillaucourt (80) 18 D2
Guillaumes (06) 261 F5
Guillemont (80) 11 F6
la Guillermie (03) 186 A5
Guillerval (91) 86 C4
Guillestre (05) 227 A3
Guilleville (28) 85 K6
Guilliers (56) 77 K6
Guilligomarc'h (29) 99 K2
Guillon (89) 134 B3
Guillon-les-Bains (25) 138 D5
Guillonville (28) 109 H2
Guillos (33) 229 H5
Guilly (36) 148 A3
Guilly (45) 110 D5
Guilmécourt (76) 16 B1
Guilvinec (29) 98 B3
Guimaëc (29) 47 H3
Guimiliau (29) 46 E5
Guimps (16) 196 A5
Guinarthe-Parenties (64) 283 G3
Guincourt (08) 22 C6
Guindrecourt-aux-Ormes (52) 91 K2
Guindrecourt-sur-Blaise (52) 91 K4
Guinecourt (62) 9 K2
Guînes (62) 2 D3
Guingamp (22) 48 C5
Guinglange (57) 45 J5
Guinkirchen (57) 45 H4
Guinzeling (57) 67 G2
Guipavas (29) 46 A6
Guipel (35) 79 F2
Guipronvel (29) 72 C3
Guipry (35) 102 E2
Guipy (58) 151 H1
Guiry-en-Vexin (95) 36 E6
Guiscard (60) 19 H5
Guiscriff (56) 75 H5
Guise (02) 20 D2
Guiseniers (27) 36 B5
le Guislain (50) 31 G5
Guissény (29) 46 B3
Guisy (62) 9 H1
Guitalens (81) 270 D6
Guitera-les-Bains (2A) 321 F5
Guitinières (17) 195 H6
Guitrancourt (78) 57 K1
Guîtres (33) 212 B5
Guitry (27) 36 C5
Guitté (22) 78 C2
Guivry (02) 19 J5
Guizancourt (80) 17 H4
Guizengeard (16) 212 C2
Guizerix (65) 286 B4
Gujan-Mestras (33) 228 C4
Gumbrechtshoffen (67) 69 J5
Gumery (10) 88 E3
Gumiane (26) 241 G6
Gumières (42) 204 C5
Gumond (19) 216 D3
Gundershoffen (67) 69 K5
Gundolsheim (68) 96 B6
Gungwiller (67) 67 K2
Gunsbach (68) 96 A4
Gunstett (67) 25 A2
Guntzviller (57) 67 K4
Guny (02) 39 H1
Guran (31) 305 H4
Gurat (16) 197 F6
Gurcy-le-Châtel (77) 88 B2
Gurgy (89) 113 G4
Gurgy-la-Ville (21) 115 K4
Gurgy-le-Château (21) 115 K4
Gurmençon (64) 284 A6
Gurs (64) 283 J4
Gurunhuel (22) 48 B5
Gury (60) 19 F6
Gussainville (55) 44 A5
Gussignies (59) 13 F2
Guyancourt (78) 58 C4
Guyans-Durnes (25) 156 D1
Guyans-Vennes (25) 157 G1
Guyencourt (02) 40 D3
Guyencourt-Saulcourt (80) 11 H6
Guyencourt-sur-Noye (80) 18 B3
la Guyonnière (85) 142 B4
Guyonvelle (52) 117 G4
Guzargues (34) 274 C5
Gy (70) 137 H4
Gy-en-Sologne (41) 129 H5
Gy-les-Nonains (45) 111 K3
Gy-l'Évêque (89) 113 G6
Gye (54) 65 H6
Gyé-sur-Seine (10) 114 E2

H

Habarcq (62) 10 D2
Habas (40) 264 C6
Habère-Lullin (74) 191 J1
Habère-Poche (74) 191 J1
l'Habit (27) 57 F3
Hablainville (54) 95 F1
Habloville (61) 54 A4
Haboudange (57) 66 E2
Habsheim (68) 97 D2
Hachan (65) 286 B4
Hâcourt (52) 93 F6
Hacqueville (27) 36 C4
Hadancourt-le-Haut-Clocher (60) 36 E5
Hadigny-les-Verrières (88) 94 D3
Hadol (88) 94 D6
Haegen (67) 70 B2
Hagécourt (88) 94 A5
Hagedet (65) 285 G1
Hagen (57) 27 G2
Hagenbach (68) 97 A4
Hagenthal-le-Bas (68) 97 D5
Hagenthal-le-Haut (68) 97 D5
Haget (32) 285 J3
Hagetaubin (64) 284 A1
Hagetmau (40) 265 F5

Hagéville – le Hommet-d'Arthenay

372

Hagéville (54) 44 C6
Hagnéville-et-Roncourt (88) 93 H5
Hagnicourt (08) 22 C5
Hagondange (57) 45 F3
Haguenau (67) 25 A4
la Haie-Fouassière (44) 123 J5
la Haie-Traversaine (53) 81 G3
les Haies (69) 205 K5
Haigneville (54) 94 C1
Haillainville (88) 94 D3
le Haillan (33) 229 G1
Hailles (80) 18 C3
Haillicourt (62) 5 K6
Haimps (17) 178 C6
Haims (86) 164 A4
Hainvillers (60) 18 E6
Haironville (55) 64 A5
Haisnes (62) 6 B6
Haleine (61) 81 J2
Halinghen (62) 4 B4
Hallencourt (80) 9 G6
Hallennes-lez-Haubourdin (59) 6 D4
Hallering (57) 45 J5
les Halles (69) 205 G2
Halles-sous-les-Côtes (55) 43 F1
Hallignicourt (52) 63 J6
Hallines (62) 5 G3
Hallivillers (80) 18 A4
la Hallotière (76) 36 B1
Halloville (54) 67 H6
Halloy (60) 17 H5
Halloy (62) 10 B4
Halloy-lès-Pernois (80) 9 K6
Hallu (80) 19 F3
Halluin (59) 6 E2
Halsou (64) 282 C3
Halstroff (57) 27 K4
le Ham (50) 28 E5
le Ham (53) 81 J3
Ham (80) 19 H4
Ham-en-Artois (62) 5 J5
Ham-les-Moines (08) 22 C3
Ham-sous-Varsberg (57) 45 K4
Ham-sur-Meuse (08) 24 C2
Hamars (14) 53 H1
Hambach (57) 68 D3
Hambers (53) 81 J5
Hamblain-les-Prés (62) 11 G3
Hambye (50) 31 F5
Hamel (59) 11 H3
le Hamel (60) 17 H5
le Hamel (80) 18 D2
Hamelet (80) 18 D2
Hamelin (50) 80 B1
Hamelincourt (62) 11 F4
Hames-Boucres (62) 2 C3
Hammeville (54) 93 K1
Hamonville (54) 65 G3
Hampigny (10) 91 F2
Hampont (57) 66 E3
Han-devant-Pierrepont (54) 26 C4
Han-lès-Juvigny (55) 43 H1
Han-sur-Meuse (55) 64 E3
Han-sur-Nied (57) 66 C1
Hanc (79) 178 E4
Hanches (28) 85 H1
Hancourt (80) 19 H2
Handschuheim (67) 70 D3
Hangard (80) 18 C3
Hangenbieten (67) 70 E3
Hangest-en-Santerre (80) 18 D4
Hangest-sur-Somme (80) 17 J1
Hangviller (57) 69 F6
Hannaches (60) 36 E1
Hannapes (02) 20 D1
Hannappes (08) 21 J3
Hannescamps (62) 10 D4
Hannocourt (57) 66 C2
Hannogne-Saint-Martin (08) 22 E4
Hannogne-Saint-Rémy (08) 21 H5
Hannonville-sous-les-Côtes (55) 44 A6
Hannonville-Suzémont (54) 44 C5
le Hanouard (76) 15 F4
Hans (51) 42 C6
Hantay (59) 6 C5
Hanvec (29) 74 D2
Hanviller (57) 69 H2
Hanvoile (60) 37 F1
Haplincourt (62) 11 G5
Happencourt (02) 19 J3
Happonvilliers (28) 84 C4
Haramont (02) 39 G4
Haraucourt (08) 23 F5
Haraucourt (54) 66 C5
Haraucourt-sur-Seille (57) 66 E3
Haravesnes (62) 9 J3
Haravilliers (95) 37 G5
Harbonnières (80) 18 E2
Harbouey (54) 67 H6
Harcanville (76) 15 G4
Harchéchamp (88) 93 G3
Harcigny (02) 21 G3
Harcourt (27) 34 E5
Harcy (08) 22 B2
Hardancourt (88) 94 E3
Hardanges (53) 81 J4
Hardecourt-aux-Bois (80) 11 F6
Hardencourt-Cocherel (27) 56 E1
Hardifort (59) 3 J4
Hardinghen (62) 2 C4
Hardinvast (50) 28 C3
Hardivillers (60) 18 A5
Hardivillers-en-Vexin (60) 37 F3
Hardricourt (78) 58 A1
la Harengère (27) 35 G4
Haréville (88) 93 K5
Harfleur (76) 33 K1
Hargarten-aux-Mines (57) 45 K4
Hargeville (78) 57 J3
Hargicourt (02) 19 J1
Hargicourt (80) 18 D4
Hargnies (08) 24 C3
Hargnies (59) 13 G3
Harly (02) 20 A2
Harmonville (88) 93 H2
la Harmoye (22) 76 E2
Harnes (62) 6 C6
Harol (88) 94 B6
Haroué (54) 94 A2
Harponville (80) 10 C6
Harprich (57) 66 E1
Harquency (27) 36 B4
Harreberg (57) 67 K5
Harréville-les-Chanteurs (52) 93 F5
Harricourt (08) 42 D2
Harsault (88) 118 B1
Harskirchen (67) 68 D5
Hartennes-et-Taux (02) 39 J4
Hartmannswiller (68) 97 B1
Hartzviller (57) 67 J5
Harville (55) 44 B5
Hary (02) 21 F3
Haselbourg (57) 70 A2
Hasnon (59) 12 C1
Hasparren (64) 282 D3
Haspelschiedt (57) 69 H3
Haspres (59) 12 C3
Hastingues (40) 283 F1
Hatrize (54) 44 C4
Hatten (67) 25 C3
Hattencourt (80) 19 F3
Hattenville (76) 14 E5
Hattigny (57) 67 H5
Hattmatt (67) 69 H6
Hattstatt (68) 96 B5
Hauban (65) 304 D1
Haubourdin (59) 6 D4
Hauconcourt (57) 45 F4
Haucourt (60) 37 F1
Haucourt (62) 11 G3
Haucourt (76) 17 F5
Haucourt-en-Cambrésis (59) 12 B5
Haucourt-Moulaine (54) 26 D3
Haudainville (55) 43 J5
Haudiomont (55) 43 K5
Haudivillers (60) 37 J1
Haudonville (54) 94 D1
Haudrecy (08) 22 C3
Haudricourt (76) 17 F4
Haulchin (59) 12 C2
Haulies (32) 286 D1
Haulmé (08) 22 D2
Haumont-près-Samogneux (55) 43 H3
Hauriet (40) 264 E4
Hausgauen (68) 97 C4
Haussez (76) 17 F6
Haussignémont (51) 63 H5
Haussimont (51) 62 B5
Haussonville (54) 94 C1
Haussy (59) 12 C3
Haut-Clocher (57) 67 J3
le Haut-Corlay (22) 76 D2
Haut-de-Bosdarros (64) 284 D6
Haut-du-Them-Château-Lambert (70) 119 G4
Haut-Lieu (59) 13 G5
Haut-Loquin (62) 4 E3
Haut-Mauco (40) 265 G3
Hautaget (65) 305 G2
Hautbos (60) 17 G5
Haute-Amance (52) 117 F4
Haute-Avesnes (62) 10 D2
la Haute-Beaume (05) 242 A5
la Haute-Chapelle (61) 53 G6
Haute-Épine (60) 17 J6
Haute-Goulaine (44) 123 H4
Haute-Isle (95) 36 D6
Haute-Kontz (57) 27 J3
la Haute-Maison (77) 60 A3
Haute-Rivoire (69) 205 G2
Haute-Vigneulles (57) 45 J5
Hautecloque (62) 10 A2
Hautecour (39) 173 J3
Hautecour (73) 209 H4
Hautecourt-Romanèche (01) 189 J2
Hautefage (19) 216 D5
Hautefage-la-Tour (47) 248 D3
Hautefaye (24) 197 H5
Hautefeuille (77) 60 A5
Hautefond (71) 170 D5
Hautefontaine (60) 39 G3
Hautefort (24) 214 E3
Hauteluce (73) 209 H1
Hautepierre-le-Châtelet (25) 156 E2
Hauterive (03) 185 J4
Hauterive (61) 82 E2
Hauterive (89) 113 G4
Hauterive-la-Fresse (25) 157 F3
Hauterives (26) 222 D2
Hauteroche (21) 135 F3
Hautes-Duyes (04) 259 J4
les Hautes-Rivières (08) 22 E2
Hautesvignes (47) 247 J1
Hautevelle (70) 118 C4
Hautevesnes (02) 39 H6
Hauteville (02) 20 C2
Hauteville (08) 21 K6
Hauteville (51) 63 H6
Hauteville (62) 10 D3
Hauteville (73) 208 E4
la Hauteville (78) 57 H5
Hauteville-la-Guichard (50) 31 F3
Hauteville-lès-Dijon (21) 136 A5
Hauteville-Lompnes (01) 190 A5
Hauteville-sur-Fier (74) 190 D5
Hauteville-sur-Mer (50) 30 D5
Haution (02) 21 F2
Hautmont (59) 13 G3
Hautmougey (88) 118 B2
Hautot-l'Auvray (76) 15 G3
Hautot-le-Vatois (76) 15 G5
Hautot-Saint-Sulpice (76) 15 G4
Hautot-sur-Mer (76) 15 K2
Hautot-sur-Seine (76) 35 G3
les Hauts-de-Chée (55) 64 B3
Hautteville-Bocage (50) 28 E5
Hautvillers (51) 40 E6
Hautvillers-Ouville (80) 9 G4
Hauville (27) 34 E2
Hauviné (08) 41 J3
Haux (33) 229 K3
Haux (64) 302 C1
Havange (57) 27 F4
Havelu (28) 57 G4
Haveluy (59) 12 C2
Havernas (80) 9 K6
Haverskerque (59) 5 K4
le Havre (76) 33 J1
Havrincourt (62) 11 H5
l'Hay-les-Roses (94) 58 E4
Hayange (57) 27 F4
Haybes (08) 24 B3
la Haye (76) 36 B1
la Haye (88) 118 B1
la Haye-Aubrée (27) 34 E2
la Haye-Bellefond (50) 31 G5
la Haye-de-Calleville (27) 34 E5
la Haye-de-Routot (27) 34 E2
la Haye-d'Ectot (50) 28 B5
la Haye-du-Puits (50) 30 D1
la Haye-du-Theil (27) 35 F4
la Haye-le-Comte (27) 35 J5
la Haye-Malherbe (27) 35 H4
la Haye-Pesnel (50) 51 K1
la Haye-Saint-Sylvestre (27) 55 J3
les Hayes (41) 107 K6
Hayes (57) 45 G4
Haynecourt (59) 11 J4
les Hays (39) 155 F4
Hazebrouck (59) 5 K3
Hazembourg (57) 68 C4
le Heaulme (95) 37 G5
Héauville (50) 28 B3
Hébécourt (27) 36 D3
Hébécourt (80) 18 A3
Hébécrevon (50) 31 G3
Héberville (76) 15 H3
Hébuterne (62) 10 D5
Hèches (65) 305 F2
Hecken (68) 97 A3
Hecmanville (27) 34 D5
Hécourt (27) 57 F2
Hécourt (60) 36 E1
Hecq (59) 12 E4
Hectomare (27) 35 G5
Hédauville (80) 10 D6
Hédé (35) 79 F2
Hédouville (95) 37 H5
Hegeney (67) 25 A3
Hégenheim (68) 97 E4
Heidolsheim (67) 96 D2
Heidwiller (68) 97 B3
Heiligenberg (67) 70 C4
Heiligenstein (67) 70 C5
Heillecourt (54) 66 A5
Heilles (60) 37 J3
Heilly (80) 18 D1
Heiltz-le-Hutier (51) 63 H5
Heiltz-le-Maurupt (51) 63 H4
Heiltz-l'Évêque (51) 63 G4
Heimersdorf (68) 97 B4
Heimsbrunn (68) 97 B3
Heining-lès-Bouzonville (57) 45 J2
Heippes (55) 64 C1
Heiteren (68) 96 E5
Heiwiller (68) 97 C4
Hélesmes (59) 12 B2
Hélette (64) 282 D4
Helfaut (62) 5 G3
Helfrantzkirch (68) 97 D4
Helléan (56) 101 J1
Hellering-lès-Fénétrange (57) 67 J3
Helleville (50) 28 B3
Hellimer (57) 68 B4
Héloup (61) 82 C3
Helstroff (57) 45 H4
Hem (59) 7 F4
Hem-Hardinval (80) 10 A4
Hem-Lenglet (59) 11 J3
Hem-Monacu (80) 19 F1
Hémevez (50) 28 E4
Hémévillers (60) 38 C2
Hémilly (57) 45 J6
Héming (57) 67 H4
Hémonstoir (22) 77 F4
Hénaménil (54) 66 E5
Hénanbihen (22) 50 A4
Hénansal (22) 49 K6
Hendaye (64) 263 A2
Hendecourt-lès-Cagnicourt (62) 11 G4
Hendecourt-lès-Ransart (62) 10 E4
Hénencourt (80) 10 D6
Henflingen (68) 97 C4
Hengoat (22) 48 C3
Hengwiller (67) 70 B2
Hénin-Beaumont (62) 11 G1
Hénin-sur-Cojeul (62) 11 F3
Héninel (62) 11 F3
Hennebont (56) 100 A3
Hennecourt (88) 94 C5
Hennemont (55) 44 A5
Henneveux (62) 4 D3
Hennezel (88) 118 A1
Hennezis (27) 36 B5
Hénon (22) 77 G2
Hénonville (60) 37 G5
Hénouville (76) 35 G1
Henrichemont (18) 131 G6
Henridorff (57) 70 A1
Henriville (57) 68 B3
Hénu (62) 10 C4
Henvic (29) 47 F4
Hérange (57) 67 K3
Herbault (41) 128 C2
Herbécourt (80) 19 F1
Herbelles (62) 5 G4
l'Herbergement (85) 141 K4
Herbeuval (08) 23 J5
Herbeuville (55) 44 A6
Herbeville (78) 58 A3
Herbéviller (54) 67 G6
Herbeys (38) 224 B4
les Herbiers (85) 142 D5
Herbignac (44) 121 K3
Herbinghen (62) 2 D5
Herbisse (10) 62 B6
Herbitzheim (67) 68 D4
Herblay (95) 58 C2
Herbsheim (67) 70 E6
Hercé (53) 80 E3
Herchies (60) 37 G1
la Hérelle (60) 18 C6
Hérenguerville (50) 30 D5
Hérépian (34) 291 J1
Hères (65) 285 G1
Hergnies (59) 7 J6
Hergugney (88) 94 B3
Héric (44) 123 F1
Héricourt (62) 10 A2
Héricourt (70) 139 G1
Héricourt-en-Caux (76) 15 G4
Héricourt-sur-Thérain (60) 17 F6
Héricy (77) 87 J3
la Hérie (02) 21 G2
le Hérie-la-Viéville (02) 20 D3
Hériménil (54) 66 D6
Hérimoncourt (25) 139 J3
Hérin (59) 12 C2
Hérissart (80) 10 B6
Hérisson (03) 167 J4
Herleville (80) 19 F2
la Herlière (62) 10 C4
Herlies (59) 6 C5
Herlin-le-Sec (62) 10 A2
Herlincourt (62) 10 A2
Herly (62) 4 E5
Herly (80) 19 G4
l'Herm (09) 307 K3
Herm (40) 264 A3
Hermanville (76) 15 J3
Hermanville-sur-Mer (14) 32 E3
les Hermaux (48) 236 E6
Hermaville (62) 10 D2
Hermé (77) 88 D2
Hermelange (57) 67 J4
Hermelinghen (62) 2 C4
l'Hermenault (85) 160 D3
Herment (63) 201 J2
Hermeray (78) 57 J6
Hermes (60) 37 J3
Hermeville (76) 14 C5
Herméville-en-Woëvre (55) 43 K5
Hermies (62) 11 H5
Hermillon (73) 225 G1
Hermin (62) 10 C1
l'Hermitage (35) 78 E4
l'Hermitage-Lorge (22) 77 F2
les Hermites (37) 127 K1
l'Hermitière (61) 83 J5
Hermival-les-Vaux (14) 34 A5
Hermonville (51) 40 E3
Hernicourt (62) 10 A1
Herny (57) 66 D1
le Héron (76) 36 A1
Héronchelles (76) 16 C6
Hérouville (95) 37 H6
Hérouville-Saint-Clair (14) 32 E4
Hérouvillette (14) 33 F4
Herpelmont (88) 95 G5
Herpont (51) 63 G1
Herpy-l'Arlésienne (08) 21 J6
Herqueville (27) 35 K4
Herqueville (50) 28 A2
Herran (31) 306 B3
Herré (40) 266 B1
Herrère (64) 284 B6
Herrin (59) 6 D5
Herrlisheim (67) 25 C5
Herrlisheim-près-Colmar (68) 96 C5
Herry (18) 150 C1
Herserange (54) 26 D2
Hersin-Coupigny (62) 6 A6
Hertzing (57) 67 H4
Hervelinghen (62) 2 B3
Hervilly (80) 19 J1
Héry (58) 133 G6
Héry (89) 113 G4
Héry-sur-Alby (74) 208 C1
Herzeele (59) 3 J3
Hesbécourt (80) 19 J1
Hescamps (80) 17 G4
Hesdigneul-lès-Béthune (62) 5 K6
Hesdigneul-lès-Boulogne (62) 4 B4
Hesdin (62) 9 J1
Hesdin-l'Abbé (62) 4 B4
Hésingue (68) 97 E4
Hesmond (62) 4 D6
Hesse (57) 67 J4
Hessenheim (67) 96 D2
Hestroff (57) 45 H3
Hestrud (59) 13 J4
Hestrus (62) 5 H6
Hétomesnil (60) 17 J5
Hettange-Grande (57) 27 G3
Hettenschlag (68) 96 D5
Heubécourt-Haricourt (27) 36 C6
Heuchin (62) 5 G6
Heucourt-Croquoison (80) 17 G1
Heudebouville (27) 35 K5
Heudicourt (27) 36 D3
Heudicourt (80) 11 H6
Heudicourt-sous-les-Côtes (55) 65 F2
Heudreville-en-Lieuvin (27) 34 C5
Heudreville-sur-Eure (27) 35 J5
Heugas (40) 264 A5
Heugleville-sur-Scie (76) 15 K4
Heugnes (36) 147 G4
Heugon (61) 55 G3
Heugueville-sur-Sienne (50) 30 D4
Heuilley-Cotton (52) 116 D5
Heuilley-le-Grand (52) 116 D5
Heuilley-sur-Saône (21) 136 E5
Heuland (14) 33 H4
Heume-l'Église (63) 201 K3
la Heunière (27) 57 F1
Heuqueville (27) 36 A4
Heuqueville (76) 14 B5
Heuringhem (62) 5 G3
Heurteauville (76) 35 F2
Heurtevent (14) 54 D2
Heussé (50) 80 D2
Heutrégiville (51) 41 H3
Heuzecourt (80) 9 K4
Hévilliers (55) 64 C6
Heyrieux (38) 206 D3
Hézecques (62) 5 F5
le Hézo (56) 101 G6
Hibarette (65) 285 H6
Hières-sur-Amby (38) 207 F1
Hierges (08) 24 C2
Hiermont (80) 9 J4
Hiers-Brouage (17) 176 E6
Hiersac (16) 196 C3
Hiesse (16) 180 A4
Hiesville (50) 29 F6
Hiéville (14) 54 C1
Higuères-Souye (64) 284 E3
Hiis (65) 285 H6
Hilbesheim (57) 67 J3
Hillion (22) 49 H6
Hilsenheim (67) 96 D1
Hilsprich (57) 68 C4
Hinacourt (02) 20 A4
Hinckange (57) 45 H4
Hindisheim (67) 70 E4
Hindlingen (68) 97 A5
Hinges (62) 5 K5
le Hinglé (22) 50 C6
Hinsbourg (67) 69 F5
Hinsingen (67) 68 D4
Hinx (40) 264 C4
Hipsheim (67) 71 D2
Hirel (35) 51 F4
Hirschland (67) 67 K2
Hirsingue (68) 97 B4
Hirson (02) 21 H1
Hirtzbach (68) 97 B4
Hirtzfelden (68) 96 D6
His (31) 306 B1
Hitte (65) 285 J6
Hochfelden (67) 70 D1
Hochstatt (68) 97 B3
Hochstett (67) 69 K6
Hocquigny (50) 51 K1
Hocquinghen (62) 2 D5
Hodenc-en-Bray (60) 37 F1
Hodenc-l'Évêque (60) 37 H3
Hodeng-au-Bosc (76) 17 F2
Hodeng-Hodenger (76) 36 C1
Hodent (95) 36 E5
Hœdic (56) 120 E4
Hœnheim (67) 25 A6
Hœrdt (67) 25 A5
Hoéville (54) 66 D4
Hoffen (67) 25 C2
les Hogues (27) 36 A2
la Hoguette (14) 54 B3
Hohatzenheim (67) 70 E1
Hohengœft (67) 70 C2
Hohfrankenheim (67) 70 D1
Hohrod (68) 119 K1
le Hohwald (67) 70 B5
Holacourt (57) 66 D1
Holling (57) 45 J3
Holnon (02) 19 K2
Holque (59) 3 F4
Holtzheim (67) 70 E3
Holtzwihr (68) 96 C3
Holving (57) 68 C4
Hombleux (80) 19 H4
Homblières (02) 20 A2
Hombourg (68) 97 D2
Hombourg-Budange (57) 45 G3
Hombourg-Haut (57) 68 A2
l'Hôme-Chamondot (61) 83 K1
Homécourt (54) 44 D4
Hommarting (57) 67 K4
Hommert (57) 67 K4
Hommes (37) 126 E4
le Hommet-d'Arthenay (50) 31 G2

Homps – Jongieux

Homps (11) 291 F5
Homps (32) 268 A4
Hon-Hergies (59) 13 F2
Hondainville (60) 37 J3
Hondeghem (59) 5 J2
Hondevilliers (77) 60 D3
Hondouville (27) 35 H5
Hondschoote (59) 3 K2
Honfleur (14) 33 K2
Honguemare-Guenouville (27) 35 F3
Honnechy (59) 12 C5
Honnecourt-sur-Escaut (59) 11 J6
l'Honor-de-Cos (82) 249 J5
Honskirch (57) 68 C5
Hontanx (40) 265 K3
l'Hôpital (57) 68 A2
Hôpital-Camfrout (29) 74 C1
l'Hôpital-d'Orion (64) 283 H2
l'Hôpital-du-Grosbois (25) 156 D1
l'Hôpital-le-Grand (42) 204 E4
l'Hôpital-le-Mercier (71) 170 B6
l'Hôpital-Saint-Blaise (64) 283 J4
l'Hôpital-Saint-Lieffroy (25) 138 E4
l'Hôpital-sous-Rochefort (42) 204 B2
les Hôpitaux-Neufs (25) 157 F6
les Hôpitaux-Vieux (25) 157 F6
Horbourg-Wihr (68) 96 C4
Hordain (59) 12 B3
la Horgne (08) 22 C5
Horgues (65) 285 H5
l'Horme (42) 205 H5
Hornaing (59) 12 B2
Hornoy-le-Bourg (80) 17 H2
le Horps (53) 81 H3
Horsarrieu (40) 265 F5
Horville-en-Ornois (55) 92 E2
l'Hosmes (27) 56 C4
l'Hospitalet (04) 258 D5
l'Hospitalet-du-Larzac (12) 272 E2
l'Hospitalet-près-l'Andorre (09) 313 F3
Hosta (64) 283 F5
Hoste (57) 68 B3
Hostens (33) 229 G6
Hostias (01) 189 K6
Hostun (26) 223 F5
l'Hôtellerie (14) 34 B5
l'Hôtellerie-de-Flée (49) 104 D5
Hotonnes (01) 190 B4
Hotot-en-Auge (14) 33 H5
Hottot-les-Bagues (14) 32 B5
Hottviller (57) 69 G3
la Houblonnière (14) 33 J5
les Houches (74) 192 C5
Houchin (62) 5 K6
Houdain (62) 5 K6
Houdain-lez-Bavay (59) 13 F2
Houdan (78) 57 H4
Houdancourt (60) 38 C3
Houdelaincourt (55) 92 E1
Houdelmont (54) 93 K1
Houdemont (54) 66 A5
Houdetot (76) 15 H3
Houdilcourt (08) 41 F2
Houdreville (54) 93 K1
Houécourt (88) 93 J4
Houeillès (47) 247 F4
Houesville (50) 29 F6
Houetteville (27) 35 H6
Houéville (88) 93 H3
Houeydets (65) 286 A6
le Houga (32) 266 A4
Houilles (78) 58 D3
Houlbec-Cocherel (27) 36 A6
Houlbec-près-le-Gros-Theil (27) 35 F4
Houldizy (08) 22 C3
Houlette (16) 196 A2
Houlgate (14) 33 G3
Houlle (62) 3 F4
le Houlme (76) 35 H1
l'Houmeau (17) 176 D2
Hounoux (11) 308 C1
Houplin-Ancoisne (59) 6 D5
Houplines (59) 6 C3
Houppeville (76) 35 H1
Houquetot (76) 14 D5
Hourc (65) 285 J5
Hourges (51) 40 C4
Hours (64) 285 F5
Hourtin (33) 210 C3
Houry (02) 21 F3
Houssay (41) 108 B6
Houssay (53) 105 F3
la Houssaye (27) 56 A2
la Houssaye-Béranger (76) 15 K5
la Houssaye-en-Brie (77) 59 K5
le Housseau-Brétignolles (53) 81 H2
Houssen (68) 96 C3
Housseras (88) 95 F3
Housset (02) 20 D3
Housséville (54) 94 A3
la Houssière (88) 95 H5
la Houssoye (60) 37 F3
Houtaud (25) 156 E4
Houtkerque (59) 3 K3
Houtteville (50) 29 F6
Houville-en-Vexin (27) 36 A4
Houville-la-Branche (28) 85 H3
Houvin-Houvigneul (62) 10 B2
Houx (28) 85 H1
Hoymille (59) 3 J2
Huanne-Montmartin (25) 138 D3
Hubersent (62) 4 B5
Hubert-Folie (14) 32 E5
Huberville (50) 28 E4
Huby-Saint-Leu (62) 9 J1
Huchenneville (80) 9 F6
Huclier (62) 10 B1
Hucqueliers (62) 4 D5
Hudimesnil (50) 30 D6
Hudiviller (54) 66 C6
Huelgoat (29) 75 G1
Huest (27) 56 D1
Huêtre (45) 109 K2
Huez (38) 224 E4
Hugier (70) 137 G5
Hugleville-en-Caux (76) 15 J5
Huillé (49) 125 J1
Huilliécourt (52) 92 E6
Huilly-sur-Seille (71) 172 B3
Huiron (51) 63 F5
Huismes (37) 145 F1
Huisnes-sur-Mer (50) 51 J4
Huisseau-en-Beauce (41) 108 B6
Huisseau-sur-Cosson (41) 129 F2
Huisseau-sur-Mauves (45) 109 J4
l'Huisserie (53) 104 E2
Hulluch (62) 6 B6
Hultehouse (57) 70 A2
Humbauville (51) 62 E6
Humbécourt (52) 91 J1
Humbercamps (62) 10 D4
Humbercourt (80) 10 C4
Humbert (62) 4 D6
Humberville (52) 92 D4
Humbligny (18) 131 H6
Humercœuille (62) 9 K1
Humes-Jorquenay (52) 116 C3
Humières (62) 9 K1
Hunawihr (68) 96 B3
Hundling (57) 68 C3
Hundsbach (68) 97 C4
Huningue (68) 97 E4
Hunspach (67) 25 C2
Hunting (57) 27 J3
Huos (31) 305 H1
Huparlac (12) 236 B4
Huppy (80) 9 F6
Hurbache (88) 95 H3
Hure (33) 230 C6
Hurecourt (70) 118 A3
Hures-la-Parade (48) 253 K4
Huriel (03) 167 G6
Hurigny (71) 171 J6
Hurtières (38) 224 D2
Hurtigheim (67) 70 D3
Husseren-les-Châteaux (68) 96 B4
Husseren-Wesserling (68) 119 J3
Hussigny-Godbrange (54) 26 E3
Husson (50) 80 E1
Huttendorf (67) 69 K6
Huttenheim (67) 70 E6
Hyds (03) 184 C1
Hyémondans (25) 139 F4
Hyencourt-le-Grand (80) 19 F3
Hyenville (50) 30 D5
Hyères (83) 300 E4
Hyet (70) 138 A3
Hyèvre-Magny (25) 138 D4
Hyèvre-Paroisse (25) 138 D4
Hymont (88) 94 A4

I

Ibarrolle (64) 283 F5
Ibigny (57) 67 H5
Ibos (65) 285 G5
Ichtratzheim (67) 71 D2
Ichy (77) 87 G6
Idaux-Mendy (64) 283 H5
Idrac-Respaillès (32) 286 B1
Idron (64) 284 D4
Ids-Saint-Roch (18) 166 D2
Iffendic (35) 78 C4
les Iffs (35) 78 E2
Ifs (14) 32 E5
les Ifs (76) 16 C2
Igé (61) 83 H4
Igé (71) 171 J5
Ignaucourt (80) 18 D3
Ignaux (09) 313 F1
Igney (54) 67 G5
Igney (88) 94 C4
Ignol (18) 150 B4
Igny (70) 137 H3
Igny (91) 58 D5
Igny-Comblizy (51) 61 H1
Igon (64) 284 E6
Igornay (71) 153 F3
Igoville (27) 35 J3
Iguerande (71) 187 F2
Iholdy (64) 282 E4
Île-aux-Moines (56) 100 E6
l'Île-Bouchard (37) 145 H2
Île-d'Aix (17) 176 D4
Île-d'Arz (56) 101 F6
Île-de-Batz (29) 46 E2
Île-de-Bréhat (22) 48 E1
Île-de-Sein (29) 73 A6
l'Île-d'Elle (85) 160 C6
Île-d'Houat (56) 120 D3
l'Île-d'Olonne (85) 158 E3
l'Île-d'Yeu (85) 140 B6
Île-Molène (29) 72 A6
l'Île-Rousse (2B) 318 C2
l'Île-Saint-Denis (93) 58 E2
Île-Tudy (29) 98 C3
Ilharre (64) 283 G3
Ilhat (09) 308 A3
les Ilhes (11) 290 B4
Ilhet (65) 305 F3
Ilheu (65) 305 H2
Illange (57) 27 G4
Illartein (09) 306 B3
Illats (33) 229 K5
Ille-sur-Têt (66) 314 E2
Illeville-sur-Montfort (27) 34 E3
Illfurth (68) 97 B3
Illhaeusern (68) 96 C2
Illiat (01) 188 D2
Illier-et-Laramade (09) 307 H5
Illiers-Combray (28) 84 E5
Illiers-l'Évêque (27) 56 E4
Illies (59) 6 B5
Illifaut (22) 77 K5
Illkirch-Graffenstaden (67) 71 D2
Illois (76) 16 E4
Illoud (52) 93 F5
Illy (08) 23 F3
Illzach (68) 97 C2
Ilonse (06) 261 H5
Imbleville (76) 15 J4
Imécourt (08) 42 D2
Imling (57) 67 J4
Imphy (58) 151 F5
Inaumont (08) 21 K6
Incarville (27) 35 J4
Incheville (76) 8 D6
Inchy (59) 12 C5
Inchy-en-Artois (62) 11 H4
Incourt (62) 9 K1
Indevillers (25) 139 J4
Indre (44) 123 F4
Ineuil (18) 166 E1
les Infournas (05) 242 E3
Ingenheim (67) 70 D1
Ingersheim (68) 96 B4
Inghem (62) 5 G4
Inglange (57) 27 H4
Ingolsheim (67) 25 C2
Ingouville (76) 15 G2
Ingrandes (36) 164 B3
Ingrandes (49) 124 D4
Ingrandes (86) 145 J5
Ingrandes-de-Touraine (37) 126 E6
Ingrannes (45) 110 D3
Ingré (45) 109 K4
Inguiniel (56) 100 B1
Ingwiller (67) 69 H5
Injoux-Génissiat (01) 190 C4
Innenheim (67) 70 D4
Innimond (01) 207 H1
Inor (55) 23 H6
Insming (57) 68 B4
Insviller (57) 67 H2
Intraville (76) 16 B1
Intres (07) 221 G6
Intréville (28) 86 A5
Intville-la-Guétard (45) 86 D5
Inval-Boiron (80) 17 F2
Inxent (62) 4 C5
Inzinzac-Lochrist (56) 100 B2
Ippécourt (55) 64 B1
Ippling (57) 68 D3
Irai (61) 55 J6
Irais (79) 144 C5
Irancy (89) 113 H6
Iré-le-Sec (55) 43 H1
Irigny (69) 206 A3
Irissarry (64) 282 E4
Irles (80) 10 E5
Irodouër (35) 78 D2
Iron (02) 20 D1
Irouléguy (64) 282 D5
Irreville (27) 35 J6
Irvillac (29) 74 C1
Is-en-Bassigny (52) 116 E2
Is-sur-Tille (21) 136 B3
Isbergues (62) 5 J4
Isches (88) 117 H2
Isdes (45) 130 D1
Isenay (58) 151 K5
Isigny-le-Buat (50) 52 B6
Isigny-sur-Mer (14) 29 H6
Island (89) 133 J3
Isle (87) 198 E2
l'Isle-Adam (95) 37 J6
l'Isle-Arné (32) 267 K6
Isle-Aubigny (10) 90 C2
Isle-Aumont (10) 90 B6
l'Isle-Bouzon (32) 267 K2
l'Isle-d'Abeau (38) 206 E3
l'Isle-de-Noé (32) 267 G6
l'Isle-d'Espagnac (16) 196 E3
l'Isle-en-Dodon (31) 287 F3
Isle-et-Bardais (03) 167 K2
l'Isle-Jourdain (32) 268 D6
l'Isle-Jourdain (86) 180 B2
Isle-Saint-Georges (33) 229 J3
l'Isle-sur-la-Sorgue (84) 276 D2
l'Isle-sur-le-Doubs (25) 139 F3
Isle-sur-Marne (51) 63 G6
l'Isle-sur-Serein (89) 134 A2
les Isles-Bardel (14) 53 K3
Isles-les-Meldeuses (77) 60 A2
Isles-lès-Villenoy (77) 59 J3
Isles-sur-Suippe (51) 41 G3
les Islettes (55) 42 E6
Isneauville (76) 35 J1
Isola (06) 261 H3
Isolaccio-di-Fiumorbo (2B) 321 H4
Isômes (52) 136 C1
Ispagnac (48) 254 B2
Ispoure (64) 282 D5
Isques (62) 4 B3
Issac (24) 213 H6
Issamoulenc (07) 239 J3
Issancourt-et-Rumel (08) 22 E3
Issanlas (07) 238 D3
Issans (25) 139 G2
les Issards (09) 307 K1
Issarlès (07) 238 D2
Issé (44) 103 H5
Isse (51) 41 G6
Issel (11) 289 H4
Issendolus (46) 234 B3
Issenhausen (67) 69 J6
Issenheim (68) 96 B6
Issepts (46) 234 C4
Isserpent (03) 186 A3
Isserteaux (63) 203 G3
Issigeac (24) 231 J3
Issirac (30) 256 B3
Issoire (63) 202 E5
Issor (64) 283 K6
Issou (78) 57 K2
Issoudun (36) 148 C4
Issoudun-Létrieix (23) 183 F4
Issus (31) 288 C3
Issy-les-Moulineaux (92) 58 D4
Issy-l'Évêque (71) 170 A2
Istres (13) 295 J4
les Istres-et-Bury (51) 62 A2
Isturits (64) 282 E3
Itancourt (02) 20 A3
Iteuil (86) 162 E4
Ittenheim (67) 70 D3
Itterswiller (67) 70 C6
Itteville (91) 86 E2
Itxassou (64) 282 C3
Itzac (81) 270 B1
Ivergny (62) 10 B3
Iverny (77) 59 J2
Iviers (02) 21 H3
Iville (27) 35 G5
Ivors (60) 39 F5
Ivory (39) 156 A4
Ivoy-le-Pré (18) 131 F5
Ivrey (39) 156 A3
Ivry-en-Montagne (21) 153 J3
Ivry-la-Bataille (27) 57 G3
Ivry-le-Temple (60) 37 G4
Ivry-sur-Seine (94) 58 E4
Iwuy (59) 12 B3
Izaourt (65) 305 H2
Izaut-de-l'Hôtel (31) 305 K2
Izaux (65) 305 F1
Izé (53) 81 K5
Izeaux (38) 223 H1
Izel-lès-Équerchin (62) 11 G2
Izel-les-Hameaux (62) 10 C2
Izenave (01) 189 K4
Izernore (01) 189 K2
Izeron (38) 223 H4
Izeste (64) 303 H1
Izeure (21) 154 D1
Izier (21) 136 C6
Izieu (01) 207 J3
Izon (33) 229 K1
Izon-la-Bruisse (26) 258 C3
Izotges (32) 266 B5

J

Jablines (77) 59 J3
Jabreilles-les-Bordes (87) 181 K5
Jabrun (15) 236 D3
Jacob-Bellecombette (73) 208 B4
Jacou (34) 274 C5
Jacque (65) 285 J4
Jagny-sous-Bois (95) 38 A6
Jaignes (77) 60 B2
Jaillans (26) 223 F5
la Jaille-Yvon (49) 105 F6
Jaillon (54) 65 J4
Jailly (58) 151 H2
Jailly-les-Moulins (21) 135 G3
Jainvillotte (88) 93 G5
Jalesches (23) 183 F1
Jaleyrac (15) 217 G3
Jaligny-sur-Besbre (03) 169 H6
Jallais (49) 143 F1
Jallanges (21) 154 D3
Jallans (28) 109 F2
Jallaucourt (57) 66 C3
Jallerange (25) 137 H6
Jalognes (18) 150 A1
Jalogny (71) 171 H5
Jâlons (51) 62 B1
Jambles (71) 153 J6
Jambville (78) 57 K1
Jaméricourt (60) 37 F3
Jametz (55) 43 H1
Janailhac (87) 198 E4
Janaillat (23) 182 C4
Jancigny (21) 136 E4
Jandun (08) 22 B4
Janneyrias (38) 206 D2
Jans (44) 103 G5
Janville (14) 33 G5
Janville (28) 86 A6
Janville (60) 38 E2
Janville-sur-Juine (91) 86 D2
Janvilliers (51) 61 G3
Janvry (51) 40 D4
Janvry (91) 58 C6
Janzé (35) 79 H6
Jarcieu (38) 222 C1
la Jard (17) 195 G3
Jard-sur-Mer (85) 159 G4
le Jardin (19) 216 D2
Jardin (38) 206 B5
Jardres (86) 163 H3
Jargeau (45) 110 C4
Jarjayes (05) 242 E6
Jarménil (88) 94 E6
Jarnac (16) 196 A3
Jarnac-Champagne (17) 195 J4
Jarnages (23) 183 F3
la Jarne (17) 176 E3
Jarnioux (69) 188 A5
Jarnosse (42) 187 G3
Jarny (54) 44 C5
Jarret (65) 304 B1
la Jarrie (17) 176 E3
Jarrie (38) 224 B4
la Jarrie-Audouin (17) 177 K4
Jarrier (73) 225 G2
Jars (18) 131 H5
Jarsy (73) 208 E3
Jarville-la-Malgrange (54) 66 A5
Jarzé (49) 125 K2
Jas (42) 205 F2
Jasney (70) 118 B4
Jassans-Riottier (01) 188 B5
Jasseines (10) 90 D2
Jasseron (01) 189 H2
Jasses (64) 283 J4
Jatxou (64) 282 C2
Jau-Dignac-et-Loirac (33) 194 C6
Jaucourt (10) 91 G5
la Jaudonnière (85) 160 C2
Jaudrais (28) 84 D1
Jaujac (07) 239 G5
Jauldes (16) 197 F2
Jaulges (89) 113 J3
Jaulgonne (02) 40 A6
Jaulnay (37) 145 H4
Jaulnes (77) 88 D3
Jaulny (54) 65 H1
Jaulzy (60) 39 G2
Jaunac (07) 239 H1
Jaunay-Clan (86) 163 F2
Jaure (24) 213 J5
Jausiers (04) 260 D1
Jaux (60) 38 D2
Jauzé (72) 83 F6
Javaugues (43) 219 H2
Javené (35) 80 A4
Javerdat (87) 180 E5
Javerlhac-et-la-Chapelle-Saint-Robert (24) 197 J4
Javernant (10) 90 A6
la Javie (04) 260 A4
Javols (48) 237 G4
Javrezac (16) 195 J2
Javron-les-Chapelles (53) 81 J3
Jax (43) 219 K4
Jaxu (64) 282 E5
Jayac (24) 215 G5
Jayat (01) 172 C6
Jazeneuil (86) 162 C4
Jazennes (17) 195 G4
Jeancourt (02) 19 J1
Jeandelaincourt (54) 66 B3
Jeandelize (54) 44 B5
Jeanménil (88) 95 F3
Jeansagnière (42) 204 A2
Jeantes (02) 21 H3
Jebsheim (68) 96 D3
Jegun (32) 267 G4
la Jemaye (24) 213 F4
Jenlain (59) 12 E2
Jenzat (03) 185 G3
Jésonville (88) 94 A6
Jessains (10) 91 F4
Jetterswiller (67) 70 C2
Jettingen (68) 97 C4
Jeu-les-Bois (36) 165 K2
Jeu-Maloches (36) 147 H3
Jeufosse (78) 57 G1
Jeugny (10) 114 A1
Jeumont (59) 13 J2
Jeurre (39) 173 H5
Jeux-lès-Bard (21) 134 C3
Jeuxey (88) 94 D5
Jevoncourt (54) 94 A2
Jezainville (54) 65 K2
Jézeau (65) 305 F3
Joannas (07) 239 G5
Job (63) 203 K4
Jobourg (50) 28 A1
Joch (66) 314 D3
Jœuf (54) 44 D4
Joganville (50) 29 F4
Joigny (89) 112 E3
Joigny-sur-Meuse (08) 22 D2
Joinville (52) 92 B2
Joinville-le-Pont (94) 59 F4
Joiselle (51) 61 F4
Jolimetz (59) 12 E3
Jolivet (54) 66 D6
Jonage (69) 206 C1
Joncels (34) 272 E5
la Jonchère (85) 159 J4
la Jonchère-Saint-Maurice (87) 181 K5
Jonchères (26) 241 H5
Joncherey (90) 139 K2
Jonchery (52) 92 A6
Jonchery-sur-Suippe (51) 41 K5
Jonchery-sur-Vesle (51) 40 D4
Joncourt (02) 20 A1
Joncreuil (10) 91 F2
Joncy (71) 171 G3
Jongieux (73) 208 A2

373

Jonquerets-de-Livet (27) 55 J1
Jonquerettes (84) 276 C2
Jonquery (51) 40 D5
Jonquières (11) 310 A2
Jonquières (34) 273 H5
Jonquières (60) 38 D2
Jonquières (81) 270 D6
Jonquières (84) 257 F5
Jonquières-Saint-Vincent (30) 275 J3
Jons (69) 206 D1
Jonval (08) 22 C6
Jonvelle (70) 117 J3
Jonville-en-Woëvre (55) 44 B6
Jonzac (17) 195 J6
Jonzier-Épagny (74) 190 E3
Jonzieux (42) 221 G2
Joppécourt (54) 26 D4
Jort (14) 54 B2
Jorxey (88) 94 B4
Josat (43) 219 K3
Joserand (63) 185 F5
Josnes (41) 109 G5
Josse (40) 262 D5
Josselin (56) 101 H1
Jossigny (77) 59 J4
Jou-sous-Monjou (15) 235 K1
Jouac (87) 164 E6
Jouaignes (02) 40 A3
Jouancy (89) 134 A1
Jouarre (77) 60 B2
Jouars-Pontchartrain (78) 58 A4
Jouaville (54) 44 D5
Joucas (84) 277 F2
Joucou (11) 308 D5
Joudes (71) 172 E4
Joudreville (54) 44 B3
Joué-du-Bois (61) 82 A1
Joué-du-Plain (61) 54 B5
Joué-en-Charnie (72) 106 A2
Joué-l'Abbé (72) 106 E1
Joué-lès-Tours (37) 127 J5
Joué-sur-Erdre (44) 103 J6
Jouet-sur-l'Aubois (18) 150 C3
Jouey (21) 153 G2
Jougne (25) 157 F6
Jouhe (39) 155 G1
Jouhet (86) 164 A4
Jouillat (23) 182 D2
Jouques (13) 278 A5
Jouqueviel (81) 251 G5
Jourgnac (87) 198 E3
Journans (01) 189 H3
Journet (86) 164 B5
Journiac (24) 214 C6
Journy (62) 4 E2
Jours-en-Vaux (21) 153 H3
Jours-lès-Baigneux (21) 135 G1
Joursac (15) 218 D4
Joussé (86) 179 K2
Jouvençon (71) 172 B3
Joux (69) 187 H6
Joux-la-Ville (89) 133 J2
Jouy (28) 85 G2
Jouy (89) 88 A6
Jouy-aux-Arches (57) 44 E6
Jouy-en-Argonne (55) 43 G5
Jouy-en-Josas (78) 58 C5
Jouy-en-Pithiverais (45) 110 C1
Jouy-le-Châtel (77) 60 B6
Jouy-le-Moutier (95) 58 B1
Jouy-le-Potier (45) 109 K6
Jouy-lès-Reims (51) 40 E4
Jouy-Mauvoisin (78) 57 H2
Jouy-sous-Thelle (60) 37 G3
Jouy-sur-Eure (27) 56 E1
Jouy-sur-Morin (77) 60 D4
Joyeuse (07) 255 J1
Joyeux (01) 189 F5
Joze (63) 203 F1
Jû-Belloc (32) 266 C6
Juaye-Mondaye (14) 32 B4
Jubainville (88) 93 G2
la Jubaudière (49) 142 E1
Jublains (53) 81 H5
le Juch (29) 74 B5
Jugazan (33) 230 B3
Jugeals-Nazareth (19) 215 J5
Jugon-les-Lacs (22) 50 A6
Jugy (71) 171 K3
Juicq (17) 177 K6
Juif (71) 172 C2
Juignac (16) 212 E1
Juigné-des-Moutiers (44) 104 A6
Juigné-sur-Loire (49) 125 H4
Juigné-sur-Sarthe (72) 105 K4
Juignettes (27) 55 J3
Juillac (19) 215 G2
Juillac (32) 285 J1
Juillac (33) 230 D2
Juillac-le-Coq (16) 195 K4
Juillaguet (16) 196 E5
Juillan (65) 285 G5
Juillé (16) 179 G5
Juillé (72) 82 D5
Juillé (79) 178 C3
Juillenay (21) 134 D5
Juilles (32) 268 A6
Juilley (50) 51 K4
Juilly (21) 134 E3
Juilly (77) 59 H1
Jujols (66) 314 A3
Jujurieux (01) 189 J4
Julianges (48) 237 G1
Juliénas (69) 188 B2
Julienne (16) 196 A3
Jullianges (43) 220 B2
Jullié (69) 188 B2
Jullouville (50) 51 H2
Jully (89) 114 D5
Jully-lès-Buxy (71) 171 H2
Jully-sur-Sarce (10) 114 D1
Julos (65) 285 G6
Julvécourt (55) 43 G6
Jumeauville (78) 57 K3
Jumeaux (63) 203 F6
Jumel (80) 18 B4
Jumelles (27) 56 D3
la Jumellière (49) 124 E5
Jumencourt (02) 39 J1
Jumièges (76) 35 F2
Jumigny (02) 40 C2
Jumilhac-le-Grand (24) 198 D5
Junas (30) 274 E4
Junay (89) 113 K4
Juncalas (65) 304 B1
Jungholtz (68) 96 A6
Junhac (15) 235 H4
les Junies (46) 233 F6
Juniville (08) 41 J2
Jupilles (72) 107 F5
Jurançon (64) 284 C4
Juranville (45) 111 F2
Juré (42) 186 D6
Jurignac (16) 196 C5
Jurques (14) 53 F1
Jurvielle (31) 305 G4
Jury (57) 45 F6
Juscorps (79) 178 B2
Jusix (47) 230 D6
Jussac (15) 217 H6
Jussarupt (88) 95 G5
Jussas (17) 211 K2
Jussecourt-Minecourt (51) 63 H4
Jussey (70) 117 J4
Jussy (02) 19 K4
Jussy (57) 44 E5
Jussy (89) 113 G6
Jussy-Champagne (18) 149 J4
Jussy-le-Chaudrier (18) 150 B2
Justian (32) 267 F3
Justine-Herbigny (08) 21 K5
Justiniac (09) 288 C5
Jutigny (77) 88 C2
Juvaincourt (88) 93 K4
Juvancourt (10) 115 H1
Juvanzé (10) 91 F4
Juvardeil (49) 125 H1
Juvelize (57) 66 E4
Juvignac (34) 274 B6
Juvigné (53) 80 C5
Juvignies (60) 37 H1
Juvigny (02) 39 J2
Juvigny (51) 62 C1
Juvigny (74) 191 G1
Juvigny-en-Perthois (55) 64 B6
Juvigny-le-Tertre (50) 52 C5
Juvigny-sous-Andaine (61) 81 H1
Juvigny-sur-Loison (55) 43 H1
Juvigny-sur-Orne (61) 54 C5
Juvigny-sur-Seulles (14) 32 C5
Juville (57) 66 C2
Juvinas (07) 239 G4
Juvincourt-et-Damary (02) 40 D2
Juvisy-sur-Orge (91) 58 E5
Juvrecourt (54) 66 E4
Juxue (64) 283 F5
Juzanvigny (10) 91 F3
Juzennecourt (52) 91 K6
Juzes (31) 289 F2
Juzet-de-Luchon (31) 305 H5
Juzet-d'Izaut (31) 305 K3
Juziers (78) 57 K2

K

Kalhausen (57) 68 E4
Kaltenhouse (67) 25 B4
Kanfen (57) 27 G3
Kappelen (68) 97 D4
Kappelkinger (57) 68 C4
Katzenthal (68) 96 B3
Kauffenheim (67) 25 C3
Kaysersberg (68) 96 B3
Kédange-sur-Canner (57) 45 G3
Keffenach (67) 25 B2
Kembs (68) 97 D3
Kemplich (57) 27 J4
Kerbach (57) 68 C2
Kerbors (22) 48 C2
Kerfot (22) 48 E3
Kerfourn (56) 77 F6
Kergloff (29) 75 H3
Kergrist (56) 76 E5
Kergrist-Moëlou (22) 76 B2
Kerien (22) 76 C1
Kerlaz (29) 74 B4
Kerling-lès-Sierck (57) 27 J4
Kerlouan (29) 46 B3
Kermaria-Sulard (22) 48 B2
Kermoroc'h (22) 48 C4
Kernascléden (56) 76 A6
Kernilis (29) 46 A4
Kernouës (29) 46 B4
Kerpert (22) 76 C2
Kerprich-aux-Bois (57) 67 H4
Kersaint-Plabennec (29) 46 B5
Kertzfeld (67) 70 D6
Kervignac (56) 100 B3
Keskastel (67) 68 D4
Kesseldorf (67) 25 D3
Kienheim (67) 70 D2
Kientzheim (68) 96 B3
Kiffis (68) 97 C6
Killem (59) 3 K2
Kilstett (67) 25 B5
Kindwiller (67) 69 J5
Kingersheim (68) 97 C2
Kintzheim (67) 96 C2
Kirchberg (68) 119 J4
Kirchheim (67) 70 D3
Kirrberg (67) 67 J3
Kirrwiller-Bosselshausen (67) 69 J6
Kirsch-lès-Sierck (57) 27 J3
Kirschnaumen (57) 27 K3
Kirviller (57) 68 C4
Klang (57) 27 J4
Kleingœft (67) 70 C2
Knœringue (68) 97 D4
Knœrsheim (67) 70 C2
Knutange (57) 27 F4
Kœnigsmacker (57) 27 H4
Kœstlach (68) 97 B5
Kœtzingue (68) 97 C3
Kœur-la-Grande (55) 64 D3
Kœur-la-Petite (55) 64 E3
Kogenheim (67) 70 D6
Kolbsheim (67) 70 D3
Krautergersheim (67) 70 D4
Krautwiller (67) 70 E1
le Kremlin-Bicêtre (94) 58 E4
Kriegsheim (67) 25 A4
Kruth (68) 119 J2
Kunheim (68) 96 D4
Kuntzig (57) 27 H4
Kurtzenhouse (67) 25 B5
Kuttolsheim (67) 70 D2
Kutzenhausen (67) 25 B2

L

Laà-Mondrans (64) 283 J2
Laas (32) 286 A2
Laas (45) 110 D1
Laàs (64) 283 H3
Labalme (01) 189 J3
Labarde (33) 211 G5
Labaroche (68) 96 A3
Labarrère (32) 266 D2
Labarthe (32) 286 C2
Labarthe (82) 249 J4
Labarthe-Bleys (81) 250 E6
Labarthe-Inard (31) 306 A1
Labarthe-Rivière (31) 305 J1
Labarthe-sur-Lèze (31) 288 B2
Labarthète (32) 266 A6
Labassère (65) 304 C1
Labastide (65) 305 F2
Labastide-Beauvoir (31) 288 E2
Labastide-Castel-Amouroux (47) 247 G3
Labastide-Cézéracq (64) 284 B3
Labastide-Chalosse (40) 265 F6
Labastide-Clermont (31) 287 J4
Labastide-d'Anjou (11) 289 F4
Labastide-d'Armagnac (40) 266 A1
Labastide-de-Lévis (81) 270 C2
Labastide-de-Penne (82) 250 B3
Labastide-de-Virac (07) 256 A2
Labastide-Dénat (81) 270 E3
Labastide-du-Haut-Mont (46) 234 E2
Labastide-du-Temple (82) 249 H6
Labastide-du-Vert (46) 233 F6
Labastide-en-Val (11) 309 H1
Labastide-Esparbairenque (11) 290 B3
Labastide-Gabausse (81) 270 D1
Labastide-Marnhac (46) 249 K2
Labastide-Monréjeau (64) 284 B3
Labastide-Murat (46) 233 J5
Labastide-Paumès (31) 287 G4
Labastide-Rouairoux (81) 290 E2
Labastide-Saint-Georges (81) 270 B5
Labastide-Saint-Pierre (82) 269 G2
Labastide-Saint-Sernin (31) 269 H5
Labastide-Savès (32) 287 G2
Labastide-sur-Bésorgues (07) 239 G3
Labastide-Villefranche (64) 283 G2
Labastidette (31) 287 K2
Labathude (46) 234 D3
Labatie-d'Andaure (07) 221 J5
Labatmale (64) 285 F5
Labatut (09) 288 C5
Labatut (40) 264 B6
Labatut (64) 285 G3
Labatut-Rivière (65) 285 H1
Labbeville (95) 37 H6
Labeaume (07) 255 J1
Labécède-Lauragais (11) 289 H3
Labège (31) 288 C1
Labégude (07) 239 H4
Labéjan (32) 286 C1
Labenne (40) 262 B6
Labergement-du-Navois (25) 156 C3
Labergement-Foigney (21) 136 C6
Labergement-lès-Auxonne (21) 155 F1
Labergement-lès-Seurre (21) 154 C3
Labergement-Sainte-Marie (25) 156 E6
Laberlière (60) 19 F6
Labescau (33) 246 E1
Labesserette (15) 235 H3
Labessette (63) 201 H6
Labessière-Candeil (81) 270 C4
Labets-Biscay (64) 283 F3
Labeuville (55) 44 B5
Labeuvrière (62) 5 K5
Labeyrie (64) 284 A1
Lablachère (07) 255 J1
Laboissière-en-Santerre (80) 18 E5
Laboissière-en-Thelle (60) 37 H4
Laborde (65) 304 E2
Laborel (26) 258 C3
Labosse (60) 37 F3
Labouheyre (40) 245 F4
Laboulbène (81) 270 E5
Laboule (07) 239 F5
Labouquerie (24) 232 B3
Labourgade (82) 268 D2
Labourse (62) 6 A6
Laboutarie (81) 270 D4
Labretonie (47) 247 J1
Labrihe (32) 268 B4
Labrit (40) 245 K5
Labroquère (31) 305 H2
Labrosse (45) 86 E5
Labrousse (15) 235 J2
Labroye (62) 9 H3
Labruguière (81) 290 A1
Labruyère (21) 154 D3
Labruyère (60) 38 B3
Labruyère-Dorsa (31) 288 C3
Labry (54) 44 C4
Laburgade (46) 250 B2
Lac-des-Rouges-Truites (39) 174 A2
le Lac-d'Issarlès (07) 238 E2
Lacabarède (81) 290 D2
Lacadée (64) 284 A1
Lacajunte (40) 265 H6
Lacalm (12) 236 C3
Lacam-d'Ourcet (46) 234 D2
Lacanau (33) 210 C6
Lacanche (21) 153 H3
Lacapelle-Barrès (15) 236 A1
Lacapelle-Biron (47) 232 C5
Lacapelle-Cabanac (46) 249 G1
Lacapelle-del-Fraisse (15) 235 H3
Lacapelle-Livron (82) 250 D4
Lacapelle-Marival (46) 234 C4
Lacapelle-Pinet (81) 251 J6
Lacapelle-Ségalar (81) 251 F6
Lacapelle-Viescamp (15) 235 F1
Lacarre (64) 282 E5
Lacarry-Arhan-Charritte-de-Haut (64) 302 C1
Lacassagne (65) 285 J3
Lacaugne (31) 287 K4
Lacaune (81) 271 K5
Lacaussade (47) 232 B6
Lacave (09) 306 C2
Lacave (46) 233 J2
Lacaze (81) 271 H5
Lacelle (19) 200 A4
Lacenas (69) 188 A5
Lacépède (47) 247 K3
Lachaise (16) 196 A5
Lachalade (55) 42 D5
Lachambre (57) 68 A3
Lachamp (48) 237 H5
Lachamp-Raphaël (07) 239 G2
Lachapelle (47) 231 F5
Lachapelle (54) 95 G2
Lachapelle (80) 17 H3
Lachapelle (82) 268 A1
Lachapelle-aux-Pots (60) 37 F2
Lachapelle-Auzac (46) 233 H1
Lachapelle-en-Blaisy (52) 91 K6
Lachapelle-Graillouse (07) 238 D2
Lachapelle-Saint-Pierre (60) 37 J4
Lachapelle-sous-Aubenas (07) 239 H5
Lachapelle-sous-Chanéac (07) 239 G1
Lachapelle-sous-Chaux (90) 119 H5
Lachapelle-sous-Gerberoy (60) 17 G6
Lachapelle-sous-Rougemont (90) 119 K5
Lachassagne (69) 188 B5
Lachau (26) 258 C4
Lachaussée (55) 44 C6
Lachaussée-du-Bois-d'Écu (60) 17 K6
Lachaux (63) 186 A5
Lachelle (60) 38 D2
Lachy (51) 61 H4
Lacollonge (90) 119 J6
Lacombe (11) 289 K3
Lacommande (64) 284 B4
Lacoste (34) 273 H6
Lacoste (84) 277 G3
Lacougotte-Cadoul (81) 270 A6
Lacour (82) 248 E3
Lacour-d'Arcenay (21) 134 C5
Lacourt (09) 306 D3
Lacourt-Saint-Pierre (82) 269 F1
Lacq (64) 284 A2
Lacquy (40) 265 K2
Lacrabe (40) 265 F6
Lacres (62) 4 C4
Lacroisille (81) 289 G1
Lacroix-Barrez (12) 235 K3
Lacroix-Falgarde (31) 288 B2
Lacroix-Saint-Ouen (60) 38 D3
Lacroix-sur-Meuse (55) 64 E1
Lacropte (24) 214 B5
Lacrost (71) 172 A3
Lacrouzette (81) 271 G6
Lacs (36) 166 B3
Ladapeyre (23) 183 F2
Ladaux (33) 230 A4
Ladern-sur-Lauquet (11) 309 G1
Ladevèze-Rivière (32) 285 H1
Ladevèze-Ville (32) 285 H1
Ladignac-le-Long (87) 198 D4
Ladignac-sur-Rondelles (19) 216 B3
Ladinhac (15) 235 J3
Ladirat (46) 234 C3
Ladiville (16) 196 B5
Ladoix-Serrigny (21) 154 A3
Ladon (45) 111 G3
Lados (33) 246 D1
Ladoye-sur-Seille (39) 155 J6
Laduz (89) 112 E4
Lafage (11) 289 G6
Lafage-sur-Sombre (19) 216 E2
Lafare (84) 257 G5
Lafarre (07) 221 J5
Lafarre (43) 238 D2
Lafat (23) 182 A1
Lafauche (52) 92 E4
Laféline (03) 168 C6
Laferté-sur-Amance (52) 117 G4
Laferté-sur-Aube (52) 115 H1
Lafeuillade-en-Vézie (15) 235 H3
Laffaux (02) 39 K2
Laffite-Toupière (31) 287 G6
Laffrey (38) 224 B5
Lafitole (65) 285 H2
Lafitte (82) 268 D2
Lafitte-sur-Lot (47) 247 K2
Lafitte-Vigordane (31) 287 J4
Lafox (47) 248 C5
Lafrançaise (82) 249 H5
Lafraye (60) 37 J1
Lafresguimont-Saint-Martin (80) 17 G3
Lafrimbolle (57) 67 J6
Lagamas (34) 273 J5
Lagarde (09) 308 B2
Lagarde (31) 288 E4
Lagarde (32) 267 H2
Lagarde (57) 67 F4
Lagarde (65) 285 H4
Lagarde-d'Apt (84) 277 J1
Lagarde-Enval (19) 216 B4
Lagarde-Hachan (32) 286 C3
Lagarde-Paréol (84) 256 E4
Lagarde-sur-le-Né (16) 196 A5
Lagardelle (46) 249 H1
Lagardelle-sur-Lèze (31) 288 B3
Lagardère (32) 267 F3
Lagardiolle (81) 289 J2
Lagarrigue (47) 247 J3
Lagarrigue (81) 290 A1
Lageon (79) 161 K1
Lagery (51) 40 C5
Lagesse (10) 114 B2
Lagleygeolle (19) 216 A5
Laglorieuse (40) 265 H3
Lagnes (84) 276 E2
Lagney (54) 65 H4
Lagnicourt-Marcel (62) 11 G4
Lagnieu (01) 189 H6
Lagny (60) 19 G5
Lagny-le-Sec (60) 38 D6
Lagny-sur-Marne (77) 59 H3
Lagor (64) 284 A3
Lagorce (07) 256 A1
Lagorce (33) 212 B5
Lagord (17) 176 D2
Lagos (64) 284 E5
Lagrâce-Dieu (31) 288 B4
Lagrand (05) 258 D2
Lagrange (40) 266 B1
Lagrange (65) 286 A6
Lagrange (90) 119 J6
Lagrasse (11) 309 J1
Lagraulet-du-Gers (32) 266 E2
Lagraulet-Saint-Nicolas (31) 268 D4
Lagraulière (19) 215 K2
Lagrave (81) 270 C3
Lagruère (47) 247 H2
Laguenne (19) 216 B3
Laguépie (82) 251 F5
Laguian-Mazous (32) 285 K3
Laguinge-Restoue (64) 302 C1
Laguiole (12) 236 B4
Lagupie (47) 230 E5
Lahage (31) 287 H3
Lahas (32) 287 G1
Lahaymeix (55) 64 D2
Lahayville (55) 65 G2
Laheycourt (55) 63 K3
Lahitère (31) 287 K6
Lahitte (32) 267 J5
Lahitte-Toupière (65) 285 G2
Lahonce (64) 282 C1
Lahontan (64) 283 G1
Lahosse (40) 264 D4
Lahourcade (64) 284 A3
Lahoussoye (80) 18 C1
Laifour (08) 22 C1
la Laigne (17) 177 H2
Laigné (53) 104 E4
Laigné-en-Belin (72) 106 E4
Laignelet (35) 80 B3
Laignes (21) 114 D4
Laigneville (60) 38 A4
Laigny (02) 21 F2
Laillé (35) 79 F6
Lailly (89) 89 F5
Lailly-en-Val (45) 109 J6
Laimont (55) 63 K3
Lain (89) 132 E2
Laines-aux-Bois (10) 90 A5
Lains (39) 173 F5
Lainsecq (89) 132 D3
Lainville-en-Vexin (78) 57 K1
Laire (25) 139 G2
Laires (62) 5 G5
Lairière (11) 309 H2
Lairoux (85) 159 K4
Laissac (12) 252 E2

Laissaud (73) 208 C5
Laissey (25) 138 C5
Laître-sous-Amance (54) 66 B4
Laives (71) 171 K2
Laix (54) 26 D3
Laiz (01) 188 D1
Laizé (71) 171 J5
Laize-la-Ville (14) 32 E6
Laizy (71) 152 E5
Lajo (48) 237 H2
Lajoux (39) 174 A5
Lalacelle (61) 82 B2
Lalande (89) 132 D1
Lalande-de-Pomerol (33) 212 B6
Lalande-en-Son (60) 36 E2
Lalandelle (60) 37 F2
Lalandusse (47) 231 J4
Lalanne (32) 267 J4
Lalanne (65) 286 C5
Lalanne-Arqué (32) 286 D4
Lalanne-Trie (65) 286 A4
Lalaye (67) 96 B1
Lalbarède (81) 270 D6
Lalbenque (46) 250 B3
Laleu (61) 83 F1
Laleu (80) 17 H1
Lalevade-d'Ardèche (07) 239 G4
Lalheue (71) 171 J2
Lalinde (24) 232 A2
Lalizolle (03) 184 E3
Lallaing (59) 11 J1
Lalleu (35) 103 H2
Lalley (38) 242 A3
Lalleyriat (01) 190 B2
Lalobbe (08) 22 A4
Lalœuf (54) 93 K2
Lalongue (64) 284 E2
Lalonquette (64) 284 D2
Laloubère (65) 285 H5
Lalouret-Laffiteau (31) 286 E6
Lalouvesc (07) 221 J4
Laluque (40) 264 B3
Lama (2B) 319 F2
Lamadeleine-Val-des-Anges (90) 119 J5
Lamagdelaine (46) 250 A1
Lamagistère (82) 248 D5
Lamaguère (32) 286 D2
Lamaids (03) 183 J1
Lamalou-les-Bains (34) 272 D6
Lamancine (52) 92 A5
Lamanère (66) 314 D6
Lamanon (13) 276 E5
Lamarche (88) 117 H1
Lamarche-sur-Saône (21) 136 D6
Lamargelle (21) 135 J2
Lamaronde (80) 17 H3
Lamarque (33) 211 F4
Lamarque-Pontacq (65) 285 F6
Lamarque-Rustaing (65) 285 K4
Lamasquère (31) 287 K2
Lamastre (07) 221 K6
Lamath (54) 94 D1
Lamativie (46) 234 D1
Lamayou (64) 285 G3
Lamazère (32) 286 B1
Lamazière-Basse (19) 216 E1
Lamazière-Haute (19) 201 G3
Lambach (57) 69 G3
Lamballe (22) 77 J1
Lambersart (59) 6 D4
Lamberville (50) 31 K4
Lamberville (76) 15 J3
Lambesc (13) 277 G5
Lamblore (28) 56 B6
Lambres (62) 5 H4
Lambres-lez-Douai (59) 11 H2
Lambrey (70) 117 J5
Lambruisse (04) 260 B5
Laméac (65) 285 K4
Lamécourt (60) 38 A2
Lamelouze (30) 255 F4
Lamenay-sur-Loire (58) 169 G1
Lamérac (16) 196 A6
Lametz (08) 22 D6
Lamillarié (81) 270 E3
Lammerville (76) 15 J3
Lamnay (72) 107 J1
Lamongerie (19) 199 J5
Lamontélarié (81) 271 J6
Lamontgie (63) 203 F6
Lamontjoie (47) 248 A6
Lamonzie-Montastruc (24) 231 J1
Lamonzie-Saint-Martin (24) 231 G2
Lamorlaye (60) 38 A5
Lamorville (55) 64 E2
Lamothe (40) 265 F3
Lamothe (43) 219 H2
Lamothe-Capdeville (82) 249 K6
Lamothe-Cassel (46) 233 J5
Lamothe-Cumont (82) 268 B3
Lamothe-en-Blaisy (52) 91 K5
Lamothe-Fénelon (46) 233 H2
Lamothe-Goas (32) 267 H3
Lamothe-Landerron (33) 230 D5
Lamothe-Montravel (24) 230 D2
Lamotte-Beuvron (41) 130 B2
Lamotte-Brebière (80) 18 B2
Lamotte-Buleux (80) 9 G4
Lamotte-du-Rhône (84) 256 D3
Lamotte-Warfusée (80) 18 D2
Lamouilly (55) 23 H6
Lamoura (39) 174 A5
Lampaul-Guimiliau (29) 46 E5
Lampaul-Plouarzel (29) 72 B3
Lampaul-Ploudalmézeau (29) 72 C2
Lampertheim (67) 25 A6
Lampertsloch (67) 25 A2
Lamure-sur-Azergues (69) 187 K4
Lanans (25) 138 E5
Lanarce (07) 238 D3
Lanarvily (29) 46 B4
Lanas (07) 239 H6
Lancé (41) 128 C1
Lanchères (80) 8 D4
Lanches-Saint-Hilaire (80) 9 J5
Lanchy (02) 19 H3
Lancié (69) 188 B2
Lancieux (22) 50 C3
Lancôme (41) 128 C1
Lançon (08) 42 D4
Lançon (65) 305 F4
Lançon-Provence (13) 276 E6
Lancrans (01) 190 C3
Landange (57) 67 H5
Landas (59) 7 G6
Landaul (56) 100 C4
Landaville (88) 93 G4
Landavran (35) 79 K4
la Lande-Chasles (49) 126 B3
la Lande-d'Airou (50) 52 A3
la Lande-de-Fronsac (33) 211 K6
la Lande-de-Goult (61) 82 C1
la Lande-de-Lougé (61) 54 A5
la Lande-Patry (61) 53 G4
la Lande-Saint-Léger (27) 34 B3
la Lande-Saint-Siméon (61) 53 J3
la Lande-sur-Drôme (14) 31 K4
la Lande-sur-Eure (61) 84 A1
Landéan (35) 80 B3
Landebaëron (22) 48 C4
Landébia (22) 50 A4
la Landec (22) 50 B5
Landécourt (54) 94 C1
Landéda (29) 72 D2
Landéhen (22) 77 J1
Landeleau (29) 75 G3
Landelles (28) 84 D2
Landelles-et-Coupigny (14) 52 D2
Landemont (49) 123 K3
Landepéreuse (27) 55 J1
Landerneau (29) 46 C6
Landeronde (85) 159 G2
Landerrouat (33) 230 E3
Landerrouet-sur-Ségur (33) 230 C4
Landersheim (67) 70 C2
Landes (17) 177 J4
les Landes-Genusson (85) 142 C4
Landes-le-Gaulois (41) 128 D1
Landes-sur-Ajon (14) 32 C6
Landes-Vieilles-et-Neuves (76) 16 E3
Landévant (56) 100 C3
Landévennec (29) 74 C2
Landevieille (85) 158 E2
Landeyrat (15) 218 C3
Landifay-et-Bertaignemont (02) 20 D3
Landigou (61) 53 H4
le Landin (27) 35 F2
Landiras (33) 229 J5
Landisacq (61) 53 G4
Landivisiau (29) 46 E5
Landivy (53) 80 C2
Landogne (63) 201 J1
Landorthe (31) 286 E6
Landos (43) 238 B2
Landouzy-la-Cour (02) 21 G2
Landouzy-la-Ville (02) 21 G2
Landrais (17) 177 G3
le Landreau (44) 123 K4
Landrecies (59) 12 E5
Landrecourt-Lempire (55) 43 H6
Landremont (54) 66 A3
Landres (54) 44 B3
Landres-et-Saint-Georges (08) 42 E3
Landresse (25) 138 E5
Landrethun-le-Nord (62) 2 C4
Landrethun-lès-Ardres (62) 2 D4
Landrévarzec (29) 74 D5
Landreville (10) 114 E2
Landrichamps (08) 24 D2
Landricourt (02) 39 J1
Landricourt (51) 63 H6
Landroff (57) 66 E1
Landry (73) 209 K3
Landser (68) 97 C3
Landudal (29) 74 E5
Landudec (29) 74 B5
Landujan (35) 78 D2
Landunvez (29) 72 B2
Lanespède (65) 285 K6
Lanester (56) 100 A3
Lanet (11) 309 H3
Laneuvelle (52) 117 G3
Laneuvelotte (54) 66 B4
Laneuveville-aux-Bois (54) 67 F5
Laneuveville-derrière-Foug (54) 65 G5
Laneuveville-devant-Bayon (54) 94 B2
Laneuveville-devant-Nancy (54) 66 B5
Laneuveville-en-Saulnois (57) 66 C2
Laneuveville-lès-Lorquin (57) 67 J5
Laneuville-au-Pont (52) 63 J6
Laneuville-au-Rupt (55) 64 E5
Laneuville-sur-Meuse (55) 43 F1
Lanfains (22) 76 E2
Lanfroicourt (54) 66 B3
Langan (35) 78 E2
Langast (22) 77 G3
Langatte (57) 67 H4
Langé (36) 147 H3
Langeac (43) 219 J5
Langeais (37) 127 F5
Langensoultzbach (67) 69 K4
Langeron (58) 150 D6
Langesse (45) 111 H5
Langey (28) 108 D2
Langlade (30) 275 F4
Langley (88) 94 C3
Langoat (22) 48 B3
Langoëlan (56) 76 B5
Langogne (48) 238 C4
Langoiran (33) 229 J3
Langolen (29) 74 E5
Langon (33) 230 A5
Langon (35) 102 E3
Langon (41) 129 K6
le Langon (85) 160 C5
Langonnet (56) 75 J5
Langouet (35) 78 E2
Langourla (22) 77 K3
Langres (52) 116 D4
Langrolay-sur-Rance (22) 50 D4
Langrune-sur-Mer (14) 32 E3
Languédias (22) 50 B6
Languenan (22) 50 C5
Langueux (22) 49 G6
Languevoisin-Quiquery (80) 19 G4
Languidic (56) 100 C3
Languimberg (57) 67 G4
Langy (03) 185 J1
Lanhélin (35) 51 F5
Lanhères (55) 44 B4
Lanhouarneau (29) 46 C4
Lanildut (29) 72 B3
Laning (57) 68 B4
Laniscat (22) 76 C3
Laniscourt (02) 20 C6
Lanleff (22) 48 D3
Lanloup (22) 48 E3
Lanmérin (22) 48 B3
Lanmeur (29) 47 H4
Lanmodez (22) 48 D1
Lanne (65) 285 G6
Lanne-en-Barétous (64) 283 J6
Lanne-Soubiran (32) 266 A4
Lannéanou (29) 47 H6
Lannebert (22) 48 E4
Lannecaube (64) 284 E2
Lannédern (29) 75 F2
Lannemaignan (32) 265 K2
Lannemezan (65) 305 F1
Lannepax (32) 266 E4
Lanneplaà (64) 283 J2
Lanneray (28) 108 E2
Lannes (47) 267 F1
Lanneuffret (29) 46 C5
Lannilis (29) 72 D2
Lannion (22) 48 A3
Lannoy (59) 7 F4
Lannoy-Cuillère (60) 17 F4
Lannux (32) 265 K5
Lano (2B) 319 G5
Lanobre (15) 201 H6
Lanouaille (24) 214 E1
Lanouée (56) 101 H1
Lanoux (09) 307 G1
Lanquais (24) 231 K2
Lanques-sur-Rognon (52) 116 D1
Lanquetot (76) 14 E6
Lanrelas (22) 78 A2
Lanrigan (35) 51 G6
Lanrivain (22) 76 C2
Lanrivoaré (29) 72 C3
Lanrodec (22) 48 D6
Lans (71) 154 B6
Lans-en-Vercors (38) 223 K4
Lansac (33) 211 H5
Lansac (65) 285 J5
Lansac (66) 309 J5
Lansargues (34) 274 D6
Lanslebourg-Mont-Cenis (73) 226 C1
Lanslevillard (73) 226 C1
Lanta (31) 288 E1
Lantabat (64) 283 F4
Lantages (10) 114 C2
Lantan (18) 149 K5
Lantéfontaine (54) 44 C4
Lantenay (01) 189 K4
Lantenay (21) 135 J5
Lantenne-Vertière (25) 137 H6
Lantenot (70) 118 E5
la Lanterne-et-les-Armonts (70) 118 E4
Lanteuil (19) 215 K4
Lanthenans (25) 139 F4
Lanthes (21) 154 D3
Lantheuil (14) 32 C4
Lantic (22) 49 F5
Lantignié (69) 188 A3
Lantillac (56) 101 G1
Lantilly (21) 134 E2
Lanton (33) 228 C3
Lantosque (06) 311 A4
Lantriac (43) 220 D6
Lanty (58) 152 A6
Lanty-sur-Aube (52) 115 H2
Lanuéjols (30) 253 K5
Lanuéjols (48) 254 B1
Lanuéjouls (12) 251 H2
Lanvallay (22) 50 D5
Lanvaudan (56) 100 B2
Lanvellec (22) 47 K4
Lanvénégen (56) 99 J1
Lanvéoc (29) 74 A2
Lanvollon (22) 48 E4
Lanzac (46) 233 H2
Laon (02) 20 D6
Laons (28) 56 D5
Lapalisse (03) 186 A2
Lapalud (84) 256 D3
Lapan (18) 149 F5
Lapanouse (12) 253 G3
Lapanouse-de-Cernon (12) 272 D1
Laparade (47) 247 K2
Laparrouquial (81) 251 F6
Lapège (09) 307 H5
Lapenche (82) 250 B4
Lapenne (09) 288 E6
Lapenty (50) 52 C6
Laperche (47) 231 H6
Laperrière-sur-Saône (21) 155 F2
Lapeyre (65) 286 A4
Lapeyrère (31) 288 A5
Lapeyrouse (01) 188 E5
Lapeyrouse (63) 184 D2
Lapeyrouse-Fossat (31) 269 H5
Lapeyrouse-Mornay (26) 222 D2
Lapeyrugue (15) 235 J4
Lapleau (19) 216 E2
Laplume (47) 248 A5
Lapoutroie (68) 96 A3
Lapouyade (33) 212 A4
Lappion (02) 21 G5
Laprade (11) 290 A3
Laprade (16) 213 F2
Laprugne (03) 186 B5
Laps (63) 203 F3
Lapte (43) 221 F3
Lapugnoy (62) 5 K5
Laquenexy (57) 45 G6
Laqueuille (63) 201 K4
Laragne-Montéglin (05) 258 E2
Larajasse (69) 205 H4
Laramière (46) 250 E3
Laran (65) 286 B5
Larbey (40) 264 E4
Larbont (09) 307 G2
Larbroye (60) 19 G6
Larcan (31) 286 E6
Larcat (09) 307 J5
Larçay (37) 127 K5
Larceveau-Arros-Cibits (64) 283 F5
Larchamp (53) 80 C3
Larchamp (61) 53 F5
Larchant (77) 87 G5
Larche (04) 227 C6
Larche (19) 215 H4
le Larderet (39) 156 B5
Lardier-et-Valença (05) 259 G1
Lardiers (04) 258 D6
le Lardin-Saint-Lazare (24) 215 F4
Lardy (91) 86 D2
Larée (32) 266 B2
Laréole (31) 268 C5
Largeasse (79) 161 G1
Largentière (07) 239 G6
Largillay-Marsonnay (39) 173 H3
Largitzen (68) 97 B5
Largny-sur-Automne (02) 39 F4
Larians-et-Munans (70) 138 C3
Larivière (90) 119 J6
Larivière-Arnoncourt (52) 117 G2
Larmor-Baden (56) 100 E6
Larmor-Plage (56) 99 K5
Larnage (26) 222 C4
Larnagol (46) 250 D1
Larnas (07) 256 C1
Larnat (09) 307 J5
Larnaud (39) 173 F1
Larnod (25) 156 B1
Laroche-près-Feyt (19) 201 H3
Laroche-Saint-Cydroine (89) 113 F3
Larochemillay (58) 152 C5
Larodde (63) 201 H5
Laroin (64) 284 C4
Laronxe (54) 94 E1
Laroque (33) 229 K4
Laroque (34) 274 A2
Laroque-de-Fa (11) 309 J3
Laroque-des-Albères (66) 315 H4
Laroque-des-Arcs (46) 250 A1
Laroque-d'Olmes (09) 308 B3
Laroque-Timbaut (47) 248 D3
Laroquebrou (15) 217 F6
Laroquevieille (15) 217 J6
Larouillies (59) 13 G6
Larra (31) 268 E5
Larrau (64) 302 B2
Larrazet (82) 268 D2
Larré (56) 101 H4
Larré (61) 82 D2
Larressingle (32) 267 F2
Larressore (64) 282 C3
Larret (70) 137 F1
Larreule (64) 284 C2
Larreule (65) 285 G2
Larrey (21) 114 E4
Larribar-Sorhapuru (64) 283 G4
Larringes (74) 175 G5
Larrivière (40) 265 H4
Larrivoire (39) 173 J6
Larroque (31) 286 D6
Larroque (65) 286 B4
Larroque (81) 269 K1
Larroque-Engalin (32) 267 H1
Larroque-Saint-Sernin (32) 267 G3
Larroque-sur-l'Osse (32) 266 E1
Larroque-Toirac (46) 234 C6
Lartigue (32) 286 E1
Lartigue (33) 246 E4
Laruns (64) 303 H2
Laruscade (33) 211 K4
Larzac (24) 232 D3
Larzicourt (51) 63 G6
Lasalle (30) 254 E6
Lasbordes (11) 289 H4
Lascabanes (46) 249 J3
Lascaux (19) 215 G2
Lascazères (65) 285 G1
Lascelle (15) 217 J6
Lasclaveries (64) 284 D2
Lasfaillades (81) 290 C1
Lasgraisses (81) 270 D4
Laslades (65) 285 J5
Lassales (65) 286 B5
Lassay-les-Châteaux (53) 81 H3
Lassay-sur-Croisne (41) 129 H5
Lasse (49) 126 C2
Lasse (64) 282 D5
Lasserade (32) 266 C6
Lasséran (32) 267 H6
Lasserre (09) 306 D1
Lasserre (31) 268 E6
Lasserre (47) 247 K6
Lasserre (64) 285 F1
Lasserre-de-Prouille (11) 289 J6
Lasseube (64) 284 B5
Lasseube-Propre (32) 286 D1
Lasseubetat (64) 284 C6
Lassicourt (10) 90 E3
Lassigny (60) 19 F6
Lasson (14) 32 D4
Lasson (89) 113 J2
Lassouts (12) 252 E1
Lassur (09) 307 K5
Lassy (14) 53 G2
Lassy (35) 78 E6
Lassy (95) 38 A6
Lastic (15) 219 F4
Lastic (63) 201 J3
Lastours (11) 290 B4
Lataule (60) 18 E6
le Latet (39) 156 B6
la Latette (39) 156 C6
Lathuile (74) 208 E1
Lathus-Saint-Rémy (86) 164 B6
Latillé (86) 162 C3
Latilly (02) 39 J5
Latoue (31) 286 E6
Latouille-Lentillac (46) 234 C2
Latour (31) 288 A6
Latour-Bas-Elne (66) 315 H3
Latour-de-Carol (66) 313 G5
Latour-de-France (66) 309 K5
Latour-en-Woëvre (55) 44 B6
Latrape (31) 288 A5
Latrecey-Ormoy-sur-Aube (52) 115 J3
Latresne (33) 229 H2
Latrille (40) 265 J6
Latronche (19) 217 F2
Latronquière (46) 234 E3
Lattainville (60) 36 E4
Lattes (34) 293 H1
Lattre-Saint-Quentin (62) 10 D3
Lau-Balagnas (65) 304 A2
Laubach (67) 69 K5
Laubert (48) 237 K5
les Laubies (48) 237 H4
Laubressel (10) 90 C4
Laubrières (53) 104 B3
Laucourt (80) 19 F5
Laudrefang (57) 45 K5
Laudun-l'Ardoise (30) 256 C5
Laugnac (47) 248 B3
Laujuzan (32) 266 A3
Laulne (50) 30 E1
Laumesfeld (57) 27 K4
Launac (31) 268 E4
Launaguet (31) 269 G5
Launay (27) 34 E6
Launay-Villiers (53) 80 C6
Launois-sur-Vence (08) 22 B5
Launoy (02) 39 K4
Launstroff (57) 27 K3
la Laupie (26) 240 C5
Laurabuc (11) 289 H5
Laurac (11) 289 H5
Laurac-en-Vivarais (07) 239 G6
Lauraët (32) 266 E2
Lauraguel (11) 308 E1
Laure-Minervois (11) 290 D5
Laurède (40) 264 D4
Laurenan (22) 77 J4
Laurens (34) 291 K2
Lauresses (46) 234 E3
Lauret (34) 274 C3
Lauret (40) 284 D1
Laurie (15) 218 E2
Laurière (87) 181 K4
Lauris (84) 277 G4
Lauroux (34) 273 F4
Laussonne (43) 220 D6
Laussou (47) 232 B5
Lautenbach (68) 96 A6
Lautenbachzell (68) 96 A6
Lauterbourg (67) 25 E2
Lauthiers (86) 163 J3
Lautignac (31) 287 H3
Lautrec (81) 270 E5
Lauw (68) 119 K5
Lauwin-Planque (59) 11 H1
Lauzach (56) 101 H6
Lauzerte (82) 249 G4
Lauzerville (31) 288 D1
Lauzès (46) 233 J6
le Lauzet-Ubaye (04) 260 A1
Lauzun (47) 231 H5
Lavacquerie (60) 17 J4
Laval (38) 224 C2
Laval (53) 104 E1
Laval-Atger (48) 238 A3
Laval-d'Aix (26) 241 H3
Laval-d'Aurelle (07) 238 D6

Laval-de-Cère (46) 234 C1
Laval-du-Tarn (48) 253 K3
Laval-en-Brie (77) 88 A3
Laval-en-Laonnois (02) 40 B1
Laval-le-Prieuré (25) 139 F6
Laval-Morency (08) 22 B2
Laval-Pradel (30) 255 G4
Laval-Roquecezière (12) 271 K4
Laval-Saint-Roman (30) 256 B3
Laval-sur-Doulon (43) 219 J1
Laval-sur-Luzège (19) 216 E3
Laval-sur-Tourbe (51) 42 B5
Laval-sur-Vologne (88) 95 F5
Lavalade (24) 232 B4
Lavaldens (38) 224 C5
Lavalette (11) 290 A6
Lavalette (31) 269 J6
Lavalette (34) 273 F5
Lavallée (55) 64 C3
Lavancia-Epercy (39) 173 H6
le Lavandou (83) 301 G4
Lavangeot (39) 155 H1
Lavannes (51) 41 G3
Lavans-lès-Dole (39) 155 H1
Lavans-lès-Saint-Claude (39) 173 J5
Lavans-Quingey (25) 156 A2
Lavans-sur-Valouse (39) 173 G6
Lavans-Vuillafans (25) 156 D2
Lavaqueresse (02) 20 D1
Lavardac (47) 247 J5
Lavardens (32) 267 H4
Lavardin (41) 108 A6
Lavardin (72) 106 C1
Lavaré (72) 107 J2
Lavars (38) 242 A1
Lavastrie (15) 236 D1
Lavatoggio (2B) 318 C3
Lavau (10) 90 B4
Lavau (89) 132 A2
Lavau-sur-Loire (44) 122 C3
Lavaudieu (43) 219 H3
Lavaufranche (23) 183 H1
Lavault-de-Frétoy (58) 152 C2
Lavault-Sainte-Anne (03) 184 A1
Lavaur (24) 232 D5
Lavaur (81) 270 A5
Lavaurette (82) 250 C4
Lavausseau (86) 162 C3
Lavaveix-les-Mines (23) 183 F4
Lavazan (33) 246 E2
Laveissenet (15) 218 C5
Laveissière (15) 218 B4
Lavelanet (09) 308 B3
Lavelanet-de-Comminges (31) 287 J5
Laveline-devant-Bruyères (88) 95 G5
Laveline-du-Houx (88) 95 F6
Lavenay (72) 107 J5
Laventie (62) 6 B4
Laveraët (32) 285 J1
Lavercantière (46) 233 G5
Laverdines (18) 150 A3
Lavergne (46) 234 A3
Lavergne (47) 231 G5
Lavernat (72) 107 F6
Lavernay (25) 137 H6
Lavernhe (12) 253 F3
Lavernose-Lacasse (31) 287 K3
Lavernoy (52) 117 F3
Laverrière (60) 17 J4
Laversine (02) 39 H3
Laversines (60) 37 J2
Lavérune (34) 293 G1
Laveyron (26) 222 B3
Laveyrune (07) 238 C5
Laveyssière (24) 231 H1
Lavieu (42) 204 C5
Laviéville (80) 10 D6
Lavigerie (15) 218 A4
Lavignac (87) 198 D3
Lavigney (70) 117 H6
Lavigny (39) 173 G1
Lavillatte (07) 238 D3
Laville-aux-Bois (52) 116 C1
Lavilledieu (07) 239 J5
Lavilleneuve (52) 116 E2
Lavilletertre (60) 37 F5
Lavincourt (55) 64 B5
Laviolle (07) 239 G3
Laviron (25) 139 F5
Lavit (82) 268 B2
Lavoine (03) 186 B5
Lavoncourt (70) 137 H1
Lavours (01) 207 K1
Lavoûte-Chilhac (43) 219 H4
Lavoûte-sur-Loire (43) 220 C4
Lavoux (86) 163 G3
Lavoye (55) 43 F6
Lawarde-Mauger-l'Hortoy (80) 18 A4
Laxou (54) 66 A5
Lay (42) 187 G5
Lay-Lamidou (64) 283 K4
Lay-Saint-Christophe (54) 66 A4
Lay-Saint-Remy (54) 65 G5
Laye (05) 242 E4
Laymont (32) 287 G3
Layrac (47) 248 C5
Layrac-sur-Tarn (31) 269 H3
Layrisse (65) 285 H6
Lays-sur-le-Doubs (71) 154 E4
Laz (29) 75 F4
Lazenay (18) 148 D3
Lazer (05) 258 E2
Léalvillers (80) 10 C5
Léaupartie (14) 33 H5
Léaz (01) 190 D3
Lebetain (90) 139 J2
Lebeuville (54) 94 B2
Lebiez (62) 4 E6
Leboulin (32) 267 J5
Lebreil (46) 249 H3
Lebucquière (62) 11 G5
Lécaude (14) 33 J6
Lecci (2A) 323 H2
Lecelles (59) 7 G6
Lecey (52) 116 E4
Lechâtelet (21) 154 D3
Léchelle (62) 11 G5
Léchelle (77) 88 E1
la Léchère (73) 209 H4
les Lèches (24) 213 G6
Lécluse (59) 11 H3
Lécousse (35) 80 A3
Lecques (30) 274 D3
Lect (39) 173 H5
Lectoure (32) 267 J2
Lecumberry (64) 282 E6
Lécussan (31) 286 C6
Lédas-et-Penthiès (81) 251 K6
Lédat (47) 248 C1
Lédenon (30) 275 J2
Lédergues (12) 252 A6
Lederzeele (59) 3 G4
Ledeuix (64) 284 A5
Lédignan (30) 274 E1
Ledinghem (62) 4 E4
Ledringhem (59) 3 J4
Lée (64) 284 D4
Leers (59) 7 F3
Lées-Athas (64) 303 F2
Lefaux (62) 4 B6
Leffard (14) 53 K2
Leffincourt (08) 41 K2
Leffonds (52) 116 B3
Leffrinckoucke (59) 3 H1
Leforest (62) 11 H1
Lège (31) 305 H4
Legé (44) 141 H4
Lège-Cap-Ferret (33) 228 B2
Légéville-et-Bonfays (88) 94 A5
Léglantiers (60) 38 B1
Légna (39) 173 G5
Légny (69) 188 A6
Léguevin (31) 268 E6
Léguillac-de-Cercles (24) 213 J1
Léguillac-de-l'Auche (24) 213 J3
Lehaucourt (02) 19 K1
Léhon (22) 50 D5
Leigné-les-Bois (86) 163 J1
Leigné-sur-Usseau (86) 145 H5
Leignes-sur-Fontaine (86) 163 K4
Leigneux (42) 204 C2
Leimbach (68) 119 K4
Leintrey (54) 67 F5
Lélex (01) 174 A6
Lelin-Lapujolle (32) 266 A5
Lelling (57) 68 A4
Lemainville (54) 94 B1
Lembach (67) 25 A1
Lemberg (57) 69 G4
Lembeye (64) 285 F2
Lembras (24) 231 J1
Lemé (02) 20 E2
Lème (64) 284 D2
Leménil-Mitry (54) 94 B2
Lémeré (37) 145 G2
Lemmecourt (88) 93 G5
Lemmes (55) 43 G6
Lemoncourt (57) 66 C2
Lempaut (81) 289 J2
Lempdes (63) 202 E2
Lempdes-sur-Allagnon (43) 219 F1
Lempire (02) 11 J6
Lemps (07) 222 B4
Lemps (26) 258 A2
Lempty (63) 203 F1
Lempzours (24) 214 B1
Lemud (57) 45 G6
Lemuy (39) 156 B4
Lénault (14) 53 G2
Lenax (03) 186 C1
Lencloître (86) 145 G6
Lencouacq (40) 246 B5
Lengelsheim (57) 69 G2
Lengronne (50) 30 E5
Lenharrée (51) 62 B4
Léning (57) 68 B5
Lennon (29) 75 F3
Lenoncourt (54) 66 B5
Lens (62) 11 F1
Lens-Lestang (26) 222 D2
Lent (01) 189 G3
Lent (39) 156 B6
Lentigny (42) 186 E5
Lentillac-du-Causse (46) 233 K6
Lentillac-Saint-Blaise (46) 234 E5
Lentillères (07) 239 G5
Lentilles (10) 91 F2
Lentilly (69) 205 J1
Lentiol (38) 222 E2
Lento (2B) 319 G3
Léobard (46) 233 G4
Léogeats (33) 229 K6
Léognan (33) 229 G3
Léojac (82) 269 G1
Léon (40) 262 D2
Léoncel (26) 241 F1
Léotoing (43) 219 F1
Léouville (45) 86 C6
Léoville (17) 211 K1
Lépanges-sur-Vologne (88) 95 F5
Lépaud (23) 183 J2
Lépin-le-Lac (73) 208 A4
Lépinas (23) 182 D4
Lépine (62) 9 F1
Lépron-les-Vallées (08) 22 A3
Lepuix (90) 119 H5
Lepuix-Neuf (90) 97 A5
Léran (09) 308 B3
Lercoul (09) 307 H5
Léré (18) 131 K4
Léren (64) 283 G1
Lérigneux (42) 204 C4
Lerm-et-Musset (33) 246 D3
Lerné (37) 144 E2
Lérouville (55) 64 E4
Lerrain (88) 94 A6
Léry (21) 135 J2
Léry (27) 35 J4
Lerzy (02) 21 F1
Lesbœufs (80) 11 F6
Lesbois (53) 80 E2
Lescar (64) 284 C4
Leschaux (74) 208 D1
Leschelles (02) 20 E1
Lescheraines (73) 208 D2
Leschères (39) 173 J4
Leschères-sur-le-Blaiseron (52) 92 A4
Lescherolles (77) 60 D5
Lescheroux (01) 172 C5
Lesches (77) 59 J3
Lesches-en-Diois (26) 241 J5
Lescouët-Gouarec (22) 76 B4
Lescousse (09) 288 C6
Lescout (81) 289 J1
Lescun (64) 303 F3
Lescuns (31) 287 H5
Lescure (09) 306 E2
Lescure-d'Albigeois (81) 270 E2
Lescure-Jaoul (12) 251 H4
Lescurry (65) 285 J4
Lesdain (59) 12 B5
Lesdins (02) 20 A2
Lesges (02) 40 A3
Lesgor (40) 264 C3
Lésignac-Durand (16) 197 J1
Lésigny (77) 59 G5
Lésigny (86) 146 A6
le Leslay (22) 76 E1
Lesme (71) 169 J2
Lesménils (54) 65 K2
Lesmont (10) 90 E3
Lesneven (29) 46 B4
Lesparre-Médoc (33) 210 D2
Lesparrou (09) 308 B3
Lespéron (07) 238 C3
Lesperon (40) 264 B1
Lespesses (62) 5 J5
Lespielle (64) 285 F2
Lespignan (34) 291 K5
Lespinasse (31) 269 G5
Lespinassière (11) 290 D3
Lespinoy (62) 9 G1
Lespiteau (31) 305 K1
Lespouey (65) 285 J5
Lespourcy (64) 285 F3
Lespugue (31) 286 D5
Lesquerde (66) 309 H5
Lesquielles-Saint-Germain (02) 20 D1
Lesquin (59) 6 E4
Lessac (16) 180 B4
Lessard-en-Bresse (71) 172 B1
Lessard-et-le-Chêne (14) 33 J6
Lessard-le-National (71) 154 A5
Lessay (50) 30 D2
Lesse (57) 66 D1
Lesseux (88) 95 K4
Lessy (57) 44 E5
Lestanville (76) 15 J4
Lestards (19) 200 B5
Lestelle-Bétharram (64) 284 E6
Lestelle-de-Saint-Martory (31) 306 B1
Lesterps (16) 180 C5
Lestiac-sur-Garonne (33) 229 K4
Lestiou (41) 109 H6
Lestrade-et-Thouels (12) 252 C6
Lestre (50) 29 F4
Lestrem (62) 6 A4
Létanne (08) 23 G6
Lételon (03) 167 H2
Léthuin (28) 85 K4
Letia (2A) 320 C2
Létra (69) 187 K5
Létricourt (54) 66 B2
Letteguives (27) 36 A2
Lettret (05) 242 E6
Leubringhen (62) 2 B4
Leuc (11) 290 B6
Leucamp (15) 235 J3
Leucate (11) 310 D4
Leuchey (52) 116 C6
Leudeville (91) 86 E1
Leudon-en-Brie (77) 60 D5
Leuglay (21) 115 H5
Leugny (86) 146 A5
Leugny (89) 132 E1
Leuhan (29) 75 G5
Leuilly-sous-Coucy (02) 39 J1
Leulinghem (62) 5 F3
Leulinghen-Bernes (62) 2 B4
Leurville (52) 92 D4
Leury (02) 39 J2
Leutenheim (67) 25 C3
Leuville-sur-Orge (91) 86 D1
Leuvrigny (51) 40 C6
le Leuy (40) 265 F3
Leuze (02) 21 H2
Levainville (28) 85 J2
Leval (59) 13 F4
Leval (90) 119 J5
Levallois-Perret (92) 58 E3
Levaré (53) 80 D3
Levécourt (52) 93 F6
Levens (06) 281 G2
Levergies (02) 20 A1
Levernois (21) 154 A3
Lèves (28) 85 G2
les Lèves-et-Thoumeyragues (33) 230 E3
Levesville-la-Chenard (28) 85 K5
Levet (18) 149 G5
Levie (2A) 323 F2
Levier (25) 156 C4
Lévignac (31) 268 E5
Lévignac-de-Guyenne (47) 230 E5
Lévignacq (40) 244 D6
Lévignen (60) 38 E5
Lévigny (10) 91 G4
Levis (89) 132 D1
Lévis-Saint-Nom (78) 58 A5
Levoncourt (55) 64 C3
Levoncourt (68) 97 B6
Levroux (36) 147 J4
Lewarde (59) 11 J2
Lexy (54) 26 C2
Ley (57) 67 F4
Leychert (09) 307 K3
Leyme (46) 234 C3
Leymen (68) 97 D5
Leyment (01) 189 H5
Leynes (71) 188 B1
Leynhac (15) 235 G3
Leyr (54) 66 B3
Leyrat (23) 166 E6
Leyrieu (38) 206 E2
Leyritz-Moncassin (47) 247 G3
Leyssard (01) 189 J2
Leyvaux (15) 218 E2
Leyviller (57) 68 B4
Lez (31) 305 J3
Lez-Fontaine (59) 13 J4
Lézan (30) 274 D1
Lézardrieux (22) 48 D2
Lézat (39) 174 A4
Lézat-sur-Lèze (09) 288 A5
Lezay (79) 178 E1
Lezennes (59) 6 E4
Lezéville (52) 92 D3
Lezey (57) 66 E4
Lézignan (65) 304 B1
Lézignan-Corbières (11) 291 F6
Lézignan-la-Cèbe (34) 292 C2
Lézigné (49) 125 K1
Lézigneux (42) 204 D4
Lézinnes (89) 114 B5
Lezoux (63) 203 G1
Lhéraule (60) 37 F1
Lherm (31) 287 K3
Lherm (46) 233 F6
Lhéry (51) 40 C5
Lhez (65) 285 J5
Lhommaizé (86) 163 H5
Lhomme (72) 107 H6
Lhôpital (01) 190 C4
Lhor (57) 67 G2
Lhospitalet (46) 249 K2
Lhoumois (79) 162 A1
Lhuis (01) 207 H2
Lhuître (10) 90 C1
Lhuys (02) 40 A4
Liac (65) 285 H3
Liancourt (60) 38 A3
Liancourt-Fosse (80) 19 F4
Liancourt-Saint-Pierre (60) 37 F4
Liart (08) 21 K3
Lias (32) 287 J1
Lias-d'Armagnac (32) 266 B3
Liausson (34) 273 G6
Libaros (65) 286 A5
Libercourt (62) 6 D6
Libermont (60) 19 H4
Libourne (33) 230 A1
Licey-sur-Vingeanne (21) 136 D3
Lichans-Sunhar (64) 302 C1
Lichères (16) 179 G6
Lichères-près-Aigremont (89) 113 J6
Lichères-sur-Yonne (89) 133 G3
Lichos (64) 283 H4
Lichtenberg (67) 69 H5
Licourt (80) 19 G3
Licq-Athérey (64) 302 C1
Licques (62) 2 D4
Licy-Clignon (02) 39 J6
Lidrezing (57) 67 F2
Liebenswiller (68) 97 D5
Liebsdorf (68) 97 B6
Liebvillers (25) 139 H4
Liederschiedt (57) 69 H2
Lieffrans (70) 137 K2
le Liège (37) 146 E1
Liéhon (57) 66 B1
Liencourt (62) 10 C3
Liépvre (68) 96 B1
Liéramont (80) 11 H6
Liercourt (80) 9 G6
Lières (62) 5 H5
Liergues (69) 188 B5
Liernais (21) 152 E1
Liernolles (03) 169 J6
Lierval (02) 40 B1
Lierville (60) 37 F5
Lies (65) 304 D1
Liesle (25) 155 K2
Liesse-Notre-Dame (02) 20 E5
Liessies (59) 13 J5
Liesville-sur-Douve (50) 29 F6
Liettres (62) 5 H4
Lieu-Saint-Amand (59) 12 B3
Lieuche (06) 261 G6
Lieucourt (70) 137 G5
Lieudieu (38) 206 E5
Lieurac (09) 308 A3
Lieuran-Cabrières (34) 292 C1
Lieuran-lès-Béziers (34) 292 A3
Lieurey (27) 34 C4
Lieuron (35) 102 D1
Lieusaint (50) 28 E4
Lieusaint (77) 59 G6
Lieutadès (15) 236 C2
Lieuvillers (60) 38 B1
Liévans (70) 138 C1
Liévin (62) 10 E1
Liez (02) 20 A4
Liez (85) 160 E5
Liézey (88) 95 G6
Liffol-le-Grand (88) 93 F4
Liffol-le-Petit (52) 92 E4
Liffré (35) 79 H3
Ligardes (32) 248 A6
Ligescourt (80) 9 G3
Liginiac (19) 217 G1
Liglet (86) 164 C4
Lignac (36) 164 D5
Lignairolles (11) 308 C1
Lignan-de-Bazas (33) 246 C1
Lignan-de-Bordeaux (33) 229 J2
Lignan-sur-Orb (34) 291 K3
Lignareix (19) 201 F4
Ligné (16) 179 F6
Ligné (44) 123 J2
Lignères (61) 55 F5
Lignereuil (62) 10 C3
Lignerolles (03) 184 A1
Lignerolles (21) 115 J4
Lignerolles (27) 56 E3
Lignerolles (36) 166 C4
Lignerolles (61) 83 H1
Lignéville (88) 93 J6
Ligneyrac (19) 215 K5
Lignières (10) 113 K3
Lignières (18) 166 D1
Lignières (41) 108 D4
Lignières (80) 18 E5
Lignières-Châtelain (80) 17 G3
Lignières-de-Touraine (37) 127 F6
Lignières-en-Vimeu (80) 17 F2
Lignières-la-Carelle (72) 82 E3
Lignières-Orgères (53) 82 A1
Lignières-Sonneville (16) 196 A4
Lignières-sur-Aire (55) 64 D4
Lignol (56) 76 B6
Lignol-le-Château (10) 91 H5
Lignon (51) 91 F1
Lignorelles (89) 113 H4
Lignou (61) 53 K5
Ligny-en-Barrois (55) 64 C5
Ligny-en-Brionnais (71) 187 G2
Ligny-en-Cambrésis (59) 12 C5
Ligny-le-Châtel (89) 113 H4
Ligny-le-Ribault (45) 129 J1
Ligny-lès-Aire (62) 5 H5
Ligny-Saint-Flochel (62) 10 B2
Ligny-sur-Canche (62) 10 A3
Ligny-Thilloy (62) 11 F5
Ligré (37) 145 G2
Ligron (72) 106 C5
Ligsdorf (68) 97 C6
Ligueil (37) 146 B3
Ligueux (24) 214 B2
Ligueux (33) 231 F3
Ligugé (86) 163 F4
Lihons (80) 19 F3
Lihus (60) 17 J5
les Lilas (93) 59 F3
Lilhac (31) 287 F4
Lille (59) 6 D4
Lillebonne (76) 14 E6
Lillemer (35) 50 E4
Lillers (62) 5 J5
Lilly (27) 36 C2
Limalonges (79) 179 G3
Limans (04) 278 A1
Limanton (58) 151 K4
Limas (69) 188 B5
Limay (78) 57 J2
Limbrassac (09) 308 B2
Limé (02) 40 A3
Limeil-Brévannes (94) 59 F5
Limendous (64) 284 E4
Limeray (37) 128 C4
Limersheim (67) 70 E5
Limerzel (56) 101 K6
Limésy (76) 15 J5
Limetz-Villez (78) 57 G1
Limeuil (24) 232 C2
Limeux (18) 148 D3
Limeux (80) 9 G6
Limey-Remenauville (54) 65 H2
Limeyrat (24) 214 D4
Limoges (87) 199 F1
Limoges-Fourches (77) 59 H6
Limogne-en-Quercy (46) 250 D2
Limoise (03) 168 B2
Limon (58) 151 G4
Limonest (69) 206 A1
Limons (63) 185 J5
Limont-Fontaine (59) 13 G3
Limony (07) 222 A1
Limours (91) 58 C6
Limousis (11) 290 B4
Limoux (11) 308 E2

la Limouzinière (44) 141 H3
Limpiville (76) 14 E4
Linac (46) 234 E4
Linard (23) 166 A6
Linards (87) 199 H3
Linars (16) 196 D3
Linas (91) 58 D6
Linay (08) 23 H5
Linazay (86) 179 G3
Lindebeuf (76) 15 H4
le Lindois (16) 197 J2
Lindre-Basse (57) 67 F3
Lindre-Haute (57) 67 F3
Lindry (89) 112 E5
Linexert (70) 118 E5
Lingé (36) 164 C1
Lingeard (50) 52 C4
Lingèvres (14) 32 B5
Linghem (62) 5 H4
Lingolsheim (67) 71 D1
Lingreville (50) 30 D5
Linguizzetta (2B) 319 J6
Linières-Bouton (49) 126 C3
Liniers (86) 163 H3
Liniez (36) 148 A3
Linsdorf (68) 97 D5
Linselles (59) 6 E3
Linthal (68) 96 A6
Linthelles (51) 61 J5
Linthes (51) 61 J5
Lintot (76) 14 E6
Lintot-les-Bois (76) 15 K3
Linxe (40) 262 D2
Liny-devant-Dun (55) 43 F2
Linzeux (62) 9 K2
Liocourt (57) 66 C2
Liomer (80) 17 G2
le Lion-d'Angers (49) 125 F1
Lion-devant-Dun (55) 43 G2
Lion-en-Beauce (45) 110 A1
Lion-en-Sullias (45) 111 F6
Lion-sur-Mer (14) 32 E3
Liorac-sur-Louyre (24) 231 K1
Liouc (30) 274 D2
Liourdres (19) 234 B1
Lioux (84) 277 G1
Lioux-les-Monges (23) 183 J5
Liposthey (40) 245 G2
Lipsheim (67) 70 E4
Lirac (30) 256 D6
Liré (49) 124 A5
Lirey (10) 90 A6
Lironcourt (88) 117 J2
Lironville (54) 65 H3
Liry (08) 42 B3
Lisbourg (62) 5 G6
Lisieux (14) 33 K5
Lisle (24) 213 J2
Lisle (41) 108 C4
Lisle-en-Barrois (55) 64 A2
Lisle-en-Rigault (55) 63 K5
Lisle-sur-Tarn (81) 270 A3
Lislet (02) 21 G4
Lison (14) 31 H2
Lisores (14) 54 E2
Lisors (27) 36 B3
Lissac (09) 288 C5
Lissac (43) 220 B4
Lissac-et-Mouret (46) 234 D5
Lissac-sur-Couze (19) 215 H5
Lissay-Lochy (18) 149 G4
Lisse-en-Champagne (51) 63 G4
Lisses (91) 87 F1
Lisseuil (63) 184 D4
Lissey (55) 43 H2
Lissieu (69) 188 B6
Lissy (77) 59 H6
Listrac-de-Durèze (33) 230 D3
Listrac-Médoc (33) 211 F4
Lit-et-Mixe (40) 244 C6
Lithaire (50) 30 D1
Litteau (14) 31 K3
Littenheim (67) 70 C1
Litz (60) 37 K2
Livaie (61) 82 C2
Livarot (14) 54 E1
Liverdun (54) 65 K4
Liverdy-en-Brie (77) 59 J5
Livernon (46) 234 B5
Livers-Cazelles (81) 270 C1
Livet (53) 105 H1
Livet-en-Saosnois (72) 82 E4
Livet-et-Gavet (38) 224 C4
Livet-sur-Authou (27) 34 D4
Livilliers (95) 37 H6
Livinhac-le-Haut (12) 235 F5
la Livinière (34) 290 E4
Livré (53) 104 C4
Livré-sur-Changeon (35) 79 K3
Livron (64) 285 F5
Livron-sur-Drôme (26) 240 C3
Livry (14) 32 A5
Livry (58) 168 C1
Livry-Gargan (93) 59 G3
Livry-Louvercy (51) 41 H6
Livry-sur-Seine (77) 87 H2
Lixhausen (67) 69 J6
Lixheim (57) 67 K3
Lixing-lès-Rouhling (57) 68 C2
Lixing-lès-Saint-Avold (57) 68 A4
Lixy (89) 88 B5
Lizac (82) 249 H6
Lizant (86) 179 H4
Lizeray (36) 148 B4
Lizières (23) 182 A2
Lizine (25) 156 B2
Lizines (77) 88 C2
Lizio (56) 101 H3
Lizos (65) 285 J5
Lizy (02) 40 A1
Lizy-sur-Ourcq (77) 60 A1
la Llagonne (66) 313 J4
Llauro (66) 315 F4
Llo (66) 313 J5
Llupia (66) 315 F3
Lobsann (67) 25 B2
Loc-Brévalaire (29) 46 B4
Loc-Eguiner (29) 46 D5
Loc-Eguiner-
-Saint-Thégonnec (29) 46 E6
Loc-Envel (22) 48 A5
Locarn (22) 75 K2
Loché-sur-Indrois (37) 147 F3
Loches (37) 146 D2
Loches-sur-Ource (10) 115 F2
le Locheur (14) 32 C6
Lochieu (01) 190 B5
Lochwiller (67) 70 C2
Locmalo (56) 76 B5
Locmaria (56) 120 C4
Locmaria-Berrien (29) 75 H2
Locmaria-Grand-Champ (56) 101 F4
Locmaria-Plouzané (29) 72 C4
Locmariaquer (56) 100 D6
Locmélar (29) 46 E6
Locminé (56) 101 F2
Locmiquélic (56) 100 A4
Locoal-Mendon (56) 100 C4
Locon (62) 6 A5
Loconville (60) 37 F4
Locqueltas (56) 101 F4
Locquénolé (29) 47 G4
Locquignol (59) 12 E4
Locquirec (29) 47 J3
Locronan (29) 74 C4
Loctudy (29) 98 C3
Locunolé (29) 99 J2
Loddes (03) 186 C1
Lodes (31) 286 D6
Lodève (34) 273 G5
Lods (25) 156 E2
Lœuilley (70) 136 D3
Lœuilly (80) 17 K3
Loffre (59) 11 J2
la Loge (62) 9 J1
la Loge-aux-Chèvres (10) 90 E5
Loge-Fougereuse (85) 161 F2
la Loge-Pomblin (10) 114 A2
Logelheim (68) 96 C4
les Loges (14) 32 A6
les Loges (52) 116 E5
les Loges (76) 14 C4
les Loges-en-Josas (78) 58 C5
les Loges-Marchis (50) 80 C1
les Loges-Margueron (10) 114 B1
les Loges-Saulces (14) 53 K3
les Loges-sur-Brécey (50) 52 B4
Lognes (77) 59 H4
Logny-Bogny (08) 22 A3
Logny-lès-Aubenton (02) 21 J2
Logonna-Daoulas (29) 74 B2
Logrian-Florian (30) 274 D2
Logron (28) 108 E1
Loguivy-Plougras (22) 47 K5
Lohéac (35) 102 E1
Lohitzun-Oyhercq (64) 283 G4
Lohr (67) 69 F6
Lohuec (22) 47 J6
Loigné-sur-Mayenne (53) 104 E4
Loigny-la-Bataille (28) 109 J1
Loiré (49) 124 C1
Loire-les-Marais (17) 177 F4
Loiré-sur-Nie (17) 178 C5
Loire-sur-Rhône (69) 206 A4
Loiron (53) 104 D1
Loisail (61) 83 H2
Loisey-Culey (55) 64 C4
Loisia (39) 173 F4
Loisieux (73) 207 K3
Loisin (74) 174 D6
Loison (55) 43 K3
Loison-sous-Lens (62) 11 F1
Loison-sur-Créquoise (62) 9 H1
Loisy (54) 65 K3
Loisy (71) 172 B3
Loisy-en-Brie (51) 61 J3
Loisy-sur-Marne (51) 63 F4
Loivre (51) 40 E3
Loix (17) 158 C5
Lolif (50) 51 K2
Lolme (24) 232 B4
Lombard (25) 156 A2
Lombard (39) 155 G6
Lombers (81) 270 E4
Lombez (32) 287 G2
Lombia (64) 285 F4
Lombrès (65) 305 G2
Lombreuil (45) 111 H3
Lombron (72) 107 G2
Lommerange (57) 26 E4
Lommoye (78) 57 G2
Lomné (65) 304 E2
Lomont (70) 139 F1
Lomont-sur-Crête (25) 138 D4
Lompnas (01) 207 H1
Lompnieu (01) 190 A5
Lompret (59) 6 D4
Lonçon (64) 284 C2
la Londe (76) 35 G3
la Londe-les-Maures (83) 301 F4
Londigny (16) 179 G4
Londinières (76) 16 C3
Long (80) 9 H6
Longages (31) 287 K4
Longaulnay (35) 78 D1
Longavesnes (80) 19 H1
Longchamp (21) 136 D6
Longchamp (52) 92 D6
Longchamp (88) 94 E5
Longchamp-sous-Châtenois (88) 93 H4
Longchamp-sur-Aujon (10) 91 J6
Longchamps (27) 36 C3
Longchamps-sur-Aire (55) 64 C2
Longchaumois (39) 174 A4
Longcochon (39) 156 C6
Longeau-Percey (52) 116 C5
Longeault (21) 136 C6
Longeaux (55) 64 C6
Longechaux (25) 157 F1
Longechenal (38) 207 F6
Longecourt-en-Plaine (21) 154 D1
Longecourt-lès-Culêtre (21) 153 H2
Longemaison (25) 157 F2
Longepierre (71) 154 E4
le Longeron (49) 142 D3
Longes (69) 205 K5
Longessaigne (69) 205 G2
Longevelle (70) 138 D1
Longevelle-lès-Russey (25) 139 G6
Longevelle-sur-Doubs (25) 139 F3
Longèves (17) 177 F1
Longèves (85) 160 D4
Longeville (25) 156 D3
la Longeville (25) 157 G3
Longeville-en-Barrois (55) 64 B4
Longeville-lès-Metz (57) 44 E5
Longeville-lès-Saint-Avold (57) 45 K5
Longeville-sur-la-Laines (52) 91 G2
Longeville-sur-Mer (85) 159 H4
Longeville-sur-Mogne (10) 114 A1
Longevilles-Mont-d'Or (25) 156 E6
Longfossé (62) 4 C4
la Longine (70) 119 F3
Longjumeau (91) 58 E5
Longlaville (54) 26 D2
Longmesnil (76) 16 E5
Longnes (72) 106 B2
Longnes (78) 57 H3
Longny-au-Perche (61) 83 K2
Longperrier (77) 59 H1
Longpont (02) 39 H4
Longpont-sur-Orge (91) 58 E6
Longpré-le-Sec (10) 91 F6
Longpré-les-Corps-Saints (80) 9 H6
Longraye (14) 32 B5
Longré (16) 178 E5
Longroy (76) 8 D6
Longsols (10) 90 C3
Longué-Jumelles (49) 126 A4
Longueau (80) 18 B2
Longuefuye (53) 105 G4
Longueil (76) 15 J2
Longueil-Annel (60) 38 E1
Longueil-Sainte-Marie (60) 38 D3
Longuenesse (62) 5 G3
Longuenoë (61) 82 B2
Longuerue (76) 16 B6
Longues-sur-Mer (14) 32 B3
Longuesse (95) 58 A1
Longueval (80) 11 F6
Longueval-Barbonval (02) 40 B3
Longueville (14) 29 J6
Longueville (47) 247 H1
Longueville (50) 30 D6
la Longueville (59) 13 G2
Longueville (62) 4 D3
Longueville (77) 88 D2
Longueville-sur-Aube (10) 89 K1
Longueville-sur-Scie (76) 15 K3
Longuevillette (80) 10 A5
Longuyon (54) 43 K1
Longvic (21) 136 A5
Longvillers (14) 32 B6
Longvilliers (62) 4 B5
Longvilliers (78) 86 B1
Longwé (08) 42 C2
Longwy (54) 26 C2
Longwy-sur-le-Doubs (39) 155 F4
Lonlay-l'Abbaye (61) 53 F6
Lonlay-le-Tesson (61) 53 J6
Lonnes (16) 179 G5
Lonny (08) 22 C3
Lonrai (61) 82 C2
Lons (64) 284 C4
Lons-le-Saunier (39) 173 G2
Lonzac (17) 195 J4
le Lonzac (19) 199 K6
Looberghe (59) 3 G3
Loon-Plage (59) 3 G2
Loos (59) 6 D4
Loos-en-Gohelle (62) 6 B6
Looze (89) 112 E3
Lopérec (29) 74 D2
Loperhet (29) 74 B1
Lopigna (2A) 320 C3
Loqueffret (29) 75 F2
Lor (02) 21 H6
Loray (25) 157 G1
Lorcières (15) 237 G1
Lorcy (45) 111 G2
Lordat (09) 307 K5
Loré (61) 81 G2
Lorentzen (67) 68 E4
Loreto-di-Casinca (2B) 319 J3
Loreto-di-Tallano (2A) 322 E2
Lorette (42) 205 J5
le Loreur (50) 30 E6
Loreux (41) 129 K4
le Lorey (50) 31 F3
Lorey (54) 94 B1
Lorges (41) 109 G5
Lorgies (62) 6 B5
Lorgues (83) 298 C1
Lorient (56) 99 K5
Loriges (03) 185 H1
Lorignac (17) 195 F5
Lorigné (79) 179 F3
Loriol-du-Comtat (84) 257 G6
Loriol-sur-Drôme (26) 240 B3
Lorlanges (43) 219 F2
Lorleau (27) 36 B2
Lormaison (60) 37 H4
Lormaye (28) 57 G6
Lormes (58) 133 J6
Lormont (33) 229 H1
Lornay (74) 190 D5
Loromontzey (54) 94 C2
le Loroux (35) 80 C3
le Loroux-Bottereau (44) 123 J4
Lorp-Sentaraille (09) 306 D2
Lorquin (57) 67 J5
Lorrez-le-Bocage-Préaux (77) 87 K5
Lorris (45) 111 G4
Lorry-lès-Metz (57) 44 E5
Lorry-Mardigny (57) 65 K1
Lortet (65) 305 F2
Los Masos (66) 314 C3
Loscouët-sur-Meu (22) 78 B3
Losne (21) 154 E2
Losse (40) 246 E5
Lostanges (19) 216 A5
Lostroff (57) 67 G2
Lothey (29) 74 E3
Lottinghen (62) 4 D3
le Lou-du-Lac (35) 78 D3
Louailles (72) 105 K5
Louan-Villegruis-Fontaine (77) 61 F6
Louannec (22) 48 A2
Louans (37) 146 A1
Louargat (22) 48 B5
Louâtre (02) 39 H4
Loubajac (65) 285 F6
Loubaresse (07) 238 E5
Loubaresse (15) 237 F1
Loubaut (09) 288 A6
Loubédat (32) 266 C4
Loubejac (24) 232 D5
Loubens (09) 307 H2
Loubens (33) 230 C5
Loubens-Lauragais (31) 289 F1
Loubers (81) 270 B1
Loubersan (32) 286 C2
Loubès-Bernac (47) 231 F3
Loubeyrat (63) 184 E6
Loubieng (64) 283 J2
la Loubière (12) 252 C2
Loubières (09) 307 J2
Loubigné (79) 178 D4
Loubillé (79) 178 E4
Loubressac (46) 234 B2
Loucé (61) 54 B5
Loucelles (14) 32 C4
Louchats (33) 229 H6
Louches (62) 2 E4
Louchy-Montfand (03) 185 G1
Loucrup (65) 285 H6
Loudéac (22) 77 G4
Loudenvielle (65) 305 F5
Loudervielle (65) 305 F5
Loudes (43) 220 A5
Loudet (31) 286 C6
Loudrefing (57) 67 G2
Loudun (86) 144 E3
Loué (72) 106 A2
Louer (40) 264 C4
Louerre (49) 125 J5
Louesme (21) 115 H4
Louestault (37) 127 J2
Loueuse (60) 17 G5
Louey (65) 285 G6
Lougé-sur-Maire (61) 54 A5
Lougratte (47) 231 K5
Lougres (25) 139 G3
Louhans (71) 172 D2
Louhossoa (64) 282 C3
Louignac (19) 215 F3
Louin (79) 144 B6
Louisfert (44) 103 J4
Louit (65) 285 J4
Loulans-Verchamp (70) 138 B3
Loulay (17) 177 K4
Loulle (39) 173 K1
la Loupe (28) 84 C2
Loupeigne (02) 40 A4
Loupershouse (57) 68 C3
Loupes (33) 229 J2
Loupfougères (53) 81 J4
Loupia (11) 308 D2
Loupiac (33) 229 K5
Loupiac (46) 233 H2
Loupiac (81) 270 A3
Loupiac-de-la-Réole (33) 230 C6
Loupian (34) 292 E2
Louplande (72) 106 C3
Loupmont (55) 65 F3
Louppy-le-Château (55) 64 A3
Louppy-sur-Loison (55) 43 H1
la Louptière-Thénard (10) 88 E3
Lourches (59) 12 B2
Lourde (31) 305 J2
Lourdes (65) 304 B1
Lourdios-Ichère (64) 302 E1
Lourdoueix-Saint-Michel (36) 165 J5
Lourdoueix-Saint-Pierre (23) 165 K5
Lourenties (64) 285 F4
Loures-Barousse (65) 305 H2
Louresse-Rochemenier (49) 125 J6
Lourmais (35) 51 G6
Lourmarin (84) 277 H4
Lournand (71) 171 H5
Lourouer-Saint-Laurent (36) 166 B3
le Louroux (37) 146 B2
le Louroux-Béconnais (49) 124 D2
Louroux-Bourbonnais (03) 167 K4
Louroux-de-Beaune (03) 184 D1
Louroux-de-Bouble (03) 184 E2
Louroux-Hodement (03) 167 J5
Lourquen (40) 264 D4
Lourties-Monbrun (32) 286 C2
Loury (45) 110 C3
Louslitges (32) 266 D6
Loussous-Débat (32) 266 C5
Loutehel (35) 78 C6
Loutzviller (57) 69 G2
Louvagny (14) 54 C2
Louvaines (49) 104 E6
Louvatange (39) 155 J1
Louveciennes (78) 58 C3
Louvemont (52) 91 J1
Louvemont-Côte-du-Poivre (55) 43 H4
Louvencourt (80) 10 C5
Louvenne (39) 173 F5
Louvergny (08) 22 D6
Louverné (53) 105 F1
le Louverot (39) 173 G1
Louversey (27) 56 B2
Louvetot (76) 15 G6
Louvie-Juzon (64) 303 H1
Louvie-Soubiron (64) 303 H2
la Louvière-Lauragais (11) 288 E5
Louvières (14) 29 K6
Louvières (52) 116 C2
Louvières-en-Auge (61) 54 C3
Louviers (27) 35 J5
Louvigné (53) 105 G2
Louvigné-de-Bais (35) 79 K5
Louvigné-du-Désert (35) 80 B2
Louvignies-Quesnoy (59) 12 E3
Louvigny (14) 32 E5
Louvigny (57) 66 A1
Louvigny (64) 284 C1
Louvigny (72) 82 E4
Louvil (59) 7 F5
Louville-la-Chenard (28) 85 K4
Louvilliers-en-Drouais (28) 56 E5
Louvilliers-lès-Perche (28) 56 C6
Louvois (51) 41 G6
Louvrechy (80) 18 B4
Louvres (95) 59 F1
Louvroil (59) 13 H3
Louye (27) 56 E4
Louzac-Saint-André (16) 195 J2
Louze (52) 91 G3
Louzes (72) 83 F3
Louzignac (17) 196 A1
Louzouer (45) 111 K2
Louzy (79) 144 B3
Lovagny (74) 190 E5
Loyat (56) 101 K1
la Loye (39) 155 H3
Loye-sur-Arnon (18) 167 F2
la Loyère (71) 154 A5
Loyettes (01) 206 E2
Lozanne (69) 188 B6
Lozay (17) 177 K4
Loze (82) 250 D3
Lozinghem (62) 5 J5
Lozon (50) 31 F3
Lozzi (2B) 318 D5
Luant (36) 165 H1
le Luart (72) 107 H2
Lubbon (40) 246 E5
Lubécourt (57) 66 D3
Lubersac (19) 199 G6
Lubey (54) 44 C4
Lubilhac (43) 219 F3
Lubine (88) 96 A1
Lublé (37) 126 E3
Lubret-Saint-Luc (65) 285 K4
Luby-Betmont (65) 285 K4
Luc (12) 252 B3
Luc (48) 238 C4
Luc (65) 285 J6
le Luc (83) 298 C2
Luc-Armau (64) 285 G3
Luc-en-Diois (26) 241 J4
Luc-sur-Aude (11) 309 F3
Luc-sur-Mer (14) 32 E3
Luc-sur-Orbieu (11) 291 F6
Lucarré (64) 285 F3
Luçay-le-Libre (36) 148 B3
Luçay-le-Mâle (36) 147 H2
Lucbardez-et-Bargues (40) 265 H1
Lucciana (2B) 319 H3
Lucé (28) 85 G3
Lucé (61) 81 G1
Lucé-sous-Ballon (72) 82 E6
Luceau (72) 107 F6
Lucelle (68) 97 B6
Lucenay (69) 188 B6
Lucenay-le-Duc (21) 135 F2
Lucenay-lès-Aix (58) 169 F2
Lucenay-l'Évêque (71) 152 E3
Lucéram (06) 281 H1
la Lucerne-d'Outremer (50) 51 J1
Lucey (21) 115 J4
Lucey (54) 65 H4
Lucey (73) 208 A2
Lucgarier (64) 284 E5
Luchapt (86) 180 C3

Luchat (17) 195 F2
Luché-Pringé (72) 106 C6
Luché-sur-Brioux (79). 178 D3
Luché-Thouarsais (79) 144 A5
Lucheux (80) 10 B4
Luchy (60) 17 K6
Lucinges (74). 191 H2
Lucmau (33). 246 C2
Luçon (85) 160 A4
Lucq-de-Béarn (64) 283 K4
Lucquy (08) 22 B6
les Lucs-sur-Boulogne (85). 141 J5
Lucy (57) 66 D1
Lucy (76) 16 D3
Lucy-le-Bocage (02). 60 D1
Lucy-le-Bois (89) 133 K2
Lucy-sur-Cure (89). 133 H2
Lucy-sur-Yonne (89). 133 G3
le Lude (72) 126 D1
Ludes (51) 41 F5
Ludesse (63) 202 D4
Ludiès (09). 307 K1
Ludon-Médoc (33) 211 G6
Ludres (54) 66 A6
Lüe (40). 245 F4
Lué-en-Baugeois (49). 125 K3
Luemschwiller (68). 97 B3
Lugagnac (46) 250 D2
Lugagnan (65) 304 B1
Lugaignac (33). 230 B2
Lugan (12). 251 J1
Lugan (81). 269 K5
Lugarde (15) 218 B2
Lugasson (33) 230 B3
Luglon (40) 245 H5
Lugny (02) 20 E3
Lugny (71) 171 J4
Lugny-Bourbonnais (18). 149 K5
Lugny-Champagne (18) 150 A1
Lugny-lès-Charolles (71) 170 D5
Lugo-di-Nazza (2B) 321 H3
Lugon-et-l'Île-du-Carnay (33) 211 K6
Lugos (33) 228 D6
Lugrin (74) 175 H5
Lugy (62) 5 F5
le Luhier (25) 157 H1
Luigné (49) 125 H6
Luigny (28). 84 C5
Luisant (28) 85 G3
Luisetaines (77) 88 C3
Luitré (35) 80 B4
Lullin (74). 175 F6
Lully (74) 174 E6
Lumbin (38) 224 C1
Lumbres (62) 5 F3
Lumeau (28) 109 K1
Lumes (08) 22 D4
Lumigny-Nesles-Ormeaux (77). 60 A5
Lumio (2B). 318 B3
Lunac (12) 251 G4
Lunan (46). 234 E5
Lunas (24) 231 H1
Lunas (34) 272 E5
Lunax (31) 286 D4
Lunay (41) 108 A5
Luneau (03) 170 A6
Lunegarde (46) 234 A4
Lunel (34) 274 E5
Lunel-Viel (34) 274 E5
Luneray (76) 15 J3
Lunery (18) 149 F5
Lunéville (54). 66 D6
le Luot (50) 52 A4
Lupcourt (54) 66 B6
Lupé (42) 222 A1
Lupersat (23) 183 H5
Lupiac (32). 266 D5
Luplanté (28) 85 F5
Luppé-Violles (32) 266 A4
Luppy (57) 66 C1
Lupsault (16) 178 E5
Lupstein (67) 70 C1
Luquet (65) 285 F4
Lurais (36) 164 B2
Luray (28) 57 F5
Lurbe-Saint-Christau (64). 284 A6
Lurcy (01) 188 C4
Lurcy-le-Bourg (58) 151 G2
Lurcy-Lévis (03) 168 A1
Luré (42) 186 D6
Lure (70) 118 E6
Lureuil (36) 164 C1
Luri (2B). 317 D2
Luriecq (42) 204 D6
Lurs (04) 278 C1
Lury-sur-Arnon (18) 148 D2
Lus-la-Croix-Haute (26) 242 A4
Lusanger (44) 103 G4
Luscan (31) 305 J2
Lusignac (24). 213 G2
Lusignan (86). 162 D5
Lusignan-Petit (47) 248 A3
Lusigny (03). 169 G3
Lusigny-sur-Barse (10). 90 C5
Lusigny-sur-Ouche (21) 153 J2
Lussac (16) 197 H1
Lussac (17) 195 H5
Lussac (33) 212 C6
Lussac-les-Châteaux (86). 163 J5
Lussac-les-Églises (87) 164 D6
Lussagnet (40). 265 K4
Lussagnet-Lusson (64). 284 E2
Lussan (30) 255 K5
Lussan (32) 267 K6
Lussan-Adeilhac (31) 287 G4
Lussant (17). 177 G5
Lussas (07) 239 J5
Lussas-et-Nontronneau (24). 197 J5
Lussat (23). 183 H3
Lussat (63). 202 E1
Lussault-sur-Loire (37) 128 A4
Lusse (88) 95 K4
Lusseray (79). 178 D3
Lustar (65). 286 A5
Luthenay-Uxeloup (58) 151 F6
Lutilhous (65). 286 A6
Luttange (57) 45 G3
Luttenbach-près-Munster (68) 119 K1
Lutter (68) 97 C6
Lutterbach (68). 97 B2
Lutz-en-Dunois (28) 109 F2
Lutzelbourg (57). 70 A1
Lutzelhouse (67) 70 B4
Luvigny (88). 95 J1
Lux (21) 136 C3
Lux (31) 289 F3
Lux (71) 171 K1
Luxé (16) 179 F6
Luxe-Sumberraute (64). 283 F3
Luxémont-et-Villotte (51) 63 F5
Luxeuil-les-Bains (70). 118 D4
Luxey (40) 245 K3
Luxiol (25) 138 D4
Luyères (10). 90 C3
Luynes (37) 127 H5
Luz-Saint-Sauveur (65) 304 B4
Luzancy (77) 60 C2
Luzarches (95). 38 A6
Luzay (79) 144 B4
Luzé (37) 145 H3
Luze (70) 139 G1
Luzech (46) 249 J1
Luzenac (09) 308 A5
Luzeret (36) 165 F4
la Luzerne (50). 31 H3
Luzillat (63) 185 J5
Luzillé (37) 128 C6
Luzinay (38) 206 C4
Luzoir (02) 21 G1
Luzy (58) 152 C6
Luzy-Saint-Martin (55) 23 H6
Luzy-sur-Marne (52). 116 B2
Ly-Fontaine (02). 20 A4
Lyas (07) 239 K3
Lyaud (74) 175 F5
Lye (36) 147 H1
Lynde (59) 5 H3
Lyoffans (70) 119 F6
Lyon (69) 206 A2
Lyons-la-Forêt (27). 36 B2
Lys (58) 133 G5
Lys (64) 284 D6
Lys-lez-Lannoy (59) 7 F3
Lys-Saint-Georges (36) 165 K3

M

Maast-et-Violaine (02) 39 K4
Maâtz (52). 116 E6
Mably (42) 186 E4
Macau (33) 211 G5
Macaye (64). 282 D3
Macé (61) 54 D6
Macey (10). 89 K5
Macey (50). 51 J4
Machault (08). 41 K3
Machault (77). 87 J3
Maché (85) 141 G6
Machecoul (44) 141 F3
Mâchecourt (02). 21 F5
Machemont (60). 38 E1
Macheren (57) 68 B3
Machézal (42) 187 H6
Machiel (80). 9 G3
Machilly (74) 191 H1
la Machine (58) 151 G5
Machy (10). 114 A1
Machy (80). 9 F3
Mackenheim (67) 96 E2
Mackwiller (67). 68 E5
Maclas (42) 222 A1
Macogny (02). 39 H5
Mâcon (71) 188 C1
Maconcourt (88). 93 J3
Maconge (21). 153 H1
Macornay (39) 173 G2
Mâcot-la-Plagne (73) 209 J4
Macqueville (17). 196 A1
Macquigny (02) 20 C2
Madaillan (47) 248 B3
Madecourt (88) 94 A5
Madegney (88). 94 B4
la Madelaine-sous-Montreuil (62) . . 4 C6
la Madeleine (59). 6 E4
la Madeleine-Bouvet (61) 84 B2
la Madeleine-de-Nonancourt (27) . . 56 D4
la Madeleine-sur-Loing (77) 87 H6
la Madeleine-Villefrouin (41). 109 F5
Madic (15) 217 H1
Madière (09) 307 H1
Madirac (33). 229 J3
Madiran (65) 285 G1
Madonne-et-Lamerey (88) 94 B5
Madranges (19) 200 A6
Madré (53). 81 J2
Madriat (63). 202 E6
Maël-Carhaix (22) 75 K3
Maël-Pestivien (22) 76 B1
Maennolsheim (67) 70 C2
Maffliers (95). 37 K6
Maffrécourt (51). 42 C6
Magalas (34) 292 A2
la Magdelaine-sur-Tarn (31) 269 H4
la Magdeleine (16) 179 F4
le Mage (61) 83 K2
Magenta (51) 61 K1
les Mages (30) 255 H4
Magescq (40). 262 D3
Magland (74) 192 A4
Magnac-Bourg (87) 199 G4
Magnac-Laval (87) 181 G2
Magnac-Lavalette-Villars (16). 197 F5
Magnac-sur-Touvre (16) 196 E3
Magnan (32) 266 A4
Magnant (10) 90 E6
Magnanville (78). 57 J2
Magnas (32). 267 K2
Magnat-l'Étrange (23). 201 F2
Magné (79) 161 G6
Magné (86) 163 F6
Magnet (03) 185 K2
Magneux (51). 40 C3
Magneux (52). 91 K2
Magneux-Haute-Rive (42) 204 E3
Magneville (50) 28 D5
Magnicourt (10) 90 D3
Magnicourt-en-Comte (62) 10 C1
Magnicourt-sur-Canche (62). 10 B2
Magnien (21) 153 G2
Magnières (54). 94 E2
Magnieu (01) 207 K1
les Magnils-Reigniers (85) 159 K4
Magnivray (70). 118 E5
Magnoncourt (70). 118 C3
le Magnoray (70) 138 A2
Magny (28). 84 E4
le Magny (36). 166 B3
Magny (68). 139 K1
les Magny (70). 138 E2
le Magny (88). 118 B2
Magny (89). 134 A3
Magny-Châtelard (25). 138 D6
Magny-Cours (58) 150 E5
Magny-Danigon (70). 119 F6
Magny-en-Bessin (14) 32 B3
Magny-en-Vexin (95) 36 E5
Magny-Fouchard (10). 91 F5
Magny-Jobert (70) 119 F6
Magny-la-Campagne (14). 54 B1
Magny-la-Fosse (02) 19 K1
Magny-la-Ville (21) 134 E3
Magny-Lambert (21). 135 F1
Magny-le-Désert (61) 81 K1
Magny-le-Freule (14) 33 G6
Magny-le-Hongre (77) 59 J3
Magny-lès-Aubigny (21) 154 D2
Magny-les-Hameaux (78). 58 B5
Magny-lès-Jussey (70). 117 K4
Magny-lès-Villers (21). 154 A2
Magny-Lormes (58) 133 J6
Magny-Montarlot (21). 136 D6
Magny-Saint-Médard (21). 136 C4
Magny-sur-Tille (21). 136 B6
Magny-Vernois (70) 118 E6
Magoar (22). 76 C1
Magrie (11) 308 E2
Magrin (81) 270 B6
Magstatt-le-Bas (68). 97 D4
Magstatt-le-Haut (68) 97 C4
Mahalon (29) 73 D3
Mahéru (61). 55 G6
Maîche (25) 139 H5
Maidières (54) 65 J2
Maignaut-Tauzia (32) 267 G2
Maigné (72) 106 B3
Maignelay-Montigny (60) 18 D6
Mailhac (11). 291 G4
Mailhac-sur-Benaize (87) 181 H1
Mailhoc (81). 270 D1
Mailholas (31) 287 K5
Maillane (13) 276 B3
Maillas (40) 246 D4
Maillat (01). 189 K3
Maillé (37) 145 J3
Maillé (85) 160 E6
Maillé (86) 162 C2
Maillebois (28) 56 D6
la Mailleraye-sur-Seine (76) 34 E1
Maillères (40). 246 A6
Mailleroncourt-Charette (70). 118 C5
Mailleroncourt-Saint-Pancras (70). . 118 A3
Maillet (03). 167 H5
Maillet (36). 165 J3
Mailley-et-Chazelot (70) 138 A2
Maillezais (85) 160 E5
Maillot (89). 88 D6
Mailly (71) 187 F2
Mailly-Champagne (51) 41 F5
Mailly-la-Ville (89). 133 H2
Mailly-le-Camp (10) 62 C6
Mailly-le-Château (89) 133 G2
Mailly-Maillet (80). 10 D5
Mailly-Raineval (80) 18 C4
Mailly-sur-Seille (54). 66 B2
les Maillys (21). 155 F2
Maimbeville (60). 38 B2
Maincy (77) 87 H2
Maine-de-Boixe (16). 196 E1
Mainfonds (16). 196 C5
Maing (59) 12 C2
Mainneville (27) 36 D3
Mainsat (23). 183 J4
Maintenay (62). 9 G2
Maintenon (28). 85 H1
Mainvillers (57). 45 J6
Mainvilliers (28) 85 G3
Mainvilliers (45) 86 D5
Mainxe (16) 196 A3
Mainzac (16) 197 H5
Mairé (86) 146 A5
Mairé-Levescault (79). 179 F3
Mairieux (59) 13 H2
Mairy (08) 23 G5
Mairy-Mainville (54) 44 C3
Mairy-sur-Marne (51) 62 D3
Maisdon-sur-Sèvre (44) 141 K2
Maisey-le-Duc (21). 115 G4
Maisnières (80) 8 E6
le Maisnil (59) 6 C4
Maisnil (62) 10 B2
Maisnil-lès-Ruitz (62) 5 K6
Maisod (39) 173 H4
Maison-des-Champs (10). 91 F5
la Maison-Dieu (58) 133 G4
Maison-Feyne (23). 165 J6
Maison-Maugis (61) 83 J3
Maison-Ponthieu (80) 9 J4
Maison-Roland (80) 9 H5
Maison-Rouge (77) 88 C1
Maisoncelle (62). 5 F6
Maisoncelle-et-Villers (08) 23 F5
Maisoncelle-Saint-Pierre (60) 37 H1
Maisoncelle-Tuilerie (60). 18 A6
Maisoncelles (52). 92 E6
Maisoncelles (72). 107 H3
Maisoncelles-du-Maine (53) 105 F3
Maisoncelles-en-Brie (77). 60 A3
Maisoncelles-en-Gâtinais (77) 87 H6
Maisoncelles-la-Jourdan (14) 52 E4
Maisoncelles-Pelvey (14) 32 B6
Maisoncelles-sur-Ajon (14). 32 C6
Maisonnais (18) 166 D3
Maisonnais-sur-Tardoire (87) 197 K3
Maisonnay (79) 178 E2
Maisonneuve (86) 162 C1
Maisonnisses (23) 182 D4
Maisons (11) 309 K3
Maisons (14) 32 A3
Maisons (28) 85 K3
Maisons-Alfort (94). 59 F4
Maisons-du-Bois-Lièvremont (25) . . 157 F3
Maisons-en-Champagne (51) 62 E4
Maisons-Laffitte (78). 58 C2
Maisons-lès-Chaource (10) 114 B2
Maisons-lès-Soulaines (10) 91 H4
Maisonsgoutte (67) 70 B6
Maisontiers (79) 144 A6
Maisse (91) 86 E3
Maissemy (02) 19 J2
Maixe (54) 66 D5
Maizeray (55) 44 A5
Maizeroy (57) 45 H5
Maizery (57). 45 G5
Maizet (14). 32 D6
Maizey (55) 64 E2
Maizicourt (80). 9 J4
Maizières (14) 54 B1
Maizières (52) 92 A2
Maizières (54) 65 K6
Maizières (62) 10 B2
Maizières (70) 137 K3
Maizières-la-Grande-
-Paroisse (10). 89 J2
Maizières-lès-Brienne (10) 91 F3
Maizières-lès-Metz (57) 45 F4
Maizières-lès-Vic (57). 67 G4
Maizières-sur-Amance (52) 117 F4
Maizilly (42) 187 G2
Maizy (02) 40 C2
Majastres (04) 279 G2
Malabat (32). 285 J2
la Malachère (70). 138 A3
Malafretaz (01). 172 C6
Mâlain (21). 135 J5
Malaincourt (88) 93 G5
Malaincourt-sur-Meuse (52) 93 F6
Malakoff (92) 58 E4
Malancourt (55) 43 F4
Malandry (08). 23 H5
Malange (39) 155 H1
Malans (25) 156 B2
Malans (70) 137 F6
Malansac (56) 102 A3
Malarce-sur-la-Thines (07) 255 G1
Malataverne (26) 240 B6
Malaucène (84) 257 H4
Malaucourt-sur-Seille (57) 66 C3
Malaunay (76) 15 K6
Malause (82) 249 F6
Malaussanne (64) 284 C1
Malaussène (06) 281 F1
Malauzat (63). 202 D1
Malaville (16) 196 B4
Malavillers (54). 26 E4
Malay (71) 171 H3
Malay-le-Grand (89) 88 E6
Malay-le-Petit (89) 88 E6
Malbo (15) 218 A6
Malbosc (07) 255 G3
Malbouhans (70) 119 F5
Malbouzon (48) 236 E4
Malbrans (25). 156 C2
Malbuisson (25) 156 E5
Mâle (61). 83 K5
Malegoude (09) 308 C1
Malemort-du-Comtat (84) 257 H6
Malemort-sur-Corrèze (19). 215 J4
la Malène (48) 253 J3
Malesherbes (45). 87 F5
Malestroit (56) 101 K3
Malétable (61) 83 J1
Maleville (12) 251 G2
Malguénac (56) 76 D5
la Malhoure (22). 77 J2
Malicornay (36) 165 H3
Malicorne (03) 184 C1
Malicorne (89) 112 B5
Malicorne-sur-Sarthe (72). 106 B5
Maligny (21). 153 H2
Maligny (89). 113 H4
Malijai (04). 259 G6
Malincourt (59). 12 B6
Malintrat (63) 202 E1
Malissard (26) 240 D1
Mallefougasse-Augès (04) 259 F5
Malleloy (54) 66 A3
Mallemoisson (04) 259 H6
Mallemort (13) 277 F4
Malléon (09). 307 K2
Malleret (23). 201 F2
Malleret-Boussac (23) 166 C6
Mallerey (39) 173 F2
Malleval (38) 223 H4
Malleval (42) 222 A1
Malleville-les-Grès (76). 15 F2
Malleville-sur-le-Bec (27) 34 E4
Mallièvre (85). 142 E4
Malling (57) 27 H3
Malloué (14). 31 J5
la Malmaison (02) 40 E1
Malmerspach (68) 119 K3
Malmy (51). 42 C5
Malons-et-Elze (30) 255 G2
Malouy (27) 34 C6
Malpart (80). 18 C4
Malpas (25) 156 E5
Malras (11) 308 E2
Malrevers (43) 220 D5
Malroy (57). 45 F4
Maltat (71) 169 K2
Maltot (14) 32 D5
Malval (23). 166 A6
Malvalette (43). 220 E1
Malves-en-Minervois (11) 290 C5
Malvezie (31) 305 J2
Malvières (43) 220 A2
Malviès (11). 308 E1
Malville (44) 122 D2
Malvillers (70) 117 H5
Malzéville (54) 66 A4
le Malzieu-Forain (48). 237 H2
le Malzieu-Ville (48) 237 G2
Malzy (02) 20 E2
Mamers (72) 83 F4
Mametz (62). 5 H4
Mametz (80). 10 E6
Mamey (54) 65 J2
Mamirolle (25) 138 B6
Manas (26) 240 D5
Manas-Bastanous (32). 286 A3
Manaurie (24) 214 D6
Mance (54) 44 C3
la Mancelière (28) 56 B6
la Mancellière-sur-Vire (50) 31 H4
Mancenans (25). 138 E3
Mancenans-Lizerne (25). 139 H5
Mancey (71). 171 K3
Manchecourt (45). 86 E5
Manciet (32). 266 C4
Mancieulles (54). 44 C3
Mancioux (31) 287 G6
Mancy (51). 61 K2
Mandagout (30) 273 K1
Mandailles-Saint-Julien (15) 217 K5
Mandelieu-la-Napoule (06) 280 D6
Manderen (57) 27 K3
Mandeure (25) 139 H3
Mandeville (27) 35 H4
Mandeville-en-Bessin (14) 31 K1
Mandray (88) 95 J5
Mandres (27) 56 A5
Mandres-aux-Quatre-Tours (54) . . . 65 G3
Mandres-en-Barrois (55) 92 D2
Mandres-la-Côte (52). 116 D1
Mandres-les-Roses (94). 59 G5
Mandres-sur-Vair (88). 93 J5
Mandrevillars (70) 139 G1
Manduel (30) 275 H3
Mane (04) 278 B1
Mane (31) 306 B1
Manéglise (76). 14 C6
Manéhouville (76). 15 K2
Manent-Montané (32). 286 D4
Manerbe (14) 33 K5
Mangiennes (55) 43 J2
Manglieu (63). 203 F4
Mangonville (54). 94 B2
Manhac (12). 252 A4
Manheulles (55) 43 K5
Manhoué (57) 66 C3
Manicamp (02). 19 J6
Manigod (74) 191 H6
Manin (62) 10 C2
Maninghem (62). 4 D5
Maninghen-Henne (62). 2 B5
Maniquerville (76) 14 C4
Manlay (21) 153 F2
Manneville-ès-Plains (76) 15 G2
Manneville-la-Goupil (76) 14 C5
Manneville-la-Pipard (14) 33 K4
Manneville-la-Raoult (27) 34 A2
Manneville-sur-Risle (27) 34 C3
Mannevillette (76). 14 B5
Mano (40) 245 J1
le Manoir (14). 32 C3
le Manoir (27). 35 J3
Manois (52) 92 D4

Manom (57) 27 G4
Manoncourt-en-Vermois (54) 66 B6
Manoncourt-en-Woëvre (54) 65 J4
Manonville (54) 65 H3
Manonviller (54) 67 F6
Manosque (04) 278 B3
Manot (16) 180 B5
Manou (28) 84 B2
Manre (08) 42 B4
le Mans (72) 106 E2
Mansac (19) 215 G4
Mansan (65) 285 J4
Mansat-la-Courrière (23) 182 C5
Mansempuy (32) 268 A4
Mansencôme (32) 267 F3
Manses (09) 308 A1
Mansigné (72) 106 D6
Mansle (16) 179 G6
Manso (2B) 318 B5
Mansonville (82) 268 A1
Manspach (68) 97 A4
Mant (40) 265 G6
Mantallot (22) 48 B3
Mantenay-Montlin (01) 172 B5
Mantes-la-Jolie (78) 57 J2
Mantes-la-Ville (78) 57 J2
Mantet (66) 314 A5
Manteyer (05) 242 D5
Manthelan (37) 146 B2
Manthelon (27) 56 C3
Manthes (26) 222 D2
Mantilly (61) 80 E1
Mantoche (70) 137 F4
Mantry (39) 155 H6
Manvieux (14) 32 B3
Many (57) 66 D1
Manzac-sur-Vern (24) 213 J5
Manzat (63) 184 D5
Manziat (01) 172 A6
Marac (52) 116 B3
Marainville-sur-Madon (88) 94 A3
Marainviller (54) 66 E6
le Marais-la-Chapelle (14) 54 C3
Marais-Vernier (27) 34 C2
Marambat (32) 267 F4
Marandeuil (21) 136 D5
Marange-Silvange (57) 44 E4
Marange-Zondrange (57) 45 J5
Marans (17) 160 C6
Marans (49) 124 D1
Maransin (33) 212 A5
Marant (62) 4 C6
Maranville (52) 115 J1
Maranwez (08) 21 K4
Marast (70) 138 D2
Marat (63) 203 K3
Maraussan (34) 291 K4
Maravat (32) 267 K4
Maray (41) 148 B1
Maraye-en-Othe (10) 89 J6
Marbache (54) 65 K3
Marbaix (59) 13 G4
Marbeuf (27) 35 G5
Marbéville (52) 91 K5
Marboué (28) 108 E1
Marboz (01) 172 D6
Marby (08) 22 A2
Marc-la-Tour (19) 216 B3
Marçais (18) 167 F2
Marçay (37) 145 F6
Marçay (86) 162 E5
Marcé (49) 125 J2
Marcé-sur-Esves (37) 145 K3
Marcei (61) 54 C6
Marcelcave (80) 18 D2
Marcellaz (74) 191 H2
Marcellaz-Albanais (74) 190 E6
Marcellois (21) 135 G5
Marcellus (47) 247 G1
Marcenais (33) 211 K5
Marcenat (03) 185 J2
Marcenat (15) 218 B2
Marcenay (21) 114 E4
Marcenod (42) 205 H4
Marcey-les-Grèves (50) 51 K3
Marchainville (61) 84 A1
Marchais (02) 20 E6
Marchais-Beton (89) 112 B5
Marchais-en-Brie (02) 61 F3
Marchamp (01) 207 H1
Marchampt (69) 187 K3
Marchastel (15) 218 A2
Marchastel (48) 236 E5
Marchaux (25) 138 B5
la Marche (58) 150 C2
Marché-Allouarde (80) 19 G4
Marchélepot (80) 19 G3
Marchemaisons (61) 83 F2
Marchémoret (77) 59 J1
Marchenoir (41) 109 F5
Marcheprime (33) 228 E4
Marches (26) 222 E6
les Marches (73) 208 C5
Marcheseuil (21) 153 F2
Marchésieux (50) 31 F2
Marchéville (28) 84 E4
Marchéville-en-Woëvre (55) 44 A6
Marchezais (28) 57 G4
Marchiennes (59) 12 B1
Marciac (32) 285 J1
Marcieu (38) 242 A1
Marcieux (73) 208 A3
Marcigny (71) 186 E1
Marcigny-sous-Thil (21) 134 E4
Marcilhac-sur-Célé (46) 234 B6
Marcillac (33) 211 H2
Marcillac-la-Croisille (19) 216 D3
Marcillac-la-Croze (19) 216 A5
Marcillac-Lanville (16) 196 C1
Marcillac-Saint-Quentin (24) 233 F1
Marcillac-Vallon (12) 252 A1
Marcillat (63) 184 E4
Marcillat-en-Combraille (03) 184 A3
Marcillé-la-Ville (53) 81 H4
Marcillé-Raoul (35) 79 H1
Marcillé-Robert (35) 79 K6
Marcilloles (38) 223 F1
Marcilly (50) 52 A5
Marcilly (77) 59 K1
Marcilly-d'Azergues (69) 188 B6
Marcilly-en-Bassigny (52) 116 E3
Marcilly-en-Beauce (41) 108 B6
Marcilly-en-Gault (41) 129 K4
Marcilly-en-Villette (45) 110 B6
Marcilly-et-Dracy (21) 135 F4
Marcilly-la-Campagne (27) 56 D4
Marcilly-la-Gueurce (71) 170 E5
Marcilly-le-Châtel (42) 204 C3
Marcilly-le-Hayer (10) 89 G4
Marcilly-lès-Buxy (71) 171 G1
Marcilly-Ogny (21) 134 E6
Marcilly-sur-Eure (27) 57 F4
Marcilly-sur-Maulne (37) 126 E2
Marcilly-sur-Seine (51) 89 H1
Marcilly-sur-Tille (21) 136 B3
Marcilly-sur-Vienne (37) 145 J3
Marck (62) 2 D2
Marckolsheim (67) 96 D3
Marclopt (42) 204 E3
Marcoing (59) 11 J5
Marcolès (15) 235 G3
Marcollin (38) 222 E2
Marcols-les-Eaux (07) 239 H2
Marçon (72) 107 G6
Marconne (62) 9 J2
Marconnelle (62) 9 H2
Marcorignan (11) 291 H5
Marcoussis (91) 58 D6
Marcoux (04) 259 K5
Marcoux (42) 204 C3
Marcq (08) 42 D3
Marcq (78) 57 K3
Marcq-en-Barœul (59) 6 E3
Marcq-en-Ostrevent (59) 11 K3
Marcy (02) 20 B2
Marcy (58) 132 E5
Marcy (69) 188 B6
Marcy-l'Étoile (69) 205 K2
Marcy-sous-Marle (02) 20 E4
Mardeuil (51) 61 K1
Mardié (45) 110 B4
Mardilly (61) 55 F3
Mardor (52) 116 B4
Mardore (69) 187 H4
Mareau-aux-Bois (45) 110 D1
Mareau-aux-Prés (45) 109 K5
Mareil-en-Champagne (72) 106 A3
Mareil-en-France (95) 59 F1
Mareil-le-Guyon (78) 57 K4
Mareil-Marly (78) 58 C3
Mareil-sur-Loir (72) 106 C6
Mareil-sur-Mauldre (78) 58 A3
Mareilles (52) 92 C6
Marenla (62) 4 D6
Marennes (17) 194 B1
Marennes (69) 206 B4
Maresché (72) 82 D5
Maresches (59) 12 D2
Maresquel-Ecquemicourt (62) 9 H1
Marest (62) 5 H6
Marest-Dampcourt (02) 19 J5
Marest-sur-Matz (60) 38 D1
Marestaing (32) 287 H1
Marestmontiers (80) 18 D4
Maresville (62) 4 B5
les Marêts (77) 60 D6
Maretz (59) 12 C6
Mareugheol (63) 202 E6
Mareuil (16) 196 B2
Mareuil (24) 197 G6
Mareuil-Caubert (80) 9 G5
Mareuil-en-Brie (51) 61 H2
Mareuil-en-Dôle (02) 40 A4
Mareuil-la-Motte (60) 19 F6
Mareuil-le-Port (51) 40 C6
Mareuil-lès-Meaux (77) 59 K2
Mareuil-sur-Arnon (18) 148 E5
Mareuil-sur-Ay (51) 62 A1
Mareuil-sur-Cher (41) 128 E6
Mareuil-sur-Lay-Dissais (85) 159 K3
Mareuil-sur-Ourcq (60) 39 G6
Marey (88) 117 J1
Marey-lès-Fussey (21) 154 A2
Marey-sur-Tille (21) 136 A2
Marfaux (51) 40 D5
Marfontaine (02) 20 E3
Margaux (33) 211 G5
Margencel (74) 174 E5
Margency (95) 58 E2
Margerides (19) 201 G6
Margerie-Chantagret (42) 204 D5
Margerie-Hancourt (51) 91 F1
Margès (26) 222 D4
Margival (02) 39 K2
le Margnès (81) 271 J6
Margny (08) 23 J5
Margny (51) 61 G2
Margny-aux-Cerises (60) 19 G5
Margny-lès-Compiègne (60) 38 D2
Margny-sur-Matz (60) 38 D1
Margon (28) 84 A4
Margon (34) 292 B2
Margouët-Meymes (32) 266 D4
Margueray (50) 52 B2
Marguerittes (30) 275 H3
Margueron (33) 231 F3
Marguestau (32) 266 B2
Margut (08) 23 J5
Mariac (07) 239 H1
Maricourt (80) 19 F1
Marie (06) 261 J5
Marieulles (57) 65 K1
Marieux (80) 10 B5
Marigna-sur-Valouse (39) 173 G4
Marignac (17) 195 H5
Marignac (31) 305 J3
Marignac (82) 268 B3
Marignac-en-Diois (26) 241 G2
Marignac-Lasclares (31) 287 J4
Marignac-Laspeyres (31) 287 G5
Marignana (2A) 320 B1
Marignane (13) 296 A2
Marigné (49) 105 G6
Marigné-Laillé (72) 107 F5
Marigné-Peuton (53) 104 E4
Marignier (74) 191 J3
Marignieu (01) 207 K1
Marigny (03) 168 D3
Marigny (39) 173 J1
Marigny (50) 31 G3
Marigny (51) 61 J6
Marigny (71) 171 F2
Marigny (79) 178 A2
Marigny-Brizay (86) 163 F1
Marigny-Chemereau (86) 162 D5
Marigny-en-Orxois (02) 60 C1
Marigny-le-Cahouët (21) 134 E3
Marigny-le-Châtel (10) 89 H3
Marigny-l'Église (58) 133 K5
Marigny-lès-Reullée (21) 154 B3
Marigny-les-Usages (45) 110 B3
Marigny-Marmande (37) 145 J4
Marigny-Saint-Marcel (74) 190 E6
Marigny-sur-Yonne (58) 133 H6
Marillac-le-Franc (16) 197 G2
le Marillais (49) 124 B4
Marillet (85) 161 F3
Marimbault (33) 246 C1
Marimont-lès-Bénestroff (57) 67 G2
Marin (74) 175 F5
Marines (95) 37 G5
Maringes (42) 205 F3
Maringues (63) 185 H6
Mariol (03) 185 K5
Marions (33) 246 E2
Marizy (71) 171 F3
Marizy-Saint-Mard (02) 39 H5
Marizy-Sainte-Geneviève (02) 39 H5
Marle (02) 20 E4
Marlemont (08) 22 A3
Marlenheim (67) 70 D3
Marlens (74) 209 F1
Marlers (80) 17 G3
Marles-en-Brie (77) 59 K5
Marles-les-Mines (62) 5 J6
Marles-sur-Canche (62) 4 C6
Marlhes (42) 221 H2
Marliac (31) 288 C5
Marliens (21) 154 D1
Marlieux (01) 188 E4
Marlioz (74) 190 E4
Marly (57) 45 F6
Marly (59) 12 D2
Marly-Gomont (02) 20 E2
Marly-la-Ville (95) 38 B6
Marly-le-Roi (78) 58 C3
Marly-sous-Issy (71) 170 A1
Marly-sur-Arroux (71) 170 C3
Marmagne (18) 149 F3
Marmagne (21) 134 D1
Marmagne (71) 153 F6
Marmande (47) 230 E6
Marmanhac (15) 217 H6
Marmeaux (89) 134 B2
Marminiac (46) 233 F4
Marmont-Pachas (47) 248 B6
Marmouillé (61) 54 E5
Marmoutier (67) 70 B2
Marnac (24) 232 D2
Marnand (69) 187 H4
Marnans (38) 223 F2
Marnaves (81) 250 E6
Marnay (70) 137 H5
Marnay (71) 172 A1
Marnay (86) 163 F5
Marnay-sur-Marne (52) 116 C2
Marnay-sur-Seine (10) 89 F2
Marnaz (74) 191 K3
la Marne (44) 141 G3
Marnes (79) 144 D5
Marnes-la-Coquette (92) 58 C4
Marnézia (39) 173 H3
Marnhagues-et-Latour (12) 272 D3
Marnoz (39) 156 A4
Marœuil (62) 10 E2
Maroilles (59) 13 F4
la Marolle-en-Sologne (41) 129 J2
Marolles (14) 34 B5
Marolles (41) 128 E1
Marolles (51) 63 F5
Marolles (60) 39 G5
Marolles-en-Beauce (91) 86 D4
Marolles-en-Brie (77) 60 C4
Marolles-en-Brie (94) 59 G5
Marolles-en-Hurepoix (91) 86 E1
Marolles-lès-Bailly (10) 90 D6
Marolles-les-Braults (72) 83 F5
Marolles-les-Buis (28) 84 B4
Marolles-lès-Saint-Calais (72) 107 K4
Marolles-sous-Lignières (10) 113 K3
Marolles-sur-Seine (77) 88 B4
Marollette (72) 83 F4
Marols (42) 204 C6
Maromme (76) 35 H1
Mâron (36) 148 B6
Maron (54) 65 K5
Maroncourt (88) 94 A5
Marpaps (40) 264 E6
Marpent (59) 13 J2
Marpiré (35) 79 K4
Marquaix (80) 19 H1
Marquay (24) 232 E1
Marquay (62) 10 B1
Marquefave (31) 287 K4
Marquéglise (60) 38 D1
Marquein (11) 288 E4
Marquerie (65) 285 J5
Marques (76) 17 F3
Marquette-en-Ostrevant (59) 12 B3
Marquette-lez-Lille (59) 6 D3
Marquigny (08) 22 D6
Marquillies (59) 6 C5
Marquion (62) 11 H4
Marquise (62) 2 B4
Marquivillers (80) 18 E5
Marquixanes (66) 314 C3
Marray (37) 127 J2
la Marre (39) 173 H1
Marre (55) 43 G4
Mars (07) 221 G5
les Mars (23) 183 K5
Mars (30) 273 J1
Mars (42) 187 G3
Mars-la-Tour (54) 44 C5
Mars-sous-Bourcq (08) 42 A2
Mars-sur-Allier (58) 150 D6
Marsa (11) 308 E5
Marsac (16) 196 D2
Marsac (23) 182 A4
Marsac (65) 285 H4
Marsac (82) 268 A2
Marsac-en-Livradois (63) 203 K6
Marsac-sur-Don (44) 103 F5
Marsac-sur-l'Isle (24) 213 K3
Marsainvilliers (45) 86 D6
Marsais (17) 177 J3
Marsais-Sainte-Radégonde (85) 160 D3
Marsal (57) 66 E3
Marsal (81) 271 F2
Marsalès (24) 232 C4
Marsan (32) 267 K5
Marsaneix (24) 214 B5
Marsangis (51) 89 J1
Marsangy (89) 112 D1
Marsannay-la-Côte (21) 136 A6
Marsannay-le-Bois (21) 136 B4
Marsanne (26) 240 C4
Marsas (33) 211 K5
Marsas (65) 304 E2
Marsat (63) 202 D1
Marsaz (26) 222 C4
Marseillan (32) 286 A2
Marseillan (34) 292 D4
Marseillan (65) 285 J4
Marseille (13) 296 C4
Marseille-en-Beauvaisis (60) 17 H6
Marseilles-lès-Aubigny (18) 150 C3
Marseillette (11) 290 D6
Marsillargues (34) 275 F5
Marsilly (17) 176 D1
Marsilly (57) 45 G5
Marsolan (32) 267 H2
Marson (51) 62 E2
Marson-sur-Barboure (55) 64 D6
Marsonnas (01) 172 B6
Marsoulas (31) 306 C1
Marssac-sur-Tarn (81) 270 C2
Martagny (27) 36 D2
Martailly-lès-Brancion (71) 171 J4
Martainneville (80) 9 F6
Martainville (14) 53 K2
Martainville (27) 34 B3
Martainville-Épreville (76) 35 K1
Martaizé (86) 144 D5
Martel (46) 233 K1
Marthemont (54) 93 K1
Marthille (57) 66 D2
Marthod (73) 209 G2
Marthon (16) 197 G4
Martiel (12) 250 E2
Martigna (39) 173 H5
Martignargues (30) 255 H6
Martignas-sur-Jalle (33) 229 F2
Martignat (01) 190 A2
Martigné-Briand (49) 125 H6
Martigné-Ferchaud (35) 103 K2
Martigné-sur-Mayenne (53) 81 F5
Martigny (02) 21 H2
Martigny (50) 52 C6
Martigny (76) 16 A2
Martigny-Courpierre (02) 40 B1
Martigny-le-Comte (71) 170 E4
Martigny-les-Bains (88) 117 H1
Martigny-les-Gerbonvaux (88) 93 H2
Martigny-sur-l'Ante (14) 53 K3
Martigues (13) 295 J5
Martillac (33) 229 H3
Martin-Église (76) 16 A2
Martincourt (54) 65 J3
Martincourt (60) 37 F1
Martincourt-sur-Meuse (55) 23 H6
le Martinet (30) 255 G4
Martinet (85) 159 F1
Martinpuich (62) 10 E6
Martinvast (50) 28 C3
Martinvelle (88) 117 K2
Martisserre (31) 287 F3
Martizay (36) 146 D6
Martot (27) 35 H4
Martragny (14) 32 C4
la Martre (83) 279 K3
Martres (33) 230 B3
les Martres-d'Artière (63) 203 F1
Martres-de-Rivière (31) 305 J1
les Martres-de-Veyre (63) 202 E3
Martres-sur-Morge (63) 185 G6
Martres-Tolosane (31) 287 H6
Martrin (12) 271 J2
Martrois (21) 135 F5
la Martyre (29) 46 D6
les Martys (11) 290 A3
Maruéjols-lès-Gardon (30) 274 E1
Marval (87) 198 A4
Marvaux-Vieux (08) 42 B3
Marvejols (48) 237 G6
Marvelise (25) 139 F2
Marville (55) 43 J1
Marville-Moutiers-Brûlé (28) 57 F6
Mary (71) 171 F3
Mary-sur-Marne (77) 60 B1
Marzan (56) 121 K2
Marzens (81) 270 B6
Marzy (58) 150 D4
le Mas (06) 280 C2
Mas-Blanc-des-Alpilles (13) 276 B4
Mas-Cabardès (11) 290 B3
le Mas-d'Agenais (47) 247 H2
le Mas-d'Artige (23) 200 E3
Mas-d'Auvignon (32) 267 H2
le Mas-d'Azil (09) 307 F1
Mas-de-Londres (34) 274 A4
le Mas-de-Tence (43) 221 G4
Mas-des-Cours (11) 309 G1
Mas-d'Orcières (48) 254 D1
Mas-Grenier (82) 268 E3
Mas-Saint-Chély (48) 253 K3
Mas-Saintes-Puelles (11) 289 G4
Masbaraud-Mérignat (23) 182 C5
Mascaraàs-Haron (64) 284 E1
Mascaras (32) 285 K1
Mascaras (65) 285 J5
Mascarville (31) 289 F1
Masclat (46) 233 H2
Masevaux (68) 119 J4
Maslacq (64) 283 K2
Masléon (87) 199 J2
Maslives (41) 129 G2
le Masnau-Massuguiès (81) 271 H4
Masnières (59) 11 J5
Masny (59) 11 J2
Masparraute (64) 283 F3
Maspie-Lalonquère-Juillacq (64) 285 F2
Masquières (47) 249 F2
Massabrac (31) 288 B5
Massac (11) 309 J3
Massac (17) 178 C6
Massac-Séran (81) 270 B6
Massaguel (81) 289 K2
Massais (79) 144 A3
Massals (81) 271 H3
Massanes (30) 274 E1
Massangis (89) 134 A2
Massat (09) 307 F4
Massay (18) 148 C2
le Massegros (48) 253 H3
Masseilles (33) 246 E2
Massels (47) 248 D3
Massérac (44) 102 D4
Masseret (19) 199 H5
Masseube (32) 286 C3
Massiac (15) 219 F3
Massieu (38) 207 J6
Massieux (01) 188 C6
Massiges (51) 42 C5
Massignac (16) 197 K2
Massignieu-de-Rives (01) 207 K2
Massillargues-Attuech (30) 274 D1
Massilly (71) 171 H4
Massingy (21) 115 F4
Massingy (74) 190 D6
Massingy-lès-Semur (21) 134 E3
Massingy-lès-Vitteaux (21) 135 G4
Massognes (86) 162 C1
Massoins (06) 281 F1
Massongy (74) 174 E6
Massoulès (47) 248 E3
Massugas (33) 230 D3
Massy (71) 171 G4
Massy (76) 16 C4
Massy (91) 58 D5
Mastaing (59) 12 B2
Matafelon-Granges (01) 189 K1
les Matelles (34) 274 B5
Matemale (66) 313 J3
Matha (17) 178 B6
Mathaux (10) 90 E4
Mathay (25) 139 H3
Mathenay (39) 155 J4
les Mathes (17) 194 B2
Mathieu (14) 32 E4
Mathons (52) 92 A3
Mathonville (76) 16 C5
Matignicourt-Goncourt (51) 63 G5
Matignon (22) 50 A3
Matigny (80) 19 H3
Matougues (51) 62 C1
Matour (71) 187 J1
Matra (2B) 319 H6
Matringhem (62) 5 F5
Mattaincourt (88) 94 A4

Mattexey (54) . . . 94 D2
Matton-et-Clémency (08) . . . 23 H4
Matzenheim (67) . . . 70 E5
Maubec (38) . . . 207 F4
Maubec (82) . . . 268 B4
Maubec (84) . . . 276 E3
Maubert-Fontaine (08) . . . 22 A2
Maubeuge (59) . . . 13 H3
Maubourguet (65) . . . 285 H2
Mauchamps (91) . . . 86 D2
Maucomble (76) . . . 16 C4
Maucor (64) . . . 284 D3
Maucourt (60) . . . 19 H5
Maucourt (80) . . . 19 F3
Maucourt-sur-Orne (55) . . . 43 J4
Maudétour-en-Vexin (95) . . . 36 E6
Mauguio (34) . . . 274 D6
Maulan (55) . . . 64 B5
Maulay (86) . . . 145 F4
Maulde (59) . . . 7 H6
Maule (78) . . . 57 K3
Mauléon (79) . . . 143 G4
Mauléon-Barousse (65) . . . 305 H3
Mauléon-d'Armagnac (32) . . . 266 A2
Mauléon-Licharre (64) . . . 283 H5
Maulers (60) . . . 17 K6
Maulette (78) . . . 57 H4
Maulévrier (49) . . . 143 G3
Maulévrier-Sainte-Gertrude (76) . . . 15 G6
Maulichères (32) . . . 266 B5
Maumusson (44) . . . 124 B3
Maumusson (82) . . . 268 B2
Maumusson-Laguian (32) . . . 266 B6
Mauny (76) . . . 35 F2
Maupas (10) . . . 114 B1
Maupas (32) . . . 266 A3
Mauperthuis (77) . . . 60 B4
Maupertuis (50) . . . 31 G5
Maupertus-sur-Mer (50) . . . 28 E2
Mauprévoir (86) . . . 179 K3
Mauquenchy (76) . . . 16 D5
Mauran (31) . . . 287 H6
Maure (64) . . . 285 G3
Maure-de-Bretagne (35) . . . 102 D1
Maurecourt (78) . . . 58 B2
Mauregard (77) . . . 59 G1
Mauregny-en-Haye (02) . . . 20 E6
Maureilhan (34) . . . 291 K4
Maureillas-las-Illas (66) . . . 315 G4
Mauremont (31) . . . 288 E2
Maurens (24) . . . 231 H1
Maurens (31) . . . 289 F2
Maurens (32) . . . 268 B6
Maurens-Scopont (81) . . . 289 F1
Maurepas (78) . . . 58 A5
Maurepas (80) . . . 11 F6
Mauressac (31) . . . 288 B4
Mauressargues (30) . . . 274 E2
Maureville (31) . . . 288 E2
Mauriac (15) . . . 217 G3
Mauriac (33) . . . 230 C3
Mauries (40) . . . 265 J6
Maurines (15) . . . 236 E2
Maurois (59) . . . 12 C5
Mauron (56) . . . 78 A4
Mauroux (32) . . . 268 A2
Mauroux (46) . . . 249 F1
Maurrin (40) . . . 265 J3
Maurs (15) . . . 235 F4
Maurupt-le-Montois (51) . . . 63 H4
Maury (66) . . . 309 J5
Mausoléo (2B) . . . 318 D3
Maussac (19) . . . 200 D6
Maussane-les-Alpilles (13) . . . 276 B4
Maussans (70) . . . 138 C3
Mautes (23) . . . 183 J6
Mauvages (55) . . . 64 E6
Mauvaisin (31) . . . 288 C4
Mauves (07) . . . 222 B5
Mauves-sur-Huisne (61) . . . 83 J3
Mauves-sur-Loire (44) . . . 123 J3
Mauvezin (31) . . . 287 G3
Mauvezin (32) . . . 268 B5
Mauvezin (65) . . . 304 E1
Mauvezin-d'Armagnac (40) . . . 266 A2
Mauvezin-de-Prat (09) . . . 306 C2
Mauvezin-de-Sainte-Croix (09) . . . 306 E1
Mauvezin-sur-Gupie (47) . . . 230 E6
Mauvières (36) . . . 164 C3
Mauvilly (21) . . . 115 G6
Maux (58) . . . 152 A3
Mauzac (31) . . . 288 A3
Mauzac-et-Grand-Castang (24) . . . 232 B2
Mauzé-sur-le-Mignon (79) . . . 177 J2
Mauzé-Thouarsais (79) . . . 144 A4
Mauzens-et-Miremont (24) . . . 214 C6
Mauzun (63) . . . 203 G3
Maves (41) . . . 109 F6
Mavilly-Mandelot (21) . . . 153 K3
la Maxe (57) . . . 45 F4
Maxent (35) . . . 78 C6
Maxéville (54) . . . 66 A4
Maxey-sur-Meuse (88) . . . 93 G2
Maxey-sur-Vaise (55) . . . 93 F1
Maxilly-sur-Léman (74) . . . 175 G5
Maxilly-sur-Saône (21) . . . 136 E5
Maxou (46) . . . 233 H6
Maxstadt (57) . . . 68 B3
May-en-Multien (77) . . . 60 A1
le May-sur-Èvre (49) . . . 142 E2
May-sur-Orne (14) . . . 32 E6
Mayac (24) . . . 214 C2
Mayenne (53) . . . 81 G4
Mayet (72) . . . 106 E5
le Mayet-de-Montagne (03) . . . 186 B4
le Mayet-d'École (03) . . . 185 G3
Maylis (40) . . . 264 E5
Maynal (39) . . . 172 E3
les Mayons (83) . . . 298 C3
Mayot (02) . . . 20 B4
Mayrac (46) . . . 233 J1
Mayran (12) . . . 251 K2
Mayrègne (31) . . . 305 H4
Mayres (07) . . . 238 E4
Mayres (63) . . . 220 A1
Mayres-Savel (38) . . . 242 A1
Mayreville (11) . . . 289 F5
Mayrinhac-Lentour (46) . . . 234 B3
Mayronnes (11) . . . 309 H2
Maysel (60) . . . 37 K4
Mazamet (81) . . . 290 B2
Mazan (84) . . . 257 H6
Mazan-l'Abbaye (07) . . . 238 E3
Mazangé (41) . . . 108 B5
Mazaugues (83) . . . 297 J3
Mazaye (63) . . . 202 B2
Mazé (49) . . . 125 K3
le Mazeau (85) . . . 161 F6
Mazeirat (23) . . . 182 E3
Mazeley (88) . . . 94 C5
Mazerat-Aurouze (43) . . . 219 J4
Mazeray (17) . . . 177 K6
Mazères (09) . . . 288 E5
Mazères (33) . . . 230 A6
Mazères-de-Neste (65) . . . 305 H1
Mazères-Lezons (64) . . . 284 D4
Mazères-sur-Salat (31) . . . 287 G6
Mazerier (03) . . . 185 G3
Mazerny (08) . . . 22 C5
Mazerolles (16) . . . 197 H2
Mazerolles (17) . . . 195 G4
Mazerolles (40) . . . 265 H2
Mazerolles (64) . . . 284 C2
Mazerolles (65) . . . 285 K3
Mazerolles (86) . . . 163 J5
Mazerolles-du-Razès (11) . . . 308 D1
Mazerolles-le-Salin (25) . . . 137 J6
Mazerulles (54) . . . 66 C4
Mazet-Saint-Voy (43) . . . 221 F5
Mazeuil (86) . . . 144 E6
Mazeyrat-d'Allier (43) . . . 219 J4
Mazeyrolles (24) . . . 232 D4
la Mazière-aux-Bons-Hommes (23) . . . 183 J6
Mazières (16) . . . 197 J1
Mazières-de-Touraine (37) . . . 127 F4
Mazières-en-Gâtine (79) . . . 161 J4
Mazières-en-Mauges (49) . . . 143 F3
Mazières-Naresse (47) . . . 232 A4
Mazières-sur-Béronne (79) . . . 178 D2
Mazille (71) . . . 171 G5
Mazingarbe (62) . . . 6 A6
Mazinghem (62) . . . 5 H4
Mazinghien (59) . . . 12 E5
Mazion (33) . . . 211 G3
Mazirat (03) . . . 183 K2
Mazirot (88) . . . 94 A4
le Mazis (80) . . . 17 G2
Mazoires (63) . . . 218 D1
Mazouau (65) . . . 305 F2
Mazuby (11) . . . 308 C5
les Mazures (08) . . . 22 C2
Mazzola (2B) . . . 319 H6
Méailles (04) . . . 260 D6
Méallet (15) . . . 217 H3
Méasnes (23) . . . 165 K5
Meaucé (28) . . . 84 B2
Méaudre (38) . . . 223 J4
la Meauffe (50) . . . 31 H2
la Méaugon (22) . . . 49 F6
Meaulne (03) . . . 167 H3
Méaulte (80) . . . 18 E1
Méautis (50) . . . 31 F1
Meaux (77) . . . 59 K2
Meaux-la-Montagne (69) . . . 187 J4
Meauzac (82) . . . 249 H6
Mecé (35) . . . 79 K3
Mechmont (46) . . . 233 H5
Mécleuves (57) . . . 45 G6
Mecquignies (59) . . . 13 F3
Mécrin (55) . . . 64 E3
Mécringes (51) . . . 61 F3
Médan (78) . . . 58 B2
Médavy (61) . . . 54 D5
Medeyrolles (63) . . . 220 B1
Médière (25) . . . 139 F3
Médillac (16) . . . 212 D3
Médis (17) . . . 194 D3
Médonville (88) . . . 93 G5
Médréac (35) . . . 78 C2
le Mée (28) . . . 109 F3
Mée (53) . . . 104 D5
le Mée-sur-Seine (77) . . . 87 H2
les Mées (04) . . . 259 G6
Mées (40) . . . 264 A4
les Mées (72) . . . 82 E4
Mégange (57) . . . 45 H4
Megève (74) . . . 192 A6
Mégevette (74) . . . 191 J1
Mégrit (22) . . . 50 B6
Méharicourt (80) . . . 18 E3
Méharin (64) . . . 282 E3
Méhers (41) . . . 129 F5
Méhoncourt (54) . . . 94 C1
Méhoudin (61) . . . 81 J2
Mehun-sur-Yèvre (18) . . . 148 E2
la Meignanne (49) . . . 125 F3
Meigné (49) . . . 125 K6
Meigné-le-Vicomte (49) . . . 126 D3
Meigneux (77) . . . 88 B2
Meigneux (80) . . . 17 H3
Meilhac (87) . . . 198 E3
Meilhan (32) . . . 286 D3
Meilhan (40) . . . 264 E2
Meilhan-sur-Garonne (47) . . . 230 D6
Meilhards (19) . . . 199 J5
Meilhaud (63) . . . 202 E5
Meillac (35) . . . 51 F6
Meillant (18) . . . 167 G1
Meillard (03) . . . 168 D6
le Meillard (80) . . . 9 K4
la Meilleraie-Tillay (85) . . . 160 D1
Meilleray (77) . . . 60 E4
la Meilleraye-de-Bretagne (44) . . . 103 J5
Meillerie (74) . . . 175 H4
Meillers (03) . . . 168 C4
Meillon (64) . . . 284 D4
Meillonnas (01) . . . 189 H1
Meilly-sur-Rouvres (21) . . . 153 H1
Meisenthal (57) . . . 69 G4
Meistratzheim (67) . . . 70 D5
le Meix (21) . . . 135 K2
le Meix-Saint-Epoing (51) . . . 61 G5
le Meix-Tiercelin (51) . . . 62 E6
Méjannes-le-Clap (30) . . . 255 K4
Méjannes-lès-Alès (30) . . . 255 H6
Mela (2A) . . . 323 F2
Mélagues (12) . . . 272 D5
Mélamare (76) . . . 14 D6
Melay (49) . . . 143 G1
Melay (52) . . . 117 H3
Melay (71) . . . 186 E2
le Mêle-sur-Sarthe (61) . . . 83 F2
Mélecey (70) . . . 138 E2
Melesse (35) . . . 79 G3
Melgven (29) . . . 99 F2
Mélicocq (60) . . . 38 E1
Mélicourt (27) . . . 55 H2
Méligny-le-Grand (55) . . . 64 E5
Méligny-le-Petit (55) . . . 64 D5
Melin (70) . . . 117 H5
Melincourt (70) . . . 118 A3
Mélisey (70) . . . 119 F5
Mélisey (89) . . . 114 B4
Meljac (12) . . . 252 A5
Mellac (29) . . . 99 H3
Mellé (35) . . . 80 B2
Melle (79) . . . 178 D2
Mellecey (71) . . . 153 K6
Melleran (79) . . . 178 E3
Melleray (72) . . . 107 K1
Melleroy (45) . . . 112 A4
Melles (31) . . . 305 K4
Melleville (76) . . . 16 D1
Mellionnec (22) . . . 76 B4
Mello (60) . . . 37 K4
Meloisey (21) . . . 153 K3
Melrand (56) . . . 100 C1
Melsheim (67) . . . 70 D1
Melun (77) . . . 87 H2
Melve (04) . . . 259 G2
Melz-sur-Seine (77) . . . 88 E2
Membrey (70) . . . 137 H1
la Membrolle-sur-Choisille (37) . . . 127 H4
la Membrolle-sur-Longuenée (49) . . . 125 F2
Membrolles (41) . . . 109 G3
Méménil (88) . . . 94 E5
Memmelshoffen (67) . . . 25 B2
le Mémont (25) . . . 157 J1
Menades (89) . . . 133 J4
Ménarmont (88) . . . 95 F2
Menars (41) . . . 129 F1
Menat (63) . . . 184 D4
Menaucourt (55) . . . 64 C5
Mencas (62) . . . 5 F5
Menchhoffen (67) . . . 69 H5
Mende (48) . . . 237 J6
Mendionde (64) . . . 282 D3
Menditte (64) . . . 283 H5
Mendive (64) . . . 282 E6
Ménéac (56) . . . 77 J5
Ménerbes (84) . . . 277 F3
Ménerval (76) . . . 16 E6
Ménerville (78) . . . 57 H2
Menesble (21) . . . 115 J5
Méneslies (80) . . . 8 D5
Ménesplet (24) . . . 212 E5
Ménesqueville (27) . . . 36 A3
Ménessaire (21) . . . 152 D2
Menestreau (58) . . . 132 D4
Ménestreau-en-Villette (45) . . . 130 B1
Menet (15) . . . 217 J2
Menetou-Couture (18) . . . 150 B3
Menetou-Râtel (18) . . . 131 J5
Menetou-Salon (18) . . . 149 H1
Menetou-sur-Nahon (36) . . . 147 K1
Ménétréol-sous-Sancerre (18) . . . 131 K5
Ménétréol-sur-Sauldre (18) . . . 130 E4
Ménétréols-sous-Vatan (36) . . . 148 B4
Ménetreuil (71) . . . 172 C3
Ménétreux-le-Pitois (21) . . . 134 E2
Ménétrol (63) . . . 202 D1
Menétru-le-Vignoble (39) . . . 155 H6
Menétrux-en-Joux (39) . . . 173 J2
Ménévillers (60) . . . 38 C1
Menglon (26) . . . 241 J4
Ménigoute (79) . . . 162 B4
Ménil (53) . . . 105 F5
le Ménil (88) . . . 119 G3
Ménil-Annelles (08) . . . 41 J2
Ménil-aux-Bois (55) . . . 64 D4
le Ménil-Bérard (61) . . . 55 H5
le Ménil-Broût (61) . . . 82 E2
le Ménil-Ciboult (61) . . . 53 F4
le Ménil-de-Briouze (61) . . . 53 J5
Ménil-de-Senones (88) . . . 95 J3
Ménil-en-Xaintois (88) . . . 93 J4
Ménil-Erreux (61) . . . 82 E2
Ménil-Froger (61) . . . 55 F5
Ménil-Gondouin (61) . . . 53 K4
le Ménil-Guyon (61) . . . 83 F1
Ménil-Hermei (61) . . . 53 K3
Ménil-Hubert-en-Exmes (61) . . . 54 E4
Ménil-Hubert-sur-Orne (61) . . . 53 J3
Ménil-Jean (61) . . . 54 A5
Ménil-la-Horgne (55) . . . 64 E5
Ménil-la-Tour (54) . . . 65 H4
Ménil-Lépinois (08) . . . 41 H2
le Ménil-Scelleur (61) . . . 54 B6
Ménil-sur-Belvitte (88) . . . 95 F3
Ménil-sur-Saulx (55) . . . 64 B6
le Ménil-Vicomte (61) . . . 55 F5
Ménil-Vin (61) . . . 53 K3
Ménilles (27) . . . 57 F1
la Ménitré (49) . . . 125 K4
Mennecy (91) . . . 87 F1
Mennessis (02) . . . 19 K4
Mennetou-sur-Cher (41) . . . 129 K6
Menneval (27) . . . 34 D6
Menneville (02) . . . 40 E2
Menneville (62) . . . 4 D3
Mennevret (02) . . . 12 D6
Mennouveaux (52) . . . 116 D1
Ménoire (19) . . . 216 B5
Menomblet (85) . . . 160 E1
Menoncourt (90) . . . 119 J6
Ménonval (76) . . . 16 D3
Menotey (39) . . . 155 G1
Menou (58) . . . 132 D5
Menouville (95) . . . 37 H5
le Menoux (36) . . . 165 H4
Menoux (70) . . . 118 A4
Mens (38) . . . 242 B2
Mensignac (24) . . . 213 J3
Menskirch (57) . . . 27 K4
Mentheville (76) . . . 14 D4
Menthon-Saint-Bernard (74) . . . 191 G6
Menthonnex-en-Bornes (74) . . . 191 F3
Menthonnex-sous-Clermont (74) . . . 190 D5
Mentières (15) . . . 218 E5
Menton (06) . . . 281 K3
Mentque-Nortbécourt (62) . . . 2 E4
Menucourt (95) . . . 58 B1
les Menus (61) . . . 84 B2
Menville (31) . . . 268 E5
Méobecq (36) . . . 165 F1
Méolans-Revel (04) . . . 260 B1
Méon (49) . . . 126 D3
Méounes-lès-Montrieux (83) . . . 297 J4
Mer (41) . . . 129 G1
Méracq (64) . . . 284 C1
Méral (53) . . . 104 C3
Méras (09) . . . 288 A6
Mercatel (62) . . . 11 F3
Mercenac (09) . . . 306 C2
Merceuil (21) . . . 154 A4
Mercey (27) . . . 36 A6
Mercey-le-Grand (25) . . . 137 H6
Mercey-sur-Saône (70) . . . 137 G2
Mercin-et-Vaux (02) . . . 39 J3
Merck-Saint-Liévin (62) . . . 5 F4
Merckeghem (59) . . . 3 G3
Mercœur (19) . . . 216 C6
Mercœur (43) . . . 219 G3
Mercuer (07) . . . 239 H5
Mercuès (46) . . . 249 K1
Mercurey (71) . . . 153 K5
Mercurol (26) . . . 222 C5
Mercury (73) . . . 209 F2
Mercus-Garrabet (09) . . . 307 J4
Mercy (03) . . . 169 G5
Mercy (89) . . . 113 G2
Mercy-le-Bas (54) . . . 26 D4
Mercy-le-Haut (54) . . . 26 D4
Merdrignac (22) . . . 77 K4
Méré (78) . . . 57 K4
Méré (89) . . . 113 J4
Méreau (18) . . . 148 D2
Méréaucourt (80) . . . 17 H4
Méréglise (28) . . . 84 D5
Mérélessart (80) . . . 17 G1
Mérens (32) . . . 267 H4
Mérens-les-Vals (09) . . . 313 F2
Mérenvielle (31) . . . 268 D6
Méreuil (05) . . . 258 D2
Méréville (54) . . . 66 A6
Méréville (91) . . . 86 C4
Merey (27) . . . 57 F2
Mérey-sous-Montrond (25) . . . 156 C1
Mérey-Vieilley (25) . . . 138 A5
Merfy (51) . . . 40 E3
Mergey (10) . . . 90 A3
Meria (2B) . . . 317 D2
Mérial (11) . . . 308 C5
Méricourt (62) . . . 11 F1
Méricourt (78) . . . 57 H1
Méricourt-en-Vimeu (80) . . . 17 H2
Méricourt-l'Abbé (80) . . . 18 D1
Méricourt-sur-Somme (80) . . . 18 E2
Mériel (95) . . . 37 J6
Mérifons (34) . . . 273 F6
Mérignac (16) . . . 196 B3
Mérignac (17) . . . 212 A2
Mérignac (33) . . . 229 G2
Mérignas (33) . . . 230 C3
Mérignat (01) . . . 189 J3
Mérignies (59) . . . 6 E6
Mérigny (36) . . . 164 B3
Mérigon (09) . . . 306 E1
Mérilheu (65) . . . 304 D1
Mérillac (22) . . . 77 K3
Mérinchal (23) . . . 183 K6
Mérindol (84) . . . 277 F4
Mérindol-les-Oliviers (26) . . . 257 H3
Mérinville (45) . . . 112 A2
le Mériot (10) . . . 88 E2
Méritein (64) . . . 283 J3
Merkwiller-Pechelbronn (67) . . . 25 B2
Merlas (38) . . . 207 J5
la Merlatière (85) . . . 142 A6
Merlaut (51) . . . 63 G4
Merle-Leignec (42) . . . 220 D1
Merléac (22) . . . 76 E3
le Merlerault (61) . . . 55 F5
Merles (82) . . . 249 F6
Merles-sur-Loison (55) . . . 43 J2
Merlevenez (56) . . . 100 B4
Merlieux-et-Fouquerolles (02) . . . 40 A1
Merlimont (62) . . . 4 A6
Merlines (19) . . . 201 H4
Mernel (35) . . . 102 D1
Mérobert (91) . . . 86 B3
Mérona (39) . . . 173 G3
Mérouville (28) . . . 86 A5
Meroux (90) . . . 139 J1
Merpins (16) . . . 195 J3
Merrey (52) . . . 117 F1
Merrey-sur-Arce (10) . . . 114 E1
Merri (61) . . . 54 C3
Merris (59) . . . 6 A3
Merry-la-Vallée (89) . . . 112 D5
Merry-Sec (89) . . . 133 F1
Merry-sur-Yonne (89) . . . 133 G2
Mers-les-Bains (80) . . . 8 C5
Mers-sur-Indre (36) . . . 166 A2
Merschweiller (57) . . . 27 J3
Mersuay (70) . . . 118 A5
Merten (57) . . . 45 K3
Mertrud (52) . . . 91 J3
Mertzen (68) . . . 97 A4
Mertzwiller (67) . . . 69 K5
Méru (60) . . . 37 H4
Merval (02) . . . 40 C3
Mervans (71) . . . 154 D6
Mervent (85) . . . 160 E4
Mervilla (31) . . . 288 C2
Merville (31) . . . 269 F5
Merville (59) . . . 6 A4
Merville-Franceville-Plage (14) . . . 33 F3
Merviller (54) . . . 95 G1
Merxheim (68) . . . 96 B6
Méry (73) . . . 208 B3
Méry-Corbon (14) . . . 33 G5
Méry-ès-Bois (18) . . . 130 E6
Méry-la-Bataille (60) . . . 18 D6
Méry-Prémecy (51) . . . 40 D4
Méry-sur-Cher (18) . . . 148 C1
Méry-sur-Marne (77) . . . 60 C2
Méry-sur-Oise (95) . . . 58 D1
Méry-sur-Seine (10) . . . 89 J2
le Merzer (22) . . . 48 D5
Mésandans (25) . . . 138 D3
Mésanger (44) . . . 124 A3
Mésangueville (76) . . . 16 E6
Mesbrecourt-Richecourt (02) . . . 20 C4
Meschers-sur-Gironde (17) . . . 194 D4
Mescoules (24) . . . 231 H3
le Mesge (80) . . . 17 J1
Mesgrigny (10) . . . 89 J2
Mésigny (74) . . . 190 E4
Meslan (56) . . . 99 K2
Mesland (41) . . . 128 C3
Meslay (14) . . . 53 J2
Meslay (41) . . . 108 C5
Meslay-du-Maine (53) . . . 105 G3
Meslay-le-Grenet (28) . . . 85 F4
Meslay-le-Vidame (28) . . . 85 G5
Meslières (25) . . . 139 J3
Meslin (22) . . . 77 H1
Mesmay (25) . . . 156 A2
Mesmont (08) . . . 22 A5
Mesmont (21) . . . 135 H5
Mesnac (16) . . . 195 J2
Mesnard-la-Barotière (85) . . . 142 C5
Mesnay (39) . . . 155 K4
les Mesneux (51) . . . 40 E4
la Mesnière (61) . . . 83 G2
Mesnières-en-Bray (76) . . . 16 C3
le Mesnil (50) . . . 28 C5
le Mesnil-Adelée (50) . . . 52 C5
le Mesnil-Amand (50) . . . 30 E6
le Mesnil-Amelot (77) . . . 59 G1
le Mesnil-Amey (50) . . . 31 G3
le Mesnil-Angot (50) . . . 31 G2
le Mesnil-au-Grain (14) . . . 32 C6
le Mesnil-au-Val (50) . . . 28 D3
le Mesnil-Aubert (50) . . . 30 E5
le Mesnil-Aubry (95) . . . 59 F1
le Mesnil-Auzouf (14) . . . 53 F1
le Mesnil-Bacley (14) . . . 54 D1
le Mesnil-Benoist (14) . . . 52 D3
Mesnil-Bruntel (80) . . . 19 G2
le Mesnil-Caussois (14) . . . 52 D3
Mesnil-Clinchamps (14) . . . 52 D3
le Mesnil-Conteville (60) . . . 17 J5
Mesnil-Domqueur (80) . . . 9 J4
le Mesnil-Durand (14) . . . 54 D1
le Mesnil-Durdent (76) . . . 15 G3
Mesnil-en-Arrouaise (80) . . . 11 G6
le Mesnil-en-Thelle (60) . . . 37 J5
le Mesnil-en-Vallée (49) . . . 124 C4
le Mesnil-Esnard (76) . . . 35 J2
le Mesnil-Eudes (14) . . . 33 K6
le Mesnil-Eury (50) . . . 31 G3
Mesnil-Follemprise (76) . . . 16 B3
le Mesnil-Fuguet (27) . . . 35 H6
le Mesnil-Garnier (50) . . . 52 A3
le Mesnil-Germain (14) . . . 54 E1
le Mesnil-Gilbert (50) . . . 52 C5
le Mesnil-Guillaume (14) . . . 34 A6

le Mesnil-Hardray (27) 56 B2
le Mesnil-Herman (50) 31 G4
le Mesnil-Jourdain (27) 35 H5
Mesnil-la-Comtesse (10) 90 C2
le Mesnil-le-Roi (78) 58 C2
Mesnil-Lettre (10) 90 C3
le Mesnil-Lieubray (76) 36 B1
Mesnil-Martinsart (80) 10 D6
le Mesnil-Mauger (14) 33 H6
Mesnil-Mauger (76) 16 D5
le Mesnil-Opac (50) 31 H4
le Mesnil-Ozenne (50) 52 B5
Mesnil-Panneville (76) 15 H6
le Mesnil-Patry (14) 32 C4
le Mesnil-Rainfray (50) 52 C5
Mesnil-Raoul (76) 35 K2
le Mesnil-Raoult (50) 31 H4
le Mesnil-Réaume (76) 16 D1
le Mesnil-Robert (14) 52 D3
le Mesnil-Rogues (50) 30 E6
Mesnil-Rousset (27) 55 H3
le Mesnil-Rouxelin (50) 31 H3
le Mesnil-Saint-Denis (78) 58 B5
le Mesnil-Saint-Firmin (60) 18 C5
Mesnil-Saint-Georges (80) 18 D5
Mesnil-Saint-Laurent (02) 20 A3
Mesnil-Saint-Loup (10) 89 H5
Mesnil-Saint-Nicaise (80) 19 G3
Mesnil-Saint-Père (10) 90 D5
Mesnil-Sellières (10) 90 C4
le Mesnil-Simon (14) 33 J6
le Mesnil-Simon (28) 57 G3
le Mesnil-sous-Jumièges (76) 35 F2
Mesnil-sous-Vienne (27) 36 D2
le Mesnil-sur-Blangy (14) 34 A4
le Mesnil-sur-Bulles (60) 37 K1
Mesnil-sur-l'Estrée (27) 56 E4
le Mesnil-sur-Oger (51) 62 A2
le Mesnil-Théribus (60) 37 G4
le Mesnil-Thomas (28) 84 C1
le Mesnil-Tôve (50) 52 C5
le Mesnil-Véneron (50) 31 G2
Mesnil-Verclives (27) 36 B3
le Mesnil-Vigot (50) 31 F3
le Mesnil-Villeman (50) 52 A3
le Mesnil-Villement (14) 53 J3
le Mesnilbus (50) 31 F3
le Mesnillard (50) 52 C6
Mesnois (39) 173 H2
les Mesnuls (78) 57 K5
Mespaul (29) 46 E4
Mesplède (64) 284 A1
Mesples (03) 166 E5
Mespuits (91) 86 D4
Mesquer (44) 121 J3
Messac (17) 212 A1
Messac (35) 102 E2
Messanges (21) 154 A1
Messanges (40) 262 C3
Messas (45) 109 H5
Messé (79) 179 F1
Messei (61) 53 H5
Messein (54) 66 A6
Messeix (63) 201 H4
Messemé (86) 145 F3
Messery (74) 174 D5
Messey-sur-Grosne (71) 171 J2
Messia-sur-Sorne (39) 173 F2
Messigny-et-Vantoux (21) 136 A4
Messimy (69) 205 J3
Messimy-sur-Saône (01) 188 B4
Messincourt (08) 23 H4
Messon (10) 89 K5
Messy (77) 59 H2
Mesterrieux (33) 230 C4
Mestes (19) 201 F5
Mesves-sur-Loire (58) 150 C1
Mesvres (71) 152 E5
Métabief (25) 157 F6
les Métairies (16) 196 B2
Métairies-Saint-Quirin (57) 67 J5
Méteren (59) 6 A3
Méthamis (84) 277 F1
Métigny (80) 17 H1
Metting (57) 69 F6
Mettray (37) 127 J4
Metz (57) 45 F5
Metz-en-Couture (62) 11 H5
Metz-le-Comte (58) 133 G4
Metz-Robert (10) 114 B2
Metz-Tessy (74) 191 F5
Metzeral (68) 119 K1
Metzeresche (57) 45 G3
Metzervisse (57) 45 G3
Metzing (57) 68 C3
Meucon (56) 101 F4
Meudon (92) 58 D4
Meuilley (21) 154 A2
Meulan (78) 58 A1
Meulers (76) 16 B2
Meulles (14) 55 F2
Meulson (21) 115 G6
Meunet-Planches (36) 148 C6
Meunet-sur-Vatan (36) 148 B3
Meung-sur-Loire (45) 109 J5
Meurcé (72) 82 E5
Meurchin (62) 6 C6
Meurcourt (70) 118 B5
la Meurdraquière (50) 51 K1
Meures (52) 92 A6
Meurival (02) 40 C3
Meursac (17) 194 E3
Meursanges (21) 154 B4
Meursault (21) 153 K4
Meurville (10) 91 G6
Meusnes (41) 129 G6
Meussia (39) 173 H4
Meuvaines (14) 32 C3
Meux (17) 195 J6
le Meux (60) 38 D3
Meuzac (87) 199 G5
Mévoisins (28) 85 H1
Mévouillon (26) 258 B3
Meximieux (01) 189 G6
Mexy (54) 26 D2
Mey (57) 45 F5
Meyenheim (68) 96 C6
Meylan (38) 224 B3
Meymac (19) 200 D5
Meynes (30) 275 J3
Meyrals (24) 232 D1
Meyrannes (30) 255 H3
Meyrargues (13) 277 J5
Meyras (07) 239 G4
Meyreuil (13) 296 D1
Meyrié (38) 207 F4
Meyrieu-les-Étangs (38) 206 E5
Meyrieux-Trouet (73) 208 A3
Meyrignac-l'Église (19) 216 B1
Meyronne (46) 233 J2
Meyronnes (04) 227 C6
Meyrueis (48) 254 A5
Meys (69) 205 G3
Meyssac (19) 215 K5
Meysse (07) 240 A5
Meyssiès (38) 206 D5
Meythet (74) 191 F5
la Meyze (87) 198 E4
Meyzieu (69) 206 C2
Mézangers (53) 81 J6
Mèze (34) 292 E3
Mézel (04) 259 J6
Mezel (63) 202 E2
Mézens (81) 269 K4
Mézeray (72) 106 C5
Mézères (43) 220 D4
Mézériat (01) 188 E2
Mézerolles (80) 9 K4
Mézerville (11) 289 F5
Mézidon-Canon (14) 33 G6
la Mézière (35) 79 F3
Mézières-au-Perche (28) 84 E5
Mézières-en-Brenne (36) 147 F6
Mézières-en-Drouais (28) 57 F5
Mézières-en-Gâtinais (45) 111 F2
Mézières-en-Santerre (80) 18 D3
Mézières-en-Vexin (27) 36 B5
Mézières-lez-Cléry (45) 109 K5
Mézières-sous-Lavardin (72) 82 C6
Mézières-sur-Couesnon (35) 79 J2
Mézières-sur-Issoire (87) 180 D3
Mézières-sur-Oise (02) 20 B3
Mézières-sur-Ponthouin (72) 83 F6
Mézières-sur-Seine (78) 57 K2
Mézilhac (07) 239 G2
Mézilles (89) 132 C1
Mézin (47) 247 H6
Méziré (90) 139 J2
Mézos (40) 244 D5
Mézy-Moulins (02) 61 F1
Mézy-sur-Seine (78) 58 A2
Mhère (58) 152 A1
Mialet (24) 198 B5
Mialet (30) 255 F5
Mialos (64) 284 C2
Miannay (80) 9 F5
Michaugues (58) 133 F6
Michelbach (68) 97 A2
Michelbach-le-Bas (68) 97 D4
Michelbach-le-Haut (68) 97 D4
Michery (89) 88 C4
Midrevaux (88) 93 F3
Mièges (39) 156 C6
Miélan (32) 286 A3
Miellin (70) 119 G4
Miermaigne (28) 84 B5
Miers (46) 234 A2
Miéry (39) 155 J6
Mietesheim (67) 69 J5
Mieussy (74) 191 K2
Mieuxcé (61) 82 C3
Migé (89) 133 F1
Migennes (89) 113 F3
Miglos (09) 307 J5
Mignaloux-Beauvoir (86) 163 F4
Mignavillers (70) 138 E1
Migné (36) 164 E2
Migné-Auxances (86) 162 E3
Mignères (45) 111 H2
Mignerette (45) 111 G2
Mignéville (54) 95 G1
Mignières (28) 85 F4
Mignovillard (39) 156 D6
Migny (36) 148 D3
Migré (17) 177 K3
Migron (17) 195 J1
Mijanès (09) 313 J1
Mijoux (01) 174 A5
la Milesse (72) 106 D2
Milhac (46) 233 G3
Milhac-d'Auberoche (24) 214 C4
Milhac-de-Nontron (24) 198 A6
Milhars (81) 250 E5
Milhas (31) 306 A2
Milhaud (30) 275 G4
Milhavet (81) 270 C1
Milizac (29) 72 C3
Millac (86) 180 B2
Millam (59) 3 G4
Millançay (41) 129 J4
Millas (66) 314 E2
Millau (12) 253 G6
Millay (58) 152 C6
Millebosc (76) 16 D1
Millemont (78) 57 J4
Millencourt (80) 10 D6
Millencourt-en-Ponthieu (80) 9 G4
Millery (21) 134 D3
Millery (54) 66 A3
Millery (69) 206 A3
Millevaches (19) 200 D4
Millières (50) 30 E2
Millières (52) 92 D6
Millonfosse (59) 12 C1
Milly (50) 52 C6
Milly-la-Forêt (91) 87 F3
Milly-Lamartine (71) 171 H6
Milly-sur-Bradon (55) 43 G2
Milly-sur-Thérain (60) 37 G1
Milon-la-Chapelle (78) 58 B5
Mimbaste (40) 264 C5
Mimet (13) 296 D2
Mimeure (21) 153 G2
Mimizan (40) 244 C4
Minaucourt-le-Mesnil-
-lès-Hurlus (51) 42 B5
Minerve (34) 291 F4
Mingot (65) 285 J3
Mingoval (62) 10 D1
Miniac-Morvan (35) 50 E5
Miniac-sous-Bécherel (35) 78 E2
le Minihic-sur-Rance (35) 50 D4
Minihy-Tréguier (22) 48 C2
Minorville (54) 65 H3
Minot (21) 135 J1
Minversheim (67) 69 J6
Minzac (24) 212 D6
Minzier (74) 190 E3
Miolles (81) 271 J3
Mionnay (01) 188 D6
Mions (69) 206 B3
Mios (33) 228 D5
Miossens-Lanusse (64) 284 D2
Mirabeau (04) 259 H5
Mirabeau (84) 278 A4
Mirabel (07) 239 J5
Mirabel (82) 249 K5
Mirabel-aux-Baronnies (26) 257 H3
Mirabel-et-Blacons (26) 240 E3
Miradoux (32) 267 K1
Miramas (13) 276 D6
Mirambeau (17) 211 H1
Mirambeau (31) 287 F3
Miramont-d'Astarac (32) 286 B1
Miramont-de-Comminges (31) 305 K1
Miramont-de-Guyenne (47) 231 G5
Miramont-de-Quercy (82) 249 G4
Miramont-Latour (32) 267 J4
Miramont-Sensacq (40) 265 J6
Mirande (32) 286 B1
Mirandol-Bourgnounac (81) 251 H5
Mirannes (32) 267 F6
Miraumont (80) 10 E5
Miraval-Cabardès (11) 290 B3
Mirbel (52) 92 A4
Miré (49) 105 H5
Mirebeau (86) 145 F6
Mirebeau-sur-Bèze (21) 136 D4
Mirebel (39) 173 H1
Mirecourt (88) 94 A4
Mirefleurs (63) 202 E3
Miremont (31) 288 B3
Miremont (63) 184 B6
Mirepeisset (11) 291 G5
Mirepeix (64) 284 E5
Mirepoix (09) 308 B1
Mirepoix (32) 267 J4
Mirepoix-sur-Tarn (31) 269 J4
Mireval (34) 293 G2
Mireval-Lauragais (11) 289 H5
Miribel (01) 206 B1
Miribel (26) 222 E3
Miribel-Lanchâtre (38) 223 K6
Miribel-les-Échelles (38) 207 K6
Mirmande (26) 240 C4
le Miroir (71) 172 E3
Mirvaux (80) 10 B6
Mirville (76) 14 D5
Miscon (26) 241 J4
Miserey (27) 56 E1
Miserey-Salines (25) 137 K5
Misérieux (01) 188 C5
Misery (80) 19 G2
Mison (04) 258 E3
Missé (79) 144 B4
Missècle (81) 270 C5
Missègre (11) 309 G2
Missery (21) 134 E5
Missillac (44) 102 B6
Missiriac (56) 101 K3
Misson (40) 264 C6
Missy (14) 32 C5
Missy-aux-Bois (02) 39 H3
Missy-lès-Pierrepont (02) 20 E5
Missy-sur-Aisne (02) 39 K2
Misy-sur-Yonne (77) 88 B4
Mitry-Mory (77) 59 H2
Mittainville (78) 57 H6
Mittainvilliers (28) 84 E2
Mittelbergheim (67) 70 C5
Mittelbronn (57) 70 A1
Mittelhausbergen (67) 25 A6
Mittelhausen (67) 70 E1
Mittelschaeffolsheim (67) 70 E2
Mittelwihr (68) 96 B3
Mittersheim (57) 67 H2
Mittlach (68) 119 J1
Mittois (14) 54 C1
Mitzach (68) 119 J3
Mizérieux (42) 204 E2
Mizoën (38) 224 E4
Mobecq (50) 30 D1
Moca-Croce (2A) 320 E6
Modane (73) 226 A2
Modène (84) 257 H5
Moëlan-sur-Mer (29) 99 H4
les Moëres (59) 3 J2
Mœrnach (68) 97 B5
Moëslains (52) 63 J6
Mœurs-Verdey (51) 61 G5
Mœuvres (59) 11 H4
Moëze (17) 176 E5
Moffans-et-Vacheresse (70) 138 E1
Mogeville (55) 43 K4
Mognard (73) 208 B2
Mogneneins (01) 188 C3
Mognéville (55) 63 K4
Mogneville (60) 38 A3
Mogues (08) 23 J4
Mohon (56) 77 J6
Moidieu-Détourbe (38) 206 C5
Moigny-sur-École (91) 87 F3
Moimay (70) 138 D2
Moineville (54) 44 D4
Moings (17) 195 J5
Moinville-la-Jeulin (28) 85 J4
Moirans (38) 223 J1
Moirans-en-Montagne (39) 173 H5
Moirax (47) 248 B5
Moiré (69) 188 A5
Moiremont (51) 42 D5
Moirey-Flabas-Crépion (55) 43 H3
Moiron (39) 173 G2
Moiry (08) 23 J5
Moisdon-la-Rivière (44) 103 J5
Moisenay (77) 87 J1
Moislains (80) 11 G6
Moissac (82) 249 G6
Moissac-Bellevue (83) 279 F5
Moissac-Vallée-Française (48) 254 D5
Moissannes (87) 199 J1
Moissat (63) 203 F2
Moisselles (95) 58 E1
Moissey (39) 155 G1
Moissieu-sur-Dolon (38) 222 D1
Moisson (78) 57 J1
Moissy-Cramayel (77) 59 G6
Moissy-Moulinot (58) 133 H5
Moisville (27) 56 D4
Moisy (41) 108 E4
Moïta (2B) 319 J6
les Moitiers-d'Allonne (50) 28 B5
les Moitiers-en-Bauptois (50) 28 E6
Moitron (21) 135 J1
Moitron-sur-Sarthe (72) 82 C5
Moivre (51) 63 G2
Moivrons (54) 66 B3
Molac (56) 101 J4
Molagnies (76) 36 D1
Molain (02) 12 D6
Molain (39) 155 K5
Molamboz (39) 155 J4
Molandier (11) 288 E5
Molas (31) 286 E3
Molay (39) 155 F3
Molay (70) 117 G5
Môlay (89) 113 K6
le Molay-Littry (14) 31 K2
la Môle (83) 301 H3
Moléans (28) 109 F1
Molèdes (15) 218 D3
Molère (65) 304 E1
Molesme (21) 114 D3
Molesmes (89) 133 F2
Molezon (48) 254 C4
Moliens (60) 17 G5
Molières (24) 232 B2
Molières (46) 234 C3
Molières (82) 249 J5
les Molières (91) 58 C6
Molières-Cavaillac (30) 273 J2
Molières-Glandaz (26) 241 H3
Molières-sur-Cèze (30) 255 H4
Moliets-et-Maa (40) 262 C2
Molinchart (02) 20 C6
Molines-en-Queyras (05) 227 C2
Molinet (03) 170 A5
Molineuf (41) 128 D2
Molinges (39) 173 J5
Molinons (89) 89 F5
Molinot (21) 153 H3
Molins-sur-Aube (10) 90 D3
Molitg-les-Bains (66) 314 B2
Mollans (70) 118 D6
Mollans-sur-Ouvèze (26) 257 J4
Mollau (68) 119 J3
Mollégès (13) 276 C3
Molles (03) 185 K3
les Mollettes (73) 208 D5
Molleville (11) 289 F4
Molliens-au-Bois (80) 10 B6
Molliens-Dreuil (80) 17 J2
Mollkirch (67) 70 C4
Molompize (15) 218 E3
Molosmes (89) 114 A4
Moloy (21) 135 K2
Molphey (21) 134 C5
Molpré (39) 156 C6
Molring (57) 67 G2
Molsheim (67) 70 D4
Moltifao (2B) 318 E3
les Molunes (39) 173 K6
Momas (64) 284 C2
Mombrier (33) 211 H4
Momères (65) 285 H6
Momerstroff (57) 45 J4
Mommenheim (67) 70 E1
Momuy (40) 265 F6
Momy (64) 285 F3
Monacia-d'Aullène (2A) 322 E4
Monacia-d'Orezza (2B) 319 H5
Monampteuil (02) 40 B1
Monassut-Audiracq (64) 284 E3
le Monastère (12) 252 B3
le Monastier-Pin-Moriès (48) 237 F6
le Monastier-sur-Gazeille (43) 238 D1
Monay (39) 155 H5
Monbahus (47) 231 J6
Monbalen (47) 248 C3
Monbardon (32) 286 E3
Monbazillac (24) 231 H3
Monbéqui (82) 268 E3
Monblanc (32) 287 H2
Monbrun (32) 268 C5
Moncale (2B) 318 C3
Moncassin (32) 286 B2
Moncaup (31) 305 J3
Moncaup (64) 285 G2
Moncaut (47) 248 A5
Moncayolle-Larrory-
-Mendibieu (64) 283 H4
Moncé-en-Belin (72) 106 E4
Moncé-en-Saosnois (72) 83 F5
Monceau-le-Neuf-et-
-Faucouzy (02) 20 D3
Monceau-le-Waast (02) 20 E5
Monceau-lès-Leups (02) 20 C5
Monceau-Saint-Waast (59) 13 G4
Monceau-sur-Oise (02) 20 D2
les Monceaux (14) 33 J6
Monceaux (60) 38 B3
Monceaux-au-Perche (61) 83 J2
Monceaux-en-Bessin (14) 32 B4
Monceaux-l'Abbaye (60) 17 G5
Monceaux-le-Comte (58) 133 H5
Monceaux-sur-Dordogne (19) 216 C5
Moncel-lès-Lunéville (54) 66 D6
Moncel-sur-Seille (54) 66 C4
Moncel-sur-Vair (88) 93 G3
la Moncelle (08) 23 F4
Moncetz-l'Abbaye (51) 63 G6
Moncetz-Longevas (51) 62 E3
Moncey (25) 138 B4
Monchaux-Soreng (76) 16 E1
Monchaux-sur-Écaillon (59) 12 C3
Moncheaux (59) 6 E6
Moncheaux-lès-Frévent (62) 10 B2
Monchecourt (59) 11 J2
Monchel-sur-Canche (62) 9 K2
Moncheux (57) 66 B2
Monchiet (62) 10 D3
Monchy-au-Bois (62) 10 D4
Monchy-Breton (62) 10 B1
Monchy-Cayeux (62) 10 A1
Monchy-Humières (60) 38 D1
Monchy-Lagache (80) 19 H2
Monchy-le-Preux (62) 11 F3
Monchy-Saint-Éloi (60) 38 A4
Monchy-sur-Eu (76) 8 C6
Moncla (64) 265 K6
Monclar (32) 266 B2
Monclar (47) 248 A1
Monclar-de-Quercy (82) 269 J2
Monclar-sur-Losse (32) 286 A1
Moncley (25) 137 J5
Moncontour (22) 77 H2
Moncontour (86) 144 D5
Moncorneil-Grazan (32) 286 D2
Moncourt (57) 66 E4
Moncoutant (79) 161 G1
Moncrabeau (47) 267 F1
Moncy (61) 53 G3
Mondavezan (31) 287 H5
Mondelange (57) 45 F3
Mondement-Montgivroux (51) 61 H4
Mondescourt (60) 19 J5
Mondevert (35) 104 B1
Mondeville (14) 32 E5
Mondeville (91) 87 F2
Mondicourt (62) 10 C4
Mondigny (08) 22 C4
Mondilhan (31) 286 E4
Mondion (86) 145 H4
Mondon (25) 138 C3
Mondonville (31) 269 F5
Mondonville-Saint-Jean (28) 85 K4
Mondorff (57) 27 H2
Mondoubleau (41) 108 A3
Mondouzil (31) 269 H6
Mondragon (84) 256 D4
Mondrainville (14) 32 C5
Mondrepuis (02) 21 G1
Mondreville (77) 111 G1
Mondreville (78) 57 H3
Monein (64) 284 A4
Monès (31) 287 H3
Monesple (09) 307 G1
Monestier (03) 185 F2
Monestier (07) 221 J3
Monestier (24) 231 G3
le Monestier (63) 203 J5
Monestier-d'Ambel (38) 242 C2
Monestier-de-Clermont (38) 241 K1
le Monestier-du-Percy (38) 242 A2
Monestier-Merlines (19) 201 H4
Monestier-Port-Dieu (19) 201 H5
Monestiés (81) 251 G6
Monestrol (31) 288 E4
Monétay-sur-Allier (03) 168 E6
Monétay-sur-Loire (03) 169 K5

Monéteau (89) . . . 113 G4
Monêtier-Allemont (05) . . . 259 F1
le Monêtier-les-Bains (05) . . . 225 J5
Monfaucon (24) . . . 231 F1
Monfaucon (65) . . . 285 H2
Monferran-Plavès (32) . . . 286 D2
Monferran-Savès (32) . . . 268 C6
Monflanquin (47) . . . 232 A6
Monfort (32) . . . 268 A4
Monfréville (14) . . . 31 H1
Mongaillard (47) . . . 247 J4
Mongausy (32) . . . 287 F2
Mongauzy (33) . . . 230 D5
Monget (40) . . . 265 G6
Monguilhem (32) . . . 266 A3
Monheurt (47) . . . 247 J3
Monhoudou (72) . . . 83 F5
Monieux (84) . . . 258 A6
Monistrol-d'Allier (43) . . . 219 K6
Monistrol-sur-Loire (43) . . . 221 F2
Monlaur-Bernet (32) . . . 286 C4
Monléon-Magnoac (65) . . . 286 C5
Monlet (43) . . . 220 A3
Monlezun (32) . . . 285 J2
Monlezun-d'Armagnac (32) . . . 266 A3
Monlong (65) . . . 286 B5
Monmadalès (24) . . . 231 K3
Monmarvès (24) . . . 231 K4
Monnai (61) . . . 55 G3
Monnaie (37) . . . 127 K3
Monneren (57) . . . 27 J4
la Monnerie-le-Montel (63) . . . 203 J1
Monnerville (91) . . . 86 B4
Monnes (02) . . . 39 H5
Monnet-la-Ville (39) . . . 173 J1
Monnetay (39) . . . 173 F4
Monnetier-Mornex (74) . . . 191 G2
Monneville (60) . . . 37 G5
Monnières (39) . . . 155 G2
Monnières (44) . . . 142 A1
Monoblet (30) . . . 274 C1
Monpardiac (32) . . . 285 K2
Monpazier (24) . . . 232 C4
Monpezat (64) . . . 285 G2
Monplaisant (24) . . . 232 D3
Monprimblanc (33) . . . 230 A4
Mons (16) . . . 178 E6
Mons (17) . . . 195 K1
Mons (30) . . . 255 H5
Mons (31) . . . 269 J6
Mons (34) . . . 291 H1
Mons (63) . . . 185 J5
Mons (83) . . . 280 B4
Mons-Boubert (80) . . . 8 E5
Mons-en-Barœul (59) . . . 6 E4
Mons-en-Laonnois (02) . . . 20 C6
Mons-en-Montois (77) . . . 88 C2
Mons-en-Pévèle (59) . . . 6 E6
Monsac (24) . . . 232 A3
Monsaguel (24) . . . 231 J3
Monsec (24) . . . 197 H6
Monségur (33) . . . 230 D4
Monségur (40) . . . 265 G6
Monségur (47) . . . 248 E1
Monségur (64) . . . 285 G2
la Monselie (15) . . . 217 J2
Monsempron-Libos (47) . . . 248 E1
Monsireigne (85) . . . 160 C1
Monsols (69) . . . 187 K2
Monsteroux-Milieu (38) . . . 206 C6
Monsures (80) . . . 17 K4
Monswiller (67) . . . 70 B1
Mont (64) . . . 284 A2
Mont (65) . . . 305 G5
Mont (71) . . . 169 K3
le Mont (88) . . . 95 J2
Mont-Bernanchon (62) . . . 5 K5
Mont-Bertrand (14) . . . 31 J5
Mont-Bonvillers (54) . . . 44 C3
Mont-Cauvaire (76) . . . 15 K6
Mont-d'Astarac (32) . . . 286 C4
Mont-Dauphin (05) . . . 227 A3
Mont-de-Galié (31) . . . 305 J2
Mont-de-Lans (38) . . . 224 E5
Mont-de-Laval (25) . . . 157 H1
Mont-de-l'If (76) . . . 15 H6
Mont-de-Marrast (32) . . . 286 A3
Mont-de-Marsan (40) . . . 265 G2
Mont-de-Vougney (25) . . . 139 G5
Mont-devant-Sassey (55) . . . 43 F2
le Mont-Dieu (08) . . . 22 E6
Mont-Disse (64) . . . 285 F1
Mont-Dol (35) . . . 51 F4
Mont-Dore (63) . . . 202 A4
Mont-d'Origny (02) . . . 20 C2
Mont-et-Marré (58) . . . 151 J3
Mont-Laurent (08) . . . 41 K1
Mont-le-Vernois (70) . . . 138 A1
Mont-le-Vignoble (54) . . . 65 H6
Mont-lès-Lamarche (88) . . . 117 H2
Mont-lès-Neufchâteau (88) . . . 93 F3
Mont-lès-Seurre (71) . . . 154 D4
Mont-l'Étroit (54) . . . 93 G2
Mont-l'Évêque (60) . . . 38 C5
Mont-Louis (66) . . . 313 J4
Mont-Notre-Dame (02) . . . 40 B4
Mont-Ormel (61) . . . 54 E3
Mont-près-Chambord (41) . . . 129 F2
Mont-Roc (81) . . . 271 G4
le Mont-Saint-Adrien (60) . . . 37 G2
Mont-Saint-Aignan (76) . . . 35 H1
Mont-Saint-Éloi (62) . . . 10 E2
Mont-Saint-Jean (02) . . . 21 J3
Mont-Saint-Jean (21) . . . 134 E6
Mont-Saint-Jean (72) . . . 82 B5
Mont-Saint-Léger (70) . . . 137 H1
Mont-Saint-Martin (02) . . . 40 B4
Mont-Saint-Martin (08) . . . 42 B3
Mont-Saint-Martin (38) . . . 224 A2
Mont-Saint-Martin (54) . . . 26 D2
le Mont-Saint-Michel (50) . . . 51 J3
Mont-Saint-Père (02) . . . 40 A6
Mont-Saint-Remy (08) . . . 41 K2
Mont-Saint-Sulpice (89) . . . 113 G3
Mont-Saint-Vincent (71) . . . 171 F2
Mont-Saxonnex (74) . . . 191 J3
Mont-sous-Vaudrey (39) . . . 155 H3
Mont-sur-Courville (51) . . . 40 C4
Mont-sur-Meurthe (54) . . . 66 D6
Mont-sur-Monnet (39) . . . 173 J1
Montabard (61) . . . 54 B4
Montabon (72) . . . 127 F1
Montabot (50) . . . 52 C2
Montacher-Villegardin (89) . . . 88 B6
Montadet (32) . . . 287 G3
Montady (34) . . . 291 K4
Montagagne (09) . . . 307 G3
Montagna-le-Reconduit (39) . . . 172 E4
Montagna-le-Templier (39) . . . 173 F6
Montagnac (30) . . . 274 E2
Montagnac (34) . . . 292 C2
Montagnac-d'Auberoche (24) . . . 214 C4
Montagnac-la-Crempse (24) . . . 213 J6
Montagnac-Montpezat (04) . . . 278 E3
Montagnac-sur-Auvignon (47) . . . 247 K5
Montagnac-sur-Lède (47) . . . 232 B6
Montagnat (01) . . . 189 G2
Montagne (33) . . . 230 B1
Montagne (38) . . . 223 F4
la Montagne (44) . . . 123 F4
la Montagne (70) . . . 119 F3
Montagne-Fayel (80) . . . 17 H2
Montagney (70) . . . 137 G5
Montagney-Servigney (25) . . . 138 C3
Montagnieu (01) . . . 207 G1
Montagnieu (38) . . . 207 G5
Montagnol (12) . . . 272 D3
Montagnole (73) . . . 208 B4
Montagny (42) . . . 187 G4
Montagny (69) . . . 205 K3
Montagny (73) . . . 209 J5
Montagny-en-Vexin (60) . . . 36 E5
Montagny-lès-Beaune (21) . . . 154 A4
Montagny-lès-Buxy (71) . . . 171 H1
Montagny-les-Lanches (74) . . . 190 E6
Montagny-lès-Seurre (21) . . . 154 E3
Montagny-près-Louhans (71) . . . 172 D2
Montagny-Sainte-Félicité (60) . . . 38 D6
Montagny-sur-Grosne (71) . . . 171 G6
Montagoudin (33) . . . 230 C5
Montagrier (24) . . . 213 H2
Montagudet (82) . . . 249 G4
Montagut (64) . . . 284 B1
Montaignac-Saint-Hippolyte (19) . . . 216 D2
Montaigu (02) . . . 21 F6
Montaigu (39) . . . 173 G2
Montaigu (85) . . . 142 A3
Montaigu-de-Quercy (82) . . . 249 F3
Montaigu-la-Brisette (50) . . . 28 E3
Montaigu-le-Blin (03) . . . 185 K1
Montaigu-les-Bois (50) . . . 52 A2
Montaiguët-en-Forez (03) . . . 186 C1
Montaigut (63) . . . 184 C3
Montaigut-le-Blanc (23) . . . 182 C3
Montaigut-le-Blanc (63) . . . 202 D4
Montaigut-sur-Save (31) . . . 268 E5
Montaillé (72) . . . 107 J3
Montailleur (73) . . . 209 F3
Montaillou (09) . . . 308 B5
Montaimont (73) . . . 209 F6
Montain (39) . . . 173 G1
Montaïn (82) . . . 268 D2
Montainville (28) . . . 85 G5
Montainville (78) . . . 57 K3
Montalba-le-Château (66) . . . 314 D2
Montalembert (79) . . . 179 G3
Montalet-le-Bois (78) . . . 57 K1
Montalieu-Vercieu (38) . . . 207 G1
Montalzat (82) . . . 250 A4
Montamat (32) . . . 287 F2
Montambert (58) . . . 169 H1
Montamel (46) . . . 233 H5
Montamisé (86) . . . 163 F3
Montamy (14) . . . 53 F1
Montanay (69) . . . 188 D6
Montancy (25) . . . 139 K4
Montandon (25) . . . 139 H5
Montanel (50) . . . 51 J5
Montaner (64) . . . 285 G3
Montanges (01) . . . 190 C2
Montans (81) . . . 270 B3
Montapas (58) . . . 151 J3
Montarcher (42) . . . 204 C6
Montardit (09) . . . 306 E1
Montardon (64) . . . 284 D3
Montaren-et-Saint-Médiers (30) . . . 275 G1
Montargis (45) . . . 111 J3
Montarlot (77) . . . 87 K4
Montarlot-lès-Rioz (70) . . . 137 K4
Montarnaud (34) . . . 274 A6
Montaron (58) . . . 151 K5
Montastruc (47) . . . 248 A1
Montastruc (65) . . . 286 A5
Montastruc (82) . . . 249 J6
Montastruc-de-Salies (31) . . . 306 B2
Montastruc-la-Conseillère (31) . . . 269 J5
Montastruc-Savès (31) . . . 287 H4
le Montat (46) . . . 250 A2
Montataire (60) . . . 38 A4
Montauban (82) . . . 269 F1
Montauban-de-Bretagne (35) . . . 78 C3
Montauban-de-Luchon (31) . . . 305 H5
Montauban-de-Picardie (80) . . . 10 E6
Montauban-sur-l'Ouvèze (26) . . . 258 B3
Montaud (34) . . . 274 C4
Montaud (38) . . . 223 J2
Montaudin (53) . . . 80 D3
Montaulieu (26) . . . 257 J2
Montaulin (10) . . . 90 C5
Montaure (27) . . . 35 H4
Montauriol (11) . . . 289 F5
Montauriol (47) . . . 231 J5
Montauriol (66) . . . 315 F3
Montauriol (81) . . . 251 J6
Montauroux (83) . . . 280 B5
Montaut (09) . . . 288 D6
Montaut (24) . . . 231 K3
Montaut (31) . . . 288 A4
Montaut (32) . . . 286 B3
Montaut (40) . . . 265 F4
Montaut (47) . . . 231 K5
Montaut (64) . . . 284 E6
Montaut-les-Créneaux (32) . . . 267 J5
Montautour (35) . . . 80 B5
Montauville (54) . . . 65 J2
Montay (59) . . . 12 D5
Montayral (47) . . . 249 F1
Montazeau (24) . . . 230 E1
Montazels (11) . . . 309 F3
Montbard (21) . . . 134 D1
Montbarla (82) . . . 249 G4
Montbarrey (39) . . . 155 J3
Montbarrois (45) . . . 111 F2
Montbartier (82) . . . 269 F2
Montbavin (02) . . . 40 A1
Montbazens (12) . . . 251 H1
Montbazin (34) . . . 293 F2
Montbazon (37) . . . 127 J6
Montbel (09) . . . 308 C3
Montbel (48) . . . 238 A5
Montbéliard (25) . . . 139 H2
Montbéliardot (25) . . . 139 G6
Montbellet (71) . . . 171 K4
Montbenoît (25) . . . 157 G3
Montberaud (31) . . . 287 J6
Montbernard (31) . . . 286 E4
Montberon (31) . . . 269 H5
Montbert (44) . . . 141 J2
Montberthault (21) . . . 134 C3
Montbeton (82) . . . 269 F1
Montbeugny (03) . . . 169 F4
Montbizot (72) . . . 82 D6
Montblainville (55) . . . 42 E4
Montblanc (34) . . . 292 B3
Montboillon (70) . . . 137 J4
Montboissier (28) . . . 85 F6
Montbolo (66) . . . 314 E5
Montbonnot-Saint-Martin (38) . . . 224 B2
Montboucher (23) . . . 182 B5
Montboucher-sur-Jabron (26) . . . 240 B5
Montboudif (15) . . . 218 A1
Montbouton (90) . . . 139 J2
Montbouy (45) . . . 111 J4
Montboyer (16) . . . 212 E2
Montbozon (70) . . . 138 C3
Montbrand (05) . . . 242 A5
Montbras (55) . . . 93 G1
Montbray (50) . . . 52 C2
Montbré (51) . . . 41 F5
Montbrehain (02) . . . 20 A1
Montbrison (42) . . . 204 D4
Montbrison-sur-Lez (26) . . . 257 G1
Montbron (16) . . . 197 H3
Montbronn (57) . . . 69 F4
Montbrun (46) . . . 250 E1
Montbrun (48) . . . 254 B3
Montbrun-Bocage (31) . . . 306 E1
Montbrun-des-Corbières (11) . . . 290 E6
Montbrun-Lauragais (31) . . . 288 C2
Montbrun-les-Bains (26) . . . 258 A4
Montcabrier (46) . . . 232 D6
Montcabrier (81) . . . 269 K6
Montcaret (24) . . . 230 D2
Montcarra (38) . . . 207 G3
Montcavrel (62) . . . 4 C5
Montceau-et-Écharnant (21) . . . 153 J3
Montceau-les-Mines (71) . . . 170 E2
Montceaux (01) . . . 188 C3
Montceaux-lès-Meaux (77) . . . 60 A2
Montceaux-lès-Provins (77) . . . 60 E5
Montceaux-lès-Vaudes (10) . . . 90 B6
Montceaux-l'Étoile (71) . . . 170 B6
Montceaux-Ragny (71) . . . 171 K2
Montcel (63) . . . 185 F5
Montcel (73) . . . 208 C2
Montcenis (71) . . . 153 G6
Montcet (01) . . . 189 F2
Montcey (70) . . . 118 B6
Montchaboud (38) . . . 224 B4
Montchal (42) . . . 205 F1
Montchâlons (02) . . . 40 C1
Montchamp (14) . . . 53 F2
Montchamp (15) . . . 219 F5
Montchanin (71) . . . 171 F1
Montcharvot (52) . . . 117 G3
Montchaton (50) . . . 30 D4
Montchaude (16) . . . 196 A6
Montchauvet (14) . . . 53 F2
Montchauvet (78) . . . 57 H3
Montchenu (26) . . . 222 D3
Montcheutin (08) . . . 42 C3
Montchevrel (61) . . . 83 F1
Montchevrier (36) . . . 165 J5
Montclar (04) . . . 259 K1
Montclar (11) . . . 309 F1
Montclar (12) . . . 271 K2
Montclar-de-Comminges (31) . . . 287 H6
Montclar-Lauragais (31) . . . 288 E4
Montclar-sur-Gervanne (26) . . . 241 F3
Montclard (43) . . . 219 J3
Montcléra (46) . . . 233 F5
Montclus (05) . . . 258 D1
Montclus (30) . . . 256 A4
Montcombroux-les-Mines (03) . . . 169 H6
Montcony (71) . . . 172 D1
Montcorbon (45) . . . 112 B3
Montcornet (02) . . . 21 G4
Montcornet (08) . . . 22 C2
Montcourt (70) . . . 117 J3
Montcourt-Fromonville (77) . . . 87 H5
Montcoy (71) . . . 154 C6
Montcresson (45) . . . 111 J4
Montcuit (50) . . . 31 F3
Montcuq (46) . . . 249 H3
Montcusel (39) . . . 173 H6
Montcy-Notre-Dame (08) . . . 22 D3
Montdardier (30) . . . 273 J2
Montdauphin (77) . . . 60 E3
Montdidier (57) . . . 68 B5
Montdidier (80) . . . 18 D5
Montdoré (70) . . . 118 A3
Montdoumerc (46) . . . 250 A3
Montdragon (81) . . . 270 D4
Montdurausse (81) . . . 269 J2
Monte (2B) . . . 319 H3
Monteaux (41) . . . 128 C3
Montebourg (50) . . . 29 F4
Montech (82) . . . 268 E2
Montécheroux (25) . . . 139 H4
Montegrosso (2B) . . . 318 C3
Montégut (32) . . . 267 J6
Montégut (40) . . . 265 K3
Montégut (65) . . . 305 G1
Montégut-Arros (32) . . . 285 J3
Montégut-Bourjac (31) . . . 287 G4
Montégut-en-Couserans (09) . . . 306 D3
Montégut-Lauragais (31) . . . 289 G2
Montégut-Plantaurel (09) . . . 307 H2
Montégut-Savès (32) . . . 287 G2
Monteignet-sur-l'Andelot (03) . . . 185 G3
le Monteil (15) . . . 217 J2
le Monteil (43) . . . 220 C5
le Monteil-au-Vicomte (23) . . . 182 D6
Monteille (14) . . . 33 H6
Monteils (12) . . . 251 F4
Monteils (30) . . . 255 H6
Monteils (82) . . . 250 B5
Montel-de-Gelat (63) . . . 184 A6
Montéléger (26) . . . 240 C2
Montélier (26) . . . 222 D6
Montélimar (26) . . . 240 B5
le Montellier (01) . . . 188 E5
Montels (09) . . . 307 G2
Montels (34) . . . 291 J4
Montels (81) . . . 270 B2
Montembœuf (16) . . . 197 J2
Montenach (57) . . . 27 J3
Montenay (53) . . . 80 D4
Montendre (17) . . . 211 J2
Montendry (73) . . . 208 E4
Montenescourt (62) . . . 10 D3
Monteneuf (56) . . . 102 B1
Montenils (77) . . . 61 F4
Montenois (25) . . . 139 G2
Montenoison (58) . . . 151 G1
Montenoy (54) . . . 66 B3
Montépilloy (60) . . . 38 C5
Monteplain (39) . . . 155 J1
Montépreux (51) . . . 62 B5
Monterblanc (56) . . . 101 G4
Montereau (45) . . . 111 G4
Montereau-Fault-Yonne (77) . . . 88 A4
Montereau-sur-le-Jard (77) . . . 87 H1
Monterfil (35) . . . 78 D4
Montérolier (76) . . . 16 C5
Monterrein (56) . . . 101 K2
Montertelot (56) . . . 101 J2
Montescot (66) . . . 315 H3
Montescourt-Lizerolles (02) . . . 19 K4
Montespan (31) . . . 306 A1
Montesquieu (34) . . . 292 A1
Montesquieu (47) . . . 247 K4
Montesquieu (82) . . . 249 F4
Montesquieu-Avantès (09) . . . 306 E2
Montesquieu-des-Albères (66) . . . 315 G4
Montesquieu-Guittaut (31) . . . 286 E4
Montesquieu-Lauragais (31) . . . 288 D3
Montesquieu-Volvestre (31) . . . 287 K5
Montesquiou (32) . . . 286 A1
Montessaux (70) . . . 118 E5
Montesson (78) . . . 58 C3
Montestruc-sur-Gers (32) . . . 267 J4
le Montet (03) . . . 168 B5
Montet-et-Bouxal (46) . . . 234 D3
Monteton (47) . . . 231 F5
Monteux (84) . . . 257 G6
Montévrain (77) . . . 59 J3
Monteynard (38) . . . 224 A6
Montézic (12) . . . 235 K4
Montfa (09) . . . 307 F1
Montfa (81) . . . 271 F5
Montfalcon (38) . . . 223 F2
Montfarville (50) . . . 29 G2
Montfaucon (02) . . . 60 E2
Montfaucon (25) . . . 138 A6
Montfaucon (30) . . . 256 D6
Montfaucon (46) . . . 233 J4
Montfaucon-d'Argonne (55) . . . 43 F4
Montfaucon-en-Velay (43) . . . 221 G3
Montfaucon-Montigné (49) . . . 142 C2
Montfermeil (93) . . . 59 G3
Montfermier (82) . . . 249 K4
Montfermy (63) . . . 184 C6
Montferrand (11) . . . 289 F4
Montferrand-du-Périgord (24) . . . 232 B3
Montferrand-la-Fare (26) . . . 258 A2
Montferrand-le-Château (25) . . . 156 A1
Montferrat (38) . . . 207 J5
Montferrat (83) . . . 279 J5
Montferrer (66) . . . 314 D5
Montferrier (09) . . . 308 A4
Montferrier-sur-Lez (34) . . . 274 B5
Montfey (10) . . . 113 J2
Montfiquet (14) . . . 31 K3
Montfleur (39) . . . 173 F6
Montflours (53) . . . 81 F6
Montflovin (25) . . . 157 F3
Montfort (04) . . . 259 G5
Montfort (25) . . . 156 A2
Montfort (49) . . . 144 B1
Montfort (64) . . . 283 H3
Montfort-en-Chalosse (40) . . . 264 D4
Montfort-l'Amaury (78) . . . 57 K4
Montfort-le-Gesnois (72) . . . 107 F2
Montfort-sur-Argens (83) . . . 298 A1
Montfort-sur-Boulzane (11) . . . 309 F6
Montfort-sur-Meu (35) . . . 78 D4
Montfort-sur-Risle (27) . . . 34 D3
Montfranc (12) . . . 271 J3
Montfrin (30) . . . 275 K3
Montfroc (26) . . . 258 C4
Montfuron (04) . . . 278 A3
Montgaillard (09) . . . 307 J3
Montgaillard (11) . . . 309 J4
Montgaillard (40) . . . 265 G4
Montgaillard (65) . . . 285 H6
Montgaillard (81) . . . 269 J2
Montgaillard (82) . . . 268 B2
Montgaillard-de-Salies (31) . . . 306 B2
Montgaillard-Lauragais (31) . . . 288 E3
Montgaillard-sur-Save (31) . . . 286 E5
Montgardin (05) . . . 243 G5
Montgardon (50) . . . 30 D1
Montgaroult (61) . . . 54 B4
Montgauch (09) . . . 306 D2
Montgaudry (61) . . . 83 G3
Montgazin (31) . . . 288 A4
Montgé-en-Goële (77) . . . 59 J1
Montgeard (31) . . . 288 D4
Montgellafrey (73) . . . 209 F6
Montgenèvre (05) . . . 226 A6
Montgenost (51) . . . 89 G1
Montgérain (60) . . . 18 D6
Montgermont (35) . . . 79 F3
Montgeron (91) . . . 59 F5
Montgeroult (95) . . . 37 G6
Montgesoye (25) . . . 156 D2
Montgesty (46) . . . 233 G5
Montgey (81) . . . 289 G2
Montgibaud (19) . . . 199 G5
Montgilbert (73) . . . 209 F4
Montgirod (73) . . . 209 J4
Montgiscard (31) . . . 288 D2
Montgivray (36) . . . 166 B3
Montgobert (02) . . . 39 G3
Montgon (08) . . . 42 B1
Montgradail (11) . . . 308 C1
Montgras (31) . . . 287 H2
Montgreleix (15) . . . 218 C2
Montgru-Saint-Hilaire (02) . . . 39 J5
Montguers (26) . . . 258 B3
Montgueux (10) . . . 89 K4
Montguillon (49) . . . 104 E6
Montguyon (17) . . . 212 B3
les Monthairons (55) . . . 43 J6
Montharville (28) . . . 84 E6
Monthault (35) . . . 80 B1
Monthaut (11) . . . 308 D1
Monthelie (21) . . . 153 K4
Monthelon (51) . . . 61 K2
Monthelon (71) . . . 152 E4
Monthenault (02) . . . 40 B1
Montheries (52) . . . 91 J6
Montherlant (60) . . . 37 G4
Monthermé (08) . . . 22 D2
Monthiers (02) . . . 39 J6
Monthieux (01) . . . 188 D5
Monthion (73) . . . 209 F3
Monthodon (37) . . . 128 A1
Monthoiron (86) . . . 163 H1
Monthois (08) . . . 42 B3
Montholier (39) . . . 155 J4
Monthou-sur-Bièvre (41) . . . 128 E3
Monthou-sur-Cher (41) . . . 128 E5
Monthuchon (50) . . . 30 E3
Monthurel (02) . . . 61 F1
Monthureux-le-Sec (88) . . . 93 K6
Monthureux-sur-Saône (88) . . . 117 J2
Monthyon (77) . . . 59 J1
Monticello (2B) . . . 318 D2
Montier-en-Der (52) . . . 91 H2
Montier-en-l'Isle (10) . . . 91 G5
Montiéramey (10) . . . 90 D5
Montierchaume (36) . . . 148 A5
Montiers (60) . . . 38 B1
Montiers-sur-Saulx (55) . . . 92 C1
Monties (32) . . . 286 D3
Montignac (24) . . . 214 E5
Montignac (33) . . . 230 A3
Montignac (65) . . . 285 J6
Montignac-Charente (16) . . . 196 D2
Montignac-de-Lauzun (47) . . . 231 H5
Montignac-le-Coq (16) . . . 213 F1
Montignac-Toupinerie (47) . . . 231 G6
Montignargues (30) . . . 275 F2
Montigné (16) . . . 196 B1
Montigné-le-Brillant (53) . . . 104 E2
Montigné-lès-Rairies (49) . . . 126 A1
Montigny (14) . . . 32 C6
Montigny (18) . . . 149 K1

Montigny (45) 110 C1
Montigny (54) 95 G1
Montigny (72) 82 E2
Montigny (76) 35 G1
Montigny-aux-Amognes (58) 151 F3
Montigny-devant-Sassey (55) 43 F1
Montigny-en-Arrouaise (02) 20 B2
Montigny-en-Cambrésis (59) 12 C5
Montigny-en-Gohelle (62) 11 G1
Montigny-en-Morvan (58) 152 A2
Montigny-en-Ostrevent (59) 11 J2
Montigny-la-Resle (89) 113 H4
Montigny-l'Allier (02) 39 G6
Montigny-le-Bretonneux (78) 58 B4
Montigny-le-Chartif (28) 84 D5
Montigny-le-Franc (02) 21 F4
Montigny-le-Gannelon (28) 108 D2
Montigny-le-Guesdier (77) 88 D4
Montigny-Lencoup (77) 88 B3
Montigny-Lengrain (02) 39 G3
Montigny-lès-Arsures (39) 155 K4
Montigny-lès-Cherlieu (70) 117 H5
Montigny-lès-Condé (02) 61 F2
Montigny-lès-Cormeilles (95) 58 D2
Montigny-les-Jongleurs (80) 9 J4
Montigny-lès-Metz (57) 45 F5
Montigny-les-Monts (10) 113 K1
Montigny-lès-Vaucouleurs (55) 65 F6
Montigny-lès-Vesoul (70) 138 A1
Montigny-Montfort (21) 134 D2
Montigny-Mornay-Villeneuve-
-sur-Vingeanne (21) 136 E2
Montigny-Saint-Barthélemy (21) 134 D4
Montigny-sous-Marle (02) 20 E4
Montigny-sur-Armançon (21) 134 E4
Montigny-sur-Aube (21) 115 H3
Montigny-sur-Avre (28) 56 C5
Montigny-sur-Canne (58) 151 J5
Montigny-sur-Chiers (54) 26 C3
Montigny-sur-Crécy (02) 20 C4
Montigny-sur-l'Ain (39) 173 J1
Montigny-sur-l'Hallue (80) 18 C1
Montigny-sur-Loing (77) 87 J4
Montigny-sur-Meuse (08) 24 C2
Montigny-sur-Vence (08) 22 C5
Montigny-sur-Vesle (51) 40 D3
Montilliers (49) 143 J1
Montillot (89) 133 H3
Montilly (03) 168 D3
Montilly-sur-Noireau (61) 53 H3
Montils (17) 195 H3
les Montils (41) 128 E3
Montipouret (36) 166 A2
Montirat (11) 290 C6
Montirat (81) 251 G5
Montireau (28) 84 C3
Montiron (32) 287 F1
Montivernage (25) 138 D5
Montivilliers (76) 14 B6
Montjardin (11) 308 C3
Montjaux (12) 252 E6
Montjavoult (60) 36 E5
Montjay (05) 258 C2
Montjay (71) 155 F6
Montjean (16) 179 F3
Montjean (53) 104 D2
Montjean-sur-Loire (49) 124 D4
Montjoi (11) 309 H3
Montjoi (82) 248 E4
Montjoie-en-Couserans (09) 306 D2
Montjoie-le-Château (25) 139 J4
Montjoie-Saint-Martin (50) 80 A1
Montjoire (31) 269 H4
Montjoux (26) 240 E6
Montjoyer (26) 256 E1
Montjustin (04) 277 K3
Montjustin-et-Velotte (70) 138 D1
Montlandon (28) 84 C3
Montlaur (11) 309 J1
Montlaur (12) 272 B3
Montlaur (31) 288 D2
Montlaur-en-Diois (26) 241 H4
Montlaux (04) 259 F6
Montlauzun (46) 249 H3
Montlay-en-Auxois (21) 134 D5
Montlebon (25) 157 H2
Montlevicq (36) 166 C3
Montlevon (02) 61 F2
Montlhéry (91) 58 D6
Montliard (45) 111 F2
Montlieu-la-Garde (17) 212 A3
Montlignon (95) 58 D1
Montliot-et-Courcelles (21) 115 F4
Montlivault (41) 129 F1
Montlognon (60) 38 C5
Montloué (02) 21 H4
Montlouis (18) 149 F6
Montlouis-sur-Loire (37) 127 K5
Montluçon (03) 167 H6
Montluel (01) 188 E6
Montmachoux (77) 88 A4
Montmacq (60) 38 E1
Montmagny (95) 58 E2
Montmahoux (25) 156 C3
Montmain (21) 154 C3
Montmain (76) 35 K2
Montmançon (21) 136 D5
Montmarault (03) 184 E1
Montmarlon (39) 156 B5
Montmartin (60) 38 C1
Montmartin-en-Graignes (50) 31 G1
Montmartin-le-Haut (10) 91 F6
Montmartin-sur-Mer (50) 30 D5
Montmaur (05) 242 C5
Montmaur (11) 289 F3
Montmaur-en-Diois (26) 241 H4
Montmaurin (31) 286 D5
Montmédy (55) 23 K6
Montmeillant (08) 21 K4
Montmelard (71) 171 F6
Montmelas-Saint-Sorlin (69) 188 A4
Montmélian (73) 208 D5
Montmerle-sur-Saône (01) 188 B4
Montmerrei (61) 54 C6
Montmeyan (83) 278 E5
Montmeyran (26) 240 D2
Montmin (74) 208 E1
Montmirail (51) 61 F3
Montmirail (72) 107 K1
Montmiral (26) 222 E4
Montmirat (30) 274 E2
Montmirey-la-Ville (39) 137 F6
Montmirey-le-Château (39) 137 F6
Montmoreau-Saint-Cybard (16) 212 E1
Montmorency (95) 58 E2
Montmorency-Beaufort (10) 91 F2
Montmorillon (86) 164 A5
Montmorin (05) 258 B1
Montmorin (63) 203 F3
Montmorot (39) 173 F2
Montmort (71) 170 B1
Montmort-Lucy (51) 61 J2
Montmotier (88) 118 B2
Montmoyen (21) 115 H6
Montmurat (15) 235 F5
Montner (66) 309 K6
Montoillot (21) 135 G6
Montoir-de-Bretagne (44) 122 B2
Montoire-sur-le-Loir (41) 108 A6
Montois-la-Montagne (57) 44 D4
Montoison (26) 240 D2
Montoldre (03) 169 F6
Montolieu (11) 289 K4
Montolivet (77) 60 E4
Montonvillers (80) 10 A6
Montord (03) 185 G1
Montory (64) 283 J6
Montot (21) 154 E2
Montot (70) 137 F2
Montot-sur-Rognon (52) 92 C4
Montouliers (34) 291 G4
Montoulieu (09) 307 J4
Montoulieu (34) 274 B2
Montoulieu-Saint-Bernard (31) 287 G5
Montournais (85) 160 E1
Montours (35) 51 K6
Montourtier (53) 81 G5
Montoussé (65) 305 F1
Montoussin (31) 287 H5
Montoy-Flanville (57) 45 G5
Montpellier (34) 274 C6
Montpellier-de-Médillan (17) 195 F3
Montpensier (63) 185 G4
Montperreux (25) 157 F5
Montpeyroux (12) 236 B5
Montpeyroux (24) 230 D1
Montpeyroux (34) 273 J5
Montpeyroux (63) 202 E4
Montpezat (30) 274 E3
Montpézat (32) 287 G3
Montpezat (47) 248 A3
Montpezat-de-Quercy (82) 250 A4
Montpezat-sous-Bauzon (07) 239 F4
Montpinchon (50) 31 F4
Montpinier (81) 270 E5
Montpitol (31) 269 J5
Montplonne (55) 64 B5
Montpollin (49) 126 B2
Montpon-Ménestérol (24) 212 E6
Montpont-en-Bresse (71) 172 C3
Montpothier (10) 89 F1
Montpouillan (47) 247 G1
Montrabé (31) 269 H6
Montrabot (50) 31 K3
Montracol (01) 189 F2
Montravers (79) 143 G5
Montréal (07) 239 G6
Montréal (11) 289 J6
Montréal (32) 266 E2
Montréal (89) 134 A3
Montréal-la-Cluse (01) 189 K2
Montréal-les-Sources (26) 257 K2
Montrécourt (59) 12 C3
Montredon (46) 235 F5
Montredon-des-Corbières (11) 291 H6
Montredon-Labessonnié (81) 271 F5
Montregard (43) 221 G4
Montréjeau (31) 305 H1
Montrelais (44) 124 C4
Montrem (24) 213 J4
Montrésor (37) 147 F2
Montret (71) 172 B2
Montreuil (28) 57 F4
Montreuil (62) 4 C6
Montreuil (85) 160 D5
Montreuil (93) 59 F3
Montreuil-au-Houlme (61) 53 K5
Montreuil-aux-Lions (02) 60 C1
Montreuil-Bellay (49) 144 C2
Montreuil-Bonnin (86) 162 D3
Montreuil-des-Landes (35) 80 A5
Montreuil-en-Auge (14) 33 J5
Montreuil-en-Caux (76) 16 A4
Montreuil-en-Touraine (37) 128 B3
Montreuil-Juigné (49) 125 G2
Montreuil-la-Cambe (61) 54 D3
Montreuil-l'Argillé (27) 55 G2
Montreuil-le-Chétif (72) 82 C5
Montreuil-le-Gast (35) 79 F2
Montreuil-le-Henri (72) 107 H4
Montreuil-Poulay (53) 81 H3
Montreuil-sous-Pérouse (35) 80 A6
Montreuil-sur-Barse (10) 90 D5
Montreuil-sur-Blaise (52) 91 K2
Montreuil-sur-Brêche (60) 37 J1
Montreuil-sur-Epte (95) 36 D5
Montreuil-sur-Ille (35) 79 G2
Montreuil-sur-Loir (49) 125 J1
Montreuil-sur-Lozon (50) 31 G3
Montreuil-sur-Maine (49) 125 F1
Montreuil-sur-Thérain (60) 37 H3
Montreuil-sur-Thonnance (52) 92 B2
Montreuillon (58) 152 A1
Montreux (54) 67 H6
Montreux-Château (90) 139 K1
Montreux-Jeune (68) 139 K1
Montreux-Vieux (68) 119 K6
Montrevault (49) 124 B6
Montrevel (38) 207 G5
Montrevel (39) 173 F5
Montrevel-en-Bresse (01) 172 C6
Montrichard (41) 128 D5
Montricher-Albanne (73) 225 H2
Montricoux (82) 250 B6
Montrieux-en-Sologne (41) 129 J3
Montrigaud (26) 222 E3
Montriond (74) 192 A1
Montrodat (48) 237 G6
Montrol-Sénard (87) 180 E4
Montrollet (16) 180 D5
Montromant (69) 205 H3
Montrond (05) 258 D2
Montrond (39) 156 A6
Montrond-le-Château (25) 156 C1
Montrond-les-Bains (42) 204 E3
Montrosier (81) 250 E5
Montrottier (69) 205 G2
Montroty (76) 36 D2
Montrouge (92) 58 E4
Montrouveau (41) 107 J6
Montroy (17) 176 E2
Montrozier (12) 252 D2
Montry (77) 59 J3
Monts (37) 127 H6
Monts (60) 37 G5
Monts-en-Bessin (14) 32 C5
Monts-en-Ternois (62) 10 B2
Monts-sur-Guesnes (86) 145 F5
les Monts-Verts (48) 237 F2
Montsalès (12) 251 F1
Montsalier (04) 258 C6
Montsalvy (15) 235 J4
Montsapey (73) 209 F4
Montsauche-les-Settons (58) 152 C1
Montsaugeon (52) 136 D1
Montsaunès (31) 306 B1
Montsec (55) 65 G2
Montsecret (61) 53 G4
Montségur (09) 308 A4
Montségur-sur-Lauzon (26) 256 E2
Montselgues (07) 238 D6
Montséret (11) 310 B1
Montsérié (65) 305 G2
Montseron (09) 307 F2
Montseveroux (38) 206 C6
Montsoreau (49) 144 E1
Montsoué (40) 265 G4
Montsoult (95) 58 E1
Montsûrs (53) 81 G6
Montsurvent (50) 30 D3
Montsuzain (10) 90 B3
Montureux-et-Prantigny (70) 137 G3
Montureux-lès-Baulay (70) 117 K4
Montusclat (43) 220 E6
Montussaint (25) 138 C3
Montussan (33) 229 J1
Montvalen (81) 269 J3
Montvalent (46) 233 K2
Montvalezan (73) 193 B3
Montvendre (26) 240 D1
Montverdun (42) 204 D3
Montvernier (73) 225 G1
Montvert (15) 216 E6
Montvicq (03) 184 C1
Montviette (14) 54 D1
Montville (76) 15 K6
Montviron (50) 51 J2
Montzéville (55) 43 G4
Monviel (47) 231 J5
Monze (11) 290 C6
Moon-sur-Elle (50) 31 H2
Moosch (68) 119 K3
Mooslargue (68) 97 B5
Moraches (58) 133 G6
Moragne (17) 177 G5
Morainville (28) 85 K4
Morainville-Jouveaux (27) 34 B4
Morainvilliers (78) 58 A2
Morancé (69) 188 B6
Morancez (28) 85 G3
Morancourt (52) 91 K3
Morand (37) 128 B2
Morangis (51) 61 K2
Morangis (91) 58 E5
Morangles (60) 37 J5
Morannes (49) 105 H5
Moranville (55) 43 K5
Moras (38) 206 E3
Moras-en-Valloire (26) 222 D2
Morbecque (59) 5 J3
Morbier (39) 174 A3
Morcenx (40) 245 F6
Morchain (80) 19 G3
Morchies (62) 11 G4
Morcourt (02) 20 A2
Morcourt (80) 18 E2
Mordelles (35) 78 E4
Moréac (56) 101 F2
Morée (41) 108 D4
Moreilles (85) 160 B5
Morelmaison (88) 93 J4
Morembert (10) 90 D2
Morestel (38) 207 G3
Moret-sur-Loing (77) 87 J4
Morêtel-de-Mailles (38) 208 C6
Morette (38) 223 H2
Moreuil (80) 18 C3
Morey (71) 153 J6
Morey-Saint-Denis (21) 154 B1
Morez (39) 174 A3
Morfontaine (54) 26 D3
Morganx (40) 265 G6
Morgemoulin (55) 43 K4
Morgny (27) 36 C2
Morgny-en-Thiérache (02) 21 H3
Morgny-la-Pommeraye (76) 35 K1
Morhange (57) 66 E2
Moriat (63) 219 F1
Morienne (76) 17 F3
Morienval (60) 38 E4
Morières-lès-Avignon (84) 276 C2
Moriers (28) 85 F6
Morieux (22) 49 H6
Moriez (04) 279 J1
Morigny (50) 52 C2
Morigny-Champigny (91) 86 D3
Morillon (74) 192 A3
Moringhem (62) 5 F2
Morionvilliers (52) 92 D3
Morisel (80) 18 C3
Moriville (88) 94 D3
Moriviller (54) 94 D2
Morizécourt (88) 117 H1
Morizès (33) 230 C5
Morlaàs (64) 284 E3
Morlac (18) 166 E2
Morlaix (29) 47 G4
Morlancourt (80) 18 D1
Morlanne (64) 284 B1
Morlet (71) 153 H4
Morley (55) 92 B1
Morlhon-le-Haut (12) 251 G3
Morlincourt (60) 19 H6
Mormaison (85) 141 K4
Mormant (77) 87 K1
Mormant-sur-Vernisson (45) 111 J3
Mormès (32) 266 A3
Mormoiron (84) 257 J6
Mornac (16) 197 F3
Mornac-sur-Seudre (17) 194 C2
Mornand-en-Forez (42) 204 D3
Mornans (26) 240 E5
Mornant (69) 205 K4
Mornas (84) 256 D4
Mornay (71) 170 E4
Mornay-Berry (18) 150 B3
Mornay-sur-Allier (18) 150 C6
Moroges (71) 171 H1
Morogues (18) 149 J1
Morosaglia (2B) 319 G4
Morre (25) 138 A6
Morsain (02) 39 H2
Morsains (51) 61 F4
Morsalines (50) 29 F3
Morsan (27) 34 D5
Morsang-sur-Orge (91) 58 E6
Morsang-sur-Seine (91) 87 F1
Morsbach (57) 68 B2
Morsbronn-les-Bains (67) 25 A3
Morschwiller (67) 69 J6
Morschwiller-le-Bas (68) 97 B2
Morsiglia (2B) 317 C2
Mortagne (88) 95 G4
Mortagne-au-Perche (61) 83 H2
Mortagne-du-Nord (59) 7 H6
Mortagne-sur-Gironde (17) 194 E5
Mortagne-sur-Sèvre (85) 142 E3
Mortain (50) 52 D5
Mortcerf (77) 59 K4
la Morte (38) 224 C5
Morteau (25) 157 H2
Morteaux-Coulibœuf (14) 54 B2
Mortefontaine (02) 39 G3
Mortefontaine (60) 38 B6
Mortefontaine-en-Thelle (60) 37 H4
Mortemart (87) 180 E4
Mortemer (60) 18 E6
Mortemer (76) 16 E4
Mortery (77) 88 D1
Morthomiers (18) 149 F3
Mortiers (02) 20 D4
Mortiers (17) 195 K6
Morton (86) 144 D2
Mortrée (61) 54 D6
Mortroux (23) 166 A6
Mortzwiller (68) 119 K5
Morval (62) 11 F6
Morvillars (90) 139 J2
Morville (50) 28 D4
Morville (88) 93 H5
Morville-en-Beauce (45) 86 C5
Morville-lès-Vic (57) 66 D3
Morville-sur-Andelle (76) 36 B1
Morville-sur-Nied (57) 66 C1
Morville-sur-Seille (54) 66 A2
Morvillers (60) 17 G6
Morvillers-Saint-Saturnin (80) 17 G3
Morvilliers (10) 91 F3
Morvilliers (28) 56 B6
Mory (62) 11 F4
Mory-Montcrux (60) 18 B6
Morzine (74) 192 B2
Mosles (14) 32 A3
Moslins (51) 61 K2
Mosnac (16) 196 C4
Mosnac (17) 195 H5
Mosnay (36) 165 H3
Mosnes (37) 128 C4
Mosset (66) 314 B2
Mosson (21) 115 G3
Mostuéjouls (12) 253 H4
Motey-Besuche (70) 137 G5
Motey-sur-Saône (70) 137 H2
la Mothe-Achard (85) 159 F2
la Mothe-Saint-Héray (79) 162 A6
Mothern (67) 25 E2
Motreff (29) 75 J3
la Motte (22) 77 G4
la Motte (83) 298 E1
la Motte-Chalancon (26) 241 H6
la Motte-d'Aigues (84) 277 J4
la Motte-d'Aveillans (38) 224 B6
la Motte-de-Galaure (26) 222 C3
la Motte-du-Caire (04) 259 G2
la Motte-en-Bauges (73) 208 D2
la Motte-en-Champsaur (05) 242 E3
la Motte-Fanjas (26) 223 G5
la Motte-Feuilly (36) 166 C4
la Motte-Fouquet (61) 81 K1
la Motte-Saint-Jean (71) 170 A4
la Motte-Saint-Martin (38) 224 A6
la Motte-Servolex (73) 208 B3
la Motte-Ternant (21) 134 D5
la Motte-Tilly (10) 88 E2
Mottereau (28) 84 D5
Motteville (76) 15 H5
Mottier (38) 207 F6
Motz (73) 190 C5
Mouacourt (54) 66 E5
Mouais (44) 103 G4
Mouans-Sartoux (06) 280 D5
Mouaville (54) 44 B4
Mouazé (35) 79 G3
Mouchamps (85) 142 C6
Mouchan (32) 267 F2
Mouchard (39) 155 K3
la Mouche (50) 51 K1
Mouchès (32) 286 B1
Mouchin (59) 7 F5
Mouchy-le-Châtel (60) 37 J3
Moudeyres (43) 220 E6
Mouen (14) 32 D5
Mouettes (27) 57 F3
Mouffy (89) 133 F1
Mouflaines (27) 36 C4
Mouflers (80) 9 J6
Mouflières (80) 17 F1
Mougins (06) 280 E5
Mougon (79) 178 C1
Mouguerre (64) 282 C1
Mouhers (36) 165 K3
Mouhet (36) 165 F6
Mouhous (64) 284 E2
Mouillac (33) 211 K5
Mouillac (82) 250 C4
la Mouille (39) 174 A4
Mouilleron (52) 116 B6
Mouilleron-en-Pareds (85) 160 D2
Mouilleron-le-Captif (85) 159 H1
Mouilly (55) 43 K6
Moulainville (55) 43 J5
Moularès (81) 251 J6
Moulay (53) 81 G5
Moulayrès (81) 270 C5
Moulédous (65) 285 K5
Moulès-et-Baucels (34) 274 A2
Mouleydier (24) 231 J2
Moulézan (30) 274 E2
Moulhard (28) 84 C6
Moulicent (61) 83 K1
Moulidars (16) 196 C3
Mouliets-et-Villemartin (33) 230 C2
Mouliherne (49) 126 C3
Moulin-Mage (81) 272 B5
Moulin-Neuf (09) 308 C1
Moulin-Neuf (24) 212 D6
Moulin-sous-Touvent (60) 39 G2
Moulineaux (76) 35 G3
Moulines (14) 53 K1
Moulines (50) 80 C1
Moulinet (06) 311 B4
Moulinet (47) 231 J6
le Moulinet-sur-Solin (45) 111 H5
Moulins (02) 40 C2
Moulins (03) 168 E3
Moulins (35) 79 J6
Moulins-en-Tonnerrois (89) 114 A6
Moulins-Engilbert (58) 152 A4
Moulins-la-Marche (61) 55 G6
Moulins-le-Carbonnel (72) 82 C3
Moulins-lès-Metz (57) 44 E5
Moulins-Saint-Hubert (55) 23 G5
Moulins-sur-Céphons (36) 147 J4
Moulins-sur-Orne (61) 54 B4
Moulins-sur-Ouanne (89) 112 E6
Moulins-sur-Yèvre (18) 149 H3
Moulis (09) 306 D3
Moulis-en-Médoc (33) 211 F5
Moulismes (86) 163 K6
Moulle (62) 3 F4
Moulon (33) 230 A2
Moulon (45) 111 G2
Moulotte (55) 44 B5
Moult (14) 33 G6
Moumoulous (65) 285 K3
Moumour (64) 283 K5
Mounes-Prohencoux (12) 272 B4
Mourède (32) 267 F4
Mourens (33) 230 A4
Mourenx (64) 284 A3

Mouret (12) 235 J6
Moureuille (63) 184 D3
Mourèze (34) 273 G6
Mouriès (13) 276 C5
Mouriez (62) 9 H2
Mourioux-Vieilleville (23) 182 B4
Mourjou (15) 235 G4
Mourmelon-le-Grand (51) 41 J5
Mourmelon-le-Petit (51) 41 H5
Mournans-Charbonny (39) 156 B6
Mouron (08) 42 C3
Mouron-sur-Yonne (58) 151 K1
Mouroux (77) 60 B4
Mours (95) 37 J6
Mours-Saint-Eusèbe (26) 222 D5
Mourvilles-Basses (31) 288 E2
Mourvilles-Hautes (31) 289 F3
Mouscardès (40) 264 C6
Moussac (30) 275 F1
Moussac (86) 180 B1
Moussages (15) 217 H3
Moussan (11) 291 H5
Moussé (35) 104 A3
Mousseaux-lès-Bray (77) 88 C3
Mousseaux-Neuville (27) 57 F3
Mousseaux-sur-Seine (78) 57 H1
Moussey (10) 90 B6
Moussey (57) 67 G5
Moussey (88) 95 J2
les Moussières (39) 173 K6
Mousson (54) 65 K2
Moussonvilliers (61) 55 K6
Moussoulens (11) 289 K5
Moussy (51) 61 K1
Moussy (58) 151 G1
Moussy (95) 37 F6
Moussy-le-Neuf (77) 59 G1
Moussy-le-Vieux (77) 59 H1
Moussy-Verneuil (02) 40 B2
Moustajon (31) 305 H5
Moustéru (22) 48 B5
Moustey (40) 245 H2
Moustier (47) 231 F5
Moustier-en-Fagne (59) 13 K5
Moustier-Ventadour (19) 216 E1
Moustiers-Sainte-Marie (04) 279 F2
le Moustoir (22) 75 J3
Moustoir-Ac (56) 101 F3
Moustoir-Remungol (56) 100 E1
la Moutade (63) 185 G5
le Moutaret (38) 208 D5
Mouterhouse (57) 69 H4
Mouterre-Silly (86) 144 D4
Mouterre-sur-Blourde (86) 180 C2
Mouthe (25) 174 C1
le Moutherot (25) 137 H6
Mouthier-en-Bresse (71) 155 F5
Mouthier-Haute-Pierre (25) 156 E2
Mouthiers-sur-Boëme (16) 196 D4
Mouthoumet (11) 309 H3
Moutier-d'Ahun (23) 183 F4
Moutier-Malcard (23) 166 B6
Moutier-Rozeille (23) 183 G6
Moutiers (28) 85 J5
Moutiers (35) 104 A2
Moutiers (54) 44 D4
Moûtiers (73) 209 H5
Moutiers-au-Perche (61) 84 A2
les Moutiers-en-Auge (14) 54 C3
les Moutiers-en-Cinglais (14) 53 J1
Moutiers-en-Puisaye (89) 132 C2
les Moutiers-en-Retz (44) 140 E2
les Moutiers-Hubert (14) 55 F2
Moutiers-les-Mauxfaits (85) 159 H4
Moutiers-Saint-Jean (21) 134 C2
Moutiers-sous-Argenton (79) 143 K4
Moutiers-sous-Chantemerle (79) 161 F1
Moutiers-sur-le-Lay (85) 160 A3
Mouton (16) 179 H6
Moutonne (39) 173 G3
Moutonneau (16) 179 H6
Moutoux (39) 156 B6
Moutrot (54) 65 H6
Mouvaux (59) 6 E3
Moux (11) 290 E6
Moux-en-Morvan (58) 152 D1
Mouxy (73) 208 B2
Mouy (60) 37 K3
Mouy-sur-Seine (77) 88 D3
Mouzay (37) 146 C3
Mouzay (55) 43 G1
Mouzeil (44) 123 J1
Mouzens (24) 232 D2
Mouzens (81) 289 G1
Mouzeuil-Saint-Martin (85) 160 C4
Mouzieys-Panens (81) 250 E6
Mouzieys-Teulet (81) 271 F3
Mouzillon (44) 142 B1
Mouzon (08) 23 G5
Mouzon (16) 197 J1
Moval (90) 139 H1
Moy-de-l'Aisne (02) 20 A4
Moyaux (14) 34 B5
Moydans (05) 258 B1
Moye (74) 190 D6
Moyemont (88) 94 E3
Moyen (54) 94 E1
Moyencourt (80) 19 G4
Moyencourt-lès-Poix (80) 17 J3
Moyenmoutier (88) 95 H3
Moyenneville (60) 38 C1
Moyenneville (62) 10 E4
Moyenneville (80) 9 F5
Moyenvic (57) 66 E3
Moyeuvre-Grande (57) 44 D3
Moyeuvre-Petite (57) 44 D3
Moyon (50) 31 H5
Moyrazès (12) 252 A3
Moyvillers (60) 38 C2
Mozac (63) 185 F6
Mozé-sur-Louet (49) 125 G5
Muchedent (76) 16 A3
Mudaison (34) 274 D6
Muel (35) 78 B4
Muespach (68) 97 C5
Muespach-le-Haut (68) 97 D5
Mugron (40) 264 E4
Muhlbach-sur-Bruche (67) 70 B4
Muhlbach-sur-Munster (68) 119 K1
Muides-sur-Loire (41) 129 G1
Muidorge (60) 37 H1
Muids (27) 35 K4
Muille-Villette (80) 19 H4
Muirancourt (60) 19 H5
Muizon (51) 40 D4
les Mujouls (06) 280 C2
la Mulatière (69) 206 A2
Mulcent (78) 57 H3
Mulcey (57) 67 F3
Mulhausen (67) 69 J5
Mulhouse (68) 97 C2
Mulsanne (72) 106 E4
Mulsans (41) 129 F1
Mun (65) 285 K4
Munchhausen (67) 25 D2
Munchhouse (68) 97 D1
Muncq-Nieurlet (62) 3 F4
Mundolsheim (67) 25 A6
Muneville-le-Bingard (50) 30 D3
Muneville-sur-Mer (50) 30 D5
le Mung (17) 177 H6
Munster (57) 68 C5
Munster (68) 96 A4
Muntzenheim (68) 96 D3
Munwiller (68) 96 C6
Mur-de-Barrez (12) 235 K2
Mûr-de-Bretagne (22) 76 D4
Mur-de-Sologne (41) 129 H4
Muracciole (2B) 321 F2
Murasson (12) 272 A4
Murat (03) 168 A6
Murat (15) 218 C5
Murat-le-Quaire (63) 201 K4
Murat-sur-Vèbre (81) 272 B5
Murato (2B) 319 G2
la Muraz (74) 191 G2
Murbach (68) 96 A6
la Mure (38) 242 B1
la Mure-Argens (04) 260 C6
Mureaumont (60) 17 G5
les Mureaux (78) 58 A2
Mureils (26) 222 C3
Mûres (74) 208 C1
Muret (31) 288 A2
Muret-et-Crouttes (02) 39 K4
Muret-le-Château (12) 252 B1
la Murette (38) 207 H6
Murianette (38) 224 B3
Murinais (38) 223 G3
Murles (34) 274 A5
Murlin (58) 150 E1
Muro (2B) 318 C3
Murol (63) 202 C4
Murols (12) 235 J3
Muron (17) 177 G4
Murs (36) 146 E5
Murs (84) 277 F1
Mûrs-Erigné (49) 125 G4
Murs-et-Gélignieux (01) 207 J3
Murtin-et-Bogny (08) 22 B3
Murvaux (55) 43 G2
Murviel-lès-Béziers (34) 291 K3
Murviel-lès-Montpellier (34) 274 A6
Murville (54) 26 D4
Murzo (2A) 320 C2
Mus (30) 275 F4
Muscourt (02) 40 C3
Musculdy (64) 283 G5
Musièges (74) 190 D4
Musigny (21) 153 H1
Mussey-sur-Marne (52) 92 B3
Mussidan (24) 213 G5
Mussig (67) 96 D2
Mussy-la-Fosse (21) 134 E3
Mussy-sous-Dun (71) 187 H2
Mussy-sur-Seine (10) 115 F3
Mutigney (39) 137 F5
Mutigny (51) 41 F6
Mutrécy (14) 32 D6
Muttersholtz (67) 96 D1
Mutzenhouse (67) 70 D1
Mutzig (67) 70 C4
le Muy (83) 298 E1
Muzeray (55) 43 K3
Muzillac (56) 121 J1
Muzy (27) 57 F4
Myans (73) 208 C4
Myennes (58) 132 A4
Myon (25) 156 B3

N

Nabas (64) 283 H3
Nabinaud (16) 213 F2
Nabirat (24) 233 G3
Nabringhen (62) 4 D3
Nachamps (17) 177 J4
Nadaillac (24) 215 H5
Nadaillac-de-Rouge (46) 233 H2
Nades (03) 184 E3
Nadillac (46) 233 J6
Nagel-Séez-Mesnil (27) 56 B2
Nages (81) 272 A5
Nages-et-Solorgues (30) 275 F4
Nahuja (66) 313 H5
Nailhac (24) 214 E3
Naillat (23) 182 B2
Nailloux (31) 288 D4
Nailly (89) 88 C6
Naintré (86) 163 G1
Nainville-les-Roches (91) 87 F2
Naisey-les-Granges (25) 138 C6
Naives-en-Blois (55) 64 E5
Naives-Rosières (55) 64 B4
Naix-aux-Forges (55) 64 D6
Naizin (56) 101 F1
Najac (12) 251 F4
Nalliers (85) 160 B4
Nalliers (86) 164 A3
Nalzen (09) 308 A3
Nambsheim (68) 96 E5
Nampcel (60) 39 G1
Nampcelles-la-Cour (02) 21 G3
Nampont (80) 9 F2
Namps-Maisnil (80) 17 J3
Nampteuil-sous-Muret (02) 39 K3
Nampty (80) 18 A3
Nan-sous-Thil (21) 134 D5
Nanc-lès-Saint-Amour (39) 172 E5
Nançay (18) 130 D5
Nance (39) 172 E1
Nances (73) 208 A4
Nanclars (16) 196 E1
Nançois-le-Grand (55) 64 D5
Nançois-sur-Ornain (55) 64 C5
Nancras (17) 194 D2
Nancray (25) 138 B6
Nancray-sur-Rimarde (45) 110 E2
Nancuise (39) 173 G4
Nancy (54) 66 A5
Nancy-sur-Cluses (74) 191 K3
Nandax (42) 187 F3
Nandy (77) 87 G1
Nangeville (45) 86 E5
Nangis (77) 88 A1
Nangy (74) 191 G2
Nannay (58) 132 C6
Nans (25) 138 D3
les Nans (39) 156 B6
Nans-les-Pins (83) 297 G3
Nans-sous-Sainte-Anne (25) 156 B3
Nant (12) 273 F1
Nant-le-Grand (55) 64 B5
Nant-le-Petit (55) 64 B5
Nanteau-sur-Essonne (77) 87 F4
Nanteau-sur-Lunain (77) 87 J5
Nanterre (92) 58 D3
Nantes (44) 123 G4
Nantes-en-Ratier (38) 224 B6
Nanteuil (79) 162 A5
Nanteuil-Auriac-de-Bourzac (24) 213 G1
Nanteuil-en-Vallée (16) 179 H5
Nanteuil-la-Forêt (51) 40 E6
Nanteuil-la-Fosse (02) 39 K2
Nanteuil-le-Haudouin (60) 38 D6
Nanteuil-lès-Meaux (77) 59 K2
Nanteuil-Notre-Dame (02) 39 K5
Nanteuil-sur-Aisne (08) 41 H1
Nanteuil-sur-Marne (77) 60 C2
Nantey (39) 172 E5
Nantheuil (24) 214 C1
Nanthiat (24) 214 D1
Nantiat (87) 181 G5
Nantillé (17) 177 K6
Nantillois (55) 43 F3
Nantilly (70) 137 F3
Nantoin (38) 207 F6
Nantois (55) 64 C6
Nanton (71) 171 J2
Nantouillet (77) 59 H2
Nantoux (21) 153 K3
Nantua (01) 190 A2
Naours (80) 10 A6
Narbéfontaine (57) 45 J5
Narbief (25) 157 J1
Narbonne (11) 291 H6
Narcastet (64) 284 D5
Narcy (52) 92 A1
Narcy (58) 150 D1
Nargis (45) 111 J1
Narnhac (15) 236 B1
Narp (64) 283 J3
Narrosse (40) 264 B4
Nasbinals (48) 236 D4
Nassandres (27) 34 E6
Nassiet (40) 264 E6
Nassigny (03) 167 H4
Nastringues (24) 230 E2
Nattages (01) 207 K2
Natzwiller (67) 70 B5
Naucelle (12) 251 K5
Naucelles (15) 235 H1
Naujac-sur-Mer (33) 210 C2
Naujan-et-Postiac (33) 230 B3
Nauroy (02) 19 K1
Naussac (12) 234 E6
Naussac (48) 238 B4
Naussannes (24) 232 A3
Nauvay (72) 83 F5
Nauviale (12) 235 H6
Navacelles (30) 255 J5
Navailles-Angos (64) 284 D3
Navarrenx (64) 283 J4
Naveil (41) 108 C5
Navenne (70) 138 B1
Naves (03) 185 F3
Naves (19) 216 B2
Naves (59) 12 B4
Navès (81) 289 K1
Nâves-Parmelan (74) 191 G5
Navilly (71) 154 D4
Nay (50) 30 E2
Nay (64) 284 E5
Nayemont-les-Fosses (88) 95 J4
le Nayrac (12) 235 K5
Nazelles-Négron (37) 128 B4
Néac (33) 230 B1
Néant-sur-Yvel (56) 101 K1
Neau (53) 81 H6
Neaufles-Auvergny (27) 55 K3
Neaufles-Saint-Martin (27) 36 D4
Neauphe-sous-Essai (61) 82 E1
Neauphe-sur-Dive (61) 54 D3
Neauphle-le-Château (78) 58 A4
Neauphle-le-Vieux (78) 57 K4
Neauphlette (78) 57 G2
Neaux (42) 187 G5
Nébian (34) 273 H6
Nébias (11) 308 D4
Nébing (57) 68 B5
Nébouzat (63) 202 B3
Nécy (61) 54 B3
Nedde (87) 200 A3
Nédon (62) 5 H5
Nédonchel (62) 5 H5
Neewiller-près-Lauterbourg (67) 25 D2
Neffes (05) 242 E6
Neffiès (34) 292 B1
Néfiach (66) 314 E2
Nègrepelisse (82) 250 A6
Négreville (50) 28 D4
Négrondes (24) 214 B2
Néhou (50) 28 D5
Nelling (57) 68 B4
Nemours (77) 87 H5
Nempont-Saint-Firmin (62) 9 F2
Nénigan (31) 286 E3
Néons-sur-Creuse (36) 164 B1
Néoules (83) 297 K3
Néoux (23) 183 H6
Nepvant (55) 23 H6
Nérac (47) 247 J5
Nerbis (40) 264 E4
Nercillac (16) 196 A2
Néré (17) 178 C5
Néret (36) 166 C3
Nérigean (33) 230 A2
Nérignac (86) 180 C1
Néris-les-Bains (03) 184 B1
Nernier (74) 174 D5
Néron (28) 85 G1
Néronde (42) 204 E1
Néronde-sur-Dore (63) 203 H2
Nérondes (18) 150 A4
Ners (30) 274 E1
Nersac (16) 196 D4
Nervieux (42) 204 D1
Nerville-la-Forêt (95) 37 J6
Néry (60) 38 D4
Neschers (63) 202 E4
Nescus (09) 307 G2
Nesle (80) 19 G4
Nesle-et-Massoult (21) 114 E5
Nesle-Hodeng (76) 16 D4
Nesle-la-Reposte (51) 61 F6
Nesle-le-Repons (51) 61 H1
Nesle-l'Hôpital (80) 17 F2
Nesle-Normandeuse (76) 17 F2
Nesles (62) 4 B4
Nesles-la-Montagne (02) 60 E1
Nesles-la-Vallée (95) 37 H6
Neslette (80) 17 F1
Nesmy (85) 159 J2
Nesploy (45) 110 E3
Nespouls (19) 215 J5
Nessa (2B) 318 D3
Nestier (65) 305 G1
Nettancourt (55) 63 J3
Neublans-Abergement (39) 155 F4
Neubois (67) 96 B1
le Neubourg (27) 35 G5
Neuchâtel-Urtière (25) 139 G4
Neuf-Berquin (59) 6 A4
Neuf-Brisach (68) 96 D4
Neuf-Église (63) 184 D4
Neuf-Marché (76) 36 D2
Neuf-Mesnil (59) 13 G3
Neufbosc (76) 16 C5
le Neufbourg (50) 52 D5
Neufchâteau (88) 93 G3
Neufchâtel-en-Bray (76) 16 D4
Neufchâtel-en-Saosnois (72) 82 E3
Neufchâtel-Hardelot (62) 4 B4
Neufchâtel-sur-Aisne (02) 41 F2
Neufchef (57) 44 D3
Neufchelles (60) 39 G6
Neuffons (33) 230 D4
Neuffontaines (58) 133 H5
Neufgrange (57) 68 D3
Neuflieux (02) 19 J5
Neuflize (08) 41 H2
Neufmaison (08) 22 B3
Neufmaisons (54) 95 G2
Neufmanil (08) 22 D3
Neufmesnil (50) 28 D6
Neufmoulin (80) 9 G5
Neufmoulins (57) 67 H4
Neufmoutiers-en-Brie (77) 59 J4
le Neufour (55) 42 E5
Neufvillage (57) 68 B5
Neufvy-sur-Aronde (60) 38 C1
Neugartheim-Ittlenheim (67) 70 D2
Neuhaeusel (67) 25 D3
Neuil (37) 145 J1
Neuilh (65) 304 C1
Neuillac (17) 195 J5
Neuillay-les-Bois (36) 165 G1
Neuillé (49) 126 B5
Neuillé-le-Lierre (37) 128 A3
Neuillé-Pont-Pierre (37) 127 H2
Neuilly (27) 57 F2
Neuilly (58) 151 H1
Neuilly (89) 112 E4
Neuilly-en-Donjon (03) 169 K6
Neuilly-en-Dun (18) 150 A6
Neuilly-en-Sancerre (18) 131 H6
Neuilly-en-Thelle (60) 37 J4
Neuilly-en-Vexin (95) 37 G5
Neuilly-la-Forêt (14) 31 H1
Neuilly-le-Bisson (61) 82 E2
Neuilly-le-Brignon (37) 146 B4
Neuilly-le-Dien (80) 9 J3
Neuilly-le-Réal (03) 169 F5
Neuilly-le-Vendin (53) 81 K2
Neuilly-lès-Dijon (21) 136 B6
Neuilly-l'Évêque (52) 116 E3
Neuilly-l'Hôpital (80) 9 G4
Neuilly-Plaisance (93) 59 G3
Neuilly-Saint-Front (02) 39 H5
Neuilly-sous-Clermont (60) 38 A3
Neuilly-sur-Eure (61) 84 B2
Neuilly-sur-Marne (93) 59 G3
Neuilly-sur-Seine (92) 58 D3
Neuilly-sur-Suize (52) 116 B2
Neulette (62) 9 K1
Neulise (42) 187 G6
Neulles (17) 195 J5
Neulliac (56) 76 D5
Neung-sur-Beuvron (41) 129 K3
Neunkirchen-lès-Bouzonville (57) 45 J2
Neure (03) 168 B1
Neurey-en-Vaux (70) 118 B5
Neurey-lès-la-Demie (70) 138 B2
Neussargues-Moissac (15) 218 D4
Neuve-Chapelle (62) 6 B5
Neuve-Église (67) 96 B1
la Neuve-Grange (27) 36 C3
la Neuve-Lyre (27) 55 K3
Neuve-Maison (02) 21 G1
Neuvecelle (74) 175 G5
Neuvéglise (15) 236 D1
Neuvelle-lès-Cromary (70) 138 A4
Neuvelle-lès-la-Charité (70) 137 K2
la Neuvelle-lès-Lure (70) 118 E5
la Neuvelle-lès-Scey (70) 117 J6
Neuvelle-lès-Voisey (52) 117 H4
Neuves-Maisons (54) 65 K6
la Neuveville-devant-Lépanges (88) 95 F5
la Neuveville-sous-Châtenois (88) 93 H4
la Neuveville-sous-Montfort (88) 93 K5
Neuvic (19) 217 F1
Neuvic (24) 213 H4
Neuvic-Entier (87) 199 J3
Neuvicq (17) 212 B3
Neuvicq-le-Château (17) 196 B1
Neuvillalais (72) 82 C6
Neuville (19) 216 B5
la Neuville (59) 6 D6
Neuville (63) 203 G2
la Neuville-à-Maire (08) 22 E5
Neuville-au-Bois (80) 17 G1
Neuville-au-Cornet (62) 10 B2
Neuville-au-Plain (50) 29 F5
la Neuville-au-Pont (51) 42 C5
Neuville-aux-Bois (45) 110 B2
la Neuville-aux-Bois (51) 63 J2
la Neuville-aux-Joûtes (08) 21 J1
la Neuville-aux-Larris (51) 40 D5
Neuville-Bosc (60) 37 G5
la Neuville-Bosmont (02) 21 F4
Neuville-Bourjonval (62) 11 H5
la Neuville-Chant-d'Oisel (76) 35 K3
Neuville-Coppegueule (80) 17 F2
la Neuville-d'Aumont (60) 37 H3
Neuville-Day (08) 42 B1
Neuville-de-Poitou (86) 162 E2
la Neuville-du-Bosc (27) 35 F5
Neuville-en-Avesnois (59) 12 D4
Neuville-en-Beaumont (50) 28 C6
la Neuville-en-Beine (02) 19 J5
Neuville-en-Ferrain (59) 6 E3
la Neuville-en-Hez (60) 37 K2
la Neuville-en-Tourne-à-Fuy (08) 41 J3
Neuville-en-Verdunois (55) 64 C2
Neuville-Ferrières (76) 16 D4
la Neuville-Garnier (60) 37 G3
la Neuville-Housset (02) 20 E3
la Neuville-lès-Bray (80) 18 E1
Neuville-les-Dames (01) 188 E2
Neuville-lès-Decize (58) 168 E1
la Neuville-lès-Dorengt (02) 20 D1
Neuville-lès-Lœuilly (80) 17 K3
Neuville-lès-This (08) 22 C3
Neuville-lès-Vaucouleurs (55) 65 F6
la Neuville-lès-Wasigny (08) 21 K5
la Neuville-lez-Beaulieu (08) 21 K2
Neuville-près-Sées (61) 54 E6
Neuville-Saint-Amand (02) 20 A3
la Neuville-Saint-Pierre (60) 37 J1
Neuville-Saint-Rémy (59) 11 J4
Neuville-Saint-Vaast (62) 10 E2
la Neuville-Sire-Bernard (80) 18 C4
Neuville-sous-Montreuil (62) 4 C6
Neuville-sur-Ailette (02) 40 C1
Neuville-sur-Ain (01) 189 H3

Neuville-sur-Authou (27) 34 D5
Neuville-sur-Brenne (37) 128 A2
Neuville-sur-Escaut (59) 12 B2
la Neuville-sur-Essonne (45) 86 E6
Neuville-sur-Margival (02) 39 K2
Neuville-sur-Oise (95) 58 B1
Neuville-sur-Ornain (55) 63 K3
la Neuville-sur-Oudeuil (60) 17 J6
la Neuville-sur-Ressons (60) 19 F6
la Neuville-Roy (60) 38 B1
Neuville-sur-Saône (69) 188 C6
Neuville-sur-Sarthe (72) 106 E1
Neuville-sur-Seine (10) 114 E2
Neuville-sur-Touques (61) 55 F3
Neuville-sur-Vannes (10) 89 J5
la Neuville-Vault (60) 37 F1
Neuville-Vitasse (62) 11 F3
Neuviller-la-Roche (67) 70 A5
Neuviller-lès-Badonviller (54) 95 H1
Neuviller-sur-Moselle (54) 94 B1
Neuvillers-sur-Fave (88) 95 J4
Neuvillette (02) 20 B2
Neuvillette (80) 10 A4
Neuvillette-en-Charnie (72) 106 A1
Neuvilley (39) 155 H4
Neuvilly (59) 12 D4
Neuvilly-en-Argonne (55) 42 E5
Neuvireuil (62) 11 G2
Neuvizy (08) 22 B5
Neuvy (03) 168 E3
Neuvy (41) 129 H2
Neuvy (51) 61 F5
Neuvy-au-Houlme (61) 54 A4
Neuvy-Bouin (79) 161 H2
Neuvy-Deux-Clochers (18) 131 H6
Neuvy-en-Beauce (28) 86 A5
Neuvy-en-Champagne (72) 106 B1
Neuvy-en-Dunois (28) 85 G6
Neuvy-en-Mauges (49) 124 D6
Neuvy-en-Sullias (45) 110 D5
Neuvy-Grandchamp (71) 170 A3
Neuvy-le-Barrois (18) 150 C5
Neuvy-le-Roi (37) 127 H2
Neuvy-Pailloux (36) 148 B5
Neuvy-Saint-Sépulchre (36) 165 K3
Neuvy-Sautour (89) 113 J2
Neuvy-sur-Barangeon (18) 130 D6
Neuvy-sur-Loire (58) 131 K3
Neuwiller (68) 97 E5
Neuwiller-lès-Saverne (67) 69 G6
Névache (05) 225 K5
Nevers (58) 150 E4
Névez (29) 99 F4
Névian (11) 291 G5
Néville (76) 15 G3
Néville-sur-Mer (50) 29 F2
Nevoy (45) 111 G6
Nevy-lès-Dole (39) 155 G3
Nevy-sur-Seille (39) 173 G1
Nexon (87) 198 E3
Ney (39) 173 K1
Neydens (74) 191 F3
les Neyrolles (01) 190 A2
Neyron (01) 206 B1
Nézel (78) 57 K2
Nézignan-l'Évêque (34) 292 C3
Niafles (53) 104 C4
Niaux (09) 307 J5
Nibas (80) 8 E5
Nibelle (45) 110 E2
Nibles (04) 259 G3
Nice (06) 281 G4
Nicey (21) 114 D4
Nicey-sur-Aire (55) 64 C3
Nicole (47) 247 J3
Nicorps (50) 30 E4
Niderhoff (57) 67 J5
Niderviller (57) 67 K4
Niederbronn-les-Bains (67) 69 J4
Niederbruck (68) 119 J4
Niederentzen (68) 96 C5
Niederhaslach (67) 70 B4
Niederhausbergen (67) 25 A6
Niederhergheim (68) 96 C5
Niederlauterbach (67) 25 D2
Niedermodern (67) 69 J5
Niedermorschwihr (68) 96 B4
Niedernai (67) 70 D5
Niederrœdern (67) 25 D2
Niederschaeffolsheim (67) 25 A4
Niedersoultzbach (67) 69 H6
Niedersteinbach (67) 69 K3
Niederstinzel (57) 67 J2
Niedervisse (57) 45 J4
Nielles-lès-Ardres (62) 2 E4
Nielles-lès-Bléquin (62) 4 E3
Nielles-lès-Calais (62) 2 C3
Nieppe (59) 6 B3
Niergnies (59) 12 A4
Nieudan (15) 217 F6
Nieuil (16) 179 K6
Nieuil-l'Espoir (86) 163 G4
Nieul (87) 181 G6
Nieul-le-Dolent (85) 159 H3
Nieul-le-Virouil (17) 195 H6
Nieul-lès-Saintes (17) 195 F2
Nieul-sur-l'Autise (85) 161 F5
Nieul-sur-Mer (17) 176 D2
Nieulle-sur-Seudre (17) 194 C2
Nieurlet (59) 3 G4
Niévroz (01) 206 C1
Niffer (68) 97 D3
Niherne (36) 147 J6
Nijon (52) 93 F5
Nilvange (57) 27 F4
Nîmes (30) 275 G3
Ninville (52) 116 D1
Niort (79) 161 H6
Niort-de-Sault (11) 308 C5
Niozelles (04) 278 C1
Nissan-lez-Enserune (34) 291 K4
Nistos (65) 305 G2
Nitry (89) 133 K1
Nitting (57) 67 J5
Nivelle (59) 7 H6
Nivillac (56) 102 A5
Nivillers (60) 37 H2
Nivolas-Vermelle (38) 207 F4
Nivollet-Montgriffon (01) 189 J4
Nixéville-Blercourt (55) 43 G5
le Nizan (33) 246 C1
Nizan-Gesse (31) 286 D5
Nizas (32) 287 H2
Nizas (34) 292 C2
Nizerolles (03) 186 A4
Nizy-le-Comte (02) 21 H6
Noailhac (12) 235 G6
Noailhac (19) 215 K5
Noailhac (81) 290 B1
Noaillac (33) 230 C6
Noaillan (33) 229 K6
Noailles (19) 215 J5
Noailles (60) 37 J3
Noailles (81) 270 C1
Noailly (42) 186 E3
Noalhac (48) 236 E3
Noalhat (63) 185 J6
Noards (27) 34 C4
Nocario (2B) 319 H4
Nocé (61) 83 J4
Noceta (2B) 321 G1
Nochize (71) 170 C5
la Nocle-Maulaix (58) 169 J1
Nod-sur-Seine (21) 115 F5
Nods (25) 156 E2
Noé (31) 288 A4
Noé (89) 88 E6
la Noë-Blanche (35) 103 F2
Noë-les-Mallets (10) 115 F1
la Noë-Poulain (27) 34 C4
Noël-Cerneux (25) 157 H1
Noëllet (49) 104 B6
les Noës (42) 186 C4
les Noës-près-Troyes (10) 90 A4
Nœux-lès-Auxi (62) 9 K3
Nœux-les-Mines (62) 6 A6
Nogaret (31) 289 G2
Nogaro (32) 266 B4
Nogent (52) 116 D2
Nogent-en-Othe (10) 113 J1
Nogent-l'Abbesse (51) 41 G4
Nogent-l'Artaud (02) 60 D2
Nogent-le-Bernard (72) 83 G5
Nogent-le-Phaye (28) 85 H3
Nogent-le-Roi (28) 57 G6
Nogent-le-Rotrou (28) 84 A4
Nogent-le-Sec (27) 56 C2
Nogent-lès-Montbard (21) 134 E2
Nogent-sur-Aube (10) 90 D2
Nogent-sur-Eure (28) 85 F3
Nogent-sur-Loir (72) 127 F1
Nogent-sur-Marne (94) 59 F4
Nogent-sur-Oise (60) 38 A4
Nogent-sur-Seine (10) 89 F2
Nogent-sur-Vernisson (45) 111 J5
Nogentel (02) 60 E1
Nogna (39) 173 H2
Noguères (64) 284 A3
Nohanent (63) 202 D2
Nohant-en-Goût (18) 149 J3
Nohant-en-Graçay (18) 148 B2
Nohant-Vic (36) 166 B3
Nohèdes (66) 314 A3
Nohic (82) 269 G3
Noidan (21) 134 E5
Noidans-le-Ferroux (70) 137 K2
Noidans-lès-Vesoul (70) 138 A1
Noidant-Chatenoy (52) 116 D5
Noidant-le-Rocheux (52) 116 C4
Noilhan (32) 287 G1
Nointel (60) 38 A3
Nointel (95) 37 J6
Nointot (76) 14 E5
Noircourt (02) 21 H4
Noirefontaine (25) 139 H4
Noirémont (60) 18 A6
Noirétable (42) 204 A1
Noirlieu (51) 63 H2
Noirmoutier-en-l'Île (85) 140 B3
Noiron (70) 137 G4
Noiron-sous-Gevrey (21) 154 C1
Noiron-sur-Bèze (21) 136 D4
Noiron-sur-Seine (21) 114 E3
Noironte (25) 137 J5
Noirval (08) 42 C1
Noiseau (94) 59 G4
Noisiel (77) 59 H3
Noisseville (57) 45 G5
Noisy-le-Grand (93) 59 G4
Noisy-le-Roi (78) 58 B4
Noisy-le-Sec (93) 59 F3
Noisy-Rudignon (77) 88 A4
Noisy-sur-École (77) 87 G4
Noisy-sur-Oise (95) 37 K6
Noizay (37) 128 A4
Nojals-et-Clotte (24) 232 A4
Nojeon-en-Vexin (27) 36 C3
Nolay (21) 153 J4
Nolay (58) 151 F2
Nolléval (76) 36 B1
Nollieux (42) 204 C1
Nomain (59) 7 F6
Nomdieu (47) 248 A6
Nomécourt (52) 92 A3
Nomeny (54) 66 A2
Nomexy (88) 94 C4
Nommay (25) 139 H2
Nompatelize (88) 95 H3
Nonac (16) 196 D6
Nonancourt (27) 56 D4
Nonant (14) 32 B4
Nonant-le-Pin (61) 54 E5
Nonards (19) 216 B6
Nonaville (16) 196 B5
Noncourt-sur-le-Rongeant (52) 92 C3
Nonette (63) 203 F6
Nonglard (74) 190 E5
Nonhigny (54) 67 H6
Nonières (07) 239 J1
Nonsard-Lamarche (55) 65 G2
Nontron (24) 197 K5
Nonville (77) 87 J5
Nonville (88) 117 K1
Nonvilliers-Grandhoux (28) 84 D4
Nonza (2B) 317 C4
Nonzeville (88) 95 F4
Noordpeene (59) 3 H4
Nordausques (62) 2 E4
Nordheim (67) 70 D2
Nordhouse (67) 71 D3
Noreuil (62) 11 G4
Norges-la-Ville (21) 136 A4
Normandel (61) 55 K6
Normanville (27) 35 J6
Normanville (76) 15 F4
Normier (21) 134 E5
Norolles (14) 33 K5
Noron-la-Poterie (14) 32 A4
Noron-l'Abbaye (14) 54 A3
Noroy (60) 38 B2
Noroy-le-Bourg (70) 138 C1
Noroy-sur-Ourcq (02) 39 H5
Norrent-Fontes (62) 5 H5
Norrey-en-Auge (14) 54 C2
Norrois (51) 63 F5
Norroy (88) 93 J5
Norroy-le-Sec (54) 44 B3
Norroy-le-Veneur (57) 44 E4
Norroy-lès-Pont-à-Mousson (54) 65 J2
Nort-Leulinghem (62) 2 E4
Nort-sur-Erdre (44) 123 H1
Nortkerque (62) 2 E3
Norville (76) 34 D1
la Norville (91) 86 D1
Nossage-et-Bénévent (05) 258 D2
Nossoncourt (88) 95 F2
Nostang (56) 100 B4
Noth (23) 182 A2
Nothalten (67) 70 C6
Notre-Dame-d'Aliermont (76) 16 B2
Notre-Dame-d'Allençon (49) 125 H5
Notre-Dame-de-Bellecombe (73) 191 K6
Notre-Dame-de-Bliquetuit (76) 34 E1
Notre-Dame-de-Boisset (42) 187 F5
Notre-Dame-de-Bondeville (76) 35 H1
Notre-Dame-de-Cenilly (50) 31 F5
Notre-Dame-de-Commiers (38) 224 A5
Notre-Dame-de-Courson (14) 55 F1
Notre-Dame-de-Gravenchon (76) 34 D1
Notre-Dame-de-la-Rouvière (30) 254 D6
Notre-Dame-de-l'Isle (27) 36 B5
Notre-Dame-de-Livaye (14) 33 H6
Notre-Dame-de-Livoye (50) 52 B4
Notre-Dame-de-Londres (34) 274 B3
Notre-Dame-de-l'Osier (38) 223 H2
Notre-Dame-de-Mésage (38) 224 B4
Notre-Dame-de-Monts (85) 140 C5
Notre-Dame-de-Riez (85) 140 E6
Notre-Dame-de-Sanilhac (24) 214 A4
Notre-Dame-de-Vaulx (38) 224 B5
Notre-Dame-d'Elle (50) 31 J3
Notre-Dame-d'Épine (27) 34 D5
Notre-Dame-des-Landes (44) 123 F2
Notre-Dame-des-Millières (73) 209 F3
Notre-Dame-d'Estrées (14) 33 H5
Notre-Dame-d'Oé (37) 127 J4
Notre-Dame-du-Bec (76) 14 B5
Notre-Dame-du-Cruet (73) 209 F6
Notre-Dame-du-Hamel (27) 55 H3
Notre-Dame-du-Parc (76) 16 A4
Notre-Dame-du-Pé (72) 105 J6
Notre-Dame-du-Pré (73) 209 J4
Notre-Dame-du-Rocher (61) 53 J4
Notre-Dame-du-Touchet (50) 52 D6
Nottonville (28) 109 G1
la Nouaille (23) 200 D1
Nouaillé-Maupertuis (86) 163 F4
Nouainville (50) 28 C2
Nouan-le-Fuzelier (41) 130 B3
Nouans (72) 82 E5
Nouans-les-Fontaines (37) 147 F2
Nouart (08) 42 E1
Nouâtre (37) 145 J3
la Nouaye (35) 78 D3
la Noue (51) 61 G5
Noueilles (31) 288 C3
Nougaroulet (32) 267 K5
Nouhant (23) 183 J1
Nouic (87) 180 D4
Nouilhan (65) 285 H3
les Nouillers (17) 177 J5
Nouillonpont (55) 26 C4
Nouilly (57) 45 F5
Noulens (32) 266 D3
Nourard-le-Franc (60) 37 K1
Nourray (41) 108 C6
Nousse (40) 264 D4
Nousseviller-lès-Bitche (57) 69 G2
Nousseviller-Saint-Nabor (57) 68 C2
Nousty (64) 284 E4
Nouvelle-Église (62) 2 E3
Nouvion (80) 9 F4
le Nouvion-en-Thiérache (02) 13 F6
Nouvion-et-Catillon (02) 20 B4
Nouvion-le-Comte (02) 20 B4
Nouvion-le-Vineux (02) 40 B1
Nouvion-sur-Meuse (08) 22 D4
Nouvoitou (35) 79 H5
Nouvron-Vingré (02) 39 H2
Nouzerines (23) 166 C6
Nouzerolles (23) 165 J6
Nouziers (23) 166 B5
Nouzilly (37) 127 J3
Nouzonville (08) 22 D3
Novacelles (63) 203 J6
Novalaise (73) 208 A4
Novale (2B) 319 J5
Novéant-sur-Moselle (57) 44 E6
Novel (74) 175 J5
Novella (2B) 318 E2
Noves (13) 276 C2
Noviant-aux-Prés (54) 65 H3
Novillard (90) 139 J1
Novillars (25) 138 B5
Novillers (60) 37 J4
Novion-Porcien (08) 22 A5
Novy-Chevrières (08) 22 A6
Noyal (22) 77 J1
Noyal-Châtillon-sur-Seiche (35) 79 G5
Noyal-Muzillac (56) 101 J6
Noyal-Pontivy (56) 76 E6
Noyal-sous-Bazouges (35) 51 G6
Noyal-sur-Brutz (44) 103 K3
Noyal-sur-Vilaine (35) 79 H4
Noyales (02) 20 C2
Noyalo (56) 101 G6
Noyant (49) 126 D3
Noyant-d'Allier (03) 168 C5
Noyant-de-Touraine (37) 145 J2
Noyant-et-Aconin (02) 39 J3
Noyant-la-Gravoyère (49) 104 C6
Noyant-la-Plaine (49) 125 J6
Noyarey (38) 223 K2
Noyelle-Vion (62) 10 C3
Noyelles-en-Chaussée (80) 9 H4
Noyelles-Godault (62) 11 G1
Noyelles-lès-Humières (62) 9 K2
Noyelles-lès-Seclin (59) 6 D5
Noyelles-lès-Vermelles (62) 6 B6
Noyelles-sous-Bellonne (62) 11 H2
Noyelles-sous-Lens (62) 11 F1
Noyelles-sur-Escaut (59) 11 J4
Noyelles-sur-Mer (80) 9 F4
Noyelles-sur-Sambre (59) 13 F4
Noyelles-sur-Selle (59) 12 C3
Noyellette (62) 10 D2
Noyen-sur-Sarthe (72) 106 B4
Noyen-sur-Seine (77) 88 E3
le Noyer (05) 242 D3
le Noyer (18) 131 H5
le Noyer (73) 208 C2
le Noyer-en-Ouche (27) 55 K1
Noyers (27) 36 D4
Noyers (45) 111 G4
Noyers (52) 116 E1
Noyers (89) 114 A6
Noyers-Auzécourt (55) 63 J3
Noyers-Bocage (14) 32 C5
Noyers-Pont-Maugis (08) 23 F4
Noyers-Saint-Martin (60) 18 A6
Noyers-sur-Cher (41) 129 F6
Noyers-sur-Jabron (04) 258 E4
Noyon (60) 19 H6
Nozay (10) 90 B2
Nozay (44) 103 G5
Nozay (91) 58 D6
Nozeroy (39) 156 C6
Nozières (07) 221 J5
Nozières (18) 167 F1
Nuaillé (49) 143 F2
Nuaillé-d'Aunis (17) 177 F1
Nuaillé-sur-Boutonne (17) 178 A4
Nuars (58) 133 H5
Nubécourt (55) 64 B1
Nucourt (95) 36 E5
Nueil-les-Aubiers (79) 143 H4
Nueil-sous-Faye (86) 145 G4
Nueil-sur-Layon (49) 143 K2
Nuelles (69) 205 J1
Nuillé-le-Jalais (72) 107 G2
Nuillé-sur-Vicoin (53) 104 E2
Nuisement-sur-Coole (51) 62 C3
Nuits (89) 114 C6
Nuits-Saint-Georges (21) 154 B2
Nullemont (76) 16 E3
Nully (52) 91 H3
Nuncq-Hautecôte (62) 10 A2
Nuret-le-Ferron (36) 165 F2
Nurieux-Volognat (01) 189 K2
Nurlu (80) 11 H6
Nuzéjouls (46) 233 G6
Nyer (66) 314 A4
Nyoiseau (49) 104 D6
Nyons (26) 257 H2

O

Obenheim (67) 71 D4
Oberbronn (67) 69 J4
Oberbruck (68) 119 J4
Oberdorf (68) 97 C5
Oberdorf-Spachbach (67) 25 A2
Oberdorff (57) 45 J3
Oberentzen (68) 96 C5
Obergailbach (57) 68 E2
Oberhaslach (67) 70 B4
Oberhausbergen (67) 71 D1
Oberhergheim (68) 96 C5
Oberhoffen-lès-Wissembourg (67) 25 B1
Oberhoffen-sur-Moder (67) 25 B4
Oberlarg (68) 97 B6
Oberlauterbach (67) 25 D2
Obermodern-Zutzendorf (67) 69 J6
Obermorschwihr (68) 96 B5
Obermorschwiller (68) 97 C4
Obernai (67) 70 D5
Oberrœdern (67) 25 C2
Obersaasheim (68) 96 E5
Oberschaeffolsheim (67) 70 E3
Obersoultzbach (67) 69 H6
Obersteinbach (67) 69 K3
Oberstinzel (57) 67 J3
Obervisse (57) 45 J4
Obies (59) 13 F3
Objat (19) 215 H3
Oblinghem (62) 5 K5
Obrechies (59) 13 H3
Obreck (57) 66 E3
Obsonville (77) 87 G6
Obterre (36) 146 D5
Obtrée (21) 115 F3
Ocana (2A) 320 D5
Occagnes (61) 54 B4
Occey (52) 136 C1
Occhiatana (2B) 318 D2
Occoches (80) 10 A4
Ochancourt (80) 8 E5
Oches (08) 42 D1
Ochey (54) 65 J6
Ochtezeele (59) 3 H4
Ocquerre (77) 60 B1
Ocqueville (76) 15 G3
Octeville-l'Avenel (50) 29 F3
Octeville-sur-Mer (76) 14 A6
Octon (34) 273 F6
Odars (31) 288 D2
Odenas (69) 188 A3
Oderen (68) 119 J3
Odomez (59) 7 J6
Odos (65) 285 H5
Odratzheim (67) 70 D3
Oëlleville (88) 93 K3
Oermingen (67) 68 E4
Œting (57) 68 C2
Œuf-en-Ternois (62) 9 K2
Œuilly (02) 40 C2
Œuilly (51) 40 D6
Oeyregave (40) 283 F1
Oeyreluy (40) 264 A5
Offekerque (62) 2 E2
Offemont (90) 119 H6
Offendorf (67) 25 C5
Offignies (80) 17 G3
Offin (62) 4 D6
Offlanges (39) 137 F6
Offoy (60) 17 J4
Offoy (80) 19 H3
Offranville (76) 15 K2
Offrethun (62) 2 B4
Offroicourt (88) 93 K4
Offwiller (67) 69 J5
Ogenne-Camptort (64) 283 K4
Oger (51) 62 A2
Ogeu-les-Bains (64) 284 B6
Ogéviller (54) 67 F6
Ogliastro (2B) 317 C4
Ognes (02) 19 K5
Ognes (51) 61 K5
Ognes (60) 38 E6
Ognéville (54) 93 K2
Ognolles (60) 19 G4
Ognon (60) 38 C4
Ogy (57) 45 G5
Ohain (59) 13 J6
Oherville (76) 15 F4
Ohis (02) 21 G1
Ohlungen (67) 69 K6
Ohnenheim (67) 96 D2
l'Oie (85) 142 C6
Oigney (70) 117 H5
Oignies (62) 6 D6
Oigny (21) 135 H2
Oigny (41) 108 B2
Oigny-en-Valois (02) 39 G5
Oingt (69) 188 A5
Oinville-Saint-Liphard (28) 86 A5
Oinville-sous-Auneau (28) 85 J3
Oinville-sur-Montcient (78) 57 K1
Oiron (79) 144 C4
Oiry (51) 62 A1
Oiselay-et-Grachaux (70) 137 J4
Oisemont (80) 17 F1
Oisilly (21) 136 D4
Oisly (41) 129 F5
Oison (45) 110 B1
Oisseau (53) 81 F3
Oisseau-le-Petit (72) 82 D4
Oissel (76) 35 H3
Oissery (77) 59 J1
Oissy (80) 17 J2
Oisy (02) 12 E6
Oisy (58) 133 F3
Oisy (59) 12 C2
Oisy-le-Verger (62) 11 H3
Oizé (72) 106 D5
Oizon (18) 131 G4

Olargues (34) 291 G1
Olby (63) 202 B2
Olcani (2B) 317 D4
Oléac-Debat (65) 285 J4
Oléac-Dessus (65) 285 J6
Olemps (12) 252 B3
Olendon (14) 54 B2
Oletta (2B) 319 H2
Olette (66) 314 A4
Olivese (2A) 321 F6
Olivet (45) 110 A4
Olivet (53) 80 D6
Olizy (51) 40 C5
Olizy-Primat (08) 42 C3
Olizy-sur-Chiers (55) 23 H6
Ollainville (88) 93 H4
Ollainville (91) 86 D1
Ollans (25) 138 C3
Ollé (28) 84 E3
Olley (54) 44 B5
Ollezy (02) 19 J4
les Ollières (74) 191 F4
Ollières (83) 297 H1
les Ollières-sur-Eyrieux (07) 239 K2
Olliergues (63) 203 J3
Ollioules (83) 300 B4
Olloix (63) 202 D4
les Olmes (69) 187 K6
Olmet (63) 203 J3
Olmet-et-Villecun (34) 273 F5
Olmeta-di-Capocorso (2B) 317 D4
Olmeta-di-Tuda (2B) 319 H2
Olmeto (2A) 322 D2
Olmi-Cappella (2B) 318 D3
Olmiccia (2A) 323 F2
Olmo (2B) 319 H3
Olonne-sur-Mer (85) 158 E3
Olonzac (34) 291 F5
Oloron-Sainte-Marie (64) 284 A5
Ols-et-Rinhodes (12) 251 F1
Oltingue (68) 97 D5
Olwisheim (67) 70 E2
Omblèze (26) 241 F1
Omécourt (60) 17 G5
Omelmont (54) 94 A1
les Omergues (04) 258 C4
Omerville (95) 36 D6
Omessa (2B) 319 F5
Omet (33) 230 A4
Omex (65) 304 B1
Omey (51) 62 E3
Omicourt (08) 22 E5
Omiécourt (80) 19 F3
Omissy (02) 20 A2
Omméel (61) 54 D4
Ommeray (57) 67 F4
Ommoy (61) 54 C3
Omont (08) 22 D5
Omonville (76) 15 K3
Omonville-la-Petite (50) 28 A1
Omonville-la-Rogue (50) 28 B1
Omps (15) 235 F2
Oms (66) 314 E4
Onans (25) 139 F2
Onard (40) 264 D3
Onay (70) 137 G4
Oncieu (01) 189 J5
Oncourt (88) 94 C4
Oncy-sur-École (91) 87 F4
Ondefontaine (14) 53 G1
Ondes (31) 269 F4
Ondres (40) 262 B6
Ondreville-sur-Essonne (45) 87 F6
Onesse-et-Laharie (40) 244 E6
Onet-le-Château (12) 252 B2
Oneux (80) 9 H4
Ongles (04) 258 D6
Onglières (39) 156 B6
Onjon (10) 90 C3
Onlay (58) 152 B4
Onnaing (59) 12 D1
Onnion (74) 191 J2
Onoz (39) 173 H4
Ons-en-Bray (60) 37 F2
Ontex (73) 208 A2
Onville (54) 65 J1
Onzain (41) 128 D3
Oô (31) 305 G5
Oost-Cappel (59) 3 K3
Opio (06) 280 D4
Opoul-Périllos (66) 310 B4
Oppède (84) 277 F3
Oppedette (04) 277 K2
Oppenans (70) 138 D1
Oppy (62) 11 F2
Optevoz (38) 207 F2
Oraàs (64) 283 G2
Oradour (15) 236 C1
Oradour (16) 178 E6
Oradour-Fanais (16) 180 C3
Oradour-Saint-Genest (87) 181 F2
Oradour-sur-Glane (87) 180 E6
Oradour-sur-Vayres (87) 198 B2
Orain (21) 136 E1
Orainville (02) 41 F2
Oraison (04) 278 C2
Orange (84) 256 E5
Orbagna (39) 173 F3
Orbais-l'Abbaye (51) 61 H2
Orban (81) 270 D3
Orbec (14) 55 G1
Orbeil (63) 203 F5
Orbessan (32) 286 D1
Orbey (68) 96 A3
Orbigny (37) 147 F1
Orbigny-au-Mont (52) 116 E4
Orbigny-au-Val (52) 116 E4
l'Orbrie (85) 160 E4
Orçay (41) 130 C6
Orcemont (78) 85 K1
Orcenais (18) 167 F2
Orcet (63) 202 E3
Orcevaux (52) 116 C5
Orchaise (41) 128 D2
Orchamps (39) 155 J1
Orchamps-Vennes (25) 157 G1
Orches (86) 145 G5
Orchies (59) 7 F6
Orcier (74) 175 F6
Orcières (05) 243 G3
Orcinas (26) 241 F5
Orcines (63) 202 C2
Orcival (63) 202 B3
Orconte (51) 63 G5
Ordan-Larroque (32) 267 G5
Ordiarp (64) 283 G5
Ordizan (65) 304 D1
Ordonnac (33) 210 E2
Ordonnaz (01) 189 K6
Ore (31) 305 J3
Orègue (64) 283 F2
Oreilla (66) 314 A4
Orelle (73) 225 J2
Oresmaux (80) 18 A3
Organ (65) 286 B4
Orgeans-Blanchefontaine (25) 139 G5
Orgedeuil (16) 197 H3
Orgeix (09) 313 G2
Orgelet (39) 173 G3
Orgères (35) 79 G5
Orgères (61) 55 F4
Orgères-en-Beauce (28) 109 J1
Orgerus (78) 57 J4
Orges (52) 115 J1
Orgeux (21) 136 B5
Orgeval (02) 40 C1
Orgeval (78) 58 B3
Orgibet (09) 306 B3
Orglandes (50) 28 E5
Orgnac-l'Aven (07) 256 A3
Orgnac-sur-Vézère (19) 215 H2
Orgon (13) 276 D4
Orgueil (82) 269 G2
Oricourt (70) 138 D1
Orieux (65) 285 K5
Orignac (65) 285 J6
Origne (33) 229 H6
Origné (53) 105 F3
Orignolles (17) 212 A3
Origny (21) 115 G6
Origny-en-Thiérache (02) 21 G2
Origny-le-Butin (61) 83 G4
Origny-le-Roux (61) 83 G4
Origny-le-Sec (10) 89 H2
Origny-Sainte-Benoite (02) 20 B2
Orin (64) 283 K5
Orincles (65) 285 H6
Oriocourt (57) 66 C2
Oriol-en-Royans (26) 223 G5
Oriolles (16) 212 C1
Orion (64) 283 H2
Oris-en-Rattier (38) 224 C6
Orist (40) 262 E5
Orival (16) 212 D2
Orival (76) 35 G3
Orléans (45) 110 A4
Orléat (63) 203 G1
Orleix (65) 285 H4
Orliac (24) 232 D4
Orliac-de-Bar (19) 216 B1
Orliaguet (24) 233 G1
Orliénas (69) 205 K3
Orlu (09) 313 G2
Orlu (28) 86 A4
Orly (94) 58 E5
Orly-sur-Morin (77) 60 C3
Ormancey (52) 116 B3
Ormenans (70) 138 B3
Ormersviller (57) 69 F2
Ormes (10) 90 B1
Ormes (27) 56 B1
Ormes (45) 109 K3
Ormes (51) 40 E4
Ormes (71) 172 A2
les Ormes (86) 145 K4
les Ormes (89) 112 D5
Ormes-et-Ville (54) 94 B2
les Ormes-sur-Voulzie (77) 88 C3
Ormesson (77) 87 H5
Ormesson-sur-Marne (94) 59 G4
Ormoiche (70) 118 C4
Ormoy (28) 57 G6
Ormoy (70) 117 K3
Ormoy (89) 113 G3
Ormoy (91) 87 F1
Ormoy-la-Rivière (91) 86 C3
Ormoy-le-Davien (60) 39 F5
Ormoy-lès-Sexfontaines (52) 92 A5
Ormoy-Villers (60) 38 E5
Ornacieux (38) 206 E6
Ornaisons (11) 291 G6
Ornans (25) 156 D2
Ornes (55) 43 J4
Ornex (01) 190 E1
Ornézan (32) 286 D2
Orniac (46) 233 K6
Ornolac-Ussat-les-Bains (09) 307 J5
Ornon (38) 224 D5
Orny (57) 45 F6
Oroër (60) 37 H1
Oroix (65) 285 G4
Oron (57) 66 D2
Oroux (79) 162 B2
Orphin (78) 85 K1
Orpierre (05) 258 D2
Orquevaux (52) 92 D4
les Orres (05) 243 K5
Orret (21) 135 G2
Orriule (64) 283 H2
Orrouer (28) 84 E3
Orrouy (60) 38 E4
Orry-la-Ville (60) 38 B6
Ors (59) 12 E5
Orsan (30) 256 C5
Orsanco (64) 283 F4
Orsans (11) 289 H6
Orsans (25) 138 D5
Orsay (91) 58 D5
Orschwihr (68) 96 B6
Orschwiller (67) 96 C2
Orsennes (36) 165 J5
Orsinval (59) 12 E3
Orsonnette (63) 203 F6
Orsonville (78) 85 K2
Ortaffa (66) 315 H3
Ortale (2B) 319 J2
Orthevielle (40) 264 A6
Orthez (64) 283 J1
Orthoux-Sérignac-Quilhan (30) 274 D3
Ortillon (10) 90 C2
Ortiporio (2B) 319 H4
Orto (2A) 320 D2
Ortoncourt (88) 94 D3
Orus (09) 307 H5
Orval (18) 167 G2
Orval (50) 30 D4
Orvault (44) 123 G3
Orvaux (27) 56 C2
Orve (25) 139 F4
Orveau (91) 86 E3
Orveau-Bellesauve (45) 86 E5
Orville (21) 136 C2
Orville (36) 148 A2
Orville (45) 87 F5
Orville (61) 55 F3
Orville (62) 10 B5
Orvillers-Sorel (60) 18 E6
Orvilliers (78) 57 H3
Orvilliers-Saint-Julien (10) 89 J3
Orx (40) 262 C5
Os-Marsillon (64) 284 A3
Osani (2A) 316 C4
Osches (55) 43 G6
Osenbach (68) 96 B5
Oslon (71) 154 B6
Osly-Courtil (02) 39 H2
Osmanville (14) 29 H6
Osmery (18) 149 J5
Osmets (65) 285 K4
Osmoy (18) 149 H3
Osmoy (78) 57 J3
Osmoy-Saint-Valery (76) 16 C3
Osne-le-Val (52) 92 B2
Osnes (08) 23 H4
Osny (95) 58 B1
Ossages (40) 264 C6
Ossas-Suhare (64) 283 H6
Osse (25) 138 B5
Ossé (35) 79 J5
Osse-en-Aspe (64) 303 F2
Osséja (66) 313 H5
Osselle (25) 156 A1
Ossen (65) 304 B1
Ossenx (64) 283 J3
Osserain-Rivareyte (64) 283 G3
Ossès (64) 282 D4
Ossey-les-Trois-Maisons (10) 89 H3
Ossun (65) 285 G5
Ossun-ez-Angles (65) 304 C1
Ostabat-Asme (64) 283 F4
Ostel (02) 40 A2
Ostheim (68) 96 C3
Osthoffen (67) 70 D3
Osthouse (67) 70 E5
Ostreville (62) 10 B1
Ostricourt (59) 6 D6
Ostwald (67) 71 D1
Ota (2A) 320 B1
Othe (54) 26 A3
Othis (77) 38 C6
Ottange (57) 27 F3
Ottersthal (67) 70 B1
Otterswiller (67) 70 B1
Ottmarsheim (68) 97 D2
Ottonville (57) 45 J4
Ottrott (67) 70 C5
Ottwiller (67) 69 F5
Ouagne (58) 133 F4
Ouainville (76) 15 F3
Ouanne (89) 132 E1
Ouarville (28) 85 J4
les Oubeaux (14) 31 H1
Ouchamps (41) 128 E4
Ouches (42) 186 E5
Oucques (41) 108 E5
Oudalle (76) 34 A1
Oudan (58) 132 E5
Oudeuil (60) 17 J6
Oudezeele (59) 3 J4
Oudincourt (52) 92 A5
l'Oudon (14) 54 C2
Oudon (44) 123 K2
Oudrenne (57) 27 J4
Oudry (71) 170 C3
Oueilloux (65) 285 J6
Ouerre (28) 57 G5
Ouessant (29) 72 A1
Ouffières (14) 53 H1
Ouge (70) 117 G5
Ouges (21) 136 B6
Ougney (39) 137 G6
Ougney-Douvot (25) 138 C5
Ougny (58) 151 K3
Ouhans (25) 156 E3
Ouides (43) 238 A1
Ouillon (64) 284 E4
Ouilly-du-Houley (14) 34 A5
Ouilly-le-Tesson (14) 54 A1
Ouilly-le-Vicomte (14) 33 K5
Ouistreham (14) 33 F3
Oulches (36) 164 E3
Oulches-la-Vallée-Foulon (02) 40 C2
Oulchy-la-Ville (02) 39 J5
Oulchy-le-Château (02) 39 J5
Oulins (28) 57 G3
Oulles (38) 224 D4
Oullins (69) 206 A2
Oulmes (85) 161 F5
Oulon (58) 151 G1
Ounans (39) 155 J3
Oupia (34) 291 F4
Our (39) 155 J2
Ourches (26) 240 D2
Ourches-sur-Meuse (55) 65 G5
Ourde (65) 305 H3
Ourdis-Cotdoussan (65) 304 C2
Ourdon (65) 304 B2
Ourouër (58) 151 F3
Ourouer-les-Bourdelins (18) 150 A5
Ouroux (69) 188 A2
Ouroux-en-Morvan (58) 152 B1
Ouroux-sous-le-Bois-
-Sainte-Marie (71) 170 E6
Ouroux-sur-Saône (71) 172 A1
Oursbelille (65) 285 H4
Oursel-Maison (60) 17 K6
Ourton (62) 5 J6
Ourville-en-Caux (76) 15 F4
Ousse (64) 284 E4
Ousse-Suzan (40) 264 E1
Oussières (39) 155 H4
Ousson-sur-Loire (45) 131 J2
Oussoy-en-Gâtinais (45) 111 H4
Oust (09) 306 E4
Oust-Marest (80) 8 C6
Ousté (65) 304 B1
Outarville (45) 86 B6
Outines (51) 91 G1
Outreau (62) 4 A3
Outrebois (80) 10 A4
Outremécourt (52) 93 G5
Outrepont (51) 63 G4
Outriaz (01) 189 K3
Ouvans (25) 138 E5
Ouve-Wirquin (62) 5 F4
Ouveillan (11) 291 H4
Ouville (50) 30 E4
Ouville-la-Bien-Tournée (14) 54 C1
Ouville-la-Rivière (76) 15 J2
Ouville-l'Abbaye (76) 15 H4
Ouvrouer-les-Champs (45) 110 C5
Ouzilly (86) 163 F1
Ouzouer-des-Champs (45) 111 H4
Ouzouer-le-Doyen (41) 108 E3
Ouzouer-le-Marché (41) 109 G4
Ouzouer-sous-Bellegarde (45) 111 F3
Ouzouer-sur-Loire (45) 111 F6
Ouzouer-sur-Trézée (45) 131 J1
Ouzous (65) 304 A2
Ovanches (70) 137 J1
Ovillers-la-Boisselle (80) 10 E6
Oxelaëre (59) 3 J4
Oyé (71) 170 D6
Oye-et-Pallet (25) 156 E5
Oye-Plage (62) 2 E2
Oyes (51) 61 H4
Oyeu (38) 207 H6
Oyonnax (01) 190 A1
Oyré (86) 145 K5
Oyrières (70) 137 F2
Oysonville (28) 86 A3
Oytier-Saint-Oblas (38) 206 C4
Oz (38) 224 D3
Ozan (01) 172 A5
Oze (05) 242 B6
Ozenay (71) 171 K3
Ozenx-Montestrucq (64) 283 J2
Ozerailles (54) 44 C4
Ozeville (50) 29 F4
Ozières (52) 92 E6
Ozillac (17) 195 J6
Ozoir-la-Ferrière (77) 59 H4
Ozoir-le-Breuil (28) 109 G2
Ozolles (71) 170 E6
Ozon (07) 222 B4
Ozon (65) 285 K6
Ozouer-le-Voulgis (77) 59 J6
Ozourt (40) 264 C5

P

Paars (02) 40 B3
Pabu (22) 48 C5
la Pacaudière (42) 186 D3
Pacé (35) 79 F4
Pacé (61) 82 C3
Pact (38) 222 D1
Pacy-sur-Armançon (89) 114 B5
Pacy-sur-Eure (27) 57 F1
Padern (11) 309 K4
Padiès (81) 271 G1
Padirac (46) 234 A2
Padoux (88) 94 E4
Pageas (87) 198 C3
Pagney (39) 137 G6
Pagney-derrière-Barine (54) 65 H5
Pagnoz (39) 155 K4
Pagny-la-Blanche-Côte (55) 93 G1
Pagny-la-Ville (21) 154 D3
Pagny-le-Château (21) 154 D3
Pagny-lès-Goin (57) 66 A1
Pagny-sur-Meuse (55) 65 G5
Pagny-sur-Moselle (54) 65 J1
Pagolle (64) 283 G5
Pailhac (65) 305 F3
Pailharès (07) 221 J5
Pailherols (15) 236 A1
Pailhès (09) 307 G1
Pailhès (34) 291 K3
Paillart (60) 18 B5
Paillé (17) 178 B5
Paillencourt (59) 12 B3
Paillet (33) 229 K4
Pailloles (47) 248 B1
le Pailly (52) 116 D5
Pailly (89) 88 D4
Paimbœuf (44) 122 C3
Paimpol (22) 48 D2
Paimpont (35) 78 B5
Painblanc (21) 153 J2
Pair-et-Grandrupt (88) 95 J4
Paissy (02) 40 C2
Paisy-Cosdon (10) 89 H5
Paizay-le-Chapt (79) 178 D3
Paizay-le-Sec (86) 163 K3
Paizay-le-Tort (79) 178 D2
Paizay-Naudouin-Embourie (16) 178 E4
Pajay (38) 222 E1
Paladru (38) 207 H5
Palairac (11) 309 K3
le Palais (56) 120 B4
le Palais-sur-Vienne (87) 199 F1
Palaiseau (91) 58 D5
Palaiseul (52) 116 D5
Palaja (11) 290 B6
Palaminy (31) 287 H5
Palante (70) 119 F6
Palantine (25) 156 B2
Palasca (2B) 318 E2
Palau-de-Cerdagne (66) 313 H5
Palau-del-Vidre (66) 315 H3
Palavas-les-Flots (34) 293 H1
Palazinges (19) 216 A4
Paley (77) 87 K5
Palhers (48) 237 G6
Palinges (71) 170 D3
Palis (10) 89 H5
Palise (25) 138 A4
Palisse (19) 217 F1
Palladuc (63) 186 A6
Pallanne (32) 285 K2
Palleau (71) 154 C4
Pallegney (88) 94 D4
le Pallet (44) 142 A1
Palleville (81) 289 H2
la Pallu (53) 81 K2
Palluau (85) 141 H5
Palluau-sur-Indre (36) 147 G4
Palluaud (16) 213 F1
Pallud (73) 209 G2
Palluel (62) 11 H3
Palmas (12) 252 E2
la Palme (11) 310 C3
Palneca (2A) 321 G4
Palogneux (42) 204 B2
la Palud-sur-Verdon (04) 279 H3
Paluel (76) 15 F2
Pamfou (77) 87 K3
Pamiers (09) 307 J1
Pampelonne (81) 251 J5
Pamplie (79) 161 H3
Pamproux (79) 162 B5
Panassac (32) 286 C3
Panazol (87) 199 F1
Pancé (35) 103 G1
Pancey (52) 92 C2
Pancheraccia (2B) 321 H1
Pancy-Courtecon (02) 40 B1
Pandrignes (19) 216 B3
Pange (57) 45 G5
Panges (21) 135 J5
Panilleuse (27) 36 B5
Panissage (38) 207 G5
Panissières (42) 205 F2
Panjas (32) 266 B3
Pannecé (44) 124 A3
Pannecières (45) 86 C5
Pannes (45) 111 H2
Pannes (54) 65 G2
Pannessières (39) 173 G1
Panon (72) 83 F4
Panossas (38) 206 E3
la Panouse (48) 237 K4
Pantin (93) 59 F3
Panzoult (37) 145 H2
Papleux (02) 13 G6
Paradou (13) 276 B4
Parassy (18) 149 H1
Parata (2B) 319 J5
Paray-Douaville (78) 86 A3
Paray-le-Frésil (03) 169 H2
Paray-le-Monial (71) 170 C5
Paray-sous-Briailles (03) 185 H1
Paray-Vieille-Poste (91) 58 E5
Paraza (11) 291 G5
Parbayse (64) 284 B4
Parc-d'Anxtot (76) 14 D6

Parçay-les-Pins (49) 126 D4
Parçay-Meslay (37) 127 J4
Parçay-sur-Vienne (37) 145 H2
Parcé (35) 80 B4
Parcé-sur-Sarthe (72) 106 A4
Parcey (39) 155 G3
Parcieux (01) 188 C6
Parcoul (24) 212 D3
le Parcq (62) 9 J1
Parcy-et-Tigny (02) 39 J4
Pardailhan (34) 291 G2
Pardaillan (47) 231 F4
Pardies (64) 284 A3
Pardies-Piétat (64) 284 D5
Pardines (63) 202 E5
Paréac (65) 304 C1
Pareid (55) 44 B5
Parempuyre (33) 211 G6
Parennes (72) 106 A1
Parent (63) 202 E4
Parentignat (63) 203 F5
Parentis-en-Born (40) 244 E2
Parenty (62) 4 C5
Parey-Saint-Césaire (54) 93 K1
Parey-sous-Montfort (88) 93 J5
Parfondeval (02) 21 H4
Parfondeval (61) 83 H2
Parfondru (02) 20 E6
Parfondrupt (55) 44 B5
Parfouru-sur-Odon (14) 32 C6
Pargnan (02) 40 C2
Pargny (80) 19 G3
Pargny-Filain (02) 40 A1
Pargny-la-Dhuys (02) 61 F2
Pargny-les-Bois (02) 20 D4
Pargny-lès-Reims (51) 40 E4
Pargny-sous-Mureau (88) 93 F3
Pargny-sur-Saulx (51) 63 H4
Pargues (10) 114 C2
Parignargues (30) 275 F3
Parigné (35) 80 B2
Parigné-le-Pôlin (72) 106 D4
Parigné-l'Évêque (72) 107 F3
Parigné-sur-Braye (53) 81 G4
Parigny (42) 187 F5
Parigny (50) 52 C6
Parigny-la-Rose (58) 133 F5
Parigny-les-Vaux (58) 150 D3
Paris (75) 58 E3
Paris-l'Hôpital (71) 153 J5
Parisot (81) 270 A4
Parisot (82) 250 E4
Parlan (15) 234 E2
Parleboscq (40) 266 C2
Parly (89) 112 E6
Parmain (95) 37 J6
Parmilieu (38) 189 H6
Parnac (36) 165 F5
Parnac (46) 249 J1
Parnans (26) 222 E4
Parnay (18) 149 J6
Parnay (49) 126 C6
Parné-sur-Roc (53) 105 F2
Parnes (60) 36 D5
Parnoy-en-Bassigny (52) 117 F2
les Paroches (55) 64 E2
Paron (89) 88 D6
Paroy (25) 156 A3
Paroy (77) 88 C2
Paroy-en-Othe (89) 113 G2
Paroy-sur-Saulx (52) 92 C2
Paroy-sur-Tholon (89) 112 E3
Parpeçay (36) 147 K1
Parpeville (02) 20 C3
Parranquet (47) 232 B4
Parroy (54) 66 E5
Pars-lès-Chavanges (10) 90 E2
Pars-lès-Romilly (10) 89 H2
Parsac (23) 183 G2
Parthenay (79) 161 K2
Parthenay-de-Bretagne (35) 78 E3
Partinello (2A) 318 A6
Parux (54) 67 H6
Parves (01) 207 K2
Parville (27) 56 C1
Parvillers-le-Quesnoy (80) 18 E4
Parzac (16) 179 J5
le Pas (53) 81 F3
Pas-de-Jeu (79) 144 D4
Pas-en-Artois (62) 10 C4
le Pas-Saint-l'Homer (61) 84 B2
Pasilly (89) 114 B6
Paslières (63) 185 K6
Pasly (02) 39 J2
Pasques (21) 135 J5
le Pasquier (39) 156 A6
Passa (66) 315 G3
le Passage (38) 207 H4
le Passage (47) 248 B4
Passais (61) 81 F1
Passavant (25) 138 D5
Passavant-en-Argonne (51) 63 K1
Passavant-la-Rochère (70) 117 K2
Passavant-sur-Layon (49) 143 K2
Passel (60) 19 G6
Passenans (39) 155 H6
Passins (38) 207 G3
Passirac (16) 212 C1
Passonfontaine (25) 157 F2
Passy (71) 171 G4
Passy (74) 192 B5
Passy (89) 112 D1
Passy-en-Valois (02) 39 H5
Passy-Grigny (51) 40 C6
Passy-sur-Marne (02) 61 F1
Passy-sur-Seine (77) 88 E3
Pastricciola (2A) 320 D2
Patay (45) 109 J2
Patornay (39) 173 H3
Patrimonio (2B) 319 H1
Pau (64) 284 D4
Paucourt (45) 111 J2
Paudy (36) 148 C3
Pauilhac (32) 267 J3
Pauillac (33) 211 F3
Paule (22) 75 K3
Paulhac (15) 218 C6
Paulhac (31) 269 H4
Paulhac (43) 219 G2
Paulhac-en-Margeride (48) 237 H1
Paulhaguet (43) 219 J3
Paulhan (34) 292 C1
Paulhe (12) 253 G5
Paulhenc (15) 236 B2
Paulhiac (47) 232 B6
Pauligne (11) 308 E2
Paulin (24) 215 G6
Paulinet (81) 271 G3
Paulmy (37) 146 B4
Paulnay (36) 146 E6
Paulx (44) 141 G3
Paunat (24) 232 B1
Paussac-et-Saint-Vivien (24) 213 J1
Pautaines-Augeville (52) 92 C4
Pauvres (08) 41 K2
Pavant (02) 60 D2
Pavezin (42) 205 K6
Pavie (32) 267 H6
le Pavillon-Sainte-Julie (10) 89 K4
les Pavillons-sous-Bois (93) 59 G3
Pavilly (76) 15 J6
Payns (10) 89 K3
Payra-sur-l'Hers (11) 289 G5
Payrac (46) 233 H3
Payré (86) 162 D6
Payrignac (46) 233 G3
Payrin-Augmontel (81) 290 B2
Payros-Cazautets (40) 265 H6
Payroux (86) 179 K2
Payssous (31) 305 J2
Payzac (07) 255 H1
Payzac (24) 215 F1
Pazayac (24) 215 G4
Paziols (11) 310 A4
Pazy (58) 151 J1
le Péage-de-Roussillon (38) 222 B1
Péas (51) 61 H5
Peaugres (07) 222 A2
Péaule (56) 121 K1
Péault (85) 159 K4
Pébées (32) 287 H2
Pébrac (43) 219 J5
Pech (09) 307 K5
Pech-Luna (11) 289 F5
Péchabou (31) 288 C2
Pécharic-et-le-Py (11) 289 F6
Péchaudier (81) 289 G1
Pechbonnieu (31) 269 H5
Pechbusque (31) 288 C1
le Pêchereau (36) 165 G3
Pécorade (40) 265 J5
le Pecq (78) 58 C3
Pecquencourt (59) 11 J1
Pecqueuse (91) 58 B6
Pécy (77) 60 B6
Pédernec (22) 48 B4
Pégairolles-de-Buèges (34) 273 J4
Pégairolles-de-l'Escalette (34) 273 G4
Pégomas (06) 280 D5
le Pègue (26) 257 G1
Péguilhan (31) 286 E4
Peigney (52) 116 D4
Peillac (56) 102 A3
Peille (06) 281 J2
Peillon (06) 281 H3
Peillonnex (74) 191 H2
Peintre (39) 155 G1
les Peintures (33) 212 C5
Peipin (04) 259 G5
Peisey-Nancroix (73) 209 K4
Pel-et-Der (10) 90 E3
Pélissanne (13) 277 F5
Pellafol (38) 242 C2
Pelleautier (05) 242 E6
Pellefigue (32) 287 F2
Pellegrue (33) 230 D3
Pelleport (31) 268 D5
Pellerey (21) 135 H3
le Pellerin (44) 122 E4
la Pellerine (49) 126 D3
la Pellerine (53) 80 C4
Pellevoisin (36) 147 H4
Pellouailles-les-Vignes (49) 125 H3
Pelonne (26) 258 A2
Pelouse (48) 237 K6
Pelousey (25) 137 J5
Peltre (57) 45 F6
Pélussin (42) 205 K6
Pelves (62) 11 G3
Pelvoux (05) 243 J1
Penchard (77) 59 K2
Pencran (29) 46 C6
Pendé (80) 8 E4
Pénestin (56) 121 J2
Penguily (22) 77 J2
Penin (62) 10 C2
Penly (76) 16 B1
Penmarch (29) 98 A3
Pennautier (11) 290 A5
la Penne (06) 280 D1
Penne (81) 250 C6
Penne-d'Agenais (47) 248 D2
la Penne-sur-Huveaune (13) 296 E4
la Penne-sur-l'Ouvèze (26) 257 J3
Pennedepie (14) 33 K2
Pennes-le-Sec (26) 241 G4
les Pennes-Mirabeau (13) 296 B2
Pennesières (70) 138 A3
Penol (38) 206 E6
Pensol (87) 198 A4
Penta-Acquatella (2B) 319 H4
Penta-di-Casinca (2B) 319 J3
Penvénan (22) 48 B2
Péone (06) 261 F4
Pépieux (11) 290 E4
Pérassay (36) 166 C5
Peray (72) 83 F5
Perceneige (89) 88 E4
Percey (89) 113 J3
Percey-le-Grand (70) 136 D1
le Perchay (95) 37 F6
la Perche (18) 167 G3
Perchède (32) 266 A4
Percy (38) 242 A2
Percy (50) 52 B2
Percy-en-Auge (14) 33 G6
Perdreauville (78) 57 H2
Péré (17) 177 G3
Péré (65) 285 K6
Péreille (09) 308 A3
Perelli (2B) 319 H5
Pérenchies (59) 6 D4
Péret (34) 292 C1
Péret-Bel-Air (19) 200 C6
Péreuil (16) 196 C5
Péreyres (07) 239 F3
Pergain-Taillac (32) 248 B6
Peri (2A) 320 D4
le Périer (38) 224 D6
Périers (50) 30 E2
Périers-en-Auge (14) 33 G4
Périers-sur-le-Dan (14) 32 E4
Pérignac (16) 196 D6
Pérignac (17) 195 H3
Pérignat-lès-Sarliève (63) 202 D2
Pérignat-sur-Allier (63) 202 E3
Périgné (79) 178 C2
Périgneux (42) 204 E6
Périgny (03) 185 K2
Périgny (14) 53 G2
Périgny (17) 176 E2
Périgny (41) 108 D6
Périgny (94) 59 G5
Périgny-la-Rose (10) 89 G1
Périgueux (24) 214 A3
Périssac (33) 211 K5
Perles (02) 40 B3
Perles-et-Castelet (09) 308 A6
Pern (46) 249 K3
Pernand-Vergelesses (21) 154 A2
Pernant (02) 39 H3
Pernay (37) 127 G4
la Pernelle (50) 29 F2
Pernes (62) 5 H6
Pernes-lès-Boulogne (62) 4 B2
Pernes-les-Fontaines (84) 276 D1
Pernois (80) 9 K6
Pero-Casevecchie (2B) 319 J4
Pérols (34) 293 H1
Pérols-sur-Vézère (19) 200 C4
Péron (01) 190 D2
Péronnas (01) 189 G2
Péronne (71) 171 J5
Péronne (80) 19 G1
Péronne-en-Mélantois (59) 6 E5
Péronville (28) 109 H2
Pérouges (01) 189 G6
la Pérouille (36) 165 G2
Pérouse (90) 119 J6
Péroy-les-Gombries (60) 38 E5
Perpezac-le-Blanc (19) 215 G3
Perpezac-le-Noir (19) 215 J2
Perpezat (63) 202 A3
Perpignan (66) 315 G2
les Perques (50) 28 C5
Perquie (40) 265 J2
Perrancey-les-Vieux-Moulins (52) 116 C4
le Perray-en-Yvelines (78) 57 K5
Perrecy-les-Forges (71) 170 D3
le Perréon (69) 188 A4
Perret (22) 76 C4
Perreuil (71) 153 H6
Perreux (42) 187 F4
Perreux (89) 112 C4
le Perreux-sur-Marne (94) 59 F4
Perrex (01) 188 D1
Perrier (63) 202 E5
le Perrier (85) 140 D5
la Perrière (61) 83 G3
la Perrière (73) 209 J5
Perrières (14) 54 B2
Perriers-en-Beauficel (50) 52 D4
Perriers-la-Campagne (27) 34 E5
Perriers-sur-Andelle (27) 36 A2
Perrignier (74) 175 F6
Perrigny (39) 173 G2
Perrigny (89) 113 F5
Perrigny-lès-Dijon (21) 136 A6
Perrigny-sur-Armançon (89) 134 C1
Perrigny-sur-l'Ognon (21) 136 E5
Perrigny-sur-Loire (71) 169 K4
Perrogney-les-Fontaines (52) 116 B5
le Perron (50) 31 K4
Perros-Guirec (22) 48 A2
Perrou (61) 81 H1
Perrouse (70) 138 A4
Perroy (58) 132 C4
Perruel (27) 36 A2
Perrusse (52) 116 E1
Perrusson (37) 146 D2
Pers (15) 235 F2
Pers (79) 179 F2
Pers-en-Gâtinais (45) 111 K1
Pers-Jussy (74) 191 G3
Persac (86) 163 J6
Persan (95) 37 J5
Persquen (56) 76 B6
Pertain (80) 19 G3
Perthes (08) 41 H1
Perthes (52) 63 H6
Perthes (77) 87 G2
Perthes-lès-Brienne (10) 91 F3
Pertheville-Ners (14) 54 B3
le Perthus (66) 315 G5
le Pertre (35) 104 C2
le Pertuis (43) 220 D5
Pertuis (84) 277 J5
la Péruse (16) 180 A6
Pervenchères (61) 83 G3
Perville (82) 248 E5
Pescadoires (46) 232 E6
Peschadoires (63) 203 H1
le Pescher (19) 216 A5
Péseux (25) 139 G5
Peseux (39) 155 F3
Peslières (63) 203 H6
Pesmes (70) 137 F5
Pessac (33) 229 G2
Pessac-sur-Dordogne (33) 230 D2
Pessan (32) 267 J6
Pessans (25) 156 A2
Pessat-Villeneuve (63) 185 F6
la Pesse (39) 173 K6
Pessines (17) 195 F2
Pessoulens (32) 268 B3
Petersbach (67) 69 F5
le Petit-Abergement (01) 190 A4
Petit-Auverné (44) 103 K5
Petit-Bersac (24) 213 F2
le Petit-Bornand-les-Glières (74) 191 H4
le Petit-Celland (50) 52 B5
Petit-Couronne (76) 35 H2
Petit-Croix (90) 139 J1
Petit-Failly (54) 43 J1
Petit-Fayt (59) 13 F5
le Petit-Fougeray (35) 103 G1
Petit-Landau (68) 97 E2
Petit-Mars (44) 123 H2
le Petit-Mercey (39) 155 J1
Petit-Mesnil (10) 91 F4
Petit-Noir (39) 155 F4
Petit-Palais-et-Cornemps (33) 212 C6
le Petit-Pressigny (37) 146 C5
le Petit-Quevilly (76) 35 H2
Petit-Réderching (57) 69 F3
Petit-Tenquin (57) 68 B4
Petit-Verly (02) 20 C1
la Petite-Boissière (79) 143 G5
Petite-Chaux (25) 174 C1
Petite-Forêt (59) 12 C1
la Petite-Fosse (88) 95 J3
la Petite-Marche (03) 184 A2
la Petite-Pierre (67) 69 G5
la Petite-Raon (88) 95 J2
Petite-Rosselle (57) 68 B1
la Petite-Verrière (71) 152 D3
Petitefontaine (90) 119 K5
les Petites-Armoises (08) 42 C1
les Petites-Loges (51) 41 G5
Petitmagny (90) 119 J5
Petitmont (54) 67 H6
Petiville (14) 33 G4
Petiville (76) 34 D1
Petosse (85) 160 C4
Petreto-Bicchisano (2A) 322 E1
Pettoncourt (57) 66 C3
Pettonville (54) 95 F1
Peujard (33) 211 J5
Peumérit (29) 98 B2
Peumerit-Quintin (22) 76 B2
Peuplingues (62) 2 C3
Peuton (53) 104 E4
Peuvillers (55) 43 H2
Peux-et-Couffouleux (12) 272 B4
Pévange (57) 66 E2
Pévy (51) 40 D3
Pexiora (11) 289 H5
Pexonne (54) 95 H1
Pey (40) 262 D5
Peymeinade (06) 280 C5
Peynier (13) 297 F2
Peypin (13) 296 E3
Peypin-d'Aigues (84) 277 K3
Peyrabout (23) 182 D4
le Peyrat (09) 308 B3
Peyrat-de-Bellac (87) 181 F3
Peyrat-la-Nonière (23) 183 H4
Peyrat-le-Château (87) 200 A1
la Peyratte (79) 162 A2
Peyraube (65) 285 K5
Peyraud (07) 222 B2
Peyre (40) 265 G6
Peyrecave (32) 268 A1
Peyrefitte-du-Razès (11) 308 C2
Peyrefitte-sur-l'Hers (11) 289 F5
Peyregoux (81) 270 E5
Peyrehorade (40) 264 A6
Peyreleau (12) 253 H5
Peyrelevade (19) 200 D3
Peyrelongue-Abos (64) 285 F2
Peyremale (30) 255 G3
Peyrens (11) 289 H4
Peyrestortes (66) 310 B5
Peyret-Saint-André (65) 286 C4
Peyriac-de-Mer (11) 310 C1
Peyriac-Minervois (11) 290 D4
Peyriat (01) 189 K2
Peyrière (47) 231 G5
Peyrieu (01) 207 J3
Peyrignac (24) 215 F4
Peyriguère (65) 285 K5
Peyrilhac (87) 181 F5
Peyrillac-et-Millac (24) 233 H2
Peyrilles (46) 233 H5
Peyrins (26) 222 D4
Peyrissac (19) 199 K5
Peyrissas (31) 287 G4
Peyrole (81) 270 B4
Peyroles (30) 254 E6
Peyrolles (11) 309 G3
Peyrolles-en-Provence (13) 277 K5
Peyroules (04) 280 A3
Peyrouse (65) 304 A1
Peyrouzet (31) 287 F5
Peyruis (04) 259 F6
Peyrun (65) 285 J4
Peyrus (26) 240 E1
Peyrusse (15) 218 D3
Peyrusse-Grande (32) 266 E6
Peyrusse-le-Roc (12) 251 H1
Peyrusse-Massas (32) 267 H4
Peyrusse-Vieille (32) 266 D6
Peyssies (31) 287 J4
Peyzac-le-Moustier (24) 214 D6
Peyzieux-sur-Saône (01) 188 C3
Pézarches (77) 60 A5
Pezé-le-Robert (72) 82 B6
Pézenas (34) 292 C2
Pézènes-les-Mines (34) 292 A1
Pezens (11) 290 A5
Pézilla-de-Conflent (66) 314 C1
Pézilla-la-Rivière (66) 315 F2
Pezou (41) 108 D4
Pezuls (24) 232 B1
Pézy (28) 85 H4
Pfaffenheim (68) 96 B5
Pfaffenhoffen (67) 69 J6
Pfalzweyer (67) 69 F6
Pfastatt (68) 97 B2
Pfetterhouse (68) 97 A5
Pfettisheim (67) 70 E2
Pfulgriesheim (67) 70 E2
Phaffans (90) 119 J6
Phalempin (59) 6 D5
Phalsbourg (57) 70 A1
Philippsbourg (57) 69 J4
Philondenx (40) 265 H6
Phlin (54) 66 B2
Pia (66) 310 C6
Piacé (72) 82 D5
le Pian-Médoc (33) 211 G6
le Pian-sur-Garonne (33) 230 A5
Piana (2A) 320 A1
Pianello (2B) 319 H6
Piano (2B) 319 H4
Pianottoli-Caldarello (2A) 323 F5
les Piards (39) 173 J4
la Piarre (05) 242 A6
Piazzali (2B) 319 J5
Piazzole (2B) 319 H4
Piblange (57) 45 H3
Pibrac (31) 269 F6
Picarreau (39) 155 K6
Picauville (50) 28 E5
Pichanges (21) 136 B3
Picherande (63) 202 A6
Picquigny (80) 17 K1
Pie-d'Orezza (2B) 319 H5
Pied-de-Borne (48) 255 F1
Piedicorte-di-Gaggio (2B) 321 H1
Piedicroce (2B) 319 H5
Piedigriggio (2B) 319 F4
Piedipartino (2B) 319 H5
Piégon (26) 257 H3
Piégros-la-Clastre (26) 240 E4
Piégut (04) 243 F6
Piégut-Pluviers (24) 197 K4
Piencourt (27) 34 B5
Piennes (54) 44 B3
Piennes-Onvillers (80) 18 E5
Pierlas (06) 261 H5
la Pierre (38) 224 C2
Pierre-Bénite (69) 206 A3
Pierre-Buffière (87) 199 G3
Pierre-Châtel (38) 224 B6
Pierre-de-Bresse (71) 154 E5
Pierre-la-Treiche (54) 65 J5
Pierre-Levée (77) 60 B3
Pierre-Morains (51) 62 A3
Pierre-Percée (54) 95 H1
Pierre-Perthuis (89) 133 J4
Pierreclos (71) 171 H6
Pierrecourt (70) 137 F1
Pierrecourt (76) 17 F2
Pierrefeu (06) 280 E2
Pierrefeu-du-Var (83) 300 E3
Pierrefiche (12) 253 F1
Pierrefiche (48) 238 A4
Pierrefiques (76) 14 B4
Pierrefitte (19) 199 J6
Pierrefitte (23) 183 G3
Pierrefitte (79) 144 A5
Pierrefitte (88) 94 B6
Pierrefitte-en-Auge (14) 33 K4
Pierrefitte-en-Beauvaisis (60) 37 G1
Pierrefitte-en-Cinglais (14) 53 J2
Pierrefitte-ès-Bois (45) 131 H3
Pierrefitte-Nestalas (65) 304 B3
Pierrefitte-sur-Aire (55) 64 C2
Pierrefitte-sur-Loire (03) 169 K4

Pierrefitte-sur-Sauldre (41) 130 C3
Pierrefitte-sur-Seine (93) 58 E2
Pierrefonds (60) 39 F3
Pierrefontaine-lès-Blamont (25) 139 H4
Pierrefontaine-les-Varans (25) 139 F6
Pierrefort (15) 236 B1
Pierregot (80) 10 B6
Pierrelatte (26) 256 D2
Pierrelaye (95) 58 C1
Pierrelongue (26) 257 J3
Pierremande (02) 19 K6
Pierremont (62) 10 A1
Pierremont-sur-Amance (52) 117 G5
Pierrepont (02) 20 E5
Pierrepont (14) 53 K3
Pierrepont (54) 26 C4
Pierrepont-sur-Avre (80) 18 D4
Pierrepont-sur-l'Arentèle (88) 95 F4
Pierrerue (04) 278 C1
Pierrerue (34) 291 H3
Pierres (14) 53 F3
Pierres (28) 85 H1
Pierreval (76) 16 B6
Pierrevert (04) 278 B3
Pierreville (50) 28 B4
Pierreville (54) 94 A1
Pierrevillers (57) 44 E4
Pierric (44) 103 F4
Pierry (51) 61 K1
Pietra-di-Verde (2B) 319 J6
Pietracorbara (2B) 317 D3
Pietralba (2B) 319 F3
Pietraserena (2B) 321 H1
Pietricaggio (2B) 319 H5
Pietrosella (2A) 320 C6
Pietroso (2B) 321 G2
Piets-Plasence-Moustrou (64) 284 B1
Pieusse (11) 308 E1
les Pieux (50) 28 B4
Piève (2B) 319 G2
Piffonds (89) 112 C2
Pigna (2B) 318 C2
Pignan (34) 293 F1
Pignans (83) 298 B3
Pignicourt (02) 41 F2
Pignols (63) 203 F4
Pigny (18) 149 H2
Pihem (62) 5 G3
Pihen-lès-Guînes (62) 2 C3
Pila-Canale (2A) 322 D1
Pillac (16) 213 F2
Pillemoine (39) 173 K1
les Pilles (26) 257 J2
Pillon (55) 43 K2
Pimbo (40) 265 H6
Pimelles (89) 114 C5
Pimorin (39) 173 F4
Pimprez (60) 39 F1
le Pin (03) 170 A5
le Pin (14) 34 A4
le Pin (17) 212 A2
le Pin (30) 256 B6
le Pin (38) 207 H5
le Pin (39) 173 G1
le Pin (44) 124 B1
Pin (70) 137 J5
le Pin (77) 59 H3
le Pin (79) 143 G5
le Pin (82) 268 C1
le Pin-au-Haras (61) 54 D5
Pin-Balma (31) 269 H6
le Pin-en-Mauges (49) 124 D6
le Pin-la-Garenne (61) 83 H3
le Pin-Murelet (31) 287 H3
Pinas (65) 305 G1
Pinay (42) 187 F6
Pincé (72) 105 J5
Pindères (47) 247 F3
Pindray (86) 163 K4
les Pineaux (85) 160 A2
Pinel-Hauterive (47) 248 B1
Pinet (34) 292 D3
Pineuilh (33) 231 F2
Piney (10) 90 D4
Pino (2B) 317 C2
Pinols (43) 219 H5
Pinon (02) 39 K1
les Pins (16) 197 G1
Pins-Justaret (31) 288 B2
Pinsac (46) 233 J2
Pinsaguel (31) 288 B2
Pinsot (38) 224 E1
Pintac (65) 285 G4
Pinterville (27) 35 J5
Pintheville (55) 44 A5
les Pinthières (28) 57 H5
Piobetta (2B) 319 H5
Pioggiola (2B) 318 D3
Piolenc (84) 256 D4
Pionnat (23) 182 E3
Pionsat (63) 184 B3
Pioussay (79) 179 F4
Pipriac (35) 102 D2
Piquecos (82) 249 J6
Pirajoux (01) 172 D5
Piré-sur-Seiche (35) 79 J5
Pirey (25) 137 K5
Piriac-sur-Mer (44) 121 H3
Pirmil (72) 106 B3
Pirou (50) 30 D2
Pis (32) 267 K4
Pisany (17) 194 E2
Piscop (95) 58 E1
Piseux (27) 56 B4
Pisieu (38) 222 D1
Pisseleu (60) 17 J6
Pisseloup (52) 117 G4
la Pisseure (70) 118 B4
Pissos (40) 245 H3
Pissotte (85) 160 D4
Pissy (80) 17 K2
Pissy-Pôville (76) 15 J6
Pisy (89) 134 B2
Pitgam (59) 3 H3
Pithiviers (45) 86 D6
Pithiviers-le-Vieil (45) 110 D1
Pithon (02) 19 J4
Pîtres (27) 35 J3
Pittefaux (62) 4 B2
Pizay (01) 189 F6
Pizieux (72) 83 F4
le Pizou (24) 212 D5
le Pla (09) 313 J2
Plabennec (29) 46 A5
Placé (53) 80 E5
les Places (27) 34 B5
Placey (25) 137 J6
Plachy-Buyon (80) 18 A3
Placy (14) 53 J2
Placy-Montaigu (50) 31 J4
le Plagnal (07) 238 C4
Plagne (01) 190 B2
Plagne (31) 287 H6
Plagnole (31) 287 H3
Plaigne (11) 289 F6
Plailly (60) 38 B6
Plaimbois-du-Miroir (25) 139 G6
Plaimbois-Vennes (25) 139 F6
Plaimpied-Givaudins (18) 149 H4
la Plaine (49) 143 H2
Plaine (67) 95 K2
Plaine-de-Walsch (57) 67 K4
Plaine-Haute (22) 77 F1
la Plaine-sur-Mer (44) 122 A5
Plainemont (70) 118 B4
Plaines-Saint-Lange (10) 114 E3
Plainfaing (88) 95 J5
Plainoiseau (39) 173 G1
les Plains-et-Grands-Essarts (25) 139 J5
Plaintel (22) 77 F1
Plainval (60) 38 A1
Plainville (27) 34 C6
Plainville (60) 18 C5
Plaisance (12) 271 J2
Plaisance (24) 231 J4
Plaisance (32) 266 C6
Plaisance (86) 164 A6
Plaisance-du-Touch (31) 288 A1
Plaisia (39) 173 G3
Plaisians (26) 257 K4
Plaisir (78) 58 A4
Plaissan (34) 292 D1
Plaizac (16) 196 B2
le Plan (31) 287 J6
Plan (38) 223 H2
Plan-d'Aups-Sainte-Baume (83) 297 G3
Plan-de-Baix (26) 241 F2
Plan-de-Cuques (13) 296 D3
Plan-de-la-Tour (83) 298 E3
Plan-d'Orgon (13) 276 D3
Planaise (73) 208 D5
Planay (21) 114 E6
Planay (73) 209 K5
la Planche (44) 141 K3
Plancher-Bas (70) 119 G5
Plancher-les-Mines (70) 119 G5
Plancherine (73) 209 F2
Planches (61) 55 F5
les Planches-en-Montagne (39) 174 A2
les Planches-près-Arbois (39) 155 K5
Planchez (58) 152 C2
Plancoët (22) 50 B4
Plancy-l'Abbaye (10) 89 K1
la Planée (25) 156 E5
Planès (66) 313 J4
Planèzes (66) 309 J5
Planfoy (42) 221 H1
Planguenoual (22) 49 H6
Planioles (46) 234 D5
le Planois (71) 155 F6
le Planquay (27) 34 B6
Planquery (14) 31 K3
Planques (62) 5 F6
Planrupt (52) 91 H2
les Plans (30) 255 J5
les Plans (34) 273 F4
le Plantay (01) 189 F4
les Plantiers (30) 254 D5
le Plantis (61) 83 F1
Planty (10) 89 G5
Planzolles (07) 255 H1
Plappeville (57) 44 E5
Plasne (39) 155 J6
Plasnes (27) 34 D5
Plassac (17) 195 G5
Plassac (33) 211 G4
Plassac-Rouffiac (16) 196 D5
Plassay (17) 195 F1
Plats (07) 222 B5
Plaudren (56) 101 G4
Plauzat (63) 202 D4
Plavilla (11) 289 G6
Plazac (24) 214 D5
Pleaux (15) 217 F4
Pléboulle (22) 50 A3
Pléchâtel (35) 103 F1
Plédéliac (22) 77 K1
Plédran (22) 77 G1
Pléguien (22) 48 E4
Pléhédel (22) 48 E3
Pleine-Fougères (35) 51 H5
Pleine-Selve (02) 20 C3
Pleine-Selve (33) 211 H1
Pleine-Sève (76) 15 G3
Plélan-le-Grand (35) 78 C5
Plélan-le-Petit (22) 50 B5
Plélauff (22) 76 B4
Plélo (22) 48 E5
Plémet (22) 77 H4
Plémy (22) 77 G2
Plénée-Jugon (22) 77 K2
Pléneuf-Val-André (22) 49 J5
Plénise (39) 156 C5
Plénisette (39) 156 C6
Plerguer (35) 50 E5
Plérin (22) 49 G5
Plerneuf (22) 49 F6
Plescop (56) 101 F4
Plesder (35) 50 E6
Plésidy (22) 76 C1
Pleslin-Trigavou (22) 50 D4
Plesnois (57) 44 E4
Plesnoy (52) 116 E4
Plessala (22) 77 H3
Plessé (44) 102 D5
le Plessier-Huleu (02) 39 J4
le Plessier-Rozainvillers (80) 18 D4
le Plessier-sur-Bulles (60) 37 K1
le Plessier-sur-Saint-Just (60) 38 A1
le Plessis-aux-Bois (77) 59 J2
Plessis-Barbuise (10) 89 G1
le Plessis-Belleville (60) 38 D6
le Plessis-Bouchard (95) 58 D2
le Plessis-Brion (60) 38 E1
Plessis-de-Roye (60) 19 F6
le Plessis-Dorin (41) 108 A1
le Plessis-Feu-Aussoux (77) 60 B5
le Plessis-Gassot (95) 59 F1
le Plessis-Grammoire (49) 125 H3
le Plessis-Grimoult (14) 53 G2
le Plessis-Grohan (27) 56 D2
le Plessis-Hébert (27) 57 F2
le Plessis-Lastelle (50) 30 E1
le Plessis-l'Échelle (41) 109 F5
le Plessis-l'Évêque (77) 59 J1
le Plessis-Luzarches (95) 38 A6
le Plessis-Macé (49) 125 F2
le Plessis-Pâté (91) 86 E1
le Plessis-Patte-d'Oie (60) 19 H4
le Plessis-Placy (77) 60 A1
le Plessis-Robinson (92) 58 D4
Plessis-Saint-Benoist (91) 86 B3
Plessis-Saint-Jean (89) 88 D4
le Plessis-Sainte-Opportune (27) 35 F6
le Plessis-Trévise (94) 59 G4
Plessix-Balisson (22) 50 C4
Plestan (22) 77 K1
Plestin-les-Grèves (22) 47 J3
Pleubian (22) 48 D1
Pleucadeuc (56) 101 K4
Pleudaniel (22) 48 D2
Pleudihen-sur-Rance (22) 50 D5
Pleugriffet (56) 101 G1
Pleugueneuc (35) 50 E6
Pleumartin (86) 163 K1
Pleumeleuc (35) 78 E3
Pleumeur-Bodou (22) 47 K2
Pleumeur-Gautier (22) 48 C2
Pleure (39) 155 G4
Pleurs (51) 61 J5
Pleurtuit (35) 50 D4
Pleuven (29) 98 D2
Pleuvezain (88) 93 J3
Pleuville (16) 179 K4
Pléven (22) 50 A5
Plévenon (22) 50 A3
Plévin (22) 75 J3
Pleyben (29) 74 E3
Pleyber-Christ (29) 47 F5
Pliboux (79) 179 G2
Plichancourt (51) 63 G4
Plieux (32) 267 K2
Plivot (51) 62 A1
Plobannalec-Lesconil (29) 98 B3
Plobsheim (67) 71 D2
Ploemel (56) 100 C5
Ploemeur (56) 99 K5
Ploërdut (56) 76 B5
Ploeren (56) 100 E5
Ploërmel (56) 101 K2
Plœuc-sur-Lié (22) 77 G2
Ploéven (29) 74 C4
Ploëzal (22) 48 C3
Plogastel-Saint-Germain (29) 74 B6
Plogoff (29) 73 B3
Plogonnec (29) 74 C5
Ploisy (02) 39 J3
Plomb (50) 52 A4
Plombières-les-Bains (88) 118 D2
Plombières-lès-Dijon (21) 135 K5
Plomelin (29) 98 C2
Plomeur (29) 98 B3
Plomion (02) 21 G3
Plomodiern (29) 74 C3
Plonéis (29) 74 C5
Plonéour-Lanvern (29) 98 B2
Plonévez-du-Faou (29) 75 G3
Plonévez-Porzay (29) 74 C4
Plorec-sur-Arguenon (22) 50 A5
Plottes (71) 171 K4
Plou (18) 148 E3
Plouagat (22) 48 E5
Plouaret (22) 47 K4
Plouarzel (29) 72 B3
Plouasne (22) 78 D2
Plouay (56) 100 A1
Ploubalay (22) 50 C4
Ploubazlanec (22) 48 E2
Ploubezre (22) 48 A3
Ploudalmézeau (29) 72 C2
Ploudaniel (29) 46 B5
Ploudiry (29) 46 D6
Plouëc-du-Trieux (22) 48 C4
Plouédern (29) 46 C5
Plouégat-Guérand (29) 47 H4
Plouégat-Moysan (29) 47 J5
Plouénan (29) 46 E4
Plouër-sur-Rance (22) 50 D4
Plouescat (29) 46 D3
Plouézec (22) 48 E3
Plouézoc'h (29) 47 G4
Ploufragan (22) 49 F6
Plougar (29) 46 D4
Plougasnou (29) 47 G3
Plougastel-Daoulas (29) 74 B1
Plougonvelin (29) 72 B5
Plougonven (29) 47 H5
Plougonver (22) 48 A6
Plougoulm (29) 46 E3
Plougoumelen (56) 100 E5
Plougourvest (29) 46 D4
Plougras (22) 47 J5
Plougrescant (22) 48 C1
Plouguenast (22) 77 G3
Plouguerneau (29) 46 A4
Plouguernével (22) 76 B3
Plouguiel (22) 48 C2
Plouguin (29) 72 C2
Plouha (22) 48 E4
Plouharnel (56) 100 C6
Plouhinec (29) 73 D3
Plouhinec (56) 100 B4
Plouider (29) 46 C4
Plouigneau (29) 47 H5
Plouisy (22) 48 C5
Ploulec'h (22) 47 K3
Ploumagoar (22) 48 C5
Ploumilliau (22) 47 K3
Ploumoguer (29) 72 B4
Plounéour-Ménez (29) 47 F6
Plounéour-Trez (29) 46 B3
Plounérin (22) 47 J5
Plounéventer (29) 46 C5
Plounévez-Lochrist (29) 46 C4
Plounévez-Moëdec (22) 47 K5
Plounévez-Quintin (22) 76 B3
Plounévézel (29) 75 J2
Plourac'h (22) 75 J1
Plouray (56) 76 A4
Plourhan (22) 49 F4
Plourin (29) 72 B3
Plourin-lès-Morlaix (29) 47 G5
Plourivo (22) 48 D3
Plouvain (62) 11 G2
Plouvara (22) 48 E6
Plouvien (29) 46 A5
Plouvorn (29) 46 E4
Plouyé (29) 75 G2
Plouzané (29) 72 C4
Plouzélambre (22) 47 J4
Plouzévédé (29) 46 D4
Plovan (29) 98 A2
Ployart-et-Vaurseine (02) 40 C1
le Ployron (60) 18 D6
Plozévet (29) 74 A6
Pludual (22) 48 E4
Pluduno (22) 50 B4
Plufur (22) 47 J4
Pluguffan (29) 98 C1
Pluherlin (56) 101 K5
Plumaudan (22) 78 C1
Plumaugat (22) 78 B2
Plumelec (56) 101 G3
Pluméliau (56) 100 D1
Plumelin (56) 100 E2
Plumergat (56) 100 E4
Plumetot (14) 32 E3
Plumieux (22) 77 H5
Plumont (39) 155 J2
Pluneret (56) 100 D5
Plurien (22) 49 K5
Plusquellec (22) 75 K1
Plussulien (22) 76 D3
Pluvault (21) 154 E1
Pluvet (21) 154 E1
Pluvigner (56) 100 D3
Pluzunet (22) 48 A4
Pocancy (51) 62 B2
Pocé-les-Bois (35) 80 A6
Pocé-sur-Cisse (37) 128 B4
Podensac (33) 229 K4
le Poët (05) 259 F3
le Poët-Célard (26) 240 E5
le Poët-en-Percip (26) 258 A3
le Poët-Laval (26) 240 D6
le Poët-Sigillat (26) 257 K2
Pœuilly (80) 19 J2
Poey-de-Lescar (64) 284 C3
Poey-d'Oloron (64) 283 K5
Poëzat (03) 185 G4
Poggio-di-Nazza (2B) 321 H3
Poggio-di-Venaco (2B) 319 F6
Poggio-d'Oletta (2B) 319 H1
Poggio-Marinaccio (2B) 319 H4
Poggio-Mezzana (2B) 319 J4
Poggiolo (2A) 320 D2
Pogny (51) 62 E3
Poids-de-Fiole (39) 173 G3
Poigny (77) 88 D2
Poigny-la-Forêt (78) 57 J6
Poil (58) 152 D5
Poilcourt-Sydney (08) 41 F2
Poilhes (34) 291 J4
Poillé-sur-Vègre (72) 105 K3
Poilley (35) 80 A2
Poilley (50) 52 A6
Poilly (51) 40 D4
Poilly-lez-Gien (45) 131 G1
Poilly-sur-Serein (89) 113 K5
Poilly-sur-Tholon (89) 112 E4
Poinçon-lès-Larrey (21) 114 E4
le Poinçonnet (36) 165 J1
Poincy (77) 60 A2
Poinsenot (52) 115 K6
Poinson-lès-Fayl (52) 117 F5
Poinson-lès-Grancey (52) 115 K6
Poinson-lès-Nogent (52) 116 D2
Pointel (61) 53 K5
Pointis-de-Rivière (31) 305 J1
Pointis-Inard (31) 306 A1
Pointre (39) 137 F6
Pointvillers (25) 156 A2
Poinville (28) 86 A6
le Poiré-sur-Velluire (85) 160 D5
le Poiré-sur-Vie (85) 141 J6
Poiroux (85) 159 G3
Poisat (38) 224 B3
Poiseul (52) 116 E3
Poiseul-la-Grange (21) 135 J2
Poiseul-la-Ville-et-Laperrière (21) 135 G2
Poiseul-lès-Saulx (21) 135 K2
Poiseux (58) 150 E2
Poisieux (18) 148 D3
le Poislay (41) 108 C2
Poisson (71) 170 C6
Poissons (52) 92 B3
Poissy (78) 58 B2
Poisvilliers (28) 85 G2
Poisy (74) 190 E5
la Poitevinière (49) 124 D6
Poitiers (86) 163 F3
Poivres (10) 62 C5
Poix (51) 63 F2
Poix-de-Picardie (80) 17 H3
Poix-du-Nord (59) 12 E4
Poix-Terron (08) 22 C5
le Poizat (01) 190 B2
Polaincourt-et-Clairefontaine (70) 118 A3
Polastron (31) 287 G4
Polastron (32) 287 F1
Poleymieux-au-Mont-d'Or (69) 188 C6
Poliénas (38) 223 H2
Polignac (17) 212 A2
Polignac (43) 220 C5
Poligné (35) 103 F1
Poligny (05) 242 E3
Poligny (10) 90 D6
Poligny (39) 155 J5
Poligny (77) 87 J6
Polincove (62) 2 E4
Polisot (10) 114 D2
Polisy (10) 114 D2
Pollestres (66) 315 G3
Polliat (01) 189 F1
Pollieu (01) 207 K1
Pollionnay (69) 205 J2
Polminhac (15) 235 J1
Polveroso (2B) 319 H4
Pomacle (51) 41 G3
la Pomarède (11) 289 G3
Pomarède (46) 232 E6
Pomarez (40) 264 D5
Pomas (11) 309 F1
Pomayrols (12) 253 G1
Pomerol (33) 230 B1
Pomérols (34) 292 D3
Pomeys (69) 205 G3
Pommard (21) 153 K3
Pommera (62) 10 B4
la Pommeraie-sur-Sèvre (85) 143 F5
la Pommeraye (14) 53 J2
la Pommeraye (49) 124 D4
Pommeret (22) 77 H1
Pommereuil (59) 12 D5
Pommereux (76) 16 E5
Pommeréval (76) 16 B4
Pommerieux (53) 104 D4
Pommérieux (57) 66 A1
Pommerit-Jaudy (22) 48 C3
Pommerit-le-Vicomte (22) 48 D4
Pommerol (26) 258 A1
Pommeuse (77) 60 A4
Pommevic (82) 248 E6
Pommier (62) 10 D4
Pommier-de-Beaurepaire (38) 206 D6
Pommiers (02) 39 H2
Pommiers (30) 273 J2
Pommiers (36) 165 H4
Pommiers (42) 204 D1
Pommiers (69) 188 B5
Pommiers-la-Placette (38) 223 K1
Pommiers-Moulons (17) 211 K1
Pomoy (70) 118 D6
Pompaire (79) 161 K3
Pompéjac (33) 246 C2
Pompertuzat (31) 288 C2
Pompey (54) 66 A4
Pompiac (32) 287 H2
le Pompidou (48) 254 C4
Pompierre (88) 93 G5
Pompierre-sur-Doubs (25) 138 E3
Pompiey (47) 247 H4
Pompignac (33) 229 J2
Pompignan (30) 274 B3
Pompignan (82) 269 F4
Pompogne (47) 247 F4
Pomponne (77) 59 H3
Pomport (24) 231 H3
Pomps (64) 284 B2
Pomy (11) 308 D2

Poncé-sur-le-Loir (72) 107 J5
Poncey-lès-Athée (21) 136 D6
Poncey-sur-l'Ignon (21) 135 H3
le Ponchel (62) 9 J3
Ponches-Estruval (80) 9 G2
Ponchon (60) 37 J3
Poncin (01) 189 J3
Poncins (42) 204 E2
Pondaurat (33) 230 C6
le Pondy (18) 149 J6
Ponet-et-Saint-Auban (26) 241 G2
Ponlat-Taillebourg (31) 305 H1
Pons (17) 195 H4
Ponsampère (32) 286 A2
Ponsan-Soubiran (32) 286 B4
Ponsas (26) 222 B4
Ponson-Debat-Pouts (64) 285 G4
Ponson-Dessus (64) 285 G4
Ponsonnas (38) 242 B1
Pont (21) 154 E1
Pont-à-Marcq (59) 6 E5
Pont-à-Mousson (54) 65 K2
Pont-à-Vendin (62) 6 C6
Pont-Arcy (02) 40 B2
Pont-Audemer (27) 34 C3
Pont-Authou (27) 34 E4
Pont-Aven (29) 99 G3
Pont-Bellanger (14) 52 D2
le Pont-Chrétien-Chabenet (36) 165 G3
Pont-Croix (29) 73 D3
Pont-d'Ain (01) 189 H4
Pont-de-Barret (26) 240 D5
le Pont-de-Beauvoisin (38) 207 J4
le Pont-de-Beauvoisin (73) 207 J4
Pont-de-Buis-lès-Quimerch (29) 74 D2
Pont-de-Chéruy (38) 206 E2
le Pont-de-Claix (38) 224 A4
Pont-de-Labeaume (07) 239 G4
Pont-de-l'Arche (27) 35 J3
Pont-de-Larn (81) 290 B2
Pont-de-l'Isère (26) 222 C6
Pont-de-Metz (80) 18 A2
le Pont-de-Montvert (48) 254 D2
le Pont-de-Planches (70) 137 J2
Pont-de-Poitte (39) 173 H3
Pont-de-Roide (25) 139 H4
Pont-de-Ruan (37) 127 H6
Pont-de-Salars (12) 252 D4
Pont-de-Vaux (01) 172 A5
Pont-de-Veyle (01) 188 D1
Pont-d'Héry (39) 156 A5
Pont-d'Ouilly (14) 53 J3
Pont-du-Bois (70) 118 A2
Pont-du-Casse (47) 248 C4
Pont-du-Château (63) 202 E2
Pont-du-Navoy (39) 173 J1
Pont-en-Royans (38) 223 G5
Pont-et-Massène (21) 134 D3
Pont-Évêque (38) 206 B5
Pont-Farcy (14) 52 C2
Pont-Hébert (50) 31 H3
Pont-la-Ville (52) 115 J1
Pont-l'Abbé (29) 98 B3
Pont-l'Abbé-d'Arnoult (17) 194 E1
Pont-lès-Bonfays (88) 94 A6
Pont-les-Moulins (25) 138 D5
Pont-l'Évêque (14) 33 K3
Pont-l'Évêque (60) 19 H6
Pont-Melvez (22) 48 B6
Pont-Noyelles (80) 18 C1
Pont-Péan (35) 79 F5
Pont-Remy (80) 9 G6
Pont-Saint-Esprit (30) 256 C4
Pont-Saint-Mard (02) 39 J1
Pont-Saint-Martin (44) 123 G5
Pont-Saint-Pierre (27) 35 K3
Pont-Saint-Vincent (54) 65 K6
Pont-Sainte-Marie (10) 90 B4
Pont-Sainte-Maxence (60) 38 C4
Pont-Salomon (43) 221 F2
Pont-Scorff (56) 99 K4
Pont-sur-l'Ognon (70) 138 D2
Pont-sur-Madon (88) 94 A3
Pont-sur-Meuse (55) 64 E4
Pont-sur-Sambre (59) 13 G3
Pont-sur-Seine (10) 89 G2
Pont-sur-Vanne (89) 88 E6
Pont-sur-Yonne (89) 88 C5
Pont-Trambouze (69) 187 H4
Pontacq (64) 285 F5
Pontailler-sur-Saône (21) 136 E5
Pontaix (26) 241 G3
Pontamafrey-Montpascal (73) 225 G1
Pontarion (23) 182 D5
Pontarlier (25) 157 F4
Pontarmé (60) 38 B5
Pontaubault (50) 51 K3
Pontaubert (89) 133 J3
Pontault-Combault (77) 59 G4
Pontaumur (63) 201 K1
Pontavert (02) 40 D2
Pontcarré (77) 59 H4
Pontcey (70) 137 K1
Pontchardon (61) 55 F2
Pontcharra (38) 208 C5
Pontcharra-sur-Turdine (69) 187 K6
Pontcharraud (23) 201 F1
Pontchâteau (44) 122 B1
Pontcirq (46) 233 F6
Pontécoulant (14) 53 G3
Ponteilla (66) 315 G3
Ponteils-et-Brésis (30) 255 F2
Pontenx-les-Forges (40) 244 D3
le Pontet (73) 208 E5
le Pontet (84) 276 C1
les Pontets (25) 174 C1
Pontevès (83) 278 E6
Ponteyraud (24) 213 F3
Pontfaverger-Moronvilliers (51) 41 H3
Pontgibaud (63) 202 B1
Pontgouin (28) 84 D2
Ponthévrard (78) 86 A1
Ponthion (51) 63 G4
Ponthoile (80) 9 F3
le Ponthou (29) 47 J5
Ponthoux (39) 173 J5
Pontiacq-Viellepinte (64) 285 G3
Pontigné (49) 126 B2
Pontigny (89) 113 H4
Pontis (04) 243 H6
Pontivy (56) 76 E5
Pontlevoy (41) 128 E5
Pontmain (53) 80 C2
Pontoise (95) 58 C1
Pontoise-lès-Noyon (60) 19 H6
Pontonx-sur-l'Adour (40) 264 C3
Pontorson (50) 51 J4
Pontours (24) 232 A2
Pontoux (71) 154 D4
Pontoy (57) 45 G6
Pontpierre (57) 45 K6
Pontpoint (60) 38 C4
Pontrieux (22) 48 C3
Pontru (02) 19 K2
Pontruet (02) 19 K2
Ponts (50) 51 K3
les Ponts-de-Cé (49) 125 G4
Ponts-et-Marais (76) 8 C6
Pontvallain (72) 106 D6
Popian (34) 273 J6
Popolasca (2B) 319 F4
Porcaro (56) 78 B6
Porcelette (57) 45 K4
Porchères (33) 212 D5
la Porcherie (87) 199 H4
Porcheux (60) 37 F3
Porcheville (78) 57 K2
Porcieu-Amblagnieu (38) 207 G1
Pordic (22) 49 F5
le Porge (33) 228 C1
Pornic (44) 122 B5
Pornichet (44) 121 K5
Porquéricourt (60) 19 G6
Porri (2B) 319 J4
Porspoder (29) 72 B3
Port (01) 189 K2
le Port (09) 307 F4
Port-Brillet (53) 104 D1
Port-de-Bouc (13) 295 J5
Port-de-Lanne (40) 262 E6
Port-de-Piles (86) 145 K4
Port-d'Envaux (17) 195 F1
Port-des-Barques (17) 176 E5
Port-en-Bessin-Huppain (14) 32 A3
Port-la-Nouvelle (11) 310 D2
Port-Launay (29) 74 D3
Port-le-Grand (80) 9 F4
Port-Lesney (39) 155 K3
Port-Louis (56) 99 K5
le Port-Marly (78) 58 C3
Port-Mort (27) 36 A5
Port-Saint-Louis-du-Rhône (13) 295 G5
Port-Saint-Père (44) 122 E5
Port-Sainte-Foy-et-Ponchapt (24) 231 F2
Port-Sainte-Marie (47) 247 K4
Port-sur-Saône (70) 117 K6
Port-sur-Seille (54) 66 A2
Port-Vendres (66) 315 J4
Port-Villez (78) 57 G1
la Porta (2B) 319 H4
Porta (66) 313 F4
Portbail (50) 28 C6
Porte-Joie (27) 35 K4
Porté-Puymorens (66) 313 F4
le Portel (62) 4 A3
Portel-des-Corbières (11) 310 C2
Portes (27) 56 B1
Portes (30) 255 G3
les Portes-en-Ré (17) 158 B5
Portes-en-Valdaine (26) 240 C6
Portes-lès-Valence (26) 240 C1
Portet (64) 265 K6
Portet-d'Aspet (31) 306 A3
Portet-de-Luchon (31) 305 G5
Portet-sur-Garonne (31) 288 B2
Portets (33) 229 J4
Portieux (88) 94 C3
Portiragnes (34) 292 B4
Porto-Vecchio (2A) 323 H3
Ports (37) 145 J3
Posanges (21) 135 F4
Poses (27) 35 K3
Possesse (51) 63 H3
la Possonnière (49) 125 F4
la Postolle (89) 88 E5
Postroff (57) 67 J2
Potangis (51) 89 G1
Potelières (30) 255 J4
Potelle (59) 12 E3
la Poterie-au-Perche (61) 55 K6
la Poterie-Cap-d'Antifer (76) 14 B4
la Poterie-Mathieu (27) 34 C4
Pothières (21) 115 F3
Potigny (14) 54 A2
Potte (80) 19 G3
Pouan-les-Vallées (10) 90 A1
Pouançay (86) 144 C2
Pouancé (49) 104 A5
Pouant (86) 145 F3
Poubeau (31) 305 G5
Poucharramet (31) 287 J3
Poudenas (47) 247 H6
Poudenx (40) 265 F6
Poudis (81) 289 H2
Poueyferré (65) 285 F6
la Pouëze (49) 124 E2
Pouffonds (79) 178 D2
la Pouge (23) 182 E5
le Pouget (34) 273 J6
Pougnadoresse (30) 256 B6
Pougne-Hérisson (79) 161 H2
Pougny (01) 190 D2
Pougny (58) 132 A5
Pougues-les-Eaux (58) 150 D3
Pougy (10) 90 D3
Pouillac (17) 212 A2
Pouillat (01) 173 F6
Pouillé (41) 128 E5
Pouillé (85) 160 C4
Pouillé (86) 163 H4
Pouillé-les-Côteaux (44) 124 A3
Pouillenay (21) 134 E3
Pouilley-Français (25) 137 J6
Pouilley-les-Vignes (25) 137 K6
Pouillon (40) 264 B6
Pouillon (51) 40 E3
Pouilloux (71) 170 E3
Pouilly (57) 45 F6
Pouilly (60) 37 G4
Pouilly-en-Auxois (21) 135 F6
Pouilly-le-Monial (69) 188 A5
Pouilly-lès-Feurs (42) 204 E1
Pouilly-les-Nonains (42) 186 E4
Pouilly-sous-Charlieu (42) 187 F3
Pouilly-sur-Loire (58) 132 A6
Pouilly-sur-Meuse (55) 23 G6
Pouilly-sur-Saône (21) 154 D3
Pouilly-sur-Serre (02) 20 C4
Pouilly-sur-Vingeanne (21) 136 E2
le Poujol-sur-Orb (34) 291 J1
Poujols (34) 273 G4
Poulaines (36) 147 K2
Poulainville (80) 18 B1
Poulan-Pouzols (81) 270 D3
Poulangy (52) 116 C2
Pouldergat (29) 74 B5
Pouldouran (22) 48 C2
Pouldreuzic (29) 98 A1
Poule-les-Écharmeaux (69) 187 J3
Pouliacq (64) 284 D1
les Poulières (88) 95 G5
Pouligney-Lusans (25) 138 B5
Pouligny-Notre-Dame (36) 166 B5
Pouligny-Saint-Martin (36) 166 B4
Pouligny-Saint-Pierre (36) 164 C2
le Pouliguen (44) 121 J5
Poullan-sur-Mer (29) 74 A4
Poullaouen (29) 75 H2
Poullignac (16) 196 C6
Poulx (30) 275 H2
Poumarous (65) 285 J6
Poupas (82) 268 A2
Poupry (28) 109 K1
Pouques-Lormes (58) 133 J5
Pourcharesses (48) 255 F1
Pourchères (07) 239 J3
Pourcieux (83) 297 G2
Pourcy (51) 40 E5
Pourlans (71) 154 E4
Pournoy-la-Chétive (57) 45 F6
Pournoy-la-Grasse (57) 45 F6
Pourrain (89) 112 E6
Pourrières (83) 297 G1
Poursac (16) 179 H5
Poursay-Garnaud (17) 178 A5
Poursiugues-Boucoue (64) 284 D1
Pouru-aux-Bois (08) 23 G4
Pouru-Saint-Remy (08) 23 G4
Poussan (34) 292 E2
Poussanges (23) 200 E1
Poussay (88) 94 A4
Pousseaux (58) 133 F3
Poussignac (47) 247 F2
Poussy-la-Campagne (14) 33 F6
Pousthomy (12) 271 J3
le Pout (33) 229 K2
Pouvrai (61) 83 H5
Pouxeux (88) 94 E6
Pouy (65) 286 C5
Pouy-de-Touges (31) 287 H4
Pouy-Loubrin (32) 286 D2
Pouy-Roquelaure (32) 267 H1
Pouy-sur-Vannes (10) 89 G4
Pouyastruc (65) 285 J5
Pouydesseaux (40) 265 J1
Pouydraguin (32) 266 C5
Pouylebon (32) 285 K1
Pouzac (65) 304 D1
Pouzauges (85) 143 F6
Pouzay (37) 145 J3
Pouze (31) 288 C3
Pouzilhac (30) 256 C6
le Pouzin (07) 240 B3
Pouzol (63) 184 E4
Pouzolles (34) 292 A2
Pouzols (34) 273 J6
Pouzols-Minervois (11) 291 G5
Pouzy-Mésangy (03) 168 B2
Poyanne (40) 264 D4
Poyans (70) 136 E3
Poyartin (40) 264 D5
Poyols (26) 241 H5
Pozières (80) 10 E6
le Pradal (34) 272 E6
les Pradeaux (63) 203 F5
Pradelle (26) 241 G5
Pradelles (43) 238 C3
Pradelles (59) 5 K3
Pradelles-Cabardès (11) 290 C3
Pradelles-en-Val (11) 290 C6
Pradère-les-Bourguets (31) 268 E6
Prades (07) 239 G5
Prades (09) 308 B5
Prades (43) 219 K6
Prades (66) 314 C3
Prades (81) 270 C6
Prades-d'Aubrac (12) 236 C6
Prades-le-Lez (34) 274 B5
Prades-Salars (12) 252 D4
Prades-sur-Vernazobre (34) 291 H3
le Pradet (83) 300 D4
Pradettes (09) 308 A3
Pradières (09) 307 J3
Pradiers (15) 218 C3
Pradinas (12) 251 J4
Pradines (19) 200 B5
Pradines (42) 187 G5
Pradines (46) 249 K1
Pradons (07) 255 K1
Prads-Haute-Bléone (04) 260 B3
Prahecq (79) 178 B1
Prailles (79) 161 K6
Pralognan-la-Vanoise (73) 209 K6
Prâlon (21) 135 H5
Pralong (42) 204 C3
Pranles (07) 239 K3
Pranzac (16) 197 G3
Praslay (52) 116 B6
Praslin (10) 114 C2
Prasville (28) 85 J5
Prat (22) 48 B3
Prat-Bonrepaux (09) 306 C2
Prato-di-Giovellina (2B) 319 F4
Prats-de-Carlux (24) 233 G1
Prats-de-Mollo-la-Preste (66) 314 C6
Prats-de-Sournia (66) 309 H6
Prats-du-Périgord (24) 232 D4
Pratviel (81) 270 B6
Pratz (39) 173 J5
Prauthoy (52) 116 C6
Pray (41) 128 C1
Praye (54) 94 A2
Prayols (09) 307 J3
Prayssac (46) 249 H1
Prayssas (47) 248 A3
Praz-sur-Arly (74) 191 K6
le Pré-d'Auge (14) 33 J5
Pré-en-Pail (53) 82 A2
Pré-Saint-Évroult (28) 85 G6
le Pré-Saint-Gervais (93) 59 F3
Pré-Saint-Martin (28) 85 G6
Préaux (07) 222 A4
les Préaux (27) 34 C3
Préaux (36) 147 F3
Préaux (53) 105 H3
Préaux (76) 35 J1
Préaux-Bocage (14) 32 C6
Préaux-du-Perche (61) 83 J4
Préaux-Saint-Sébastien (14) 55 F2
Prébois (38) 242 A2
Précey (50) 51 K4
Préchac (32) 267 H4
Préchac (33) 246 B2
Préchac (65) 304 B2
Préchac-sur-Adour (32) 266 B6
Préchacq-Josbaig (64) 283 K4
Préchacq-les-Bains (40) 264 C4
Préchacq-Navarrenx (64) 283 K4
Précieux (42) 204 D4
Précigné (72) 105 J5
Précilhon (64) 284 A5
Précorbin (50) 31 J4
Précy (18) 150 B3
Précy-le-Sec (89) 133 J2
Précy-Notre-Dame (10) 90 E3
Précy-Saint-Martin (10) 90 E3
Précy-sous-Thil (21) 134 D4
Précy-sur-Marne (77) 59 J2
Précy-sur-Oise (60) 37 K5
Précy-sur-Vrin (89) 112 D3
Prédefin (62) 5 G6
Préfailles (44) 122 A5
Préfontaines (45) 111 H1
Prégilbert (89) 133 H1
Préguillac (17) 195 G3
Préhy (89) 113 H6
Preignac (33) 229 K5
Preignan (32) 267 J5
Preigney (70) 117 H5
Preixan (11) 290 A6
Prémanon (39) 174 B4
Premeaux-Prissey (21) 154 B2
Prémery (58) 151 F2
Prémesques (59) 6 C4
Prémeyzel (01) 207 J2
Prémian (34) 291 G2
Premières (21) 136 C6
Prémierfait (10) 90 A2
Prémilhat (03) 183 K1
Prémillieu (01) 189 K6
Prémont (02) 12 C6
Prémontré (02) 20 B6
Prendeignes (46) 234 E4
Préneron (32) 266 E4
la Prénessaye (22) 77 H4
Prenois (21) 135 J4
Prénouvellon (41) 109 G3
Prénovel (39) 173 J3
Prény (54) 65 J1
Préporché (58) 152 A5
Prépotin (61) 55 H6
les Prés (26) 241 K6
Présailles (43) 238 D1
Préseau (59) 12 D2
Présentevillers (25) 139 G2
Préserville (31) 288 D2
Présilly (39) 173 G3
Présilly (74) 190 E3
Presle (73) 208 D5
Presles (14) 53 F3
Presles (38) 223 H4
Presles (95) 37 J6
Presles-en-Brie (77) 59 J5
Presles-et-Boves (02) 40 A2
Presles-et-Thierny (02) 40 B1
Presly (18) 130 E5
Presnoy (45) 111 G3
Pressac (86) 180 A3
Pressagny-l'Orgueilleux (27) 36 B6
Pressiat (01) 172 E6
Pressignac (16) 198 A1
Pressignac-Vicq (24) 232 A1
Pressigny (52) 117 G5
Pressigny (79) 162 B1
Pressigny-les-Pins (45) 111 J4
Pressins (38) 207 J4
Pressy (62) 5 H6
Pressy-sous-Dondin (71) 171 G4
la Prétière (25) 139 F3
Pretin (39) 156 A4
Prétot-Sainte-Suzanne (50) 28 E6
Prétot-Vicquemare (76) 15 H4
Prêtreville (14) 33 K6
Préty (71) 172 A3
Pretz-en-Argonne (55) 64 A2
Preuilly (18) 148 E3
Preuilly-la-Ville (36) 164 B2
Preuilly-sur-Claise (37) 146 C5
Preures (62) 4 D5
Preuschdorf (67) 25 A2
Preuseville (76) 16 D2
Preutin-Higny (54) 26 D4
Preux-au-Bois (59) 12 E4
Preux-au-Sart (59) 12 E3
Préval (72) 83 J5
Prévelles (72) 83 G6
Prévenchères (48) 238 C6
Préveranges (18) 166 D5
Prévessin-Moëns (01) 190 E1
la Prévière (49) 104 A6
Prévillers (60) 17 J5
Prévinquières (12) 251 H2
Prévocourt (57) 66 C2
Prey (27) 56 D2
Prey (88) 95 F5
Preyssac-d'Excideuil (24) 214 E2
Prez (08) 21 K3
Prez-sous-Lafauche (52) 92 E4
Priaires (79) 177 J3
Priay (01) 189 H4
Priez (02) 39 H6
Prignac (17) 195 J1
Prignac-en-Médoc (33) 210 E1
Prignac-et-Marcamps (33) 211 J5
Prigonrieux (24) 231 H2
Primarette (38) 206 C6
Primelin (29) 73 B3
Primelles (18) 148 E5
Prin-Deyrançon (79) 177 J2
Prinçay (86) 145 F4
Princé (35) 80 C5
Pringy (51) 62 E4
Pringy (74) 191 F5
Pringy (77) 87 G2
Prinquiau (44) 122 C2
Prinsuéjols (48) 237 F4
Printzheim (67) 69 H6
Prisces (02) 21 F3
Prisches (59) 13 F5
Prissac (36) 164 E4
Prissé (71) 171 J6
Prissé-la-Charrière (79) 178 A3
Privas (07) 239 K3
Privezac (12) 251 H2
Prix-lès-Mézières (08) 22 D3
Priziac (56) 75 K5
Prizy (71) 170 D6
la Proiselière-et-Langle (70) 118 E4
Proissans (24) 233 F1
Proisy (02) 20 E2
Proix (02) 20 C2
Projan (32) 265 K6
Promilhanes (46) 250 D2
Prompsat (63) 185 F5
Prondines (63) 201 K2
Pronleroy (60) 38 B1
Pronville (62) 11 G4
Propiac (26) 257 J3
Propières (69) 187 J2
Propriano (2A) 322 D2
Prosnes (51) 41 H5
Prouilly (51) 40 D3
Proupiary (31) 287 F6
Proussy (14) 53 H3
Prouvais (02) 40 E1
Prouville (80) 9 J4
Prouvy (59) 12 C2
Prouzel (80) 18 A3
Provenchère (25) 139 F5
Provenchère (70) 118 A5
Provenchères-lès-Darney (88) 93 J6
Provenchères-sur-Fave (88) 95 K3
Provency (89) 133 K3
Proverville (10) 91 G5
Proveysieux (38) 224 A2
Proville (59) 11 J4
Provin (59) 6 C5
Provins (77) 88 D1
Proviseux-et-Plesnoy (02) 40 E1
Proyart (80) 18 E2

Prudemanche (28) . . . 56 D5
Prudhomat (46) . . . 234 B1
Prugnanes (66) . . . 309 G5
Prugny (10) . . . 89 K5
Pruillé (49) . . . 125 F2
Pruillé-le-Chétif (72) . . . 106 D3
Pruillé-l'Éguillé (72) . . . 107 E5
Pruines (12) . . . 235 J6
Prunay (51) . . . 41 G5
Prunay-Belleville (10) . . . 89 H4
Prunay-Cassereau (41) . . . 128 A1
Prunay-en-Yvelines (78) . . . 85 K2
Prunay-le-Gillon (28) . . . 85 H4
Prunay-le-Temple (78) . . . 57 J3
Prunay-sur-Essonne (91) . . . 86 E4
Prunelli-di-Casacconi (2B) . . . 319 H3
Prunelli-di-Fiumorbo (2B) . . . 321 H4
Prunet (07) . . . 239 G5
Prunet (15) . . . 235 H2
Prunet (31) . . . 288 E1
Prunet-et-Belpuig (66) . . . 314 E4
Prunières (05) . . . 243 H5
Prunières (38) . . . 242 B1
Prunières (48) . . . 237 G2
Pruniers (36) . . . 166 C1
Pruniers-en-Sologne (41) . . . 129 H5
Pruno (2B) . . . 319 J4
Prunoy (89) . . . 112 C4
Prusly-sur-Ource (21) . . . 115 G4
Prusy (10) . . . 114 A3
Pruzilly (71) . . . 188 B1
Puberg (67) . . . 69 F5
Publier (74) . . . 175 G5
Publy (39) . . . 173 G2
Puceul (44) . . . 103 G6
le Puch (09) . . . 313 J2
Puch-d'Agenais (47) . . . 247 H3
Puchay (27) . . . 36 C3
Puchevillers (80) . . . 10 B6
le Puech (34) . . . 273 G6
Puéchabon (34) . . . 273 K5
Puéchoursi (81) . . . 289 G2
Puechredon (30) . . . 274 D2
Puellemontier (52) . . . 91 G2
Puessans (25) . . . 138 C3
Puget (84) . . . 277 G4
Puget-Rostang (06) . . . 261 G6
Puget-sur-Argens (83) . . . 299 G1
Puget-Théniers (06) . . . 280 C1
Puget-Ville (83) . . . 298 A4
Pugey (25) . . . 156 B1
Pugieu (01) . . . 207 J1
Puginier (11) . . . 289 G3
Pugnac (33) . . . 211 J4
Pugny (79) . . . 161 G1
Pugny-Chatenod (73) . . . 208 B2
le Puid (88) . . . 95 J2
Puihardy (79) . . . 161 G4
Puilacher (34) . . . 292 D1
Puilaurens (11) . . . 309 F5
Puilboreau (17) . . . 176 D2
Puilly-et-Charbeaux (08) . . . 23 J1
Puimichel (04) . . . 278 D1
Puimisson (34) . . . 292 A3
Puimoisson (04) . . . 278 D1
la Puisaye (28) . . . 84 B1
Puiseaux (45) . . . 87 F6
Puiselet-le-Marais (91) . . . 86 D3
Puisenval (76) . . . 16 D2
le Puiset (28) . . . 85 K6
le Puiset-Doré (49) . . . 124 B6
Puiseux (08) . . . 22 B5
Puiseux (28) . . . 57 F6
Puiseux-en-Bray (60) . . . 36 E2
Puiseux-en-France (95) . . . 59 F1
Puiseux-en-Retz (02) . . . 39 G4
Puiseux-le-Hauberger (60) . . . 37 J5
Puiseux-Pontoise (95) . . . 58 B1
Puisieulx (51) . . . 41 F5
Puisieux (62) . . . 10 E5
Puisieux (77) . . . 59 K1
Puisieux-et-Clanlieu (02) . . . 20 D2
Puissalicon (34) . . . 292 A2
Puisseguin (33) . . . 230 C1
Puisserguier (34) . . . 291 J3
Puits (21) . . . 114 E6
Puits-et-Nuisement (10) . . . 90 E5
Puits-la-Vallée (60) . . . 17 K6
Puivert (11) . . . 308 D3
Pujaudran (32) . . . 287 J1
Pujaut (30) . . . 276 B1
Pujo (65) . . . 285 H3
Pujo-le-Plan (40) . . . 265 J3
les Pujols (09) . . . 307 K1
Pujols (33) . . . 230 C2
Pujols (47) . . . 248 C2
Pujols-sur-Ciron (33) . . . 229 K5
le Puley (71) . . . 171 G4
Puligny-Montrachet (21) . . . 153 K4
Pullay (27) . . . 56 A5
Pulligny (54) . . . 94 A1
Pulney (54) . . . 93 K3
Pulnoy (54) . . . 66 B5
Pulvérières (63) . . . 184 D6
Pulversheim (68) . . . 97 B1
Punchy (80) . . . 19 F3
Punerot (88) . . . 93 H2
Puntous (65) . . . 286 B4
Pupillin (39) . . . 155 K5
Pure (08) . . . 23 H4
Purgerot (70) . . . 117 K5
Pusey (70) . . . 118 A6
Pusignan (69) . . . 206 D2
Pussay (91) . . . 86 B4
Pussigny (37) . . . 145 J4

Pusy-et-Épenoux (70) . . . 118 B6
Putanges-Pont-Écrepin (61) . . . 54 A4
Puteaux (92) . . . 58 D3
Putot-en-Auge (14) . . . 33 G4
Putot-en-Bessin (14) . . . 32 C4
Puttelange-aux-Lacs (57) . . . 68 C3
Puttelange-lès-Thionville (57) . . . 27 H2
Puttigny (57) . . . 66 D3
Puxe (54) . . . 44 B5
Puxieux (54) . . . 44 C6
le Puy (25) . . . 138 C4
le Puy (33) . . . 230 D4
Puy-d'Arnac (19) . . . 216 B6
Puy-de-Serre (85) . . . 161 F3
Puy-du-Lac (17) . . . 177 H5
le Puy-en-Velay (43) . . . 220 C5
Puy-Guillaume (63) . . . 185 K5
Puy-l'Évêque (46) . . . 232 E6
Puy-Malsignat (23) . . . 183 G4
le Puy-Notre-Dame (49) . . . 144 B2
Puy-Saint-André (05) . . . 243 K1
Puy-Saint-Eusèbe (05) . . . 243 H5
Puy-Saint-Gulmier (63) . . . 201 J2
Puy-Saint-Martin (26) . . . 240 D4
Puy-Saint-Pierre (05) . . . 225 K6
Puy-Saint-Vincent (05) . . . 243 J1
le Puy-Sainte-Réparade (13) . . . 277 H5
Puy-Sanières (05) . . . 243 J5
Puybarban (33) . . . 230 C5
Puybegon (81) . . . 270 B4
Puybrun (46) . . . 234 B1
Puycalvel (81) . . . 270 D5
Puycasquier (32) . . . 267 K4
Puycelci (81) . . . 269 K1
Puycornet (82) . . . 249 J5
Puydaniel (31) . . . 288 B4
Puydarrieux (65) . . . 286 A4
la Puye (86) . . . 163 K2
Puygaillard-de-Lomagne (82) . . . 268 B2
Puygaillard-de-Quercy (82) . . . 269 J1
Puygiron (26) . . . 240 C6
Puygouzon (81) . . . 270 E3
Puygros (73) . . . 208 C4
Puyjourdes (46) . . . 250 E2
Puylagarde (82) . . . 250 E3
Puylaroque (82) . . . 250 B4
Puylaurens (81) . . . 289 H1
Puylausic (32) . . . 287 G2
Puyloubier (13) . . . 297 F1
Puymangou (24) . . . 212 D3
Puymaurin (31) . . . 286 E3
Puyméras (84) . . . 257 H3
Puymiclan (47) . . . 231 G6
Puymirol (47) . . . 248 D5
Puymoyen (16) . . . 196 E4
Puynormand (33) . . . 212 D6
Puyol-Cazalet (40) . . . 265 H6
Puyôô (64) . . . 283 H1
Puyravault (17) . . . 177 G3
Puyravault (85) . . . 160 B5
Puyréaux (16) . . . 179 G6
Puyrenier (24) . . . 197 H5
Puyrolland (17) . . . 177 J4
Puységur (32) . . . 267 J4
Puysségur (31) . . . 268 C4
Puysserampion (47) . . . 231 G5
Puyvalador (66) . . . 313 J3
Puyvert (84) . . . 277 G4
Puzeaux (80) . . . 19 F3
Puzieux (57) . . . 66 C2
Puzieux (88) . . . 94 A3
Py (66) . . . 314 B4
la Pyle (27) . . . 35 F5
Pys (80) . . . 10 E5

Q

Quaëdypre (59) . . . 3 J3
Quaix-en-Chartreuse (38) . . . 224 A2
Quantilly (18) . . . 149 H1
Quarante (34) . . . 291 H4
Quarouble (59) . . . 12 E1
Quarré-les-Tombes (89) . . . 134 A5
la Quarte (70) . . . 117 G5
le Quartier (63) . . . 184 C3
Quasquara (2A) . . . 320 E5
Quatre-Champs (08) . . . 42 C1
les Quatre-Routes-du-Lot (46) . . . 215 K6
Quatremare (27) . . . 35 H5
Quatzenheim (67) . . . 70 D3
Queaux (86) . . . 163 J6
Québriac (35) . . . 79 F1
Quédillac (35) . . . 78 C2
Queige (73) . . . 209 G2
Quelaines-Saint-Gault (53) . . . 104 E3
Quelmes (62) . . . 5 F3
Quelneuc (56) . . . 102 C2
Quéménéven (29) . . . 74 D4
Quemigny-Poisot (21) . . . 135 J6
Quemigny-sur-Seine (21) . . . 135 G1
Quemper-Guézennec (22) . . . 48 D3
Quemperven (22) . . . 48 B3
Quend (80) . . . 8 E2
Quenne (89) . . . 113 G2
Quenoche (70) . . . 138 A3
Quenza (2A) . . . 323 F1
Quercamps (62) . . . 4 E2
Quercitello (2B) . . . 319 H4
Quérénaing (59) . . . 12 D3
Quérigut (09) . . . 313 J2
Quernes (62) . . . 5 H4
Querqueville (50) . . . 28 C2

Querré (49) . . . 105 G6
Querrien (29) . . . 99 J2
Querrieu (80) . . . 18 C1
Quers (70) . . . 118 C5
Quesmy (60) . . . 19 H5
le Quesne (80) . . . 17 G2
le Quesnel (80) . . . 18 D3
le Quesnel-Aubry (60) . . . 37 K1
le Quesnoy (59) . . . 12 E3
le Quesnoy-en-Artois (62) . . . 9 J2
Quesnoy-le-Montant (80) . . . 8 E5
Quesnoy-sur-Airaines (80) . . . 17 H1
Quesnoy-sur-Deûle (59) . . . 6 D3
Quesques (62) . . . 4 D3
Quessigny (27) . . . 56 E2
Quessoy (22) . . . 77 H1
Questembert (56) . . . 101 K3
Questrecques (62) . . . 4 C4
Quet-en-Beaumont (38) . . . 242 C2
Quetigny (21) . . . 136 B5
Quettehou (50) . . . 29 F3
Quettetot (50) . . . 28 C4
Quetteville (14) . . . 34 A3
Quettreville-sur-Sienne (50) . . . 30 D5
Queudes (51) . . . 61 H6
la Queue-en-Brie (94) . . . 59 G4
la Queue-les-Yvelines (78) . . . 57 J4
Queuille (63) . . . 184 C5
Quevauvillers (80) . . . 17 J3
Quéven (56) . . . 99 K4
Quévert (22) . . . 50 C5
Quevillon (76) . . . 35 G2
Quevilloncourt (54) . . . 93 K2
Quévreville-la-Poterie (76) . . . 35 J3
Queyrac (33) . . . 210 D1
Queyrières (43) . . . 220 E5
Queyssac (24) . . . 231 J1
Queyssac-les-Vignes (19) . . . 216 B6
Quézac (15) . . . 235 F3
Quézac (48) . . . 254 B2
Quiberon (56) . . . 120 C2
Quiberville (76) . . . 15 J2
Quibou (50) . . . 31 G4
Quié (09) . . . 307 J4
Quiers (77) . . . 88 A1
Quiers-sur-Bézonde (45) . . . 111 F3
Quiéry-la-Motte (62) . . . 11 G2
Quierzy (02) . . . 19 J6
Quiestède (62) . . . 5 H3
Quiévelon (59) . . . 13 H2
Quiévrechain (59) . . . 12 E1
Quiévrecourt (76) . . . 16 C4
Quiévy (59) . . . 12 C4
Quilen (62) . . . 4 D5
Quillan (11) . . . 308 E4
Quillebeuf-sur-Seine (27) . . . 34 C1
le Quillio (22) . . . 76 E3
Quilly (08) . . . 42 A1
Quilly (44) . . . 102 D6
Quily (56) . . . 101 J2
Quimper (29) . . . 74 D6
Quimperlé (29) . . . 99 J3
Quincampoix (76) . . . 35 J1
Quincampoix-Fleuzy (60) . . . 17 G4
Quinçay (86) . . . 162 E3
Quincerot (21) . . . 134 D2
Quincerot (89) . . . 114 B3
Quincey (21) . . . 154 B2
Quincey (70) . . . 138 B1
Quincié-en-Beaujolais (69) . . . 188 A3
Quincieu (38) . . . 223 H2
Quincieux (69) . . . 188 C6
Quincy (18) . . . 148 E2
Quincy-Basse (02) . . . 39 J1
Quincy-Landzécourt (55) . . . 43 G1
Quincy-le-Vicomte (21) . . . 134 C2
Quincy-sous-le-Mont (02) . . . 40 A3
Quincy-sous-Sénart (91) . . . 59 G6
Quincy-Voisins (77) . . . 59 K3
Quinéville (50) . . . 29 F4
Quingey (25) . . . 156 A2
Quinquempoix (60) . . . 18 C6
Quins (12) . . . 251 K4
Quinsac (24) . . . 197 K6
Quinsac (33) . . . 229 H3
Quinson (04) . . . 278 E4
Quinssaines (03) . . . 183 K1
Quint-Fonsegrives (31) . . . 288 C1
Quintal (74) . . . 191 F6
la Quinte (72) . . . 106 C2
Quintenas (07) . . . 222 A3
Quintenic (22) . . . 49 K5
Quintigny (39) . . . 173 F1
Quintillan (11) . . . 309 K3
Quintin (22) . . . 76 E1
le Quiou (22) . . . 78 D1
Quirbajou (11) . . . 308 E5
Quiry-le-Sec (80) . . . 18 B5
Quissac (30) . . . 274 D2
Quissac (46) . . . 234 A5
Quistinic (56) . . . 100 C2
Quittebeuf (27) . . . 35 G6
Quivières (80) . . . 19 H3
Quœux-Haut-Maînil (62) . . . 9 J2

R

Rabastens (81) . . . 269 K4
Rabastens-de-Bigorre (65) . . . 285 J3
Rabat-les-Trois-Seigneurs (09) . . . 307 H4
la Rabatelière (85) . . . 142 B1
Rablay-sur-Layon (49) . . . 125 G5
Rabodanges (61) . . . 53 K4

Rabou (05) . . . 242 D5
Rabouillet (66) . . . 314 B1
Racécourt (88) . . . 94 B4
Rachecourt-sur-Marne (52) . . . 92 A1
Rachecourt-Suzémont (52) . . . 91 K2
Râches (59) . . . 11 J1
Racines (10) . . . 113 J2
la Racineuse (71) . . . 154 D5
Racquinghem (62) . . . 5 H3
Racrange (57) . . . 68 A5
Raddon-et-Chapendu (70) . . . 118 D4
Radenac (56) . . . 101 G1
Radepont (27) . . . 36 A3
Radinghem (62) . . . 5 F5
Radinghem-en-Weppes (59) . . . 6 C4
Radon (61) . . . 82 D2
Radonvilliers (10) . . . 90 E4
Raedersdorf (68) . . . 97 C6
Raedersheim (68) . . . 96 B6
Raffetot (76) . . . 14 E5
Rageade (15) . . . 219 G5
Rahart (41) . . . 108 C4
Rahay (72) . . . 108 A3
Rahling (57) . . . 69 F4
Rahon (25) . . . 139 F4
Rahon (39) . . . 155 G3
Rai (61) . . . 55 H5
Raids (50) . . . 31 F2
Raillencourt-Sainte-Olle (59) . . . 11 J4
Railleu (66) . . . 313 K3
Raillicourt (08) . . . 22 C5
Raillimont (02) . . . 21 H4
Raimbeaucourt (59) . . . 11 H1
Rainans (39) . . . 155 G1
Raincheval (80) . . . 10 B5
Raincourt (70) . . . 117 J4
le Raincy (93) . . . 59 G3
Rainfreville (76) . . . 15 J3
Rainneville (80) . . . 18 B1
Rainsars (59) . . . 13 H5
Rainville (88) . . . 93 H3
Rainvillers (60) . . . 37 G2
les Rairies (49) . . . 126 A1
Raismes (59) . . . 12 C1
Raissac (09) . . . 308 A3
Raissac-d'Aude (11) . . . 291 G5
Raissac-sur-Lampy (11) . . . 289 K5
Raival (55) . . . 64 C3
Raix (16) . . . 179 F5
Raizeux (78) . . . 57 J6
Ramasse (01) . . . 189 H2
Ramatuelle (83) . . . 299 F4
Rambaud (05) . . . 243 F5
Rambervillers (88) . . . 95 F3
Rambluzin-et-Benoite-Vaux (55) . . . 64 C1
Rambouillet (78) . . . 57 K6
Rambucourt (55) . . . 65 G3
Ramburelles (80) . . . 17 F1
Rambures (80) . . . 17 F1
Ramecourt (62) . . . 10 A2
Ramecourt (88) . . . 94 A4
Ramerupt (10) . . . 90 C2
Ramicourt (02) . . . 20 A1
Ramillies (59) . . . 12 A4
Rammersmatt (68) . . . 119 K4
Ramonchamp (88) . . . 119 G3
Ramonville-Saint-Agne (31) . . . 288 C1
Ramoulu (45) . . . 86 E6
Ramous (64) . . . 283 H1
Ramousies (59) . . . 13 H5
Ramouzens (32) . . . 266 D3
Rampan (50) . . . 31 G3
Rampieux (24) . . . 232 B4
Rampillon (77) . . . 88 B1
Rampoux (46) . . . 233 G5
Rancé (01) . . . 188 D5
Rancenay (25) . . . 156 B1
Rancennes (08) . . . 24 C1
Rances (10) . . . 91 F2
Ranchal (69) . . . 187 J3
Ranchot (39) . . . 155 J1
Ranchy (14) . . . 32 A4
Rancogne (16) . . . 197 G3
Rancon (87) . . . 181 G3
Rançonnières (52) . . . 117 F3
Rancourt (80) . . . 11 G6
Rancourt (88) . . . 94 A5
Rancourt-sur-Ornain (55) . . . 63 J3
Rancy (71) . . . 172 B3
Randan (63) . . . 185 H5
Randens (73) . . . 209 F4
Randevillers (25) . . . 138 E5
Randonnai (61) . . . 55 J6
Rânes (61) . . . 54 A6
Rang (25) . . . 139 F3
Rang-du-Fliers (62) . . . 8 E1
Rangecourt (52) . . . 116 E2
Rangen (67) . . . 70 C2
Ranguevaux (57) . . . 44 E3
Rannée (35) . . . 104 A3
Ranrupt (67) . . . 70 A6
Rans (39) . . . 155 J1
Ransart (62) . . . 10 E4
Ranspach (68) . . . 119 J3
Ranspach-le-Bas (68) . . . 97 D4
Ranspach-le-Haut (68) . . . 97 D4
Rantechaux (25) . . . 157 F1
Rantigny (60) . . . 38 A3
Ranton (86) . . . 144 D3
Rantzwiller (68) . . . 97 C3
Ranville (14) . . . 33 F4
Ranville-Breuillaud (16) . . . 178 D6
Ranzevelle (70) . . . 117 K3
Ranzières (55) . . . 64 D1
Raon-aux-Bois (88) . . . 118 E1
Raon-lès-Leau (54) . . . 95 K1

Raon-l'Étape (88) . . . 95 G2
Raon-sur-Plaine (88) . . . 95 K1
Rapaggio (2B) . . . 319 H5
Rapale (2B) . . . 319 G2
Rapey (88) . . . 94 B4
Rapilly (14) . . . 53 K3
Rapsécourt (51) . . . 63 H1
Raray (60) . . . 38 D4
Rarécourt (55) . . . 43 F6
Rasiguères (66) . . . 309 J5
Raslay (86) . . . 144 D2
Rasteau (84) . . . 257 G4
Ratenelle (71) . . . 172 B4
Ratières (26) . . . 222 D3
Ratte (71) . . . 172 D2
Ratzwiller (67) . . . 69 F4
Raucoules (43) . . . 221 G3
Raucourt (54) . . . 66 A2
Raucourt-au-Bois (59) . . . 12 E3
Raucourt-et-Flaba (08) . . . 23 F5
Raulhac (15) . . . 235 K1
Rauret (43) . . . 238 B2
Rauville-la-Bigot (50) . . . 28 C4
Rauville-la-Place (50) . . . 28 D5
Rauwiller (67) . . . 67 K3
Rauzan (33) . . . 230 B3
Raveau (58) . . . 150 D1
Ravel (63) . . . 203 G2
Ravenel (60) . . . 38 B1
Ravenoville (50) . . . 29 F5
Raves (88) . . . 95 J4
Ravières (89) . . . 114 C6
Ravigny (53) . . . 82 B3
Raville (57) . . . 45 J5
Raville-sur-Sânon (54) . . . 66 D5
Ravilloles (39) . . . 173 J5
la Ravoire (73) . . . 208 C4
Ray-sur-Saône (70) . . . 137 H2
Raye-sur-Authie (62) . . . 9 H2
Rayet (47) . . . 232 B4
Raymond (18) . . . 149 K4
Raynans (25) . . . 139 G2
Rayol-Canadel-sur-Mer (83) . . . 301 K3
Rayssac (81) . . . 271 G4
Razac-de-Saussignac (24) . . . 231 F2
Razac-d'Eymet (24) . . . 231 H4
Razac-sur-l'Isle (24) . . . 213 K4
Raze (70) . . . 137 K1
Razecueillé (31) . . . 305 K3
Razengues (32) . . . 268 C6
Razès (87) . . . 181 H4
Razimet (47) . . . 247 H2
Razines (37) . . . 145 G3
Réal (66) . . . 313 J3
Réalcamp (76) . . . 16 E2
Réallon (05) . . . 243 H4
Réalmont (81) . . . 270 E4
Réalville (82) . . . 250 A6
Réans (32) . . . 266 C3
Réau (77) . . . 87 H1
Réaumont (38) . . . 223 J1
Réaumur (85) . . . 160 E1
Réaup-Lisse (47) . . . 247 H6
Réauville (26) . . . 256 E1
Réaux (17) . . . 195 J3
Rebais (77) . . . 60 C3
Rebecques (62) . . . 5 H4
Rébénacq (64) . . . 284 C6
Rebergues (62) . . . 4 D2
Rebets (76) . . . 36 A1
Rebeuville (88) . . . 93 G4
Rebigue (31) . . . 288 C2
Rebourguil (12) . . . 272 A3
Reboursin (36) . . . 148 B2
Rebréchien (45) . . . 110 B3
Rebreuve-Ranchicourt (62) . . . 10 C1
Rebreuve-sur-Canche (62) . . . 10 B3
Rebreuviette (62) . . . 10 B3
Recanoz (39) . . . 155 G6
Recey-sur-Ource (21) . . . 115 J3
Réchésy (90) . . . 97 A5
Réchicourt-la-Petite (54) . . . 66 C4
Réchicourt-le-Château (57) . . . 67 G5
Récicourt (55) . . . 43 F5
Réclainville (28) . . . 85 J4
Reclesne (71) . . . 152 E3
Reclinghem (62) . . . 5 F5
Réclonville (54) . . . 67 F6
Recloses (77) . . . 87 H4
Recologne (25) . . . 137 J5
Recologne (70) . . . 137 H2
Recologne-lès-Rioz (70) . . . 137 K3
Recoubeau-Jansac (26) . . . 241 H4
Recoules-d'Aubrac (48) . . . 236 D4
Recoules-de-Fumas (48) . . . 237 G5
Recoules-Prévinquières (12) . . . 253 F3
Récourt (62) . . . 11 H3
Récourt-le-Creux (55) . . . 64 D1
Recouvrance (90) . . . 139 J1
le Recoux (48) . . . 253 H3
Recques-sur-Course (62) . . . 4 C5
Recques-sur-Hem (62) . . . 2 E4
Recquignies (59) . . . 13 H3
le Reculey (14) . . . 52 E2
Reculfoz (25) . . . 174 C1
Recurt (65) . . . 286 B5
Recy (51) . . . 62 C2
Rédange (57) . . . 26 E2
Rédené (29) . . . 99 J3
Redessan (30) . . . 275 J3
Réding (57) . . . 67 K4
Redon (35) . . . 102 C4
la Redorte (11) . . . 290 E5
Redortiers (04) . . . 258 C5
Réez-Fosse-Martin (60) . . . 38 E6
Reffannes (79) . . . 162 A3

Reffroy (55) 64 D6
Reffuveille (50) 52 C5
Régades (31) 305 K2
Régat (09) 308 B3
Regnauville (62) 9 H2
Regnévelle (88) 117 J2
Regnéville-sur-Mer (50) 30 D4
Regnéville-sur-Meuse (55) 43 H4
Regney (88) 94 C4
Régnié-Durette (69) 188 A3
Regnière-Écluse (80) 9 F3
Regniowez (08) 22 A1
Regny (02) 20 B3
Régny (42) 187 G5
la Regrippière (44) 142 C1
Réguiny (56) 101 F1
Réguisheim (68) 96 C6
Régusse (83) 279 F5
Rehaincourt (88) 94 D3
Rehainviller (54) 66 D6
Rehaupal (88) 95 G6
Reherrey (54) 95 G1
Réhon (54) 26 C2
Reichsfeld (67) 70 C6
Reichshoffen (67) 69 K4
Reichstett (67) 25 A6
Reignac (16) 196 A6
Reignac (33) 211 H3
Reignac-sur-Indre (37) 146 C1
Reignat (63) 203 F2
Reigneville-Bocage (50) 28 E5
Reignier (74) 191 G2
Reigny (18) 166 E3
Reilhac (15) 217 H6
Reilhac (46) 234 A4
Reilhaguet (46) 233 J3
Reilhanette (26) 258 A4
Reillanne (04) 278 A2
Reillon (54) 67 F6
Reilly (60) 36 E4
Reims (51) 41 F4
Reims-la-Brûlée (51) 63 G5
Reinhardsmunster (67) 70 B2
Reiningue (68) 97 B2
Reipertswiller (67) 69 H4
Reithouse (39) 173 G3
Réjaumont (32) 267 H3
Réjaumont (65) 286 B6
Rejet-de-Beaulieu (59) 12 E6
Relanges (88) 93 K6
Relans (39) 155 G6
le Relecq-Kerhuon (29) 46 A6
Relevant (01) 188 D3
Rely (62) 5 H5
Remaisnil (80) 10 A4
Rémalard (61) 83 K3
Remaucourt (02) 20 A2
Remaucourt (08) 21 J5
la Remaudière (44) 123 K4
Remaugies (80) 18 E5
Remauville (77) 87 J6
Rembercourt-Sommaisne (55) 64 B2
Rembercourt-sur-Mad (54) 65 H1
Rémécourt (60) 38 B2
Rémelfang (57) 45 J3
Rémelfing (57) 68 D3
Rémeling (57) 27 K3
Remennecourt (55) 63 J4
Remenoville (54) 94 D2
Rémérangles (60) 37 J2
Réméréville (54) 66 C4
Rémering (57) 45 K3
Rémering-lès-Puttelange (57) 68 C3
Remicourt (51) 63 J2
Remicourt (88) 93 K4
Remiencourt (80) 18 B3
Remies (02) 20 C4
Remigny (02) 20 A4
Remigny (71) 153 K5
Rémilly (57) 45 H6
Rémilly (58) 152 A6
Remilly-Aillicourt (08) 23 F4
Remilly-en-Montagne (21) 135 H6
Remilly-les-Pothées (08) 22 B3
Remilly-sur-Lozon (50) 31 F2
Remilly-sur-Tille (21) 136 C5
Remilly-Wirquin (62) 5 F4
Réminiac (56) 102 A1
Remiremont (88) 118 E2
Remoiville (55) 43 H1
Remollon (05) 243 F6
Remomeix (88) 95 J4
Remoncourt (54) 67 F5
Remoncourt (88) 93 K5
Rémondans-Vaivre (25) 139 G4
Remoray-Boujeons (25) 156 E6
Remouillé (44) 142 A2
Remoulins (30) 275 J2
Removille (88) 93 H3
Rempnat (87) 200 B3
la Remuée (76) 14 D6
Remungol (56) 100 E2
Rémuzat (26) 257 K1
Remy (60) 38 C2
Rémy (62) 11 G3
Renac (35) 102 D3
Renage (38) 223 J1
Renaison (42) 186 D4
Renansart (02) 20 B4
Renaucourt (70) 137 H1
la Renaudie (63) 203 K2
la Renaudière (49) 142 D2
Renauvoid (88) 94 C6
Renay (41) 108 D5
Renazé (53) 104 C5
Rencurel (38) 223 J4
René (72) 82 E5
Renédale (25) 156 E3
Renescure (59) 5 H3
Renève (21) 136 E4
Réning (57) 68 B5
Rennemoulin (78) 58 B4
Rennepont (52) 91 J6
Rennes (35) 79 G4
Rennes-en-Grenouilles (53) 81 H2
Rennes-le-Château (11) 309 F3
Rennes-les-Bains (11) 309 F3
Rennes-sur-Loue (25) 156 A3
Renneval (02) 21 G4
Renneville (08) 21 H5
Renneville (27) 36 A2
Renneville (31) 288 E3
Renno (2A) 320 C1
le Renouard (61) 54 D2
Rentières (63) 218 E1
Renty (62) 4 E5
Renung (40) 265 J4
Renwez (08) 22 C2
la Réole (33) 230 C5
la Réorthe (85) 160 B2
Réotier (05) 243 K3
Repaix (54) 67 G5
la Répara-Auriples (26) 240 D4
Réparsac (16) 196 A2
Repel (88) 93 J3
Repentigny (14) 33 H4
Replonges (01) 188 D1
le Reposoir (74) 191 K4
les Repôts (39) 172 E2
Reppe (90) 119 K6
Requeil (72) 106 D5
Réquista (12) 271 H1
Résenlieu (61) 55 F4
la Résie-Saint-Martin (70) 137 F5
Résigny (02) 21 J4
Resson (55) 64 B4
Ressons-l'Abbaye (60) 37 H4
Ressons-le-Long (02) 39 G2
Ressons-sur-Matz (60) 19 F6
les Ressuintes (28) 84 B1
Restigné (37) 126 E6
Restinclières (34) 274 D5
le Retail (79) 161 H3
Rétaud (17) 195 F3
Reterre (23) 183 K4
Rethel (08) 41 J1
Retheuil (02) 39 F3
Rethondes (60) 39 F2
Rethonvillers (80) 19 G4
Réthoville (50) 29 F2
Retiers (35) 103 J1
Retjons (40) 246 C5
Retonfey (57) 45 G5
Rétonval (76) 16 E3
Retournac (43) 220 D3
Retschwiller (67) 25 B2
Rettel (57) 27 J3
Rety (62) 2 C4
Retzwiller (68) 97 A4
Reugney (25) 156 D3
Reugny (03) 167 H5
Reugny (37) 128 A3
Reuil (51) 40 D6
Reuil-en-Brie (77) 60 C2
Reuil-sur-Brêche (60) 37 J1
Reuilly (27) 35 J6
Reuilly (36) 148 D3
Reuilly-Sauvigny (02) 61 F1
Reulle-Vergy (21) 154 A1
Reumont (59) 12 C5
la Réunion (47) 247 G3
Reutenbourg (67) 70 C2
Reuves (51) 61 J4
Reuville (76) 15 H4
Reux (14) 33 J4
Réveillon (51) 60 E5
Réveillon (61) 83 H2
Revel (31) 289 H2
Revel (38) 224 C3
Revel-Tourdan (38) 222 D1
Revelles (80) 17 K2
Revens (30) 253 J6
Reventin-Vaugris (38) 206 A5
Revercourt (28) 56 C5
Revest-des-Brousses (04) 278 A1
Revest-du-Bion (04) 258 C5
le Revest-les-Eaux (83) 300 C3
Revest-les-Roches (06) 281 F1
Revest-Saint-Martin (04) 258 E6
Reviers (14) 32 D3
Revigny (39) 173 G2
Revigny-sur-Ornain (55) 63 K3
Réville (50) 29 G2
Réville-aux-Bois (55) 43 H2
Révillon (02) 40 C3
Revin (08) 22 C1
Revonnas (01) 189 H2
Rexingen (67) 68 E5
Rexpoëde (59) 3 J3
Reyersviller (57) 69 G3
Reygade (19) 216 C6
Reynel (52) 92 C4
Reynès (66) 314 E5
Reyniès (82) 269 G2
Reyrevignes (46) 234 C5
Reyrieux (01) 188 C5
Reyssouze (01) 172 A5
Reyvroz (74) 175 G6
Rezay (18) 166 D2
Rezé (44) 123 G4
Rézentières (15) 218 E4
Rezonville (57) 44 D5
Rezza (2A) 320 D2
Rhèges (10) 90 A1
le Rheu (35) 79 F4
Rhinau (67) 71 D4
Rhodes (57) 67 H4
Rhodon (41) 108 E6
Rhuis (60) 38 C3
Ri (61) 54 B4
Ria-Sirach (66) 314 B3
Riaillé (44) 103 K6
le Rialet (81) 290 C1
Rians (18) 149 J1
Rians (83) 278 B6
Riantec (56) 100 A4
Riaucourt (52) 92 B6
Riaville (55) 44 A5
Ribagnac (24) 231 H3
Ribarrouy (64) 284 E1
Ribaute (11) 309 K1
Ribaute-les-Tavernes (30) 274 D1
le Ribay (53) 81 J3
Ribeaucourt (55) 92 C1
Ribeaucourt (80) 9 J5
Ribeauville (02) 12 D6
Ribeauvillé (68) 96 B2
Ribécourt-Dreslincourt (60) 38 E1
Ribécourt-la-Tour (59) 11 J5
Ribemont (02) 20 B3
Ribemont-sur-Ancre (80) 18 D1
Ribennes (48) 237 H5
Ribérac (24) 213 G3
Ribes (07) 239 F6
Ribeyret (05) 258 B1
Ribiers (05) 259 F3
Ribouisse (11) 289 G6
Riboux (83) 297 G4
la Ricamarie (42) 221 G1
Ricarville (76) 15 F5
Ricarville-du-Val (76) 16 B3
Ricaud (11) 289 G4
Ricaud (65) 285 K6
les Riceys (10) 114 D3
la Richardais (35) 50 D3
Richardménil (54) 66 A6
Richarville (91) 86 B2
la Riche (37) 127 J4
Riche (57) 66 E2
Richebourg (52) 116 A2
Richebourg (62) 6 B5
Richebourg (78) 57 H4
Richecourt (55) 65 G2
Richelieu (37) 145 G3
Richeling (57) 68 C4
Richemont (57) 45 F3
Richemont (76) 16 E3
Richerenches (84) 257 F2
Richeval (57) 67 H5
Richeville (27) 36 C4
Richtolsheim (67) 96 E2
Richwiller (68) 97 B2
Ricourt (32) 285 J2
Ricquebourg (60) 19 F6
Riec-sur-Belon (29) 99 G3
Riedisheim (68) 97 C2
Riedseltz (67) 25 C1
Riedwihr (68) 96 D3
Riel-les-Eaux (21) 115 G3
Riencourt (80) 17 J1
Riencourt-lès-Bapaume (62) 11 F5
Riencourt-lès-Cagnicourt (62) 11 G4
Riervescemont (90) 119 H5
Riespach (68) 97 C5
Rieucazé (31) 305 K1
Rieucros (09) 308 A1
Rieulay (59) 12 A1
Rieumajou (31) 289 F3
Rieumes (31) 287 J3
Rieupeyroux (12) 251 H3
Rieussec (34) 291 F3
Rieutort-de-Randon (48) 237 J5
Rieux (31) 287 K5
Rieux (51) 61 F3
Rieux (56) 102 B5
Rieux (60) 38 B4
Rieux (76) 16 E1
Rieux-de-Pelleport (09) 307 J2
Rieux-en-Cambrésis (59) 12 B4
Rieux-en-Val (11) 309 H1
Rieux-Minervois (11) 290 D5
Riez (04) 278 E3
Rigarda (66) 314 D3
Rigaud (06) 261 G6
Rignac (12) 251 J2
Rignac (46) 234 A3
Rigney (25) 138 B4
Rignieux-le-Franc (01) 189 G5
Rignosot (25) 138 B4
Rignovelle (70) 118 E5
Rigny (70) 137 G3
Rigny-la-Nonneuse (10) 89 G3
Rigny-la-Salle (55) 65 G6
Rigny-le-Ferron (10) 89 G6
Rigny-Saint-Martin (55) 65 G6
Rigny-sur-Arroux (71) 170 B4
Rigny-Ussé (37) 126 E6
Riguepeu (32) 267 F5
Rilhac-Lastours (87) 198 D3
Rilhac-Rancon (87) 181 H6
Rilhac-Treignac (19) 199 K5
Rilhac-Xaintrie (19) 217 F4
Rillans (25) 138 D3
Rillé (37) 126 E4
Rillieux-la-Pape (69) 206 B1
Rilly-la-Montagne (51) 41 F5
Rilly-Sainte-Syre (10) 89 K3
Rilly-sur-Aisne (08) 42 A1
Rilly-sur-Loire (41) 128 C4
Rilly-sur-Vienne (37) 145 J3
Rimaucourt (52) 92 C5
Rimbach-près-Guebwiller (68) 96 A6
Rimbach-près-Masevaux (68) 119 J4
Rimbachzell (68) 96 A6
Rimbez-et-Baudiets (40) 247 F6
Rimboval (62) 4 E6
Rimeize (48) 237 G3
Rimling (57) 69 F3
Rimogne (08) 22 B2
Rimon-et-Savel (26) 241 G4
Rimondeix (23) 183 F2
Rimons (33) 230 D4
Rimont (09) 307 F2
Rimou (35) 51 H6
Rimplas (06) 261 J5
Rimsdorf (67) 68 E5
Ringeldorf (67) 69 J6
Ringendorf (67) 69 J6
Rinxent (62) 2 B4
Riocaud (33) 231 F3
Riolas (31) 287 G4
Riols (34) 291 F2
le Riols (81) 250 E5
Riom (63) 185 F6
Riom-ès-Montagnes (15) 217 K2
Rioms (26) 258 B3
Rion-des-Landes (40) 264 C2
Rions (33) 229 K4
Riorges (42) 186 E4
Riotord (43) 221 H3
Rioux (17) 195 F3
Rioux-Martin (16) 212 D3
Rioz (70) 138 A3
Riquewihr (68) 96 B3
Ris (63) 185 K5
Ris (65) 305 F4
Ris-Orangis (91) 59 F6
Riscle (32) 266 B5
Risoul (05) 227 A4
Ristolas (05) 227 D2
Rittershoffen (67) 25 C3
Ritzing (57) 27 K3
Riupeyrous (64) 284 E3
Rivarennes (36) 165 F3
Rivarennes (37) 127 F6
Rivas (42) 204 E4
Rive-de-Gier (42) 205 J5
Rivecourt (60) 38 D3
Rivedoux-Plage (17) 158 D6
Rivehaute (64) 283 H3
Rivel (11) 308 C3
Riventosa (2B) 321 F1
Rivèrenert (09) 306 E3
Riverie (69) 205 J4
Rivery (80) 18 B2
les Rives (34) 273 F3
Rives (38) 223 J1
Rives (47) 232 A5
Rivesaltes (66) 310 B5
la Rivière (33) 229 K1
Rivière (37) 145 G2
la Rivière (38) 223 J2
Rivière (62) 10 E3
la Rivière-de-Corps (10) 90 A5
la Rivière-Drugeon (25) 156 D5
la Rivière-Enverse (74) 192 A3
Rivière-les-Fosses (52) 136 C1
Rivière-Saas-et-Gourby (40) 264 A5
la Rivière-Saint-Sauveur (14) 34 A2
Rivière-sur-Tarn (12) 253 H5
Rivières (16) 197 G2
Rivières (30) 255 J4
Rivières (81) 270 C2
les Rivières-Henruel (51) 63 F6
Rivières-le-Bois (52) 116 E5
Riville (76) 14 E4
Rivolet (69) 188 A5
Rix (39) 156 C6
Rix (58) 133 F4
Rixheim (68) 97 C2
la Rixouse (39) 173 K4
Rizaucourt-Buchey (52) 91 J5
Roaillan (33) 230 A6
Roaix (84) 257 G4
Roanne (42) 187 F4
Roannes-Saint-Mary (15) 235 H2
Robécourt (88) 93 G6
Robecq (62) 5 K4
Robersart (59) 12 E4
Robert-Espagne (55) 63 K4
Robert-Magny-Laneuville-
-à-Rémy (52) 91 J2
Robertot (76) 15 G4
Roberval (60) 38 C4
Robiac-Rochessadoule (30) 255 H3
la Robine-sur-Galabre (04) 259 J4
Robion (84) 276 E3
le Roc (46) 233 H2
le Roc-Saint-André (56) 101 J3
Rocamadour (46) 233 K3
Rocbaron (83) 298 A4
Rocé (41) 108 D5
Roche (38) 206 E4
Roche (42) 204 C4
la Roche-Bernard (56) 121 K2
la Roche-Blanche (44) 124 B3
la Roche-Blanche (63) 202 D3
la Roche-Canillac (19) 216 C3
la Roche-Chalais (24) 212 D4
Roche-Charles-la-Mayrand (63) 202 C6
la Roche-Clermault (37) 145 F2
Roche-d'Agoux (63) 184 A4
la Roche-de-Glun (26) 222 C5
la Roche-de-Rame (05) 243 K2
la Roche-Derrien (22) 48 B3
la Roche-des-Arnauds (05) 242 D5
la Roche-en-Brenil (21) 134 C5
Roche-en-Régnier (43) 220 C3
Roche-et-Raucourt (70) 137 G1
la Roche-Guyon (95) 36 C6
Roche-la-Molière (42) 205 F6
la Roche-l'Abeille (87) 198 E4
Roche-le-Peyroux (19) 217 G1
Roche-lès-Clerval (25) 138 E4
Roche-lez-Beaupré (25) 138 B5
la Roche-Mabile (61) 82 B2
la Roche-Maurice (29) 46 C5
la Roche-Morey (70) 117 G6
la Roche-Noire (63) 202 E3
la Roche-Posay (86) 146 B6
la Roche-Rigault (86) 145 F4
Roche-Saint-Secret-
-Béconne (26) 257 G1
la Roche-sur-Foron (74) 191 H3
la Roche-sur-Grane (26) 240 D4
la Roche-sur-le-Buis (26) 257 K3
Roche-sur-Linotte-et-
-Sorans-les-Cordiers (70) 138 B3
la Roche-sur-Yon (85) 159 H1
la Roche-Vanneau (21) 135 F3
la Roche-Vineuse (71) 171 J6
Rochebaudin (26) 240 E5
la Rochebeaucourt-et-
-Argentine (24) 197 G5
Rochebrune (05) 243 F6
Rochebrune (26) 257 J2
Rochechinard (26) 223 F5
Rochechouart (87) 198 A1
Rochecolombe (07) 239 H6
Rochecorbon (37) 127 K4
Rochefort (17) 177 F5
Rochefort (73) 207 K4
Rochefort-du-Gard (30) 276 A1
Rochefort-en-Terre (56) 101 K5
Rochefort-en-Valdaine (26) 240 C6
Rochefort-en-Yvelines (78) 86 B1
Rochefort-Montagne (63) 202 A3
Rochefort-Samson (26) 222 E6
Rochefort-sur-Brévon (21) 115 H6
Rochefort-sur-la-Côte (52) 92 B5
Rochefort-sur-Loire (49) 125 F5
Rochefort-sur-Nenon (39) 155 H2
la Rochefoucauld (16) 197 G2
Rochefourchat (26) 241 G5
la Rochegiron (04) 258 D5
Rochegude (26) 256 E4
Rochegude (30) 255 J4
Rochejean (25) 156 E6
la Rochelle (17) 176 D2
la Rochelle (70) 117 G5
la Rochelle-Normande (50) 51 J2
Rochemaure (07) 240 A5
la Rochénard (79) 177 J2
Rochepaule (07) 221 H5
la Rochepot (21) 153 J4
Rocher (07) 239 G5
le Rochereau (86) 162 D1
Roches (23) 182 E1
Roches (41) 109 F5
Roches-Bettaincourt (52) 92 C4
les Roches-de-Condrieu (38) 206 A6
Roches-lès-Blamont (25) 139 H3
les Roches-l'Évêque (41) 108 A5
Roches-Prémarie-Andillé (86) 163 F4
Roches-sur-Marne (52) 63 K6
Rocheservière (85) 141 J4
Rochessauve (07) 239 K4
Rochesson (88) 119 G1
Rochetaillée (52) 116 B4
Rochetaillée-sur-Saône (69) 206 A1
Rochetoirin (38) 207 G4
Rochetrejoux (85) 142 D6
la Rochette (04) 280 C1
la Rochette (05) 243 F4
la Rochette (07) 239 F1
la Rochette (16) 197 F1
la Rochette (73) 208 D5
la Rochette (77) 87 H2
la Rochette-du-Buis (26) 258 A3
Rocheville (50) 28 D4
Rochonvillers (57) 27 F3
Rochy-Condé (60) 37 H2
Rocles (03) 168 B5
Rocles (07) 239 F5
Rocles (48) 238 B4
Roclincourt (62) 10 E2
Rocourt (88) 117 G1
Rocourt-Saint-Martin (02) 39 K5
Rocquancourt (14) 32 E6
la Rocque (14) 53 G3
Rocquefort (76) 15 G5
Rocquemont (60) 38 D4
Rocquemont (76) 16 B5
Rocquencourt (60) 18 C5
Rocquencourt (78) 58 C4
Rocques (14) 33 K5
Rocquigny (02) 13 H6
Rocquigny (08) 21 J4
Rocquigny (62) 11 G5
Rocroi (08) 22 B1
Rodalbe (57) 68 A5
Rodelinghem (62) 2 D4
Rodelle (12) 252 C1
Rodemack (57) 27 H3
Roderen (68) 119 K4
Rodern (68) 96 C2
Rodès (66) 314 D2
Rodez (12) 252 B3
Rodilhan (30) 275 H3
Rodome (11) 308 D5

la Roë (53) 104 B3
Roëllecourt (62) 10 B2
Rœschwoog (67) 25 D3
Rœulx (59) 12 B2
Rœux (62) 11 F2
Roézé-sur-Sarthe (72) 106 C4
Roffey (89) 113 K4
Roffiac (15) 218 D5
Rogécourt (02) 20 B5
Rogerville (76) 34 A1
Rogéville (54) 65 J3
Roggenhouse (68) 96 D6
Rogliano (2B) 317 D2
Rogna (39) 173 J6
Rognac (13) 296 B2
Rognaix (73) 209 G3
Rognes (13) 277 H5
Rognon (25) 138 C3
Rognonas (13) 276 B2
Rogny (02) 20 E3
Rogny-les-Sept-Écluses (89) 111 K6
Rogues (30) 273 J3
Rogy (80) 18 A4
Rohaire (28) 56 A6
Rohan (56) 77 F6
Rohr (67) 70 D2
Rohrbach-lès-Bitche (57) 69 F3
Rohrwiller (67) 25 B4
Roiffé (86) 144 D2
Roiffieux (07) 221 K3
Roiglise (80) 19 F4
Roilly (21) 134 D4
Roinville (28) 85 J3
Roinville (91) 86 B2
Roinvilliers (91) 86 D4
Roisel (80) 19 J1
les Roises (55) 93 F2
Roisey (42) 221 K1
Roissard (38) 241 K1
Roissy-en-Brie (77) 59 H4
Roissy-en-France (95) 59 G2
Roiville (61) 54 E3
Roizy (08) 41 G2
Rolampont (52) 116 C3
Rolbing (57) 69 G2
Rollainville (88) 93 G3
Rollancourt (62) 9 J1
Rolleboise (78) 57 H1
Rolleville (76) 14 B5
Rollot (80) 18 E6
Rom (79) 179 G1
Romagnat (63) 202 D3
la Romagne (08) 21 K4
Romagne (33) 230 B3
Romagné (35) 80 A3
la Romagne (49) 142 D2
Romagne (86) 179 H1
Romagne-sous-les-Côtes (55) 43 J3
Romagne-sous-Montfaucon (55) 42 E3
Romagnieu (38) 207 J4
Romagny (50) 52 D6
Romagny (68) 139 K1
Romagny-sous-Rougemont (90) 119 J5
Romain (25) 138 D3
Romain (39) 137 H6
Romain (51) 40 C3
Romain (54) 94 C1
Romain-aux-Bois (88) 117 G1
Romain-sur-Meuse (52) 92 E6
Romainville (93) 59 F3
Roman (27) 56 C3
Romanèche-Thorins (71) 188 B2
Romange (39) 155 H1
Romans (01) 188 E3
Romans (79) 161 K6
Romans-sur-Isère (26) 222 D5
Romanswiller (67) 70 C2
Romazières (17) 178 D5
Romazy (35) 79 J1
Rombach-le-Franc (68) 96 B1
Rombas (57) 44 E3
Rombies-et-Marchipont (59) 12 E2
Rombly (62) 5 H4
Romegoux (17) 177 G6
Romelfing (57) 67 J3
Romenay (71) 172 B4
Romeny-sur-Marne (02) 60 D2
Romeries (59) 12 D4
Romery (02) 20 E2
Romery (51) 40 E6
Romescamps (60) 17 G4
Romestaing (47) 247 F2
Romeyer (26) 241 H2
la Romieu (32) 267 H1
Romigny (51) 40 C5
Romiguières (34) 273 F4
Romillé (35) 78 E3
Romilly (41) 108 C3
Romilly-la-Puthenaye (27) 56 A1
Romilly-sur-Aigre (28) 108 E3
Romilly-sur-Andelle (27) 35 K3
Romilly-sur-Seine (10) 89 H2
Romont (88) 94 E3
Romorantin-Lanthenay (41) 129 J5
Rompon (07) 240 B3
Rônai (61) 54 B4
Ronce-les-Bains (17) 176 ...
Roncenay (10) 90 A6
le Roncenay-Authenay (27) 56 C3
Roncey (50) 31 F5
Ronchamp (70) 119 F5
Ronchaux (25) 156 A2
Ronchères (02) 40 B5
Ronchères (89) 132 C1
Roncherolles-en-Bray (76) 16 D5
Roncherolles-sur-le-Vivier (76) 35 J1
Ronchin (59) 6 E4
Ronchois (76) 16 E4
Roncourt (57) 44 D4
Roncq (59) 6 E2
la Ronde (17) 160 D6
la Ronde-Haye (50) 30 E3
Rondefontaine (25) 156 D6
Ronel (81) 270 E4
Ronfeugerai (61) 53 H4
Rongères (03) 185 J1
Ronnet (03) 184 B2
Ronno (69) 187 J5
Ronquerolles (95) 37 J5
Ronsenac (16) 197 F5
Ronssoy (80) 19 J1
Rontalon (69) 205 J3
Rontignon (64) 284 D4
Ronvaux (55) 43 K5
Roost-Warendin (59) 11 H1
Roppe (90) 119 J6
Roppenheim (67) 25 D3
Roppentzwiller (68) 97 C5
Roppeviller (57) 69 H2
la Roque-Alric (84) 257 G5
la Roque-Baignard (14) 33 J5
la Roque-d'Anthéron (13) 277 G4
la Roque-Esclapon (83) 280 A4
la Roque-Gageac (24) 232 E2
la Roque-Sainte-Marguerite (12) 253 J5
la Roque-sur-Cèze (30) 256 B4
la Roque-sur-Pernes (84) 276 E1
Roquebillière (06) 311 A3
Roquebrun (34) 291 J2
Roquebrune (32) 267 F5
Roquebrune (33) 230 D5
Roquebrune-Cap-Martin (06) 281 J3
Roquebrune-sur-Argens (83) 299 F2
la Roquebrussanne (83) 297 J3
Roquecor (82) 248 E3
Roquecourbe (81) 271 F6
Roquecourbe-Minervois (11) 290 E5
Roquedur (30) 273 K2
Roquefère (11) 290 B3
Roquefeuil (11) 308 C5
Roquefixade (09) 307 K3
Roquefort (32) 267 J4
Roquefort (40) 246 B6
Roquefort (47) 248 B5
Roquefort-de-Sault (11) 313 K1
Roquefort-des-Corbières (11) 310 C3
Roquefort-la-Bédoule (13) 296 E4
Roquefort-les-Cascades (09) 307 K3
Roquefort-les-Pins (06) 280 E4
Roquefort-sur-Garonne (31) 287 G6
Roquefort-sur-Soulzon (12) 272 C2
Roquelaure (32) 267 H5
Roquelaure-Saint-Aubin (32) 268 C5
Roquemaure (30) 256 E6
Roquemaure (81) 269 J4
Roquepine (32) 267 G2
Roqueredonde (34) 273 F4
Roques (31) 288 B2
Roques (32) 267 F3
Roquesérière (31) 269 J5
Roquessels (34) 292 A1
Roquesteron (06) 280 E2
Roquestéron-Grasse (06) 280 E2
Roquetaillade (11) 308 E2
Roquetoire (62) 5 H4
la Roquette (27) 36 A4
la Roquette-sur-Siagne (06) 280 D5
la Roquette-sur-Var (06) 281 F2
Roquettes (31) 288 B2
Roquevaire (13) 296 E3
Roquevidal (81) 270 B6
Roquiague (64) 283 H5
la Roquille (33) 231 F3
Rorbach-lès-Dieuze (57) 67 G3
Rorschwihr (68) 96 C2
Rosans (05) 258 B2
Rosay (39) 173 F3
Rosay (76) 16 B4
Rosay (78) 57 J3
Rosay-sur-Lieure (27) 36 B3
Rosazia (2A) 320 C2
Rosbruck (57) 68 B2
Roscanvel (29) 72 C5
Roscoff (29) 47 F2
Rosel (14) 32 D4
Rosenau (68) 97 E3
Rosenwiller (67) 70 C4
Roset-Fluans (25) 155 K1
Rosey (70) 137 K2
Rosey (71) 171 H1
Rosheim (67) 70 C4
la Rosière (70) 119 F3
Rosières (07) 255 J1
Rosières (43) 220 D4
Rosières (60) 38 D5
Rosières (81) 270 E1
Rosières-aux-Salines (54) 66 C6
Rosières-en-Haye (54) 65 J3
Rosières-en-Santerre (80) 18 E3
Rosières-près-Troyes (10) 90 B5
Rosières-sur-Barbèche (25) 139 G5
Rosières-sur-Mance (70) 117 H4
Rosiers-de-Juillac (19) 215 G2
Rosiers-d'Égletons (19) 216 D1
les Rosiers-sur-Loire (49) 125 K5
Rosis (34) 272 D6
Rosnay (36) 164 D2
Rosnay (51) 40 D4
Rosnay (85) 159 J3
Rosnay-l'Hôpital (10) 90 E2
Rosnoën (29) 74 C2
Rosny-sous-Bois (93) 59 F3
Rosny-sur-Seine (78) 57 H2
Rosoy (60) 38 B3
Rosoy-en-Multien (60) 39 F6
Rosoy-le-Vieil (45) 112 A1
Rospez (22) 48 A3
Rospigliani (2B) 321 G1
Rosporden (29) 99 F2
Rosselange (57) 44 E3
Rossfeld (67) 70 E6
Rossillon (01) 207 J1
Rosteig (67) 69 G5
Rostrenen (22) 76 A3
Rosult (59) 7 G6
Rosureux (25) 139 G6
Rotalier (39) 173 F3
Rotangy (60) 17 J6
Rothau (67) 70 A5
Rothbach (67) 69 H5
Rotherens (73) 208 D5
la Rothière (10) 91 F4
Rothois (60) 17 H6
Rothonay (39) 173 G3
les Rotours (61) 54 A4
Rots (14) 32 D4
Rott (67) 25 B1
Rottelsheim (67) 25 A4
Rottier (26) 241 H6
Rou-Marson (49) 126 A6
Rouairoux (81) 290 D2
Rouans (44) 122 D4
la Rouaudière (53) 104 A4
Roubaix (59) 6 E3
Roubia (11) 291 F5
Roubion (06) 261 H5
Roucamps (14) 53 G1
Roucourt (59) 11 J2
Roucy (02) 40 D3
Roudouallec (56) 75 G4
Rouécourt (52) 92 A4
Rouède (31) 306 B2
Rouellé (61) 53 F6
Rouelles (52) 116 A5
Rouen (76) 35 H2
Rouessé-Fontaine (72) 82 D4
Rouessé-Vassé (72) 82 A6
Rouet (34) 274 B4
Rouez (72) 82 B6
Rouffach (68) 96 B5
Rouffange (39) 137 G6
Rouffiac (15) 216 E6
Rouffiac (16) 212 E2
Rouffiac (17) 195 H3
Rouffiac (81) 270 D3
Rouffiac-d'Aude (11) 309 F1
Rouffiac-des-Corbières (11) 309 J4
Rouffiac-Tolosan (31) 269 H5
Rouffignac (17) 211 J1
Rouffignac-de-Sigoulès (24) 231 H3
Rouffignac-Saint-Cernin-de-Reilhac (24) 214 D5
Rouffigny (50) 52 A3
Rouffilhac (46) 233 H3
Rouffy (51) 62 B2
Rougé (44) 103 J3
la Rouge (61) 83 J5
Rouge-Perriers (27) 35 F5
Rougefay (62) 9 K3
Rougegoutte (90) 119 H5
Rougemont (21) 134 C1
Rougemont (25) 138 D3
Rougemont-le-Château (90) 119 J5
Rougemontiers (27) 34 E3
Rougemontot (25) 138 C4
Rougeou (41) 129 G5
Rougeries (02) 20 E3
les Rouges-Eaux (88) 95 G4
le Rouget (15) 235 F2
Rougeux (52) 117 F4
Rougiers (83) 297 H3
Rougnac (16) 197 G5
Rougnat (23) 183 K4
Rougon (04) 279 H3
Rouhe (25) 156 B2
Rouhling (57) 68 C2
Rouillac (16) 196 C2
Rouillac (22) 77 K3
Rouillé (86) 162 C5
Rouillon (72) 106 D2
Rouilly (77) 88 D1
Rouilly-Sacey (10) 90 C4
Rouilly-Saint-Loup (10) 90 B5
Roujan (34) 292 B2
Roulans (25) 138 C5
le Roulier (88) 95 F5
Roullée (72) 83 F2
Roullens (11) 290 A6
Roullet-Saint-Estèphe (16) 196 D4
Roullours (14) 52 E3
Roumagne (47) 231 G5
Roumare (76) 35 G1
Roumazières-Loubert (16) 180 A6
Roumégoux (15) 235 F2
Roumégoux (81) 271 F4
Roumengoux (09) 308 B2
Roumens (31) 289 G2
Roumoules (04) 279 F3
Rountzenheim (67) 25 C4
Roupeldange (57) 45 H4
Rouperroux (61) 82 B1
Rouperroux-le-Coquet (72) 83 G5
Roupy (02) 19 J3
la Rouquette (12) 251 F3
Roure (06) 261 H5
le Rouret (06) 280 E4
Rousies (59) 13 H3
Roussac (87) 181 G4
Roussas (26) 256 E1
Roussay (49) 142 D2
Roussayrolles (81) 250 D6
Rousseloy (60) 37 K4
Roussennac (12) 251 J1
Roussent (62) 9 F2
les Rousses (39) 174 B4
Rousses (48) 254 B4
Rousset (05) 243 G6
Rousset (13) 297 F1
le Rousset (71) 171 F3
Rousset-les-Vignes (26) 257 G1
la Roussière (27) 55 H2
Roussieux (26) 258 B2
Roussillon (38) 222 B1
Roussillon (84) 277 G2
Roussillon-en-Morvan (71) 152 D3
Roussines (16) 197 J2
Roussines (36) 165 F5
Rousson (30) 255 H4
Rousson (89) 112 D1
Roussy-le-Village (57) 27 G3
Routelle (25) 156 A1
Routes (76) 15 G4
Routier (11) 308 D1
Routot (27) 34 E2
Rouvenac (11) 308 E3
Rouves (54) 66 A2
la Rouvière (30) 275 F2
Rouvignies (59) 12 C2
Rouville (60) 38 E5
Rouville (76) 14 E5
Rouvillers (60) 38 C2
Rouvray (21) 134 B4
Rouvray (27) 57 F1
Rouvray (89) 113 H4
Rouvray-Catillon (76) 16 D6
Rouvray-Saint-Denis (28) 86 A5
Rouvray-Saint-Florentin (28) 85 H5
Rouvray-Sainte-Croix (45) 109 J2
Rouvrel (80) 18 C3
Rouvres (14) 54 B1
Rouvres (28) 57 G4
Rouvres (77) 59 H1
Rouvres-en-Multien (60) 39 F6
Rouvres-en-Plaine (21) 136 B6
Rouvres-en-Woëvre (55) 44 A4
Rouvres-en-Xaintois (88) 94 K4
Rouvres-la-Chétive (88) 93 G4
Rouvres-les-Bois (36) 147 K3
Rouvres-les-Vignes (10) 91 H5
Rouvres-Saint-Jean (45) 86 D4
Rouvres-sous-Meilly (21) 153 H1
Rouvres-sur-Aube (52) 115 K4
Rouvrois-sur-Meuse (55) 64 E2
Rouvrois-sur-Othain (55) 43 K2
Rouvroy (02) 20 A2
Rouvroy (62) 11 G1
Rouvroy-en-Santerre (80) 18 E3
Rouvroy-les-Merles (60) 18 B5
Rouvroy-Ripont (51) 42 B4
Rouvroy-sur-Audry (08) 22 B3
Rouvroy-sur-Marne (52) 92 B4
Rouvroy-sur-Serre (02) 21 J4
le Roux (07) 238 E4
Rouxeville (50) 31 J3
la Rouxière (44) 124 B3
Rouxmesnil-Bouteilles (76) 15 K2
Rouy (58) 151 H3
Rouy-le-Grand (80) 19 G3
Rouy-le-Petit (80) 19 G3
Rouze (09) 313 J1
Rouzède (16) 197 J3
Rouziers (15) 235 F3
Rouziers-de-Touraine (37) 127 J3
le Rove (13) 296 B3
Roville-aux-Chênes (88) 94 E3
Roville-devant-Bayon (54) 94 B2
Rovon (38) 223 H3
Roy-Boissy (60) 17 H6
Royan (17) 194 C3
Royas (38) 206 D5
Royat (63) 202 D2
Royaucourt (60) 18 D5
Royaucourt-et-Chailvet (02) 40 A1
Royaumeix (54) 65 H4
Roybon (38) 223 F2
Roye (70) 118 E6
Roye (80) 19 F4
Roye-sur-Matz (60) 19 F6
Royer (71) 171 J3
Royère-de-Vassivière (23) 200 B1
Royères (87) 199 G1
Roynac (26) 240 D4
Royon (62) 4 E6
Royville (76) 15 J3
Roz-Landrieux (35) 51 F4
Roz-sur-Couesnon (35) 51 H4
Rozay-en-Brie (77) 60 A6
le Rozel (50) 28 A4
Rozelieures (54) 94 D2
Rozérieulles (57) 44 E5
Rozerotte (88) 93 K5
Rozès (32) 267 F4
Rozet-Saint-Albin (02) 39 J5
le Rozier (48) 253 H5
Rozier-Côtes-d'Aurec (42) 220 E1
Rozier-en-Donzy (42) 205 F1
Rozières-en-Beauce (45) 109 J3
Rozières-sur-Crise (02) 39 J3
Rozières-sur-Mouzon (88) 93 G6
Roziers-Saint-Georges (87) 199 H2
Rozoy-Bellevalle (02) 60 E3
Rozoy-sur-Serre (02) 21 H4
Ruages (58) 133 H5
Ruan (45) 110 A1
Ruan-sur-Egvonne (41) 108 D2
Ruaudin (72) 106 E3
Rubécourt-et-Lamécourt (08) 23 F4
Rubelles (77) 87 H1
Rubempré (80) 10 B6
Rubercy (14) 31 K1
Rubescourt (80) 18 D5
Rubigny (08) 21 J4
Rubrouck (59) 3 H4
Ruca (22) 50 A4
Ruch (33) 230 C3
Rucqueville (14) 32 C4
Rudeau-Ladosse (24) 197 H5
Rudelle (46) 234 C4
Rue (80) 8 E3
la Rue-Saint-Pierre (60) 37 J2
la Rue-Saint-Pierre (76) 16 B6
Ruederbach (68) 97 B5
Rueil-la-Gadelière (28) 56 B5
Rueil-Malmaison (92) 58 D3
Ruelisheim (68) 97 C1
Ruelle-sur-Touvre (16) 196 E3
les Rues-des-Vignes (59) 11 K5
Ruesnes (59) 12 D3
Rueyres (46) 234 B3
Ruffec (16) 179 G4
Ruffec (36) 164 D3
Ruffey-le-Château (25) 137 H5
Ruffey-lès-Beaune (21) 154 B3
Ruffey-lès-Echirey (21) 136 B4
Ruffey-sur-Seille (39) 173 F1
Ruffiac (47) 247 F2
Ruffiac (56) 102 A2
Ruffieu (01) 190 A4
Ruffieux (73) 190 C6
Ruffigné (44) 103 H3
Rugles (27) 55 K4
Rugney (88) 94 B3
Rugny (89) 114 B4
Ruhans (70) 138 B3
Ruillé-en-Champagne (72) 106 B2
Ruillé-Froid-Fonds (53) 105 F3
Ruillé-le-Gravelais (53) 104 D1
Ruillé-sur-Loir (72) 107 H6
Ruisseauville (62) 5 F6
Ruitz (62) 5 K6
Rullac-Saint-Cirq (12) 252 A5
Rully (14) 53 F3
Rully (60) 38 D4
Rully (71) 153 K5
Rumaucourt (62) 11 H3
Rumegies (59) 7 G6
Rumersheim-le-Haut (68) 97 D1
Rumesnil (14) 33 H5
Rumigny (08) 21 J3
Rumigny (80) 18 A3
Rumilly (62) 4 E5
Rumilly (74) 190 D6
Rumilly-en-Cambrésis (59) 11 J5
Rumilly-lès-Vaudes (10) 114 C1
Ruminghem (62) 3 F4
Rumont (55) 64 C3
Rumont (77) 87 F5
Runan (22) 48 C3
Rungis (94) 58 E5
Ruoms (07) 255 K1
Rupéreux (77) 60 D6
Ruppes (88) 93 G2
Rupt (52) 92 B3
Rupt-aux-Nonains (55) 64 A5
Rupt-devant-Saint-Mihiel (55) 64 D3
Rupt-en-Woëvre (55) 43 J6
Rupt-sur-Moselle (88) 119 F3
Rupt-sur-Othain (55) 43 J2
Rupt-sur-Saône (70) 137 J1
Rurange-lès-Thionville (57) 45 F3
Rurey (25) 156 B2
Rusio (2B) 319 G5
Russ (67) 70 B4
Russange (57) 26 E3
le Russey (25) 157 J1
Russy (14) 32 A3
Russy-Bémont (60) 39 F4
Rustenhart (68) 96 D5
Rustiques (11) 290 C5
Rustrel (84) 277 J2
Rustroff (57) 27 J3
Rutali (2B) 319 H2
Ruvigny (10) 90 C5
Ruy (38) 207 F4
Ruyaulcourt (62) 11 H5
Ruynes-en-Margeride (15) 219 F6
Ry (76) 36 A1
Rye (39) 155 G5
Ryes (14) 32 C3

S

Saâcy-sur-Marne (77) 60 C2
Saales (67) 95 K3
Saâne-Saint-Just (76) 15 J3
Saasenheim (67) 96 E2
Sabadel-Latronquière (46) 234 D4
Sabadel-Lauzès (46) 233 K6
Sabaillan (32) 287 F2
Sabalos (65) 285 J4
Sabarat (09) 307 G1
Sabarros (65) 286 B5
Sabazan (32) 266 C5
Sablé-sur-Sarthe (72) 105 J4
les Sables-d'Olonne (85) 158 E3
Sablet (84) 257 G4
Sablières (07) 238 E6
Sablonceaux (17) 194 D2

Sablonnières (77) 60 D3
Sablons (33) 212 B5
Sablons (38) 222 B2
Sabonnères (31) 287 H2
la Sabotterie (08) 22 C6
Sabran (30) 256 B5
Sabres (40) 245 H5
Saccourville (31) 305 H5
Sacé (53) 81 F6
Sacey (50) 51 J5
Saché (37) 127 H6
Sachin (62) 5 H4
Sachy (08) 23 G4
Sacierges-Saint-Martin (36) 165 F4
Saclas (91) 86 C4
Saclay (91) 58 C5
Saconin-et-Breuil (02) 39 H3
Sacoué (65) 305 H2
le Sacq (27) 56 C3
Sacquenay (21) 136 D2
Sacquenville (27) 35 H6
Sacy (51) 40 F5
Sacy (89) 133 J1
Sacy-le-Grand (60) 38 B3
Sacy-le-Petit (60) 38 C3
Sadeillan (32) 286 A4
Sadillac (24) 231 H3
Sadirac (33) 229 J3
Sadournin (65) 286 B4
Sadroc (19) 215 H2
Saessolsheim (67) 70 D2
Saffais (54) 66 C6
Saffloz (39) 173 J2
Saffré (44) 103 G4
Saffres (21) 135 G5
Sagelat (24) 232 D3
Sagnat (23) 182 B1
Sagnes-et-Goudoulet (07) 239 F3
Sagonne (18) 150 A4
Sagy (71) 172 D3
Sagy (95) 58 A1
Sahorre (66) 314 B4
Sahune (26) 257 J1
Sahurs (76) 35 G3
Sai (61) 54 C5
Saignes (15) 217 H2
Saignes (46) 234 B3
Saigneville (80) 9 F4
Saignon (84) 277 H2
Saiguède (31) 287 J1
Sail-les-Bains (42) 186 C2
Sail-sous-Couzan (42) 204 C2
Sailhan (65) 305 H4
Saillac (19) 215 K5
Saillac (46) 250 D3
Saillagouse (66) 313 H5
Saillans (26) 241 F4
Saillans (33) 212 A6
Saillant (63) 204 B6
Saillat-sur-Vienne (87) 180 C6
Saillenard (71) 172 E1
Sailly (08) 23 H5
Sailly (52) 92 C3
Sailly (71) 171 G4
Sailly (78) 57 K1
Sailly-Achâtel (57) 66 B2
Sailly-au-Bois (62) 10 D5
Sailly-en-Ostrevent (62) 11 G3
Sailly-Flibeaucourt (80) 9 F4
Sailly-Labourse (62) 6 A6
Sailly-Laurette (80) 18 D2
Sailly-le-Sec (80) 18 D1
Sailly-lez-Cambrai (59) 11 J4
Sailly-lez-Lannoy (59) 7 F4
Sailly-Saillisel (80) 11 G6
Sailly-sur-la-Lys (62) 6 B4
Sain-Bel (69) 205 J1
Saincaize-Meauce (58) 150 D5
Sainghin-en-Mélantois (59) 6 E5
Sainghin-en-Weppes (59) 6 C5
Sainneville (76) 14 C6
Sainpuits (89) 132 D3
Sains (35) 51 H4
Sains-du-Nord (59) 13 H5
Sains-en-Amiénois (80) 18 B3
Sains-en-Gohelle (62) 6 A6
Sains-lès-Fressin (62) 4 E6
Sains-lès-Marquion (62) 11 H4
Sains-lès-Pernes (62) 5 H6
Sains-Morainvillers (60) 18 C6
Sains-Richaumont (02) 20 D3
le Saint (56) 75 J5
Saint-Abit (64) 284 D5
Saint-Abraham (56) 101 K4
Saint-Acheul (80) 9 K4
Saint-Adjutory (16) 197 H2
Saint-Adrien (22) 48 C6
Saint-Affrique (12) 272 B2
Saint-Affrique-les-
  Montagnes (81) 289 K1
Saint-Agathon (22) 48 C5
Saint-Agil (41) 108 B2
Saint-Agnan (02) 61 G1
Saint-Agnan (58) 134 B5
Saint-Agnan (71) 169 K4
Saint-Agnan (81) 269 K5
Saint-Agnan (89) 88 B5
Saint-Agnan-de-Cernières (27) 55 H2
Saint-Agnan-en-Vercors (26) 223 H6
Saint-Agnan-le-Malherbe (14) 32 C6
Saint-Agnan-sur-Erre (61) 83 K4
Saint-Agnan-sur-Sarthe (61) 55 G6
Saint-Agnant (17) 177 F6
Saint-Agnant-de-Versillat (23) 181 K1
Saint-Agnant-près-Crocq (23) 201 F2
Saint-Agne (24) 231 K2

Saint-Agnet (40) 265 J6
Saint-Agnin-sur-Bion (38) 206 D4
Saint-Agoulin (63) 185 F4
Saint-Agrève (07) 221 H6
Saint-Aignan (08) 22 E5
Saint-Aignan (33) 212 A6
Saint-Aignan (41) 129 F6
Saint-Aignan (56) 76 D4
Saint-Aignan (72) 83 F5
Saint-Aignan (82) 268 D1
Saint-Aignan-de-Couptrain (53) 81 K2
Saint-Aignan-de-Cramesnil (14) 33 F6
Saint-Aignan-des-Gués (45) 110 E5
Saint-Aignan-des-Noyers (18) 167 K5
Saint-Aignan-Grandlieu (44) 123 F5
Saint-Aignan-le-Jaillard (45) 111 F6
Saint-Aignan-sur-Roë (53) 104 B4
Saint-Aigny (36) 164 C2
Saint-Aigulin (17) 212 D4
Saint-Ail (54) 44 D4
Saint-Alban (01) 189 J3
Saint-Alban (22) 49 J5
Saint-Alban (31) 269 G5
Saint-Alban-Auriolles (07) 255 J1
Saint-Alban-d'Ay (07) 221 K3
Saint-Alban-de-Montbel (73) 208 A4
Saint-Alban-de-Roche (38) 206 E4
Saint-Alban-des-Hurtières (73) 209 F5
Saint-Alban-des-Villards (73) 225 F1
Saint-Alban-du-Rhône (38) 206 A6
Saint-Alban-en-Montagne (07) 238 C4
Saint-Alban-les-Eaux (42) 186 D5
Saint-Alban-Leysse (73) 208 C4
Saint-Alban-sur-Limagnole (48) 237 H3
Saint-Albin-de-Vaulserre (38) 207 K5
Saint-Alexandre (30) 256 B3
Saint-Algis (02) 20 C2
Saint-Allouestre (56) 101 G2
Saint-Alpinien (23) 183 G5
Saint-Alyre-d'Arlanc (63) 219 K1
Saint-Alyre-ès-Montagne (63) 218 D1
Saint-Amadou (09) 307 K1
Saint-Amancet (81) 289 J2
Saint-Amand (23) 183 G5
Saint-Amand (50) 31 J4
Saint-Amand (62) 10 C4
Saint-Amand-de-Belvès (24) 232 D3
Saint-Amand-de-Coly (24) 215 F5
Saint-Amand-de-Vergt (24) 214 B6
Saint-Amand-des-
  Hautes-Terres (27) 35 G4
Saint-Amand-en-Puisaye (58) 132 B3
Saint-Amand-Jartoudeix (23) 182 B6
Saint-Amand-le-Petit (87) 200 A2
Saint-Amand-les-Eaux (59) 7 H6
Saint-Amand-Longpré (41) 128 B1
Saint-Amand-Magnazeix (87) 181 J3
Saint-Amand-Montrond (18) 167 G2
Saint-Amand-sur-Fion (51) 63 F4
Saint-Amand-sur-Ornain (55) 64 D6
Saint-Amand-sur-Sèvre (79) 143 F5
Saint-Amandin (15) 218 A2
Saint-Amans (09) 288 C6
Saint-Amans (11) 289 G5
Saint-Amans (48) 237 H4
Saint-Amans-de-Pellagal (82) 249 G4
Saint-Amans-des-Cots (12) 235 K4
Saint-Amans-du-Pech (82) 248 E3
Saint-Amans-Soult (81) 290 C2
Saint-Amans-Valtoret (81) 290 C2
Saint-Amant (16) 212 E1
Saint-Amant-de-Boixe (16) 196 E1
Saint-Amant-de-Bonnieure (16) 197 F1
Saint-Amant-de-Nouère (16) 196 C2
Saint-Amant-Roche-Savine (63) 203 J4
Saint-Amant-Tallende (63) 202 D3
Saint-Amarin (68) 119 K3
Saint-Ambreuil (71) 171 K2
Saint-Ambroix (18) 148 D5
Saint-Ambroix (30) 255 H4
Saint-Amé (88) 119 F1
Saint-Amour (39) 172 E5
Saint-Amour-Bellevue (71) 188 B1
Saint-Andelain (58) 132 A6
Saint-Andéol (26) 241 G2
Saint-Andéol (38) 223 J6
Saint-Andéol-de-Berg (07) 239 J6
Saint-Andéol-de-
  Clerguemort (48) 255 F3
Saint-Andéol-de-Fourchades (07) 239 G2
Saint-Andéol-de-Vals (07) 239 H4
Saint-Andéol-le-Château (69) 205 K4
Saint-Andeux (21) 134 B4
Saint-Andiol (13) 276 C3
Saint-André (31) 287 F5
Saint-André (32) 287 F1
Saint-André (66) 315 H4
Saint-André (73) 225 K2
Saint-André (81) 271 H2
Saint-André-Capcèze (48) 255 F2
Saint-André-d'Allas (24) 232 E2
Saint-André-d'Apchon (42) 186 D5
Saint-André-de-Bâgé (01) 188 D1
Saint-André-de-Boëge (74) 191 H2
Saint-André-de-Bohon (50) 31 F2
Saint-André-de-Briouze (61) 53 K5
Saint-André-de-Buèges (34) 273 K3
Saint-André-de-Chalencon (43) 220 D2
Saint-André-de-Corcy (01) 188 D5
Saint-André-de-Cruzières (07) 255 J3
Saint-André-de-Cubzac (33) 211 J6
Saint-André-de-Double (24) 213 G4
Saint-André-de-la-Marche (49) 142 D2
Saint-André-de-la-Roche (06) 281 G3

Saint-André-de-Lancize (48) 254 E4
Saint-André-de-l'Épine (50) 31 J3
Saint-André-de-l'Eure (27) 56 E3
Saint-André-de-Lidon (17) 195 F4
Saint-André-de-Majencoules (30) 273 K1
Saint-André-de-Messei (61) 53 H5
Saint-André-de-Najac (12) 251 G5
Saint-André-de-
  Roquelongue (11) 310 B1
Saint-André-de-
  Roquepertuis (30) 256 A4
Saint-André-de-Rosans (05) 258 B2
Saint-André-de-Sangonis (34) 273 H6
Saint-André-de-Seignanx (40) 262 C6
Saint-André-de-Valborgne (30) 254 C5
Saint-André-de-Vézines (12) 253 J5
Saint-André-d'Embrun (05) 243 K4
Saint-André-des-Eaux (22) 78 D1
Saint-André-des-Eaux (44) 121 K4
Saint-André-d'Hébertot (14) 34 A3
Saint-André-d'Huiriat (01) 188 D2
Saint-André-d'Olérargues (30) 256 B5
Saint-André-du-Bois (33) 230 B5
Saint-André-en-Barrois (55) 64 B1
Saint-André-en-Bresse (71) 172 B2
Saint-André-en-Morvan (58) 133 J4
Saint-André-en-Royans (38) 223 G4
Saint-André-en-Terre-Plaine (89) 134 B3
Saint-André-en-Vivarais (07) 221 H4
Saint-André-et-Appelles (33) 231 F2
Saint-André-Farivillers (60) 18 A6
Saint-André-Goule-d'Oie (85) 142 B5
Saint-André-la-Côte (69) 205 J3
Saint-André-Lachamp (07) 239 F6
Saint-André-le-Bouchoux (01) 188 E3
Saint-André-le-Coq (63) 185 H5
Saint-André-le-Désert (71) 171 G4
Saint-André-le-Gaz (38) 207 H4
Saint-André-le-Puy (42) 205 F3
Saint-André-les-Alpes (04) 279 J1
Saint-André-les-Vergers (10) 90 A5
Saint-André-lez-Lille (59) 6 D4
Saint-André-sur-Cailly (76) 16 B6
Saint-André-sur-Orne (14) 32 E5
Saint-André-sur-Sèvre (79) 143 G6
Saint-André-sur-Vieux-Jonc (01) 189 F2
Saint-André-Treize-Voies (85) 141 K4
Saint-Androny (33) 211 G3
Saint-Ange-et-Torçay (28) 56 D6
Saint-Ange-le-Viel (77) 87 K5
Saint-Angeau (16) 197 F1
Saint-Angel (03) 167 J6
Saint-Angel (19) 200 E5
Saint-Angel (63) 184 D5
Saint-Anthème (63) 204 B5
Saint-Anthot (21) 135 G5
Saint-Antoine (15) 235 G3
Saint-Antoine (25) 157 F6
Saint-Antoine (32) 268 A1
Saint-Antoine (33) 211 J5
Saint-Antoine-Cumond (24) 213 F2
Saint-Antoine-d'Auberoche (24) 214 C4
Saint-Antoine-de-Breuilh (24) 230 E4
Saint-Antoine-de-Ficalba (47) 248 C3
Saint-Antoine-du-Queyret (33) 230 D3
Saint-Antoine-du-Rocher (37) 127 H3
Saint-Antoine-la-Forêt (76) 14 E6
Saint-Antoine-l'Abbaye (38) 223 F3
Saint-Antoine-sur-l'Isle (33) 213 F3
Saint-Antonin (06) 280 D1
Saint-Antonin (32) 268 A5
Saint-Antonin-de-Lacalm (81) 271 F4
Saint-Antonin-de-Sommaire (27) 55 J4
Saint-Antonin-du-Var (83) 298 B1
Saint-Antonin-Noble-Val (82) 250 D5
Saint-Antonin-sur-Bayon (13) 296 E1
Saint-Aoustrille (36) 148 C5
Saint-Août (36) 166 B1
Saint-Apollinaire (05) 243 H5
Saint-Apollinaire (21) 136 B5
Saint-Apollinaire-de-Rias (07) 239 K1
Saint-Appolinaire (69) 187 J5
Saint-Appolinard (38) 223 F3
Saint-Appolinard (42) 221 K1
Saint-Aquilin (24) 213 J3
Saint-Aquilin-de-Corbion (61) 55 H6
Saint-Aquilin-de-Pacy (27) 57 F1
Saint-Araille (31) 287 H4
Saint-Arailles (32) 267 F3
Saint-Arcons-d'Allier (43) 219 J5
Saint-Arcons-de-Barges (43) 238 C2
Saint-Arey (38) 242 B1
Saint-Armel (35) 79 G5
Saint-Armel (56) 121 F1
Saint-Armou (64) 284 D3
Saint-Arnac (66) 309 H5
Saint-Arnoult (14) 33 H4
Saint-Arnoult (41) 108 A6
Saint-Arnoult (60) 17 G5
Saint-Arnoult (76) 15 F6
Saint-Arnoult-des-Bois (28) 84 E2
Saint-Arnoult-en-Yvelines (78) 86 A1
Saint-Arroman (32) 286 C2
Saint-Arroman (65) 305 F2
Saint-Arroumex (82) 268 C1
Saint-Astier (24) 213 J4
Saint-Astier (47) 231 F3
Saint-Auban (04) 280 D1
Saint-Auban-d'Oze (05) 242 C6
Saint-Auban-sur-l'Ouvèze (26) 258 A3
Saint-Aubert (59) 12 C4
Saint-Aubert-sur-Orne (61) 53 K4
Saint-Aubin (02) 39 H1
Saint-Aubin (10) 89 F2
Saint-Aubin (21) 153 J4
Saint-Aubin (36) 148 D6

Saint-Aubin (39) 155 F3
Saint-Aubin (40) 264 E4
Saint-Aubin (47) 248 E1
Saint-Aubin (59) 13 G4
Saint-Aubin (62) 4 B6
Saint-Aubin (91) 58 C5
Saint-Aubin-Celloville (76) 35 J3
Saint-Aubin-Château-Neuf (89) 112 D5
Saint-Aubin-d'Appenai (61) 83 F1
Saint-Aubin-d'Arquenay (14) 33 F4
Saint-Aubin-d'Aubigné (35) 79 G2
Saint-Aubin-de-Blaye (33) 211 H2
Saint-Aubin-de-Bonneval (61) 55 G2
Saint-Aubin-de-Branne (33) 230 B2
Saint-Aubin-de-Cadelech (24) 231 H4
Saint-Aubin-de-Courteraie (61) 55 G6
Saint-Aubin-de-Crétot (76) 15 F6
Saint-Aubin-de-Lanquais (24) 231 J3
Saint-Aubin-de-Locquenay (72) 82 C5
Saint-Aubin-de-Luigné (49) 125 F5
Saint-Aubin-de-Médoc (33) 229 F1
Saint-Aubin-de-Nabirat (24) 233 F4
Saint-Aubin-de-Scellon (27) 34 C5
Saint-Aubin-de-Terregatte (50) 52 A6
Saint-Aubin-d'Écrosville (27) 35 G5
Saint-Aubin-des-Bois (14) 52 C3
Saint-Aubin-des-Bois (28) 85 F2
Saint-Aubin-des-Châteaux (44) 103 H3
Saint-Aubin-des-Chaumes (58) 133 H4
Saint-Aubin-des-Coudrais (72) 83 H6
Saint-Aubin-des-Grois (61) 83 J4
Saint-Aubin-des-Hayes (27) 55 J1
Saint-Aubin-des-Landes (35) 79 K4
Saint-Aubin-des-Ormeaux (85) 142 D3
Saint-Aubin-des-Préaux (50) 51 J1
Saint-Aubin-du-Cormier (35) 79 J2
Saint-Aubin-du-Désert (53) 82 A4
Saint-Aubin-du-Pavail (35) 79 J5
Saint-Aubin-du-Perron (50) 30 E3
Saint-Aubin-du-Plain (79) 143 J4
Saint-Aubin-du-Thenney (27) 55 H1
Saint-Aubin-en-Bray (60) 37 F2
Saint-Aubin-en-Charollais (71) 170 D4
Saint-Aubin-Épinay (76) 35 J3
Saint-Aubin-Fosse-Louvain (53) 80 E2
Saint-Aubin-la-Plaine (85) 160 B4
Saint-Aubin-le-Cauf (76) 16 A2
Saint-Aubin-le-Cloud (79) 161 J2
Saint-Aubin-le-Dépeint (37) 127 F1
Saint-Aubin-le-Guichard (27) 55 J1
Saint-Aubin-le-Monial (03) 168 B4
Saint-Aubin-le-Vertueux (27) 55 J1
Saint-Aubin-lès-Elbeuf (76) 35 H3
Saint-Aubin-les-Forges (58) 150 E2
Saint-Aubin-Montenoy (80) 17 J2
Saint-Aubin-Rivière (80) 17 G2
Saint-Aubin-Routot (76) 14 C6
Saint-Aubin-sous-Erquery (60) 38 A2
Saint-Aubin-sur-Aire (55) 64 D5
Saint-Aubin-sur-Gaillon (27) 36 A5
Saint-Aubin-sur-Loire (71) 169 J3
Saint-Aubin-sur-Mer (14) 32 E4
Saint-Aubin-sur-Mer (76) 15 H2
Saint-Aubin-sur-Quillebeuf (27) 34 C1
Saint-Aubin-sur-Scie (76) 15 K2
Saint-Aubin-sur-Yonne (89) 112 E3
Saint-Augustin (17) 194 B3
Saint-Augustin (19) 200 B6
Saint-Augustin (77) 60 B4
Saint-Augustin-des-Bois (49) 124 E3
Saint-Aulaire (19) 215 G3
Saint-Aulais-la-Chapelle (16) 196 C6
Saint-Aulaye (24) 212 E3
Saint-Aunès (34) 274 C6
Saint-Aunix-Lengros (32) 266 C6
Saint-Aupre (38) 207 K6
Saint-Austremoine (43) 219 G4
Saint-Auvent (87) 198 C1
Saint-Avaugourd-des-
  Landes (85) 159 H3
Saint-Avé (56) 101 F5
Saint-Aventin (31) 305 H5
Saint-Avertin (37) 127 J5
Saint-Avit (16) 212 D3
Saint-Avit (26) 222 D3
Saint-Avit (40) 265 H2
Saint-Avit (41) 108 B1
Saint-Avit (47) 231 F5
Saint-Avit (63) 201 H1
Saint-Avit (81) 289 J2
Saint-Avit-de-Soulège (33) 230 E2
Saint-Avit-de-Tardes (23) 183 H6
Saint-Avit-de-Vialard (24) 232 B1
Saint-Avit-Frandat (32) 267 J1
Saint-Avit-le-Pauvre (23) 183 F5
Saint-Avit-les-Guespières (28) 84 E5
Saint-Avit-Rivière (24) 232 C3
Saint-Avit-Saint-Nazaire (33) 231 F2
Saint-Avit-Sénieur (24) 232 B3
Saint-Avold (57) 68 A3
Saint-Avre (73) 225 G1
Saint-Ay (45) 109 J4
Saint-Aybert (59) 7 K6
Saint-Babel (63) 203 F4
Saint-Baldoph (73) 208 C4
Saint-Bandry (02) 39 J3
Saint-Baraing (39) 155 G3
Saint-Barbant (87) 180 D3
Saint-Bard (23) 183 J6
Saint-Bardoux (26) 222 D4
Saint-Barnabé (22) 77 G5
Saint-Barthélemy (38) 222 E1
Saint-Barthélemy (40) 282 D1
Saint-Barthélemy (50) 52 D5
Saint-Barthélemy (56) 100 D2
Saint-Barthélemy (70) 119 F5

Saint-Barthélemy (77) 60 E4
Saint-Barthélemy-d'Agenais (47) 231 G6
Saint-Barthélemy-d'Anjou (49) 125 H3
Saint-Barthélemy-de-
  Bellegarde (24) 213 F5
Saint-Barthélemy-de-
  Bussière (24) 198 A4
Saint-Barthélemy-de-
  Séchilienne (38) 224 B5
Saint-Barthélemy-de-Vals (26) 222 C3
Saint-Barthélemy-Grozon (07) 221 K6
Saint-Barthélemy-le-Meil (07) 239 J1
Saint-Barthélemy-le-Plain (07) 222 B5
Saint-Barthélemy-Lestra (42) 205 F2
Saint-Basile (07) 221 K6
Saint-Baslemont (88) 93 K6
Saint-Baudel (18) 148 E6
Saint-Baudelle (53) 81 G4
Saint-Baudille-de-la-Tour (38) 207 F1
Saint-Baudille-et-Pipet (38) 242 B2
Saint-Bauld (37) 146 B1
Saint-Baussant (54) 65 G2
Saint-Bauzeil (09) 307 H1
Saint-Bauzély (30) 275 G2
Saint-Bauzile (07) 240 A4
Saint-Bauzile (48) 254 B1
Saint-Bauzille-de-la-Sylve (34) 273 J6
Saint-Bauzille-de-Montmel (34) 274 C4
Saint-Bauzille-de-Putois (34) 274 A3
Saint-Bazile (87) 198 A2
Saint-Bazile-de-la-Roche (19) 216 C4
Saint-Bazile-de-Meyssac (19) 216 A5
Saint-Béat (31) 305 J3
Saint-Beaulize (12) 272 E3
Saint-Beauzeil (82) 248 E3
Saint-Beauzély (12) 253 F5
Saint-Beauzile (81) 270 A1
Saint-Beauzire (43) 219 F2
Saint-Beauzire (63) 202 E1
Saint-Bénézet (30) 274 E1
Saint-Bénigne (01) 172 A5
Saint-Benin (59) 12 D5
Saint-Benin-d'Azy (58) 151 G4
Saint-Benin-des-Bois (58) 151 G2
Saint-Benoist-sur-Mer (85) 159 J5
Saint-Benoist-sur-Vanne (10) 89 H5
Saint-Benoît (01) 207 J2
Saint-Benoît (04) 260 E6
Saint-Benoît (11) 308 D2
Saint-Benoît (86) 163 F3
Saint-Benoît-de-Carmaux (81) 270 D1
Saint-Benoît-des-Ombres (27) 34 D4
Saint-Benoît-des-Ondes (35) 50 E3
Saint-Benoît-d'Hébertot (14) 34 A3
Saint-Benoît-du-Sault (36) 165 F5
Saint-Benoit-en-Diois (26) 241 G4
Saint-Benoît-la-Chipotte (88) 95 G3
Saint-Benoît-la-Forêt (37) 145 G1
Saint-Benoît-sur-Loire (45) 110 E5
Saint-Benoît-sur-Seine (10) 90 A4
Saint-Bérain (43) 219 K5
Saint-Bérain-sous-
  Sanvignes (71) 170 D2
Saint-Bérain-sur-Dheune (71) 153 J6
Saint-Bernard (01) 188 B5
Saint-Bernard (21) 154 C1
Saint-Bernard (38) 224 C1
Saint-Bernard (68) 97 B3
Saint-Béron (73) 207 K5
Saint-Berthevin (53) 104 E1
Saint-Berthevin-la-Tannière (53) 80 D3
Saint-Bertrand-de-
  Comminges (31) 305 H2
Saint-Biez-en-Belin (72) 106 C5
Saint-Bihy (22) 76 E2
Saint-Blaise (06) 281 G2
Saint-Blaise (74) 190 E3
Saint-Blaise-du-Buis (38) 223 J1
Saint-Blaise-la-Roche (67) 70 A6
Saint-Blancard (32) 286 D4
Saint-Blimont (80) 8 D5
Saint-Blin (52) 92 D5
Saint-Boès (64) 283 J1
Saint-Bohaire (41) 128 E1
Saint-Boil (71) 171 H2
Saint-Boingt (54) 94 B2
Saint-Bois (01) 207 J2
Saint-Bomer (28) 84 A6
Saint-Bômer-les-Forges (61) 53 G6
Saint-Bon (51) 61 F6
Saint-Bon-Tarentaise (73) 209 J3
Saint-Bonnet (16) 196 B5
Saint-Bonnet-Avalouze (19) 216 B3
Saint-Bonnet-Briance (87) 199 H3
Saint-Bonnet-de-Bellac (87) 180 E3
Saint-Bonnet-de-Chavagne (38) 223 F4
Saint-Bonnet-de-Chirac (48) 237 G6
Saint-Bonnet-de-Condat (15) 218 B2
Saint-Bonnet-de-Cray (71) 187 F2
Saint-Bonnet-de-Four (03) 184 D1
Saint-Bonnet-de-Joux (71) 171 F4
Saint-Bonnet-de-Montauroux (48) 238 A2
Saint-Bonnet-de-Mure (69) 206 C3
Saint-Bonnet-de-Rochefort (03) 185 F3
Saint-Bonnet-de-
  Salendrinque (30) 274 B1
Saint-Bonnet-des-Salers (15) 217 H4
Saint-Bonnet-de-Valclérieux (26) 222 D3
Saint-Bonnet-de-
  Vieille-Vigne (71) 170 D4
Saint-Bonnet-des-Bruyères (69) 187 J1
Saint-Bonnet-des-Quarts (42) 186 C3
Saint-Bonnet-du-Gard (30) 275 J2
Saint-Bonnet-Elvert (19) 216 C4
Saint-Bonnet-en-Bresse (71) 154 D5
Saint-Bonnet-en-Champsaur (05) 242 E3

Saint-Bonnet-la-Rivière (19) 215 G2
Saint-Bonnet-le-Bourg (63) 203 J6
Saint-Bonnet-le-Chastel (63) 203 J6
Saint-Bonnet-le-Château (42) 204 D6
Saint-Bonnet-le-Courreau (42) 204 B3
Saint-Bonnet-le-Froid (43) 221 H4
Saint-Bonnet-le-Troncy (69) 187 J4
Saint-Bonnet-l'Enfantier (19) 215 J2
Saint-Bonnet-lès-Allier (63) 202 E2
Saint-Bonnet-les-Oules (42) 205 F5
Saint-Bonnet-les-Tours-de-Merle (19) 216 D5
Saint-Bonnet-près-Bort (19) 201 G5
Saint-Bonnet-près-Orcival (63) 202 B3
Saint-Bonnet-près-Riom (63) 185 F6
Saint-Bonnet-sur-Gironde (17) 211 G1
Saint-Bonnet-Tronçais (03) 167 J2
Saint-Bonnot (58) 151 F1
Saint-Bouize (18) 131 K6
Saint-Brancher (89) 134 A4
Saint-Branchs (37) 146 B1
Saint-Brandan (22) 77 F2
Saint-Brès (30) 255 H3
Saint-Brès (32) 267 K4
Saint-Brès (34) 274 D5
Saint-Bresson (30) 273 K2
Saint-Bresson (70) 118 E3
Saint-Bressou (46) 234 C4
Saint-Brevin-les-Pins (44) 122 B3
Saint-Briac-sur-Mer (35) 50 C3
Saint-Brice (16) 195 K3
Saint-Brice (33) 230 B4
Saint-Brice (50) 52 A5
Saint-Brice (53) 105 H4
Saint-Brice (61) 81 G1
Saint-Brice (77) 88 D1
Saint-Brice-Courcelles (51) 40 E4
Saint-Brice-de-Landelles (50) 80 B1
Saint-Brice-en-Coglès (35) 51 K6
Saint-Brice-sous-Forêt (95) 58 E2
Saint-Brice-sous-Rânes (61) 54 A5
Saint-Brice-sur-Vienne (87) 180 E6
Saint-Brieuc (22) 49 G6
Saint-Brieuc-de-Mauron (56) 77 K6
Saint-Brieuc-des-Iffs (35) 78 E2
Saint-Bris-des-Bois (17) 195 H2
Saint-Bris-le-Vineux (89) 113 G6
Saint-Brisson (58) 134 B6
Saint-Brisson-sur-Loire (45) 131 H1
Saint-Broing (70) 137 G3
Saint-Broing-les-Moines (21) 115 J6
Saint-Broingt-le-Bois (52) 116 E6
Saint-Broingt-les-Fosses (52) 116 C6
Saint-Broladre (35) 51 G4
Saint-Bueil (38) 207 K5
Saint-Calais (72) 107 K4
Saint-Calais-du-Désert (53) 81 K2
Saint-Calez-en-Saosnois (72) 83 F4
Saint-Cannat (13) 277 G6
Saint-Caprais (03) 167 J4
Saint-Caprais (18) 149 F4
Saint-Caprais (32) 268 A6
Saint-Caprais (46) 232 E5
Saint-Caprais-de-Blaye (33) 211 H2
Saint-Caprais-de-Bordeaux (33) 229 J3
Saint-Caprais-de-Lerm (47) 248 C4
Saint-Capraise-de-Lalinde (24) 231 K2
Saint-Capraise-d'Eymet (24) 231 H4
Saint-Caradec (22) 77 F4
Saint-Caradec-Trégomel (56) 76 A6
Saint-Carné (22) 50 C6
Saint-Carreuc (22) 77 G2
Saint-Cassien (24) 232 B4
Saint-Cassien (38) 223 J1
Saint-Cassin (73) 208 B4
Saint-Cast-le-Guildo (22) 50 B3
Saint-Castin (64) 284 D3
Saint-Célerin (72) 107 G1
Saint-Céneré (53) 105 G1
Saint-Céneri-le-Gérei (61) 82 B3
Saint-Céols (18) 149 J1
Saint-Céré (46) 234 C2
Saint-Cergues (74) 191 H1
Saint-Cernin (15) 217 H5
Saint-Cernin (46) 233 J5
Saint-Cernin-de-Labarde (24) 231 J3
Saint-Cernin-de-Larche (19) 215 H5
Saint-Cernin-de-l'Herm (24) 232 D5
Saint-Césaire (17) 195 H2
Saint-Césaire-de-Gauzignan (30) 275 F1
Saint-Cézaire-sur-Siagne (06) 280 C5
Saint-Cézert (31) 268 E4
Saint-Chabrais (23) 183 G3
Saint-Chaffrey (05) 225 K6
Saint-Chamant (15) 217 H5
Saint-Chamant (19) 216 C4
Saint-Chamarand (46) 233 H4
Saint-Chamas (13) 295 J3
Saint-Chamassy (24) 232 C2
Saint-Chamond (42) 205 H5
Saint-Champ (01) 207 K1
Saint-Chaptes (30) 275 F1
Saint-Charles-de-Percy (14) 53 F2
Saint-Charles-la-Forêt (53) 105 G3
Saint-Chartier (36) 166 B2
Saint-Chef (38) 207 F3
Saint-Chels (46) 234 B6
Saint-Chély-d'Apcher (48) 237 G3
Saint-Chély-d'Aubrac (12) 236 C5
Saint-Chéron (51) 63 F6
Saint-Chéron (91) 86 C1
Saint-Chinian (34) 291 H3
Saint-Christ-Briost (80) 19 G2
Saint-Christaud (31) 287 J6
Saint-Christaud (32) 285 K1
Saint-Christo-en-Jarez (42) 205 H5
Saint-Christol (07) 239 H2
Saint-Christol (34) 274 E5
Saint-Christol (84) 258 B6
Saint-Christol-de-Rodières (30) 256 B3
Saint-Christol-lès-Alès (30) 255 G6
Saint-Christoly-de-Blaye (33) 211 H4
Saint-Christoly-Médoc (33) 210 E1
Saint-Christophe (03) 186 A3
Saint-Christophe (16) 180 D5
Saint-Christophe (17) 177 F2
Saint-Christophe (23) 182 D4
Saint-Christophe (28) 109 F1
Saint-Christophe (69) 187 K1
Saint-Christophe (73) 208 A5
Saint-Christophe (81) 251 G5
Saint-Christophe (86) 145 G5
Saint-Christophe-à-Berry (02) 39 G2
Saint-Christophe-d'Allier (43) 238 A2
Saint-Christophe-de-Chaulieu (61) 52 E4
Saint-Christophe-de-Double (33) 212 D5
Saint-Christophe-de-Valains (35) 79 J1
Saint-Christophe-des-Bardes (33) 230 B1
Saint-Christophe-des-Bois (35) 80 A5
Saint-Christophe-Dodinicourt (10) 90 E3
Saint-Christophe-du-Bois (49) 142 E3
Saint-Christophe-du-Foc (50) 28 B3
Saint-Christophe-du-Jambet (72) 82 C5
Saint-Christophe-du-Ligneron (85) 141 G5
Saint-Christophe-du-Luat (53) 81 H6
Saint-Christophe-en-Bazelle (36) 148 A1
Saint-Christophe-en-Boucherie (36) 166 C2
Saint-Christophe-en-Bresse (71) 172 A1
Saint-Christophe-en-Brionnais (71) 187 F1
Saint-Christophe-en-Champagne (72) 106 A3
Saint-Christophe-en-Oisans (38) 225 F6
Saint-Christophe-et-le-Laris (26) 222 E3
Saint-Christophe-la-Couperie (49) 124 A6
Saint-Christophe-le-Chaudry (18) 167 F3
Saint-Christophe-le-Jajolet (61) 54 C6
Saint-Christophe-sur-Avre (27) 56 A5
Saint-Christophe-sur-Condé (27) 34 D4
Saint-Christophe-sur-Dolaison (43) 220 B6
Saint-Christophe-sur-Guiers (38) 208 A6
Saint-Christophe-sur-le-Nais (37) 127 G2
Saint-Christophe-sur-Roc (79) 161 J5
Saint-Christophe-Vallon (12) 251 K1
Saint-Cibard (33) 230 C1
Saint-Cierge-la-Serre (07) 240 A3
Saint-Cierge-sous-le-Cheylard (07) 239 H1
Saint-Ciergues (52) 116 C4
Saint-Ciers-Champagne (17) 195 K6
Saint-Ciers-d'Abzac (33) 212 A5
Saint-Ciers-de-Canesse (33) 211 G4
Saint-Ciers-du-Taillon (17) 195 G6
Saint-Ciers-sur-Bonnieure (16) 197 F1
Saint-Ciers-sur-Gironde (33) 211 H2
Saint-Cirgue (81) 271 G2
Saint-Cirgues (43) 219 H4
Saint-Cirgues (46) 234 E4
Saint-Cirgues-de-Jordanne (15) 217 J6
Saint-Cirgues-de-Malbert (15) 217 G5
Saint-Cirgues-de-Prades (07) 239 G5
Saint-Cirgues-en-Montagne (07) 238 E3
Saint-Cirgues-la-Loutre (19) 216 E5
Saint-Cirgues-sur-Couze (63) 202 D5
Saint-Cirice (82) 248 D6
Saint-Cirq (24) 232 C1
Saint-Cirq (82) 250 B5
Saint-Cirq-Lapopie (46) 250 C1
Saint-Cirq-Madelon (46) 233 G3
Saint-Cirq-Souillaguet (46) 233 H4
Saint-Civran (36) 165 F4
Saint-Clair (07) 222 A2
Saint-Clair (46) 233 H4
Saint-Clair (82) 248 E5
Saint-Clair (86) 144 D5
Saint-Clair-d'Arcey (27) 34 D6
Saint-Clair-de-Halouze (61) 53 G5
Saint-Clair-de-la-Tour (38) 207 H4
Saint-Clair-du-Rhône (38) 206 A6
Saint-Clair-sur-Epte (95) 36 D5
Saint-Clair-sur-Galaure (38) 222 E2
Saint-Clair-sur-l'Elle (50) 31 H2
Saint-Clair-sur-les-Monts (76) 15 G5
Saint-Clar (32) 267 K3
Saint-Clar-de-Rivière (31) 287 K2
Saint-Claud (16) 179 K6
Saint-Claude (39) 173 K5
Saint-Claude-de-Diray (41) 129 F2
Saint-Clément (02) 21 H3
Saint-Clément (03) 186 B4
Saint-Clément (07) 221 G6
Saint-Clément (15) 217 K6
Saint-Clément (19) 216 A2
Saint-Clément (30) 274 D3
Saint-Clément (54) 94 E1
Saint-Clément (89) 88 D6
Saint-Clément-à-Arnes (08) 41 J3
Saint-Clément-de-la-Place (49) 124 E2
Saint-Clément-de-Régnat (63) 185 H5
Saint-Clément-de-Rivière (34) 274 B5
Saint-Clément-de-Valorgue (63) 204 B5
Saint-Clément-de-Vers (69) 187 J2
Saint-Clément-des-Baleines (17) 158 B5
Saint-Clément-des-Levées (49) 126 A5
Saint-Clément-les-Places (69) 205 G2
Saint-Clément-Rancoudray (50) 52 E5
Saint-Clément-sur-Durance (05) 243 K4
Saint-Clément-sur-Guye (71) 171 G3
Saint-Clément-sur-Valsonne (69) 187 J6
Saint-Clémentin (79) 143 J4
Saint-Clet (22) 48 D4
Saint-Cloud (92) 58 D4
Saint-Cloud-en-Dunois (28) 109 G2
Saint-Colomb-de-Lauzun (47) 231 H5
Saint-Colomban (44) 141 H3
Saint-Colomban-des-Villards (73) 225 F1
Saint-Côme (33) 246 D1
Saint-Côme-de-Fresné (14) 32 C3
Saint-Côme-d'Olt (12) 236 B6
Saint-Côme-du-Mont (50) 29 F6
Saint-Côme-et-Maruéjols (30) 275 F3
Saint-Congard (56) 101 K4
Saint-Connan (22) 76 D1
Saint-Connec (22) 76 E4
Saint-Constant (15) 235 F4
Saint-Contest (14) 32 D4
Saint-Corneille (72) 107 F2
Saint-Cornier-des-Landes (61) 53 F5
Saint-Cosme (68) 119 K5
Saint-Cosme-en-Vairais (72) 83 G5
Saint-Couat-d'Aude (11) 290 E6
Saint-Couat-du-Razès (11) 308 D2
Saint-Coulitz (29) 74 D3
Saint-Coulomb (35) 50 E3
Saint-Coutant (16) 179 K5
Saint-Coutant (79) 178 E2
Saint-Coutant-le-Grand (17) 177 H5
Saint-Créac (32) 268 A2
Saint-Créac (65) 304 B1
Saint-Crépin (05) 243 K3
Saint-Crépin (17) 177 H4
Saint-Crépin-aux-Bois (60) 39 F2
Saint-Crépin-d'Auberoche (24) 214 C4
Saint-Crépin-de-Richemont (24) 197 J6
Saint-Crépin-et-Carlucet (24) 215 F6
Saint-Crépin-Ibouvillers (60) 37 G4
Saint-Crespin (76) 15 K3
Saint-Crespin-sur-Moine (49) 142 C2
Saint-Cricq (32) 268 C5
Saint-Cricq-Chalosse (40) 264 E5
Saint-Cricq-du-Gave (40) 283 G1
Saint-Cricq-Villeneuve (40) 265 J2
Saint-Cybardeaux (16) 196 C2
Saint-Cybranet (24) 232 E3
Saint-Cyprien (19) 215 G3
Saint-Cyprien (24) 232 D2
Saint-Cyprien (42) 204 E5
Saint-Cyprien (46) 249 J3
Saint-Cyprien (66) 315 H3
Saint-Cyprien-sur-Dourdou (12) 235 H6
Saint-Cyr (07) 222 A2
Saint-Cyr (50) 28 E4
Saint-Cyr (71) 171 K2
Saint-Cyr (86) 163 G1
Saint-Cyr (87) 198 C2
Saint-Cyr-au-Mont-d'Or (69) 206 A1
Saint-Cyr-de-Favières (42) 187 F5
Saint-Cyr-de-Salerne (27) 34 D5
Saint-Cyr-de-Valorges (42) 187 H6
Saint-Cyr-des-Gâts (85) 160 D3
Saint-Cyr-du-Bailleul (50) 80 E1
Saint-Cyr-du-Doret (17) 177 G1
Saint-Cyr-du-Gault (41) 128 B2
Saint-Cyr-du-Ronceray (14) 55 F1
Saint-Cyr-en-Arthies (95) 57 J1
Saint-Cyr-en-Bourg (49) 144 C1
Saint-Cyr-en-Pail (53) 82 A3
Saint-Cyr-en-Talmondais (85) 159 J4
Saint-Cyr-en-Val (45) 110 B5
Saint-Cyr-la-Campagne (27) 35 H4
Saint-Cyr-la-Lande (79) 144 C3
Saint-Cyr-la-Rivière (91) 86 C4
Saint-Cyr-la-Roche (19) 215 H3
Saint-Cyr-la-Rosière (61) 83 J4
Saint-Cyr-le-Chatoux (69) 187 K4
Saint-Cyr-le-Gravelais (53) 104 C2
Saint-Cyr-l'École (78) 58 B4
Saint-Cyr-les-Champagnes (24) 215 G1
Saint-Cyr-les-Colons (89) 113 H6
Saint-Cyr-les-Vignes (42) 205 F3
Saint-Cyr-Montmalin (39) 155 J4
Saint-Cyr-sous-Dourdan (91) 86 B1
Saint-Cyr-sur-le-Rhône (69) 206 B5
Saint-Cyr-sur-Loire (37) 127 J4
Saint-Cyr-sur-Menthon (01) 188 D1
Saint-Cyr-sur-Mer (83) 297 G5
Saint-Cyr-sur-Morin (77) 60 C3
Saint-Cyran-du-Jambot (36) 146 E3
Saint-Dalmas-le-Selvage (06) 261 F2
Saint-Daunès (46) 249 H3
Saint-Denis (11) 289 K4
Saint-Denis (30) 255 J4
Saint-Denis (89) 88 D5
Saint-Denis (93) 58 E2
Saint-Denis-Catus (46) 233 G6
Saint-Denis-Combarnazat (63) 185 H5
Saint-Denis-d'Aclon (76) 15 J2
Saint-Denis-d'Anjou (53) 105 H5
Saint-Denis-d'Augerons (27) 55 G2
Saint-Denis-d'Authou (28) 84 B4
Saint-Denis-de-Cabanne (42) 187 G2
Saint-Denis-de-Gastines (53) 80 E4
Saint-Denis-de-Jouhet (36) 166 A4
Saint-Denis-de-l'Hôtel (45) 110 C4
Saint-Denis-de-Mailloc (14) 34 A6
Saint-Denis-de-Méré (14) 53 H3
Saint-Denis-de-Palin (18) 149 H5
Saint-Denis-de-Pile (33) 212 B6
Saint-Denis-de-Vaux (71) 153 J6
Saint-Denis-de-Villenette (61) 81 H2
Saint-Denis-des-Coudrais (72) 83 G6
Saint-Denis-des-Monts (27) 35 F4
Saint-Denis-des-Murs (87) 199 H2
Saint-Denis-des-Puits (28) 84 D3
Saint-Denis-d'Oléron (17) 176 B4
Saint-Denis-d'Orques (72) 105 K2
Saint-Denis-du-Béhélan (27) 56 B3
Saint-Denis-du-Maine (53) 105 H3
Saint-Denis-du-Payré (85) 159 K5
Saint-Denis-du-Pin (17) 177 K5
Saint-Denis-en-Bugey (01) 189 H5
Saint-Denis-en-Margeride (48) 237 J3
Saint-Denis-en-Val (45) 110 A4
Saint-Denis-la-Chevasse (85) 142 A5
Saint-Denis-le-Ferment (27) 36 D3
Saint-Denis-le-Gast (50) 31 F5
Saint-Denis-le-Thiboult (76) 36 A2
Saint-Denis-le-Vêtu (50) 30 E5
Saint-Denis-lès-Bourg (01) 189 G2
Saint-Denis-lès-Martel (46) 233 K1
Saint-Denis-les-Ponts (28) 108 E2
Saint-Denis-lès-Rebais (77) 60 C4
Saint-Denis-Maisoncelles (14) 31 K5
Saint-Denis-sur-Coise (42) 205 G4
Saint-Denis-sur-Huisne (61) 83 H2
Saint-Denis-sur-Loire (41) 129 F2
Saint-Denis-sur-Ouanne (89) 112 C5
Saint-Denis-sur-Sarthon (61) 82 B2
Saint-Denis-sur-Scie (76) 15 K4
Saint-Deniscourt (60) 17 G5
Saint-Denœux (62) 4 D6
Saint-Denoual (22) 49 K6
Saint-Derrien (29) 46 D4
Saint-Désert (71) 171 H1
Saint-Désir (14) 33 K5
Saint-Désirat (07) 222 B2
Saint-Désiré (03) 167 F4
Saint-Dézéry (30) 275 F1
Saint-Didier (21) 134 C5
Saint-Didier (35) 79 K4
Saint-Didier (39) 173 F1
Saint-Didier (58) 133 G5
Saint-Didier (84) 276 E1
Saint-Didier-au-Mont-d'Or (69) 206 A1
Saint-Didier-d'Allier (43) 220 A6
Saint-Didier-d'Aussiat (01) 172 B6
Saint-Didier-de-Bizonnes (38) 207 F5
Saint-Didier-de-Formans (01) 188 C5
Saint-Didier-de-la-Tour (38) 207 H4
Saint-Didier-des-Bois (27) 35 H4
Saint-Didier-en-Bresse (71) 154 C5
Saint-Didier-en-Brionnais (71) 170 C6
Saint-Didier-en-Donjon (03) 169 K6
Saint-Didier-en-Velay (43) 221 G2
Saint-Didier-la-Forêt (03) 185 H2
Saint-Didier-sous-Aubenas (07) 239 H5
Saint-Didier-sous-Écouves (61) 82 C1
Saint-Didier-sous-Riverie (69) 205 J4
Saint-Didier-sur-Arroux (71) 152 D6
Saint-Didier-sur-Beaujeu (69) 187 K3
Saint-Didier-sur-Chalaronne (01) 188 C2
Saint-Didier-sur-Doulon (43) 219 J2
Saint-Didier-sur-Rochefort (42) 204 A2
Saint-Dié-des-Vosges (88) 95 J4
Saint-Dier-d'Auvergne (63) 203 H3
Saint-Diéry (63) 202 C5
Saint-Dionizy (30) 275 F4
Saint-Disdier (05) 242 C3
Saint-Divy (29) 46 B6
Saint-Dizant-du-Bois (17) 195 G6
Saint-Dizant-du-Gua (17) 195 F6
Saint-Dizier (52) 63 J6
Saint-Dizier-en-Diois (26) 241 J6
Saint-Dizier-la-Tour (23) 183 G3
Saint-Dizier-les-Domaines (23) 182 E1
Saint-Dizier-l'Évêque (90) 139 J2
Saint-Dizier-Leyrenne (23) 182 B4
Saint-Dolay (56) 102 B5
Saint-Domet (23) 183 H4
Saint-Domineuc (35) 78 E1
Saint-Donan (22) 49 F6
Saint-Donat (63) 201 K6
Saint-Donat-sur-l'Herbasse (26) 222 D4
Saint-Dos (64) 283 G2
Saint-Doulchard (18) 149 G2
Saint-Drézéry (34) 274 D5
Saint-Dyé-sur-Loire (41) 129 G1
Saint-Ebremond-de-Bonfossé (50) 31 G4
Saint-Edmond (71) 187 G2
Saint-Égrève (38) 224 A2
Saint-Elier (27) 56 B2
Saint-Éliph (28) 84 C3
Saint-Élix (32) 286 E2
Saint-Élix-le-Château (31) 287 J5
Saint-Élix-Séglan (31) 287 F6
Saint-Élix-Theux (32) 286 B3
Saint-Ellier-du-Maine (53) 80 C3
Saint-Ellier-les-Bois (61) 82 B2
Saint-Éloi (01) 189 F5
Saint-Éloi (23) 182 C4
Saint-Éloi (58) 150 E4
Saint-Éloi-de-Fourques (27) 35 F4
Saint-Eloy (29) 74 D1
Saint-Éloy-d'Allier (03) 166 E4
Saint-Éloy-de-Gy (18) 149 G2
Saint-Éloy-la-Glacière (63) 203 J5
Saint-Éloy-les-Mines (63) 184 C3
Saint-Éloy-les-Tuileries (19) 199 F6
Saint-Éman (28) 84 D4
Saint-Émiland (71) 153 G5
Saint-Émilion (33) 230 B1
Saint-Ennemond (03) 169 F2
Saint-Épain (37) 145 J2
Saint-Epvre (57) 66 C1
Saint-Erblon (35) 79 G5
Saint-Erblon (53) 104 B5
Saint-Erme-Outre-et-Ramecourt (02) 40 D1
Saint-Escobille (91) 86 B3
Saint-Esteben (64) 282 E3
Saint-Estèphe (24) 197 K4
Saint-Estèphe (33) 211 F2
Saint-Estève (66) 315 G2
Saint-Estève-Janson (13) 277 H5
Saint-Étienne (42) 205 G6
Saint-Étienne-à-Arnes (08) 41 K3
Saint-Étienne-au-Mont (62) 4 A3
Saint-Étienne-au-Temple (51) 62 D1
Saint-Étienne-aux-Clos (19) 201 H5
Saint-Étienne-Cantalès (15) 235 F1
Saint-Étienne-d'Albagnan (34) 291 G1
Saint-Étienne-de-Baïgorry (64) 282 C5
Saint-Étienne-de-Boulogne (07) 239 J4
Saint-Étienne-de-Brillouet (85) 160 C3
Saint-Étienne-de-Carlat (15) 235 J1
Saint-Étienne-de-Chigny (37) 127 G5
Saint-Étienne-de-Chomeil (15) 217 K2
Saint-Étienne-de-Crossey (38) 207 J6
Saint-Étienne-de-Cuines (73) 225 G1
Saint-Étienne-de-Fontbellon (07) 239 H5
Saint-Étienne-de-Fougères (47) 248 B2
Saint-Étienne-de-Fursac (23) 181 K3
Saint-Étienne-de-Gourgas (34) 273 G4
Saint-Étienne-de-Lisse (33) 230 C1
Saint-Étienne-de-l'Olm (30) 255 H6
Saint-Étienne-de-Lugdarès (07) 238 D4
Saint-Étienne-de-Maurs (15) 235 F4
Saint-Étienne-de-Mer-Morte (44) 141 G4
Saint-Étienne-de-Montluc (44) 122 E3
Saint-Étienne-de-Puycorbier (24) 213 G5
Saint-Étienne-de-Saint-Geoirs (38) 223 G1
Saint-Étienne-de-Serre (07) 239 J2
Saint-Étienne-de-Tinée (06) 261 F3
Saint-Étienne-de-Tulmont (82) 269 H1
Saint-Étienne-de-Valoux (07) 222 B3
Saint-Étienne-de-Vicq (03) 185 K3
Saint-Étienne-de-Villeréal (47) 232 A5
Saint-Étienne-des-Champs (63) 201 J1
Saint-Étienne-des-Guérets (41) 128 C2
Saint-Étienne-des-Oullières (69) 188 A4
Saint-Étienne-des-Sorts (30) 256 D4
Saint-Étienne-d'Orthe (40) 262 E6
Saint-Étienne-du-Bois (01) 189 G1
Saint-Étienne-du-Bois (85) 141 H5
Saint-Étienne-du-Grès (13) 276 A4
Saint-Étienne-du-Gué-de-l'Isle (22) 77 G5
Saint-Étienne-du-Rouvray (76) 35 H3
Saint-Étienne-du-Valdonnez (48) 254 B1
Saint-Étienne-du-Vauvray (27) 35 J4
Saint-Étienne-du-Vigan (43) 238 B3
Saint-Étienne-en-Bresse (71) 172 B1
Saint-Étienne-en-Coglès (35) 51 K6
Saint-Étienne-en-Dévoluy (05) 242 D3
Saint-Étienne-Estréchoux (34) 272 D5
Saint-Étienne-la-Cigogne (79) 177 K3
Saint-Étienne-la-Geneste (19) 201 F6
Saint-Étienne-la-Thillaye (14) 33 J3
Saint-Étienne-la-Varenne (69) 188 A4
Saint-Étienne-l'Allier (27) 34 C4
Saint-Étienne-Lardeyrol (43) 220 D5
Saint-Étienne-le-Laus (05) 243 F6
Saint-Étienne-le-Molard (42) 204 D2
Saint-Étienne-les-Orgues (04) 258 E6
Saint-Étienne-lès-Remiremont (88) 119 F1
Saint-Étienne-Roilaye (60) 39 F3
Saint-Étienne-sous-Bailleul (27) 36 A6
Saint-Étienne-sous-Barbuise (10) 90 B2
Saint-Étienne-sur-Blesle (43) 218 E2
Saint-Étienne-sur-Chalaronne (01) 188 C3
Saint-Étienne-sur-Reyssouze (01) 172 B5
Saint-Étienne-sur-Suippe (51) 41 F2
Saint-Étienne-sur-Usson (63) 203 G5
Saint-Étienne-Vallée-Française (48) 254 E5
Saint-Eugène (02) 61 F1
Saint-Eugène (17) 195 K5
Saint-Eugène (71) 170 C1
Saint-Eulien (51) 63 J5
Saint-Euphraise-et-Clairizet (51) 40 D5
Saint-Euphrône (21) 134 E3
Saint-Eusèbe (71) 171 F1
Saint-Eusèbe (74) 190 D5
Saint-Eusèbe-en-Champsaur (05) 242 E3
Saint-Eustache (74) 208 D1
Saint-Eustache-la-Forêt (76) 14 D6
Saint-Eutrope (16) 196 D6
Saint-Eutrope-de-Born (47) 231 K5
Saint-Évarzec (29) 98 D2
Saint-Evroult-de-Montfort (61) 55 F4
Saint-Evroult-Notre-Dame-du-Bois (61) 55 G4
Saint-Exupéry (33) 230 B5
Saint-Exupéry-les-Roches (19) 201 G5
Saint-Fargeau (89) 132 B1
Saint-Fargeau-Ponthierry (77) 87 G2
Saint-Fargeol (03) 184 A3
Saint-Faust (64) 284 C4
Saint-Félicien (07) 221 K5
Saint-Féliu-d'Amont (66) 315 F2
Saint-Féliu-d'Avall (66) 315 F2
Saint-Félix (03) 185 K2
Saint-Félix (16) 212 D1
Saint-Félix (17) 177 J3
Saint-Félix (46) 234 E5
Saint-Félix (60) 37 J3
Saint-Félix (74) 208 C1
Saint-Félix-de-Bourdeilles (24) 197 J6
Saint-Félix-de-Foncaude (33) 230 C4

Saint-Félix-de-l'Héras (34) 273 F3
Saint-Félix-de-Lodez (34) 273 H5
Saint-Félix-de-Lunel (12) 235 J6
Saint-Félix-de-Pallières (30) 274 C1
Saint-Félix-de-Reillac-et-
  Mortemart (24) 214 C6
Saint-Félix-de-Rieutord (09) 307 J2
Saint-Félix-de-Sorgues (12) 272 C3
Saint-Félix-de-Tournegat (09) . . . 307 K1
Saint-Félix-de-Villadeix (24) 231 K1
Saint-Félix-Lauragais (31) 289 G2
Saint-Fergeux (08) 21 J6
Saint-Ferjeux (70) 138 E2
Saint-Ferme (33) 230 D4
Saint-Ferréol (74) 209 F1
Saint-Ferréol-d'Auroure (43) 221 F1
Saint-Ferréol-de-Comminges (31) . . 286 E4
Saint-Ferréol-des-Côtes (63) 203 K5
Saint-Ferréol-Trente-Pas (26) 257 J1
Saint-Ferriol (11) 308 E4
Saint-Fiacre (22) 48 D3
Saint-Fiacre (77) 60 A3
Saint-Fiacre-sur-Maine (44) 123 H5
Saint-Fiel (23) 182 D2
Saint-Firmin (05) 242 D2
Saint-Firmin (54) 94 A2
Saint-Firmin (58) 151 G3
Saint-Firmin (71) 153 G6
Saint-Firmin-des-Bois (45) 111 K3
Saint-Firmin-des-Prés (41) 108 C5
Saint-Firmin-sur-Loire (45) 131 J2
Saint-Flavy (10) 89 H3
Saint-Florent (2B) 319 G1
Saint-Florent (45) 131 F1
Saint-Florent-des-Bois (85) 159 J2
Saint-Florent-le-Vieil (49) 124 C4
Saint-Florent-sur-Auzonnet (30) . . 255 H4
Saint-Florent-sur-Cher (18) 149 F4
Saint-Florentin (36) 148 B3
Saint-Florentin (89) 113 H3
Saint-Floret (63) 202 D5
Saint-Floris (62) 5 K4
Saint-Flour (15) 218 D4
Saint-Flour (63) 203 H3
Saint-Flour-de-Mercoire (48) 238 B4
Saint-Flovier (37) 146 D4
Saint-Floxel (50) 29 F4
Saint-Folquin (62) 3 F2
Saint-Fons (69) 206 B2
Saint-Forgeot (71) 153 F4
Saint-Forget (78) 58 B5
Saint-Forgeux (69) 205 G1
Saint-Forgeux-Lespinasse (42) . . . 186 D3
Saint-Fort (53) 105 F5
Saint-Fort-sur-Gironde (17) 195 F5
Saint-Fort-sur-le-Né (16) 195 K4
Saint-Fortunat-sur-Eyrieux (07) . . . 240 A2
Saint-Fraigne (16) 178 E5
Saint-Fraimbault (61) 81 F2
Saint-Fraimbault-de-Prières (53) . . 81 G4
Saint-Frajou (31) 287 F4
Saint-Franc (73) 207 K5
Saint-Franchy (58) 151 G2
Saint-François-de-Sales (73) 208 C2
Saint-François-Lacroix (57) 27 K4
Saint-François-Longchamp (73) . . . 209 F6
Saint-Frégant (29) 46 B4
Saint-Fréjoux (19) 201 G5
Saint-Frézal-d'Albuges (48) 238 B6
Saint-Frézal-de-Ventalon (48) . . . 254 E3
Saint-Frichoux (11) 290 D5
Saint-Frion (23) 200 E1
Saint-Fromond (50) 31 H2
Saint-Front (16) 179 H6
Saint-Front (43) 220 E6
Saint-Front-d'Alemps (24) 214 B2
Saint-Front-de-Pradoux (24) 213 G5
Saint-Front-la-Rivière (24) 197 K6
Saint-Front-sur-Lémance (47) . . . 232 C5
Saint-Front-sur-Nizonne (24) 197 J5
Saint-Froult (17) 176 E5
Saint-Fulgent (85) 142 B5
Saint-Fulgent-des-Ormes (61) . . . 83 G4
Saint-Fuscien (80) 18 A5
Saint-Gabriel-Brécy (14) 32 C3
Saint-Gal (48) 237 H4
Saint-Gal-sur-Sioule (63) 184 E3
Saint-Galmier (42) 205 F4
Saint-Gand (70) 137 J2
Saint-Ganton (35) 102 E3
Saint-Gatien-des-Bois (14) 33 K3
Saint-Gaudens (31) 305 K1
Saint-Gaudent (86) 179 H3
Saint-Gaudéric (11) 308 C1
Saint-Gaultier (36) 165 F3
Saint-Gauzens (81) 270 B4
Saint-Gein (40) 265 J3
Saint-Gelais (79) 161 H5
Saint-Gelven (22) 76 C3
Saint-Gély-du-Fesc (34) 274 B5
Saint-Génard (79) 178 D2
Saint-Gence (87) 181 F6
Saint-Généroux (79) 144 C5
Saint-Genès-Champanelle (63) . . . 202 C3
Saint-Genès-Champespe (63) 218 A1
Saint-Genès-de-Blaye (33) 211 G3
Saint-Genès-de-Castillon (33) . . . 230 C1
Saint-Genès-de-Fronsac (33) 211 K5
Saint-Genès-de-Lombaud (33) . . . 229 K3
Saint-Genès-du-Retz (63) 185 G4
Saint-Genès-la-Tourette (63) 203 H5
Saint-Genest (03) 184 A2
Saint-Genest (88) 94 E3
Saint-Genest-d'Ambière (86) 145 G6
Saint-Genest-de-Beauzon (07) . . . 255 H1
Saint-Genest-de-Contest (81) 270 E4

Saint-Genest-Lachamp (07) 239 H2
Saint-Genest-Lerpt (42) 205 F6
Saint-Genest-Malifaux (42) 221 H1
Saint-Genest-sur-Roselle (87) . . . 199 G3
Saint-Geneys-près-
  Saint-Paulien (43) 220 B4
Saint-Gengoulph (02) 39 H6
Saint-Gengoux-de-Scissé (71) . . . 171 J4
Saint-Gengoux-le-National (71) . . . 171 H3
Saint-Geniès (24) 215 F6
Saint-Geniès-Bellevue (31) 269 H5
Saint-Geniès-de-Comolas (30) . . . 256 D6
Saint-Geniès-de-Fontedit (34) . . . 291 K2
Saint-Geniès-de-Malgoirès (30) . . . 275 F2
Saint-Geniès-de-Varensal (34) . . . 272 C5
Saint-Geniès-des-Mourgues (34) . . 274 D5
Saint-Geniez (04) 259 G3
Saint-Geniez-d'Olt (12) 253 F1
Saint-Geniez-ô-Merle (19) 216 D5
Saint-Genis (05) 258 E2
Saint-Genis-de-Saintonge (17) . . . 195 G5
Saint-Génis-des-Fontaines (66) . . . 315 G5
Saint-Genis-d'Hiersac (16) 196 C2
Saint-Genis-du-Bois (33) 230 B4
Saint-Genis-l'Argentière (69) 205 H2
Saint-Genis-Laval (69) 206 A3
Saint-Genis-les-Ollières (69) 205 K2
Saint-Genis-Pouilly (01) 190 E1
Saint-Genis-sur-Menthon (01) . . . 188 C1
Saint-Genix-sur-Guiers (73) 207 J4
Saint-Genou (36) 147 G5
Saint-Genouph (37) 127 H5
Saint-Geoire-en-Valdaine (38) . . . 207 J5
Saint-Geoirs (38) 223 J1
Saint-Georges (15) 218 E6
Saint-Georges (16) 179 H5
Saint-Georges (32) 268 B5
Saint-Georges (47) 248 E1
Saint-Georges (57) 67 H5
Saint-Georges (62) 9 J2
Saint-Georges (82) 250 C4
Saint-Georges-Antignac (17) 195 H5
Saint-Georges-Armont (25) 139 F4
Saint-Georges-Blancaneix (24) . . . 231 G1
Saint-Georges-Buttavent (53) 81 F4
Saint-Georges-d'Annebecq (61) . . . 53 K6
Saint-Georges-d'Aunay (14) 53 G1
Saint-Georges-d'Aurac (43) 219 J4
Saint-Georges-de-Baroille (42) . . . 204 D1
Saint-Georges-de-Bohon (50) 31 F1
Saint-Georges-de-Chesné (35) . . . 80 A4
Saint-Georges-de-Commiers (38) . . 224 A5
Saint-Georges-de-Didonne (17) . . . 194 C3
Saint-Georges-de-Gréhaigne (35) . . 51 H4
Saint-Georges-de-la-Couée (72) . . . 107 H5
Saint-Georges-de-la-Rivière (50) . . 28 B6
Saint-Georges-de-Lévéjac (48) . . . 253 J3
Saint-Georges-de-Livoye (50) 52 B4
Saint-Georges-de-
  Longuepierre (17) 178 B3
Saint-Georges-de-Luzençon (12) . . 253 F6
Saint-Georges-de-Mons (63) 184 C6
Saint-Georges-de-Montaigu (85) . . 142 A4
Saint-Georges-de-Montclard (24) . . 231 K1
Saint-Georges-de-Noisné (79) . . . 161 K4
Saint-Georges-de-
  Pointindoux (85) 159 G2
Saint-Georges-de-Poisieux (18) . . . 167 G2
Saint-Georges-de-
  Reintembault (35) 80 A1
Saint-Georges-de-Reneins (69) . . . 188 B4
Saint-Georges-de-Rex (79) 177 J1
Saint-Georges-de-Rouelley (50) . . . 53 F6
Saint-Georges-d'Elle (50) 31 J3
Saint-Georges-des-Agoûts (17) . . . 211 G1
Saint-Georges-des-Coteaux (17) . . 195 F2
Saint-Georges-des-Gardes (49) . . . 143 G1
Saint-Georges-des-
  Groseillers (61) 53 H4
Saint-Georges-des-Hurtières (73) . . 209 F5
Saint-Georges-des-
  Sept-Voies (49) 125 J5
Saint-Georges-d'Espéranche (38) . . 206 D4
Saint-Georges-d'Oléron (17) 176 B4
Saint-Georges-d'Orques (34) 274 B6
Saint-Georges-du-Bois (17) 177 H3
Saint-Georges-du-Bois (49) 125 K3
Saint-Georges-du-Bois (72) 106 D3
Saint-Georges-du-Mesnil (27) . . . 34 C4
Saint-Georges-du-Rosay (72) 83 G6
Saint-Georges-du-Vièvre (27) 34 D4
Saint-Georges-en-Auge (14) 54 D1
Saint-Georges-en-Couzan (42) . . . 204 B3
Saint-Georges-Haute-Ville (42) . . . 204 D5
Saint-Georges-la-Pouge (23) 182 E5
Saint-Georges-Lagricol (43) 220 C2
Saint-Georges-le-Fléchard (53) . . . 105 H2
Saint-Georges-le-Gaultier (72) . . . 82 B4
Saint-Georges-lès-
  Baillargeaux (86) 163 F2
Saint-Georges-les-Bains (07) 240 B2
Saint-Georges-les-Landes (87) . . . 164 E6
Saint-Georges-Montcocq (50) 31 H3
Saint-Georges-Motel (27) 57 F4
Saint-Georges-Nigremont (23) . . . 201 F1
Saint-Georges-sur-Allier (63) 202 E3
Saint-Georges-sur-Arnon (36) . . . 148 D4
Saint-Georges-sur-Baulche (89) . . . 113 F5
Saint-Georges-sur-Cher (41) 128 C5
Saint-Georges-sur-Erve (53) 81 K6
Saint-Georges-sur-Eure (28) 85 F3
Saint-Georges-sur-Fontaine (76) . . 16 A6
Saint-Georges-sur-la-Prée (18) . . . 148 C1
Saint-Georges-sur-l'Aa (59) 3 F2
Saint-Georges-sur-Layon (49) 143 K1
Saint-Georges-sur-Loire (49) 124 E4

Saint-Georges-sur-Moulon (18) . . . 149 G1
Saint-Georges-sur-Renon (01) . . . 188 C3
Saint-Geours-d'Auribat (40) 264 D4
Saint-Geours-de-Maremne (40) . . . 262 D4
Saint-Gérand (56) 76 A6
Saint-Gérand-de-Vaux (03) 169 F6
Saint-Gérand-le-Puy (03) 185 K2
Saint-Géraud (47) 230 E5
Saint-Géraud-de-Corps (24) 213 F6
Saint-Géréon (44) 124 A4
Saint-Germain (07) 239 H6
Saint-Germain (10) 90 A5
Saint-Germain (54) 94 C2
Saint-Germain (70) 118 C5
Saint-Germain (86) 164 A3
Saint-Germain-au-Mont-d'Or (69) . . 188 C6
Saint-Germain-Beaupré (23) 182 A1
Saint-Germain-Chassenay (58) . . . 169 F1
Saint-Germain-d'Anxure (53) 81 F5
Saint-Germain-d'Arcé (72) 126 E1
Saint-Germain-d'Aunay (61) 55 G2
Saint-Germain-de-Belvès (24) 232 D3
Saint-Germain-de-Calberte (48) . . . 254 E4
Saint-Germain-de-
  Clairefeuille (61) 54 E5
Saint-Germain-de-Confolens (16) . . 180 B4
Saint-Germain-de-Coulamer (53) . . 82 A5
Saint-Germain-de-Fresney (27) . . . 56 E4
Saint-Germain-de-Grave (33) 230 A5
Saint-Germain-de-Joux (01) 190 B2
Saint-Germain-de-la-Coudre (61) . . 83 H5
Saint-Germain-de-la-Grange (78) . . 58 A4
Saint-Germain-de-la-Rivière (33) . . 211 K6
Saint-Germain-de-Livet (14) 33 K6
Saint-Germain-de-
  Longue-Chaume (79) 161 J1
Saint-Germain-de-Lusignan (17) . . 195 H6
Saint-Germain-de-
  Marencennes (17) 177 G3
Saint-Germain-de-Martigny (61) . . 83 G1
Saint-Germain-de-Modéon (21) . . . 134 B5
Saint-Germain-de-Montbron (16) . . 197 G4
Saint-Germain-de-
  Montgommery (14) 54 E2
Saint-Germain-de-Pasquier (27) . . . 35 G4
Saint-Germain-de-Prinçay (85) . . . 160 C1
Saint-Germain-de-Salles (03) 185 G3
Saint-Germain-de-Tallevende-
  la-Lande-Vaumont (14) 52 E4
Saint-Germain-de-Tournebut (50) . . 28 E4
Saint-Germain-de-Varreville (50) . . 29 G5
Saint-Germain-de-Vibrac (17) 195 K6
Saint-Germain-d'Ectot (14) 32 B5
Saint-Germain-d'Elle (50) 31 J3
Saint-Germain-des-Angles (27) . . . 35 J6
Saint-Germain-des-Bois (18) 149 H5
Saint-Germain-des-Bois (58) 133 F5
Saint-Germain-des-Champs (89) . . . 133 K4
Saint-Germain-des-Essourts (76) . . 16 B6
Saint-Germain-des-Fossés (03) . . . 185 J2
Saint-Germain-des-Grois (61) 84 A3
Saint-Germain-des-Prés (24) 214 D2
Saint-Germain-des-Prés (45) 111 K3
Saint-Germain-des-Prés (49) 124 D4
Saint-Germain-des-Prés (81) 289 J1
Saint-Germain-des-Vaux (50) 28 A1
Saint-Germain-d'Esteuil (33) 210 E2
Saint-Germain-d'Étables (76) 16 A2
Saint-Germain-du-Bel-Air (46) . . . 233 H5
Saint-Germain-du-Bois (71) 172 D1
Saint-Germain-du-Corbéis (61) . . . 82 C3
Saint-Germain-du-Crioult (14) . . . 53 G4
Saint-Germain-du-Pert (14) 29 H6
Saint-Germain-du-Pinel (35) 104 B2
Saint-Germain-du-Plain (71) 172 A1
Saint-Germain-du-Puch (33) 229 K2
Saint-Germain-du-Puy (18) 149 H3
Saint-Germain-du-Salembre (24) . . 213 H4
Saint-Germain-du-Seudre (17) . . . 195 F5
Saint-Germain-du-Teil (48) 253 H1
Saint-Germain-en-Brionnais (71) . . 170 D6
Saint-Germain-en-Coglès (35) 80 A3
Saint-Germain-en-Laye (78) 58 C3
Saint-Germain-en-Montagne (39) . . 156 B6
Saint-Germain-et-Mons (24) 231 J2
Saint-Germain-la-
  Blanche-Herbe (14) 32 D5
Saint-Germain-la-Campagne (27) . . 55 G1
Saint-Germain-la-Chambotte (73) . . 208 B1
Saint-Germain-la-Montagne (42) . . 187 H2
Saint-Germain-la-Poterie (60) 37 G2
Saint-Germain-la-Ville (51) 62 E3
Saint-Germain-l'Aiguiller (85) 160 D1
Saint-Germain-Langot (14) 53 K2
Saint-Germain-Laprade (43) 220 D4
Saint-Germain-Laval (42) 204 C1
Saint-Germain-Laval (77) 88 A3
Saint-Germain-Lavolps (19) 200 E4
Saint-Germain-Laxis (77) 87 H1
Saint-Germain-le-Châtelet (90) . . . 119 J5
Saint-Germain-le-Fouilloux (53) . . . 80 E6
Saint-Germain-le-Gaillard (28) . . . 84 E3
Saint-Germain-le-Gaillard (50) . . . 28 A4
Saint-Germain-le-Guillaume (53) . . 80 E5
Saint-Germain-le-Rocheux (21) . . . 115 G6
Saint-Germain-le-Vasson (14) 53 K1
Saint-Germain-le-Vieux (61) 55 F6
Saint-Germain-Lembron (63) 202 D6
Saint-Germain-lès-Arlay (39) 155 H6
Saint-Germain-lès-Arpajon (91) . . . 86 D1
Saint-Germain-lès-Belles (87) 199 H4
Saint-Germain-lès-Buxy (71) 171 J1
Saint-Germain-lès-Corbeil (91) . . . 59 F6
Saint-Germain-lès-Paroisses (01) . . 207 J1
Saint-Germain-lès-Senailly (21) . . . 134 D2
Saint-Germain-les-Vergnes (19) . . . 215 K2

Saint-Germain-Lespinasse (42) . . . 186 D3
Saint-Germain-l'Herm (63) 203 H6
Saint-Germain-près-Herment (63) . . 201 H3
Saint-Germain-Source-Seine (21) . . 135 H3
Saint-Germain-sous-Cailly (76) . . . 16 A6
Saint-Germain-sous-Doue (77) . . . 60 C3
Saint-Germain-sur-Avre (27) 56 E4
Saint-Germain-sur-Ay (50) 30 C1
Saint-Germain-sur-Bresle (80) . . . 17 F3
Saint-Germain-sur-Corps (24) 213 F6
Saint-Germain-sur-Eaulne (76) . . . 16 D3
Saint-Germain-sur-Ecole (77) 87 G2
Saint-Germain-sur-Ille (35) 79 G2
Saint-Germain-sur-l'Arbresle (69) . . 205 J1
Saint-Germain-sur-Meuse (55) . . . 65 F5
Saint-Germain-sur-Moine (49) . . . 142 C2
Saint-Germain-sur-Renon (01) . . . 188 C3
Saint-Germain-sur-Rhône (74) . . . 190 C3
Saint-Germain-sur-Sarthe (72) . . . 82 D5
Saint-Germain-sur-Sèves (50) 30 E2
Saint-Germain-sur-Vienne (37) . . . 144 E1
Saint-Germain-Village (27) 34 C3
Saint-Germainmont (08) 41 G1
Saint-Germé (32) 266 A5
Saint-Germer-de-Fly (60) 36 E3
Saint-Germier (31) 288 E2
Saint-Germier (32) 268 B5
Saint-Germier (79) 162 B4
Saint-Germier (81) 270 E5
Saint-Géron (43) 219 G2
Saint-Gérons (15) 235 F1
Saint-Gervais (30) 256 C4
Saint-Gervais (33) 211 J5
Saint-Gervais (38) 223 J3
Saint-Gervais (85) 140 D4
Saint-Gervais (95) 36 E5
Saint-Gervais-d'Auvergne (63) . . . 184 C4
Saint-Gervais-de-Vic (72) 107 K4
Saint-Gervais-des-Sablons (61) . . . 54 D3
Saint-Gervais-du-Perron (61) 82 D1
Saint-Gervais-en-Belin (72) 106 E4
Saint-Gervais-en-Vallière (71) . . . 154 B4
Saint-Gervais-la-Forêt (41) 129 F2
Saint-Gervais-les-Bains (74) 192 B5
Saint-Gervais-les-
  Trois-Clochers (86) 145 H5
Saint-Gervais-sous-
  Meymont (63) 203 J3
Saint-Gervais-sur-Couches (71) . . . 153 H4
Saint-Gervais-sur-Mare (34) 272 D6
Saint-Gervais-sur-Roubion (26) . . . 240 C5
Saint-Gervasy (30) 275 H4
Saint-Gervazy (63) 219 F1
Saint-Géry (24) 213 G6
Saint-Géry (46) 250 B1
Saint-Geyrac (24) 214 C5
Saint-Gibrien (51) 62 C2
Saint-Gildas (22) 76 E1
Saint-Gildas-de-Rhuys (56) 120 E2
Saint-Gildas-des-Bois (44) 102 C6
Saint-Gilles (30) 275 H5
Saint-Gilles (35) 78 E3
Saint-Gilles (50) 31 G3
Saint-Gilles (51) 40 B4
Saint-Gilles (71) 153 J5
Saint-Gilles-Croix-de-Vie (85) . . . 158 D1
Saint-Gilles-de-Crétot (76) 15 F6
Saint-Gilles-de-la-Neuville (76) . . . 14 D6
Saint-Gilles-des-Marais (61) 53 F6
Saint-Gilles-du-Mené (22) 77 J3
Saint-Gilles-les-Bois (22) 48 D4
Saint-Gilles-les-Forêts (87) 199 K4
Saint-Gilles-Pligeaux (22) 76 D2
Saint-Gilles-Vieux-Marché (22) . . . 76 E3
Saint-Gineis-en-Coiron (07) 239 J5
Saint-Gingolph (74) 175 J5
Saint-Girod (73) 208 C1
Saint-Girons (09) 306 D3
Saint-Girons (64) 264 D6
Saint-Girons-d'Aiguevives (33) . . . 211 H4
Saint-Gladie-Arrive-Munein (64) . . 283 H3
Saint-Glen (22) 77 J2
Saint-Goazec (29) 75 G4
Saint-Gobain (02) 20 B6
Saint-Gobert (02) 20 E3
Saint-Goin (64) 283 K5
Saint-Gondon (45) 131 G1
Saint-Gondran (35) 78 E2
Saint-Gonlay (35) 78 C4
Saint-Gonnery (56) 77 F5
Saint-Gor (40) 246 C6
Saint-Gorgon (56) 102 A4
Saint-Gorgon (88) 95 F3
Saint-Gorgon-Main (25) 156 E3
Saint-Gouéno (22) 77 H3
Saint-Gourgon (41) 128 B1
Saint-Gourson (16) 179 H5
Saint-Goussaud (23) 182 A4
Saint-Gratien (80) 18 C1
Saint-Gratien (95) 58 D2
Saint-Gratien-Savigny (58) 151 J5
Saint-Gravé (56) 102 A3
Saint-Grégoire (35) 79 G4
Saint-Grégoire (81) 271 F2
Saint-Grégoire-d'Ardennes (17) . . . 195 H6
Saint-Grégoire-du-Vièvre (27) . . . 34 D4
Saint-Griède (32) 266 B4
Saint-Groux (16) 179 G6
Saint-Guen (22) 76 E4
Saint-Guilhem-le-Désert (34) 273 J5
Saint-Guillaume (38) 223 K6
Saint-Guinoux (35) 50 E4
Saint-Guiraud (34) 273 H5
Saint-Guyomard (56) 101 H4
Saint-Haon (43) 238 B2

Saint-Haon-le-Châtel (42) 186 D4
Saint-Haon-le-Vieux (42) 186 D4
Saint-Héand (42) 205 G5
Saint-Hélen (22) 50 D5
Saint-Hélier (21) 135 G4
Saint-Hellier (76) 16 A4
Saint-Herblain (44) 123 F4
Saint-Herblon (44) 124 B4
Saint-Hérent (63) 202 E6
Saint-Hernin (29) 75 H3
Saint-Hervé (22) 77 F3
Saint-Hilaire (03) 168 B4
Saint-Hilaire (11) 309 F1
Saint-Hilaire (25) 138 C4
Saint-Hilaire (31) 288 A3
Saint-Hilaire (38) 224 C1
Saint-Hilaire (43) 219 H1
Saint-Hilaire (46) 234 E3
Saint-Hilaire (63) 184 A4
Saint-Hilaire (91) 86 C3
Saint-Hilaire-au-Temple (51) 62 D1
Saint-Hilaire-Bonneval (87) 199 G3
Saint-Hilaire-Cottes (62) 5 H5
Saint-Hilaire-Cusson-la-
  Valmitte (42) 220 D1
Saint-Hilaire-de-Beauvoir (34) . . . 274 D4
Saint-Hilaire-de-Brens (38) 207 F3
Saint-Hilaire-de-Brethmas (30) . . . 255 H6
Saint-Hilaire-de-Briouze (61) 53 K5
Saint-Hilaire-de-Chaléons (44) . . . 122 D5
Saint-Hilaire-de-Clisson (44) 142 A2
Saint-Hilaire-de-Court (18) 148 D1
Saint-Hilaire-de-Gondilly (18) . . . 150 B3
Saint-Hilaire-de-la-Côte (38) 207 F6
Saint-Hilaire-de-la-Noaille (33) . . . 230 D5
Saint-Hilaire-de-Lavit (48) 254 E4
Saint-Hilaire-de-Loulay (85) 142 A3
Saint-Hilaire-de-Lusignan (47) . . . 248 A4
Saint-Hilaire-de-Riez (85) 158 D2
Saint-Hilaire-de-Villefranche (17) . . 177 K6
Saint-Hilaire-de-Voust (85) 161 F3
Saint-Hilaire-des-Landes (35) 79 K1
Saint-Hilaire-des-Loges (85) 161 F4
Saint-Hilaire-d'Estissac (24) 213 J6
Saint-Hilaire-d'Ozilhan (30) 275 K1
Saint-Hilaire-du-Bois (17) 195 H6
Saint-Hilaire-du-Bois (33) 230 C4
Saint-Hilaire-du-Harcouët (50) . . . 52 C6
Saint-Hilaire-du-Maine (53) 80 D5
Saint-Hilaire-du-Rosier (38) 223 F4
Saint-Hilaire-en-Lignières (18) . . . 166 D1
Saint-Hilaire-en-Morvan (58) 152 B3
Saint-Hilaire-en-Woëvre (55) 44 B6
Saint-Hilaire-Foissac (19) 216 E2
Saint-Hilaire-Fontaine (58) 169 H1
Saint-Hilaire-la-Croix (63) 184 E4
Saint-Hilaire-la-Forêt (85) 159 G4
Saint-Hilaire-la-Gérard (61) 54 D6
Saint-Hilaire-la-Gravelle (41) 108 D4
Saint-Hilaire-la-Palud (79) 177 H1
Saint-Hilaire-la-Plaine (23) 182 E3
Saint-Hilaire-la-Treille (87) 181 H2
Saint-Hilaire-le-Château (23) 182 D5
Saint-Hilaire-le-Châtel (61) 83 H1
Saint-Hilaire-le-Grand (51) 41 K5
Saint-Hilaire-le-Lierru (72) 107 H1
Saint-Hilaire-le-Petit (51) 41 J4
Saint-Hilaire-le-Vouhis (85) 160 B1
Saint-Hilaire-les-Andrésis (45) . . . 112 B2
Saint-Hilaire-les-Courbes (19) . . . 200 A4
Saint-Hilaire-les-Monges (63) 201 J1
Saint-Hilaire-les-Places (87) 198 E4
Saint-Hilaire-lez-Cambrai (59) . . . 12 C4
Saint-Hilaire-Luc (19) 217 F1
Saint-Hilaire-Petitville (50) 31 G1
Saint-Hilaire-Peyroux (19) 215 K3
Saint-Hilaire-Saint-Mesmin (45) . . 109 K4
Saint-Hilaire-sous-Charlieu (42) . . 187 G3
Saint-Hilaire-sous-Romilly (10) . . . 89 G2
Saint-Hilaire-sur-Benaize (36) . . . 164 C3
Saint-Hilaire-sur-Erre (61) 83 K4
Saint-Hilaire-sur-Helpe (59) 13 G4
Saint-Hilaire-sur-Puiseaux (45) . . . 111 H4
Saint-Hilaire-sur-Risle (61) 55 H5
Saint-Hilaire-sur-Yerre (28) 108 E2
Saint-Hilaire-Taurieux (19) 216 B5
Saint-Hilarion (78) 57 J6
Saint-Hilliers (77) 60 D6
Saint-Hippolyte (12) 235 K4
Saint-Hippolyte (15) 218 A3
Saint-Hippolyte (17) 177 F5
Saint-Hippolyte (25) 139 H4
Saint-Hippolyte (33) 230 B2
Saint-Hippolyte (37) 146 E3
Saint-Hippolyte (66) 310 C5
Saint-Hippolyte (68) 96 C2
Saint-Hippolyte-de-Caton (30) . . . 255 J6
Saint-Hippolyte-de-Montaigu (30) . 275 J1
Saint-Hippolyte-du-Fort (30) 274 B2
Saint-Hippolyte-le-Graveyron (84) . 257 H5
Saint-Honoré (38) 224 B6
Saint-Honoré (76) 16 A3
Saint-Honoré-les-Bains (58) 152 A5
Saint-Hostien (43) 220 D5
Saint-Hubert (57) 45 G4
Saint-Huruge (71) 171 G3
Saint-Hymer (14) 33 K4
Saint-Hymetière (39) 173 G5
Saint-Igeaux (22) 76 C3
Saint-Igest (12) 251 G2
Saint-Ignan (31) 286 D6
Saint-Ignat (63) 185 H6
Saint-Igny-de-Roche (71) 187 H2
Saint-Igny-de-Vers (69) 187 J2
Saint-Illide (15) 217 G5
Saint-Illiers-la-Ville (78) 57 G2

395

Saint-Illiers-le-Bois (78) 57 G2
Saint-Ilpize (43) 219 H3
Saint-Imoges (51) 40 E6
Saint-Inglevert (62) 2 B3
Saint-Ismier (38) 224 B2
Saint-Izaire (12) 271 K2
Saint-Jacques (04) 279 H1
Saint-Jacques-d'Aliermont (76) 16 B2
Saint-Jacques-d'Ambur (63) 184 C6
Saint-Jacques-d'Atticieux (07) 221 K1
Saint-Jacques-de-la-Lande (35) 79 F5
Saint-Jacques-de-Néhou (50) 28 C5
Saint-Jacques-de-Thouars (79) 144 B4
Saint-Jacques-des-Arrêts (69) 188 A1
Saint-Jacques-des-Blats (15) 218 A5
Saint-Jacques-des-Guérets (41) 107 K5
Saint-Jacques-en-Valgodemard (05) 242 E2
Saint-Jacques-sur-Darnétal (76) 35 J2
Saint-Jacut-de-la-Mer (22) 50 B3
Saint-Jacut-du-Mené (22) 77 J3
Saint-Jacut-les-Pins (56) 102 A3
Saint-Jal (19) 215 K1
Saint-James (50) 51 K5
Saint-Jammes (64) 284 E3
Saint-Jans-Cappel (59) 6 A2
Saint-Jean (31) 269 H5
Saint-Jean-aux-Amognes (58) 151 F4
Saint-Jean-aux-Bois (08) 21 K4
Saint-Jean-aux-Bois (60) 38 E3
Saint-Jean-Bonnefonds (42) 205 G6
Saint-Jean-Brévelay (56) 101 G3
Saint-Jean-Cap-Ferrat (06) 281 H4
Saint-Jean-Chambre (07) 239 J1
Saint-Jean-d'Aigues-Vives (09) 308 B3
Saint-Jean-d'Alcapiès (12) 272 C2
Saint-Jean-d'Angély (17) 177 K5
Saint-Jean-d'Angle (17) 194 D1
Saint-Jean-d'Ardières (69) 188 B3
Saint-Jean-d'Arves (73) 225 G2
Saint-Jean-d'Arvey (73) 208 C4
Saint-Jean-d'Assé (72) 82 D6
Saint-Jean-d'Ataux (24) 213 H4
Saint-Jean-d'Aubrigoux (43) 220 B1
Saint-Jean-d'Aulps (74) 192 A1
Saint-Jean-d'Avelanne (38) 207 K5
Saint-Jean-de-Barrou (11) 310 B3
Saint-Jean-de-Bassel (57) 67 H3
Saint-Jean-de-Beauregard (91) 58 C6
Saint-Jean-de-Belleville (73) 209 H5
Saint-Jean-de-Beugné (85) 160 B3
Saint-Jean-de-Blaignac (33) 230 B2
Saint-Jean-de-Bœuf (21) 153 K1
Saint-Jean-de-Boiseau (44) 123 F4
Saint-Jean-de-Bonneval (10) 90 A6
Saint-Jean-de-Bournay (38) 206 D5
Saint-Jean-de-Braye (45) 110 B4
Saint-Jean-de-Buèges (34) 273 K3
Saint-Jean-de-Ceyrargues (30) 255 J6
Saint-Jean-de-Chevelu (73) 208 A2
Saint-Jean-de-Côle (24) 198 B6
Saint-Jean-de-Cornies (34) 274 D4
Saint-Jean-de-Couz (73) 208 A5
Saint-Jean-de-Crieulon (30) 274 D2
Saint-Jean-de-Cuculles (34) 274 B4
Saint-Jean-de-Daye (50) 31 H2
Saint-Jean-de-Duras (47) 231 F4
Saint-Jean-de-Folleville (76) 14 E6
Saint-Jean-de-Fos (34) 273 J5
Saint-Jean-de-Gonville (01) 190 D1
Saint-Jean-de-la-Blaquière (34) 273 H5
Saint-Jean-de-la-Croix (49) 125 G4
Saint-Jean-de-la-Forêt (61) 83 J4
Saint-Jean-de-la-Haize (50) 51 K3
Saint-Jean-de-la-Léqueraye (27) 34 C4
Saint-Jean-de-la-Motte (72) 106 C6
Saint-Jean-de-la-Neuville (76) 14 D6
Saint-Jean-de-la-Porte (73) 208 D4
Saint-Jean-de-la-Rivière (50) 28 B5
Saint-Jean-de-la-Ruelle (45) 110 A4
Saint-Jean-de-Laur (46) 250 E2
Saint-Jean-de-Lier (40) 264 D3
Saint-Jean-de-Linières (49) 125 F3
Saint-Jean-de-Liversay (17) 177 G1
Saint-Jean-de-Livet (14) 33 K6
Saint-Jean-de-Losne (21) 154 E2
Saint-Jean-de-Luz (64) 263 B1
Saint-Jean-de-Marcel (81) 251 J6
Saint-Jean-de-Marsacq (40) 262 D5
Saint-Jean-de-Maruéjols-et-Avéjan (30) 255 J4
Saint-Jean-de-Maurienne (73) 225 G2
Saint-Jean-de-Minervois (34) 291 G3
Saint-Jean-de-Moirans (38) 223 J1
Saint-Jean-de-Monts (85) 140 D5
Saint-Jean-de-Muzols (07) 222 B5
Saint-Jean-de-Nay (43) 220 A5
Saint-Jean-de-Niost (01) 206 E1
Saint-Jean-de-Paracol (11) 308 D3
Saint-Jean-de-Rebervilliers (28) 84 E1
Saint-Jean-de-Rives (81) 270 A5
Saint-Jean-de-Sauves (86) 144 E5
Saint-Jean-de-Savigny (50) 31 J2
Saint-Jean-de-Serres (30) 274 D1
Saint-Jean-de-Sixt (74) 191 J5
Saint-Jean-de-Soudain (38) 207 G4
Saint-Jean-de-Tholome (74) 191 H3
Saint-Jean-de-Thouars (79) 144 B4
Saint-Jean-de-Thurac (47) 248 C5
Saint-Jean-de-Thurigneux (01) 188 D5
Saint-Jean-de-Touslas (69) 205 J4
Saint-Jean-de-Trézy (71) 153 H6
Saint-Jean-de-Valériscle (30) 255 H4
Saint-Jean-de-Vals (81) 271 F5
Saint-Jean-de-Vaulx (38) 224 B5
Saint-Jean-de-Vaux (71) 153 J6
Saint-Jean-de-Védas (34) 293 G1
Saint-Jean-de-Verges (09) 307 J2
Saint-Jean-Delnous (12) 271 H1
Saint-Jean-des-Baisants (50) 31 J3
Saint-Jean-des-Bois (61) 53 F5
Saint-Jean-des-Champs (50) 51 J1
Saint-Jean-des-Échelles (72) 107 J1
Saint-Jean-des-Essartiers (14) 31 K4
Saint-Jean-des-Mauvrets (49) 125 H4
Saint-Jean-des-Ollières (63) 203 G4
Saint-Jean-des-Vignes (69) 188 B6
Saint-Jean-d'Estissac (24) 213 J5
Saint-Jean-d'Étreux (39) 172 E5
Saint-Jean-devant-Possesse (51) 63 H3
Saint-Jean-d'Eyraud (24) 213 H6
Saint-Jean-d'Hérans (38) 242 B1
Saint-Jean-d'Heurs (63) 203 G1
Saint-Jean-d'Illac (33) 229 F2
Saint-Jean-d'Ormont (88) 95 J3
Saint-Jean-du-Bois (72) 106 B4
Saint-Jean-du-Bouzet (82) 268 B1
Saint-Jean-du-Bruel (12) 273 G1
Saint-Jean-du-Cardonnay (76) 35 H1
Saint-Jean-du-Castillonnais (09) 306 B3
Saint-Jean-du-Corail (50) 52 D6
Saint-Jean-du-Corail-des-Bois (50) 52 B4
Saint-Jean-du-Doigt (29) 47 G3
Saint-Jean-du-Falga (09) 307 J1
Saint-Jean-du-Gard (30) 254 E6
Saint-Jean-du-Pin (30) 255 G5
Saint-Jean-du-Thenney (27) 55 G1
Saint-Jean-en-Royans (26) 223 G5
Saint-Jean-en-Val (63) 203 F5
Saint-Jean-et-Saint-Paul (12) 272 C2
Saint-Jean-Froidmentel (41) 108 D3
Saint-Jean-Kerdaniel (22) 48 D5
Saint-Jean-Kourtzerode (57) 70 A1
Saint-Jean-la-Bussière (69) 187 H5
Saint-Jean-la-Fouillouse (48) 238 A4
Saint-Jean-la-Poterie (56) 102 B4
Saint-Jean-la-Vêtre (42) 204 A2
Saint-Jean-Lachalm (43) 238 A1
Saint-Jean-Lagineste (46) 234 B2
Saint-Jean-Lasseille (66) 315 G3
Saint-Jean-le-Blanc (14) 53 G2
Saint-Jean-le-Blanc (45) 110 A4
Saint-Jean-le-Centenier (07) 239 J5
Saint-Jean-le-Comtal (32) 286 C1
Saint-Jean-le-Thomas (50) 51 J2
Saint-Jean-le-Vieux (01) 189 H4
Saint-Jean-le-Vieux (38) 224 C3
Saint-Jean-le-Vieux (64) 282 E5
Saint-Jean-lès-Buzy (55) 44 B5
Saint-Jean-les-Deux-Jumeaux (77) 60 A2
Saint-Jean-lès-Longuyon (54) 43 J1
Saint-Jean-Lespinasse (46) 234 B2
Saint-Jean-Lherm (31) 269 J5
Saint-Jean-Ligoure (87) 199 F3
Saint-Jean-Mirabel (46) 234 E5
Saint-Jean-Pied-de-Port (64) 282 D5
Saint-Jean-Pierre-Fixte (28) 84 A5
Saint-Jean-Pla-de-Corts (66) 315 F4
Saint-Jean-Poudge (64) 284 E1
Saint-Jean-Poutge (32) 267 F5
Saint-Jean-Rohrbach (57) 68 B4
Saint-Jean-Roure (07) 239 H1
Saint-Jean-Saint-Germain (37) 146 D3
Saint-Jean-Saint-Gervais (63) 219 G1
Saint-Jean-Saint-Maurice-sur-Loire (42) 186 E5
Saint-Jean-Saint-Nicolas (05) 243 G4
Saint-Jean-Saverne (67) 70 B1
Saint-Jean-Soleymieux (42) 204 C5
Saint-Jean-sur-Couesnon (35) 79 K2
Saint-Jean-sur-Erve (53) 105 J2
Saint-Jean-sur-Mayenne (53) 81 F6
Saint-Jean-sur-Moivre (51) 63 F3
Saint-Jean-sur-Reyssouze (01) 172 B5
Saint-Jean-sur-Tourbe (51) 42 B5
Saint-Jean-sur-Veyle (01) 188 D1
Saint-Jean-sur-Vilaine (35) 79 K4
Saint-Jean-Trolimon (29) 98 B3
Saint-Jeannet (04) 278 E1
Saint-Jeannet (06) 281 F3
Saint-Jeanvrin (18) 166 D3
Saint-Jeoire (74) 191 J2
Saint-Jeoire-Prieuré (73) 208 C4
Saint-Jeure-d'Andaure (07) 221 H5
Saint-Jeure-d'Ay (07) 222 A4
Saint-Jeures (43) 221 F5
Saint-Joachim (44) 122 A2
Saint-Jodard (42) 187 F6
Saint-Joire (55) 64 D6
Saint-Jores (50) 30 E1
Saint-Jorioz (74) 191 F6
Saint-Jory (31) 269 G4
Saint-Jory-de-Chalais (24) 198 B5
Saint-Jory-las-Bloux (24) 214 C1
Saint-Joseph (42) 205 J4
Saint-Joseph (50) 28 D3
Saint-Joseph-de-Rivière (38) 207 K6
Saint-Joseph-des-Bancs (07) 239 H3
Saint-Josse (62) 4 B6
Saint-Jouan-de-l'Isle (22) 78 B2
Saint-Jouan-des-Guérets (35) 50 D4
Saint-Jouin (14) 33 H4
Saint-Jouin-Bruneval (76) 14 B5
Saint-Jouin-de-Blavou (61) 83 G3
Saint-Jouin-de-Marnes (79) 144 C5
Saint-Jouin-de-Milly (79) 161 F1
Saint-Jouvent (87) 181 G5
Saint-Juan (25) 138 D5
Saint-Judoce (22) 78 D1
Saint-Juéry (12) 271 K2
Saint-Juéry (48) 236 E2
Saint-Juéry (81) 270 E2
Saint-Juire-Champgillon (85) 160 B3
Saint-Julia (31) 289 G2
Saint-Julia-de-Bec (11) 309 F4
Saint-Julien (21) 136 B4
Saint-Julien (22) 77 F1
Saint-Julien (31) 287 J5
Saint-Julien (34) 291 H1
Saint-Julien (39) 173 F5
Saint-Julien (69) 188 A4
Saint-Julien (83) 278 C4
Saint-Julien (88) 117 J2
Saint-Julien-aux-Bois (19) 216 E4
Saint-Julien-Beychevelle (33) 211 F3
Saint-Julien-Boutières (07) 221 G6
Saint-Julien-Chapteuil (43) 220 E5
Saint-Julien-d'Ance (43) 220 C2
Saint-Julien-d'Armagnac (40) 266 A1
Saint-Julien-d'Arpaon (48) 254 C3
Saint-Julien-d'Asse (04) 278 E2
Saint-Julien-de-Bourdeilles (24) 213 J1
Saint-Julien-de-Briola (11) 289 G6
Saint-Julien-de-Cassagnas (30) 255 H4
Saint-Julien-de-Chédon (41) 128 D5
Saint-Julien-de-Civry (71) 170 D6
Saint-Julien-de-Concelles (44) 123 J3
Saint-Julien-de-Coppel (63) 203 F3
Saint-Julien-de-Crempse (24) 231 J1
Saint-Julien-de-Gras-Capou (09) 308 B2
Saint-Julien-de-Jonzy (71) 187 F2
Saint-Julien-de-la-Liègue (27) 35 K6
Saint-Julien-de-la-Nef (30) 273 K2
Saint-Julien-de-Lampon (24) 233 G2
Saint-Julien-de-l'Escap (17) 177 K5
Saint-Julien-de-l'Herms (38) 206 D6
Saint-Julien-de-Mailloc (14) 34 A6
Saint-Julien-de-Peyrolas (30) 256 B3
Saint-Julien-de-Raz (38) 223 K1
Saint-Julien-de-Toursac (15) 235 F3
Saint-Julien-de-Vouvantes (44) 124 A1
Saint-Julien-des-Chazes (43) 219 K5
Saint-Julien-des-Landes (85) 159 F2
Saint-Julien-des-Points (48) 255 F4
Saint-Julien-d'Eymet (24) 231 H3
Saint-Julien-d'Oddes (42) 204 C1
Saint-Julien-du-Gua (07) 239 H3
Saint-Julien-du-Pinet (43) 220 D4
Saint-Julien-du-Puy (81) 270 D4
Saint-Julien-du-Sault (89) 112 D2
Saint-Julien-du-Serre (07) 239 H4
Saint-Julien-du-Terroux (53) 81 J2
Saint-Julien-du-Tournel (48) 254 C1
Saint-Julien-du-Verdon (04) 279 K1
Saint-Julien-en-Beauchêne (05) 242 A4
Saint-Julien-en-Born (40) 244 C6
Saint-Julien-en-Champsaur (05) 243 F4
Saint-Julien-en-Genevois (74) 190 E2
Saint-Julien-en-Quint (26) 241 G2
Saint-Julien-en-Saint-Alban (07) 240 A3
Saint-Julien-en-Vercors (26) 223 H5
Saint-Julien-Gaulène (81) 271 G1
Saint-Julien-la-Geneste (63) 184 B4
Saint-Julien-la-Genête (23) 183 K3
Saint-Julien-la-Vêtre (42) 204 A1
Saint-Julien-Labrousse (07) 239 J1
Saint-Julien-l'Ars (86) 163 G3
Saint-Julien-le-Châtel (23) 183 H3
Saint-Julien-le-Faucon (14) 33 J6
Saint-Julien-le-Pèlerin (19) 216 E6
Saint-Julien-le-Petit (87) 199 K1
Saint-Julien-le-Roux (07) 240 A2
Saint-Julien-le-Vendômois (19) 199 F6
Saint-Julien-lès-Gorze (54) 65 H1
Saint-Julien-lès-Metz (57) 45 F5
Saint-Julien-lès-Montbéliard (25) 139 G2
Saint-Julien-les-Rosiers (30) 255 H5
Saint-Julien-lès-Russey (25) 139 G6
Saint-Julien-les-Villas (10) 90 B5
Saint-Julien-Maumont (19) 216 A5
Saint-Julien-Molhesabate (43) 221 H3
Saint-Julien-Molin-Molette (42) 221 K2
Saint-Julien-Mont-Denis (73) 225 H2
Saint-Julien-près-Bort (19) 217 H1
Saint-Julien-Puy-Lavèze (63) 201 K3
Saint-Julien-sous-les-Côtes (55) 65 F3
Saint-Julien-sur-Bibost (69) 205 H1
Saint-Julien-sur-Calonne (14) 33 K3
Saint-Julien-sur-Cher (41) 129 J6
Saint-Julien-sur-Dheune (71) 153 H6
Saint-Julien-sur-Reyssouze (01) 172 C5
Saint-Julien-sur-Sarthe (61) 83 F2
Saint-Julien-sur-Veyle (01) 188 D2
Saint-Julien-Vocance (07) 221 J3
Saint-Junien (87) 180 D6
Saint-Junien-la-Bregère (23) 182 C6
Saint-Junien-les-Combes (87) 181 F4
Saint-Jure (57) 66 A2
Saint-Jurs (04) 279 F2
Saint-Just (01) 189 G2
Saint-Just (07) 256 C3
Saint-Just (15) 237 F2
Saint-Just (18) 149 H4
Saint-Just (24) 213 J2
Saint-Just (27) 36 B6
Saint-Just (34) 274 E6
Saint-Just (35) 102 D3
Saint-Just (63) 204 A6
Saint-Just-Chaleyssin (38) 206 C4
Saint-Just-d'Avray (69) 187 J5
Saint-Just-de-Claix (38) 223 G5
Saint-Just-en-Bas (42) 204 B2
Saint-Just-en-Brie (77) 88 B1
Saint-Just-en-Chaussée (60) 38 A1
Saint-Just-en-Chevalet (42) 186 C6
Saint-Just-et-le-Bézu (11) 309 F4
Saint-Just-et-Vacquières (30) 255 J5
Saint-Just-Ibarre (64) 283 F5
Saint-Just-la-Pendue (42) 187 G6
Saint-Just-le-Martel (87) 199 G1
Saint-Just-Luzac (17) 194 C1
Saint-Just-Malmont (43) 221 G1
Saint-Just-près-Brioude (43) 219 G3
Saint-Just-Saint-Rambert (42) 204 E5
Saint-Just-Sauvage (51) 89 H1
Saint-Just-sur-Dive (49) 144 C1
Saint-Just-sur-Viaur (12) 251 K5
Saint-Justin (32) 285 J2
Saint-Justin (40) 265 K1
Saint-Juvat (22) 78 D1
Saint-Juvin (08) 42 D3
Saint-Lactencin (36) 147 H5
Saint-Lager (69) 188 B3
Saint-Lager-Bressac (07) 240 A4
Saint-Lamain (39) 155 H6
Saint-Lambert (14) 53 H2
Saint-Lambert (78) 58 B5
Saint-Lambert-du-Lattay (49) 125 F5
Saint-Lambert-et-Mont-de-Jeux (08) 42 A1
Saint-Lambert-la-Potherie (49) 125 F3
Saint-Lambert-sur-Dive (61) 54 D4
Saint-Langis-lès-Mortagne (61) 83 H2
Saint-Lanne (65) 266 B6
Saint-Laon (86) 144 D4
Saint-Lary (09) 306 B3
Saint-Lary (32) 267 H5
Saint-Lary-Boujean (31) 286 E5
Saint-Lary-Soulan (65) 304 E4
Saint-Lattier (38) 223 F4
Saint-Launeuc (22) 77 K4
Saint-Laure (63) 185 H6
Saint-Laurent (08) 22 D3
Saint-Laurent (18) 148 E1
Saint-Laurent (22) 48 C4
Saint-Laurent (23) 182 E3
Saint-Laurent (31) 287 F4
Saint-Laurent (47) 247 K4
Saint-Laurent (74) 191 H3
Saint-Laurent-Blangy (62) 11 F2
Saint-Laurent-Bretagne (64) 284 E3
Saint-Laurent-Chabreuges (43) 219 G2
Saint-Laurent-d'Agny (69) 205 K3
Saint-Laurent-d'Aigouze (30) 275 F6
Saint-Laurent-d'Andenay (71) 171 F1
Saint-Laurent-d'Arce (33) 211 J5
Saint-Laurent-de-Belzagot (16) 212 E1
Saint-Laurent-de-Brèvedent (76) 14 C6
Saint-Laurent-de-Carnols (30) 256 B4
Saint-Laurent-de-Cerdans (66) 314 E6
Saint-Laurent-de-Céris (16) 179 K5
Saint-Laurent-de-Chamousset (69) 205 G2
Saint-Laurent-de-Cognac (16) 195 J3
Saint-Laurent-de-Condel (14) 53 J1
Saint-Laurent-de-Cuves (50) 52 C4
Saint-Laurent-de-Gosse (40) 282 D1
Saint-Laurent-de-Jourdes (86) 163 H5
Saint-Laurent-de-la-Barrière (17) 177 H4
Saint-Laurent-de-la-Cabrerisse (11) 309 K1
Saint-Laurent-de-la-Plaine (49) 124 E5
Saint-Laurent-de-la-Prée (17) 176 E4
Saint-Laurent-de-la-Salanque (66) 310 C5
Saint-Laurent-de-la-Salle (85) 160 C3
Saint-Laurent-de-Lévézou (12) 253 F4
Saint-Laurent-de-Lin (37) 126 E3
Saint-Laurent-de-Mure (69) 206 C3
Saint-Laurent-de-Muret (48) 237 F5
Saint-Laurent-de-Neste (65) 305 G1
Saint-Laurent-de-Terregatte (50) 52 A6
Saint-Laurent-de-Trèves (48) 254 C4
Saint-Laurent-de-Vaux (69) 205 J2
Saint-Laurent-de-Veyrès (48) 236 E3
Saint-Laurent-des-Arbres (30) 256 D6
Saint-Laurent-des-Autels (49) 124 A5
Saint-Laurent-des-Bâtons (24) 214 A6
Saint-Laurent-des-Bois (27) 56 E3
Saint-Laurent-des-Bois (41) 109 F5
Saint-Laurent-des-Combes (16) 212 D1
Saint-Laurent-des-Combes (33) 230 B1
Saint-Laurent-des-Hommes (24) 213 F5
Saint-Laurent-des-Mortiers (53) 105 G5
Saint-Laurent-des-Vignes (24) 231 H2
Saint-Laurent-d'Oingt (69) 187 K5
Saint-Laurent-d'Olt (12) 253 G1
Saint-Laurent-d'Onay (26) 222 E3
Saint-Laurent-du-Bois (33) 230 B4
Saint-Laurent-du-Cros (05) 242 E4
Saint-Laurent-du-Mont (14) 33 H5
Saint-Laurent-du-Mottay (49) 124 C5
Saint-Laurent-du-Pape (07) 240 B2
Saint-Laurent-du-Plan (33) 230 B5
Saint-Laurent-du-Pont (38) 207 K6
Saint-Laurent-du-Tencement (27) 55 G3
Saint-Laurent-du-Var (06) 281 G4
Saint-Laurent-du-Verdon (04) 278 E4
Saint-Laurent-en-Beaumont (38) 242 C1
Saint-Laurent-en-Brionnais (71) 187 G1
Saint-Laurent-en-Caux (76) 15 H4
Saint-Laurent-en-Gâtines (37) 127 K2
Saint-Laurent-en-Grandvaux (39) 174 A3
Saint-Laurent-en-Royans (26) 223 G5
Saint-Laurent-la-Conche (42) 204 E3
Saint-Laurent-la-Gâtine (28) 57 G5
Saint-Laurent-la-Roche (39) 173 F3
Saint-Laurent-la-Vallée (24) 232 E3
Saint-Laurent-la-Vernède (30) 256 A5
Saint-Laurent-l'Abbaye (58) 132 A5
Saint-Laurent-le-Minier (30) 273 K2
Saint-Laurent-les-Bains (07) 238 D5
Saint-Laurent-les-Églises (87) 181 K5
Saint-Laurent-les-Tours (46) 234 C2
Saint-Laurent-Lolmie (46) 249 H3
Saint-Laurent-Médoc (33) 210 E4
Saint-Laurent-Nouan (41) 109 H6
Saint-Laurent-Rochefort (42) 204 B2
Saint-Laurent-sous-Coiron (07) 239 J5
Saint-Laurent-sur-Gorre (87) 198 C2
Saint-Laurent-sur-Manoire (24) 214 B4
Saint-Laurent-sur-Mer (14) 29 K6
Saint-Laurent-sur-Othain (55) 43 J2
Saint-Laurent-sur-Oust (56) 101 K4
Saint-Laurent-sur-Saône (01) 188 C1
Saint-Laurent-sur-Sèvre (85) 142 E4
Saint-Laurs (79) 161 G4
Saint-Léger (06) 261 F6
Saint-Léger (16) 196 D6
Saint-Léger (17) 195 G3
Saint-Léger (47) 247 J3
Saint-Léger (53) 105 H1
Saint-Léger (62) 11 F4
Saint-Léger (73) 209 F5
Saint-Léger (77) 60 D4
Saint-Léger-aux-Bois (60) 39 F1
Saint-Léger-aux-Bois (76) 16 E3
Saint-Léger-Bridereix (23) 182 A1
Saint-Léger-de-Balson (33) 246 A1
Saint-Léger-de-Fougeret (58) 152 B3
Saint-Léger-de-la-Martinière (79) 178 D2
Saint-Léger-de-Montbrillais (86) 144 D3
Saint-Léger-de-Montbrun (79) 144 C4
Saint-Léger-de-Peyre (48) 237 G5
Saint-Léger-de-Rôtes (27) 34 D6
Saint-Léger-des-Aubées (28) 85 J3
Saint-Léger-des-Bois (49) 125 F3
Saint-Léger-des-Prés (35) 51 G6
Saint-Léger-des-Vignes (58) 151 G6
Saint-Léger-du-Bois (71) 153 G3
Saint-Léger-du-Bourg-Denis (76) 35 J2
Saint-Léger-du-Gennetey (27) 34 E4
Saint-Léger-du-Malzieu (48) 237 G2
Saint-Léger-du-Ventoux (84) 257 J4
Saint-Léger-Dubosq (14) 33 H4
Saint-Léger-en-Bray (60) 37 G2
Saint-Léger-en-Yvelines (78) 57 J5
Saint-Léger-la-Montagne (87) 181 J4
Saint-Léger-le-Guérétois (23) 182 C3
Saint-Léger-le-Petit (18) 150 C2
Saint-Léger-lès-Authie (80) 10 C5
Saint-Léger-lès-Domart (80) 9 J6
Saint-Léger-les-Mélèzes (05) 243 F4
Saint-Léger-lès-Paray (71) 170 C4
Saint-Léger-les-Vignes (44) 123 F5
Saint-Léger-Magnazeix (87) 181 H1
Saint-Léger-près-Troyes (10) 90 B5
Saint-Léger-sous-Beuvray (71) 152 D5
Saint-Léger-sous-Brienne (10) 90 E3
Saint-Léger-sous-Cholet (49) 142 E2
Saint-Léger-sous-la-Bussière (71) 187 K1
Saint-Léger-sous-Margerie (10) 90 E2
Saint-Léger-sur-Bresle (80) 17 F2
Saint-Léger-sur-Dheune (71) 153 J5
Saint-Léger-sur-Roanne (42) 186 E4
Saint-Léger-sur-Sarthe (61) 83 F2
Saint-Léger-sur-Vouzance (03) 170 A5
Saint-Léger-Triey (21) 136 D5
Saint-Léger-Vauban (89) 134 B4
Saint-Léomer (86) 164 B5
Saint-Léon (03) 169 H5
Saint-Léon (31) 288 D3
Saint-Léon (33) 230 A3
Saint-Léon (47) 247 H3
Saint-Léon-d'Issigeac (24) 231 K4
Saint-Léon-sur-l'Isle (24) 213 J4
Saint-Léon-sur-Vézère (24) 214 E6
Saint-Léonard (32) 267 K3
Saint-Léonard (51) 41 F4
Saint-Léonard (62) 4 B3
Saint-Léonard (76) 14 D4
Saint-Léonard (88) 95 J5
Saint-Léonard-de-Noblat (87) 199 H1
Saint-Léonard-des-Bois (72) 82 B4
Saint-Léonard-des-Parcs (61) 55 F6
Saint-Léonard-en-Beauce (41) 109 F5
Saint-Léons (12) 253 F4
Saint-Léopardin-d'Augy (03) 168 C2
Saint-Léry (56) 78 A4
Saint-Leu-d'Esserent (60) 38 A5
Saint-Leu-la-Forêt (95) 58 D1
Saint-Lézer (65) 285 H3
Saint-Lézin (49) 124 E6
Saint-Lieux-Lafenasse (81) 270 E4
Saint-Lieux-lès-Lavaur (81) 270 A4
Saint-Lin (79) 161 K4
Saint-Lions (04) 260 A6
Saint-Lizier (09) 306 D2
Saint-Lizier-du-Planté (32) 287 G3
Saint-Lô (50) 31 H3
Saint-Lô-d'Ourville (50) 28 C6
Saint-Lon-les-Mines (40) 264 A5
Saint-Longis (72) 83 F4
Saint-Lormel (22) 50 B4
Saint-Lothain (39) 155 J5
Saint-Loube (32) 287 H3
Saint-Loubert (33) 230 B5
Saint-Loubès (33) 229 J1
Saint-Loubouer (40) 265 H5
Saint-Louet-sur-Seulles (14) 32 B6
Saint-Louet-sur-Vire (50) 31 J5
Saint-Louis (57) 70 A2
Saint-Louis (68) 97 E4
Saint-Louis-de-Montferrand (33) 211 H6
Saint-Louis-en-l'Isle (24) 213 G5
Saint-Louis-et-Parahou (11) 309 F4
Saint-Louis-lès-Bitche (57) 69 G4

Saint-Loup (03) 168 E6
Saint-Loup (17) 177 J4
Saint-Loup (23) 183 H3
Saint-Loup (39) 154 E3
Saint-Loup (41) 129 K6
Saint-Loup (50) 52 A5
Saint-Loup (51) 61 J5
Saint-Loup (58) 132 A4
Saint-Loup (69) 187 K6
Saint-Loup (82) 248 D6
Saint-Loup-Cammas (31) 269 H5
Saint-Loup-de-Buffigny (10) 89 G3
Saint-Loup-de-Fribois (14) 33 H6
Saint-Loup-de-Gonois (45) 111 K2
Saint-Loup-de-Naud (77) 88 C2
Saint-Loup-de-Varennes (71) 171 K1
Saint-Loup-des-Chaumes (18) 149 G6
Saint-Loup-des-Vignes (45) 111 F2
Saint-Loup-d'Ordon (89) 112 C2
Saint-Loup-du-Dorat (53) 105 J4
Saint-Loup-du-Gast (53) 81 G3
Saint-Loup-en-Champagne (08) 41 G1
Saint-Loup-en-Comminges (31) 286 C5
Saint-Loup-Géanges (71) 154 B4
Saint-Loup-Hors (14) 32 B3
Saint-Loup-Lamairé (79) 144 B6
Saint-Loup-Nantouard (70) 137 G4
Saint-Loup-sur-Aujon (52) 116 A4
Saint-Loup-sur-Semouse (70) 118 C3
Saint-Loup-Terrier (08) 22 C6
Saint-Loyer-des-Champs (61) 54 C5
Saint-Lubin-de-Cravant (28) 56 C5
Saint-Lubin-de-la-Haye (28) 57 H4
Saint-Lubin-des-Joncherets (28) 56 D4
Saint-Lubin-en-Vergonnois (41) 128 D2
Saint-Luc (27) 56 E2
Saint-Lucien (28) 57 H6
Saint-Lumier-en-Champagne (51) 63 F4
Saint-Lumier-la-Populeuse (51) 63 H5
Saint-Lumine-de-Clisson (44) 142 A2
Saint-Lumine-de-Coutais (44) 141 G2
Saint-Lunaire (35) 50 C3
Saint-Luperce (28) 84 E3
Saint-Lupicin (39) 173 J5
Saint-Lupien (10) 89 H4
Saint-Lyé (10) 90 A4
Saint-Lyé-la-Forêt (45) 110 B2
Saint-Lyphard (44) 121 K3
Saint-Lys (31) 287 J2
Saint-Macaire (33) 230 A5
Saint-Macaire-du-Bois (49) 144 A2
Saint-Macaire-en-Mauges (49) 142 D2
Saint-Maclou (27) 34 B3
Saint-Maclou-de-Folleville (76) 15 K4
Saint-Maclou-la-Brière (76) 14 E5
Saint-Macoux (86) 179 H3
Saint-Maden (22) 78 C1
Saint-Magne (33) 229 G6
Saint-Magne-de-Castillon (33) 230 C2
Saint-Maigner (63) 184 B4
Saint-Maigrin (17) 195 K6
Saint-Maime (04) 278 B2
Saint-Maime-de-Péreyrol (24) 213 K6
Saint-Maixant (23) 183 G5
Saint-Maixant (33) 230 A5
Saint-Maixent (72) 107 J1
Saint-Maixent-de-Beugné (79) 161 F4
Saint-Maixent-l'École (79) 161 K5
Saint-Maixent-sur-Vie (85) 141 F6
Saint-Maixme-Hauterive (28) 84 D1
Saint-Malo (35) 50 D3
Saint-Malo-de-Beignon (56) 78 B6
Saint-Malo-de-Guersac (44) 122 B2
Saint-Malo-de-la-Lande (50) 30 D4
Saint-Malo-de-Phily (35) 103 F1
Saint-Malo-des-Trois-Fontaines (56) 101 J1
Saint-Malô-du-Bois (85) 142 E4
Saint-Malo-en-Donziois (58) 132 D6
Saint-Malon-sur-Mel (35) 78 C4
Saint-Mamert (69) 188 A1
Saint-Mamert-du-Gard (30) 275 F3
Saint-Mamet (31) 305 H5
Saint-Mamet-la-Salvetat (15) 235 G2
Saint-Mammès (77) 87 J4
Saint-Mandé (94) 59 F4
Saint-Mandé-sur-Brédoire (17) 178 B4
Saint-Mandrier-sur-Mer (83) 300 C5
Saint-Manvieu-Bocage (14) 52 D3
Saint-Manvieu-Norrey (14) 32 D5
Saint-Marc (15) 237 F1
Saint-Marc-à-Frongier (23) 183 F6
Saint-Marc-à-Loubaud (23) 200 C1
Saint-Marc-du-Cor (41) 108 B3
Saint-Marc-Jaumegarde (13) 296 E1
Saint-Marc-la-Lande (79) 161 J4
Saint-Marc-le-Blanc (35) 79 J1
Saint-Marc-sur-Couesnon (35) 79 K2
Saint-Marc-sur-Seine (21) 115 G6
Saint-Marcan (35) 51 G4
Saint-Marceau (08) 22 D4
Saint-Marceau (72) 82 D6
Saint-Marcel (01) 188 E5
Saint-Marcel (08) 22 B3
Saint-Marcel (27) 36 B6
Saint-Marcel (36) 165 G3
Saint-Marcel (54) 44 D5
Saint-Marcel (56) 101 J3
Saint-Marcel (70) 117 H4
Saint-Marcel (71) 154 B6
Saint-Marcel (73) 209 H4
Saint-Marcel-Bel-Accueil (38) 206 E3
Saint-Marcel-Campes (81) 251 F6
Saint-Marcel-d'Ardèche (07) 256 C3
Saint-Marcel-de-Careiret (30) 256 B5
Saint-Marcel-de-Félines (42) 187 G6
Saint-Marcel-du-Périgord (24) 232 A1
Saint-Marcel-d'Urfé (42) 186 D6
Saint-Marcel-en-Marcillat (03) 184 A3
Saint-Marcel-en-Murat (03) 184 E1
Saint-Marcel-l'Éclairé (69) 187 J6
Saint-Marcel-lès-Annonay (07) 221 K2
Saint-Marcel-lès-Sauzet (26) 240 B5
Saint-Marcel-lès-Valence (26) 222 D6
Saint-Marcel-Paulel (31) 269 J6
Saint-Marcel-sur-Aude (11) 291 H5
Saint-Marcelin-de-Cray (71) 171 G3
Saint-Marcellin (38) 223 G4
Saint-Marcellin-en-Forez (42) 204 E5
Saint-Marcellin-lès-Vaison (84) 257 H4
Saint-Marcet (31) 286 E6
Saint-Marcory (24) 232 C4
Saint-Marcouf (14) 31 J1
Saint-Marcouf (50) 29 F4
Saint-Mard (02) 40 B2
Saint-Mard (17) 177 H3
Saint-Mard (54) 94 B1
Saint-Mard (77) 59 H1
Saint-Mard (80) 19 F4
Saint-Mard-de-Réno (61) 83 J2
Saint-Mard-de-Vaux (71) 153 J6
Saint-Mard-lès-Rouffy (51) 62 B2
Saint-Mard-sur-Auve (51) 63 G1
Saint-Mard-sur-le-Mont (51) 63 H2
Saint-Mards (76) 15 J3
Saint-Mards-de-Blacarville (27) 34 C2
Saint-Mards-de-Fresne (27) 34 C6
Saint-Mards-en-Othe (10) 89 J6
Saint-Marien (23) 166 D5
Saint-Mariens (33) 211 J4
Saint-Mars-de-Coutais (44) 122 E5
Saint-Mars-de-Locquenay (72) 107 G3
Saint-Mars-d'Égrenne (61) 81 F1
Saint-Mars-d'Outillé (72) 107 F4
Saint-Mars-du-Désert (44) 123 J2
Saint-Mars-du-Désert (53) 82 A4
Saint-Mars-la-Brière (72) 107 F2
Saint-Mars-la-Jaille (44) 124 A2
Saint-Mars-la-Réorthe (85) 142 E5
Saint-Mars-sous-Ballon (72) 82 E6
Saint-Mars-sur-Colmont (53) 81 F3
Saint-Mars-sur-la-Futaie (53) 80 C2
Saint-Mars-Vieux-Maisons (77) 60 D5
Saint-Marsal (66) 314 E4
Saint-Martial (07) 239 G2
Saint-Martial (15) 236 D2
Saint-Martial (16) 212 D1
Saint-Martial (17) 178 A4
Saint-Martial (30) 274 A1
Saint-Martial (33) 230 B4
Saint-Martial-d'Albarède (24) 214 D2
Saint-Martial-d'Artenset (24) 213 F5
Saint-Martial-de-Gimel (19) 216 C3
Saint-Martial-de-Mirambeau (17) 211 H1
Saint-Martial-de-Nabirat (24) 233 F3
Saint-Martial-de-Valette (24) 197 J5
Saint-Martial-de-Vitaterne (17) 195 J5
Saint-Martial-Entraygues (19) 216 D4
Saint-Martial-le-Mont (23) 183 F4
Saint-Martial-le-Vieux (23) 201 F3
Saint-Martial-sur-Isop (87) 180 D3
Saint-Martial-sur-Né (17) 195 J4
Saint-Martial-Viveyrol (24) 213 G1
Saint-Martin (32) 286 A2
Saint-Martin (54) 67 G6
Saint-Martin (56) 102 A3
Saint-Martin (65) 285 H6
Saint-Martin (66) 309 H5
Saint-Martin (67) 70 B6
Saint-Martin (83) 278 C6
Saint-Martin-au-Bosc (76) 17 F3
Saint-Martin-au-Laërt (62) 5 G2
Saint-Martin-aux-Arbres (76) 15 H5
Saint-Martin-aux-Bois (60) 38 B1
Saint-Martin-aux-Buneaux (76) 14 E3
Saint-Martin-aux-Champs (51) 62 E4
Saint-Martin-aux-Chartrains (14) 33 K3
Saint-Martin-Belle-Roche (71) 171 K5
Saint-Martin-Bellevue (74) 191 F5
Saint-Martin-Boulogne (62) 4 B3
Saint-Martin-Cantalès (15) 217 G5
Saint-Martin-Château (23) 200 A1
Saint-Martin-Choquel (62) 4 D3
Saint-Martin-Curton (47) 247 F3
Saint-Martin-d'Abbat (45) 110 D4
Saint-Martin-d'Ablois (51) 61 J1
Saint-Martin-d'Août (26) 222 D3
Saint-Martin-d'Arberoue (64) 282 E3
Saint-Martin-d'Arc (73) 225 H2
Saint-Martin-d'Arcé (49) 126 B2
Saint-Martin-d'Ardèche (07) 256 B3
Saint-Martin-d'Armagnac (32) 266 B5
Saint-Martin-d'Arrossa (64) 282 D4
Saint-Martin-d'Ary (17) 212 B3
Saint-Martin-d'Aubigny (50) 31 F2
Saint-Martin-d'Audouville (50) 29 F4
Saint-Martin-d'Auxigny (18) 149 G1
Saint-Martin-d'Auxy (71) 171 G1
Saint-Martin-de-Bavel (01) 190 B6
Saint-Martin-de-Beauville (47) 248 D4
Saint-Martin-de-Belleville (73) 209 H6
Saint-Martin-de-Bernegoue (79) 178 B2
Saint-Martin-de-Bienfaite-la-Cressonnière (14) 55 F1
Saint-Martin-de-Blagny (14) 31 J2
Saint-Martin-de-Bonfossé (50) 31 G4
Saint-Martin-de-Boscherville (76) 35 G2
Saint-Martin-de-Bossenay (10) 89 H3
Saint-Martin-de-Boubaux (48) 255 F4
Saint-Martin-de-Bréthencourt (78) 86 A2
Saint-Martin-de-Brômes (04) 278 D3
Saint-Martin-de-Caralp (09) 307 H3
Saint-Martin-de-Castillon (84) 277 J3
Saint-Martin-de-Cenilly (50) 31 F5
Saint-Martin-de-Clelles (38) 241 K2
Saint-Martin-de-Commune (71) 153 H5
Saint-Martin-de-Connée (53) 82 A5
Saint-Martin-de-Coux (17) 212 C4
Saint-Martin-de-Crau (13) 276 B5
Saint-Martin-de-Fontenay (14) 32 E5
Saint-Martin-de-Fraigneau (85) 160 E5
Saint-Martin-de-Fressengeas (24) 198 B6
Saint-Martin-de-Fugères (43) 238 C1
Saint-Martin-de-Goyne (32) 267 H1
Saint-Martin-de-Gurson (24) 212 E6
Saint-Martin-de-Hinx (40) 262 D6
Saint-Martin-de-Juillers (17) 178 B5
Saint-Martin-de-Jussac (87) 180 E6
Saint-Martin-de-la-Brasque (84) 277 J4
Saint-Martin-de-la-Cluze (38) 224 A6
Saint-Martin-de-la-Lieue (14) 33 K6
Saint-Martin-de-la-Mer (21) 134 C6
Saint-Martin-de-la-Place (49) 126 A5
Saint-Martin-de-la-Porte (73) 225 H2
Saint-Martin-de-Lamps (36) 147 J4
Saint-Martin-de-Landelles (50) 80 B1
Saint-Martin-de-Lansuscle (48) 254 D4
Saint-Martin-de-l'Arçon (34) 291 H1
Saint-Martin-de-Laye (33) 212 A5
Saint-Martin-de-Lenne (12) 253 F2
Saint-Martin-de-Lerm (33) 230 C4
Saint-Martin-de-Lixy (71) 187 G2
Saint-Martin-de-Londres (34) 274 A4
Saint-Martin-de-Mâcon (79) 144 C3
Saint-Martin-de-Mailloc (14) 34 A6
Saint-Martin-de-Mieux (14) 54 A3
Saint-Martin-de-Nigelles (28) 85 H1
Saint-Martin-de-Queyrières (05) 243 K1
Saint-Martin-de-Ré (17) 158 C5
Saint-Martin-de-Ribérac (24) 213 G3
Saint-Martin-de-Saint-Maixent (79) 161 K5
Saint-Martin-de-Salencey (71) 171 F4
Saint-Martin-de-Sallen (14) 53 H2
Saint-Martin-de-Sanzay (79) 144 B2
Saint-Martin-de-Seignanx (40) 262 B6
Saint-Martin-de-Sescas (33) 230 B5
Saint-Martin-de-Valamas (07) 239 H1
Saint-Martin-de-Valgalgues (30) 255 G5
Saint-Martin-de-Varreville (50) 29 G5
Saint-Martin-de-Vaulserre (38) 207 K5
Saint-Martin-de-Vers (46) 233 J5
Saint-Martin-de-Villeréal (47) 232 B5
Saint-Martin-de-Villereglan (11) 308 E1
Saint-Martin-d'Ecublei (61) 55 J4
Saint-Martin-d'Entraunes (06) 260 E4
Saint-Martin-des-Besaces (14) 31 K5
Saint-Martin-des-Bois (41) 107 K6
Saint-Martin-des-Champs (18) 150 B2
Saint-Martin-des-Champs (29) 47 G4
Saint-Martin-des-Champs (50) 51 K3
Saint-Martin-des-Champs (77) 60 D4
Saint-Martin-des-Champs (78) 57 J3
Saint-Martin-des-Champs (89) 132 B1
Saint-Martin-des-Combes (24) 213 K6
Saint-Martin-des-Entrées (14) 32 B3
Saint-Martin-des-Fontaines (85) 160 D3
Saint-Martin-des-Lais (03) 169 H2
Saint-Martin-des-Landes (61) 82 B1
Saint-Martin-des-Monts (72) 107 H1
Saint-Martin-des-Noyers (85) 160 A1
Saint-Martin-des-Olmes (63) 204 A5
Saint-Martin-des-Pézerits (61) 55 G6
Saint-Martin-des-Plains (63) 203 F5
Saint-Martin-des-Prés (22) 76 E3
Saint-Martin-des-Puits (11) 309 J2
Saint-Martin-des-Tilleuls (85) 142 D3
Saint-Martin-d'Estréaux (42) 186 C2
Saint-Martin-d'Hardinghem (62) 5 F4
Saint-Martin-d'Hères (38) 224 B3
Saint-Martin-d'Heuille (58) 150 E3
Saint-Martin-d'Ollières (63) 203 G6
Saint-Martin-Don (14) 52 D2
Saint-Martin-d'Oney (40) 265 F2
Saint-Martin-d'Ordon (89) 112 C2
Saint-Martin-d'Oydes (09) 288 C6
Saint-Martin-du-Bec (76) 14 B5
Saint-Martin-du-Bois (33) 212 A5
Saint-Martin-du-Bois (49) 104 E6
Saint-Martin-du-Boschet (77) 60 E5
Saint-Martin-du-Clocher (16) 179 G4
Saint-Martin-du-Fouilloux (49) 125 F4
Saint-Martin-du-Fouilloux (79) 162 A3
Saint-Martin-du-Frêne (01) 189 K3
Saint-Martin-du-Lac (71) 186 E2
Saint-Martin-du-Limet (53) 104 C4
Saint-Martin-du-Manoir (76) 14 B6
Saint-Martin-du-Mesnil-Oury (14) 54 D1
Saint-Martin-du-Mont (01) 189 H3
Saint-Martin-du-Mont (21) 135 H4
Saint-Martin-du-Mont (71) 172 D2
Saint-Martin-du-Puy (33) 230 C4
Saint-Martin-du-Puy (58) 133 K5
Saint-Martin-du-Tartre (71) 171 G2
Saint-Martin-du-Tertre (89) 88 D6
Saint-Martin-du-Tertre (95) 37 K6
Saint-Martin-du-Tilleul (27) 34 C6
Saint-Martin-du-Var (06) 281 F2
Saint-Martin-du-Vieux-Bellême (61) 83 H3
Saint-Martin-du-Vivier (76) 35 J1
Saint-Martin-d'Uriage (38) 224 B3
Saint-Martin-en-Bière (77) 87 G3
Saint-Martin-en-Bresse (71) 154 C6
Saint-Martin-en-Campagne (76) 16 B1
Saint-Martin-en-Gâtinois (71) 154 C4
Saint-Martin-en-Haut (69) 205 H3
Saint-Martin-en-Vercors (26) 223 H5
Saint-Martin-Gimois (32) 287 F2
Saint-Martin-la-Campagne (27) 56 C1
Saint-Martin-la-Garenne (78) 57 J1
Saint-Martin-la-Méanne (19) 216 D4
Saint-Martin-la-Patrouille (71) 171 G3
Saint-Martin-la-Plaine (42) 205 J5
Saint-Martin-la-Sauveté (42) 204 B1
Saint-Martin-Labouval (46) 250 D1
Saint-Martin-Lacaussade (33) 211 G4
Saint-Martin-Laguépie (81) 251 F5
Saint-Martin-l'Aiguillon (61) 54 A6
Saint-Martin-Lalande (11) 289 H4
Saint-Martin-l'Ars (86) 180 A2
Saint-Martin-Lars-en-Sainte-Hermine (85) 160 C3
Saint-Martin-l'Astier (24) 213 G5
Saint-Martin-le-Beau (37) 128 A5
Saint-Martin-le-Bouillant (50) 52 B4
Saint-Martin-le-Châtel (01) 189 F1
Saint-Martin-le-Colonel (26) 223 G6
Saint-Martin-le-Gaillard (76) 16 C1
Saint-Martin-le-Gréard (50) 28 C3
Saint-Martin-le-Hébert (50) 28 C4
Saint-Martin-le-Mault (87) 164 D6
Saint-Martin-le-Nœud (60) 37 G2
Saint-Martin-le-Pin (24) 197 J5
Saint-Martin-le-Redon (46) 232 D6
Saint-Martin-le-Vieil (11) 289 J4
Saint-Martin-le-Vieux (87) 198 D2
Saint-Martin-le-Vinoux (38) 224 A3
Saint-Martin-les-Eaux (04) 278 B2
Saint-Martin-lès-Langres (52) 116 C4
Saint-Martin-lès-Melle (79) 178 D2
Saint-Martin-lès-Seyne (04) 259 J1
Saint-Martin-Lestra (42) 205 F2
Saint-Martin-l'Heureux (51) 41 J4
Saint-Martin-l'Hortier (76) 16 C4
Saint-Martin-Longueau (60) 38 C3
Saint-Martin-Lys (11) 308 E5
Saint-Martin-Osmonville (76) 16 B5
Saint-Martin-Petit (47) 230 D5
Saint-Martin-Rivière (02) 12 D6
Saint-Martin-Saint-Firmin (27) 34 C4
Saint-Martin-Sainte-Catherine (23) 182 A5
Saint-Martin-Sepert (19) 199 H6
Saint-Martin-sous-Montaigu (71) 153 K6
Saint-Martin-sous-Vigouroux (15) 236 B1
Saint-Martin-sur-Armançon (89) 114 B4
Saint-Martin-sur-Cojeul (62) 11 F3
Saint-Martin-sur-Écaillon (59) 12 D3
Saint-Martin-sur-la-Chambre (73) 209 F6
Saint-Martin-sur-Lavezon (07) 240 A4
Saint-Martin-sur-le-Pré (51) 62 D2
Saint-Martin-sur-Nohain (58) 132 A5
Saint-Martin-sur-Ocre (45) 131 H1
Saint-Martin-sur-Ocre (89) 112 E5
Saint-Martin-sur-Ouanne (89) 112 B5
Saint-Martin-Terressus (87) 181 J6
Saint-Martin-Valmeroux (15) 217 H4
Saint-Martin-Vésubie (06) 261 K5
Saint-Martinien (03) 183 K1
Saint-Martory (31) 287 G6
Saint-Mary (16) 197 G1
Saint-Mary-le-Plain (15) 218 E4
Saint-Masmes (51) 41 H3
Saint-Mathieu (87) 198 A3
Saint-Mathieu-de-Tréviers (34) 274 B4
Saint-Mathurin (85) 159 F3
Saint-Mathurin-sur-Loire (49) 125 J4
Saint-Matré (46) 249 G2
Saint-Maudan (22) 77 F5
Saint-Maudez (22) 50 B5
Saint-Maugan (35) 78 C4
Saint-Maulvis (80) 17 G2
Saint-Maur (18) 166 E3
Saint-Maur (32) 286 A2
Saint-Maur (36) 147 K6
Saint-Maur (39) 173 G2
Saint-Maur (60) 17 H5
Saint-Maur-des-Bois (50) 52 B3
Saint-Maur-des-Fossés (94) 59 F4
Saint-Maur-sur-le-Loir (28) 109 F1
Saint-Maurice (52) 116 D4
Saint-Maurice (58) 151 H2
Saint-Maurice (63) 202 E3
Saint-Maurice (67) 96 B1
Saint-Maurice (94) 59 F4
Saint-Maurice-aux-Forges (54) 95 G1
Saint-Maurice-aux-Riches-Hommes (89) 89 F4
Saint-Maurice-Colombier (25) 139 F3
Saint-Maurice-Crillat (39) 173 J3
Saint-Maurice-d'Ardèche (07) 239 H6
Saint-Maurice-de-Beynost (01) 206 C1
Saint-Maurice-de-Cazevieille (30) 275 F1
Saint-Maurice-de-Gourdans (01) 206 E1
Saint-Maurice-de-Lestapel (47) 231 J5
Saint-Maurice-de-Lignon (43) 220 E3
Saint-Maurice-de-Rémens (01) 189 G5
Saint-Maurice-de-Rotherens (73) 207 K3
Saint-Maurice-de-Satonnay (71) 171 J5
Saint-Maurice-de-Tavernole (17) 195 J5
Saint-Maurice-de-Ventalon (48) 254 E3
Saint-Maurice-des-Champs (71) 171 H2
Saint-Maurice-des-Lions (16) 180 B5
Saint-Maurice-des-Noues (85) 160 E3
Saint-Maurice-d'Ételan (76) 34 D1
Saint-Maurice-d'Ibie (07) 239 J6
Saint-Maurice-du-Désert (61) 53 J6
Saint-Maurice-en-Chalencon (07) 239 K2
Saint-Maurice-en-Cotentin (50) 28 C5
Saint-Maurice-en-Gourgois (42) 221 F1
Saint-Maurice-en-Quercy (46) 234 C3
Saint-Maurice-en-Rivière (71) 154 C5
Saint-Maurice-en-Trièves (38) 242 A3
Saint-Maurice-en-Valgodemard (05) 242 E2
Saint-Maurice-la-Clouère (86) 163 F6
Saint-Maurice-la-Fougereuse (79) 143 J3
Saint-Maurice-la-Souterraine (23) 181 J2
Saint-Maurice-le-Girard (85) 160 E2
Saint-Maurice-le-Vieil (89) 112 E5
Saint-Maurice-les-Brousses (87) 198 E3
Saint-Maurice-lès-Charencey (61) 55 K6
Saint-Maurice-lès-Châteauneuf (71) 187 G2
Saint-Maurice-lès-Couches (71) 153 H5
Saint-Maurice-l'Exil (38) 222 B1
Saint-Maurice-Montcouronne (91) 86 C1
Saint-Maurice-Navacelles (34) 273 J3
Saint-Maurice-près-Crocq (23) 201 F1
Saint-Maurice-près-Pionsat (63) 184 A4
Saint-Maurice-Saint-Germain (28) 84 C2
Saint-Maurice-sous-les-Côtes (55) 65 F1
Saint-Maurice-sur-Adour (40) 265 H4
Saint-Maurice-sur-Aveyron (45) 112 A5
Saint-Maurice-sur-Dargoire (69) 205 J4
Saint-Maurice-sur-Eygues (26) 257 G3
Saint-Maurice-sur-Fessard (45) 111 H3
Saint-Maurice-sur-Huisne (61) 83 J3
Saint-Maurice-sur-Mortagne (88) 94 E3
Saint-Maurice-sur-Moselle (88) 119 H3
Saint-Maurice-sur-Vingeanne (21) 136 D2
Saint-Maurice-Thizouaille (89) 112 E5
Saint-Maurin (47) 248 E4
Saint-Max (54) 66 A5
Saint-Maxent (80) 9 F6
Saint-Maximin (30) 275 H1
Saint-Maximin (38) 208 C6
Saint-Maximin (60) 38 A5
Saint-Maximin-la-Sainte-Baume (83) 297 H2
Saint-Maxire (79) 161 H5
Saint-May (26) 257 K1
Saint-Mayeux (22) 76 D3
Saint-Méard (87) 199 H3
Saint-Méard-de-Drône (24) 213 H3
Saint-Méard-de-Gurçon (24) 230 E1
Saint-Médard (16) 196 B5
Saint-Médard (17) 195 J6
Saint-Médard (31) 306 A1
Saint-Médard (32) 286 B2
Saint-Médard (36) 147 F4
Saint-Médard (46) 233 G6
Saint-Médard (57) 66 E3
Saint-Médard (64) 284 A1
Saint-Médard (79) 178 C2
Saint-Médard-d'Aunis (17) 177 F2
Saint-Médard-de-Guizières (33) 212 C5
Saint-Médard-de-Mussidan (24) 213 G5
Saint-Médard-de-Presque (46) 234 B2
Saint-Médard-d'Excideuil (24) 214 D2
Saint-Médard-d'Eyrans (33) 229 H3
Saint-Médard-en-Forez (42) 205 G4
Saint-Médard-en-Jalles (33) 229 F1
Saint-Médard-la-Rochette (23) 183 F4
Saint-Médard-Nicourby (46) 234 D3
Saint-Médard-sur-Ille (35) 79 G2
Saint-Méen (29) 46 C4
Saint-Méen-le-Grand (35) 78 B3
Saint-Melaine-sur-Aubance (49) 125 H4
Saint-Mélany (07) 238 E6
Saint-Méloir-des-Bois (22) 50 B5
Saint-Méloir-des-Ondes (35) 50 E3
Saint-Même-le-Tenu (44) 141 F3
Saint-Même-les-Carrières (16) 196 B3
Saint-Memmie (51) 62 D2
Saint-Menge (88) 93 J4
Saint-Menges (08) 23 F3
Saint-Menoux (03) 168 C3
Saint-Merd-de-Lapleau (19) 216 E3
Saint-Merd-la-Breuille (23) 201 G2
Saint-Merd-les-Oussines (19) 200 C4
Saint-Méry (77) 87 J1
Saint-Meslin-du-Bosc (27) 35 F5
Saint-Mesmes (77) 59 H2
Saint-Mesmin (10) 89 K3
Saint-Mesmin (21) 135 G5
Saint-Mesmin (24) 215 F1
Saint-Mesmin (85) 143 G6
Saint-Mexant (19) 215 K2
Saint-Mézard (32) 267 H1
Saint-M'Hervé (35) 80 B6
Saint-M'Hervon (35) 78 C2
Saint-Micaud (71) 171 G2
Saint-Michel (02) 21 H1
Saint-Michel (09) 307 H1
Saint-Michel (16) 196 D3
Saint-Michel (31) 287 H6
Saint-Michel (32) 286 B3
Saint-Michel (34) 273 G3
Saint-Michel (45) 110 E2
Saint-Michel (64) 282 E6
Saint-Michel (82) 268 B1
Saint-Michel-Chef-Chef (44) 122 B4
Saint-Michel-d'Aurance (07) 239 H1
Saint-Michel-de-Bannières (46) 216 A6
Saint-Michel-de-Boulogne (07) 239 H4
Saint-Michel-de-Castelnau (33) 246 E3
Saint-Michel-de-Chabrillanoux (07) 239 K2
Saint-Michel-de-Chaillol (05) 243 F3
Saint-Michel-de-Chavaignes (72) 107 H2
Saint-Michel-de-Dèze (48) 255 F4
Saint-Michel-de-Double (24) 213 F5

Saint-Michel-de-Feins (53) 105 G5
Saint-Michel-de-Fronsac (33) 230 A1
Saint-Michel-de-la-Pierre (50) 30 E3
Saint-Michel-de-la-Roë (53) 104 B4
Saint-Michel-de-Lanès (11) 289 F4
Saint-Michel-de-Lapujade (33) 230 D5
Saint-Michel-de-Livet (14) 54 D1
Saint-Michel-de-Llotes (66) 314 E2
Saint-Michel-de-Maurienne (73) 225 J2
Saint-Michel-de-Montaigne (24) 230 D2
Saint-Michel-de-Montjoie (50) 52 C4
Saint-Michel-de-Plélan (22) 50 B5
Saint-Michel-de-Rieufret (33) 229 J5
Saint-Michel-de-Saint-Geoirs (38) 223 G2
Saint-Michel-de-Vax (81) 250 D6
Saint-Michel-de-Veisse (23) 183 F5
Saint-Michel-de-Villadeix (24) 214 A6
Saint-Michel-de-Volangis (18) 149 H2
Saint-Michel-des-Andaines (61) 81 J1
Saint-Michel-d'Euzet (30) 256 B4
Saint-Michel-d'Halescourt (76) 17 F5
Saint-Michel-en-Beaumont (38) 242 C1
Saint-Michel-en-Brenne (36) 146 E6
Saint-Michel-en-Grève (22) 47 J3
Saint-Michel-en-l'Herm (85) 159 K5
Saint-Michel-Escalus (40) 262 D2
Saint-Michel-et-Chanveaux (49) 104 B6
Saint-Michel-Labadié (81) 271 G1
Saint-Michel-le-Cloucq (85) 160 E4
Saint-Michel-les-Portes (38) 241 K1
Saint-Michel-l'Observatoire (04) 278 A2
Saint-Michel-Loubéjou (46) 234 B2
Saint-Michel-Mont-Mercure (85) 142 E5
Saint-Michel-sous-Bois (62) 4 D5
Saint-Michel-sur-Loire (37) 127 F5
Saint-Michel-sur-Meurthe (88) 95 H3
Saint-Michel-sur-Orge (91) 58 E6
Saint-Michel-sur-Rhône (42) 205 K6
Saint-Michel-sur-Savasse (26) 222 E4
Saint-Michel-sur-Ternoise (62) 10 B2
Saint-Michel-Tubœuf (61) 55 J5
Saint-Mihiel (55) 64 E2
Saint-Mitre-les-Remparts (13) 295 J4
Saint-Molf (44) 121 J3
Saint-Momelin (59) 3 G4
Saint-Mont (32) 266 A5
Saint-Montan (07) 256 C1
Saint-Moré (89) 133 J2
Saint-Moreil (23) 199 K1
Saint-Morel (08) 42 B3
Saint-Morillon (33) 229 H4
Saint-Mury-Monteymond (38) 224 C2
Saint-Myon (63) 185 F5
Saint-Nabor (67) 70 C5
Saint-Nabord (88) 118 E1
Saint-Nabord-sur-Aube (10) 90 C2
Saint-Nauphary (82) 269 G2
Saint-Nazaire (30) 256 C4
Saint-Nazaire (44) 122 A3
Saint-Nazaire (66) 315 H2
Saint-Nazaire-d'Aude (11) 291 G5
Saint-Nazaire-de-Ladarez (34) 291 J2
Saint-Nazaire-de-Pézan (34) 274 E6
Saint-Nazaire-de-Valentane (82) 249 F4
Saint-Nazaire-des-Gardies (30) 274 D1
Saint-Nazaire-en-Royans (26) 223 F5
Saint-Nazaire-le-Désert (26) 241 G5
Saint-Nazaire-les-Eymes (38) 224 B2
Saint-Nazaire-sur-Charente (17) 176 E5
Saint-Nectaire (63) 202 C4
Saint-Nexans (24) 231 J2
Saint-Nic (29) 74 B3
Saint-Nicodème (22) 76 A2
Saint-Nicolas (62) 10 E2
Saint-Nicolas-aux-Bois (02) 20 B6
Saint-Nicolas-d'Aliermont (76) 16 B2
Saint-Nicolas-d'Attez (27) 56 B4
Saint-Nicolas-de-Bliquetuit (76) 34 E1
Saint-Nicolas-de-Bourgueil (37) 126 D6
Saint-Nicolas-de-la-Balerme (47) 248 D5
Saint-Nicolas-de-la-Grave (82) 249 F6
Saint-Nicolas-de-la-Haie (76) 15 F6
Saint-Nicolas-de-la-Taille (76) 34 C1
Saint-Nicolas-de-Macherin (38) 207 J6
Saint-Nicolas-de-Pierrepont (50) 28 D6
Saint-Nicolas-de-Port (54) 66 B5
Saint-Nicolas-de-Redon (44) 102 C4
Saint-Nicolas-de-Sommaire (61) 55 J4
Saint-Nicolas-des-Biefs (03) 186 C4
Saint-Nicolas-des-Bois (50) 52 B4
Saint-Nicolas-des-Bois (61) 82 C2
Saint-Nicolas-des-Laitiers (61) 55 G3
Saint-Nicolas-des-Motets (37) 128 C2
Saint-Nicolas-du-Bosc (27) 35 F5
Saint-Nicolas-du-Pélem (22) 76 C2
Saint-Nicolas-du-Tertre (56) 102 A2
Saint-Nicolas-la-Chapelle (10) 89 F2
Saint-Nicolas-la-Chapelle (73) 191 K6
Saint-Nicolas-lès-Cîteaux (21) 154 C2
Saint-Nizier-d'Azergues (69) 187 J4
Saint-Nizier-de-Fornas (42) 220 E1
Saint-Nizier-du-Moucherotte (38) 223 K3
Saint-Nizier-le-Bouchoux (01) 172 C4
Saint-Nizier-le-Désert (01) 189 F4
Saint-Nizier-sous-Charlieu (42) 187 F3
Saint-Nizier-sur-Arroux (71) 152 D6
Saint-Nolff (56) 101 G5
Saint-Nom-la-Bretèche (78) 58 B3
Saint-Offenge-Dessous (73) 208 C2
Saint-Offenge-Dessus (73) 208 C2
Saint-Omer (14) 53 J2
Saint-Omer (62) 5 G3
Saint-Omer-Capelle (62) 3 F3
Saint-Omer-en-Chaussée (60) 17 J6
Saint-Ondras (38) 207 H5
Saint-Onen-la-Chapelle (35) 78 B3
Saint-Oradoux-de-Chirouze (23) 201 F2
Saint-Oradoux-près-Crocq (23) 201 G1
Saint-Orens (32) 268 B5
Saint-Orens-de-Gameville (31) 288 C1
Saint-Orens-Pouy-Petit (32) 267 G2
Saint-Ost (32) 286 B3
Saint-Ouen (17) 178 D6
Saint-Ouen (41) 108 C5
Saint-Ouen (80) 9 J6
Saint-Ouen (93) 58 E3
Saint-Ouen-d'Attez (27) 56 B4
Saint-Ouen-d'Aunis (17) 176 E1
Saint-Ouen-de-la-Cour (61) 83 H3
Saint-Ouen-de-Mimbré (72) 82 C4
Saint-Ouen-de-Pontcheuil (27) 35 G4
Saint-Ouen-de-Sécherouvre (61) 83 G1
Saint-Ouen-de-Thouberville (27) 35 F3
Saint-Ouen-des-Alleux (35) 79 J1
Saint-Ouen-des-Besaces (14) 31 K4
Saint-Ouen-des-Champs (27) 34 C2
Saint-Ouën-des-Toits (53) 80 D6
Saint-Ouën-des-Vallons (53) 81 G6
Saint-Ouen-Domprot (51) 62 D6
Saint-Ouen-du-Breuil (76) 15 J5
Saint-Ouen-du-Mesnil-Oger (14) 33 G5
Saint-Ouen-du-Tilleul (27) 35 G4
Saint-Ouen-en-Belin (72) 106 E5
Saint-Ouen-en-Brie (77) 87 K1
Saint-Ouen-en-Champagne (72) 106 A3
Saint-Ouen-la-Rouërie (35) 51 J5
Saint-Ouen-l'Aumône (95) 58 C1
Saint-Ouen-le-Brisoult (61) 81 K2
Saint-Ouen-le-Houx (14) 54 E2
Saint-Ouen-le-Mauger (76) 15 J3
Saint-Ouen-le-Pin (14) 33 J5
Saint-Ouen-lès-Parey (88) 93 G5
Saint-Ouen-les-Vignes (37) 128 B4
Saint-Ouen-Marchefroy (28) 57 G3
Saint-Ouen-sous-Bailly (76) 16 B2
Saint-Ouen-sur-Gartempe (87) 181 F3
Saint-Ouen-sur-Iton (61) 55 J5
Saint-Ouen-sur-Loire (58) 151 F5
Saint-Ouen-sur-Maire (61) 54 A5
Saint-Ouen-sur-Morin (77) 60 C3
Saint-Oulph (10) 89 J2
Saint-Ours (63) 202 B1
Saint-Ours (73) 208 C1
Saint-Outrille (18) 148 B2
Saint-Ovin (50) 52 A5
Saint-Oyen (73) 209 H4
Saint-Pabu (29) 72 C2
Saint-Paër (76) 35 F1
Saint-Pair (14) 33 F5
Saint-Pair-sur-Mer (50) 51 H1
Saint-Pal-de-Chalencon (43) 220 C1
Saint-Pal-de-Mons (43) 221 G3
Saint-Pal-de-Senouire (43) 219 K3
Saint-Palais (03) 166 E5
Saint-Palais (18) 149 G1
Saint-Palais (33) 211 H2
Saint-Palais (64) 283 G3
Saint-Palais-de-Négrignac (17) 212 B2
Saint-Palais-de-Phiolin (17) 195 G5
Saint-Palais-du-Né (16) 195 K4
Saint-Palais-sur-Mer (17) 194 B3
Saint-Pancrace (24) 197 K6
Saint-Pancrace (73) 225 G2
Saint-Pancrasse (38) 224 C2
Saint-Pancré (54) 26 B2
Saint-Pandelon (40) 264 B5
Saint-Pantaléon (46) 249 J2
Saint-Pantaléon (84) 277 F2
Saint-Pantaléon-de-Lapleau (19) 217 F2
Saint-Pantaléon-de-Larche (19) 215 H4
Saint-Pantaléon-les-Vignes (26) 257 G2
Saint-Pantaly-d'Ans (24) 214 D3
Saint-Pantaly-d'Excideuil (24) 214 D2
Saint-Papoul (11) 289 H4
Saint-Pardon-de-Conques (33) 230 B5
Saint-Pardoult (17) 178 A4
Saint-Pardoux (63) 184 E4
Saint-Pardoux (79) 161 J3
Saint-Pardoux (87) 181 H4
Saint-Pardoux-Corbier (19) 199 G6
Saint-Pardoux-d'Arnet (23) 201 F1
Saint-Pardoux-de-Drône (24) 213 H3
Saint-Pardoux-du-Breuil (47) 247 H1
Saint-Pardoux-et-Vielvic (24) 232 D3
Saint-Pardoux-Isaac (47) 231 G5
Saint-Pardoux-la-Croisille (19) 216 D3
Saint-Pardoux-la-Rivière (24) 197 K5
Saint-Pardoux-le-Neuf (19) 201 F4
Saint-Pardoux-le-Neuf (23) 183 G6
Saint-Pardoux-le-Vieux (19) 201 F4
Saint-Pardoux-les-Cards (23) 183 F4
Saint-Pardoux-l'Ortigier (19) 215 J2
Saint-Pardoux-Morterolles (23) 182 C6
Saint-Pargoire (34) 292 D1
Saint-Parize-en-Viry (58) 168 E1
Saint-Parize-le-Châtel (58) 150 E6
Saint-Parres-aux-Tertres (10) 90 B5
Saint-Parres-lès-Vaudes (10) 90 C6
Saint-Parthem (12) 235 G5
Saint-Pastour (47) 248 B1
Saint-Pastous (65) 304 B2
Saint-Paterne (72) 82 D3
Saint-Paterne-Racan (37) 127 G2
Saint-Pathus (77) 59 J1
Saint-Patrice (37) 126 E6
Saint-Patrice-de-Claids (50) 30 E2
Saint-Patrice-du-Désert (61) 81 K1
Saint-Paul (06) 281 F4
Saint-Paul (19) 216 C3
Saint-Paul (33) 211 H4
Saint-Paul (60) 37 G2
Saint-Paul (61) 53 G4
Saint-Paul (65) 305 G1
Saint-Paul (73) 208 A3
Saint-Paul (87) 199 G2
Saint-Paul (88) 93 H4
Saint-Paul-aux-Bois (02) 19 K6
Saint-Paul-Cap-de-Joux (81) 270 C6
Saint-Paul-de-Baïse (32) 267 F4
Saint-Paul-de-Fenouillet (66) 309 H5
Saint-Paul-de-Fourques (27) 35 F4
Saint-Paul-de-Jarrat (09) 307 J3
Saint-Paul-de-Loubressac (46) 250 A3
Saint-Paul-de-Salers (15) 217 J4
Saint-Paul-de-Serre (24) 213 K5
Saint-Paul-de-Tartas (43) 238 C3
Saint-Paul-de-Varax (01) 189 F3
Saint-Paul-de-Varces (38) 223 K4
Saint-Paul-de-Vern (46) 234 C2
Saint-Paul-de-Vézelin (42) 187 F6
Saint-Paul-des-Landes (15) 235 G1
Saint-Paul-d'Espis (82) 249 F5
Saint-Paul-d'Izeaux (38) 223 H1
Saint-Paul-d'Oueil (31) 305 H4
Saint-Paul-du-Bois (49) 143 J2
Saint-Paul-du-Vernay (14) 32 A4
Saint-Paul-d'Uzore (42) 204 D3
Saint-Paul-en-Born (40) 244 D4
Saint-Paul-en-Chablais (74) 175 G5
Saint-Paul-en-Cornillon (42) 221 F1
Saint-Paul-en-Forêt (83) 280 B6
Saint-Paul-en-Gâtine (79) 161 F2
Saint-Paul-en-Jarez (42) 205 J5
Saint-Paul-en-Pareds (85) 142 D5
Saint-Paul-et-Valmalle (34) 273 K6
Saint-Paul-la-Coste (30) 255 F5
Saint-Paul-la-Roche (24) 198 C6
Saint-Paul-le-Froid (48) 237 J3
Saint-Paul-le-Gaultier (72) 82 B4
Saint-Paul-le-Jeune (07) 255 H3
Saint-Paul-lès-Dax (40) 264 B4
Saint-Paul-lès-Durance (13) 278 A5
Saint-Paul-les-Fonts (30) 256 C6
Saint-Paul-lès-Monestier (38) 223 K6
Saint-Paul-lès-Romans (26) 222 E5
Saint-Paul-Lizonne (24) 213 G2
Saint-Paul-Mont-Penit (85) 141 H5
Saint-Paul-sur-Isère (73) 209 G3
Saint-Paul-sur-Save (31) 268 E5
Saint-Paul-sur-Ubaye (04) 227 B5
Saint-Paul-Trois-Châteaux (26) 256 D2
Saint-Paulet (11) 289 G3
Saint-Paulet-de-Caisson (30) 256 C3
Saint-Paulien (43) 220 B4
Saint-Pavace (72) 106 D2
Saint-Pé-d'Ardet (31) 305 J2
Saint-Pé-de-Bigorre (65) 304 A1
Saint-Pé-de-Léren (64) 283 G1
Saint-Pé-Delbosc (31) 286 E5
Saint-Pé-Saint-Simon (47) 266 D1
Saint-Pée-sur-Nivelle (64) 282 A3
Saint-Pellerin (28) 108 D2
Saint-Pellerin (50) 31 G1
Saint-Péran (35) 78 C5
Saint-Péravy-la-Colombe (45) 109 J3
Saint-Péray (07) 222 C6
Saint-Perdon (40) 265 F2
Saint-Perdoux (24) 231 J3
Saint-Perdoux (46) 234 D4
Saint-Père (35) 50 E4
Saint-Père (58) 132 A4
Saint-Père (89) 133 J4
Saint-Père-en-Retz (44) 122 C4
Saint-Père-sur-Loire (45) 110 E6
Saint-Péreuse (58) 152 A3
Saint-Pern (35) 78 D2
Saint-Perreux (56) 102 B4
Saint-Péver (22) 48 D6
Saint-Pey-d'Armens (33) 230 B2
Saint-Pey-de-Castets (33) 230 C2
Saint-Phal (10) 114 A1
Saint-Philbert-de-Bouaine (85) 141 J3
Saint-Philbert-de-Grand-Lieu (44) 141 H2
Saint-Philbert-des-Champs (14) 34 A4
Saint-Philbert-du-Peuple (49) 126 B4
Saint-Philbert-en-Mauges (49) 142 D1
Saint-Philbert-sur-Boissey (27) 34 E4
Saint-Philbert-sur-Orne (61) 53 J3
Saint-Philbert-sur-Risle (27) 34 D3
Saint-Philibert (21) 154 C1
Saint-Philibert (56) 100 D6
Saint-Philippe-d'Aiguille (33) 230 C1
Saint-Philippe-du-Seignal (33) 231 F2
Saint-Piat (28) 85 H2
Saint-Pierre (04) 280 D1
Saint-Pierre (15) 217 H1
Saint-Pierre (31) 269 J6
Saint-Pierre (39) 173 K3
Saint-Pierre (51) 62 C2
Saint-Pierre (67) 70 D6
Saint-Pierre-à-Arnes (08) 41 J3
Saint-Pierre-Aigle (02) 39 H3
Saint-Pierre-Avez (05) 258 E3
Saint-Pierre-Azif (14) 33 H3
Saint-Pierre-Bellevue (23) 182 D6
Saint-Pierre-Bénouville (76) 15 J4
Saint-Pierre-Bois (67) 70 C6
Saint-Pierre-Brouck (59) 3 F3
Saint-Pierre-Canivet (14) 54 A2
Saint-Pierre-Chérignat (23) 182 A5
Saint-Pierre-Colamine (63) 202 C5
Saint-Pierre-d'Albigny (73) 208 D4
Saint-Pierre-d'Allevard (38) 208 D6
Saint-Pierre-d'Alvey (73) 207 K3
Saint-Pierre-d'Amilly (17) 177 H2
Saint-Pierre-d'Argençon (05) 242 A6
Saint-Pierre-d'Arthéglise (50) 28 C5
Saint-Pierre-d'Aubézies (32) 266 D6
Saint-Pierre-d'Aurillac (33) 230 B5
Saint-Pierre-d'Autils (27) 36 B6
Saint-Pierre-de-Bailleul (27) 36 A6
Saint-Pierre-de-Bat (33) 230 A4
Saint-Pierre-de-Belleville (73) 209 F5
Saint-Pierre-de-Bœuf (42) 222 A1
Saint-Pierre-de-Bressieux (38) 223 G2
Saint-Pierre-de-Buzet (47) 247 H4
Saint-Pierre-de-Cernières (27) 55 H2
Saint-Pierre-de-Chandieu (69) 206 C3
Saint-Pierre-de-Chartreuse (38) 224 B1
Saint-Pierre-de-Chérennes (38) 223 G4
Saint-Pierre-de-Chevillé (72) 127 G1
Saint-Pierre-de-Chignac (24) 214 B4
Saint-Pierre-de-Clairac (47) 248 D5
Saint-Pierre-de-Côle (24) 214 B1
Saint-Pierre-de-Colombier (07) 239 G4
Saint-Pierre-de-Cormeilles (27) 34 B4
Saint-Pierre-de-Coutances (50) 30 E4
Saint-Pierre-de-Curtille (73) 208 A1
Saint-Pierre-de-Frugie (24) 198 C4
Saint-Pierre-de-Fursac (23) 181 K3
Saint-Pierre-de-Genebroz (73) 207 K5
Saint-Pierre-de-Jards (36) 148 C3
Saint-Pierre-de-Juillers (17) 178 B5
Saint-Pierre-de-la-Fage (34) 273 H4
Saint-Pierre-de-Lages (31) 288 D1
Saint-Pierre-de-Lamps (36) 147 H4
Saint-Pierre-de-l'Île (17) 178 A4
Saint-Pierre-de-Maillé (86) 164 A2
Saint-Pierre-de-Mailloc (14) 34 A6
Saint-Pierre-de-Manneville (76) 35 G2
Saint-Pierre-de-Méaroz (38) 242 B1
Saint-Pierre-de-Mésage (38) 224 B5
Saint-Pierre-de-Mézoargues (13) 275 K3
Saint-Pierre-de-Mons (33) 230 A5
Saint-Pierre-de-Nogaret (48) 253 H1
Saint-Pierre-de-Plesguen (35) 50 E5
Saint-Pierre-de-Rivière (09) 307 H3
Saint-Pierre-de-Salerne (27) 34 D5
Saint-Pierre-de-Semilly (50) 31 J3
Saint-Pierre-de-Soucy (73) 208 D5
Saint-Pierre-de-Trivisy (81) 271 G4
Saint-Pierre-de-Varengeville (76) 35 G1
Saint-Pierre-de-Varennes (71) 153 H5
Saint-Pierre-de-Vassols (84) 257 H5
Saint-Pierre-dels-Forcats (66) 313 J4
Saint-Pierre-d'Entremont (38) 208 B6
Saint-Pierre-d'Entremont (61) 53 G4
Saint-Pierre-d'Entremont (73) 208 B6
Saint-Pierre-des-Bois (72) 106 A3
Saint-Pierre-des-Champs (11) 309 J2
Saint-Pierre-des-Corps (37) 127 J4
Saint-Pierre-
-des-Échaubrognes (79) 143 G3
Saint-Pierre-des-Fleurs (27) 35 G4
Saint-Pierre-des-Ifs (14) 33 J6
Saint-Pierre-des-Ifs (27) 34 D4
Saint-Pierre-des-Jonquières (76) 16 D2
Saint-Pierre-des-Landes (53) 80 C4
Saint-Pierre-des-Loges (61) 55 G5
Saint-Pierre-des-Nids (53) 82 B3
Saint-Pierre-des-Ormes (72) 83 G4
Saint-Pierre-des-Tripiers (48) 253 J4
Saint-Pierre-d'Exideuil (86) 179 H3
Saint-Pierre-d'Eyraud (24) 231 G2
Saint-Pierre-d'Irube (64) 282 B1
Saint-Pierre-d'Oléron (17) 176 B5
Saint-Pierre-du-Bosguérard (27) 35 F4
Saint-Pierre-du-Bû (14) 54 A3
Saint-Pierre-du-Champ (43) 220 C3
Saint-Pierre-du-Chemin (85) 161 F1
Saint-Pierre-du-Fresne (14) 53 F1
Saint-Pierre-du-Jonquet (14) 33 G5
Saint-Pierre-du-Lorouër (72) 107 G5
Saint-Pierre-du-Mesnil (27) 55 H2
Saint-Pierre-du-Mont (14) 29 J6
Saint-Pierre-du-Mont (40) 265 G2
Saint-Pierre-du-Mont (58) 133 F5
Saint-Pierre-du-Palais (17) 212 B4
Saint-Pierre-du-Perray (91) 87 F1
Saint-Pierre-du-Regard (61) 53 H3
Saint-Pierre-du-Val (27) 34 B2
Saint-Pierre-du-Vauvray (27) 35 J4
Saint-Pierre-Église (50) 28 E2
Saint-Pierre-en-Faucigny (74) 191 H3
Saint-Pierre-en-Port (76) 14 E3
Saint-Pierre-en-Val (76) 8 C6
Saint-Pierre-en-Vaux (21) 153 H3
Saint-Pierre-es-Champs (60) 36 D2
Saint-Pierre-Eynac (43) 220 D5
Saint-Pierre-la-Bourlhonne (63) 203 K3
Saint-Pierre-la-Bruyère (61) 83 K4
Saint-Pierre-la-Cour (53) 104 C1
Saint-Pierre-la-Garenne (27) 36 A5
Saint-Pierre-la-Noaille (42) 187 F2
Saint-Pierre-la-Palud (69) 205 J1
Saint-Pierre-la-Rivière (61) 54 E4
Saint-Pierre-la-Roche (07) 239 K4
Saint-Pierre-la-Vieille (14) 53 H2
Saint-Pierre-Lafeuille (46) 233 H6
Saint-Pierre-Langers (50) 51 J1
Saint-Pierre-Laval (03) 186 C2
Saint-Pierre-Lavis (76) 15 F5
Saint-Pierre-le-Bost (23) 166 E6
Saint-Pierre-le-Chastel (63) 202 B2
Saint-Pierre-le-Moûtier (58) 150 D6
Saint-Pierre-le-Vieux (48) 237 G2
Saint-Pierre-le-Vieux (71) 187 K1
Saint-Pierre-le-Vieux (76) 15 H2
Saint-Pierre-le-Vieux (85) 160 E5
Saint-Pierre-le-Viger (76) 15 H3
Saint-Pierre-lès-Bitry (60) 39 G2
Saint-Pierre-les-Bois (18) 166 E2
Saint-Pierre-lès-Elbeuf (76) 35 H4
Saint-Pierre-les-Étieux (18) 167 H1
Saint-Pierre-lès-
-Franqueville (02) 20 E3
Saint-Pierre-lès-Nemours (77) 87 H5
Saint-Pierre-Montlimart (49) 124 C5
Saint-Pierre-Quiberon (56) 120 B1
Saint-Pierre-Roche (63) 202 A3
Saint-Pierre-Saint-Jean (07) 255 H1
Saint-Pierre-sur-Dives (14) 54 C1
Saint-Pierre-sur-Doux (07) 221 H4
Saint-Pierre-sur-Dropt (47) 230 E4
Saint-Pierre-sur-Erve (53) 105 J2
Saint-Pierre-sur-Orthe (53) 82 A5
Saint-Pierre-sur-Vence (08) 22 C4
Saint-Pierre-Tarentaine (14) 53 F2
Saint-Pierre-Toirac (46) 234 C6
Saint-Pierremont (02) 21 F4
Saint-Pierremont (08) 42 D1
Saint-Pierremont (88) 94 E2
Saint-Pierreville (07) 239 J2
Saint-Pierrevillers (55) 26 C4
Saint-Plaisir (03) 168 B3
Saint-Plancard (31) 286 C6
Saint-Planchers (50) 51 J1
Saint-Plantaire (36) 165 J5
Saint-Point (71) 171 H6
Saint-Point-Lac (25) 156 E5
Saint-Pois (50) 52 C4
Saint-Poix (53) 104 C3
Saint-Pol-de-Léon (29) 47 F3
Saint-Pol-sur-Mer (59) 3 H1
Saint-Pol-sur-Ternoise (62) 10 B1
Saint-Polgues (42) 186 E6
Saint-Polycarpe (11) 309 F2
Saint-Pompain (79) 161 F5
Saint-Pompont (24) 232 E4
Saint-Poncy (15) 219 F4
Saint-Pons (04) 260 C1
Saint-Pons (07) 239 K5
Saint-Pons-de-Mauchiens (34) 292 D2
Saint-Pons-de-Thomières (34) 291 F2
Saint-Pons-la-Calm (30) 256 B5
Saint-Pont (03) 185 H3
Saint-Porchaire (17) 194 E1
Saint-Porquier (82) 268 E1
Saint-Pôtan (22) 50 A4
Saint-Pouange (10) 90 A5
Saint-Pourçain-sur-Besbre (03) 169 H5
Saint-Pourçain-sur-Sioule (03) 185 H1
Saint-Prancher (88) 93 J3
Saint-Préjet-Armandon (43) 219 J3
Saint-Préjet-d'Allier (43) 237 K1
Saint-Prest (28) 85 G2
Saint-Preuil (16) 196 A4
Saint-Priest (07) 239 J4
Saint-Priest (23) 183 H4
Saint-Priest (69) 206 B3
Saint-Priest-Bramefant (63) 185 J4
Saint-Priest-d'Andelot (03) 185 G4
Saint-Priest-de-Gimel (19) 216 C2
Saint-Priest-des-Champs (63) 184 C5
Saint-Priest-en-Jarez (42) 205 G5
Saint-Priest-en-Murat (03) 168 A6
Saint-Priest-la-Feuille (23) 181 K2
Saint-Priest-la-Marche (18) 166 D5
Saint-Priest-la-Plaine (23) 182 B2
Saint-Priest-la-Prugne (42) 186 B5
Saint-Priest-la-Roche (42) 187 F6
Saint-Priest-la-Vêtre (42) 204 A1
Saint-Priest-les-Fougères (24) 198 C5
Saint-Priest-Ligoure (87) 199 F3
Saint-Priest-Palus (23) 182 B6
Saint-Priest-sous-Aixe (87) 198 D1
Saint-Priest-Taurion (87) 181 J6
Saint-Prim (38) 206 A6
Saint-Privat (07) 239 H5
Saint-Privat (19) 216 E4
Saint-Privat (34) 273 H4
Saint-Privat-d'Allier (43) 220 A6
Saint-Privat-de-Champclos (30) 255 K3
Saint-Privat-de-Vallongue (48) 254 E3
Saint-Privat-des-Prés (24) 213 F3
Saint-Privat-des-Vieux (30) 255 H5
Saint-Privat-du-Dragon (43) 219 H4
Saint-Privat-du-Fau (48) 237 G1
Saint-Privat-la-Montagne (57) 44 D4
Saint-Privé (71) 171 G1
Saint-Privé (89) 132 A1
Saint-Prix (03) 186 A2
Saint-Prix (07) 239 J1
Saint-Prix (71) 152 C4
Saint-Prix (95) 58 D1
Saint-Prix-lès-Arnay (21) 153 G2
Saint-Projet (46) 233 H3
Saint-Projet (82) 250 D3
Saint-Projet-de-Salers (15) 217 J5
Saint-Projet-Saint-Constant (16) 197 G2
Saint-Prouant (85) 142 D6
Saint-Pryvé-Saint-Mesmin (45) 109 K4
Saint-Puy (32) 267 G3
Saint-Python (59) 12 C4
Saint-Quantin-de-Rançanne (17) 195 G5
Saint-Quay-Perros (22) 48 A2
Saint-Quay-Portrieux (22) 49 F4
Saint-Quentin (02) 20 A2
Saint-Quentin-au-Bosc (76) 16 C1
Saint-Quentin-de-Baron (33) 230 A2
Saint-Quentin-de-Blavou (61) 83 G2
Saint-Quentin-de-Caplong (33) 230 E3
Saint-Quentin-de-Chalais (16) 212 D2
Saint-Quentin-des-Isles (27) 55 H1
Saint-Quentin-des-Prés (60) 36 E1
Saint-Quentin-du-Dropt (47) 231 J4
Saint-Quentin-en-Mauges (49) 124 D5
Saint-Quentin-en-Tourmont (80) 8 E3
Saint-Quentin-Fallavier (38) 206 D3
Saint-Quentin-la-Chabanne (23) 200 E1

Saint-Quentin-la-Motte-Croix-au-Bailly (80) 8 C5
Saint-Quentin-la-Poterie (30) 256 A6
Saint-Quentin-la-Tour (09) 308 B2
Saint-Quentin-le-Petit (08) 21 H6
Saint-Quentin-le-Verger (51) 61 H6
Saint-Quentin-les-Anges (53) 104 D5
Saint-Quentin-lès-Beaurepaire (49) 126 B1
Saint-Quentin-les-Chardonnets (61) 53 F4
Saint-Quentin-les-Marais (51) 63 G4
Saint-Quentin-sur-Charente (16) 197 K1
Saint-Quentin-sur-Coole (51) 62 D3
Saint-Quentin-sur-Indrois (37) 146 D1
Saint-Quentin-sur-Isère (38) 223 J2
Saint-Quentin-sur-le-Homme (50) 52 A5
Saint-Quentin-sur-Nohain (58) 132 B5
Saint-Quentin-sur-Sauxillanges (63) 203 G5
Saint-Quintin-sur-Sioule (63) 185 F4
Saint-Quirc (09) 288 C5
Saint-Quirin (57) 67 J5
Saint-Rabier (24) 214 E4
Saint-Racho (71) 187 H1
Saint-Rambert-d'Albon (26) 222 B2
Saint-Rambert-en-Bugey (01) 189 J5
Saint-Raphaël (24) 214 E2
Saint-Raphaël (83) 299 G2
Saint-Régis-du-Coin (42) 221 H2
Saint-Règle (37) 128 C4
Saint-Remèze (07) 256 B2
Saint-Remimont (54) 94 B1
Saint-Remimont (88) 93 J5
Saint-Rémy (01) 189 F2
Saint-Rémy (12) 251 G2
Saint-Rémy (14) 53 H2
Saint-Rémy (19) 201 F3
Saint-Rémy (21) 134 D1
Saint-Rémy (24) 230 E1
Saint-Remy (70) 118 A4
Saint-Rémy (71) 171 J1
Saint-Rémy (79) 161 G5
Saint-Remy (88) 95 G3
Saint-Rémy-au-Bois (62) 9 G2
Saint-Rémy-aux-Bois (54) 94 C2
Saint-Rémy-Blanzy (02) 39 J4
Saint-Rémy-Boscrocourt (76) 8 C6
Saint-Remy-Chaussée (59) 13 G4
Saint-Rémy-de-Blot (63) 184 D4
Saint-Rémy-de-Chargnat (63) 203 F5
Saint-Rémy-de-Chaudes-Aigues (15) 236 D3
Saint-Rémy-de-Maurienne (73) 209 F6
Saint-Rémy-de-Provence (13) 276 B4
Saint-Rémy-de-Sillé (72) 82 B6
Saint-Rémy-des-Landes (50) 28 C6
Saint-Rémy-des-Monts (72) 83 G4
Saint-Remy-du-Nord (59) 13 G3
Saint-Rémy-du-Plain (35) 79 H1
Saint-Rémy-du-Val (72) 82 E4
Saint-Remy-en-Bouzemont-Saint-Genest-et-Isson (51) 63 G6
Saint-Remy-en-l'Eau (60) 38 A1
Saint-Rémy-en-Mauges (49) 124 B5
Saint-Rémy-en-Rollat (03) 185 J3
Saint-Remy-la-Calonne (55) 43 K6
Saint-Rémy-la-Vanne (77) 60 C4
Saint-Rémy-la-Varenne (49) 125 J4
Saint-Remy-le-Petit (08) 41 H2
Saint-Rémy-lès-Chevreuse (78) 58 C5
Saint-Rémy-l'Honoré (78) 58 A5
Saint-Remy-sous-Barbuise (10) 90 B2
Saint-Remy-sous-Broyes (51) 61 H5
Saint-Rémy-sur-Avre (28) 56 E5
Saint-Remy-sur-Bussy (51) 42 A6
Saint-Rémy-sur-Creuse (86) 146 A4
Saint-Rémy-sur-Durolle (63) 186 A6
Saint-Renan (29) 72 C4
Saint-Restitut (26) 256 E3
Saint-Révérend (85) 158 E1
Saint-Révérien (58) 151 H1
Saint-Rieul (22) 77 K1
Saint-Rigomer-des-Bois (72) 82 D3
Saint-Rimay (41) 108 B6
Saint-Riquier (80) 9 H4
Saint-Riquier-en-Rivière (76) 16 E2
Saint-Riquier-ès-Plains (76) 15 F3
Saint-Rirand (42) 186 C4
Saint-Rivoal (29) 74 E1
Saint-Robert (19) 215 G3
Saint-Robert (47) 248 D4
Saint-Roch (37) 127 H4
Saint-Roch-sur-Égrenne (61) 81 F1
Saint-Rogatien (17) 176 E2
Saint-Romain (16) 212 E2
Saint-Romain (21) 153 J3
Saint-Romain (63) 204 B5
Saint-Romain (86) 179 J2
Saint-Romain-au-Mont-d'Or (69) 206 A1
Saint-Romain-d'Ay (07) 222 A4
Saint-Romain-de-Benet (17) 194 E2
Saint-Romain-de-Colbosc (76) 14 C6
Saint-Romain-de-Jalionas (38) 206 E2
Saint-Romain-de-Lerps (07) 222 B6
Saint-Romain-de-Monpazier (24) 232 B4
Saint-Romain-de-Popey (69) 205 H1
Saint-Romain-de-Surieu (38) 222 C1
Saint-Romain-d'Urfé (42) 186 C6
Saint-Romain-en-Gal (69) 206 B5
Saint-Romain-en-Gier (69) 205 K4
Saint-Romain-en-Jarez (42) 205 H4
Saint-Romain-en-Viennois (84) 257 H3
Saint-Romain-et-Saint-Clément (24) 198 B6
Saint-Romain-la-Motte (42) 186 E4
Saint-Romain-la-Virvée (33) 211 J6
Saint-Romain-Lachalm (43) 221 G2
Saint-Romain-le-Noble (47) 248 D5
Saint-Romain-le-Preux (89) 112 D3
Saint-Romain-le-Puy (42) 204 D4
Saint-Romain-les-Atheux (42) 221 G1
Saint-Romain-sous-Gourdon (71) 170 E3
Saint-Romain-sous-Versigny (71) 170 C2
Saint-Romain-sur-Cher (41) 129 F5
Saint-Romain-sur-Gironde (17) 194 E5
Saint-Roman (26) 241 H4
Saint-Roman-de-Codières (30) 274 A1
Saint-Roman-de-Malegarde (84) 257 F3
Saint-Romans (38) 223 G4
Saint-Romans-des-Champs (79) 178 B2
Saint-Romans-lès-Melle (79) 178 D2
Saint-Rome (31) 288 E3
Saint-Rome-de-Cernon (12) 272 C1
Saint-Rome-de-Dolan (48) 253 H4
Saint-Rome-de-Tarn (12) 272 B1
Saint-Romphaire (50) 31 H4
Saint-Rustice (31) 269 F4
Saint-Saëns (76) 16 B5
Saint-Saire (76) 16 D4
Saint-Salvadou (12) 251 G4
Saint-Salvadour (19) 216 B1
Saint-Salvi-de-Carcavès (81) 271 J4
Saint-Salvy (47) 247 K3
Saint-Salvy-de-la-Balme (81) 271 G6
Saint-Samson (14) 33 G5
Saint-Samson (53) 82 A2
Saint-Samson-de-Bonfossé (50) 31 G4
Saint-Samson-de-la-Roque (27) 34 B2
Saint-Samson-la-Poterie (60) 17 F6
Saint-Samson-sur-Rance (22) 50 D5
Saint-Sandoux (63) 202 D4
Saint-Santin (12) 235 F5
Saint-Santin-Cantalès (15) 217 F6
Saint-Santin-de-Maurs (15) 235 F5
Saint-Sardos (47) 248 A3
Saint-Sardos (82) 268 D2
Saint-Satur (18) 131 K5
Saint-Saturnin (15) 218 B3
Saint-Saturnin (16) 196 D3
Saint-Saturnin (18) 166 D4
Saint-Saturnin (48) 253 H2
Saint-Saturnin (51) 61 K6
Saint-Saturnin (63) 202 D3
Saint-Saturnin (72) 106 D2
Saint-Saturnin-de-Lenne (12) 253 G2
Saint-Saturnin-de-Lucian (34) 273 H5
Saint-Saturnin-du-Bois (17) 177 J3
Saint-Saturnin-du-Limet (53) 104 B4
Saint-Saturnin-lès-Apt (84) 277 H1
Saint-Saturnin-lès-Avignon (84) 276 C1
Saint-Saturnin-sur-Loire (49) 125 H4
Saint-Saud-Lacoussière (24) 198 A5
Saint-Sauflieu (80) 18 A3
Saint-Saulge (58) 151 H2
Saint-Saulve (59) 12 D1
Saint-Saury (15) 234 E2
Saint-Sauvant (17) 195 H2
Saint-Sauvant (86) 162 C6
Saint-Sauves-d'Auvergne (63) 201 K4
Saint-Sauveur (05) 243 J5
Saint-Sauveur (21) 136 E4
Saint-Sauveur (24) 231 J2
Saint-Sauveur (29) 46 E6
Saint-Sauveur (31) 269 G4
Saint-Sauveur (33) 210 E3
Saint-Sauveur (38) 223 G4
Saint-Sauveur (54) 67 J6
Saint-Sauveur (60) 38 D3
Saint-Sauveur (70) 118 D4
Saint-Sauveur (80) 18 A1
Saint-Sauveur (86) 145 K6
Saint-Sauveur-Camprieu (30) 254 A6
Saint-Sauveur-d'Aunis (17) 177 G2
Saint-Sauveur-de-Carrouges (61) 82 B1
Saint-Sauveur-de-Cruzières (07) 255 J3
Saint-Sauveur-de-Flée (49) 104 E5
Saint-Sauveur-de-Ginestoux (48) 237 K4
Saint-Sauveur-de-Landemont (49) 123 K3
Saint-Sauveur-de-Meilhan (47) 247 F1
Saint-Sauveur-de-Montagut (07) 239 K2
Saint-Sauveur-de-Peyre (48) 237 G4
Saint-Sauveur-de-Pierrepont (50) 28 C6
Saint-Sauveur-de-Puynormand (33) 212 C6
Saint-Sauveur-d'Émalleville (76) 14 C5
Saint-Sauveur-des-Landes (35) 79 K1
Saint-Sauveur-en-Diois (26) 241 F4
Saint-Sauveur-en-Puisaye (89) 132 C2
Saint-Sauveur-en-Rue (42) 221 J2
Saint-Sauveur-Gouvernet (26) 257 K2
Saint-Sauveur-la-Pommeraye (50) 51 J1
Saint-Sauveur-la-Sagne (63) 219 K1
Saint-Sauveur-la-Vallée (46) 233 J5
Saint-Sauveur-Lalande (24) 213 F6
Saint-Sauveur-le-Vicomte (50) 28 D5
Saint-Sauveur-Lendelin (50) 30 E3
Saint-Sauveur-lès-Bray (77) 88 C3
Saint-Sauveur-Marville (28) 84 E1
Saint-Sauveur-sur-École (77) 87 G2
Saint-Sauveur-sur-Tinée (06) 261 H5
Saint-Sauvier (03) 166 E6
Saint-Sauvy (32) 268 A5
Saint-Savin (33) 211 J4
Saint-Savin (38) 207 F3
Saint-Savin (65) 304 A2
Saint-Savin (86) 164 A3
Saint-Savinien (17) 177 H6
Saint-Saviol (86) 179 H3
Saint-Savournin (13) 296 E2
Saint-Sébastien (23) 165 G6
Saint-Sébastien (38) 242 B1
Saint-Sébastien-d'Aigrefeuille (30) 255 G6
Saint-Sébastien-de-Morsent (27) 56 C1
Saint-Sébastien-de-Raids (50) 30 E2
Saint-Sébastien-sur-Loire (44) 123 H4
Saint-Secondin (86) 163 G6
Saint-Ségal (29) 74 D3
Saint-Séglin (35) 102 D1
Saint-Seine (58) 169 K1
Saint-Seine-en-Bâche (21) 155 F2
Saint-Seine-l'Abbaye (21) 135 H4
Saint-Seine-sur-Vingeanne (21) 136 E2
Saint-Selve (33) 229 H4
Saint-Senier-de-Beuvron (50) 52 A6
Saint-Senier-sous-Avranches (50) 51 K3
Saint-Senoch (37) 146 C3
Saint-Senoux (35) 103 F1
Saint-Sériès (34) 274 E4
Saint-Sernin (07) 239 H5
Saint-Sernin (11) 289 F5
Saint-Sernin (47) 231 F4
Saint-Sernin-du-Bois (71) 153 G6
Saint-Sernin-du-Plain (71) 153 J5
Saint-Sernin-lès-Lavaur (81) 289 H1
Saint-Sernin-sur-Rance (12) 271 J3
Saint-Sérotin (89) 88 C5
Saint-Servais (22) 76 A1
Saint-Servais (29) 46 D5
Saint-Servant (56) 101 J2
Saint-Setiers (19) 200 D3
Saint-Seurin-de-Bourg (33) 211 H5
Saint-Seurin-de-Cadourne (33) 211 F2
Saint-Seurin-de-Cursac (33) 211 G3
Saint-Seurin-de-Palenne (17) 195 H3
Saint-Seurin-de-Prats (24) 230 D2
Saint-Seurin-sur-l'Isle (33) 212 D5
Saint-Sève (33) 230 C5
Saint-Sever (40) 265 G4
Saint-Sever-Calvados (14) 52 C3
Saint-Sever-de-Rustan (65) 285 J3
Saint-Sever-de-Saintonge (17) 195 H3
Saint-Sever-du-Moustier (12) 271 K4
Saint-Séverin (16) 213 F2
Saint-Séverin-d'Estissac (24) 213 H5
Saint-Séverin-sur-Boutonne (17) 178 A3
Saint-Siffret (30) 275 H1
Saint-Sigismond (45) 109 J3
Saint-Sigismond (49) 124 C3
Saint-Sigismond (74) 192 A3
Saint-Sigismond (85) 160 E6
Saint-Sigismond-de-Clermont (17) 195 H6
Saint-Silvain-Bas-le-Roc (23) 183 G1
Saint-Silvain-Bellegarde (23) 183 H5
Saint-Silvain-Montaigut (23) 182 C3
Saint-Silvain-sous-Toulx (23) 183 G2
Saint-Siméon (27) 34 C4
Saint-Siméon (61) 81 F2
Saint-Siméon (77) 60 C4
Saint-Siméon-de-Bressieux (38) 223 F1
Saint-Simeux (16) 196 C3
Saint-Simon (02) 19 J4
Saint-Simon (15) 235 J1
Saint-Simon (16) 196 B3
Saint-Simon (46) 234 B4
Saint-Simon-de-Bordes (17) 195 H6
Saint-Simon-de-Pellouaille (17) 195 F3
Saint-Sixt (74) 191 H3
Saint-Sixte (42) 204 C2
Saint-Sixte (47) 248 D5
Saint-Solve (19) 215 H2
Saint-Sorlin (69) 205 J4
Saint-Sorlin-d'Arves (73) 225 F2
Saint-Sorlin-de-Conac (17) 211 G1
Saint-Sorlin-de-Morestel (38) 207 H3
Saint-Sorlin-de-Vienne (38) 206 B5
Saint-Sorlin-en-Bugey (01) 189 H6
Saint-Sorlin-en-Valloire (26) 222 C2
Saint-Sornin (03) 168 B5
Saint-Sornin (16) 197 G3
Saint-Sornin (17) 194 C1
Saint-Sornin-la-Marche (87) 180 E2
Saint-Sornin-Lavolps (19) 215 H1
Saint-Sornin-Leulac (87) 181 H2
Saint-Soulan (32) 287 F2
Saint-Souplet (59) 12 D5
Saint-Souplet-sur-Py (51) 41 K4
Saint-Soupplets (77) 59 J1
Saint-Sozy (46) 233 J2
Saint-Stail (88) 95 K3
Saint-Suliac (35) 50 D4
Saint-Sulpice (01) 172 B6
Saint-Sulpice (46) 234 B6
Saint-Sulpice (49) 125 H4
Saint-Sulpice (53) 105 F3
Saint-Sulpice (58) 151 F3
Saint-Sulpice (60) 37 H3
Saint-Sulpice (63) 201 J4
Saint-Sulpice (70) 138 D2
Saint-Sulpice (73) 208 A4
Saint-Sulpice (81) 269 K4
Saint-Sulpice-d'Arnoult (17) 194 E1
Saint-Sulpice-de-Cognac (16) 195 J2
Saint-Sulpice-de-Faleyrens (33) 230 B1
Saint-Sulpice-de-Favières (91) 86 D2
Saint-Sulpice-de-Grimbouville (27) 34 B2
Saint-Sulpice-de-Guilleragues (33) 230 D5
Saint-Sulpice-de-Mareuil (24) 197 H6
Saint-Sulpice-de-Pommeray (41) 128 E2
Saint-Sulpice-de-Pommiers (33) 230 B4
Saint-Sulpice-de-Roumagnac (24) 213 H3
Saint-Sulpice-de-Royan (17) 194 C3
Saint-Sulpice-de-Ruffec (16) 179 H5
Saint-Sulpice-des-Landes (35) 103 G3
Saint-Sulpice-des-Landes (44) 124 A2
Saint-Sulpice-des-Rivoires (38) 207 J5
Saint-Sulpice-d'Excideuil (24) 214 D1
Saint-Sulpice-en-Pareds (85) 160 D2
Saint-Sulpice-et-Cameyrac (33) 229 J1
Saint-Sulpice-la-Forêt (35) 79 H3
Saint-Sulpice-Laurière (87) 181 K4
Saint-Sulpice-le-Dunois (23) 182 C1
Saint-Sulpice-le-Guérétois (23) 182 C2
Saint-Sulpice-le-Verdon (85) 141 K4
Saint-Sulpice-les-Bois (19) 200 D4
Saint-Sulpice-les-Champs (23) 182 E5
Saint-Sulpice-les-Feuilles (87) 181 J1
Saint-Sulpice-sur-Lèze (31) 288 A4
Saint-Sulpice-sur-Risle (61) 55 J4
Saint-Supplet (54) 26 C4
Saint-Sylvain (14) 33 F6
Saint-Sylvain (19) 216 C4
Saint-Sylvain (76) 15 F2
Saint-Sylvain-d'Anjou (49) 125 H3
Saint-Sylvestre (07) 222 B6
Saint-Sylvestre (74) 190 E6
Saint-Sylvestre (87) 181 J5
Saint-Sylvestre-Cappel (59) 3 K5
Saint-Sylvestre-de-Cormeilles (27) 34 B4
Saint-Sylvestre-Pragoulin (63) 185 J4
Saint-Sylvestre-sur-Lot (47) 248 D2
Saint-Symphorien (18) 149 F6
Saint-Symphorien (27) 34 C3
Saint-Symphorien (33) 246 A1
Saint-Symphorien (48) 237 K2
Saint-Symphorien (72) 106 B1
Saint-Symphorien (79) 178 A1
Saint-Symphorien-d'Ancelles (71) 188 B2
Saint-Symphorien-de-Lay (42) 187 G5
Saint-Symphorien-de-Mahun (07) 221 J4
Saint-Symphorien-de-Marmagne (71) 153 F6
Saint-Symphorien-de-Thénières (12) 236 A4
Saint-Symphorien-des-Bois (71) 170 D6
Saint-Symphorien-des-Bruyères (61) 55 H4
Saint-Symphorien-des-Monts (50) 80 D1
Saint-Symphorien-d'Ozon (69) 206 B3
Saint-Symphorien-le-Château (28) 85 J2
Saint-Symphorien-le-Valois (50) 30 D1
Saint-Symphorien-sous-Chomérac (07) 240 A3
Saint-Symphorien-sur-Coise (69) 205 G3
Saint-Symphorien-sur-Couze (87) 181 G4
Saint-Symphorien-sur-Saône (21) 154 E2
Saint-Thégonnec (29) 47 F5
Saint-Thélo (22) 77 F4
Saint-Théodorit (30) 274 E2
Saint-Théoffrey (38) 224 B5
Saint-Thibaud-de-Couz (73) 208 A5
Saint-Thibault (10) 90 B6
Saint-Thibault (21) 135 F5
Saint-Thibault (60) 17 G4
Saint-Thibault-des-Vignes (77) 59 H3
Saint-Thibaut (02) 40 B3
Saint-Thibéry (34) 292 C3
Saint-Thiébaud (39) 156 A3
Saint-Thiébault (52) 93 F5
Saint-Thierry (51) 40 E3
Saint-Thois (29) 75 F4
Saint-Thomas (02) 40 D1
Saint-Thomas (31) 287 H2
Saint-Thomas-de-Conac (17) 195 F6
Saint-Thomas-de-Courceriers (53) 81 K5
Saint-Thomas-en-Argonne (51) 42 D5
Saint-Thomas-en-Royans (26) 223 G5
Saint-Thomas-la-Garde (42) 204 D4
Saint-Thomé (07) 239 K6
Saint-Thonan (29) 46 B5
Saint-Thual (35) 78 E1
Saint-Thurial (35) 78 D5
Saint-Thuriau (56) 76 E6
Saint-Thurien (27) 34 C2
Saint-Thurien (29) 99 H2
Saint-Thurin (42) 204 B1
Saint-Tricat (62) 2 C3
Saint-Trimoël (22) 77 J2
Saint-Trinit (84) 258 B5
Saint-Trivier-de-Courtes (01) 172 B4
Saint-Trivier-sur-Moignans (01) 188 D4
Saint-Trojan (33) 211 H4
Saint-Trojan-les-Bains (17) 176 C6
Saint-Tropez (83) 299 F4
Saint-Tugdual (56) 76 A5
Saint-Ulphace (72) 83 K6
Saint-Ulrich (68) 97 A4
Saint-Uniac (35) 78 D3
Saint-Urbain (29) 46 C6
Saint-Urbain (85) 140 D4
Saint-Urbain-Maconcourt (52) 92 B3
Saint-Urcisse (47) 248 D5
Saint-Urcisse (81) 269 J2
Saint-Urcize (15) 236 D4
Saint-Usage (10) 115 G1
Saint-Usage (21) 154 E2
Saint-Usuge (71) 172 D2
Saint-Utin (51) 90 E1
Saint-Uze (26) 222 C3
Saint-Vaast-de-Longmont (60) 38 D4
Saint-Vaast-d'Équiqueville (76) 16 B3
Saint-Vaast-Dieppedalle (76) 15 G3
Saint-Vaast-du-Val (76) 15 J4
Saint-Vaast-en-Auge (14) 33 H3
Saint-Vaast-en-Cambrésis (59) 12 C4
Saint-Vaast-en-Chaussée (80) 18 A1
Saint-Vaast-la-Hougue (50) 29 G3
Saint-Vaast-lès-Mello (60) 37 K4
Saint-Vaast-sur-Seulles (14) 32 B5
Saint-Vaize (17) 195 G1
Saint-Valbert (70) 118 D4
Saint-Valentin (36) 148 B4
Saint-Valérien (85) 160 C3
Saint-Valérien (89) 88 B6
Saint-Valery (60) 17 F4
Saint-Valery-en-Caux (76) 15 G2
Saint-Valery-sur-Somme (80) 8 E4
Saint-Vallerin (71) 171 H2
Saint-Vallier (16) 212 C2
Saint-Vallier (26) 222 B3
Saint-Vallier (71) 170 E2
Saint-Vallier (88) 94 C4
Saint-Vallier-de-Thiey (06) 280 C4
Saint-Vallier-sur-Marne (52) 116 D4
Saint-Varent (79) 144 B5
Saint-Vaury (23) 182 C2
Saint-Venant (62) 5 K4
Saint-Vénérand (43) 238 A2
Saint-Vérain (58) 132 B3
Saint-Véran (05) 227 C3
Saint-Vérand (38) 223 G3
Saint-Vérand (69) 187 K6
Saint-Vérand (71) 188 B1
Saint-Vert (43) 219 J1
Saint-Viance (19) 215 H3
Saint-Viâtre (41) 130 A3
Saint-Viaud (44) 122 C3
Saint-Victeur (72) 82 C4
Saint-Victor (03) 167 H6
Saint-Victor (07) 222 A4
Saint-Victor (15) 217 G6
Saint-Victor (24) 213 H2
Saint-Victor-de-Buthon (28) 84 B3
Saint-Victor-de-Cessieu (38) 207 G4
Saint-Victor-de-Chrétienville (27) 34 C6
Saint-Victor-de-Malcap (30) 255 J4
Saint-Victor-de-Morestel (38) 207 H2
Saint-Victor-de-Réno (61) 83 J2
Saint-Victor-d'Épine (27) 34 D5
Saint-Victor-des-Oules (30) 256 B6
Saint-Victor-en-Marche (23) 182 C3
Saint-Victor-et-Melvieu (12) 272 B1
Saint-Victor-la-Coste (30) 256 C6
Saint-Victor-la-Rivière (63) 202 B5
Saint-Victor-l'Abbaye (76) 16 A4
Saint-Victor-Malescours (43) 221 G2
Saint-Victor-Montvianeix (63) 186 A6
Saint-Victor-Rouzaud (09) 307 H1
Saint-Victor-sur-Arlanc (43) 220 B2
Saint-Victor-sur-Avre (27) 56 A5
Saint-Victor-sur-Ouche (21) 135 H6
Saint-Victor-sur-Rhins (42) 187 H5
Saint-Victoret (13) 296 B2
Saint-Victour (19) 201 G6
Saint-Victurnien (87) 180 E6
Saint-Vidal (43) 220 B5
Saint-Vigor (27) 35 K6
Saint-Vigor-des-Mézerets (14) 53 G2
Saint-Vigor-des-Monts (50) 52 C2
Saint-Vigor-d'Ymonville (76) 34 B1
Saint-Vigor-le-Grand (14) 32 B3
Saint-Vincent (31) 289 F3
Saint-Vincent (43) 220 C4
Saint-Vincent (63) 202 D5
Saint-Vincent (64) 285 F6
Saint-Vincent (82) 250 A5
Saint-Vincent-Bragny (71) 170 C4
Saint-Vincent-Cramesnil (76) 34 B1
Saint-Vincent-de-Barbeyrargues (34) 274 C5
Saint-Vincent-de-Barrès (07) 240 A4
Saint-Vincent-de-Boisset (42) 187 F5
Saint-Vincent-de-Connezac (24) 213 H4
Saint-Vincent-de-Cosse (24) 232 E2
Saint-Vincent-de-Durfort (07) 239 K2
Saint-Vincent-de-Lamontjoie (47) 248 A6
Saint-Vincent-de-Mercuze (38) 208 C6
Saint-Vincent-de-Paul (33) 211 J6
Saint-Vincent-de-Paul (40) 264 B4
Saint-Vincent-de-Pertignas (33) 230 B2
Saint-Vincent-de-Reins (69) 187 J4
Saint-Vincent-de-Salers (15) 217 J3
Saint-Vincent-de-Tyrosse (40) 262 C5
Saint-Vincent-des-Bois (27) 57 F1
Saint-Vincent-des-Landes (44) 103 H4
Saint-Vincent-des-Prés (71) 171 G4
Saint-Vincent-des-Prés (72) 83 F4
Saint-Vincent-d'Olargues (34) 291 G1
Saint-Vincent-du-Boulay (27) 34 C6
Saint-Vincent-du-Lorouër (72) 107 G5
Saint-Vincent-du-Pendit (46) 234 C2
Saint-Vincent-en-Bresse (71) 172 B2
Saint-Vincent-Jalmoutiers (24) 213 F3
Saint-Vincent-la-Châtre (79) 178 E2
Saint-Vincent-la-Commanderie (26) 222 E6
Saint-Vincent-le-Paluel (24) 233 F2
Saint-Vincent-les-Forts (04) 243 H6
Saint-Vincent-Lespinasse (82) 248 E5
Saint-Vincent-Rive-d'Olt (46) 249 J1
Saint-Vincent-Sterlanges (85) 160 B1
Saint-Vincent-sur-Graon (85) 159 J3
Saint-Vincent-sur-Jabron (04) 258 D4
Saint-Vincent-sur-Jard (85) 159 G5
Saint-Vincent-sur-l'Isle (24) 214 C3
Saint-Vincent-sur-Oust (56) 102 B3
Saint-Vit (25) 155 K1
Saint-Vital (73) 209 F3
Saint-Vite (47) 248 E1

Saint-Vitte (18) 167 G4
Saint-Vitte-sur-Briance (87) 199 H4
Saint-Vivien (17) 176 E3
Saint-Vivien (24) 230 E1
Saint-Vivien-de-Blaye (33) 211 H4
Saint-Vivien-de-Médoc (33) 194 C6
Saint-Vivien-de-Monségur (33) 230 E5
Saint-Voir (03) 169 G5
Saint-Vougay (29) 46 D4
Saint-Vrain (51) 63 H5
Saint-Vrain (91) 86 E2
Saint-Vran (22) 77 J4
Saint-Vulbas (01) 207 F1
Saint-Waast (59) 13 F2
Saint-Wandrille-Rançon (76) 15 G6
Saint-Witz (95) 38 B6
Saint-Xandre (17) 176 E2
Saint-Yaguen (40) 264 E2
Saint-Yan (71) 170 B5
Saint-Ybard (19) 199 H6
Saint-Ybars (09) 288 B5
Saint-Yon (91) 86 D1
Saint-Yorre (03) 185 J4
Saint-Yrieix-la-Montagne (23) 182 E6
Saint-Yrieix-la-Perche (87) 198 E5
Saint-Yrieix-le-Déjalat (19) 200 C6
Saint-Yrieix-les-Bois (23) 182 D4
Saint-Yrieix-sous-Aixe (87) 198 D1
Saint-Yrieix-sur-Charente (16) 196 D3
Saint-Ythaire (71) 171 G3
Saint-Yvoine (63) 202 E4
Saint-Yvy (29) 98 E2
Saint-Yzan-de-Soudiac (33) 211 J4
Saint-Yzans-de-Médoc (33) 211 F1
Saint-Zacharie (83) 297 F3
Sainte-Adresse (76) 33 J1
Sainte-Agathe (63) 203 J1
Sainte-Agathe-d'Aliermont (76) 16 C3
Sainte-Agathe-en-Donzy (42) 205 F1
Sainte-Agathe-la-Bouteresse (42) 204 D2
Sainte-Agnès (06) 281 J2
Sainte-Agnès (38) 224 C2
Sainte-Agnès (39) 173 F2
Sainte-Alauzie (46) 249 J3
Sainte-Alvère (24) 232 B1
Sainte-Anastasie (15) 218 D4
Sainte-Anastasie (30) 275 G2
Sainte-Anastasie-sur-Issole (83) 298 A3
Sainte-Anne (25) 156 B4
Sainte-Anne (32) 268 C4
Sainte-Anne (41) 108 C6
Sainte-Anne-d'Auray (56) 100 D4
Sainte-Anne-Saint-Priest (87) 199 K3
Sainte-Anne-sur-Brivet (44) 102 C6
Sainte-Anne-sur-Gervonde (38) 206 E5
Sainte-Anne-sur-Vilaine (35) 102 E3
Sainte-Aulde (77) 60 C2
Sainte-Aurence-Cazaux (32) 286 B3
Sainte-Austreberthe (62) 9 J2
Sainte-Austreberthe (76) 15 J5
Sainte-Barbe (57) 45 G4
Sainte-Barbe (88) 95 F2
Sainte-Barbe-sur-Gaillon (27) 35 K5
Sainte-Bazeille (47) 230 D6
Sainte-Beuve-en-Rivière (76) 16 D3
Sainte-Blandine (38) 207 G4
Sainte-Blandine (79) 178 C1
Sainte-Brigitte (56) 76 C4
Sainte-Camelle (11) 289 F5
Sainte-Catherine (62) 10 E2
Sainte-Catherine (63) 203 H6
Sainte-Catherine (69) 205 H4
Sainte-Catherine-de-Fierbois (37) 145 K2
Sainte-Cécile (36) 147 K1
Sainte-Cécile (50) 52 B3
Sainte-Cécile (71) 171 H5
Sainte-Cécile (85) 142 C6
Sainte-Cécile-d'Andorge (30) 255 F4
Sainte-Cécile-du-Cayrou (81) 270 A1
Sainte-Cécile-les-Vignes (84) 257 F4
Sainte-Céronne-
-lès-Mortagne (61) 83 H1
Sainte-Cérotte (72) 107 J4
Sainte-Christie (32) 267 J4
Sainte-Christie-d'Armagnac (32) 266 C4
Sainte-Christine (49) 124 D5
Sainte-Christine (63) 184 C4
Sainte-Colombe (05) 258 D3
Sainte-Colombe (16) 197 F1
Sainte-Colombe (17) 212 A2
Sainte-Colombe (21) 134 E4
Sainte-Colombe (25) 156 E4
Sainte-Colombe (33) 230 C1
Sainte-Colombe (35) 103 J1
Sainte-Colombe (40) 265 G5
Sainte-Colombe (46) 234 D4
Sainte-Colombe (50) 28 D5
Sainte-Colombe (69) 206 B5
Sainte-Colombe (76) 15 G3
Sainte-Colombe (77) 88 D2
Sainte-Colombe (89) 134 A2
Sainte-Colombe-de-Duras (47) 230 E4
Sainte-Colombe-de-
-la-Commanderie (66) 315 F3
Sainte-Colombe-de-Peyre (48) 237 F4
Sainte-Colombe-
-de-Villeneuve (47) 248 C2
Sainte-Colombe-des-Bois (58) 132 C5
Sainte-Colombe-en-Bruilhois (47) 248 A5
Sainte-Colombe-
-la-Commanderie (27) 35 G6
Sainte-Colombe-près-
-Vernon (27) 36 A6
Sainte-Colombe-sur-Gand (42) 187 H6
Sainte-Colombe-sur-Guette (11) 308 E6
Sainte-Colombe-sur-l'Hers (11) 308 C3
Sainte-Colombe-sur-Loing (89) 132 D2
Sainte-Colombe-sur-Seine (21) 115 F4
Sainte-Colome (64) 303 H1
Sainte-Consorce (69) 205 K2
Sainte-Croix (01) 188 E6
Sainte-Croix (02) 40 C1
Sainte-Croix (12) 251 F2
Sainte-Croix (24) 232 B3
Sainte-Croix (26) 241 G3
Sainte-Croix (46) 249 H3
Sainte-Croix (71) 172 D3
Sainte-Croix (81) 270 D2
Sainte-Croix-à-Lauze (04) 277 K2
Sainte-Croix-aux-Mines (68) 96 A2
Sainte-Croix-de-Caderle (30) 254 E6
Sainte-Croix-de-Mareuil (24) 197 G6
Sainte-Croix-
-de-Quintillargues (34) 274 C4
Sainte-Croix-de-Verdon (04) 279 F4
Sainte-Croix-du-Mont (33) 230 A5
Sainte-Croix-en-Jarez (42) 205 J5
Sainte-Croix-en-Plaine (68) 96 C5
Sainte-Croix-Grand-Tonne (14) 32 C4
Sainte-Croix-Hague (50) 28 B2
Sainte-Croix-sur-Aizier (27) 34 D2
Sainte-Croix-sur-Buchy (76) 16 C6
Sainte-Croix-sur-Mer (14) 32 D3
Sainte-Croix-sur-Orne (61) 53 K4
Sainte-Croix-Vallée-
-Française (48) 254 D5
Sainte-Croix-Volvestre (09) 306 D1
Sainte-Dode (32) 286 A3
Sainte-Eanne (79) 162 A5
Sainte-Engrâce (64) 302 C2
Sainte-Enimie (48) 254 A2
Sainte-Eugénie-
-de-Villeneuve (43) 219 K4
Sainte-Eulalie (07) 239 F2
Sainte-Eulalie (11) 289 K5
Sainte-Eulalie (15) 217 G4
Sainte-Eulalie (33) 229 J1
Sainte-Eulalie (48) 237 H3
Sainte-Eulalie-d'Ans (24) 214 D3
Sainte-Eulalie-de-Cernon (12) 272 E2
Sainte-Eulalie-d'Eymet (24) 231 G4
Sainte-Eulalie-d'Olt (12) 253 F1
Sainte-Eulalie-en-Born (40) 244 D3
Sainte-Eulalie-en-Royans (26) 223 G5
Sainte-Euphémie (01) 188 C5
Sainte-Euphémie-sur-
-Ouvèze (26) 258 A3
Sainte-Eusoye (60) 18 A6
Sainte-Fauste (36) 148 B6
Sainte-Féréole (19) 215 J3
Sainte-Feyre (23) 182 D3
Sainte-Feyre-la-Montagne (23) 183 G6
Sainte-Flaive-des-Loups (85) 159 G2
Sainte-Florence (33) 230 C2
Sainte-Florence (85) 142 C6
Sainte-Florine (43) 219 G1
Sainte-Foi (09) 308 B1
Sainte-Fortunade (19) 216 B3
Sainte-Foy (40) 265 J2
Sainte-Foy (71) 187 F1
Sainte-Foy (76) 16 A3
Sainte-Foy (85) 159 F3
Sainte-Foy-d'Aigrefeuille (31) 288 D1
Sainte-Foy-de-Belvès (24) 232 D3
Sainte-Foy-de-Longas (24) 232 A1
Sainte-Foy-
-de-Montgommery (14) 54 E2
Sainte-Foy-de-Peyrolières (31) 287 J2
Sainte-Foy-la-Grande (33) 231 F2
Sainte-Foy-la-Longue (33) 230 B5
Sainte-Foy-l'Argentière (69) 205 H3
Sainte-Foy-lès-Lyon (69) 206 A2
Sainte-Foy-Saint-Sulpice (42) 204 D2
Sainte-Foy-Tarentaise (73) 193 B3
Sainte-Gauburge-
-Sainte-Colombe (61) 55 G5
Sainte-Gemme (17) 194 D1
Sainte-Gemme (32) 268 A4
Sainte-Gemme (33) 230 D5
Sainte-Gemme (36) 147 G6
Sainte-Gemme (51) 40 B5
Sainte-Gemme (79) 144 A5
Sainte-Gemme (81) 251 H6
Sainte-Gemme-en-
-Sancerrois (18) 131 J5
Sainte-Gemme-la-Plaine (85) 160 B4
Sainte-Gemme-Martaillac (47) 247 G2
Sainte-Gemme-Moronval (28) 57 F5
Sainte-Gemmes (41) 108 E5
Sainte-Gemmes-d'Andigné (49) 104 D6
Sainte-Gemmes-le-Robert (53) 81 J6
Sainte-Gemmes-sur-Loire (49) 125 G4
Sainte-Geneviève (02) 21 H4
Sainte-Geneviève (50) 29 F2
Sainte-Geneviève (54) 65 K2
Sainte-Geneviève (60) 37 J4
Sainte-Geneviève (76) 16 C5
Sainte-Geneviève-des-Bois (45) 111 J5
Sainte-Geneviève-des-Bois (91) 58 E6
Sainte-Geneviève-lès-Gasny (27) 36 C6
Sainte-Geneviève-sur-
-Argence (12) 236 B3
Sainte-Hélène (33) 210 E6
Sainte-Hélène (48) 237 K6
Sainte-Hélène (56) 100 B4
Sainte-Hélène (71) 171 H1
Sainte-Hélène (88) 95 F4
Sainte-Hélène-Bondeville (76) 14 D3
Sainte-Hélène-du-Lac (73) 208 D5
Sainte-Hélène-sur-Isère (73) 209 F3
Sainte-Hermine (85) 160 B3
Sainte-Honorine-de-Ducy (14) 32 A5
Sainte-Honorine-des-Pertes (14) 32 A2
Sainte-Honorine-du-Fay (14) 32 D6
Sainte-Honorine-
-la-Chardonne (61) 53 H3
Sainte-Honorine-
-la-Guillaume (61) 53 J4
Sainte-Innocence (24) 231 H3
Sainte-Jalle (26) 257 J2
Sainte-Jamme-sur-Sarthe (72) 106 D1
Sainte-Julie (01) 189 G6
Sainte-Juliette (82) 249 H3
Sainte-Juliette-sur-Viaur (12) 252 B4
Sainte-Léocadie (66) 313 H5
Sainte-Lheurine (17) 195 J5
Sainte-Livrade (31) 268 D6
Sainte-Livrade-sur-Lot (47) 248 B2
Sainte-Lizaigne (36) 148 D4
Sainte-Luce (38) 242 C1
Sainte-Luce-sur-Loire (44) 123 H3
Sainte-Lucie-de-Tallano (2A) 323 F2
Sainte-Lunaise (18) 149 G5
Sainte-Magnance (89) 134 B4
Sainte-Marguerite (43) 219 K3
Sainte-Marguerite (88) 95 J4
Sainte-Marguerite-
-de-Carrouges (61) 82 B1
Sainte-Marguerite-de-l'Autel (27) 56 A3
Sainte-Marguerite-de-Viette (14) 54 D1
Sainte-Marguerite-d'Elle (14) 31 J2
Sainte-Marguerite-
-des-Loges (14) 54 E1
Sainte-Marguerite-en-Ouche (27) 55 J1
Sainte-Marguerite-Lafigère (07) 255 F1
Sainte-Marguerite-sur-
-Duclair (76) 35 F1
Sainte-Marguerite-sur-
-Fauville (76) 15 F4
Sainte-Marguerite-sur-Mer (76) 15 J2
Sainte-Marie (05) 258 B1
Sainte-Marie (08) 42 B2
Sainte-Marie (15) 236 C2
Sainte-Marie (25) 139 G2
Sainte-Marie (32) 268 B5
Sainte-Marie (35) 102 C3
Sainte-Marie (58) 151 G2
Sainte-Marie (65) 305 J3
Sainte-Marie (66) 315 J2
Sainte-Marie-à-Py (51) 41 K4
Sainte-Marie-au-Bosc (76) 14 B4
Sainte-Marie-aux-Chênes (57) 44 D4
Sainte-Marie-aux-Mines (68) 96 A2
Sainte-Marie-Cappel (59) 3 J4
Sainte-Marie-d'Alloix (38) 208 C6
Sainte-Marie-d'Alvey (73) 207 K4
Sainte-Marie-de-Chignac (24) 214 B4
Sainte-Marie-de-Cuines (73) 225 G1
Sainte-Marie-de-Gosse (40) 262 D6
Sainte-Marie-de-Ré (17) 158 D6
Sainte-Marie-de-Vatimesnil (27) 36 C4
Sainte-Marie-de-Vaux (87) 198 D1
Sainte-Marie-des-Champs (76) 15 G5
Sainte-Marie-du-Bois (50) 80 E1
Sainte-Marie-du-Bois (53) 81 H2
Sainte-Marie-
-du-Lac-Nuisement (51) 63 H6
Sainte-Marie-du-Mont (38) 208 C6
Sainte-Marie-du-Mont (50) 29 G6
Sainte-Marie-en-Chanois (70) 118 E4
Sainte-Marie-en-Chaux (70) 118 C4
Sainte-Marie-Kerque (62) 3 F3
Sainte-Marie-la-Blanche (21) 154 B4
Sainte-Marie-la-Robert (61) 54 B6
Sainte-Marie-Lapanouze (19) 201 F6
Sainte-Marie-Laumont (14) 52 E2
Sainte-Marie-Outre-l'Eau (14) 52 D2
Sainte-Marie-sur-Ouche (21) 135 J6
Sainte-Marthe (27) 56 A2
Sainte-Marthe (47) 247 G2
Sainte-Maure (10) 90 A4
Sainte-Maure-de-Peyriac (47) 266 D1
Sainte-Maure-de-Touraine (37) 145 K2
Sainte-Maxime (83) 299 F3
Sainte-Même (17) 178 A6
Sainte-Menehould (51) 42 D6
Sainte-Mère (32) 267 J1
Sainte-Mère-Église (50) 29 F5
Sainte-Mesme (78) 86 A2
Sainte-Mondane (24) 233 G2
Sainte-Montaine (18) 130 E3
Sainte-Nathalène (24) 233 F1
Sainte-Néomaye (79) 161 K6
Sainte-Olive (01) 188 D4
Sainte-Opportune (61) 53 J4
Sainte-Opportune-du-Bosc (27) 35 F5
Sainte-Opportune-la-Mare (27) 34 C2
Sainte-Orse (24) 214 E3
Sainte-Osmane (72) 107 H4
Sainte-Ouenne (79) 161 H5
Sainte-Pallaye (89) 133 H1
Sainte-Paule (69) 187 K5
Sainte-Pazanne (44) 122 E5
Sainte-Pexine (85) 160 A3
Sainte-Pience (50) 52 A4
Sainte-Pôle (54) 95 G1
Sainte-Preuve (02) 21 F5
Sainte-Radegonde (12) 252 C3
Sainte-Radegonde (17) 177 G6
Sainte-Radegonde (24) 231 K4
Sainte-Radegonde (32) 267 H3
Sainte-Radegonde (33) 230 D2
Sainte-Radegonde (71) 170 B2
Sainte-Radegonde (79) 144 B4
Sainte-Radegonde (86) 163 J2
Sainte-Radégonde-
-des-Noyers (85) 160 B5
Sainte-Ramée (17) 195 F6
Sainte-Reine (70) 137 H3
Sainte-Reine (73) 208 D3
Sainte-Reine-de-Bretagne (44) 122 A1
Sainte-Ruffine (57) 44 E5
Sainte-Sabine (21) 153 J1
Sainte-Sabine-Born (24) 232 A4
Sainte-Sabine-sur-Longève (72) 106 D1
Sainte-Savine (10) 90 A5
Sainte-Scolasse-sur-Sarthe (61) 83 G1
Sainte-Segrée (80) 17 H4
Sainte-Sève (29) 47 F5
Sainte-Sévère (16) 196 A2
Sainte-Sévère-sur-Indre (36) 166 C4
Sainte-Sigolène (43) 221 F3
Sainte-Solange (18) 149 J2
Sainte-Soline (79) 179 F1
Sainte-Souline (16) 212 D1
Sainte-Soulle (17) 176 E2
Sainte-Suzanne (09) 288 B5
Sainte-Suzanne (25) 139 H2
Sainte-Suzanne (53) 105 J1
Sainte-Suzanne-sur-Vire (50) 31 H4
Sainte-Terre (33) 230 B2
Sainte-Thérence (03) 184 A2
Sainte-Thorette (18) 148 E3
Sainte-Tréphine (22) 76 C3
Sainte-Trie (24) 215 F2
Sainte-Tulle (04) 278 B3
Sainte-Valière (11) 291 G5
Sainte-Vaubourg (08) 42 A1
Sainte-Verge (79) 144 B3
Sainte-Vertu (89) 113 K6
Sainteny (50) 31 F2
Saintes (17) 195 G2
Saintes-Maries-de-la-Mer (13) 294 C5
Saintines (60) 38 D3
Saintry-sur-Seine (91) 87 F1
Saints (77) 60 B5
Saints (89) 132 D2
Saints-Geosmes (52) 116 D4
Sainville (28) 86 A3
Saires (86) 145 F5
Saires-la-Verrerie (61) 53 H5
Saissac (11) 289 K4
Saisseval (80) 17 K2
Saisy (71) 153 H4
Saivres (79) 161 K5
le Saix (05) 242 C6
Saïx (81) 289 K1
Saix (86) 144 D2
Saizenay (39) 156 A4
Saizerais (54) 65 K3
Saizy (58) 133 H5
Sajas (31) 287 H3
Salagnac (24) 215 F2
Salagnon (38) 207 F3
Salaise-sur-Sanne (38) 222 B1
Salans (39) 155 K1
Salasc (34) 273 G6
Salaunes (33) 210 E6
Salavas (07) 255 K2
Salavre (01) 172 E6
Salazac (30) 256 B4
Salbris (41) 130 B4
les Salces (48) 237 F6
Saléchan (65) 305 J3
Saleich (31) 306 B2
Saleignes (17) 178 D4
Saleilles (66) 315 H2
les Salelles (07) 255 G1
les Salelles (48) 253 J1
Salency (60) 19 H6
Salenthal (67) 70 B2
Saléon (05) 258 E2
Salérans (05) 258 D3
Salerm (31) 287 F4
Salernes (83) 279 G6
Salers (15) 217 J4
Sales (74) 190 D6
Salesches (59) 12 D4
la Salette-Fallavaux (38) 242 D1
Salettes (26) 240 D5
Salettes (43) 238 D2
Saleux (80) 18 A2
Salice (2A) 320 D3
Saliceto (2B) 319 G4
Saliès (81) 270 D3
Salies-de-Béarn (64) 283 H2
Salies-du-Salat (31) 306 B1
Salignac (04) 259 G4
Salignac (33) 211 K5
Salignac-de-Mirambeau (17) 211 J1
Salignac-Eyvigues (24) 215 G6
Salignac-sur-Charente (17) 195 J3
Saligney (39) 137 G6
Saligny (85) 141 K5
Saligny (89) 88 E6
Saligny-le-Vif (18) 150 A3
Saligny-sur-Roudon (03) 169 J5
Saligos (65) 304 B3
Salindres (30) 255 H5
Salinelles (30) 274 D4
Salins (15) 217 H4
Salins (77) 88 B3
Salins-les-Bains (39) 156 A4
Salins-les-Thermes (73) 209 H5
Salives (21) 135 K1
Sallagriffon (06) 280 D2
Sallanches (74) 192 A5
Sallaumines (62) 11 F1
la Salle (71) 171 K5
la Salle (88) 95 G3
la Salle-de-Vihiers (49) 143 H1
la Salle-en-Beaumont (38) 242 C1
la Salle-et-Chapelle-Aubry (49) 124 C6
la Salle-les-Alpes (05) 225 K6
la Salle-Prunet (48) 254 C3
Sallebœuf (33) 229 J2
Sallèdes (63) 203 F3
Sallèles-Cabardès (11) 290 C4
Sallèles-d'Aude (11) 291 H5
Sallen (14) 31 K3
Sallenelles (14) 33 F4
Sallenôves (74) 190 E4
Sallertaine (85) 140 E4
Salles (33) 228 E5
les Salles (42) 204 A1
Salles (47) 232 B6
Salles (65) 304 A2
Salles (79) 162 A5
Salles (81) 251 F6
Salles-Adour (65) 285 H6
Salles-Arbuissonnas-en-
-Beaujolais (69) 188 A4
Salles-Courbatiès (12) 251 G1
Salles-Curan (12) 252 D5
Salles-d'Angles (16) 195 K4
Salles-d'Armagnac (32) 266 B3
Salles-d'Aude (11) 291 K5
Salles-de-Barbezieux (16) 196 B6
Salles-de-Belvès (24) 232 D4
les Salles-de-Castillon (33) 230 D1
Salles-de-Villefagnan (16) 179 G5
les Salles-du-Gardon (30) 255 G4
Salles-et-Pratviel (31) 305 H4
Salles-la-Source (12) 252 B2
Salles-Lavalette (16) 213 F1
les Salles-Lavauguyon (87) 197 K2
Salles-Mongiscard (64) 283 J1
Salles-sous-Bois (26) 257 F1
Salles-sur-Garonne (31) 287 J5
Salles-sur-l'Hers (11) 289 F4
Salles-sur-Mer (17) 176 E3
les Salles-sur-Verdon (83) 279 F3
Sallespisse (64) 283 K1
Salmagne (55) 64 C4
Salmaise (21) 135 G3
Salmbach (67) 25 D2
Salmiech (12) 252 B5
Salomé (59) 6 C5
Salon (10) 62 A6
Salon (24) 214 B6
Salon-de-Provence (13) 276 E5
Salon-la-Tour (19) 199 H5
Salonnes (57) 66 D3
Salornay-sur-Guye (71) 171 G4
Salouël (80) 18 A2
Salperwick (62) 3 G5
Salsein (09) 306 C3
Salses-le-Château (66) 310 C4
Salsigne (11) 290 B4
Salt-en-Donzy (42) 205 F2
Salvagnac (81) 269 K2
Salvagnac-Cajarc (12) 250 E1
la Salvetat-Belmontet (82) 269 H2
la Salvetat-Lauragais (31) 289 F1
la Salvetat-Peyralès (12) 251 H4
la Salvetat-Saint-Gilles (31) 288 A1
la Salvetat-sur-Agout (34) 271 K6
Salvezines (11) 309 F5
Salviac (46) 233 F4
Salvizinet (42) 205 F2
Salza (11) 309 H3
Salzuit (43) 219 J3
Samadet (40) 265 G5
Saman (31) 286 E5
Samaran (32) 286 C3
Samatan (32) 287 G2
Samazan (47) 247 G1
Sambin (41) 128 E4
Sambourg (89) 114 A5
Saméon (59) 7 G6
Samer (62) 4 C4
Samerey (21) 155 F2
Sames (64) 282 E1
Sammarçolles (86) 144 E3
Sammeron (77) 60 B2
Samoëns (74) 192 B3
Samognat (01) 189 K1
Samogneux (55) 43 H4
Samois-sur-Seine (77) 87 J3
Samonac (33) 211 H5
Samoreau (77) 87 J3
Samouillan (31) 287 G5
Samoussy (02) 20 E6
Sampans (39) 155 G2
Sampigny (55) 64 E3
Sampigny-lès-Maranges (71) 153 J5
Sampolo (2A) 321 F5
Sampzon (07) 255 K1
Samson (25) 156 A2
Samsons-Lion (64) 285 F2
Samuran (65) 305 H2
San-Damiano (2B) 319 H4
San-Gavino-d'Ampugnani (2B) 319 J4
San-Gavino-di-Carbini (2A) 323 G2
San-Gavino-di-Fiumorbo (2B) 321 H4
San-Gavino-di-Tenda (2B) 319 G2
San-Giovanni-di-Moriani (2B) 319 J5
San-Giuliano (2B) 319 J5
San-Lorenzo (2B) 319 G5
San-Martino-di-Lota (2B) 317 E5
San-Nicolao (2B) 319 J5
Sana (31) 287 H5
Sanary-sur-Mer (83) 300 A4
Sancé (71) 171 K6
Sancergues (18) 150 B2
Sancerre (18) 131 K5
Sancey-le-Grand (25) 139 F5
Sancey-le-Long (25) 139 F5
Sancheville (28) 85 H6
Sanchey (88) 94 C5

Sancoins (18) 150 B6
Sancourt (27) 36 D3
Sancourt (59) 11 J3
Sancourt (80) 19 H3
Sancy (54) 26 E4
Sancy (77) 60 A3
Sancy-les-Cheminots (02) 39 K2
Sancy-lès-Provins (77) 60 E5
Sand (67) 70 E6
Sandarville (28) 85 F4
Sandaucourt (88) 93 H4
Sandillon (45) 110 B5
Sandouville (76) 34 A1
Sandrans (01) 188 E4
Sangatte (62) 2 C2
Sanghen (62) 2 D5
Sanguinet (40) 228 C6
Sanilhac (07) 239 G6
Sanilhac-Sagriès (30) 275 H2
Sannat (23) 183 J3
Sannerville (14) 33 F5
Sannes (84) 277 J4
Sannois (95) 58 D2
Sanous (65) 285 G3
Sanry-lès-Vigy (57) 45 G4
Sanry-sur-Nied (57) 45 G6
Sans-Vallois (88) 94 A6
Sansa (66) 313 K3
Sansac-de-Marmiesse (15) 235 G2
Sansac-Veinazès (15) 235 H3
Sansais (79) 177 K1
Sansan (32) 286 D1
Sanssac-l'Église (43) 220 B5
Sanssat (03) 185 J2
Santa-Lucia-di-Mercurio (2B) 319 G5
Santa-Lucia-di-Moriani (2B) 319 K4
Santa-Maria-di-Lota (2B) 317 D4
Santa-Maria-Figaniella (2A) 322 E2
Santa-Maria-Poggio (2B) 319 J5
Santa-Maria-Siché (2A) 320 E6
Santa-Reparata-di-Balagna (2B) 318 C2
Santa-Reparata-di-Moriani (2B) 319 J5
Sant'Andréa-di-Bozio (2B) 319 H6
Sant'Andréa-di-Cotone (2B) 319 J5
Sant'Andréa-d'Orcino (2A) 320 C4
Santans (39) 155 J3
Sant'Antonino (2B) 318 C2
Santeau (45) 110 C2
Santec (29) 46 E3
Santenay (21) 153 J5
Santenay (41) 128 C2
Santeny (94) 59 G5
Santes (59) 6 C4
Santeuil (28) 85 J4
Santeuil (95) 37 F6
Santigny (89) 134 B2
Santilly (28) 110 A1
Santilly (71) 171 H3
Santo-Pietro-di-Tenda (2B) 319 G2
Santo-Pietro-di-Venaco (2B) 321 F1
Santoche (25) 138 E3
Santosse (21) 153 J3
Santranges (18) 131 J3
Sanvensa (12) 251 G3
Sanvignes-les-Mines (71) 170 D2
Sanxay (86) 162 B4
Sanzay (79) 143 J4
Sanzey (54) 65 H4
Saon (14) 31 K1
Saône (25) 138 B6
Saonnet (14) 31 K1
Saorge (06) 311 D3
Saosnes (72) 82 E4
Saou (26) 240 E4
le Sap (61) 55 F3
le Sap-André (61) 55 G4
Sapignicourt (51) 63 H6
Sapignies (62) 11 F5
Sapogne-et-Feuchères (08) 22 D4
Sapogne-sur-Marche (08) 23 J5
Sapois (39) 156 B6
Sapois (88) 119 G1
Saponay (02) 40 A5
Saponcourt (70) 117 K4
le Sappey (74) 191 F3
le Sappey-en-Chartreuse (38) 224 B2
Saramon (32) 286 E1
Saran (45) 110 A3
Saraz (25) 156 B3
Sarbazan (40) 265 J1
Sarcé (72) 106 E6
Sarceaux (61) 54 C5
Sarcelles (95) 58 E2
Sarcenas (38) 224 B2
Sarcey (52) 116 C2
Sarcey (69) 187 K6
Sarcos (32) 286 D3
Sarcus (60) 17 G4
Sarcy (51) 40 D5
Sardan (30) 274 D3
Sardent (23) 182 D4
Sardieu (38) 223 F1
Sardon (63) 185 G5
Sardy-lès-Épiry (58) 151 K1
Sare (64) 282 A3
Sargé-lès-le-Mans (72) 106 E2
Sargé-sur-Braye (41) 108 A4
Sari-d'Orcino (2A) 320 C3
Sari-Solenzara (2A) 321 J6
Sariac-Magnoac (65) 286 C4
Sarlabous (65) 304 E1
Sarlande (24) 198 D6
Sarlat-la-Canéda (24) 233 F2
Sarliac-sur-l'Isle (24) 214 C3
Sarniguet (65) 285 H4
Sarnois (60) 17 H5
Saron-sur-Aube (51) 89 H1
Sarp (65) 305 H2
Sarpourenx (64) 283 K2
Sarragachies (32) 266 B5
Sarrageois (25) 174 C1
Sarraguzan (32) 286 A3
Sarralbe (57) 68 D4
Sarraltroff (57) 67 J3
Sarran (19) 216 C1
Sarrance (64) 303 F1
Sarrancolin (65) 305 F3
Sarrant (32) 268 B4
Sarras (07) 222 B3
Sarrazac (24) 198 C6
Sarrazac (46) 215 J6
Sarraziet (40) 265 G5
Sarre-Union (67) 68 D5
Sarrebourg (57) 67 J4
Sarrecave (31) 286 D5
Sarreguemines (57) 68 D2
Sarreinsming (57) 68 D3
Sarremezan (31) 286 D5
Sarrewerden (67) 68 D5
Sarrey (52) 116 D2
Sarriac-Bigorre (65) 285 J3
Sarrians (84) 257 G6
Sarrigné (49) 125 J3
Sarrogna (39) 173 G4
Sarrola-Carcopino (2A) 320 C4
Sarron (40) 265 J6
Sarrouilles (65) 285 H5
Sarroux (19) 217 H1
Sarry (51) 62 D2
Sarry (71) 187 F1
Sarry (89) 134 B1
le Sars (62) 10 E5
Sars-et-Rosières (59) 7 G6
Sars-le-Bois (62) 10 B3
Sars-Poteries (59) 13 H4
Sartène (2A) 322 E3
Sartes (88) 93 G5
Sartilly (50) 51 J2
Sarton (62) 10 B5
Sartrouville (78) 58 C2
Sarzay (36) 166 A3
Sarzeau (56) 121 F1
Sasnières (41) 108 B6
Sassangy (71) 171 H1
Sassay (41) 129 F5
Sassegnies (59) 13 F4
Sassenage (38) 224 A3
Sassenay (71) 154 B6
Sassetot-le-Malgardé (76) 15 H3
Sassetot-le-Mauconduit (76) 14 E3
Sasseville (76) 15 F3
Sassey (27) 56 E1
Sassey-sur-Meuse (55) 43 F2
Sassierges-Saint-Germain (36) 166 A1
Sassis (65) 304 B4
Sassy (14) 54 B1
Sathonay-Camp (69) 206 B1
Sathonay-Village (69) 206 B1
Satillieu (07) 221 K4
Satolas-et-Bonce (38) 206 D3
Saturargues (34) 274 E5
Saubens (31) 288 A2
Saubion (40) 262 C5
Saubole (64) 285 F4
Saubrigues (40) 262 C5
Saubusse (40) 262 E5
Saucats (33) 229 G4
Saucède (64) 283 K4
la Saucelle (28) 56 C6
Sauchay (76) 16 A1
Sauchy-Cauchy (62) 11 H3
Sauchy-Lestrée (62) 11 H3
Sauclières (12) 273 G2
Saudemont (62) 11 H3
Saudoy (51) 61 H5
Saudron (52) 92 C2
Saudrupt (55) 64 A5
Saugeot (39) 173 J2
Saugnac-et-Cambran (40) 264 B5
Saugnacq-et-Muret (40) 245 H1
Saugon (33) 211 J3
Saugues (43) 237 J1
Sauguis-Saint-Étienne (64) 283 H6
Saugy (18) 148 D4
Saujac (12) 250 E1
Saujon (17) 194 D3
la Saulce (05) 259 G1
Saulce-sur-Rhône (26) 240 B4
Saulces-Champenoises (08) 41 K1
Saulces-Monclin (08) 22 B6
Saulcet (03) 185 G1
Saulchery (02) 60 D2
le Saulchoy (60) 17 K5
Saulchoy (62) 9 G2
Saulchoy-sous-Poix (80) 17 H4
Saulcy (10) 91 H5
le Saulcy (88) 95 J2
Saulcy-sur-Meurthe (88) 95 J4
Saules (25) 156 D1
Saules (71) 171 H2
Saulgé (86) 164 A6
Saulgé-l'Hôpital (49) 125 J5
Saulges (53) 105 J3
Saulgond (16) 180 C5
Sauliac-sur-Célé (46) 234 A6
Saulieu (21) 134 C6
Saulles (52) 116 E6
Saulmory-et-Villefranche (55) 43 F1
Saulnay (36) 147 F5
Saulnes (54) 26 D2
Saulnières (28) 56 E6
Saulnières (35) 103 G1
Saulnot (70) 139 F1
Saulny (57) 44 E5
Saulon-la-Chapelle (21) 154 C1
Saulon-la-Rue (21) 136 A6
la Saulsotte (10) 89 F2
Sault (84) 258 A5
Sault-Brénaz (01) 189 J6
Sault-de-Navailles (64) 283 K1
Sault-lès-Rethel (08) 41 J1
Sault-Saint-Remy (08) 41 G2
Saultain (59) 12 D2
Saulty (62) 10 C4
Saulvaux (55) 64 D5
Saulx (70) 118 C6
Saulx-le-Duc (21) 136 A2
Saulx-lès-Champlon (55) 44 A6
Saulx-les-Chartreux (91) 58 D5
Saulx-Marchais (78) 57 K4
Saulxerotte (54) 93 J2
Saulxures (52) 95 K2
Saulxures (67) 117 ...
Saulxures-lès-Bulgnéville (88) 93 H5
Saulxures-lès-Nancy (54) 66 B5
Saulxures-lès-Vannes (54) 93 H1
Saulxures-sur-Moselotte (88) 119 G2
Saulzais-le-Potier (18) 167 G3
Saulzet (03) 185 G3
Saulzet-le-Froid (63) 202 B4
Saulzoir (59) 12 C3
Saumane (04) 258 D5
Saumane (30) 254 D5
Saumane-de-Vaucluse (84) 276 E2
Sauméjan (47) 247 F4
Saumeray (28) 84 E5
Saumont (47) 247 K5
Saumont-la-Poterie (76) 16 E6
Saumos (33) 210 D6
Saumur (49) 126 B6
Saunay (37) 128 B2
la Saunière (23) 182 D3
Saunières (71) 154 C5
Sauqueville (76) 15 K2
Saurais (79) 162 A2
Saurat (09) 307 H4
Sauret-Besserve (63) 184 C5
Saurier (63) 202 C5
Sausheim (68) 97 C2
Saussan (34) 293 F1
Saussay (28) 57 F3
Saussay (76) 15 J5
Saussay-la-Campagne (27) 36 B3
la Saussaye (27) 35 G4
Saussemesnil (50) 28 E3
Saussenac (81) 271 F1
Saussens (31) 288 E1
Sausses (04) 260 E6
Sausset-les-Pins (13) 295 K6
Sausseuzemare-en-Caux (76) 14 C4
Saussey (21) 153 H3
Saussey (50) 30 E4
Saussignac (24) 231 G3
Saussines (34) 274 D4
Saussy (21) 135 K3
Sautel (09) 308 A3
Sauternes (33) 229 K6
Sauteyrargues (34) 274 C3
Sauto (66) 313 J4
Sautron (44) 123 F3
la Sauvagère (61) 53 J6
les Sauvages (69) 187 H6
Sauvagnac (16) 197 J2
Sauvagnas (47) 248 C4
Sauvagnat (63) 201 J2
Sauvagnat-Sainte-Marthe (63) 202 E4
Sauvagney (25) 137 J5
Sauvagnon (64) 284 C3
Sauvagny (03) 167 K5
Sauvain (42) 204 B3
Sauvat (15) 217 H2
Sauve (30) 274 C2
la Sauve (33) 229 K3
Sauvelade (64) 283 K3
Sauverny (01) 174 B6
Sauvessanges (63) 220 C1
la Sauvetat (32) 267 H3
la Sauvetat (63) 202 E4
la Sauvetat-de-Savères (47) 248 D4
la Sauvetat-du-Dropt (47) 231 G4
la Sauvetat-sur-Lède (47) 248 C1
Sauveterre (30) 276 B1
Sauveterre (32) 287 F2
Sauveterre (65) 285 H2
Sauveterre (81) 290 D2
Sauveterre (82) 249 J4
Sauveterre-de-Béarn (64) 283 H2
Sauveterre-de-Comminges (31) 305 J2
Sauveterre-de-Guyenne (33) 230 C4
Sauveterre-de-Rouergue (12) 251 J4
Sauveterre-la-Lémance (47) 232 D5
Sauveterre-Saint-Denis (47) 248 C5
Sauviac (32) 286 B3
Sauviac (33) 246 D2
Sauvian (34) 292 A4
Sauviat (63) 203 H3
Sauviat-sur-Vige (87) 182 A6
Sauvignac (16) 212 C2
Sauvigney-lès-Gray (70) 137 H3
Sauvigney-lès-Pesmes (70) 137 F5
Sauvigny (55) 93 G2
Sauvigny-le-Beuréal (89) 134 B3
Sauvigny-le-Bois (89) 133 K3
Sauvigny-les-Bois (58) 151 F4
Sauville (08) 22 E6
Sauville (88) 93 G6
Sauvillers-Mongival (80) 18 C4
Sauvimont (32) 287 G2
Sauvoy (55) 65 F6
Saux (46) 249 G2
Saux-et-Pomarède (31) 286 E6
Sauxillanges (63) 203 G5
Sauze (06) 261 F5
le Sauze-du-Lac (05) 243 G6
Sauzé-Vaussais (79) 179 F3
Sauzelles (36) 164 B2
Sauzet (26) 240 B5
Sauzet (30) 275 F2
Sauzet (46) 249 H2
la Sauzière-Saint-Jean (81) 269 J2
Sauzon (56) 120 A3
Savarthès (31) 306 A1
Savas (07) 222 A2
Savas-Mépin (38) 206 D5
Savasse (26) 240 B5
Savenay (44) 122 D2
Savenès (82) 268 E3
Savennes (23) 182 D4
Savennes (63) 201 H4
Savennières (49) 125 F4
Saverdun (09) 288 D5
Savères (31) 287 J3
Saverne (67) 70 B1
Saveuse (80) 18 A2
Savianges (71) 171 G2
Savières (10) 89 K3
Savigna (39) 173 G4
Savignac (12) 251 F3
Savignac (33) 230 B6
Savignac-de-Duras (47) 230 E4
Savignac-de-l'Isle (33) 212 A6
Savignac-de-Miremont (24) 214 C6
Savignac-de-Nontron (24) 197 K5
Savignac-Lédrier (24) 215 F1
Savignac-les-Églises (24) 214 C2
Savignac-les-Ormeaux (09) 313 F1
Savignac-Mona (32) 287 H2
Savignac-sur-Leyze (47) 248 D1
Savignargues (30) 274 E2
Savigné (86) 179 H3
Savigné-l'Évêque (72) 107 F2
Savigné-sous-le-Lude (72) 126 C1
Savigné-sur-Lathan (37) 127 F4
Savigneux (01) 188 C4
Savigneux (42) 204 D4
Savignies (60) 37 F1
Savigny (50) 31 F4
Savigny (52) 117 G6
Savigny (69) 205 H1
Savigny (74) 190 D3
Savigny (88) 94 B3
Savigny-en-Revermont (71) 172 E2
Savigny-en-Sancerre (18) 131 J4
Savigny-en-Septaine (18) 149 J3
Savigny-en-Terre-Plaine (89) 134 B3
Savigny-en-Véron (37) 144 E1
Savigny-le-Sec (21) 136 A4
Savigny-le-Temple (77) 87 G1
Savigny-le-Vieux (50) 80 C1
Savigny-lès-Beaune (21) 154 A3
Savigny-Lévescault (86) 163 G4
Savigny-Poil-Fol (58) 169 K1
Savigny-sous-Faye (86) 145 G5
Savigny-sous-Mâlain (21) 135 H5
Savigny-sur-Aisne (08) 42 B2
Savigny-sur-Ardres (51) 40 C4
Savigny-sur-Braye (41) 107 K4
Savigny-sur-Clairis (89) 112 B2
Savigny-sur-Grosne (71) 171 H3
Savigny-sur-Orge (91) 58 E6
Savigny-sur-Seille (71) 172 B2
Savilly (21) 152 E2
Savines-le-Lac (05) 243 H5
Savins (77) 88 C2
Savoillan (84) 258 A4
Savoisy (21) 114 E6
Savolles (21) 136 C4
Savonnières (37) 127 H5
Savonnières-devant-Bar (55) 64 B4
Savonnières-en-Perthois (55) 64 A6
Savouges (21) 154 C1
Savournon (05) 258 E1
Savoyeux (70) 137 H2
Savy (02) 19 J3
Savy-Berlette (62) 10 D2
Saxel (74) 191 H1
Saxi-Bourdon (58) 151 H3
Saxon-Sion (54) 93 K2
Sayat (63) 202 D1
Saze (30) 276 A2
Sazeray (36) 166 C5
Sazeret (03) 168 A6
Sazilly (37) 145 G2
Sazos (65) 304 B4
Scaër (29) 75 G6
Scata (2B) 319 H4
Sceau-Saint-Angel (24) 197 K5
Sceautres (07) 239 K5
Sceaux (89) 134 A3
Sceaux (92) 58 E4
Sceaux-d'Anjou (49) 125 G1
Sceaux-du-Gâtinais (45) 111 G1
Sceaux-sur-Huisne (72) 107 H1
Scey-Maisières (25) 156 C2
Scey-sur-Saône-et-
-Saint-Albin (70) 117 K6
Schaeffersheim (67) 70 E5
Schaffhouse-près-Seltz (67) 25 D2
Schaffhouse-sur-Zorn (67) 70 D1
Schalbach (57) 67 K3
Schalkendorf (67) 69 J6
Scharrachbergheim-Irmstett (67) 70 D3
Scheibenhard (67) 25 D1
Scherlenheim (67) 70 D1
Scherwiller (67) 96 C1
Schillersdorf (67) 69 H5
Schiltigheim (67) 25 A6
Schirmeck (67) 70 A5
Schirrhein (67) 25 B4
Schirrhoffen (67) 25 C4
Schleithal (67) 25 C1
Schlierbach (68) 97 D3
Schmittviller (57) 68 E4
Schneckenbusch (57) 67 J4
Schnersheim (67) 70 D2
Schœnau (67) 71 D5
Schœnbourg (67) 69 F6
Schœneck (57) 68 C1
Schœnenbourg (67) 25 B2
Schopperten (67) 68 D5
Schorbach (57) 69 G3
Schweighouse-sur-Moder (67) 69 K6
Schweighouse-Thann (68) 97 A2
Schwenheim (67) 70 C2
Schwerdorff (57) 45 J2
Schweyen (57) 69 G2
Schwindratzheim (67) 70 D1
Schwoben (68) 97 C4
Schwobsheim (67) 96 E2
Sciecq (79) 161 H5
Scientrier (74) 191 H3
Scieurac-et-Flourès (32) 285 J1
Sciez (74) 174 E6
Scillé (79) 161 G3
Scionzier (74) 191 K3
Scolca (2B) 319 H3
Scorbé-Clairvaux (86) 145 H6
Scrignac (29) 47 H6
Scrupt (51) 63 H5
Scy-Chazelles (57) 44 E5
Scye (70) 118 A6
Séailles (32) 266 D4
la Séauve-sur-Semène (43) 221 F2
Sébazac-Concourès (12) 252 B2
Sébécourt (27) 56 A2
Sébeville (50) 29 F5
Seboncourt (02) 20 B1
Sebourg (59) 12 E2
Sébrazac (12) 235 K6
Séby (64) 284 C2
Secenans (70) 139 F2
Séchault (08) 42 B4
Sécheras (07) 222 B4
Sécheval (08) 22 C2
Séchilienne (38) 224 B5
Séchin (25) 138 C4
Seclin (59) 6 D5
Secondigné-sur-Belle (79) 178 B2
Secondigny (79) 161 H3
Secourt (57) 66 B1
Secqueville-en-Bessin (14) 32 C4
Sedan (08) 23 F4
Sédeilhac (31) 286 C6
Séderon (26) 258 B4
Sedze-Maubecq (64) 285 F3
Sedzère (64) 285 F4
Seebach (67) 25 C2
Sées (61) 54 E6
Séez (73) 193 A3
Ségalas (47) 231 J5
Ségalas (65) 285 H3
la Ségalassière (15) 235 F2
Séglien (56) 76 C5
Ségny (01) 174 B6
Segonzac (16) 196 A4
Segonzac (19) 215 F2
Segonzac (24) 213 H3
Ségos (32) 265 K6
Ségoufielle (32) 268 D6
Segré (49) 104 D6
Ségreville (31) 288 E2
Ségrie (72) 82 C6
Ségrie-Fontaine (61) 53 J3
Segrois (21) 154 A1
Ségry (36) 148 D5
la Séguinière (49) 142 E2
Ségur (12) 252 E3
le Ségur (81) 251 G6
Ségur-le-Château (19) 199 F6
Ségur-les-Villas (15) 218 B3
Ségura (09) 307 K2
Séguret (84) 257 G4
Ségus (65) 304 B1
Seich (65) 305 G2
Seichamps (54) 66 B4
Seichebrières (45) 110 D3
Seicheprey (54) 65 G3
Seiches-sur-le-Loir (49) 125 J2
Seignalens (11) 308 C1
Seigné (17) 178 C5
Seignelay (89) 113 G4
Seigneulles (55) 64 B3
Seignosse (40) 262 C4
Seigny (21) 134 E2
Seigy (41) 129 F6
Seilh (31) 269 F5
Seilhac (19) 216 A1
Seilhan (31) 305 H2
Seillac (41) 128 D3
Seillans (83) 280 A5
Seillonnaz (01) 207 H1
Seillons-Source-d'Argens (83) 297 H1
Seine-Port (77) 87 G1
Seingbouse (57) 68 B3
Seissan (32) 286 D2
Seix (09) 306 E4
le Sel-de-Bretagne (35) 103 G1
Selaincourt (54) 93 J1
Selens (02) 39 H1
Sélestat (67) 96 C1
Séligné (79) 178 C3

Séligney (39) 155 H4
la Selle-Craonnaise (53) 104 C4
la Selle-en-Coglès (35) 51 K6
la Selle-en-Hermoy (45) 111 K3
la Selle-en-Luitré (35) 80 B4
la Selle-Guerchaise (35) 104 B3
la Selle-la-Forge (61) 53 H4
la Selle-sur-le-Bied (45) 111 K2
Selles (27) 34 C3
Selles (51) 41 H3
Selles (62) 4 D3
Selles (70) 118 A2
Selles-Saint-Denis (41) 130 A5
Selles-sur-Cher (41) 129 G6
Selles-sur-Nahon (36) 147 H4
Sellières (39) 155 H5
Selommes (41) 108 D6
Seloncourt (25) 139 H3
Selongey (21) 136 B2
Selonnet (04) 259 K1
Seltz (67) 25 D3
la Selve (02) 21 G6
la Selve (12) 252 B6
Sem (09) 307 H5
Sémalens (81) 289 J1
Semallé (61) 82 D2
Semarey (21) 135 G6
Sembadel (43) 220 A2
Sembas (47) 248 B3
Semblançay (37) 127 H3
Sembleçay (36) 147 K1
Sembouès (32) 285 J2
Séméac (65) 285 H5
Séméacq-Blachon (64) 285 F2
Semécourt (57) 44 E4
Sémelay (58) 152 A6
Semens (33) 230 A5
Sementron (89) 132 E1
Sémeries (59) 13 H5
Semerville (41) 109 F3
Semezanges (21) 154 A1
Sémézies-Cachan (32) 286 E2
Semide (08) 42 A3
Semillac (17) 195 G6
Semilly (52) 92 E5
Semmadon (70) 117 J5
Semoine (10) 62 B5
Semond (21) 115 G6
Semondans (25) 139 G2
Semons (38) 206 E6
Semousies (59) 13 H4
Semoussac (17) 195 G6
Semoutiers-Montsaon (52) 116 A2
Semoy (45) 110 A4
Sempesserre (32) 267 J1
Sempigny (60) 19 H6
Sempy (62) 4 D6
Semur-en-Auxois (21) 134 D3
Semur-en-Brionnais (71) 187 F1
Semur-en-Vallon (72) 107 J2
Semussac (17) 194 D4
Semuy (08) 42 B1
le Sen (40) 246 A5
Sénac (65) 285 J3
Senaide (88) 117 H2
Sénaillac-Latronquière (46) 234 D2
Sénaillac-Lauzès (46) 233 K5
Senailly (21) 134 D2
Senan (89) 112 E4
Senantes (28) 57 H6
Senantes (60) 36 E1
Sénarens (31) 287 G4
Senargent-Mignafans (70) 138 E1
Senarpont (80) 17 F2
Sénas (13) 276 E4
Senaud (39) 172 E5
Senaux (81) 271 J4
Sencenac-Puy-de-Fourches (24) 213 K2
Senconac (09) 307 K5
Sendets (33) 246 E1
Sendets (64) 284 E4
Séné (56) 101 F6
Sénéchas (30) 255 G3
Sénergues (12) 235 J5
Sénestis (47) 247 H2
Séneujols (43) 220 B6
Senez (04) 279 H1
Sénezergues (15) 235 H4
Sengouagnet (31) 305 K2
Séniergues (46) 233 J4
Senillé (86) 163 H1
Seninghem (62) 4 E3
Senlecques (62) 4 D4
Senlis (60) 38 B5
Senlis (62) 5 F5
Senlis-le-Sec (80) 10 D6
Senlisse (78) 58 B6
Senneçay (18) 149 G4
Sennecey-le-Grand (71) 171 K2
Sennecey-lès-Dijon (21) 136 B5
Sennely (45) 130 C1
Sennevières (37) 146 E2
Senneville-sur-Fécamp (76) 14 D3
Sennevoy-le-Bas (89) 114 D5
Sennevoy-le-Haut (89) 114 D5
Senon (55) 44 A3
Senonches (28) 84 C1
Senoncourt (70) 118 A4
Senoncourt-les-Maujouy (55) 43 H6
Senones (88) 95 J2
Senonges (88) 93 K6
Senonnes (53) 104 A5
Senots (60) 37 G4
Senouillac (81) 270 C2
Sénoville (50) 28 B5
Senozan (71) 171 K5
Sens (89) 88 D6
Sens-Beaujeu (18) 131 H5
Sens-de-Bretagne (35) 79 H1
Sens-sur-Seille (71) 172 D1
Sentein (09) 306 B4
Sentelie (80) 17 J4
Sentenac-de-Sérou (09) 307 G3
Sentenac-d'Oust (09) 306 D4
Sentheim (68) 119 K5
Sentilly (61) 54 B4
la Sentinelle (59) 12 C2
Sentous (65) 286 A5
Senuc (08) 42 C3
Senven-Léhart (22) 76 D1
Sépeaux (89) 112 D3
Sepmeries (59) 12 D3
Sepmes (37) 145 K3
Seppois-le-Bas (68) 97 B5
Seppois-le-Haut (68) 97 B5
Sept-Forges (61) 81 H2
Sept-Frères (14) 52 C3
Sept-Meules (76) 16 C1
Sept-Saulx (51) 41 H5
Sept-Sorts (77) 60 B2
Sept-Vents (14) 31 K4
Septème (38) 206 C4
Septèmes-les-Vallons (13) 296 C3
Septeuil (78) 57 J3
Septfonds (82) 250 B5
Septfontaines (25) 156 D3
Septmoncel (39) 173 K5
Septmonts (02) 39 J3
Septsarges (55) 43 F3
Septvaux (02) 20 B6
Sepvigny (55) 93 F1
Sepvret (79) 178 E1
Sepx (31) 287 F6
Sequedin (59) 6 D4
Sequehart (02) 20 A1
le Sequestre (81) 270 D2
Serain (02) 12 B6
Seraincourt (08) 21 J5
Seraincourt (95) 58 A1
Sérandon (19) 217 G1
Séranon (06) 280 B3
Serans (60) 36 E5
Serans (61) 54 B5
Seranville (54) 94 D2
Séranvillers-Forenville (59) 12 B5
Seraucourt-le-Grand (02) 19 K3
Seraumont (88) 93 F2
Serazereux (28) 85 F1
Serbannes (03) 185 H4
Serbonnes (89) 88 C4
Serches (02) 39 K3
Sercœur (88) 94 E4
Sercus (59) 5 J3
Sercy (71) 171 H3
Serdinya (66) 314 B4
Sère (32) 286 D3
Sère-en-Lavedan (65) 304 A2
Sère-Lanso (65) 304 B1
Sère-Rustaing (65) 285 K5
Serécourt (88) 117 H1
Séreilhac (87) 198 D2
Serémange-Erzange (57) 44 E3
Sérempuy (32) 268 A4
Sérénac (81) 271 F2
Sérent (56) 101 J3
Sérévillers (60) 18 C5
Serez (27) 57 F2
Sérézin-de-la-Tour (38) 207 F4
Sérézin-du-Rhône (69) 206 A3
Sergeac (24) 214 E6
Sergenaux (39) 155 G5
Sergenon (39) 155 G4
Sergines (89) 88 D4
Sergy (01) 190 D1
Sergy (02) 40 B5
Séricourt (62) 10 A3
Sériers (15) 218 D6
Sérifontaine (60) 36 E3
Sérignac (46) 249 G2
Sérignac (82) 268 C2
Sérignac-Péboudou (47) 231 J5
Sérignac-sur-Garonne (47) 248 A4
Sérignan (34) 292 B5
Sérignan-du-Comtat (84) 256 E4
Sérigné (85) 160 D4
Sérigny (61) 83 H4
Sérigny (86) 145 G5
Sérilhac (19) 216 A5
Seringes-et-Nesles (02) 40 A5
Séris (41) 109 G6
Serley (71) 154 E6
Sermages (58) 152 A3
Sermaise (49) 125 K3
Sermaise (91) 86 C2
Sermaises (45) 86 D5
Sermaize (60) 19 G5
Sermaize-les-Bains (51) 63 J4
Sermamagny (90) 119 H5
Sermange (39) 155 J1
Sermano (2B) 319 G6
Sermentizon (63) 203 H2
Sermérieu (38) 207 G3
Sermersheim (67) 70 D6
Sermesse (71) 154 C5
Sermiers (51) 40 E5
Sermizelles (89) 133 J3
Sermoise (02) 39 K3
Sermoise-sur-Loire (58) 150 E4
Sermoyer (01) 172 A4
Sermur (23) 183 J5
Sernhac (30) 275 J2
Serocourt (88) 117 J1
Séron (65) 285 F4
Serpaize (38) 206 B4
la Serpent (11) 308 E3
Serques (62) 3 F4
Serqueux (52) 117 G2
Serqueux (76) 16 D5
Serquigny (27) 34 E6
Serra-di-Ferro (2A) 322 C2
Serra-di-Fiumorbo (2B) 321 H4
Serra-di-Scopamène (2A) 323 F1
Serralongue (66) 314 D6
Serraval (74) 209 F1
la Serre (12) 271 K3
la Serre-Bussière-Vieille (23) 183 H4
Serre-les-Moulières (39) 137 G6
Serre-les-Sapins (25) 137 K6
Serre-Nerpol (38) 223 H2
Serres (05) 258 D1
Serres (11) 309 F3
Serres (54) 66 D5
Serres-Castet (64) 284 D3
Serres-et-Montguyard (24) 231 H4
Serres-Gaston (40) 265 G5
Serres-Morlaàs (64) 284 E4
Serres-Sainte-Marie (64) 284 B2
Serres-sur-Arget (09) 307 H3
Serreslous-et-Arribans (40) 265 F5
Serriera (2A) 318 A6
Serrières (07) 222 B2
Serrières (71) 188 B1
Serrières-de-Briord (01) 207 G1
Serrières-en-Chautagne (73) 190 C6
Serrières-sur-Ain (01) 189 J2
Serrigny (89) 113 K5
Serrigny-en-Bresse (71) 154 D6
Serris (77) 59 J4
Serrouville (54) 26 E4
Serruelles (18) 149 G5
Sers (16) 197 F4
Sers (65) 304 C4
Servais (02) 20 A5
Serval (02) 40 C3
Servance (70) 119 F4
Servanches (24) 212 E4
Servant (63) 184 D3
Servas (01) 189 F3
Servas (30) 255 H5
Servaville-Salmonville (76) 35 K1
Serverette (48) 237 H4
Serves-sur-Rhône (26) 222 B4
Servian (34) 292 B3
Servières (48) 237 H5
Servières-le-Château (19) 216 D4
Serviers-et-Labaume (30) 255 K6
Serviès (81) 270 C6
Serviès-en-Val (11) 309 H1
Servignat (01) 172 B5
Servigney (70) 118 C5
Servigny (50) 30 D3
Servigny-lès-Raville (57) 45 H5
Servigny-lès-Sainte-Barbe (57) 45 G5
Serville (28) 57 G4
Servilly (03) 186 A1
Servin (25) 138 E5
Servins (62) 10 D1
Servon (50) 51 J4
Servon (77) 59 G5
Servon-Melzicourt (51) 42 C4
Servon-sur-Vilaine (35) 79 J4
Servoz (74) 192 B5
Sery (08) 21 K5
Sery (89) 133 H2
Séry-lès-Mézières (02) 20 B3
Séry-Magneval (60) 38 E4
Serzy-et-Prin (51) 40 C4
Sessenheim (67) 25 C4
Sète (34) 293 F3
Setques (62) 5 F3
Seugy (95) 37 K6
Seuil (08) 41 J1
Seuil-d'Argonne (55) 63 K1
Seuillet (03) 185 J2
Seuilly (37) 145 F2
Seur (41) 128 E3
le Seure (17) 195 J1
Seurre (21) 154 D3
Seux (80) 17 K2
Seuzey (55) 64 E1
Sevelinges (42) 187 H3
Sevenans (90) 139 H1
Sévérac (44) 102 C5
Sévérac-le-Château (12) 253 G3
Sévérac-l'Église (12) 252 E2
Seveux (70) 137 H2
Sévignac (22) 78 A1
Sévignacq (64) 284 E2
Sévignacq-Meyracq (64) 284 C6
Sévigny (61) 54 C4
Sévigny-la-Forêt (08) 22 B2
Sévigny-Waleppe (08) 21 H5
Sévis (76) 16 A4
Sevrai (61) 54 B5
Sevran (93) 59 G2
Sèvres (92) 58 D4
Sèvres-Anxaumont (86) 163 G3
Sevrey (71) 171 K1
Sévrier (74) 191 F6
Sévry (18) 150 A2
Sewen (68) 119 J4
Sexcles (19) 216 D5
Sexey-aux-Forges (54) 65 K6
Sexey-les-Bois (54) 65 J4
Sexfontaines (52) 92 A5
Seychalles (63) 203 F2
Seyches (47) 231 F6
Seyne (04) 260 A2
la Seyne-sur-Mer (83) 300 B4
Seynes (30) 255 J5
Seynod (74) 191 F5
Seyre (31) 288 E4
Seyresse (40) 264 B5
Seyssel (01) 190 C5
Seyssel (74) 190 C5
Seysses (31) 288 A2
Seysses-Savès (32) 287 H2
Seyssinet-Pariset (38) 224 A3
Seyssins (38) 224 A3
Seyssuel (38) 206 B4
Seythenex (74) 209 F2
Seytroux (74) 192 A1
Sézanne (51) 61 H5
Siarrouy (65) 285 H4
Siaugues-Sainte-Marie (43) 219 K5
Sibiril (29) 46 E3
Sibiville (62) 10 A2
Siccieu-Saint-Julien-et-
-Carisieu (38) 207 F2
Sichamps (58) 151 F2
Sickert (68) 119 J4
Sideville (50) 28 C3
Sidiailles (18) 166 E4
Siecq (17) 196 A1
Siegen (67) 25 D2
les Sièges (89) 89 F6
Sierck-les-Bains (57) 27 J3
Sierentz (68) 97 D3
Siersthal (57) 69 G3
Sierville (76) 15 K6
Siest (40) 264 A5
Sieurac (81) 270 D4
Sieuras (09) 288 A6
Siévoz (38) 242 C1
Siewiller (67) 69 F6
Sigale (06) 280 D2
Sigalens (33) 246 E1
Sigean (11) 310 C2
Sigloy (45) 110 D5
Signac (31) 305 J3
Signes (83) 297 H4
Signéville (52) 92 C5
Signy-l'Abbaye (08) 22 A4
Signy-le-Petit (08) 21 J1
Signy-Montlibert (08) 23 J5
Signy-Signets (77) 60 B2
Sigogne (16) 196 B2
Sigolsheim (68) 96 B3
Sigonce (04) 278 C1
Sigottier (05) 258 D1
Sigoulès (24) 231 H3
Sigournais (85) 160 C1
Sigoyer (04) 259 F2
Sigoyer (05) 242 D6
Siguer (09) 307 H5
Sigy (77) 88 C2
Sigy-en-Bray (76) 16 D6
Sigy-le-Châtel (71) 171 G3
Silfiac (56) 76 C4
Silhac (07) 239 K1
Sillans (38) 223 H1
Sillans-la-Cascade (83) 279 F6
Sillars (86) 163 K5
Sillas (33) 246 E2
Sillé-le-Guillaume (72) 82 B6
Sillé-le-Philippe (72) 107 F1
Sillegny (57) 66 A1
Sillery (51) 41 G5
Silley-Amancey (25) 156 D3
Silley-Bléfond (25) 138 C5
Sillingy (74) 190 E5
Silly-en-Gouffern (61) 54 D4
Silly-en-Saulnois (57) 66 B1
Silly-la-Poterie (02) 39 G5
Silly-le-Long (60) 38 D6
Silly-sur-Nied (57) 45 G5
Silly-Tillard (60) 37 H3
Silmont (55) 64 B4
Siltzheim (67) 68 D3
Silvareccio (2B) 319 H4
Silvarouvres (52) 115 H2
Simacourbe (64) 285 F2
Simandre (71) 172 A2
Simandre-sur-Suran (01) 189 J2
Simandres (69) 206 B4
Simard (71) 172 C1
Simencourt (62) 10 D3
Simeyrols (24) 233 G1
Simiane-Collongue (13) 296 D2
Simiane-la-Rotonde (04) 277 J1
Simorre (32) 286 E2
Simplé (53) 104 E4
Sin-le-Noble (59) 11 H2
Sinard (38) 224 A6
Sinceny (02) 19 K6
Sincey-lès-Rouvray (21) 134 B4
Sindères (40) 245 F6
Singles (63) 201 H5
Singleyrac (24) 231 H3
Singly (08) 22 D5
Singrist (67) 70 C2
Sinsat (09) 307 J5
Sinzos (65) 285 J5
Sion (32) 266 C4
Sion-les-Mines (44) 103 G3
Sioniac (19) 216 B6
Sionne (88) 93 F3
Sionviller (54) 66 D5
Siorac-de-Ribérac (24) 213 G3
Siorac-en-Périgord (24) 232 D2
Siouville-Hague (50) 28 A3
Sirac (32) 268 B5
Siracourt (62) 10 A2
Siradan (65) 305 H3
Siran (15) 234 E1
Siran (34) 290 E4
Sireix (65) 304 A2
Sireuil (16) 196 C4
Sirod (39) 174 A1
Siros (64) 284 B3
Sisco (2B) 317 D3
Sissonne (02) 21 F6
Sissy (02) 20 B3
Sistels (82) 248 D6
Sisteron (04) 259 F4
Sivergues (84) 277 H3
Sivignon (71) 171 F5
Sivry (54) 66 A3
Sivry-Ante (51) 63 H1
Sivry-Courtry (77) 87 J2
Sivry-la-Perche (55) 43 G5
Sivry-sur-Meuse (55) 43 G3
Six-Fours-les-Plages (83) 300 B4
Sixt-Fer-à-Cheval (74) 192 B3
Sixt-sur-Aff (35) 102 C2
Sizun (29) 46 D6
Smarves (86) 163 F4
Smermesnil (76) 16 D2
Soccia (2A) 320 D2
Sochaux (25) 139 H2
Socourt (88) 94 B3
Socx (59) 3 H3
Sode (31) 305 H5
Sœurdres (49) 105 G6
Sognolles-en-Montois (77) 88 C2
Sogny-aux-Moulins (51) 62 D3
Sogny-en-l'Angle (51) 63 H4
Soignolles (14) 54 A1
Soignolles-en-Brie (77) 59 H6
Soindres (78) 57 J2
Soing-Cubry-Charentenay (70) 137 J2
Soings-en-Sologne (41) 129 G4
Soirans (21) 154 E1
Soissons (02) 39 J2
Soissons-sur-Nacey (21) 136 E6
Soisy-Bouy (77) 88 D2
Soisy-sous-Montmorency (95) 58 E2
Soisy-sur-École (91) 87 F2
Soisy-sur-Seine (91) 59 F6
Soize (02) 21 H4
Soizé (28) 84 A6
Soizy-aux-Bois (51) 61 H4
Solaize (69) 206 A3
Solaro (2B) 321 H5
Solbach (67) 70 A5
Soleilhas (04) 280 A2
Solemont (25) 139 G4
Solente (60) 19 G4
le Soler (66) 315 F2
Solérieux (26) 256 E2
Solers (77) 59 H6
Solesmes (59) 12 D4
Solesmes (72) 105 K4
Soleymieu (38) 207 F2
Soleymieux (42) 204 C5
Solférino (40) 245 F5
Solgne (57) 66 B1
Soliers (14) 32 E5
Solignac (87) 199 F2
Solignac-sous-Roche (43) 220 D3
Solignac-sur-Loire (43) 220 C6
Solignat (63) 202 E5
Soligny-la-Trappe (61) 55 H6
Soligny-les-Étangs (10) 89 F3
Sollacaro (2A) 322 D2
Sollières-Sardières (73) 226 B2
Solliès-Pont (83) 300 D3
Solliès-Toucas (83) 300 D3
Solliès-Ville (83) 300 D3
Sologny (71) 171 H6
Solomiac (32) 268 B4
Solre-le-Château (59) 13 J4
Solrinnes (59) 13 J3
Solterre (45) 111 J4
Solutré-Pouilly (71) 188 B1
Somain (59) 12 B2
Sombacour (25) 156 E4
Sombernon (21) 135 H5
Sombrin (62) 10 C3
Sombrun (65) 285 G2
Somloire (49) 143 H3
Sommaing (59) 12 D3
Sommancourt (52) 91 K2
Sommant (71) 152 E3
Sommauthe (08) 42 D1
Somme-Bionne (51) 42 B6
Somme-Suippe (51) 42 A6
Somme-Tourbe (51) 42 B6
Somme-Vesle (51) 63 F2
Somme-Yèvre (51) 63 H2
Sommecaise (89) 112 D5
Sommedieue (55) 43 J6
Sommeilles (55) 63 J2
Sommelans (02) 39 J6
Sommelonne (55) 63 K5
Sommepy-Tahure (51) 42 A4
Sommerance (08) 42 E3
Sommerécourt (52) 93 F5
Sommereux (60) 17 J5
Sommeron (02) 21 F1
Sommervieu (14) 32 B3
Sommerviller (54) 66 C5
Sommery (76) 16 D5
Sommesnil (76) 15 F4
Sommesous (51) 62 B5
la Sommette (25) 138 E6
Sommette-Eaucourt (02) 19 J4
Sommeval (10) 89 K6
Sommevoire (52) 91 J3
Sommières (30) 274 E4

Sommières-du-Clain (86) 179 J1
Sompt (79) 178 D3
Sompuis (51) 62 D5
Somsois (51) 90 E1
Son (08) 21 K6
Sonac (46) 234 B4
Sonchamp (78) 86 A1
Soncourt (88) 93 J3
Soncourt-sur-Marne (52) 92 A5
Sondernach (68) 119 K2
Sondersdorf (68) 97 C6
la Sône (38) 223 G4
Songeons (60) 17 G6
Songeson (39) 173 J2
Songieu (01) 190 B5
Songy (51) 62 E4
Sonnac (12) 234 E6
Sonnac (17) 195 K1
Sonnac-sur-l'Hers (11) 308 C2
Sonnay (38) 222 C1
Sonnaz (73) 208 B3
Sonneville (16) 196 B1
Sons-et-Ronchères (02) 20 D3
Sonthonnax-la-Montagne (01) 189 K1
Sonzay (37) 127 G3
Soorts-Hossegor (40) 262 B5
Soppe-le-Bas (68) 119 K5
Soppe-le-Haut (68) 119 K5
Sor (09) 306 C3
Sorans-lès-Breurey (70) 138 A4
Sorbais (02) 21 F2
Sorbets (32) 266 B4
Sorbets (40) 265 J5
Sorbey (55) 43 K2
Sorbey (57) 45 G6
Sorbier (03) 169 H6
Sorbiers (05) 258 C2
Sorbiers (42) 205 G5
Sorbo-Ocagnano (2B) 319 J3
Sorbollano (2A) 323 F1
Sorbon (08) 21 K6
Sorbs (34) 273 G3
Sorcy-Bauthémont (08) 22 B6
Sorcy-Saint-Martin (55) 65 F5
Sorde-l'Abbaye (40) 283 F1
Sore (40) 245 K3
Soréac (65) 285 J4
Sorède (66) 315 H4
Sorel (80) 11 H6
Sorel-en-Vimeu (80) 9 G6
Sorel-Moussel (28) 57 F4
Sorèze (81) 289 J2
Sorgeat (09) 313 F1
Sorges (24) 214 C2
Sorgues (84) 276 C1
Sorigny (37) 127 J6
les Sorinières (44) 123 G5
Sorio (2B) 319 G2
Sormery (89) 113 H1
Sormonne (08) 22 B3
Sornac (19) 200 E3
Sornay (70) 137 G5
Sornay (71) 172 C2
Sornéville (54) 66 C4
Sorquainville (76) 14 E4
Sorrus (62) 4 B6
Sort-en-Chalosse (40) 264 C5
Sortosville (50) 28 E4
Sortosville-en-Beaumont (50) 28 B5
Sos (47) 247 G6
Sospel (06) 281 J1
Sossais (86) 145 G5
Sost (65) 305 H3
Sotta (2A) 323 G4
Sottevast (50) 28 D4
Sotteville (50) 28 B3
Sotteville-lès-Rouen (76) 35 H2
Sotteville-sous-le-Val (76) 35 J3
Sotteville-sur-Mer (76) 15 H2
Soturac (46) 249 F1
Sotzeling (57) 66 E2
Souain-Perthes-lès-Hurlus (51) 41 K5
Soual (81) 289 J1
Souancé-au-Perche (28) 84 A5
Souanyas (66) 314 A4
Souastre (62) 10 D4
Soubès (34) 273 G4
Soubise (17) 176 E5
Soublecause (65) 285 G1
Soubran (17) 211 H1
Soubrebost (23) 182 D5
Soucé (53) 81 G2
Soucelles (49) 125 H2
la Souche (07) 239 F5
Souchez (62) 10 E1
Soucht (57) 69 G4
Soucia (39) 173 J3
Soucieu-en-Jarrest (69) 205 K3
Soucirac (46) 233 J4
Souclin (01) 189 J6
Soucy (02) 39 G3
Soucy (89) 88 D5
Soudaine-Lavinadière (19) 199 K5
Soudan (44) 103 K3
Soudan (79) 162 A5
Soudat (24) 197 J4
Souday (41) 108 A2
Soudé (51) 62 D5
Soudeilles (19) 200 D6
Soudorgues (30) 254 E6
Soudron (51) 62 B3
Soueich (31) 305 K2
Soueix-Rogalle (09) 306 E4
Souel (81) 270 C1
Soues (65) 285 H5
Soues (80) 17 J1
Souesmes (41) 130 C4
Souffelweyersheim (67) 25 A6
Soufflenheim (67) 25 C3
Souffrignac (16) 197 H4
Sougé (36) 147 H4
Sougé (41) 107 J5
Sougé-le-Ganelon (72) 82 C4
Sougéal (35) 51 H5
Sougères-en-Puisaye (89) 132 D2
Sougraigne (11) 309 G4
Sougy (45) 109 K2
Sougy-sur-Loire (58) 151 G6
les Souhesmes-Rampont (55) 43 G6
Souhey (21) 134 E3
le Souich (62) 10 B3
Souilhanels (11) 289 G4
Souilhe (11) 289 G3
Souillac (46) 233 H1
Souillé (72) 106 D1
Souilly (55) 64 C1
Soula (09) 307 K3
Soulac-sur-Mer (33) 194 B5
Soulages (15) 219 G5
Soulages-Bonneval (12) 236 B4
Soulaines-Dhuys (10) 91 H3
Soulaines-sur-Aubance (49) 125 G4
Soulaire-et-Bourg (49) 125 G2
Soulaires (28) 85 H2
Soulan (09) 306 E3
Soulanges (51) 63 F4
Soulangis (18) 149 H1
Soulangy (14) 54 A2
Soulatgé (11) 309 H4
Soulaucourt-sur-Mouzon (52) 93 G5
Soulaures (24) 232 C4
Soulce-Cernay (25) 139 H4
Soulgé-sur-Ouette (53) 105 G1
le Soulié (34) 290 E1
Soulières (51) 61 K3
Soulignac (33) 230 A4
Souligné-Flacé (72) 106 C3
Souligné-sous-Ballon (72) 106 E1
Soulignonne (17) 194 E1
Souligny (10) 90 A6
Soulitré (72) 107 G2
Soullans (85) 140 E5
Soulles (50) 31 G4
Soulom (65) 304 B3
Soulomès (46) 233 J5
Soulosse-sous-Saint-Élophe (88) 93 G3
Soultz-Haut-Rhin (68) 96 B6
Soultz-les-Bains (67) 70 D3
Soultz-sous-Forêts (67) 25 B2
Soultzbach-les-Bains (68) 96 A4
Soultzeren (68) 119 K1
Soultzmatt (68) 96 B5
Soulvache (44) 103 H2
Soumaintrain (89) 113 J2
Soumans (23) 183 H1
Soumensac (47) 231 G4
Souméras (17) 211 J2
Soumont (34) 273 G5
Soumont-Saint-Quentin (14) 54 A2
Soumoulou (64) 284 E4
Soupex (11) 289 G3
Soupir (02) 40 B2
Souppes-sur-Loing (77) 87 J6
Souprosse (40) 264 E3
Souraïde (64) 282 B3
Sourans (25) 139 F3
Sourcieux-les-Mines (69) 205 J1
le Sourd (02) 20 E2
Sourdeval (50) 52 D4
Sourdeval-les-Bois (50) 52 A2
Sourdon (80) 18 B4
Sourdun (77) 88 E2
le Sourn (56) 76 D6
Sournia (66) 314 C2
Sourniac (15) 217 G2
Sourribes (04) 259 G4
Sours (28) 85 H3
Soursac (19) 217 F3
Sourzac (24) 213 H5
Sous-Parsat (23) 182 E4
Sousceyrac (46) 234 D2
Sousmoulins (17) 211 K2
Souspierre (26) 240 D6
Soussac (33) 230 D3
Soussans (33) 211 G5
Soussey-sur-Brionne (21) 135 F5
Soustelle (30) 255 G5
Soustons (40) 262 C4
Sousville (38) 224 B6
Souternon (42) 186 E6
la Souterraine (23) 181 K2
Soutiers (79) 161 K3
Souvans (39) 155 H3
Souvignargues (30) 274 E3
Souvigné (16) 179 F5
Souvigné (37) 127 F3
Souvigné (79) 161 K6
Souvigné-sur-Même (72) 83 J5
Souvigné-sur-Sarthe (72) 105 J4
Souvigny (03) 168 D4
Souvigny-de-Touraine (37) 128 C4
Souvigny-en-Sologne (41) 130 C1
Souyeaux (65) 285 J5
Souzay-Champigny (49) 126 B6
Souzy (69) 205 G3
Souzy-la-Briche (91) 86 C2
Soveria (2B) 319 F5
Soyans (26) 240 D4
Soyaux (16) 196 E3
Soye (25) 138 E3
Soye-en-Septaine (18) 149 H3
Soyécourt (80) 19 F2
Soyers (52) 117 G4
Soyons (07) 240 C1
Sparsbach (67) 69 G5
Spay (72) 106 D3
Spechbach-le-Bas (68) 97 B3
Spechbach-le-Haut (68) 97 B3
Speloncato (2B) 318 D3
Spéracèdes (06) 280 C5
Spézet (29) 75 G4
Spicheren (57) 68 C2
Spincourt (55) 44 A3
Sponville (54) 44 C6
Spoy (10) 91 G5
Spoy (21) 136 C3
Spycker (59) 3 G2
Squiffiec (22) 48 C4
Staffelfelden (68) 97 B1
Stains (93) 58 E2
Stainville (55) 64 B5
Staple (59) 5 J3
Stattmatten (67) 25 C4
Stazzona (2B) 319 H5
Steenbecque (59) 5 J3
Steene (59) 3 H2
Steenvoorde (59) 3 K4
Steenwerck (59) 6 B3
Steige (67) 70 A6
Steinbach (68) 97 A1
Steinbourg (67) 70 C1
Steinbrunn-le-Bas (68) 97 C3
Steinbrunn-le-Haut (68) 97 C3
Steinseltz (67) 25 B1
Steinsoultz (68) 97 C5
Stenay (55) 43 F1
Sternenberg (68) 97 A3
Stetten (68) 97 D4
Stigny (89) 114 C5
Still (67) 70 C4
Stiring-Wendel (57) 68 C1
Stonne (08) 23 F6
Storckensohn (68) 119 J3
Stosswihr (68) 119 K1
Stotzheim (67) 70 D6
Strasbourg (67) 71 D1
Strazeele (59) 6 A3
Strenquels (46) 215 K6
Strueth (68) 97 A4
Struth (67) 69 F5
Stuckange (57) 27 H4
Stundwiller (67) 25 C2
Sturzelbronn (57) 69 J3
Stutzheim-Offenheim (67) 70 E2
Suarce (90) 139 K1
Suaux (16) 197 H1
le Subdray (18) 149 F4
Sublaines (37) 128 B6
Subles (14) 32 A4
Subligny (18) 131 J4
Subligny (50) 51 K2
Subligny (89) 88 C6
Suc-et-Sentenac (09) 307 G5
Succieu (38) 207 F5
Sucé-sur-Erdre (44) 123 H2
Sucy-en-Brie (94) 59 G4
Suèvres (41) 129 F1
Sugères (63) 203 G4
Sugny (08) 42 B3
Suhescun (64) 282 E4
Suilly-la-Tour (58) 132 B5
Suin (71) 171 F5
Suippes (51) 41 K5
Suisse (57) 66 E1
Suizy-le-Franc (51) 61 H2
Sulignat (01) 188 D2
Sully (14) 32 A3
Sully (60) 17 G6
Sully (71) 153 G3
Sully-la-Chapelle (45) 110 D3
Sully-sur-Loire (45) 110 E6
Sulniac (56) 101 H5
Sumène (30) 274 A1
Sundhoffen (68) 96 C4
Sundhouse (67) 96 E2
Supt (39) 156 B5
Surat (63) 185 G6
Surba (09) 307 H4
Surbourg (67) 25 B2
Surcamps (80) 9 J5
Surdoux (87) 199 J4
Suré (61) 83 G4
Suresnes (92) 58 D3
Surfonds (72) 107 G3
Surfontaine (02) 20 B4
Surgères (17) 177 H3
Surgy (58) 133 F3
Suriauville (88) 93 H6
Surin (79) 161 H4
Surin (86) 179 J4
Suris (16) 197 J1
Surjoux (01) 190 C4
Surmont (25) 139 F5
Surques (62) 4 D3
Surrain (14) 29 K6
Surtainville (50) 28 B4
Surtauville (27) 35 H5
Survie (61) 54 E3
Surville (14) 33 K3
Surville (27) 35 H5
Surville (50) 30 C1
Survilliers (95) 38 B6
Sury (08) 22 C3
Sury-aux-Bois (45) 110 E3
Sury-en-Vaux (18) 131 J5
Sury-ès-Bois (18) 131 H4
Sury-le-Comtal (42) 204 E5
Sury-près-Léré (18) 131 K3
Surzur (56) 121 G1
Sus (64) 283 J4
Sus-Saint-Léger (62) 10 B3
Susmiou (64) 283 J4
Sussac (87) 199 J3
Sussargues (34) 274 D5
Sussat (03) 185 F3
Sussey (21) 153 F1
Susville (38) 224 B6
Sutrieu (01) 190 A5
Suzan (09) 307 G2
Suzanne (08) 22 C6
Suzanne (80) 19 F1
Suzannecourt (52) 92 B2
Suzay (27) 36 B4
Suze (26) 240 E3
Suze-la-Rousse (26) 256 E3
la Suze-sur-Sarthe (72) 106 C4
Suzette (84) 257 G5
Suzoy (60) 19 G6
Suzy (02) 20 B6
Sy (08) 22 E6
Syam (39) 174 A1
Sylvains-les-Moulins (27) 56 C3
Sylvanès (12) 272 C3
le Syndicat (88) 119 F1

T

Tabaille-Usquain (64) 283 H3
Tabanac (33) 229 J3
la Table (73) 208 E5
le Tablier (85) 159 J3
Tabre (09) 308 B3
la Tâche (16) 179 J6
Tachoires (32) 286 D2
Tacoignières (78) 57 J4
Taconnay (58) 133 F6
Taden (22) 50 D5
Tadousse-Ussau (64) 284 E1
Taglio-Isolaccio (2B) 319 J4
la Tagnière (71) 152 E6
Tagnon (08) 41 H2
Tagolsheim (68) 97 B3
Tagsdorf (68) 97 C4
Tailhac (43) 219 H5
Taillades (84) 276 E3
le Taillan-Médoc (33) 229 G1
Taillancourt (55) 93 G1
Taillant (17) 177 J6
Taillebois (61) 53 J4
Taillebourg (17) 195 G1
Taillebourg (47) 247 H1
Taillecavat (33) 230 E4
Taillecourt (25) 139 H2
la Taillée (85) 160 C5
Taillefontaine (02) 39 F3
Taillepied (50) 28 D6
Taillet (66) 314 E4
Taillette (08) 22 B1
Taillis (35) 80 A5
Tailly (08) 42 E1
Tailly (21) 154 A4
Tailly (80) 17 H1
Tain-l'Hermitage (26) 222 B5
Taingy (89) 132 E2
Taintrux (88) 95 H4
Taisnières-en-Thiérache (59) 13 F4
Taisnières-sur-Hon (59) 13 G2
Taissy (51) 41 F4
Taïx (81) 270 D1
Taizé (71) 171 H4
Taizé (79) 144 C4
Taizé-Aizie (16) 179 H4
Taizy (08) 21 J6
Tajan (65) 286 B6
Talairan (11) 309 K2
Talais (33) 194 C5
Talange (57) 45 F4
Talant (21) 136 A5
Talasani (2B) 319 J4
la Talaudière (42) 205 G5
Talazac (65) 285 H4
Talcy (41) 109 F6
Talcy (89) 134 B2
Talence (33) 229 G2
Talencieux (07) 222 B3
Talensac (35) 78 D4
Talissieu (01) 190 B6
Talizat (15) 218 D4
Tallans (25) 138 C3
Tallard (05) 242 E6
Tallenay (25) 138 A5
Tallende (63) 202 D3
Taller (40) 264 B2
Talloires (74) 191 G6
Tallone (2B) 321 J1
le Tallud (79) 161 J2
Tallud-Sainte-Gemme (85) 160 D1
Talmas (80) 10 A6
Talmay (21) 136 E5
Talmont-Saint-Hilaire (85) 159 F4
Talmont-sur-Gironde (17) 194 D4
Talmontiers (60) 36 D2
Talon (58) 133 G5
Talus-Saint-Prix (51) 61 H4
Taluyers (69) 205 K3
Tamerville (50) 28 E4
Tamnay-en-Bazois (58) 151 K3
Tamniès (24) 214 E6
Tanavelle (15) 218 D6
Tanay (21) 136 C4
Tancarville (76) 34 C1
Tancoigné (49) 143 K1
Tancon (71) 187 G2
Tanconville (54) 67 H5
Tancrou (77) 60 B2
Tancua (39) 174 A3
Tangry (62) 5 H6
Taninges (74) 191 K3
Tanis (50) 51 J4
Tanlay (89) 114 B4
Tannay (08) 22 E6
Tannay (58) 133 G5
Tanneron (83) 280 C5
Tannerre-en-Puisaye (89) 112 C6
Tannières (02) 40 A4
Tannois (55) 64 B5
Tanques (61) 54 B5
Tantonville (54) 94 A2
le Tanu (50) 51 K1
Tanus (81) 251 J6
Tanville (61) 82 C1
Tanzac (17) 195 G4
Taponas (69) 188 B3
Taponnat-Fleurignac (16) 197 G2
Tarabel (31) 288 E2
Taradeau (83) 298 D1
Tarare (69) 187 J6
Tarascon (13) 275 K3
Tarascon-sur-Ariège (09) 307 J4
Tarasteix (65) 285 G4
Tarbes (65) 285 H5
Tarcenay (25) 156 C1
Tardes (23) 183 H3
Tardets-Sorholus (64) 283 H6
la Tardière (85) 160 E2
Tardinghen (62) 2 A3
Tarentaise (42) 221 J1
Tarerach (66) 314 C2
Targassonne (66) 313 H4
Target (03) 185 F1
Targon (33) 230 A3
Tarnac (19) 200 C3
Tarnès (33) 211 K6
Tarnos (40) 262 B6
Taron-Sadirac-Viellenave (64) 284 E1
Tarquimpol (57) 67 F3
Tarrano (2B) 319 H5
Tarsac (32) 266 A5
Tarsacq (64) 284 B3
Tarsul (21) 135 K2
Tart-l'Abbaye (21) 154 E1
Tart-le-Bas (21) 154 E1
Tart-le-Haut (21) 154 D1
Tartaras (42) 205 J4
Tartas (40) 264 D3
Tartécourt (70) 117 K4
Tartiers (02) 39 H2
Tartigny (60) 18 B5
Tartonne (04) 260 A5
le Tartre (71) 172 E1
le Tartre-Gaudran (78) 57 H5
Tarzy (08) 21 K2
Tasque (32) 266 C6
Tassé (72) 106 A4
Tassenières (39) 155 G4
Tassillé (72) 106 B2
Tassin-la-Demi-Lune (69) 206 A2
Tasso (2A) 321 F5
Tatinghem (62) 5 G3
le Tâtre (16) 196 A6
Taugon (17) 160 D6
Taulé (29) 47 F4
Taulignan (26) 257 F1
Taulis (66) 314 E4
Taupont (56) 101 J1
Tauriac (33) 211 H5
Tauriac (46) 234 B1
Tauriac (81) 269 J3
Tauriac-de-Camarès (12) 272 D4
Tauriac-de-Naucelle (12) 251 J5
Tauriers (07) 239 G6
Taurignan-Castet (09) 306 D2
Taurignan-Vieux (09) 306 D2
Taurinya (66) 314 C3
Taurize (11) 309 H1
Taussac (12) 235 K2
Taussac-la-Billière (34) 272 D6
Tautavel (66) 310 A5
Tauves (63) 201 J5
Tauxières-Mutry (51) 41 F6
Tauxigny (37) 146 B1
Tavaco (2A) 320 D4
Tavant (37) 145 H2
Tavaux (39) 155 F3
Tavaux-et-Pontséricourt (02) 21 F4
Tavel (30) 276 A1
Tavera (2A) 320 E3
Tavernay (71) 152 E3
Tavernes (83) 278 E6
Taverny (95) 58 D1
Tavers (45) 109 H6
Tavey (70) 139 G1
Taxat-Senat (03) 185 F2
Taxenne (39) 137 G6
Tayac (33) 212 D6
Taybosc (32) 267 K4
Tayrac (12) 251 H4
Tayrac (47) 248 D4
Tazilly (58) 170 A1
le Tech (66) 314 D5
Tèche (38) 223 H3
Técou (81) 270 C3
le Teich (33) 228 C4
Teigny (58) 133 H5
le Teil (07) 240 A6
Teilhède (63) 185 F5
Teilhet (09) 308 A1

Urrugne (64) . . . 263 B2
Urs (09) . . . 307 K5
Urschenheim (68) . . . 96 D4
Urt (64) . . . 282 D1
Urtaca (2B) . . . 319 F2
Urtière (25) . . . 139 J5
Uruffe (54) . . . 93 G1
Urval (24) . . . 232 C2
Urville (10) . . . 91 G6
Urville (14) . . . 53 K1
Urville (50) . . . 28 E5
Urville (88) . . . 93 G5
Urville-Nacqueville (50) . . . 28 E4
Urvillers (02) . . . 20 A3
Ury (77) . . . 87 G4
Urzy (58) . . . 150 E3
Us (95) . . . 37 F6
Usclades-et-Rieutord (07) . . . 239 F3
Usclas-d'Hérault (34) . . . 292 C2
Usclas-du-Bosc (34) . . . 273 G5
Usinens (74) . . . 190 C4
Ussac (19) . . . 215 J3
Ussat (09) . . . 307 J5
Usseau (79) . . . 177 K2
Usseau (86) . . . 145 J5
Ussel (15) . . . 218 C5
Ussel (19) . . . 201 F5
Ussel (46) . . . 233 J5
Ussel-d'Allier (03) . . . 185 G2
Usson (63) . . . 203 F5
Usson-du-Poitou (86) . . . 180 A1
Usson-en-Forez (42) . . . 220 C1
Ussy (14) . . . 53 K2
Ussy-sur-Marne (77) . . . 60 B2
Ustaritz (64) . . . 282 B2
Ustou (09) . . . 306 E5
Utelle (06) . . . 281 G1
Uttenheim (67) . . . 70 E5
Uttenhoffen (67) . . . 69 K5
Uttwiller (67) . . . 69 H6
Uvernet-Fours (04) . . . 260 C1
Uxeau (71) . . . 170 B2
Uxegney (88) . . . 94 C5
Uxelles (39) . . . 173 J2
Uxem (59) . . . 3 J1
Uz (65) . . . 304 A3
Uza (40) . . . 244 C6
Uzan (64) . . . 284 B2
Uzay-le-Venon (18) . . . 149 H6
Uzech (46) . . . 233 H5
Uzein (64) . . . 284 C3
Uzel (22) . . . 77 F3
Uzelle (25) . . . 138 D3
Uzemain (88) . . . 118 C1
Uzer (07) . . . 239 G6
Uzer (65) . . . 304 D1
Uzerche (19) . . . 199 J3
Uzès (30) . . . 275 H1
Uzeste (33) . . . 246 C1
Uzos (64) . . . 284 D4

V

Vaas (72) . . . 126 E1
Vabre (81) . . . 271 G5
Vabre-Tizac (12) . . . 251 H4
Vabres (15) . . . 219 F5
Vabres (30) . . . 272 C4
Vabres-l'Abbaye (12) . . . 272 B2
Vacherauville (55) . . . 43 H4
Vachères (04) . . . 277 K2
Vachères-en-Quint (26) . . . 241 G2
Vacheresse (74) . . . 175 H5
la Vacheresse-et-la-Rouillie (88) . . . 93 H6
la Vacherie (27) . . . 35 J6
Vacognes-Neuilly (14) . . . 32 C6
la Vacquerie (14) . . . 31 K4
la Vacquerie-et-Saint-Martin-
 -de-Castries (34) . . . 273 H4
Vacquerie-le-Boucq (62) . . . 9 K3
Vacqueriette-Erquières (62) . . . 9 J2
Vacqueville (54) . . . 95 G1
Vacqueyras (84) . . . 257 G5
Vacquières (34) . . . 274 C3
Vacquiers (31) . . . 269 H4
Vadans (39) . . . 155 J4
Vadans (70) . . . 137 F5
Vadelaincourt (55) . . . 43 G6
Vadenay (51) . . . 41 J6
Vadencourt (02) . . . 20 C1
Vadencourt (80) . . . 10 C6
Vadonville (55) . . . 64 E4
Vagnas (07) . . . 255 K2
Vagney (88) . . . 119 G2
Vahl-Ebersing (57) . . . 68 A3
Vahl-lès-Bénestroff (57) . . . 68 B5
Vahl-lès-Faulquemont (57) . . . 45 K6
Vaiges (53) . . . 105 H2
Vailhan (34) . . . 292 B1
Vailhauquès (34) . . . 274 A5
Vailhourles (12) . . . 250 E3
Vaillac (46) . . . 233 J4
Vaillant (52) . . . 116 B6
Vailly (10) . . . 90 B4
Vailly (74) . . . 175 G6
Vailly-sur-Aisne (02) . . . 40 A2
Vailly-sur-Sauldre (18) . . . 131 H4
Vains (50) . . . 51 K3
Vairé (85) . . . 158 E2
Vaire-Arcier (25) . . . 138 B5
Vaire-le-Petit (25) . . . 138 B5
Vaire-sous-Corbie (80) . . . 18 D2
Vaires-sur-Marne (77) . . . 59 H3

Vaison-la-Romaine (84) . . . 257 G4
Vaïssac (82) . . . 269 J1
Vaite (70) . . . 137 G1
la Vaivre (70) . . . 118 C3
Vaivre-et-Montoille (70) . . . 138 A1
le Val (83) . . . 297 K2
le Val-d'Ajol (88) . . . 118 E3
Val-d'Auzon (10) . . . 90 D3
le Val-David (27) . . . 56 E2
Val-de-Bride (57) . . . 67 F3
Val-de-Chalvagne (04) . . . 280 C1
Val-de-Fier (74) . . . 190 D5
le Val-de-Gouhenans (70) . . . 138 C1
le Val-de-Guéblange (57) . . . 68 C4
Val-de-la-Haye (76) . . . 35 G2
Val-de-Mercy (89) . . . 133 G1
Val-de-Meuse (52) . . . 116 E2
Val-de-Reuil (27) . . . 35 J4
Val-de-Roulans (25) . . . 138 C4
Val-de-Saâne (76) . . . 15 J4
Val-de-Vesle (51) . . . 41 G5
Val-de-Vière (51) . . . 63 G4
Val-d'Épy (39) . . . 172 E5
Val-des-Marais (51) . . . 61 K3
Val-des-Prés (05) . . . 226 A6
le Val-d'Esnoms (52) . . . 116 C6
Val-d'Isère (73) . . . 193 C5
Val-d'Izé (35) . . . 79 K3
Val-d'Ornain (55) . . . 64 A4
Val-et-Châtillon (54) . . . 67 H6
Val-Maravel (26) . . . 241 K5
le Val-Saint-Éloi (70) . . . 118 B5
le Val-Saint-Germain (91) . . . 86 B1
le Val-Saint-Père (50) . . . 51 K3
Val-Suzon (21) . . . 135 J4
Valady (12) . . . 251 K1
Valailles (27) . . . 34 D6
Valaire (41) . . . 128 E4
Valanjou (49) . . . 125 G6
Valaurie (26) . . . 256 E1
Valavoire (04) . . . 259 H3
Valay (70) . . . 137 G5
Valbeleix (63) . . . 202 C6
Valbelle (04) . . . 259 F4
Valbois (05) . . . 65 F2
Valbonnais (38) . . . 242 C1
Valbonne (06) . . . 280 E5
Valcabrère (31) . . . 305 H2
Valcanville (50) . . . 29 F2
Valcebollère (66) . . . 313 H6
Valcivières (63) . . . 204 A4
Valcourt (52) . . . 63 J6
Valdahon (25) . . . 156 E1
Valdampierre (60) . . . 37 G4
Valdeblore (06) . . . 261 J5
le Valdécie (50) . . . 28 C5
Valderiès (81) . . . 270 E1
Valderoure (06) . . . 280 B3
Valdieu-Lutran (68) . . . 119 K6
Valdivienne (86) . . . 163 H4
Valdoie (90) . . . 119 H6
Valdrôme (26) . . . 241 K6
Valdurenque (81) . . . 290 A1
Valeille (42) . . . 205 F3
Valeilles (82) . . . 248 E2
Valeins (01) . . . 188 C3
Valempoulières (39) . . . 156 A5
Valençay (36) . . . 147 J2
Valence (16) . . . 179 H6
Valence (26) . . . 240 C1
Valence (82) . . . 248 E6
Valence-d'Albigeois (81) . . . 271 G1
Valence-en-Brie (77) . . . 87 K3
Valence-sur-Baïse (32) . . . 267 F3
Valenciennes (59) . . . 12 D2
Valencin (38) . . . 206 C4
Valencogne (38) . . . 207 H5
Valennes (72) . . . 107 K3
Valensole (04) . . . 278 D3
Valentigney (25) . . . 139 H3
Valentine (31) . . . 305 J1
Valenton (94) . . . 59 F5
Valergues (34) . . . 274 D5
Valernes (04) . . . 259 G3
Valescourt (60) . . . 38 A1
la Valette (38) . . . 224 C6
la Valette-du-Var (83) . . . 300 C4
Valeuil (24) . . . 213 K2
Valeyrac (33) . . . 194 D6
Valezan (73) . . . 209 K3
Valff (67) . . . 70 D5
Valfin-sur-Valouse (39) . . . 173 F5
Valflaunès (34) . . . 274 B4
Valfleury (42) . . . 205 H5
Valframbert (61) . . . 82 D2
Valfroicourt (88) . . . 94 A5
Valgorge (07) . . . 238 E5
Valhey (54) . . . 66 D5
Valhuon (62) . . . 10 B1
Valiergues (19) . . . 201 F6
Valignat (03) . . . 185 F3
Valigny (03) . . . 167 K2
Valines (80) . . . 8 E5
Valjouffrey (38) . . . 242 D1
Valjouze (15) . . . 218 D4
la Valla-en-Gier (42) . . . 205 H6
la Valla-sur-Rochefort (42) . . . 204 B2
Vallabrègues (30) . . . 275 K3
Vallabrix (30) . . . 256 B6
Vallan (89) . . . 113 F6
Vallangoujard (95) . . . 37 H6
Vallans (79) . . . 177 K2
Vallant-Saint-Georges (10) . . . 89 K2
Vallauris (06) . . . 280 E5
Valle-d'Alesani (2B) . . . 319 J5

Valle-di-Campoloro (2B) . . . 319 J5
Valle-di-Mezzana (2A) . . . 320 C4
Valle-di-Rostino (2B) . . . 319 G4
Valle-d'Orezza (2B) . . . 319 H5
Vallecalle (2B) . . . 319 G3
la Vallée (17) . . . 177 G6
la Vallée-au-Blé (02) . . . 20 E2
la Vallée-Mulâtre (02) . . . 12 D1
Vallègue (31) . . . 289 F3
Valleiry (74) . . . 190 D3
Vallenay (18) . . . 167 F1
Vallentigny (10) . . . 91 F3
Vallerange (57) . . . 68 A3
Vallérargues (30) . . . 255 K5
Valleraugue (30) . . . 254 C6
Vallères (37) . . . 127 G5
Valleret (52) . . . 91 F3
Vallereuil (24) . . . 213 J5
Vallerois-le-Bois (70) . . . 138 C2
Vallerois-Lorioz (70) . . . 138 B2
Valleroy (25) . . . 138 B4
Valleroy (52) . . . 117 G5
Valleroy (54) . . . 44 C4
Valleroy-aux-Saules (88) . . . 94 A5
Valleroy-le-Sec (88) . . . 93 K5
Vallery (89) . . . 88 B5
Vallesvilles (31) . . . 288 D1
Vallet (44) . . . 142 B1
Valletot (27) . . . 34 D3
Vallica (2B) . . . 318 E3
Vallière (23) . . . 182 E6
Vallières (10) . . . 114 A3
Vallières (74) . . . 190 D5
Vallières-les-Grandes (41) . . . 128 D4
Valliguières (30) . . . 275 J1
Valliquerville (76) . . . 15 F5
Valloire (73) . . . 225 H3
Vallois (54) . . . 94 E2
les Vallois (88) . . . 94 A6
Vallon-en-Sully (03) . . . 167 H4
Vallon-Pont-d'Arc (07) . . . 256 A2
Vallon-sur-Gée (72) . . . 106 B3
Vallorcine (74) . . . 192 D3
Vallouise (05) . . . 243 J1
Valmanya (66) . . . 314 D4
Valmascle (34) . . . 273 F6
Valmeinier (73) . . . 225 J3
Valmestroff (57) . . . 27 H4
Valmigère (11) . . . 309 G3
Valmondois (95) . . . 37 H6
Valmont (57) . . . 68 A3
Valmont (76) . . . 14 E4
Valmunster (57) . . . 45 J3
Valmy (51) . . . 42 C5
Valognes (50) . . . 28 E4
Valojoulx (24) . . . 214 E6
Valonne (25) . . . 139 G4
Valoreille (25) . . . 139 G5
Valouse (26) . . . 257 J1
Valprionde (46) . . . 249 G3
Valprivas (43) . . . 220 D2
Valpuiseaux (91) . . . 86 E3
Valras-Plage (34) . . . 292 B5
Valréas (84) . . . 257 G2
Valros (34) . . . 292 B3
Valroufié (46) . . . 233 H6
Vals (09) . . . 308 A1
Vals-des-Tilles (52) . . . 116 A6
Vals-le-Chastel (43) . . . 219 J2
Vals-les-Bains (07) . . . 239 H4
Vals-près-le-Puy (43) . . . 220 C5
Valsemé (14) . . . 33 J4
Valserres (05) . . . 243 F6
Valsonne (69) . . . 187 J3
le Valtin (88) . . . 95 J6
Valuéjols (15) . . . 218 C5
Valvignères (07) . . . 239 K6
Valz-sous-Châteauneuf (63) . . . 203 G6
Valzergues (12) . . . 251 H1
Vanault-le-Châtel (51) . . . 63 G3
Vanault-les-Dames (51) . . . 63 H3
Vançais (79) . . . 179 F1
Vancé (72) . . . 107 J5
la Vancelle (67) . . . 96 B1
Vanclans (25) . . . 157 F2
Vandeins (01) . . . 188 E2
Vandelainville (54) . . . 65 J1
Vandelans (70) . . . 138 B4
Vandeléville (54) . . . 93 J2
Vandélicourt (60) . . . 38 D1
Vandenesse (58) . . . 151 K5
Vandenesse-en-Auxois (21) . . . 153 H1
Vandeuil (51) . . . 40 D4
Vandières (51) . . . 40 C6
Vandières (54) . . . 65 J1
Vandœuvre-lès-Nancy (54) . . . 66 A5
Vandoncourt (25) . . . 139 J3
Vandré (17) . . . 177 H4
Vandrimare (27) . . . 36 A3
Vandy (08) . . . 42 B2
Vanlay (10) . . . 114 A2
Vannaire (21) . . . 115 F4
Vanne (70) . . . 137 H1
le Vanneau-Irleau (79) . . . 177 J1
Vannecourt (57) . . . 66 D2
Vannecrocq (27) . . . 34 D3
Vannes (56) . . . 101 F5
Vannes-sur-Cosson (45) . . . 110 D6
Vannoz (39) . . . 156 B6
Vanosc (07) . . . 221 J3
les Vans (07) . . . 255 H2
Vantoux (57) . . . 45 H5
Vantoux-et-Longevelle (70) . . . 137 J3
Vanves (92) . . . 58 E4
Vanvey (21) . . . 115 H4

Vanvillé (77) . . . 88 B1
Vanxains (24) . . . 213 G3
Vany (57) . . . 45 H5
Vanzac (17) . . . 212 A1
Vanzay (79) . . . 179 F2
Vanzy (74) . . . 190 D4
Vaour (81) . . . 250 D6
Varacieux (38) . . . 223 G3
Varades (44) . . . 124 C4
Varages (83) . . . 278 C6
Varaignes (24) . . . 197 H4
Varaire (46) . . . 250 C3
Varaize (17) . . . 178 A5
Varambon (01) . . . 189 H4
Varanges (21) . . . 136 C5
Varangéville (54) . . . 66 B5
Varaville (14) . . . 33 G4
Varces-Allières-et-Risset (38) . . . 224 A4
Vareilles (23) . . . 181 K1
Vareilles (71) . . . 187 G5
Vareilles (89) . . . 89 F6
Varen (82) . . . 250 E5
Varengeville-sur-Mer (76) . . . 15 J2
Varenguebec (50) . . . 28 D6
la Varenne (49) . . . 123 J3
Varenne-l'Arconce (71) . . . 170 C6
Varenne-Saint-Germain (71) . . . 170 B5
Varennes (24) . . . 231 K2
Varennes (31) . . . 288 E2
Varennes (37) . . . 146 C3
Varennes (80) . . . 10 C6
Varennes (82) . . . 269 H3
Varennes (86) . . . 162 D1
Varennes (89) . . . 113 J4
Varennes-Changy (45) . . . 111 H4
Varennes-en-Argonne (55) . . . 42 E4
Varennes-Jarcy (91) . . . 59 G6
Varennes-le-Grand (71) . . . 171 K1
Varennes-lès-Mâcon (71) . . . 188 C1
Varennes-lès-Narcy (58) . . . 150 D1
Varennes-Saint-Honorat (43) . . . 219 K4
Varennes-Saint-Sauveur (71) . . . 172 D4
Varennes-sous-Dun (71) . . . 187 H1
Varennes-sur-Allier (03) . . . 185 J1
Varennes-sur-Fouzon (36) . . . 147 J1
Varennes-sur-Loire (49) . . . 126 C6
Varennes-sur-Morge (63) . . . 185 G6
Varennes-sur-Seine (77) . . . 87 K4
Varennes-sur-Tèche (03) . . . 186 A1
Varennes-sur-Usson (63) . . . 203 F5
Varennes-Vauzelles (58) . . . 150 D4
Varès (47) . . . 247 J1
Varesnes (60) . . . 19 H6
Varessia (39) . . . 173 G3
Varetz (19) . . . 215 H3
Varilhes (09) . . . 307 J2
Varinfroy (60) . . . 39 G6
Variscourt (02) . . . 40 E2
Varize (28) . . . 109 G1
Varize (57) . . . 45 H5
Varmonzey (88) . . . 94 B4
Varnéville (55) . . . 65 F3
Varneville-Bretteville (76) . . . 15 K5
Varogne (70) . . . 118 B5
Varois-et-Chaignot (21) . . . 136 B5
Varouville (50) . . . 29 F2
Varrains (49) . . . 144 C1
Varreddes (77) . . . 59 K2
Vars (05) . . . 227 A4
Vars (16) . . . 196 D2
Vars (70) . . . 137 F2
Vars-sur-Roseix (19) . . . 215 G3
Varsberg (57) . . . 45 K4
Varzay (17) . . . 195 F2
Varzy (58) . . . 132 E5
Vascœuil (27) . . . 36 A2
Vasles (79) . . . 162 B3
Vasperviller (57) . . . 67 J5
Vassel (63) . . . 203 F2
Vasselay (18) . . . 149 G2
Vasselin (38) . . . 207 G3
Vassens (02) . . . 39 G1
Vasseny (02) . . . 40 A3
Vassieux-en-Vercors (26) . . . 241 H1
Vassimont-et-Chapelaine (51) . . . 62 B4
Vassincourt (55) . . . 63 K4
Vassogne (02) . . . 40 C2
Vassonville (76) . . . 15 K4
Vassy (14) . . . 53 G3
Vassy (89) . . . 134 C2
le Vast (50) . . . 29 F2
Vasteville (50) . . . 28 B3
les Vastres (43) . . . 221 F6
Vatan (36) . . . 148 B3
Vathiménil (54) . . . 94 E1
Vatierville (76) . . . 16 D3
Vatilieu (38) . . . 223 H2
Vatimont (57) . . . 66 D1
Vatry (51) . . . 62 C4
Vattetot-sous-Beaumont (76) . . . 14 D5
Vattetot-sur-Mer (76) . . . 14 C4
Vatteville (27) . . . 35 K4
Vatteville-la-Rue (76) . . . 34 E1
Vaubadon (14) . . . 31 K2
Vauban (71) . . . 187 G1
Vaubecourt (55) . . . 64 A2
Vaubexy (88) . . . 94 B4
Vaucelles (14) . . . 32 A1
Vaucelles-et-Beffecourt (02) . . . 20 C6
Vauchamps (25) . . . 138 C5
Vauchamps (51) . . . 61 G3
Vauchassis (10) . . . 89 K5
Vauchelles (60) . . . 19 G6
Vauchelles-lès-Authie (80) . . . 10 C5
Vauchelles-lès-Domart (80) . . . 9 J6
Vauchelles-lès-Quesnoy (80) . . . 9 G5

Vauchignon (21) . . . 153 J4
Vauchonvilliers (10) . . . 91 F5
Vauchoux (70) . . . 117 K6
Vauchrétien (49) . . . 125 H5
Vauciennes (51) . . . 61 J1
Vauciennes (60) . . . 39 F4
Vauclaix (58) . . . 152 A1
Vauclerc (51) . . . 63 G5
Vaucluse (25) . . . 139 G5
Vauclusotte (25) . . . 139 G5
Vaucogne (10) . . . 90 D2
Vauconcourt-Nervezain (70) . . . 117 H6
Vaucouleurs (55) . . . 65 F6
Vaucourt (54) . . . 67 F5
Vaucourtois (77) . . . 60 A3
Vaucresson (92) . . . 58 C4
Vaudancourt (60) . . . 36 E4
Vaudebarrier (71) . . . 170 E5
Vaudelnay (49) . . . 144 B2
Vaudeloges (14) . . . 54 C2
Vaudemange (51) . . . 41 G6
Vaudémont (54) . . . 93 K2
Vaudes (10) . . . 90 C6
Vaudesincourt (51) . . . 41 J4
Vaudesson (02) . . . 40 A1
Vaudeurs (89) . . . 113 F1
Vaudevant (07) . . . 221 K4
Vaudeville (54) . . . 94 B2
Vaudéville (88) . . . 94 E5
Vaudeville-le-Haut (55) . . . 93 F2
Vaudherland (95) . . . 59 F2
Vaudigny (54) . . . 94 B2
le Vaudioux (39) . . . 173 K1
Vaudoncourt (55) . . . 44 A3
Vaudoncourt (88) . . . 93 H5
le Vaudoué (77) . . . 87 G4
Vaudoy-en-Brie (77) . . . 60 B5
Vaudreching (57) . . . 45 J3
Vaudrecourt (52) . . . 93 F5
Vaudrémont (52) . . . 115 J1
le Vaudreuil (27) . . . 35 J4
Vaudreuille (31) . . . 289 H3
Vaudreville (50) . . . 29 F4
Vaudrey (39) . . . 155 H3
Vaudricourt (62) . . . 5 K6
Vaudricourt (80) . . . 8 D5
Vaudrimesnil (50) . . . 30 E3
Vaudringhem (62) . . . 4 E3
Vaudrivillers (25) . . . 138 D5
Vaudry (14) . . . 52 E3
Vaufrey (25) . . . 139 J4
Vaugines (84) . . . 277 H4
Vaugneray (69) . . . 205 J2
Vaugrigneuse (91) . . . 86 C1
Vauhallan (91) . . . 58 D5
Vaujany (38) . . . 224 E3
Vaujours (93) . . . 59 G2
Vaulandry (49) . . . 126 B2
le Vaulmier (15) . . . 217 J4
Vaulnaveys-le-Bas (38) . . . 224 B4
Vaulnaveys-le-Haut (38) . . . 224 B4
Vaulry (87) . . . 181 F4
Vault-de-Lugny (89) . . . 133 J3
Vaulx (62) . . . 9 J3
Vaulx (74) . . . 190 E5
Vaulx-en-Velin (69) . . . 206 B1
Vaulx-Milieu (38) . . . 206 E4
Vaulx-Vraucourt (62) . . . 11 G4
le Vaumain (60) . . . 37 F3
Vaumas (03) . . . 169 H5
Vaumeilh (04) . . . 259 F3
Vaumoise (60) . . . 39 F4
Vaumort (89) . . . 112 E1
Vaunac (24) . . . 214 B1
Vaunaveys-la-Rochette (26) . . . 240 D3
Vaunoise (61) . . . 83 G4
la Vaupalière (76) . . . 35 G1
Vaupillon (28) . . . 84 B3
Vaupoisson (10) . . . 90 C2
Vauquois (55) . . . 42 E4
Vauréal (95) . . . 58 B1
Vaureilles (12) . . . 251 H1
le Vauroux (60) . . . 37 F3
Vausseroux (79) . . . 162 A3
Vautebis (79) . . . 162 A4
Vauthiermont (90) . . . 119 K5
Vautorte (53) . . . 80 E2
Vauvenargues (13) . . . 277 K6
Vauvert (30) . . . 275 G5
Vauville (14) . . . 33 J3
Vauville (50) . . . 28 A2
Vauvillers (70) . . . 118 A3
Vauvillers (80) . . . 18 E2
Vaux (03) . . . 167 H5
Vaux (31) . . . 289 F2
Vaux (57) . . . 44 E5
Vaux (86) . . . 179 H1
Vaux-Andigny (02) . . . 12 D6
Vaux-Champagne (08) . . . 41 K2
Vaux-devant-Damloup (55) . . . 43 J4
Vaux-en-Amiénois (80) . . . 18 A1
Vaux-en-Beaujolais (69) . . . 188 A4
Vaux-en-Bugey (01) . . . 189 H5
Vaux-en-Dieulet (08) . . . 42 E1
Vaux-en-Pré (71) . . . 171 G2
Vaux-en-Vermandois (02) . . . 19 J3
Vaux-et-Chantegrue (25) . . . 156 E5
Vaux-Lavalette (16) . . . 196 E6
Vaux-le-Moncelot (70) . . . 137 J3
Vaux-le-Pénil (77) . . . 87 H2
Vaux-lès-Mouron (08) . . . 42 C3
Vaux-lès-Mouzon (08) . . . 23 G5
Vaux-lès-Palameix (55) . . . 64 E1
Vaux-lès-Prés (25) . . . 137 J6
Vaux-lès-Rubigny (08) . . . 21 J4
Vaux-lès-Saint-Claude (39) . . . 173 J5

Vaux-Marquenneville (80) 17 G1
Vaux-Montreuil (08) 22 B6
Vaux-Rouillac (16) 196 B2
Vaux-Saules (21) 135 J3
Vaux-sous-Aubigny (52) 136 C1
Vaux-sur-Aure (14) 32 B3
Vaux-sur-Blaise (52) 91 K2
Vaux-sur-Eure (27) 57 F1
Vaux-sur-Lunain (77) 88 A6
Vaux-sur-Mer (17) 194 C3
Vaux-sur-Poligny (39) 155 J5
Vaux-sur-Saint-Urbain (52) 92 B3
Vaux-sur-Seine (78) 58 B1
Vaux-sur-Seulles (14) 32 B4
Vaux-sur-Somme (80) 18 D1
Vaux-sur-Vienne (86) 145 J5
Vaux-Villaine (08) 22 B3
Vauxaillon (02) 39 K1
Vauxbons (52) 116 B4
Vauxbuin (02) 39 J3
Vauxcéré (02) 40 B3
Vauxrenard (69) 188 A2
Vauxrezis (02) 39 J2
Vauxtin (02) 40 B3
Vavincourt (55) 64 B3
Vavray-le-Grand (51) 63 G4
Vavray-le-Petit (51) 63 G4
Vaxainville (54) 95 G1
Vaxoncourt (88) 94 D4
Vaxy (57) 66 D2
Vay (44) 103 F5
Vaychis (09) 308 A6
Vaylats (46) 250 C3
Vayrac (46) 234 A1
Vayres (33) 229 K1
Vayres (87) 198 A2
Vayres-sur-Essonne (91) 86 E3
Vazeilles-Limandre (43) 220 A4
Vazeilles-près-Saugues (43) 237 K1
Vazerac (82) 249 J5
Veauce (03) 184 E3
Veauche (42) 205 F4
Veauchette (42) 205 F4
Veaugues (18) 131 J6
Veaunes (26) 222 C5
Veauville-lès-Baons (76) 15 G5
Veauville-lès-Quelles (76) 15 G4
Vèbre (09) 307 K5
Vebret (15) 217 J2
Vebron (48) 254 B4
Veckersviller (57) 67 K2
Veckring (57) 27 J4
Vecoux (88) 119 F2
Vecquemont (80) 18 C2
Vecqueville (52) 92 B2
Vedène (84) 276 C1
Védrines-Saint-Loup (15) 219 G5
Végennes (19) 216 A6
Vého (54) 67 F6
Veigné (37) 127 J6
Veigy-Foncenex (74) 174 D6
Veilhes (81) 270 A6
Veilleins (41) 129 H4
Veilly (21) 153 H2
Veix (19) 200 A5
Velaine-en-Haye (54) 65 J5
Velaine-sous-Amance (54) 66 B4
Velaines (55) 64 C5
Velanne (38) 207 J5
Velars-sur-Ouche (21) 135 K5
Velaux (13) 296 B1
Velennes (60) 37 H1
Velennes (80) 17 J3
Velesmes-Echevanne (70) 137 G4
Velesmes-Essarts (25) 156 A1
Velet (70) 137 F4
Vélieux (34) 291 F3
Vélines (24) 230 E2
Vélizy-Villacoublay (78) 58 D4
Velle-le-Châtel (70) 138 A1
Velle-sur-Moselle (54) 94 B1
Vellèches (86) 145 J4
Vellechevreux-et-Courbenans (70) 138 E2
Velleclaire (70) 137 J3
Vellefaux (70) 138 B2
Vellefrey-et-Vellefrange (70) 137 H3
Vellefrie (70) 118 B6
Velleguindry-et-Levrecey (70) 138 A2
Velleminfroy (70) 118 C6
Vellemoz (70) 137 H3
Velleron (84) 276 D1
Vellerot-lès-Belvoir (25) 139 F4
Vellerot-lès-Vercel (25) 138 E6
Velles (36) 165 H2
Velles (52) 117 G4
Vellescot (90) 139 K1
Vellevans (25) 138 E5
Vellexon-Queutrey-et-Vaudey (70) 137 H2
Velloreille-lès-Choye (70) 137 H4
Velluire (85) 160 D5
Velogny (21) 134 E4
Velone-Orneto (2B) 319 J4
Velorcey (70) 118 B5
Velosnes (55) 26 A2
Velotte-et-Tatignécourt (88) 94 A4
Vélu (62) 11 G5
Velving (57) 45 J3
Vélye (51) 62 B3
Velzic (15) 217 J6
Vémars (95) 59 G1
Venables (27) 35 K5
Venaco (2B) 321 F1
Venansault (85) 159 H1
Venanson (06) 261 K5
Venarey-les-Laumes (21) 134 E2
Venarsal (19) 215 K3
Venas (03) 167 J5
Venasque (84) 276 E1
Vence (06) 281 F3
Vendargues (34) 274 C5
Vendat (03) 185 H3
Vendays-Montalivet (33) 210 C1
Vendegies-au-Bois (59) 12 D4
Vendegies-sur-Écaillon (59) 12 D3
Vendel (35) 79 K2
la Vendelée (50) 30 E3
Vendelles (02) 19 J2
Vendémian (34) 292 D1
Vendenesse-lès-Charolles (71) 170 E5
Vendenesse-sur-Arroux (71) 170 B3
Vendenheim (67) 25 A6
Vendes (14) 32 C5
Vendeuil (02) 20 A4
Vendeuil-Caply (60) 18 A5
Vendeuvre (14) 54 B1
Vendeuvre-du-Poitou (86) 162 E1
Vendeuvre-sur-Barse (10) 90 E5
Vendeville (59) 6 E5
Vendhuile (02) 11 J6
Vendières (02) 60 E3
Vendin-le-Vieil (62) 6 C6
Vendin-lès-Béthune (62) 5 K5
Vendine (31) 289 F1
Vendœuvres (36) 147 G6
Vendoire (24) 197 F6
Vendôme (41) 108 C5
Vendranges (42) 187 F5
Vendrennes (85) 142 C5
Vendres (34) 292 A5
Vendresse (08) 22 D5
Vendresse-Beaulne (02) 40 B2
Vendrest (77) 60 B1
la Vendue-Mignot (10) 90 B6
Vénéjan (30) 256 C4
Venelles (13) 277 J6
Vénérand (17) 195 H1
Venère (70) 137 G4
Vénérieu (38) 207 F3
Vénérolles (02) 12 E6
Venerque (31) 288 B3
Vénès (81) 270 E5
Venesmes (18) 149 F6
Vénestanville (76) 15 H3
Venette (60) 38 D2
Veneux-les-Sablons (77) 87 J4
Veney (54) 95 G2
Vengeons (50) 52 D4
Venise (25) 138 A4
Venisey (70) 117 K4
Vénissieux (69) 206 B3
Venizel (02) 39 K3
Venizy (89) 113 H2
Vennans (25) 138 C5
Vennecy (45) 110 B3
Vennes (25) 157 G1
Vennezey (54) 94 D2
Venon (27) 35 H5
Venon (38) 224 B3
Vénosc (38) 224 E5
Venouse (89) 113 H4
Venoy (89) 113 G5
Vensac (33) 194 C6
Vensat (63) 185 G4
Ventabren (13) 296 B1
Ventavon (05) 259 F2
Ventelay (51) 40 D3
Ventenac (09) 307 K2
Ventenac-Cabardès (11) 290 A5
Ventenac-en-Minervois (11) 291 G5
Venterol (04) 259 H1
Venterol (26) 257 H2
les Ventes (27) 56 C2
les Ventes-de-Bourse (61) 82 E2
Ventes-Saint-Rémy (76) 16 B4
Venteuges (43) 219 J6
Venteuil (51) 40 D6
Venthon (73) 209 G2
Ventiseri (2B) 321 H4
Ventouse (16) 179 H6
Ventron (88) 119 H2
la Ventrouze (61) 55 J6
Venzolasca (2B) 319 J3
Ver (50) 30 E6
Ver-lès-Chartres (28) 85 G4
Ver-sur-Launette (60) 38 C6
Ver-sur-Mer (14) 32 C3
Vérac (33) 211 K6
Véranne (42) 221 K1
Vérargues (34) 274 E5
Véraza (11) 309 F3
Verberie (60) 38 D3
Verbiesles (52) 116 B1
Vercel-Villedieu-le-Camp (25) 138 D6
Verchain-Maugré (59) 12 C3
Verchaix (74) 192 A3
Vercheny (26) 241 G3
les Verchers-sur-Layon (49) 144 A1
Verchin (62) 5 F6
Verchocq (62) 4 E5
Vercia (39) 173 F3
Verclause (26) 258 A2
Vercoiran (26) 257 K3
Vercourt (80) 9 F2
Verdaches (04) 259 K3
Verdalle (81) 289 K2
Verdelais (33) 230 A5
Verdelot (77) 60 E3
Verdenal (54) 67 G6
Verderel-lès-Sauqueuse (60) 37 H1
Verderonne (60) 38 B3
Verdes (41) 109 F3
Verdèse (2B) 319 H4
Verdets (64) 284 A5
le Verdier (81) 270 B1
la Verdière (83) 278 D5
Verdigny (18) 131 J5
Verdille (16) 178 D6
Verdilly (02) 39 K6
Verdon (24) 231 K2
Verdon (51) 61 G2
le Verdon-sur-Mer (33) 194 C4
Verdonnet (21) 114 D6
Verdun (09) 307 K5
Verdun (55) 43 H5
Verdun-en-Lauragais (11) 289 J4
Verdun-sur-Garonne (82) 268 E3
Verdun-sur-le-Doubs (71) 154 C5
Vereaux (18) 150 B5
Verel-de-Montbel (73) 207 K4
Verel-Pragondran (73) 208 B3
Véretz (37) 127 K5
Vereux (70) 137 G2
Verfeil (31) 269 J6
Verfeil (82) 250 E5
Verfeuil (30) 256 A5
Vergaville (57) 67 F3
Vergéal (35) 104 A2
la Vergenne (70) 138 E1
le Verger (35) 78 D4
Vergeroux (17) 177 F5
Verges (39) 173 H2
Vergetot (76) 14 C5
Vergezac (43) 220 A5
Vergèze (30) 275 F4
Vergheas (63) 184 A4
Vergies (80) 17 G1
Vergigny (89) 113 H3
Vergisson (71) 188 B1
la Vergne (17) 177 K5
Vergné (17) 177 K3
Vergoignan (32) 265 K4
Vergoncey (50) 51 K4
Vergongheon (43) 219 G1
Vergonnes (49) 104 B5
Vergons (04) 279 K1
Vergranne (25) 138 D3
Vergt (24) 214 A5
Vergt-de-Biron (24) 232 B5
le Verguier (02) 19 J1
Véria (39) 173 F4
Vérignon (83) 279 G5
Vérigny (28) 84 E2
Vérin (42) 205 K6
Vérines (17) 177 F2
Vérissey (71) 172 C1
Verjon (01) 172 E6
Verjux (71) 154 B5
Verlans (70) 139 G1
Verlhac-Tescou (82) 269 H2
Verlin (89) 112 D2
Verlincthun (62) 4 B4
Verlinghem (59) 6 D3
Verlus (32) 265 K6
Vermand (02) 19 J2
Vermandovillers (80) 19 F2
Vermelles (62) 6 B6
Vermenton (89) 133 H1
le Vermont (88) 95 J2
Vern-d'Anjou (49) 124 E1
Vern-sur-Seiche (35) 79 G5
Vernais (18) 167 J1
Vernaison (69) 206 A3
Vernajoul (09) 307 J3
Vernancourt (51) 63 H3
Vernantes (49) 126 C4
Vernantois (39) 173 G2
la Vernarède (30) 255 G3
Vernas (38) 207 F1
Vernassal (43) 220 A4
Vernaux (09) 307 K5
Vernay (69) 187 K3
la Vernaz (74) 175 G6
Verne (25) 138 D4
Vernègues (13) 277 F5
Verneiges (23) 183 H2
le Verneil (73) 208 E5
Verneil-le-Chétif (72) 106 E6
Verneix (03) 167 H6
la Vernelle (36) 129 G6
le Vernet (03) 185 J3
le Vernet (04) 260 A3
le Vernet (09) 288 D6
Vernet (31) 288 B3
le Vernet (43) 220 A5
Vernet-la-Varenne (63) 203 G6
Vernet-les-Bains (66) 314 B4
le Vernet-Sainte-Marguerite (63) 202 C4
Verneugheol (63) 201 H2
Verneuil (16) 197 K2
Verneuil (18) 149 J6
Verneuil (51) 40 B6
Verneuil (58) 151 H5
Verneuil-en-Bourbonnais (03) 168 D6
Verneuil-en-Halatte (60) 38 B4
Verneuil-Grand (55) 23 K6
Verneuil-le-Château (37) 145 H3
Verneuil-l'Étang (77) 59 J6
Verneuil-Moustiers (87) 164 C6
Verneuil-Petit (55) 23 K6
Verneuil-sous-Coucy (02) 20 A6
Verneuil-sur-Avre (27) 56 B5
Verneuil-sur-Igneraie (36) 166 B2
Verneuil-sur-Indre (37) 146 D3
Verneuil-sur-Seine (78) 58 B2
Verneuil-sur-Serre (02) 20 D5
Verneuil-sur-Vienne (87) 198 D1
Verneusses (27) 55 G3
Vernéville (57) 44 D5
Vernie (72) 82 C6
Vernierfontaine (25) 156 E2
Vernines (63) 202 B3
Verniolle (09) 307 J1
Vernioz (38) 206 B6
Vernix (50) 52 B4
Vernoil (49) 126 C4
le Vernois (39) 173 G1
Vernois-lès-Belvoir (25) 139 F4
Vernois-lès-Vesvres (21) 136 B1
Vernois-sur-Mance (70) 117 H4
Vernols (15) 218 C3
Vernon (07) 239 F6
Vernon (27) 36 B6
Vernon (86) 163 G5
Vernonvilliers (10) 91 G4
Vernosc-lès-Annonay (07) 222 A3
Vernot (21) 135 K3
la Vernotte (70) 137 J2
Vernou-en-Sologne (41) 129 J3
Vernou-la-Celle-sur-Seine (77) 87 K4
Vernou-sur-Brenne (37) 128 A4
Vernouillet (28) 57 F5
Vernouillet (78) 58 B2
Vernoux (01) 172 C4
Vernoux-en-Gâtine (79) 161 G2
Vernoux-en-Vivarais (07) 239 K1
Vernoux-sur-Boutonne (79) 178 C2
le Vernoy (25) 139 G1
Vernoy (89) 112 C1
Vernusse (03) 184 E1
Verny (57) 66 A1
Vero (2A) 320 D3
Véron (89) 112 D1
Véronne (26) 241 F3
Véronnes (21) 136 C2
Verosvres (71) 171 F5
Verpel (08) 42 D2
la Verpillière (38) 206 D3
Verpillières (80) 19 F5
Verpillières-sur-Ource (10) 115 F2
Verquières (13) 276 C3
Verquin (62) 6 A6
Verrens-Arvey (73) 209 F3
Verreries-de-Moussans (34) 290 E3
Verrey-sous-Drée (21) 135 H5
Verrey-sous-Salmaise (21) 135 G4
Verricourt (10) 90 D3
Verrie (49) 126 A6
la Verrie (85) 142 D4
la Verrière (78) 58 B5
Verrières (08) 42 C1
Verrières (10) 90 B5
Verrières (12) 253 G4
Verrières (16) 195 K4
Verrières (51) 42 D6
Verrières (61) 83 K3
Verrières (63) 202 C4
Verrières (86) 163 H5
Verrières-de-Joux (25) 157 G4
Verrières-du-Grosbois (25) 138 C6
Verrières-en-Forez (42) 204 C4
Verrières-le-Buisson (91) 58 D5
Verrue (86) 144 E5
Verruyes (79) 161 J4
Vers (46) 250 B1
Vers (71) 171 K3
Vers (74) 190 E3
Vers-en-Montagne (39) 156 B5
Vers-Pont-du-Gard (30) 275 J1
Vers-sous-Sellières (39) 155 H5
Vers-sur-Méouge (26) 258 C4
Vers-sur-Selles (80) 18 A2
Versailles (78) 58 C4
Versailleux (01) 189 F5
Versainville (14) 54 B2
la Versanne (42) 221 J2
Versaugues (71) 170 B6
Verseilles-le-Bas (52) 116 C5
Verseilles-le-Haut (52) 116 C5
Versigny (02) 20 B5
Versigny (60) 38 D5
Versols-et-Lapeyre (12) 272 C3
Verson (14) 32 D5
Versonnex (01) 174 B6
Versonnex (74) 190 D5
le Versoud (38) 224 C3
Vert (40) 245 K5
Vert (78) 57 J2
le Vert (79) 178 B3
Vert-en-Drouais (28) 56 E5
Vert-le-Grand (91) 86 E1
Vert-le-Petit (91) 86 E1
Vert-Saint-Denis (77) 87 H1
Vert-Toulon (51) 61 K3
Vertain (59) 12 D3
Vertaizon (63) 203 F2
Vertamboz (39) 173 H2
Vertault (21) 114 D4
Verteillac (24) 213 G1
Verteuil-d'Agenais (47) 247 K1
Verteuil-sur-Charente (16) 179 G5
Verthemex (73) 208 A3
Vertheuil (33) 210 E2
Vertolaye (63) 203 K3
Verton (62) 8 E1
Vertou (44) 123 H5
Vertrieu (38) 189 H6
Vertus (51) 62 A3
Vervant (16) 196 D1
Vervant (17) 178 A5
Vervezelle (88) 95 G5
Vervins (02) 21 F2
Véry (55) 42 E4
Verzé (71) 171 J6
Verzeille (11) 309 F1
Verzenay (51) 41 G5
Verzy (51) 41 G5
Vesaignes-sous-Lafauche (52) 92 D4
Vesaignes-sur-Marne (52) 116 C2
Vesancy (01) 174 B5
Vesc (26) 241 F6
Vescemont (90) 119 H5
Vescheim (57) 69 F6
Vescles (39) 173 G5
Vescours (01) 172 B4
Vescovato (2B) 319 J3
Vesdun (18) 167 F4
Vésigneul-sur-Marne (51) 62 E3
Vésines (01) 171 K6
le Vésinet (78) 58 C3
Vesles-et-Caumont (02) 20 E5
Veslud (02) 20 E6
Vesly (27) 36 D4
Vesly (50) 30 D1
Vesoul (70) 138 B1
la Vespière (14) 55 G1
Vesseaux (07) 239 H4
Vessey (50) 51 J5
Vestric-et-Candiac (30) 275 F4
Vesvres (21) 135 F4
Vesvres-sous-Chalancey (52) 116 B6
Vétheuil (95) 57 J1
Vétraz-Monthoux (74) 191 G2
Vétrigne (90) 119 J6
Veuil (36) 147 J2
Veuilly-la-Poterie (02) 39 H6
Veules-les-Roses (76) 15 H2
Veulettes-sur-Mer (76) 15 F2
le Veurdre (03) 168 B1
Veurey-Voroize (38) 223 K2
la Veuve (51) 62 D1
Veuves (41) 128 C4
Veuvey-sur-Ouche (21) 153 J1
Veuxhaulles-sur-Aube (21) 115 H3
Vevy (39) 173 H2
Vexaincourt (88) 95 J1
le Vey (14) 53 J2
Veynes (05) 242 C5
Veyrac (87) 181 F6
Veyras (07) 239 J3
Veyre-Monton (63) 202 E3
Veyreau (12) 253 J5
Veyrier-du-Lac (74) 191 F6
Veyrières (15) 217 G2
Veyrières (19) 201 G6
Veyrignac (24) 233 G2
Veyrines-de-Domme (24) 232 E3
Veyrines-de-Vergt (24) 214 A6
Veyrins-Thuellin (38) 207 H3
les Veys (50) 29 G6
Veyssilieu (38) 206 E3
Vez (60) 39 F4
Vézac (15) 235 J2
Vézac (24) 232 E2
Vézannes (89) 113 J4
Vézaponin (02) 39 H2
Vèze (15) 218 D3
la Vèze (25) 138 A6
Vézelay (89) 133 H4
Vézelise (54) 93 K2
Vézelois (90) 139 J1
Vezels-Roussy (15) 235 J3
Vézénobres (30) 255 H6
Vézeronce-Curtin (38) 207 G3
Vezet (70) 137 J2
Vézézoux (43) 219 G1
le Vézier (51) 60 E4
Vézières (86) 144 E2
Vézillon (27) 36 A4
Vézilly (02) 40 C5
Vezin-le-Coquet (35) 79 F4
Vézinnes (89) 113 K4
Vezins (49) 143 G2
Vézins-de-Lévézou (12) 253 F4
Vezot (72) 83 F4
Vezzani (2B) 321 G2
Viabon (28) 85 J6
Viala-du-Pas-de-Jaux (12) 272 D2
Viala-du-Tarn (12) 252 E6
Vialas (48) 254 E3
Vialer (64) 285 F1
Viam (19) 200 B4
Viane (81) 271 J5
Vianges (21) 153 F2
Vianne (47) 247 J4
Viâpres-le-Petit (10) 90 A1
Viarmes (95) 37 K6
Vias (34) 292 C4
Viazac (46) 234 E5
le Vibal (12) 252 D3
Vibersviller (57) 68 C5
Vibeuf (76) 15 H4
Vibrac (16) 196 C3
Vibrac (17) 211 K1
Vibraye (72) 107 K2
Vic-de-Chassenay (21) 134 D3
Vic-des-Prés (21) 153 J2
Vic-en-Bigorre (65) 285 H3
Vic-Fezensac (32) 267 F4
Vic-la-Gardiole (34) 293 G2
Vic-le-Comte (63) 202 E4
Vic-le-Fesq (30) 274 E3
Vic-sous-Thil (21) 134 D5
Vic-sur-Aisne (02) 39 G2
Vic-sur-Cère (15) 217 K6
Vic-sur-Seille (57) 66 D3
Vicdessos (09) 307 H5
le Vicel (50) 29 F2
Vichel (63) 202 E6

Vichel-Nanteuil (02) 39 J5
Vichères (28) 84 B5
Vicherey (88) 93 J3
Vichy (03) 185 J3
Vico (2A) 320 C2
la Vicogne (80) 10 A6
la Vicomté-sur-Rance (22) 50 D5
Vicq (03) 185 F3
Vicq (52) 117 F3
Vicq (59) 12 D1
Vicq (78) 57 K4
Vicq-d'Auribat (40) 264 D3
Vicq-Exemplet (36) 166 C3
Vicq-sur-Breuilh (87) 199 G4
Vicq-sur-Gartempe (86) 164 A1
Vicq-sur-Nahon (36) 147 J2
Vicques (14) 54 B2
Victot-Pontfol (14) 33 H5
Vidai (61) 83 F2
Vidaillac (46) 250 D3
Vidaillat (23) 182 D5
Vidauban (83) 298 D2
Videcosville (50) 29 F3
Videix (87) 197 K2
Videlles (91) 87 F3
Vidou (65) 286 A4
Vidouville (50) 31 K3
Vidouze (65) 285 G2
Viefvillers (60) 17 K5
le Vieil-Baugé (49) 126 A3
le Vieil-Dampierre (51) 63 J1
le Vieil-Evreux (27) 56 E1
Vieil-Hesdin (62) 9 J2
Vieil-Moutier (62) 4 D3
Vieille-Brioude (43) 219 H3
Vieille-Chapelle (62) 6 A4
Vieille-Église (62) 2 E3
Vieille-Église-en-Yvelines (78) 58 A6
la Vieille-Loye (39) 155 H3
la Vieille-Lyre (27) 55 K2
Vieille-Toulouse (31) 288 B2
Vieilles-Maisons-sur-Joudry (45) 111 F4
Vieillespesse (15) 218 E4
Vieillevie (15) 235 H5
Vieillevigne (31) 288 E3
Vieillevigne (44) 141 K3
Vieilley (25) 138 A5
Vieilmoulin (21) 135 G5
Viel-Arcy (02) 40 B2
Viel-Saint-Remy (08) 22 B5
Viella (32) 266 A6
Viella (65) 304 B4
Vielle-Adour (65) 285 H6
Vielle-Aure (65) 305 F4
Vielle-Louron (65) 305 F4
Vielle-Saint-Girons (40) 262 D1
Vielle-Soubiran (40) 246 D6
Vielle-Tursan (40) 265 H5
Viellenave-d'Arthez (64) 284 B3
Viellenave-de-Navarrenx (64) 283 J3
Vielleségure (64) 283 K3
Vielmanay (58) 132 C6
Vielmur-sur-Agout (81) 270 D6
Vielprat (43) 238 D2
Viels-Maisons (02) 60 E3
Vielverge (21) 136 E6
Viennay (79) 161 K2
Vienne (38) 206 B5
Vienne-en-Arthies (95) 57 J1
Vienne-en-Bessin (14) 32 C3
Vienne-en-Val (45) 110 C5
Vienne-la-Ville (51) 42 D5
Vienne-le-Château (51) 42 D5
Viens (84) 277 K2
Vienville (88) 95 H5
Vier-Bordes (65) 304 B2
Viersat (23) 183 J1
Vierville (28) 86 A4
Vierville (50) 29 G6
Vierville-sur-Mer (14) 29 K6
Vierzon (18) 148 D1
Vierzy (02) 39 J4
Viesly (59) 12 C4
Viessoix (14) 53 F3
Viéthorey (25) 138 D3
Vieu (01) 190 B6
Vieu-d'Izenave (01) 189 K3
Vieure (03) 168 A4
Vieussan (34) 291 H1
Vieuvicq (28) 84 D5
Vieuvy (53) 80 E2
Vieux (14) 32 D6
Vieux (81) 270 B1
Vieux-Berquin (59) 6 A3
Vieux-Boucau-les-Bains (40) 262 B3
Vieux-Bourg (14) 34 A3
le Vieux-Bourg (22) 76 E1
le Vieux-Cérier (16) 179 K5
Vieux-Champagne (77) 88 C1
Vieux-Charmont (25) 139 H2
Vieux-Château (21) 134 B3
Vieux-Condé (59) 7 J6
Vieux-Ferrette (68) 97 C5
Vieux-Fumé (14) 33 G6
Vieux-lès-Asfeld (08) 41 F1
Vieux-Lixheim (57) 67 K3
Vieux-Manoir (76) 16 B6
le Vieux-Marché (22) 47 K4
Vieux-Mareuil (24) 197 H6
Vieux-Mesnil (59) 13 G3
Vieux-Moulin (60) 38 E2
Vieux-Moulin (88) 95 J2
Vieux-Pont (61) 54 B6
Vieux-Pont-en-Auge (14) 54 D1
Vieux-Port (27) 34 D2
Vieux-Reng (59) 13 H2
Vieux-Rouen-sur-Bresle (76) 17 F3
la Vieux-Rue (76) 35 K1
Vieux-Ruffec (16) 179 J5
Vieux-Thann (68) 97 A2
Vieux-Viel (35) 51 H5
Vieux-Villez (27) 35 K5
Vieux-Vy-sur-Couesnon (35) 79 J1
Vieuzos (65) 286 B5
Viévigne (21) 136 C4
Viéville (52) 92 B5
Viéville-en-Haye (54) 65 H2
Viévy (21) 153 G3
Vievy-le-Rayé (41) 108 E4
Viey (65) 304 B4
Vif (38) 224 A5
Viffort (02) 60 E2
le Vigan (30) 273 J1
le Vigan (46) 233 H3
le Vigean (15) 217 G3
le Vigeant (86) 180 B2
le Vigen (87) 199 F2
Vigeois (19) 215 J1
Viger (65) 304 B1
Vigeville (23) 183 F3
Viggianello (2A) 322 E2
Viglain (45) 110 E6
Vignacourt (80) 9 K6
Vignale (2B) 319 H3
Vignats (14) 54 B3
le Vignau (40) 265 J4
Vignaux (31) 268 D5
les Vigneaux (05) 243 J1
Vignec (65) 304 E4
Vignely (77) 59 J2
Vignemont (60) 38 D1
les Vignes (48) 253 J4
Vignes (64) 284 C1
Vignes (89) 134 B3
Vignes-la-Côte (52) 92 C5
Vigneul-sous-Montmédy (55) 23 J6
Vigneulles (54) 66 C6
Vigneulles-lès-Hattonchâtel (55) 65 F1
Vigneux-de-Bretagne (44) 123 F2
Vigneux-Hocquet (02) 21 G4
Vigneux-sur-Seine (91) 59 F5
Vignevieille (11) 309 H2
Vignieu (38) 207 G3
Vignoc (35) 79 F2
Vignol (58) 133 H5
Vignoles (21) 154 A3
Vignolles (16) 196 B5
Vignols (19) 215 H2
Vignonet (33) 230 B2
Vignory (52) 92 A5
Vignot (55) 65 F4
Vignoux-sous-les-Aix (18) 149 H1
Vignoux-sur-Barangeon (18) 148 E1
Vigny (57) 66 B1
Vigny (95) 37 F6
Vigoulant (36) 166 C5
Vigoulet-Auzil (31) 288 C2
Vigoux (36) 165 G4
Vigueron (82) 268 C3
Vigy (57) 45 G4
Vihiers (49) 143 J2
Vijon (36) 166 C5
Vilcey-sur-Trey (54) 65 J2
Vildé-Guingalan (22) 50 C5
le Vilhain (03) 167 K4
Vilhonneur (16) 197 G3
Villabé (91) 87 F1
Villabon (18) 149 K3
Villac (24) 215 F4
Villacerf (10) 90 A3
Villacourt (54) 94 C2
Villadin (10) 89 H4
Villafans (70) 138 E1
Village-Neuf (68) 97 E4
Villaines-en-Duesmois (21) 135 F1
Villaines-la-Carelle (72) 83 F3
Villaines-la-Gonais (72) 107 H1
Villaines-la-Juhel (53) 81 K4
Villaines-les-Prévôtes (21) 134 D2
Villaines-les-Rochers (37) 145 J1
Villaines-sous-Bois (95) 37 K6
Villaines-sous-Lucé (72) 107 G4
Villaines-sous-Malicorne (72) 106 B5
Villainville (76) 14 C5
Villalet (27) 56 C2
Villalier (11) 290 B5
Villamblain (45) 109 G3
Villamblard (24) 213 J5
Villamée (35) 80 A2
Villampuy (28) 109 G2
Villandraut (33) 246 B1
Villandry (37) 127 G5
Villanière (11) 290 B4
Villanova (2A) 320 A5
Villapourçon (58) 152 B4
Villar-d'Arêne (05) 225 G5
Villar-en-Val (11) 309 H1
Villar-Loubière (05) 243 F2
Villar-Saint-Anselme (11) 309 F2
Villar-Saint-Pancrace (05) 243 K1
Villard (23) 182 B1
Villard (74) 191 J1
Villard-Bonnot (38) 224 C2
Villard-de-Lans (38) 223 J4
Villard-d'Héry (73) 208 D4
Villard-Léger (73) 208 E4
Villard-Notre-Dame (38) 224 D5
Villard-Reculas (38) 224 D4
Villard-Reymond (38) 224 D5
Villard-Saint-Christophe (38) 224 B6
Villard-Saint-Sauveur (39) 173 K5
Villard-Sallet (73) 208 D5
Villard-sur-Bienne (39) 173 K4
Villard-sur-Doron (73) 209 H2
Villardebelle (11) 309 G2
Villardonnel (11) 290 A4
Villards-d'Héria (39) 173 H5
les Villards-sur-Thônes (74) 191 H5
Villarembert (73) 225 G2
Villargent (70) 138 E2
Villargoix (21) 134 D6
Villargondran (73) 225 H2
Villariès (31) 269 H4
Villarlurin (73) 209 H5
Villarodin-Bourget (73) 226 A2
Villaroger (73) 193 B3
Villaroux (73) 208 D5
Villars (24) 198 A6
Villars (28) 85 G5
Villars (42) 205 F6
le Villars (71) 172 A4
Villars (84) 277 H2
Villars-Colmars (04) 260 C4
Villars-en-Azois (52) 115 H2
Villars-en-Pons (17) 195 G4
Villars-et-Villenotte (21) 134 E3
Villars-Fontaine (21) 154 A2
Villars-le-Pautel (70) 117 J3
Villars-le-Sec (90) 139 K3
Villars-lès-Blamont (25) 139 J4
Villars-les-Bois (17) 195 J1
Villars-les-Dombes (01) 188 E4
Villars-Saint-Georges (25) 155 K2
Villars-Santenoge (52) 115 K5
Villars-sous-Dampjoux (25) 139 G4
Villars-sous-Écot (25) 139 G3
Villars-sur-Var (06) 280 E1
Villarzel-Cabardès (11) 290 C5
Villarzel-du-Razès (11) 308 E1
Villasavary (11) 289 H5
Villate (31) 288 B2
Villaudric (31) 269 G3
Villautou (11) 289 F6
Villavard (41) 108 A6
Villaz (74) 191 F5
Ville (60) 19 G6
Villé (67) 70 B6
Ville-au-Montois (54) 26 D4
Ville-au-Val (54) 65 K3
la Ville-aux-Bois (10) 91 G3
la Ville-aux-Bois-lès-Dizy (02) 21 G5
la Ville-aux-Bois-
-lès-Pontavert (02) 40 D2
la Ville-aux-Clercs (41) 108 C4
la Ville-aux-Dames (37) 127 K4
Ville-d'Avray (92) 58 D4
Ville-devant-Belrain (55) 64 C3
Ville-devant-Chaumont (55) 43 J3
Ville-di-Paraso (2B) 318 D3
Ville-di-Pietrabugno (2B) 317 D5
la Ville-Dieu-du-Temple (82) 268 E1
Ville-Dommange (51) 40 E5
la Ville-du-Bois (91) 58 D6
Ville-du-Pont (25) 157 G3
Ville-en-Blaisois (52) 91 K3
Ville-en-Sallaz (74) 191 J2
Ville-en-Selve (51) 41 F6
Ville-en-Tardenois (51) 40 D5
Ville-en-Vermois (54) 66 B6
Ville-en-Woëvre (55) 44 A5
la Ville-ès-Nonais (35) 50 E4
Ville-Houdlémont (54) 26 B2
Ville-la-Grand (74) 191 G1
Ville-Langy (58) 151 H4
Ville-le-Marclet (80) 9 J6
Ville-Saint-Jacques (77) 87 K4
Ville-Savoye (02) 40 B4
Ville-sous-Anjou (38) 222 B1
Ville-sous-la-Ferté (10) 115 H1
la Ville-sous-Orbais (51) 61 G2
Ville-sur-Ancre (80) 18 D1
Ville-sur-Arce (10) 114 E1
Ville-sur-Cousances (55) 43 F6
Ville-sur-Illon (88) 94 B5
Ville-sur-Jarnioux (69) 188 A5
Ville-sur-Lumes (08) 22 D3
Ville-sur-Retourne (08) 41 J2
Ville-sur-Saulx (55) 64 A5
Ville-sur-Terre (10) 91 H4
Ville-sur-Tourbe (51) 42 C5
Ville-sur-Yron (54) 44 C5
Villeau (28) 85 H5
Villebadin (61) 54 D4
Villebarou (41) 128 E2
Villebaudon (50) 31 G5
Villebazy (11) 309 F2
Villebéon (77) 88 A6
Villebernier (49) 126 B6
Villeberny (21) 135 G4
Villebichot (21) 154 C2
Villeblevin (89) 88 B4
Villebois (01) 189 J6
Villebois-Lavalette (16) 197 F5
Villebois-les-Pins (26) 258 C2
Villebon (28) 84 D3
Villebon-sur-Yvette (91) 58 D5
Villebougis (89) 88 C6
Villebourg (37) 127 H1
Villebout (41) 108 D3
Villebramar (47) 231 H6
Villebret (03) 184 B2
Villebrumier (82) 269 G2
Villecelin (18) 148 E6
Villecerf (77) 87 K4
Villecey-sur-Mad (54) 65 J1
Villechantria (39) 173 F5
Villechauve (41) 128 B1
Villechenève (69) 205 G1
Villechétif (10) 90 B4
Villechétive (89) 113 F1
Villechien (50) 52 D6
Villecien (89) 112 D3
Villécloye (55) 23 K6
Villecomtal (12) 235 J6
Villecomtal-sur-Arros (32) 285 J3
Villecomte (21) 136 A3
Villeconin (91) 86 C2
Villecourt (80) 19 H3
Villecresnes (94) 59 G5
Villecroze (83) 279 G6
Villedaigne (11) 291 G5
Villedieu (15) 218 D6
la Villedieu (17) 178 B4
Villedieu (21) 114 D4
la Villedieu (23) 200 B2
les Villedieu (25) 156 E6
la Villedieu (48) 237 J4
Villedieu (84) 257 G3
la Villedieu-du-Clain (86) 163 F5
la Villedieu-en-Fontenette (70) 118 B5
Villedieu-la-Blouère (49) 142 D1
Villedieu-le-Château (41) 107 J6
Villedieu-lès-Bailleul (61) 54 C4
Villedieu-les-Poêles (50) 52 B3
Villedieu-sur-Indre (36) 147 J6
Villedômain (37) 147 F3
Villedômer (37) 128 A3
Villedoux (17) 176 E1
Villedubert (11) 290 C5
Villefagnan (16) 179 F4
Villefargeau (89) 113 F5
Villefavard (87) 181 G3
Villeferry (21) 135 F4
Villefloure (11) 309 G1
Villefollet (79) 178 C3
Villefontaine (38) 206 D4
Villefort (11) 308 C3
Villefort (48) 255 F1
Villefranche (32) 286 E3
Villefranche (89) 112 C3
Villefranche-d'Albigeois (81) 271 F3
Villefranche-d'Allier (03) 167 K6
Villefranche-de-Conflent (66) 314 B3
Villefranche-de-Lauragais (31) 288 E3
Villefranche-de-Lonchat (24) 212 D6
Villefranche-de-Panat (12) 252 C6
Villefranche-de-Rouergue (12) 251 F3
Villefranche-du-Périgord (24) 232 D5
Villefranche-du-Queyran (47) 247 H3
Villefranche-le-Château (26) 258 B4
Villefranche-sur-Cher (41) 129 J6
Villefranche-sur-Mer (06) 281 H4
Villefranche-sur-Saône (69) 188 B5
Villefrancœur (41) 128 D1
Villefrancon (70) 137 H4
Villefranque (64) 282 B2
Villefranque (65) 285 G2
Villegailhenc (11) 290 B5
Villegats (16) 179 G5
Villegats (27) 57 G2
Villegaudin (71) 154 D6
Villegenon (18) 131 G4
Villegly (11) 290 C5
Villegongis (36) 147 J5
Villegouge (33) 212 A6
Villegouin (36) 147 G4
Villegusien-le-Lac (52) 116 D6
Villeherviers (41) 129 K5
Villejésus (16) 179 F6
Villejoubert (16) 196 E1
Villejuif (94) 58 E4
Villejust (91) 58 D6
Villelaure (84) 277 H4
Villeloin-Coulangé (37) 147 F2
Villelongue (65) 304 B3
Villelongue-d'Aude (11) 308 D2
Villelongue-de-la-Salanque (66) 315 H1
Villelongue-dels-Monts (66) 315 G4
Villeloup (10) 89 J4
Villemade (82) 249 J6
Villemagne (11) 289 J4
Villemagne-l'Argentière (34) 272 E6
Villemain (79) 178 D4
Villemandeur (45) 111 H3
Villemanoche (89) 88 C5
Villemardy (41) 108 D6
Villemaréchal (77) 87 K5
Villemareuil (77) 60 A3
Villematier (31) 269 H3
Villemaur-sur-Vanne (10) 89 H5
Villembits (65) 286 A4
Villembray (60) 37 F1
Villemer (77) 87 J5
Villemer (89) 113 F4
Villemereuil (10) 90 B6
Villemeux-sur-Eure (28) 57 G6
Villemoirieu (38) 206 E2
Villemoiron-en-Othe (10) 89 J6
Villemoisan (49) 124 D3
Villemoisson-sur-Orge (91) 58 E6
Villemolaque (66) 315 G3
Villemomble (93) 59 G3
Villemontais (42) 186 D5
Villemontoire (02) 39 J4
Villemorien (10) 114 D1
Villemorin (17) 178 B4
Villemort (86) 164 B4
Villemotier (01) 172 E6
Villemoustaussou (11) 290 B5
Villemoutiers (45) 111 G3
Villemoyenne (10) 90 C6
Villemur (65) 286 C5
Villemur-sur-Tarn (31) 269 H3
Villemurlin (45) 130 E1
Villemus (04) 278 A2
Villenauxe-la-Grande (10) 89 F1
Villenauxe-la-Petite (77) 88 D3
Villenave (40) 264 D1
Villenave-de-Rions (33) 229 K4
Villenave-d'Ornon (33) 229 H3
Villenave-près-Béarn (65) 285 F3
Villenave-près-Marsac (65) 285 H4
Villenavotte (89) 88 D5
Villeneuve (01) 188 C4
Villeneuve (04) 278 C2
Villeneuve (09) 306 C3
Villeneuve (12) 251 F2
la Villeneuve (23) 183 J6
Villeneuve (33) 211 G4
Villeneuve (63) 202 E6
la Villeneuve (71) 154 D4
la Villeneuve-au-Châtelot (10) 89 G1
Villeneuve-au-Chemin (10) 113 J1
la Villeneuve-au-Chêne (10) 90 D5
la Villeneuve-Bellenoye-et-
-la-Maize (70) 118 C6
Villeneuve-d'Allier (43) 219 H3
Villeneuve-d'Amont (25) 156 C4
Villeneuve-d'Ascq (59) 6 E4
Villeneuve-d'Aval (39) 155 K4
Villeneuve-de-Berg (07) 239 J5
Villeneuve-de-Duras (47) 231 F3
Villeneuve-de-la-Raho (66) 315 H3
Villeneuve-de-Marc (38) 206 D5
Villeneuve-de-Marsan (40) 265 J2
Villeneuve-de-Rivière (31) 305 J1
Villeneuve-d'Entraunes (06) 260 E4
Villeneuve-d'Olmes (09) 308 A4
Villeneuve-du-Latou (09) 288 B6
Villeneuve-du-Paréage (09) 288 D6
la Villeneuve-en-Chevrie (78) 57 G1
Villeneuve-en-Montagne (71) 171 G1
Villeneuve-Frouville (41) 108 E5
Villeneuve-la-Comptal (11) 289 G5
Villeneuve-la-Comtesse (17) 177 K3
Villeneuve-la-Dondagre (89) 112 C1
Villeneuve-la-Garenne (92) 58 E2
Villeneuve-la-Guyard (89) 88 B4
Villeneuve-la-Lionne (51) 60 E4
Villeneuve-la-Rivière (66) 315 F2
Villeneuve-l'Archevêque (89) 89 F5
Villeneuve-le-Comte (77) 59 J4
Villeneuve-le-Roi (94) 59 F5
Villeneuve-Lécussan (31) 286 C6
Villeneuve-lès-Avignon (30) 276 B1
Villeneuve-lès-Béziers (34) 292 A4
Villeneuve-les-Bordes (77) 88 B2
Villeneuve-lès-Bouloc (31) 269 G4
Villeneuve-les-Cerfs (63) 185 H5
la Villeneuve-lès-Charleville (51) 61 H4
Villeneuve-lès-Charnod (39) 173 F6
la Villeneuve-les-Convers (21) 135 F2
Villeneuve-les-Corbières (11) 310 A3
Villeneuve-les-Genêts (89) 112 B6
Villeneuve-lès-Lavaur (81) 270 A6
Villeneuve-lès-Maguelone (34) 293 G1
Villeneuve-lès-Montréal (11) 289 J6
Villeneuve-les-Sablons (60) 37 G4
Villeneuve-Loubet (06) 281 F4
Villeneuve-Minervois (11) 290 C4
Villeneuve-Renneville-
-Chevigny (51) 62 A2
Villeneuve-Saint-Denis (77) 59 J4
Villeneuve-Saint-Georges (94) 59 F5
Villeneuve-Saint-Germain (02) 39 J3
Villeneuve-Saint-Nicolas (28) 85 H5
Villeneuve-Saint-Salves (89) 113 G4
Villeneuve-Saint-Vistre-et-
-Villevotte (51) 61 H6
Villeneuve-sous-Charigny (21) 134 E4
Villeneuve-sous-Dammartin (77) 59 H1
Villeneuve-sous-Pymont (39) 173 G1
la Villeneuve-sous-Thury (60) 39 G5
Villeneuve-sur-Allier (03) 168 D2
Villeneuve-sur-Auvers (91) 86 D2
Villeneuve-sur-Bellot (77) 60 D3
Villeneuve-sur-Cher (18) 148 E3
Villeneuve-sur-Conie (45) 109 H2
Villeneuve-sur-Fère (02) 40 A5
Villeneuve-sur-Lot (47) 248 C2
Villeneuve-sur-Verberie (60) 38 C4
Villeneuve-sur-Vère (81) 270 C1
Villeneuve-sur-Yonne (89) 112 D2
Villeneuve-Tolosane (31) 288 A2
Villeneuvette (34) 273 G6
Villennes-sur-Seine (78) 58 B2
Villenouvelle (31) 288 E3
Villenoy (77) 59 K2
Villentrois (36) 147 H1
Villeny (41) 129 J2
Villepail (53) 81 K3
Villeparisis (77) 59 G2
Villeparois (70) 118 B6
Villeperdrix (26) 257 J1
Villeperdue (37) 145 K1
Villeperrot (89) 88 C5
Villepinte (11) 289 J5
Villepinte (93) 59 G2
Villeporcher (41) 128 B1
Villepot (44) 103 K3
Villepreux (78) 58 B4
Villequier (76) 34 E1
Villequier-Aumont (02) 19 K5
Villequiers (18) 150 A3
Viller (57) 66 E1
Villerable (41) 108 C6
Villerbon (41) 129 F1
Villeréal (47) 232 A5
Villereau (45) 110 B2
Villereau (59) 12 E3

Villerest (42) 186 E5
Villeret (02) 19 J1
Villeret (10) 91 F2
Villereversure (01) 189 H2
Villermain (41) 109 G4
Villeromain (41) 108 D6
Villeron (95) 59 G1
Villerouge-Termenès (11) 309 J2
Villeroy (77) 59 J2
Villeroy (80) 17 F1
Villeroy (89) 88 C6
Villeroy-sur-Méholle (55) 64 E6
Villers (42) 187 G3
Villers (88) 94 A4
Villers-Agron-Aiguizy (02) 40 C5
Villers-Allerand (51) 41 F5
Villers-au-Bois (62) 10 D2
Villers-au-Flos (62) 11 G5
Villers-au-Tertre (59) 11 J2
Villers-aux-Bois (51) 61 K2
Villers-aux-Érables (80) 18 D3
Villers-aux-Nœuds (51) 40 E5
Villers-aux-Vents (55) 63 K3
Villers-Bocage (14) 32 B6
Villers-Bocage (80) 10 A6
Villers-Bouton (70) 137 K3
Villers-Bretonneux (80) 18 D2
Villers-Brûlin (62) 10 C2
Villers-Buzon (25) 137 J6
Villers-Campsart (80) 17 G2
Villers-Canivet (14) 54 A2
Villers-Carbonnel (80) 19 G2
Villers-Cernay (08) 23 G4
Villers-Châtel (62) 10 D1
Villers-Chemin-et-
-Mont-lès-Étrelles (70) 137 J3
Villers-Chief (25) 138 E6
Villers-Cotterêts (02) 39 G4
Villers-devant-Dun (55) 43 F2
Villers-devant-le-Thour (08) 41 F1
Villers-devant-Mouzon (08) 23 G5
Villers-Écalles (76) 15 J6
Villers-en-Argonne (51) 63 J1
Villers-en-Arthies (95) 36 D6
Villers-en-Cauchies (59) 12 C3
Villers-en-Haye (54) 65 J3
Villers-en-Ouche (61) 55 G3
Villers-en-Prayères (02) 40 B2
Villers-en-Vexin (27) 36 C4
Villers-Farlay (39) 155 K3
Villers-Faucon (80) 19 J1
Villers-Franqueux (51) 40 E3
Villers-Grélot (25) 138 C4
Villers-Guislain (59) 11 J6
Villers-Hélon (02) 39 H4
Villers-la-Chèvre (54) 26 C2
Villers-la-Combe (25) 138 E6
Villers-la-Faye (21) 154 A2
Villers-la-Montagne (54) 26 D3
Villers-la-Ville (70) 138 E2
Villers-le-Château (51) 62 C2
Villers-le-Lac (25) 157 H2
Villers-le-Rond (54) 43 J1
Villers-le-Sec (02) 20 C3
Villers-le-Sec (51) 63 H4
Villers-le-Sec (55) 64 C6
Villers-le-Sec (70) 138 B1
Villers-le-Tilleul (08) 22 D5
Villers-le-Tourneur (08) 22 B5
Villers-les-Bois (39) 155 H4
Villers-lès-Cagnicourt (62) 11 G3
Villers-lès-Guise (02) 20 D1
Villers-lès-Luxeuil (70) 118 C5
Villers-lès-Mangiennes (55) 43 J2
Villers-lès-Moivrons (54) 66 B3
Villers-lès-Nancy (54) 66 A5
Villers-les-Ormes (36) 147 K5
Villers-les-Pots (21) 155 F1
Villers-lès-Roye (80) 18 E4
Villers-l'Hôpital (62) 9 K3
Villers-Marmery (51) 41 G5
Villers-Outréaux (59) 12 B6
Villers-Pater (70) 138 B3
Villers-Patras (21) 115 F3
Villers-Plouich (59) 11 J5
Villers-Pol (59) 12 E3
Villers-Robert (39) 155 G4
Villers-Rotin (21) 155 F1
Villers-Saint-Barthélemy (60) 37 F2
Villers-Saint-Christophe (02) 19 J3
Villers-Saint-Frambourg (60) 38 C4
Villers-Saint-Genest (60) 38 E6
Villers-Saint-Martin (25) 138 D4
Villers-Saint-Paul (60) 38 A4
Villers-Saint-Sépulcre (60) 37 J3
Villers-Semeuse (08) 22 D3
Villers-Sir-Simon (62) 10 C2
Villers-Sire-Nicole (59) 13 H2
Villers-sous-Ailly (80) 9 H5
Villers-sous-Chalamont (25) 156 C4
Villers-sous-Châtillon (51) 40 D6
Villers-sous-Foucarmont (76) 16 E2
Villers-sous-Montrond (25) 156 C1
Villers-sous-Pareid (55) 44 B5
Villers-sous-Prény (54) 65 J2
Villers-sous-Saint-Leu (60) 37 K5
Villers-Stoncourt (57) 45 H6
Villers-sur-Auchy (60) 36 E1
Villers-sur-Authie (80) 9 F2
Villers-sur-Bar (08) 22 E4
Villers-sur-Bonnières (60) 17 H6
Villers-sur-Coudun (60) 38 D1
Villers-sur-Fère (02) 40 A5
Villers-sur-le-Mont (08) 22 C4
Villers-sur-le-Roule (27) 36 A5
Villers-sur-Mer (14) 33 H3
Villers-sur-Meuse (55) 64 D1
Villers-sur-Nied (57) 66 D2
Villers-sur-Port (70) 118 A6
Villers-sur-Saulnot (70) 139 F2
Villers-sur-Trie (60) 36 E3
Villers-Tournelle (80) 18 C5
Villers-Vaudey (70) 117 H6
Villers-Vermont (60) 17 F6
Villers-Vicomte (60) 18 A5
Villerserine (39) 155 J5
Villersexel (70) 138 D2
Villerupt (54) 26 E3
Villerville (14) 33 J2
Villery (10) 90 A6
Villes (01) 190 C3
Villes-sur-Auzon (84) 257 J6
Villeselve (60) 19 J4
Villeseneux (51) 62 B3
Villesèque (46) 249 J2
Villesèque-des-Corbières (11) 310 B2
Villesèquelande (11) 289 K5
Villesiscle (11) 289 J5
Villespassans (34) 291 G3
Villespy (11) 289 J4
Villetaneuse (93) 58 E2
la Villetelle (23) 183 H6
Villetelle (34) 274 E4
Villethierry (89) 88 B5
Villeton (47) 247 H2
Villetoureix (24) 213 G2
Villetritouls (11) 309 H1
Villetrun (41) 108 D5
la Villette (14) 53 H2
Villette (54) 43 K1
Villette (78) 57 J2
Villette-d'Anthon (38) 206 D1
Villette-de-Vienne (38) 206 B4
Villette-lès-Arbois (39) 155 K4
Villette-lès-Dole (39) 155 G3
Villette-sur-Ain (01) 189 G5
Villette-sur-Aube (10) 90 B2
Villettes (27) 35 H5
les Villettes (43) 221 F3
Villeurbanne (69) 206 B2
Villevallier (89) 112 D2
Villevaudé (77) 59 H3
Villevenard (51) 61 J4
Villevêque (49) 125 H2
Villeveyrac (34) 292 E2
Villevieille (30) 274 E4
Villevieux (39) 173 F1
Villevocance (07) 221 K3
Villevoques (45) 111 H2
Villexanton (41) 109 F6
Villexavier (17) 211 J1
le Villey (39) 155 G5
Villey-le-Sec (54) 65 J5
Villey-Saint-Étienne (54) 65 J4
Villey-sur-Tille (21) 136 B2
Villez-sous-Bailleul (27) 36 A6
Villez-sur-le-Neubourg (27) 35 F5
Villié-Morgon (69) 188 B3
Villiers (36) 146 E5
Villiers (86) 162 D2
Villiers-Adam (95) 58 D1
Villiers-au-Bouin (37) 126 E2
Villiers-aux-Corneilles (51) 89 H1
Villiers-Charlemagne (53) 105 F3
Villiers-Couture (17) 178 D5
Villiers-en-Bière (77) 87 G2
Villiers-en-Bois (79) 178 A3
Villiers-en-Désœuvre (27) 57 G2
Villiers-en-Lieu (52) 63 J5
Villiers-en-Morvan (21) 152 E2
Villiers-en-Plaine (79) 161 G5
Villiers-Fossard (50) 31 H3
Villiers-Herbisse (10) 62 B6
Villiers-le-Bâcle (91) 58 C5
Villiers-le-Bel (95) 58 E1
Villiers-le-Bois (10) 114 C3
Villiers-le-Duc (21) 115 H5
Villiers-le-Mahieu (78) 57 J3
Villiers-le-Morhier (28) 57 H6
Villiers-le-Pré (50) 51 K5
Villiers-le-Roux (16) 179 F4
Villiers-le-Sec (14) 32 C3
Villiers-le-Sec (52) 116 A1
Villiers-le-Sec (58) 132 E5
Villiers-le-Sec (95) 58 E1
Villiers-lès-Aprey (52) 116 C5
Villiers-les-Hauts (89) 114 B6
Villiers-Louis (89) 88 E6
Villiers-Saint-Benoît (89) 112 C5
Villiers-Saint-Denis (02) 60 D2
Villiers-Saint-Fréderic (78) 58 A4
Villiers-Saint-Georges (77) 60 E6
Villiers-Saint-Orien (28) 109 G1
Villiers-sous-Grez (77) 87 H4
Villiers-sous-Mortagne (61) 83 H2
Villiers-sous-Praslin (10) 114 C2
Villiers-sur-Chizé (79) 178 B3
Villiers-sur-Loir (41) 108 B5
Villiers-sur-Marne (94) 59 G4
Villiers-sur-Morin (77) 59 K3
Villiers-sur-Orge (91) 58 E6
Villiers-sur-Seine (77) 88 E3
Villiers-sur-Suize (52) 116 B3
Villiers-sur-Tholon (89) 112 E4
Villiers-sur-Yonne (58) 133 G4
Villiers-Vineux (89) 113 J3
Villiersfaux (41) 108 B6
Villieu-Loyes-Mollon (01) 189 G5
Villing (57) 45 K3
Villognon (16) 179 F6
Villon (89) 114 C4
Villoncourt (88) 94 E4
Villons-les-Buissons (14) 32 D4
Villorceau (45) 109 H5
Villosanges (63) 184 B6
Villotran (60) 37 G3
Villotte (88) 117 H1
Villotte-devant-Louppy (55) 64 A3
Villotte-Saint-Seine (21) 135 H4
Villotte-sur-Aire (55) 64 C3
Villotte-sur-Ource (21) 115 G4
Villouxel (88) 93 F4
Villuis (77) 88 E3
Villy (08) 23 H5
Villy (89) 113 H4
Villy-Bocage (14) 32 B6
Villy-en-Auxois (21) 135 G4
Villy-en-Trodes (10) 90 D6
Villy-le-Bois (10) 90 B6
Villy-le-Bouveret (74) 191 F4
Villy-le-Maréchal (10) 90 B6
Villy-le-Moutier (21) 154 B3
Villy-le-Pelloux (74) 191 F4
Villy-lez-Falaise (14) 54 B3
Villy-sur-Yères (76) 16 D1
Vilory (70) 118 B5
Vilosnes-Haraumont (55) 43 G3
Vilsberg (57) 70 A1
Vimarcé (53) 82 A6
Vimenet (12) 253 F2
Viménil (88) 95 F5
Vimines (73) 208 B4
Vimont (14) 33 F5
Vimory (45) 111 H3
Vimoutiers (61) 54 E2
Vimpelles (77) 88 C3
Vimy (62) 11 F2
Vinantes (77) 59 J1
Vinassan (11) 291 J6
Vinax (17) 178 C4
Vinay (38) 223 H3
Vinay (51) 61 J1
Vinça (66) 314 D3
Vincelles (39) 173 F3
Vincelles (51) 40 B6
Vincelles (71) 172 D2
Vincelles (89) 113 G6
Vincelottes (89) 113 G6
Vincennes (94) 59 F4
Vincent (39) 155 G6
Vincey (88) 94 C3
Vincly (62) 5 F5
Vincy-Manœuvre (77) 39 F6
Vincy-Reuil-et-Magny (02) 21 H4
Vindecy (71) 170 B6
Vindefontaine (50) 28 E6
Vindelle (16) 196 D2
Vindey (51) 61 H5
Vindrac-Alayrac (81) 250 E6
Vinets (10) 90 C2
Vineuil (36) 147 K5
Vineuil (41) 129 F2
Vineuil-Saint-Firmin (60) 38 B5
la Vineuse (71) 171 G4
Vinezac (07) 239 G6
Vingrau (66) 310 A4
Vingt-Hanaps (61) 82 D2
Vinnemerville (76) 14 E3
Vinneuf (89) 88 C4
Vinon (18) 131 K6
Vinon-sur-Verdon (83) 278 B4
Vins-sur-Caramy (83) 298 A2
Vinsobres (26) 257 G2
le Vintrou (81) 290 C2
Vinzelles (63) 185 J6
Vinzelles (71) 188 B1
Vinzier (74) 175 G5
Vinzieux (07) 222 A2
Viocourt (88) 93 H4
Viodos-Abense-de-Bas (64) 283 H5
Violaines (62) 6 B5
Violay (42) 205 F1
Violès (84) 257 F5
Violot (52) 116 E5
Viols-en-Laval (34) 274 A4
Viols-le-Fort (34) 274 A4
Vioménil (88) 118 B1
Vion (07) 222 B4
Vion (72) 105 K5
Vions (73) 208 A1
Vionville (57) 44 D5
Viozan (32) 286 B3
Viplaix (03) 167 F5
Vira (09) 308 A2
Vira (66) 309 G5
Virac (81) 270 D1
Virandeville (50) 28 B3
Virargues (15) 218 C4
Virazeil (47) 231 F6
Vire (14) 52 E3
Viré (71) 171 K5
Viré-en-Champagne (72) 105 K3
Vire-sur-Lot (46) 249 G1
Vireaux (89) 114 A5
Virecourt (54) 94 C2
Virelade (33) 229 J4
Vireux-Molhain (08) 24 C2
Vireux-Wallerand (08) 24 C2
Virey (50) 52 B6
Virey-le-Grand (71) 154 A5
Virey-sous-Bar (10) 114 D1
Virginy (51) 42 C5
Viriat (01) 189 G1
Viricelles (42) 205 G3
Virieu (38) 207 H5
Virieu-le-Grand (01) 190 A6
Virieu-le-Petit (01) 190 B5
Virigneux (42) 205 F3
Virignin (01) 207 K2
Viriville (38) 223 F2
Virlet (63) 184 B3
Virming (57) 68 A5
Viroflay (78) 58 C4
Virollet (17) 195 F4
Vironchaux (80) 9 G3
Vironvay (27) 35 J5
Virsac (33) 211 J5
Virson (17) 177 F3
Virville (76) 14 C5
Viry (39) 173 J6
Viry (71) 170 E4
Viry (74) 190 E3
Viry-Châtillon (91) 58 E6
Viry-Noureuil (02) 19 K5
Vis-en-Artois (62) 11 G3
Visan (84) 257 F3
Viscomtat (63) 203 K1
Viscos (65) 304 B3
Viserny (21) 134 D2
Visker (65) 285 H6
Vismes (80) 8 E6
Visoncourt (70) 118 C5
Vissac-Auteyrac (43) 219 K4
Vissec (30) 273 H3
Visseiche (35) 79 K6
Viterbe (81) 270 B5
Viterne (54) 65 K6
Vitot (27) 35 G5
Vitrac (15) 235 G3
Vitrac (24) 233 F2
Vitrac (63) 184 D5
Vitrac-en-Viadène (12) 236 B3
Vitrac-Saint-Vincent (16) 197 H2
Vitrac-sur-Montane (19) 216 C1
Vitrai-sous-Laigle (61) 55 J5
Vitray (03) 167 H3
Vitray-en-Beauce (28) 85 F5
Vitré (35) 80 A6
Vitré (79) 178 D1
Vitreux (39) 137 G6
Vitrey (54) 93 K2
Vitrey-sur-Mance (70) 117 H4
Vitrimont (54) 66 D6
Vitrolles (05) 259 F1
Vitrolles (13) 296 B2
Vitrolles-en-Lubéron (84) 277 K3
Vitry-aux-Loges (45) 110 D3
Vitry-en-Artois (62) 11 G2
Vitry-en-Charollais (71) 170 B5
Vitry-en-Montagne (52) 116 A4
Vitry-en-Perthois (51) 63 F4
Vitry-la-Ville (51) 62 E3
Vitry-Laché (58) 151 H1
Vitry-le-Croisé (10) 91 F6
Vitry-le-François (51) 63 F5
Vitry-lès-Cluny (71) 171 G4
Vitry-lès-Nogent (52) 116 D2
Vitry-sur-Loire (71) 169 J2
Vitry-sur-Orne (57) 44 E3
Vitry-sur-Seine (94) 58 E4
Vittarville (55) 43 H2
Vitteaux (21) 135 F4
Vittefleur (76) 15 F3
Vittel (88) 93 J5
Vittersbourg (57) 68 C5
Vittoncourt (57) 45 H6
Vittonville (54) 65 K1
Vitz-sur-Authie (80) 9 J3
Viuz-en-Sallaz (74) 191 H2
Viuz-la-Chiésaz (74) 208 C1
Vivaise (02) 20 C5
Vivans (42) 186 D2
Vivario (2B) 321 F2
Viven (64) 284 D2
Viverols (63) 204 B6
Vivès (66) 315 F4
Vivey (52) 116 A6
le Vivier (66) 309 H5
Vivier-au-Court (08) 22 E3
le Vivier-sur-Mer (35) 51 F4
Vivières (02) 39 G4
Viviers (07) 256 D1
Viviers (57) 66 C2
Viviers (89) 113 K5
Viviers-du-Lac (73) 208 B3
Viviers-le-Gras (88) 93 J6
Viviers-lès-Lavaur (81) 270 A6
Viviers-lès-Montagnes (81) 289 K1
Viviers-lès-Offroicourt (88) 93 K4
Viviers-sur-Artaut (10) 114 E1
Viviers-sur-Chiers (54) 43 K1
Viviès (09) 308 A2
Viviez (12) 235 F6
Viville (16) 196 B5
Vivoin (72) 82 D5
Vivonne (86) 162 E5
Vivy (49) 126 B5
Vix (21) 115 F4
Vix (85) 160 D5
Vizille (38) 224 B4
Vizos (65) 304 B3
Vocance (07) 221 J3
Vodable (63) 202 D5
Vœgtlinshoffen (68) 96 B5
Vœlfling-lès-Bouzonville (57) 45 J3
Vœllerdingen (67) 68 E4
Vœuil-et-Giget (16) 196 E4
Vogelgrun (68) 96 E5
Voglans (73) 208 B3
Vogüé (07) 239 H6
Voharies (02) 20 E3
Void-Vacon (55) 65 F5
Voigny (10) 91 H5
Voilemont (51) 63 H1
Voillans (25) 138 D4
Voillecomte (52) 91 J2
Voimhaut (57) 45 H6
Voinémont (54) 94 A1
Voingt (63) 201 H2
Voinsles (77) 60 A5
Voipreux (51) 62 A3
Voires (25) 156 D2
Voiron (38) 223 K1
Voiscreville (27) 34 E4
Voise (28) 85 J3
Voisenon (77) 87 H1
Voisey (52) 117 H3
Voisines (52) 116 B4
Voisines (89) 88 E5
Voisins-le-Bretonneux (78) 58 B5
Voissant (38) 207 K5
Voissay (17) 177 J5
Voiteur (39) 155 H6
la Voivre (70) 118 E4
la Voivre (88) 95 H3
les Voivres (88) 118 C1
Voivres-lès-le-Mans (72) 106 C3
Volckerinckhove (59) 3 G4
Volesvres (71) 170 C4
Volgelsheim (68) 96 E4
Volgré (89) 112 D4
Volksberg (67) 69 F4
Vollore-Montagne (63) 203 J2
Vollore-Ville (63) 203 J2
Volmerange-lès-Boulay (57) 45 H4
Volmerange-les-Mines (57) 27 F3
Volmunster (57) 69 G2
Volnay (21) 153 K3
Volnay (72) 107 G3
Volon (70) 137 G1
Volonne (04) 259 G5
Volpajola (2B) 319 H3
Volstroff (57) 45 F3
Volvent (26) 241 H5
Volvic (63) 202 C1
Volx (04) 278 C2
Vomécourt (88) 94 E4
Vomécourt-sur-Madon (88) 94 A3
Voncourt (52) 117 G6
Voncq (08) 42 B1
Vonges (21) 136 E5
Vongnes (01) 207 K1
Vonnas (01) 188 E2
Voray-sur-l'Ognon (70) 137 K5
Voreppe (38) 223 K2
Vorey (43) 220 C3
Vorges (02) 40 B1
Vorges-les-Pins (25) 156 A1
Vorly (18) 149 H4
Vornay (18) 149 J4
Vosbles (39) 173 G6
Vosne-Romanée (21) 154 B1
Vosnon (10) 113 J1
Vou (37) 146 B3
Vouarces (51) 89 J1
Voudenay (21) 153 F2
Voué (10) 90 B3
Vouécourt (52) 92 B5
Vougécourt (70) 117 K3
Vougeot (21) 154 B1
Vougrey (10) 114 C1
Vougy (42) 187 F3
Vougy (74) 191 J3
Vouharte (16) 196 D1
Vouhé (17) 177 G2
Vouhé (79) 161 K3
Vouhenans (70) 118 E6
Vouillé (79) 161 J6
Vouillé (86) 162 D2
Vouillé-les-Marais (85) 160 C5
Vouillers (51) 63 H5
Vouillon (36) 148 C6
Vouilly (14) 31 H1
Voujeaucourt (25) 139 H2
Voulaines-les-Templiers (21) 115 H5
Voulangis (77) 59 K3
Voulême (86) 179 H3
Voulgézac (16) 196 D5
Voulon (86) 162 E6
Voulpaix (02) 20 E2
la Voulte-sur-Rhône (07) 240 B2
Voultegon (79) 143 J4
Voulton (77) 60 D6
Voulx (77) 88 A5
Vouneuil-sous-Biard (86) 162 E3
Vouneuil-sur-Vienne (86) 163 H1
Vourey (38) 223 J1
Vourles (69) 206 A3
Voussac (03) 185 F1
Voutenay-sur-Cure (89) 133 J2
Voutezac (19) 215 H2
Vouthon (16) 197 H3
Vouthon-Bas (55) 93 F2
Vouthon-Haut (55) 93 F2
Voutré (53) 81 K6
Vouvant (85) 160 E3
Vouvray (37) 127 K4
Vouvray-sur-Huisne (72) 107 H1
Vouvray-sur-Loir (72) 107 G6
Vouxey (88) 93 H3
Vouzailles (86) 162 C1
Vouzan (16) 197 G4
Vouzeron (18) 130 D6
Vouziers (08) 42 B2
Vouzon (41) 130 B1
Vouzy (51) 62 B2
Voves (28) 85 H5
Vovray-en-Bornes (74) 191 F3
Voyenne (02) 20 E4
Voyennes (80) 19 H3

Voyer (57) 67 J5
la Vraie-Croix (56) 101 H5
Vraignes-en-Vermandois (80) 19 H2
Vraignes-lès-Hornoy (80) 17 H3
Vraincourt (52) 92 B5
Vraiville (27) 35 H4
Vraux (51) 62 C1
Vrécourt (88) 93 G6
Vred (59) 11 J1
Vregille (70) 137 J5
Vregny (02) 39 K2
Vrély (80) 18 E3
le Vrétot (50) 28 C4
Vriange (39) 155 H1
Vrigne-aux-Bois (08) 22 E3
Vrigne-Meuse (08) 22 E4
Vrigny (45) 110 D2
Vrigny (51) 40 E4
Vrigny (61) 54 C5
Vritz (44) 124 B2
Vrizy (08) 42 B2
Vrocourt (60) 37 F1
Vroil (51) 63 J3
Vron (80) 9 F2
Vroncourt (54) 93 K2
Vroncourt-la-Côte (52) 92 E6
Vroville (88) 94 A4
Vry (57) 45 G4
Vue (44) 122 D4
Vuillafans (25) 156 D2
Vuillecin (25) 156 E4
Vuillery (02) 39 K2
Vulaines (10) 89 G5
Vulaines-lès-Provins (77) 88 C1
Vulaines-sur-Seine (77) 87 J3
Vulbens (74) 190 D3
Vulmont (57) 66 B2
Vulvoz (39) 173 J6
Vy-le-Ferroux (70) 137 K1
Vy-lès-Filain (70) 138 B2
Vy-lès-Lure (70) 118 D6
Vy-lès-Rupt (70) 137 J1
Vyans-le-Val (70) 139 G2
Vyt-lès-Belvoir (25) 139 F4

W

Waben (62) 8 E1
Wacquemoulin (60) 38 C1
Wacquinghen (62) 2 B4
Wadelincourt (08) 23 F4
Wagnon (08) 22 A5
Wahagnies (59) 6 D6
Wahlbach (68) 97 C4
Wahlenheim (67) 70 E1
Wail (62) 9 J2
Wailly (62) 10 E3
Wailly-Beaucamp (62) 9 F1
Walbach (68) 96 B4
Walbourg (67) 25 A3
la Walck (67) 69 J5
Waldersbach (67) 70 A5
Waldhambach (67) 69 F5
Waldhouse (57) 69 H2
Waldighofen (68) 97 C5
Waldolwisheim (67) 70 C1
Waldweistroff (57) 27 K4
Waldwisse (57) 45 J1
Walheim (68) 97 B4
Walincourt-Selvigny (59) 12 B5
Wallers (59) 12 C1
Wallers-Trélon (59) 13 K5
Wallon-Cappel (59) 5 J3
Walschbronn (57) 69 H2
Walscheid (57) 67 K5
Waltembourg (57) 70 A1
Waltenheim (68) 97 D3
Waltenheim-sur-Zorn (67) 70 E1
Waly (55) 64 A1
Wambaix (59) 12 B5
Wambercourt (62) 9 H1
Wambez (60) 36 E1
Wambrechies (59) 6 D3
Wamin (62) 9 J1
Wanchy-Capval (76) 16 C2
Wancourt (62) 11 F3
Wandignies-Hamage (59) 12 B1
Wangen (67) 70 C3
Wangenbourg-Engenthal (67) 70 B3
Wannehain (59) 7 F5
Wanquetin (62) 10 D3
la Wantzenau (67) 25 B6
Warcq (08) 22 C3
Warcq (55) 44 A4
Wardrecques (62) 5 H3
Wargemoulin-Hurlus (51) 42 B5
Wargnies (80) 10 A6
Wargnies-le-Grand (59) 12 E2
Wargnies-le-Petit (59) 12 E2
Warhem (59) 3 J2
Warlaing (59) 12 B1
Warlencourt-Eaucourt (62) 11 F5
Warlincourt-lès-Pas (62) 10 C4
Warloy-Baillon (80) 10 C6
Warluis (60) 37 H2
Warlus (62) 10 D3
Warlus (80) 17 H1
Warluzel (62) 10 C3
Warmeriville (51) 41 G3
Warnécourt (08) 22 C4
Warneton (59) 6 C3
Warsy (80) 18 E4
Warvillers (80) 18 E3
Wasigny (08) 21 K5
Wasnes-au-Bac (59) 12 A3
Wasquehal (59) 6 E3
Wasselonne (67) 70 C2
Wasserbourg (68) 96 A5
Wassigny (02) 12 D6
Wassy (52) 91 J2
le Wast (62) 4 C3
Watigny (02) 21 J2
Watronville (55) 43 K5
Watten (59) 3 G4
Wattignies (59) 6 D5
Wattignies-la-Victoire (59) 13 H4
Wattrelos (59) 7 F3
Wattwiller (68) 97 A1
Wavignies (60) 18 B6
Waville (54) 65 J1
Wavrans-sur-l'Aa (62) 5 F3
Wavrans-sur-Ternoise (62) 10 A1
Wavrechain-sous-Denain (59) 12 C2
Wavrechain-sous-Faulx (59) 12 B3
Wavrille (55) 43 H3
Wavrin (59) 6 C5
Waziers (59) 11 H1
Weckolsheim (68) 96 D5
Wegscheid (68) 119 J4
Weinbourg (67) 69 H5
Weislingen (67) 69 F5
Weitbruch (67) 25 A4
Weiterswiller (67) 69 G6
Welles-Pérennes (60) 18 C5
Wemaers-Cappel (59) 3 H4
Wentzwiller (68) 97 D5
Werentzhouse (68) 97 C5
Wervicq-Sud (59) 6 D2
West-Cappel (59) 3 J3
Westhalten (68) 96 B5
Westhoffen (67) 70 C3
Westhouse (67) 70 E5
Westhouse-Marmoutier (67) 70 C2
Westrehem (62) 5 H5
Wettolsheim (68) 96 B4
Weyer (67) 67 K2
Weyersheim (67) 25 B5
Wickerschwihr (68) 96 C3
Wickersheim-Wilshausen (67) 69 J6
Wicquinghem (62) 4 D5
Wicres (59) 6 C5
Widehem (62) 4 B5
Widensolen (68) 96 D4
Wiège-Faty (02) 20 D2
Wiencourt-l'Équipée (80) 18 D2
Wierre-au-Bois (62) 4 C4
Wierre-Effroy (62) 2 B5
Wiesviller (57) 68 E3
Wignehies (59) 13 H6
Wignicourt (08) 22 C6
Wihr-au-Val (68) 96 A4
Wildenstein (68) 119 J2
Wildersbach (67) 70 A5
Willeman (62) 9 K2
Willems (59) 7 F4
Willencourt (62) 9 J3
Willer (68) 97 C4
Willer-sur-Thur (68) 119 K3
Willeroncourt (55) 64 C5
Willerval (62) 11 F2
Willerwald (57) 68 D4
Willgottheim (67) 70 D2
Williers (08) 23 J4
Willies (59) 13 J5
Wilwisheim (67) 70 D1
Wimereux (62) 2 A5
Wimille (62) 4 B2
Wimmenau (67) 69 G5
Wimy (02) 21 G1
Windstein (67) 69 K4
Wingen (67) 25 A1
Wingen-sur-Moder (67) 69 G5
Wingersheim (67) 70 E1
Wingles (62) 6 C6
Winkel (68) 97 B6
Winnezeele (59) 3 J4
Wintersbourg (57) 67 K3
Wintershouse (67) 69 K6
Wintzenbach (67) 25 D2
Wintzenheim (68) 96 B4
Wintzenheim-Kochersberg (67) 70 D2
Wirwignes (62) 4 C3
Wiry-au-Mont (80) 17 G1
Wisches (67) 70 B4
Wisembach (88) 95 K4
Wiseppe (55) 43 F1
Wismes (62) 4 E4
Wisques (62) 5 G3
Wissant (62) 2 B3
Wissembourg (67) 25 C1
Wissignicourt (02) 39 K1
Wissous (91) 58 E5
Witry-lès-Reims (51) 41 F3
Wittelsheim (68) 97 B2
Wittenheim (68) 97 C1
Witternesse (62) 5 H4
Witternheim (67) 96 E1
Wittersdorf (68) 97 B4
Wittersheim (67) 69 K6
Wittes (62) 5 H4
Wittisheim (67) 96 E1
Wittring (57) 68 E3
Wiwersheim (67) 70 E2
Wizernes (62) 5 G3
Woël (55) 44 B6
Wœlfling-lès-Sarreguemines (57) 68 E3
Wœrth (67) 25 A2
Woignarue (80) 8 D5
Woimbey (55) 64 D1
Woincourt (80) 8 D5
Woippy (57) 44 E5
Woirel (80) 17 G1
Wolfersdorf (68) 97 A4
Wolfgantzen (68) 96 D4
Wolfisheim (67) 70 E3
Wolfskirchen (67) 67 J2
Wolschheim (67) 70 C2
Wolschwiller (68) 97 D6
Wolxheim (67) 70 D3
Wormhout (59) 3 J3
Woustviller (57) 68 D3
Wuenheim (68) 97 B1
Wuisse (57) 66 E2
Wulverdinghe (59) 3 G4
Wy-dit-Joli-Village (95) 36 E6
Wylder (59) 3 J3

X

Xaffévillers (88) 94 E2
Xaintrailles (47) 247 H4
Xaintray (79) 161 H4
Xambes (16) 196 D1
Xammes (54) 65 H1
Xamontarupt (88) 95 F6
Xanrey (57) 66 E4
Xanton-Chassenon (85) 160 E4
Xaronval (88) 94 A3
Xermaménil (54) 94 D1
Xertigny (88) 118 D1
Xeuilley (54) 65 K6
Xirocourt (54) 94 A2
Xivray-et-Marvoisin (55) 65 G3
Xivry-Circourt (54) 26 D4
Xocourt (57) 66 C2
Xonrupt-Longemer (88) 95 H6
Xonville (54) 44 C6
Xouaxange (57) 67 J4
Xousse (54) 67 F5
Xures (54) 67 F4

Y

Y (80) 19 H3
Yainville (76) 35 F2
Yaucourt-Bussus (80) 9 H5
Ychoux (40) 245 F2
Ydes (15) 217 H2
Yébleron (76) 14 E5
Yèbles (77) 59 J6
Yenne (73) 207 K2
Yermenonville (28) 85 H1
Yerres (91) 59 F5
Yerville (76) 15 H5
Yèvre-la-Ville (45) 110 E1
Yèvres (28) 84 D6
Yèvres-le-Petit (10) 90 E2
Yffiniac (22) 49 H6
Ygos-Saint-Saturnin (40) 264 E1
Ygrande (03) 168 A4
Ymare (76) 35 J3
Ymeray (28) 85 J2
Ymonville (28) 85 J5
Yolet (15) 235 J1
Yoncq (08) 23 F6
Yonval (80) 9 F5
Youx (63) 184 C3
Yport (76) 14 C4
Ypreville-Biville (76) 14 E4
Yquebeuf (76) 16 B5
Yquelon (50) 30 D6
Yronde-et-Buron (63) 202 E4
Yrouerre (89) 113 K5
Yssac-la-Tourette (63) 185 F6
Yssandon (19) 215 G3
Yssingeaux (43) 220 E4
Ytrac (15) 235 G1
Ytres (62) 11 G5
Yutz (57) 27 G4
Yvecrique (76) 15 H4
Yvernaumont (08) 22 C4
Yversay (86) 162 E2
Yves (17) 176 E4
les Yveteaux (61) 53 K5
Yvetot (76) 15 G5
Yvetot-Bocage (50) 28 D4
Yvias (22) 48 D3
Yviers (16) 212 D2
Yvignac-la-Tour (22) 78 B1
Yville-sur-Seine (76) 35 F2
Yvoire (74) 174 D5
Yvoy-le-Marron (41) 129 K2
Yvrac (33) 229 J1
Yvrac-et-Malleyrand (16) 197 H2
Yvrandes (61) 53 F5
Yvré-le-Pôlin (72) 106 D5
Yvré-l'Évêque (72) 106 E2
Yvrench (80) 9 H4
Yvrencheux (80) 9 H4
Yzengremer (80) 8 D5
Yzernay (49) 143 G3
Yzeron (69) 205 J3
Yzeure (03) 168 E3
Yzeures-sur-Creuse (37) 146 B6
Yzeux (80) 17 K1
Yzosse (40) 264 B4

Z

Zaessingue (68) 97 C4
Zalana (2B) 319 H6
Zarbeling (57) 67 F2
Zegerscappel (59) 3 H3
Zehnacker (67) 70 C2
Zeinheim (67) 70 C2
Zellenberg (68) 96 B3
Zellwiller (67) 70 D5
Zermezeele (59) 3 J4
Zérubia (2A) 323 F1
Zetting (57) 68 E3
Zévaco (2A) 320 E5
Zicavo (2A) 321 F5
Zigliara (2A) 320 E6
Zilia (2B) 318 C3
Zilling (57) 70 A1
Zillisheim (68) 97 B3
Zimmerbach (68) 96 B4
Zimmersheim (68) 97 C3
Zimming (57) 45 J5
Zincourt (88) 94 D4
Zinswiller (67) 69 J5
Zittersheim (67) 69 G5
Zœbersdorf (67) 69 H6
Zommange (57) 67 G3
Zonza (2A) 323 G1
Zoteux (62) 4 D4
Zouafques (62) 2 E4
Zoufftgen (57) 27 G3
Zoza (2A) 323 F2
Zuani (2B) 319 H6
Zudausques (62) 5 F3
Zutkerque (62) 2 E4
Zuydcoote (59) 3 J1
Zuytpeene (59) 3 H4